HISTOIRE
DE LA
LITTÉRATURE FRANÇAISE

**

DU MÊME AUTEUR

LES DISCIPLINES. — Grand Prix de la Critique. (Marcel Rivière).

LA « COCARDE » DE BARRÈS. (Nouvelle Librairie Nationale).

LES COMPAGNONS DE L'INTELLIGENCE. (Renaissance du Livre).

LA POÉSIE FRANÇAISE MODERNE. (Gauthier-Villars).

VAINS ENFANTS DU LOISIR. (Le Divan).

LA DESTINÉE TRAGIQUE DE GÉRARD DE NERVAL. (Bernard Grasset).

VIE DE SAINT BENOIT LABRE. (Albin Michel).

LA COMPOSITION FRANÇAISE PRÉPARÉE. (Didier).

HISTOIRE DE LA LITTÉRATURE FRANÇAISE, du Symbolisme à nos jours. I. — De 1885 à 1914. — Grand Prix de la Société des Gens de Lettres. — Grand Prix de l'Association au Service de la Pensée franyaise. (Albin Michel).

ÉDITIONS

ŒUVRES D'ANDRÉ CHÉNIER, avec introduction et notices, 3 vol. (La Cité des Livres).

ŒUVRES DE GÉRARD DE NERVAL, 10 vol., chacun précédé d'une introduction. (Le Divan).

SYLVIE, LÉO BURCKART ET AURÉLIA, de *Gérard de Nerval*, avec introduction et notes. (Éditions du Rocher).

ŒUVRES DE MAURICE DE GUÉRIN, avec une introduction, 2 vol. (Le Divan).

HENRI CLOUARD

HISTOIRE
DE LA
LITTÉRATURE FRANÇAISE

DU SYMBOLISME A NOS JOURS

* *

DE

1915 à 1940

ÉDITIONS ALBIN MICHEL

22, rue Huyghens, 22

PARIS

IL A ÉTÉ TIRÉ DE CET OUVRAGE :

50 EXEMPLAIRES SUR VELIN DE RENAGE,
DONT 40 NUMÉROTÉS DE 1 A 40,
ET 10 HORS COMMERCE NUMÉROTÉS DE I A X.

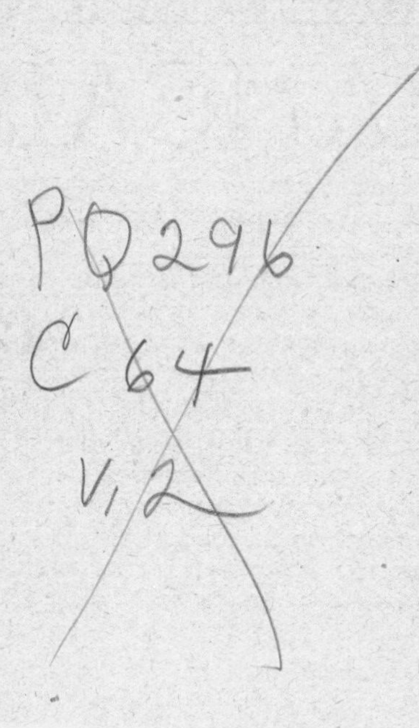

PRÉLUDE

LE MASSACRE D'UNE ÉLITE

I. — *PRESSENTIMENTS ET PRÉPARATION*

La hantise guerrière était entrée dans les lettres françaises du siècle avec *Notre Patrie*, en 1905. Elle n'a cessé de s'y développer, entraînant une hausse des valeurs nationalistes à la Bourse littéraire. Annonce de temps barbares. En 1912, journaux, banques, théâtres souscrivirent chacun le prix d'un aéroplane. Ce fut tout juste si Déroulède ne devenait pas un maître de l'esprit.

Barrès, Péguy, Maurras, ont été chefs d'une littérature de combat intérieur en même temps que de défense nationale : c'était pourtant une littérature de pensée. De cette triple doctrine armée une quatrième essaima : la littérature Poincaré, surtout romanesque et journalistique, d'ailleurs médiocre, mais significative. Elle remonte au *Soldat Bernard* (1910) de Paul Acker, elle remonte même au poème remarqué de Ghéon, « A la gloire du mot Patrie » (1909); elle annexe Émile Nolly, cet officier d'infanterie coloniale mort d'une balle en août 1914 et dont les romans d'Empire, viciés de propagande, avaient cherché *Le Chemin de la Victoire* en 1913; elle touche au Marcel Prévost des *Anges Gardiens* (1913) qui dénonçait comme une avant-garde ennemie les préceptrices étrangères chargées, prétendait-il, de troubler et de pervertir nos familles; elle oriente momentanément le théâtre de Bernstein, déclenche la campagne patriotique d'Alfred Capus dans le *Figaro* et la publication d'essais tels que celui d'Étienne Rey, *La Renaissance de l'Orgueil français* (1912).

Tandis que les provocations allemandes se multipliaient, la France parlait et écrivait fiévreusement de l'Alsace. Certains noms d'écrivains, certains titres d'œuvres vibraient comme des trompettes. Mme Bulteau, créatrice d'un salon fameux, l'aimable mais ferme moraliste qui signait « Fœmina » au *Figaro* consigna en 1914 dans *Un Voyage* (Flandres, Allemagne, Italie) de lucides alarmes. Cela n'empêchait d'ailleurs pas la boue de monter dans *Le Cloaque* parlementaire à la surface duquel Barrès regardait crever les bulles. Mais un faisceau se formait. Faguet rejoignit Lemaître, les *Cahiers* de Péguy se rapprochèrent de l'*Action Française* et de Maurras.

Les minorités de jeunesse se sont alors rassemblées. Certes, l'Abbaye restait socialisante et pacifiste; Jean-Richard Bloch faisait de son *Effort libre* à Poitiers, puis à Paris, une revue d'internationalisme révolutionnaire. Mais de plus nombreux, qu'ils eussent pour patron Barrès, Maurras ou Péguy, pour compagnon Agathon ou Gaston Riou, éprouvaient le besoin avide des règlements de comptes, avec un optimisme d'étourdis et sans le moindre soupçon de ce que leur réservait la cruauté de la guerre. La collection des *Marches de l'Est*, brûlante revue de Georges Ducrocq, permettrait de raconter dans le détail cette aventure de jeunes cerveaux. De leur côté, les rédacteurs de *L'Opinion*, André Fribourg en tête, estimaient que l'heure H allait éclater et que c'était tant mieux pour le pays. Troisième attestation : *La Revue Critique des Idées et des Livres*, qui ne formait pas seulement un groupe d'historiens, de critiques, de politiques et de philosophes, mais une amitié de jeunes gens, et qui achevait alors d'évoluer; elle effaça peu à peu, en 1913 et 1914, la couture de l'idée monarchiste qui l'isolait du reste de l'étoffe nationale et les plus actifs de ses rédacteurs, à l'instigation de Pierre Gilbert, acceptaient déjà la collaboration avec les républicains, avec la République, en sacrifice à la concorde nationale. Jean Rivain dirigeait ce périodique.

L'armée qui s'était constituée dans l'Empire et qui devait former l'élite guerrière victorieuse a son reflet littéraire dans les livres de quelques officiers. Les *Carnets*, les *Mémoires* de Galliéni sont des manuels de la force colonisatrice. *Paroles d'Action* (1900-1925) définit la figure consulaire de Lyautey; Mangin, dans *La Force noire* (1910), escomptait la gloire des Africains; Baratier, le vainqueur de Samory, dépeignit les futurs preux avec un luxe de récits, de tableaux et d'anecdotes, dans *A travers l'Afrique* (1911), avant de dessiner les images héroïques et gaies d'*Épopées africaines* (1912). Ces hommes de guerre, organisateurs, diplomates, pacificateurs, contribuèrent à créer une foi. Paul Adam l'avait embrassée, colonialiste qu'enthousiasmaient nos fastes militaires, auteur lui-même d'une fiction épique de guerre africaine, *La Ville inconnue* (1911). Et qu'on se souvienne des débuts alors remarqués de trois écrivains qui semblaient s'être donné le mot en publiant à peu d'intervalle *L'Homme dans le Rang, Les Hasards de la Guerre, L'Appel des Armes.* Dans le premier de ces livres, un Suisse romand, mais Français de carrière, Robert de Traz, faisait le compte des solides vertus qui se forment à la section, à la compagnie, au bataillon. Dans le second, Jean Variot, nostalgique, faisait vivre un héros d'humeur grognarde, tandis qu'Ernest Psichari dans le dernier inventait une mystique de l'armée. Ce triptyque impressionna Paris.

II. — *OUVRAGES DE GUERRE*

Arrêt brusque, le 2 août 1914. Plus de livres, plus de revues. Et tout aussitôt, parmi les soldats tués, des visages d'écrivains. Plus d'une année s'écoula avant que la première petite troupe littéraire ne surgît. Une troupe ? Pas même. Au second hiver, seul et en avant de tous, comme en éclaireur perdu, Benjamin...

René Benjamin, en décembre 1915, enleva le prix Goncourt avec *Gaspard*, récit très fleurs au fusil. Mais le carnage en s'intensifiant allait déterminer une réaction de révolte contre cette imaginerie lénifiante que l'*Écho de Paris* ravivait chaque matin : Henri Barbusse s'en chargea en 1916 dans *Le Feu*, mais il exagérait le parti pris de ne voir que la mare sanglante et d'ignorer l'horizon.

Le reste de la production se range entre ces deux extrêmes.

1. Récits, Contes, Romans.

Une classification ne saurait nuire, et elle sera commode. Non pas celle de M. Jean Norton Cru, qui a dressé le tableau des littérateurs au combat dans *Témoins* (1929) avec un mépris excessif de la littérature. Voilà un gros livre vite englouti ! N'est-ce pas l'ardeur de la vision plus que la présence à la bataille qui a ici à reconnaître les siens ? On distinguerait volontiers : 1° les auteurs sensibles surtout aux sursauts de l'âme et aux accidents de la condition humaine; 2° ceux qui présentent des fresques à la fois militaires, politiques et sociales; 3° ceux enfin, les plus nombreux, qui fixent une vue honnête et émouvante de la réalité immédiate, avec plus ou moins d'ampleur réaliste.

1° Georges Duhamel, engagé volontaire en 1914, fut médecin et chirurgien, travailla pendant quatre ans au front et dans les hôpitaux, pratiqua deux mille opérations, soigna quatre mille blessés. Il rapporta de cette campagne *Vie des Martyrs* (1916), et *Civilisation* (1918). Un parfait dandy comme Émile Henriot, qui fut engagé volontaire, a écrit *Le Carnet d'un Dragon* (1918) en lettré aigu, d'une plume allègre; il laisse cependant échapper quelques plaintes pitoyablement humaines, à travers les souvenirs précis et rapides d'un cavalier devenu fantassin pour la guerre immobile. Le *Noir et Or* d'André Thérive, publié seulement en 1930, montre le sort infernal des hommes devenus forçats, tout à fait dans l'esprit du proverbe chinois : « Quand la gloire du général est à son apogée, les soldats ne sont plus que des squelettes. »

2° Les fresques totales, très postérieures à l'événement, vont de la contemplation purement imaginative et quasi philosophique de Jules Romains dans *Verdun* (j'y reviendrai dans l'étude des *Hommes de Bonne Volonté*) à l'acte d'accusation d'Henry Poulaille, modeste, exact, précis, et qui a presque l'air d'opposer après vingt ans son *Pain de Soldat* au *Feu* comme à quelque chose de romantique et de théâtral. Lui, pour peindre l'arrière civil à Paris, puis l'arrière militaire à Lons-le-Saulnier, enfin « la mort au jour le jour » sur le Chemin des Dames, est rigoureusement, platement vrai; il est collé aux choses, aux gestes, aux dialogues, aux pensées. Mais quoi ! à toute œuvre, ne faut-il pas un style ? Poulaille n'en a pas, n'en veut pas avoir.

3° Les tableaux réalistes montent et descendent toute une gamme. Certains sont des chapitres de mémoires : *Ma Pièce* de Lintier; *Sous Verdun* (1915) et *Les Éparges* (1923) de Maurice Genevoix; *Nous autres à Vauquois* d'André Pézard; *Journal d'un simple Soldat* de Gaston Riou (1916); *Le Sel de la Terre* (1925) de Raymond Escholier; *Histoire d'une Division de*

Couverture, de J.-M. Carré (1919). Thibaudet a désigné *L'Agonie du Mont Renaud* (1921), de Georges Gaudy, comme le vrai témoignage du « Poilu », comme le dessin exact du « vainqueur dans l'acte et le moment de sa victoire » (*Réflexions sur la Littérature*, I).

Mais, en réalité, il ne surnagera de ce réalisme que les livres où l'expérience de la guerre conservée avec le plus de sincérité possible a néanmoins été arrangée pour un effet d'art, ou pour une manifestation de pensée. Il y en a de remarquables. *Le Feu* devient saisissant à force de précision dans les détails étroits et bas. Barbusse volontairement s'en est tenu à ce qui corroborait la philosophie facile tournant autour de cet axiome, faux après tout, mais séduisant : la guerre est faite par ceux qui ne la veulent pas et à qui elle ne rapporte rien. (*Clarté* en 1918 et *Les Enchaînements* en 1920 devaient transposer cette rébellion sur le plan social de la propagande communiste). Gabriel-Tristan Franconi, tué au combat, a voulu faire comprendre, au contraire, dans *Un Tel de l'Armée française* (1918), à quel point les hommes qui ne possèdent personnellement ni biens matériels, ni patrimoine spirituel, sont tout de même fils de la Patrie : ne se battent-ils pas pour un mode de vie, pour un quartier, pour l'étroit logement qui donne sur des cours familières ? Quant à Roland Dorgelès, il garde la vision commune à tous les soldats, mais ne nie point la part des chefs, ni le goût de la gloire, ni l'orgueil de vaincre. Son livre fameux, *Les Croix de Bois* (1919), s'est complu dans une description sentimentale de la guerre; ses tableaux choisis et soignés font un constant appel à l'émotion pure et simple. Jacques Boulenger et Joseph Kessel se sont partagé la gloire littéraire des aviateurs de guerre. *En Escadrille* (1918), du premier, vibre des sentiments proprement chevaleresques que la guerre des airs avait excités dans le cœur de ceux qui la faisaient. *L'Équipage* du second (1924) évoquait les héros de l'aviation en demi-dieux de l'espace, tous fidèles comme à un mystérieux roi Artur, mais en même temps simples hommes attachés à leur devoir comme à une nécessité professionnelle. *Les Contes de la Popote* (1919), d'Ernest Tisserand, ont de la verdeur dans l'esprit critique, une vigueur de tonique. Pierre Chaine, dans *Les Mémoires d'un Rat* (1917), grignote la guerre qui nous a si souvent grignotés; son rire protestataire fut celui même des tranchées. On résiste mal à l'envie de mettre à part et en tête à tête les deux livres les plus opposés : *Le Guerrier appliqué* (1917) de Jean Paulhan, tableau menu et sec où l'ancien sergent de zouaves montre une faculté de repérage psychologique qui révèle l'excellent tireur; *L'Ouragan* (1920) de Florian Parmentier, épais et lourd film du gigantesque crime des hommes. Henry Malherbe et sa *Flamme au Poing* (1917), Marcel Dupont et *L'Attente* (1918), Joseph Jolinon et *Le Valet de Gloire* (1924) compléteront le triste et beau trésor.

4° Une quatrième et dernière catégorie est à ouvrir, celle des étrangetés ou surprises romanesques. Arnoux, Larrouy et Vercel y sont maîtres. Le soldat d'Alexandre Arnoux resta toujours, jusque dans la boue des tranchées, un peu garde française; et tous les récits du *Cabaret* (1919) ont le même charme d'imprévu précis que dégagent les dessins de bons illustrateurs. La narration de Maurice Larrouy (René Milan fut un pseudonyme de l'officier de marine) tient les promesses du titre, *L'Odyssée d'un Transport torpillé* (1917), dans le livre qui, de tous les livres de guerre, est celui qui garde le plus de chances de survivre; depuis lors, *La Grande Fraude* a rassemblé des centaines d'escales, de visites, de contacts avec toutes les races, tous les visages et tous les métiers de l'eau, pour composer l'immense tableau des mensonges qui s'entre-croisent dans le monde moderne de la mer. Il y a quelque chose du *Transport torpillé*, mais transposé en aventures de guerre terrestre et pédestre dans *Capitaine Conan* (1934); à la nostalgie des démobilisations Roger Vercel mêlait l'étonnante révélation de soldats français oubliés par l'Europe et qui combattirent à ses frontières orientales dans les remous de l'armistice.

2. Le Théatre.

Mobilisé pour la distraction d'un public massif, le théâtre est vite tombé au rang d'une industrie de guerre. Se rappelle-t-on que les Bataille, les Bernstein, ont travaillé pour elle ? Deux pièces d'une valeur plus haute se retrouveront dans la suite de ces pages sous les noms de Paul Raynal et de François Porché.

3. La Poésie.

La guerre n'a que pauvrement inspiré les maîtres du jour, au sang refroidi. *Les Ailes rouges de la Guerre*, *Les Soldats de 1914*, *Les Poèmes de Guerre*, *Le Vol de la Marseillaise* s'inscrivent au passif de Verhaeren, d'Anna de Noailles, de Paul Fort, de Rostand. Claudel, comme Fort, a composé des *Poèmes de Guerre*, ils sont d'une niaise vulgarité.

François Porché, jeune encore, fut un combattant; *L'Arrêt sur la Marne* (1916), *Le Poème de la Tranchée* (1916) et celui de *La Délivrance* (1919) ont su donner à la grandeur farouche de la lutte et de la victoire la force insistante, enveloppante, d'une familiarité fraternelle. De la guerre réellement faite, Apollinaire a tiré des rêveries et des plaintes, Jean-Marc Bernard un grand cri. Le chef-d'œuvre à demi patoisant de Marc Leclerc, *La Passion de notre Frère le Poilu* (1917), cette forte chanson martiale de terroir, ne doit pas chasser de nos mémoires les nobles acceptations de Sylvain Royé dans son *Livre de l'Holocauste* (1917), ni les révoltes humanitaires et vibrantes d'une femme, Henriette Sauret, dans *Les Forces détournées* (1917) et *L'Amour à la Géhenne* (1919). Donnons-leur la compagnie du *Poème du Vardar*, œuvre de Ricciotto Canudo (1879-1923). Cet Italien des Pouilles, venu vivre à Paris dès sa vingt-quatrième année, esthéticien et romancier, poète et critique, ayant dévoué sa revue *Montjoie !* à l' « impérialisme artistique français », se battit dans la légion garibaldienne en Argonne, puis en Orient. Théoricien d'un art sensuel, hostile à tout sentimentalisme et cérébral, équilibrant ce « cérébrisme » entre le futurisme et le cubisme, il a usé abondamment d'un des systèmes à la mode — tohu-bohu de sensations rapides et tourbillonnantes, acceptées toutes brutes. N'était-ce pas, après tout, l'essai d'une harmonie imitative, destinée non plus à l'oreille, mais à l'esprit ? *Le Poème du Vardar* précipite vraiment la poésie au fond de l'abîme apocalyptique.

III. — *LES PERTES*

L'Association des écrivains combattants a publié, par les soins de Thierry Sandre, une *Anthologie des Écrivains morts à la Guerre* (1924-1926) qui contient les noms les plus précieux de l'inscription commémorative du Panthéon. Il y en a un demi-millier. Les meilleurs se sont retrouvés ou se retrouveront ici à leur place : Péguy, les poètes Drouot, Lionel des Rieux, Bernard, La Ville de Mirmont, Rolmer, Despax, Apollinaire, Royé, les romanciers Alain-Fournier, Clermont, Acker, Psichari, Lafon, Nolly, Pergaud, Franconi, Codet... A cette glorieuse tombe commune ont droit encore Charles Perrot, romancier de la jeunesse étudiante, auteur du *Printemps sans Soleil*, et qui eut le pressentiment d'une vie brève; Adrien Bertrand, qui a romancé dans *L'Appel du Sol* et dans *L'Orage sur le Jardin de Candide* les idées d'une génération née sceptique et devenue patriote; l'essayiste Jean Florence (J. Blum) qui collaborait à *La Phalange* et aux *Rubriques nouvelles* et n'a malheureusement laissé qu'un recueil d'articles, *Le Litre et l'Amphore*, titre qui signifie : « Le moderne et l'antique »; sans nul doute, il eût doublé Thibaudet, quoique avec moins de brillant dans la pensée comme dans l'expression. Un autre disparu, André Cassinelli, avait pris en littérature le pseudonyme d'André du Fresnois (1887-1914); *Une Année de Critique* (1913) nous reste de lui. On y voit ce petit cousin de Lemaître pétiller d'un aimable esprit, être tout de grâce jusque dans la polémique, et si galant avec les Muses ! Lancé dans la vie littéraire avec un certain esprit de balzacisme, il se révéla de plus en plus traditionnel par instinct et comme on respire; son style marqué de tout cela demeure charmant.

Une part importante de l'Intelligence française est donc tombée sur les champs de bataille. Décimée, c'est trop peu dire. Deux générations, celle de Péguy et de Lionel des Rieux, celle d'Alain-Fournier et de Clermont, ont fondu au feu : les plus précieux cerveaux peut-être, voilà ce qui a manqué à la France d'entre les deux guerres. En outre, la guerre de Quatorze a laissé une triste séquelle de maux dont les masques grimaceront au cours de ce livre : littérature de révolte ou de dépression, nouveau mal du siècle, inflation, facilité.

Mais toutefois, dans l'héritage de la guerre, il y a eu le bien à côté du mal. La guerre est écrasement des ornières, rupture des conventions, aiguisement des curiosités; elle a provoqué, dès le seuil de la paix, une aération du langage écrit, un essor du génie inventif, une refonte de la tradition, un départ pour les aventures.

PREMIÈRE PARTIE

MAITRISES ET PRESTIGES HÉRITÉS D'AVANT GUERRE

La période de l'Entre-deux-guerres a vu se développer l'œuvre d'écrivains qui déjà avant 1914 comptaient, mais qui n'avaient cependant pas encore occupé leur vraie place : tels André Gide et Valery Larbaud; tels, pour renforcer l'exemple par un contraste, les Tharaud; et tels encore ceux que je range dans « Persistance de la tradition ».

Elle a vu également se dresser sur l'horizon de la guerre finie une œuvre exceptionnelle, celle de Paul Valéry, que la première avant-guerre mettait haut, mais sans en pouvoir deviner l'extension ni l'importance, et une autre œuvre, immense, celle de Marcel Proust, surprise par 1914 dans ses initiales démarches, mais qui s'est avancée rayonnante au premier plan de la paix.

Elle a vu enfin des œuvres brisées par la mort sanglante, mais assez prestigieuses pour, au lieu de se laisser rejeter aux années de leurs auteurs vivants, dévoiler au contraire tout leur visage après la fin de l'hécatombe et commencer alors seulement leur action : ç'a été le cas des livres d'Alain-Fournier et d'Émile Clermont.

Colette elle-même, illustre depuis longtemps et qui aurait pu figurer dans notre premier tome, n'est-ce pas dans ce tome-ci que sa réputation de grand écrivain lui donne rendez-vous ?

Il existe donc une littérature d'avant Quatorze qui réclame sa place au début du présent volume.

Si l'on voulait éliminer jusqu'au moindre arbitraire dans les classements de ce genre, il faudrait, à cause des décalages de réussite, à cause aussi des caprices d'influence, ne séparer cette littérature-là ni des aînés comme Claudel ni des cadets comme Giraudoux. Mais comment faire coïncider la durée exacte des œuvres avec l'espace qu'accorde le papier? Tâchons seulement de réduire l'écart au minimum.

Si donc nous commençons par remonter au delà de la « Grande Guerre », ce sera pour mieux embrasser une époque qui, avant comme après 1914, constitue notre siècle.

CHAPITRE PREMIER

ART ET PSYCHOLOGIE DE PROFONDEUR ET DE MYSTÈRE

Ce chapitre réunit des écrivains aussi intérieurs les uns que les autres, et tous aussi marqués bon gré mal gré dans leur littérature par des équivalents de l'idéalisme symboliste, en même temps aussi avides de nouveauté et de découverte, aussi insatisfaits de ce qu'il y eut de clos dans la psychologie antérieure et d'excessivement rationnel dans l'ancienne vision du Moi et du monde.

La puissance de l'irrationnel et de l'inconscient, l'attrait de l'inexploré, la magie du souvenir et l'apport du rêve vont donc porter ici des noms de poètes et de romanciers qui pour la plupart ont eu leur point de ralliement dans une revue fondée six ans avant Quatorze, *La Nouvelle Revue Française*.

Seule, Colette n'en était pas. Je l'adjoins cependant aux autres parce qu'elle se sera montrée, quoique sans le savoir, sans même pouvoir l'imaginer, d'inspiration gidienne et proustienne, acharnée elle aussi à annexer un domaine nouveau au patrimoine psychologique, le domaine charnel le plus secret et le plus résistant jusque-là, au fond duquel elle aurait trouvé le désespoir si ne l'avait sauvée la passion d'un art incomparable.

Le prestige de Freud, quoique considérable, est à ajouter avec précaution à celui de Proust et de Gide (réservons celui de Pirandello pour le théâtre). La première traduction de Freud ayant paru en 1922, Jules Romains donna à *la Nouvelle Revue Française*, le premier janvier de la même année, un article lucide, exact, prudent. Mais déjà en 1924 les interprétations s'égaraient, dans le numéro spécial qu'une revue belge très suivie des jeunes milieux littéraires de Paris, *Le Disque Vert*, consacra au docteur autrichien. L'influence freudienne, à laquelle devaient faire faire un bond nos docteurs Laforgue et Allendy en publiant *La Psychanalyse et les Névroses* d'après leurs observations de Sainte-Anne (1924), invite à considérer les vies intérieures comme soumises à des forces obscures fortement mêlées de sexualité dans le fond de l'inconscient.

Toute une génération a donc très sérieusement cherché la lumière dans les souterrains de la cité psychique. Elle s'aida particulièrement de Freud pour fouiller dans cet inconnu humain, mais au moins autant pour se débarrasser des liens classiques d'intelligence et de raison.

I

INCORPORATION CLASSIQUE DU SYMBOLISME

I. — *LA N. R. F.*

Une littérature avait planté sa pépinière, déjà au début du siècle, dans l'enclos de l'*Ermitage*, revue neuve mais tranquille, si différente de la tumultueuse *Phalange* ! C'est cette pépinière qui fournit presque tous les beaux arbres de *La Nouvelle Revue Française*.

Après un départ manqué, le 15 novembre 1908, sous la direction d'Eugène Montfort, la *N. R. F.* sortit son véritable premier numéro en février 1909. Bientôt une maison d'édition à son enseigne la doubla. Puis Jacques Copeau ne tarda pas à en faire passer l'esprit, en même temps que plusieurs collaborateurs, au théâtre du *Vieux-Colombier* qui, par sa conception du spectacle, devait désormais orienter une grande partie de notre production dramatique.

Il n'y a pas eu que le *Vieux-Colombier* à servir l'entente de la *N. R. F.* avec le public qui lit et qui achète. Les courriers littéraires, frais éclos, ont favorisé de leurs pluies et de leurs soleils ces frondaisons ; ils ont aidé la littérature dont la *N. R. F.* prenait la tête à disputer le pouvoir littéraire à l'Académie et aux salons. André Billy signale très justement dans ses souvenirs du *Pont des Saints-Pères* cette victoire de la Rive Gauche. Entre les deux rives depuis lors ont fait la navette des embarcations remplies d'une jeunesse de poètes, de critiques et de philosophes, tel *Le Mouton Blanc* de Jean Hytier, qui associait Romains à Gide dans ses prières aux saints de la modernité.

La *N. R. F.* fut une réussite de pléiade et de printemps. Qu'est-ce qui représente ses premières années dans notre mémoire, qu'est-ce qui grava ses plus allègres traits rouges sur la couverture blanche ? Ou plutôt qu'est-ce qui y représenta Gide, Claudel, Larbaud, Martin du Gard ? *Isabelle*, cette libellule; le drame violent et tonique de *L'Otage*; *Barnabooth*, d'invention cocasse et provocante, pourtant trempée d'humanité; *Jean Barois*, rejeton de Romain Rolland, nouvel entraîneur d'équipe. Ghéon, Schlumberger, combattaient si lucidement, et André Ruyters donnait à ses contes des contours pleins quoique mystérieux ! Chez tous, un air jeune et heureux d'entreprise.

C'en était bien une, et hardie. Ces écrivains sortaient du Symbolisme comme un adolescent de la fièvre qui l'a coupé de la vie. Comme lui, ils redécouvraient la réalité avec émerveillement. La vie, ils y entraient. De Verhaeren ils aimaient surtout la volonté épique; de Vielé-Griffin, les légendes héroïques; tous ils reflétaient le Gide des *Nourritures terrestres*, y compris pour quelques-uns la résistance puritaine aux joies de possession.

Le Symbolisme ne se prolongeait plus en eux que par un parti pris contre le Boulevard, par un refus de flatter le public dans son goût du plaisir commode, par la répulsion pour le romantisme verbal, par la plus sérieuse rêverie. Pas d'Art pour l'Art, mais l'art au service de la sincérité intérieure la plus cachée. Au fond, ils voulurent marcher au classicisme, dans la mesure où le classicisme est une pudeur. Et même ils y ont mis une contrainte excessive apprise chez Baudelaire. N'avaient-ils pas quelques protestants parmi eux ? On eût certes aimé plus de spontanéité et plus de naturel. Ajoutez la componction mallarméenne, comme s'ils eussent avalé et non digéré tous les brouillons du maître. Vivre, c'est porter en soi des contradictions.

La *N. R. F.* d'ailleurs, pour assurer aisément son unité, n'avait qu'à saisir toute occasion, et elle n'y manqua point, de rallier les siens à son intention fondamentale, c'est-à-dire au jugement en profondeur du Moi et de la vie, à l'interrogation libérale et au forage exhaustif, soit impitoyable soit plein de fantaisie, — l'art ne s'orientant vers une perfection stricte que pour mieux mettre au point méthodes et résultats des explorations. Aussi aperçoit-on dans la *N. R. F.* d'avant-guerre l'action initiatrice et positive d'une partie de la littérature qui devait triompher entre les deux guerres et représenter alors notre génie créateur.

Il semble qu'elle ait trouvé son cerveau en Jacques Rivière.

Dans quantité d'articles, d'études, de monographies, comme dans le choix des rédacteurs, Jacques Rivière qui anima la *N. R. F.* dès 1910 puis la dirigea de 1919 à sa mort en 1925, s'est révélé comme l'expression non seulement de lui-même mais du groupe, ses compagnons se contrôlant mutuellement en lui, et le tout étant dominé par la hantise de Dostoïevski et des autres Russes, ainsi que des Anglais Stevenson, Fielding et Daniel de Foë. Les fameux articles où Rivière a défini ce qu'il nomme le « roman d'aventures » (en mai-juillet 1913), c'est la prise de conscience du roman russe et du roman anglais par un Français qui du Symbolisme en prend et en laisse, ennemi du réalisme, fidèle à Baudelaire, instruit par Freud, possédé finalement par Proust. Il entrevoyait des réalités distinctes et nettes, un rebondissement infini des récits, une vie ininterrompue des âmes, l'autocritique jusque dans le lyrisme, toutes les rencontres possibles avec l'inconnu, une adhésion au mouvement vital. Il est facile de voir par où Gide, Proust, Alain-Fournier, Chardonne, Duhamel allaient participer à cette conception où il y a beaucoup de bergsonisme conscient ou inconscient.

La chance méritée de la *N. R. F.*, c'est que l'âme de la recherche trouva à s'incarner chez elle dans des œuvres complètes et évidemment belles. J'en ai nommé quelques-unes; qu'on pense aussi à tel autre Gide, à *L'Annonce faite à Marie*. Qu'on y ajoute les nouveautés de Valéry et de Giraudoux, bientôt celles de Proust. La jeune revue réalisait donc le miracle d'apporter de l'imprévu, du non encore ouï, mais substantiel, viable, fécond : bref, d'authentiques réalisations.

Bien entendu, cet éclatant endroit a eu son envers. La force de l'inertie symboliste protégeait des médiocres, qu'il est inutile de citer; elle a empêché le génie claudélien de rejeter ses scories, elle n'a pas combattu le jammisme le moins intelligent ni le mallarmisme le plus immobile. Elle a eu le tort de rester errante dans le labyrinthe du verset et du vers libre. D'une façon plus générale, elle qui prétendait travailler à une révision des valeurs en France et en Europe (et celui qui avait les meilleurs moyens d'y réussir n'est-il pas ce Michel Arnauld qui a trop vite renoncé à écrire ?), elle a surtout poussé sans assez de choix ses propres valeurs, aux risques et périls de la beauté, de notre hiérarchie intérieure, des liaisons raisonnables et logiques de l'esprit.

La *N. R. F.* a fait beaucoup pour introduire en France après 1919 le Russe Tchékov, les germaniques Thomas Mann et Rilke, les Anglais Conrad, Galsworthy, Samuel Butler, George Moore. Voilà des bienvenus. Au sujet de Freud, elle s'est tenue sur la réserve, et l'Italien Pirandello avait bien de l'esprit, comme eût dit Louis XIV. Mais parmi les influences étrangères à redouter, j'inscris au passif de la *N. R. F.* celle de James Joyce. Le 7 décembre 1921, Valery Larbaud étudia *Ulysses* en conférencier merveilleusement clair dans la librairie d'Adrienne Monnier, puis l'étude lue parut dans la Revue. Or, l'influence de cet *Ulysses*, tant fêté depuis lors, a contribué tout particulièrement à transformer tant de livres en ramasse-tout ! Certes avec l'idée de ne plus rien laisser perdre pour la connaissance de l'homme. Curieux acheminement à une littérature d'esprit scientifique. Mais à décerveler l'homme, à le plonger dans ses bassesses, à entretenir ainsi un sous-humanisme, que gagne-t-on ?

Que gagne-t-on ? Les lecteurs de la *N. R. F.* ont dû se murmurer plus d'une fois cette crainte de duperie. C'était sur son versant d'ombre. Sur l'autre a toujours brillé une fidélité à la plus délicieuse, à la plus brillante tradition française, sinon à la plus solide.

Voilà des aspects dominants d'une Revue qui a joué le premier rôle parmi les revues à la veille et au lendemain de 1914. Lorsqu'elle reparut en 1919 après cinq ans d'interruption, ce fut pour s'ouvrir à de nouveaux collaborateurs comme Mauriac, Montherlant, Mac-Orlan et bien d'autres, qui lui firent perdre peu à peu son caractère originel. Rivière veillait, mais l'abondance d'après guerre le déborda. Jean Paulhan, avant même de lui succéder à la direction, avait introduit un Marcel Arland, un Supervielle, un Jouhandeau, ainsi que les dadaïstes. Directeur, il donna leur tour aux Giono, aux Green, aux Malraux, il a fait ainsi de la *N. R. F.* la revue d'une génération.

Fonction de grande peine et d'honneur suprême.

II. — PAUL VALÉRY

Valéry a établi les assises de sa réputation de poète sur une pensée et mis à sa réputation de penseur le laurier de la poésie. Équilibré sur sa prose et sur ses vers, il impose aux contemporains une œuvre assez mince de volume, considérable au contraire par l'importance que sa position lui donne ainsi que par d'admirables réussites.

1. Biographie.

Par ses ancêtres et par sa naissance à Sète, le 30 octobre 1871, Valéry est un Méditerranéen pur. A Montpellier, il a fait des études médiocres au lycée et d'autres assez molles à la Faculté de Droit. Dieu merci, il lisait les poètes. Il les lisait encore pendant son année de régiment en 1890. Pierre Louis (le futur Pierre Louÿs), son camarade, le poussa à composer ses premiers vers. Le jeune homme n'avait pas vingt ans que, déçu par la métaphysique, à demi satisfait par la science, méprisant d'agir, il brûlait de courir une carrière à la suite des maîtres du Symbolisme.

Orienté par Poe et Baudelaire, bientôt par Mallarmé, il se faisait alors du poète une idée de « froid savant », presque d' « algébriste au service d'un rêveur affiné » (article de 1889, resté inédit, cité par Mondor dans sa *Vie de Mallarmé*). Cependant André Gide, en séjour chez son oncle Charles, qui professait alors à la Faculté de Montpellier, l'emmenait en promenade méditative et discuteuse au fameux Jardin des Plantes.

A Paris, dès l'automne de 1892, il s'occupe de sciences et de philosophie, tout en fréquentant chez Mallarmé, tout en se liant avec les jeunes écrivains symbolistes, tout en publiant quelques poèmes dans *La Conque*, dans *Le Centaure*, et en en composant d'autres jusqu'en 1896, dans le sens mallarméen. Mais il a renoncé à sa première ambition. Le voici prosateur et, comme il dira, « homme de l'esprit ». L'*Introduction à la Méthode de Léonard de Vinci* est de 1894 : la *Nouvelle Revue*, conseillée par Léon Daudet, lui avait demandé une étude sur le Vinci; seulement, dans l'essai du nouveau venu, légèrement mystificateur, il s'agit bien moins du génie qui a fourni le titre que d'une analyse très abstraite du jeu de la pensée,

Après *La Soirée avec M. Teste* (1895), Paul Valéry occupa divers emplois, consacrant ses loisirs à la poursuite d'études mathématiques. Les années coulèrent. Le poète travaillait depuis longtemps au secrétariat particulier du directeur de l'Agence Havas lorsqu'en 1913 l'éditeur Gallimard le relança; encore était-ce pour liquider le passé. Il lui demandait de rassembler ses vers de jeunesse, qui formeront en 1921 l'*Album de Vers anciens* : « Je m'amusai, dit Valéry, à les modifier avec toute la liberté et le détachement d'un homme qui est depuis longtemps habitué à ne plus s'inquiéter de poésie. Je repris un certain goût à ce travail dont j'avais perdu la pratique et l'idée me vint de faire une dernière pièce, une sorte d'adieu aux jeux de l'adolescence. Ce fut l'origine de *La Jeune Parque* ». (Frédéric Lefèvre, *Entretiens avec Paul Valéry*.) *La Jeune Parque* ne l'occupa pas moins de quatre années, et parut en 1917. Premier signe à la célébrité. Devenu homme de lettres, Valéry partage désormais entre sa poésie et sa prose les heures arrachées à l'entretien et au développement de la connaissance. Il a, presque aussitôt après *La Jeune Parque*, composé « Aurore », « Palme », et même commencé *Le Cimetière marin*. *Charmes* paraît en 1922; *Variété* groupe en 1924 des préfaces et des conférences avec l'*Introduction à la Méthode* de 1894, augmentée d'une *Note et Digression* de 1919; dans le même volume figurent les deux essais sur l'*Adonis* de La Fontaine et sur l'*Eureka* de Poe, ainsi que les pages, qui furent sensationnelles, sur « La crise de l'esprit ».

L'Ame et la Danse (1923), *Eupalinos ou l'Architecte* (1923), *Rhumbs* (1926) (1), *Variété II, III, IV, V* (1924-1944), *Regards sur le Monde actuel* (1933), *L'Idée fixe* (1932) contiennent l'œuvre en prose.

L'Académie Française accueillit Valéry en 1925, puis ce fut le Collège de France. Il a eu ses obsèques nationales dans la nuit du 24 juillet 1945.

(1) *Rhumbs*, terme de marine. Le rhumb est une direction définie par l'angle que fait dans le plan de l'horizon une droite quelconque avec le tracé du méridien sur ce plan. Comme l'aiguille du compas demeure assez constante, tandis que la route varie, « ainsi peut-on, dit Valéry, regarder les caprices ou bien les applications successives de notre pensée comme des écarts définis par contraste avec je ne sais quelle constance dans l'intention profonde et essentielle de l'esprit ».

2. Les Personnages.

Valéry, tout abstracteur de quintessence qu'on le sache, possédait le sens de la vie. Il a inventé des personnages. Ironiquement, même narquoisement, les premiers. N'a-t-il pas feint de prendre pour le Vinci un esprit qu'il a presque entièrement créé et qui ressemble au sien propre comme un frère ? Plus tard, il a poussé sous nos yeux M. Teste qui incarne le cerveau idéal, et Émilie Teste qui s'enorgueillit, s'étonne, s'effraie de la solitude de son mari, et d'ailleurs avoue lui faire obstacle par moments : on entrevoit, à travers sa *Lettre*, un petit roman de la vie conjugale. L'amour n'est nullement absent de l'œuvre valéryenne, mais dépasse-t-il les échanges du désir et de la tentation ? Émilie Teste devine beaucoup de son mari, et elle nous aide à le comprendre, cet homme qui, de l'extérieur, a l'air d'une manière de petit retraité qui se souviendrait d'avoir été soldat et qui, en réalité, n'a de vie que cérébrale : il l'intensifie à l'extrême. Si son épouse compte pour lui plus qu'on n'aurait cru tout d'abord, c'est qu'au fond cette aimable personne est une allégorie. Elle rassemble en elle tout ce que M. Teste n'est plus, ne peut plus être : une âme vivante, avec ses spontanéités, avec ses profondeurs, avec son inconnu, — tout ce qu'il n'a pas encore capté, pressé, « purifié ». Même elle existe comme un besoin, le cerveau de son seigneur et maître se constitue à ses dépens; le jour où ce cerveau s'achèvera, où le dieu sera, ce jour-là Mme Teste aura cessé de vivre. Le saura-t-on ?

M. Teste reste si mystérieux ! Que pense-t-il exactement ? Que sait-il même ? Que possède-t-il dans sa précieuse tête ? Valéry, pour faire pressentir ce génie, ne s'y prend pas très différemment d'un romancier, c'est-à-dire qu'il nous demande de le croire en grande partie sur parole. Ce héros de l'esprit, en tout cas, vient à être frappé de la douleur physique, laquelle limite inexorablement sa puissance. « Que peut un homme ? » Voilà pour Teste sa Rose de l'Infante; son esprit peut tout, hormis échapper à la souffrance de la chair : idée que Valéry a confirmée en termes parfaits dans le court dialogue *Socrate et son Médecin*, à la fin duquel Socrate murmure : « Mon esprit encore assez trouble et mêlé de nuages sensibles, se répète comme un oracle, une sentence étrange et ambiguë : Tout repose sur moi et je tiens à un fil. »

Quant au ménage, il symbolise le débat intérieur qui se développe en chacun de nous, mais auquel nous ne prêtons pas attention : entre l'âme et l'esprit, entre ce que fournit la vie et ce que prétend la pensée.

Par la suite, Paul Valéry a manié d'autres personnages moins étranges et très humains qui, même ceux qui viennent de chez Platon, sont à peu près de son invention. Quel digne artiste, Eupalinos de Mégare, l'architecte qui veut que ses temples soient objet d'amour et à qui toutes ses constructions servent à s'exprimer, même s'il veut dire qu'une femme enchante sa mémoire ! On le sent exquis et heureux cet Eupalinos, dans son attention à la perfection des détails autant que de l'ensemble; et ses propos, quand ils évoquent les travaux gigantesques des ports, équivalent à un poème... A Socrate et à son jeune disciple Phèdre, Valéry a adjoint Éryximaque, le savoureux médecin dont il est parlé dans *Le Banquet* : tous trois s'entretiennent de la danse. Dans *Eupalinos*, Socrate a de hautes mélancolies qui l'humanisent; son dialogue avec Phèdre le peint d'une noblesse qui, chez cette ombre, nous déchire... Et Tridon, le Phénicien du Pirée, qui n'est qu'évoqué, ne voudrait-on pas le mieux connaître, ce gaillard rusé comme Ulysse, constructeur industrieux de navires ? (« Il chantait leurs grands corps polis comme des armes... ») Enfin, si nous revenons chez les modernes, l'aimable docteur de *L'Idée fixe* (Valéry affectionne décidément les médecins) a diablement de l'esprit.

3. La Pensée.

Valéry attend ses joies de l'intellect. Il le situe au centre de tout comme un agent de liaison et un observateur, comme un ordonnateur et un maître. Il voudrait ramener le monde à une relativité intellectuelle, que dominerait un Moi récepteur et créateur à la fois, une unité vivante de cette diversité soumise, un soleil de cette gravitation.

L'*Introduction à la Méthode de Léonard de Vinci* compte 1° la démarche d'une pensée en action; 2° cette démarche dans un cerveau privilégié qui la rend capable d'une méthode; 3° une méthode, en effet, attitude centrale, direction axiale commune à toutes les activités. Valéry a conduit ainsi une méditation sur le pouvoir de l'esprit à l'égard des oppositions entre les arts, les sciences et toutes choses, disons sur la formation d'un homme universel s'élevant au sommet de l'intelligence, laquelle a pour fonction de découvrir le plus de rapports possible entre tout, sans rien perdre ni disperser d'elle-même. Un tel homme, ce fut à peu près Léonard. S'étant c nstruit un Vinci à la plus haute puissance, Valéry s'est glissé dans cette coque et il y observe la merveille des constructions humaines considérées du point de vue de la conscience intellectuelle. La longue analyse de *Note et Digression* ajoutée après vingt-cinq ans à l'*Introduction* distingue la *personne* ou *personnalité*, qui est une chose comme les autres, du *moi pur*, qui est la conscience intellectuelle, « pure relation immuable entre les objets les plus divers » : elle a pour caractère « une perpétuelle exhaustion, un détachement sans repos et sans exception de tout ce qu'y paraît, quoi qui paraisse ». Valéry l'appelle aussi l'*invariant*, bouée et phare sur l'océan de nos transformations.

Quelle lucidité exigeante une telle activité suppose, et quelle peur d'être dupe ! Léonard et Valéry ont dit : rigueur obstinée. De ce point de vue, les mots génie, intuition, mystère ne paraissent-ils pas vides de sens ou dangereux ? *Introduction* et *Note* — mais celle-là dure, abrupte, assez jargonneuse, et celle-ci aisée, accueillante, très pure — laissent entendre une protestation contre toute intention mystique de la pensée, contre tout ce qui rappellerait de quelque façon le retour de Pascal à une angoisse digne du Moyen Age, au dire de Valéry (« quand c'était l'heure de donner à la France la gloire du calcul de l'infini »), et non moins contre les excentricités des originaux. Valéry trace donc le dessin abstrait d'un grand esprit qui fait penser à Gœthe autant qu'au Vinci. Équilibré jusqu'à ne pas répugner à prendre appui sur le corps et le respect du corps. Il attire même l'attention avec insistance sur le dogme catholique qui ressuscite les corps pour la vie éternelle; il l'oppose au strict spiritualisme. A plusieurs reprises dans son œuvre, il revient sur ce corps dont semble ne pouvoir se passer la vie spirituelle. Du spiritualisme il se distingue encore par son scepticisme à l'égard du réel, par la constatation que, sur ce réel, la pensée ne mord pas : la pensée ne mène, dit-il, « à aucun fond véritable »; des « conditions invincibles » la maintiennent nécessairement superficielle. En outre, pas de pensée qui conclue jamais la série; après une pensée viendra toujours une autre pensée... Le moi conscient se résout à un enregistrement de métamorphoses ou plutôt de substitutions, jusqu'à l'heure de tomber dans le néant... Plus parfait nihilisme, qui le professera ? Les grands équilibres ménagent des surprises. Cependant pensons aux Grecs.

Valéry était voué à la hantise des hautes destinées spirituelles. Il a esquissé, dans le « Fragment d'un Descartes » qui ouvre *Variété II*, ce tableau aussi ébloui qu'éblouissant : « On jouit dans l'indépendance de l'âme du plaisir d'exister pour y voir clair. Tout profite à la conscience organisée. Tout la détache, tout la ramène; elle ne se refuse rien. Plus elle absorbe ou subit des relations, plus elle se combine à elle-même, et plus elle se dégage et se délie. Un esprit entièrement *relié* serait bien, vers cette limite, un esprit infiniment libre, puisque la liberté n'est en somme que l'usage du possible, et que l'essence de l'esprit est un désir de coïncider avec son Tout. »

La Soirée avec M. Teste a confirmé les vues orgueilleuses et désespérées de l'*Introduction*. Il est certain que le jeu de la pensée s'encombre toujours de social et de personnel : Valéry a travaillé à dégager la pensée à l'état pur, absolu, dans la mesure du possible, cela en lui-même, acteur et théâtre tout ensemble; dans cet exercice, il s'appelle Teste. *La Soirée avec M. Teste* est une soirée passée avec le plus élevé de soi, dans le moment même où il est arrivé à faire du monde une mécanique : il en connaît les ressorts, il l'a construit dans sa tête sous forme de rapports stricts, il pourrait le démonter... Ne voilà-t-il pas un idéal assez inhumain ? Et n'y a-t-il pas cruauté à vouloir qu'un individu vive sur les seuls éléments de sa pensée en guise d'instincts, soumette à son gré ses mouvements passionnés, trie impitoyablement le vocabulaire, traite l'univers comme s'il l'avait fait, enfin se possède si complètement qu'il croie se diminuer à produire quoi que ce soit, à aller de quelque façon au-devant des louanges ? A force d'écarter l'éphémère, l'accidentel, l'arbitraire, le fortuit, l'individuel, il aboutira à faire le vide autour de son esprit et jusqu'en lui. Maître de l'univers par la conscience parfaite qu'il en aura prise, par la réduction de toutes choses et de tous rapports à l'on ne sait quelle unité épuisante, il atteindra à une sorte d'immobilité heureuse au centre d'une pure lumière qui l'isolera comme un dieu... En somme, Valéry a tort, analysant la puissance géniale, de la faire consister en une conscience parfaite non de l'opération créatrice, mais de l'appareil tenu pour capable de créer : le génie ne serait donc que réflexion ? N'est-il pas acte et pouvoir ? Ce Teste qui fuit la gloire et qu'on a envie d'appeler X ou Y, qui sait si l'auteur de *L'Ève future* n'eût pas songé à en faire un *Adam futur* ? Valéry reconnaît qu'arrivé au bout de sa perfection cérébrale, un tel homme ne trouverait plus à quoi l'appliquer. Il aurait brûlé l'univers, il se serait anéanti à le brûler.

L'âme ? le cœur ? Voir les choses telles qu'elles sont glace le cœur et jette l'âme dans l'ennui absolu. Il faut, pour vivre, que l'âme ajoute quelque chose à ce qui est; il faut, autrement dit, qu'elle fraude. Ni Teste, ni Valéry ne consentent à frauder... Sur l'état d' « inexorable netteté » et de « lucidité meurtrière », une page de *L'Ame et la Danse* donne le frisson.

Un remède ? Oui, s'enivrer... Relisons *L'Ame et la Danse*. « L'ivresse la plus noble et la plus ennemie du grand dégoût est l'ivresse due à des actes », dit Socrate. Or l'acte essentiel, l'acte complet, c'est la danse, pareille à la flamme, qui est joie, qui éclaire et qui consume. La danse est aussi grâces précises et actes calculés. La danse est acte pur. On ne saurait douter, à entendre Valéry la décrire dans son éternité, que l'âme puisse s'y réfugier, échappant à toutes choses et au désespoir qui la guettait. Il y a cependant mieux encore. *Eupalinos* le dit : il y a la solidité architecturale, rythmique supérieure fondée sur proportions et canons. Enfin la solidité suprême appartient à la poésie; mais la poésie elle aussi se doit entendre comme un choix essentiel, comme une prise de conscience parfaite. Un homme possédant les dons supérieurs de l'esprit, que peut-il connaître de plus intéressant que de satisfaire à l'extrême le désir d'un Moi avide de se maîtriser et de régner ? Ce qui suppose la solitude, du moins un effort qui logiquement devrait aboutir à la solitude; et Valéry, s'en rendant compte, s'il répugna longtemps à toute littérature après ses premières tentatives poétiques, c'est que la littérature comporte compagnie avec les lecteurs, et souvent la livraison de tout l'être aux lecteurs, surtout dans les époques de sincérité et de cœur mis à nu, comme la nôtre (il a horreur de Rousseau, il n'aime guère Stendhal). De ce qui lui est arrivé, il ne retient que les souvenirs d'idées ou de sensations, il fait fi des circonstances. « Ce n'est pas moi qui m'appliquerais à tenter de recouvrer le temps révolu ! » s'est-il écrié. D'autre part, comment prendre vraiment au sérieux un univers qui manque de nécessité ? Il répudie donc toute apologétique, tout essai de convaincre, tout compte rendu d'expérience. A quoi bon ? « Il n'y a pas de fin » : cette terrible déclaration est de lui (*Mémoire d'un Poème*). On comprend qu'il ait envié les musiciens de vivre dans le monde des sons, d'y construire en liberté, de n'avoir à pactiser avec aucune vie étrangère à eux, avec aucune réalité forcément interchangeable, et de pouvoir néanmoins communiquer avec vous, avec moi, dans nos profondeurs.

A personne aujourd'hui n'aura été épargnée la comparaison avec Bergson : une manie, et Thibaudet n'y a pas manqué pour Paul Valéry. Or celui-ci a averti qu'il connaissait peu Bergson. Marchent-ils dans le même sens ? Valéry est pour cela trop fervent de Descartes. 1° Il ne se soucie guère de la *durée*; il fait au contraire de la conscience intellectuelle une constante hautaine et peu disposée à s'enrichir de ce qui alimente le Moi bergsonien. Bergson fonde la personnalité, Valéry aspire à l'impersonnalité totale. 2° Alors que l'intuition bergsonienne prend la direction du divin, Valéry reste penseur positiviste. Poète, il se félicite qu'il existe des mots comme nature, amour, vérité, raison, beauté et autres termes irrationnels; mais il faut savoir une fois pour toutes, dit-il, que les manipulations où ils figurent ne sont d'aucune conséquence définitive ou du moins peuvent toujours se transformer à volonté, suivant l'humeur, l'occasion ou la dextérité de l'interlocuteur. Au reste, sa pensée n'est pas une pensée de philosophe, mais plutôt la réflexion qu'un travailleur solitaire exerce sur un certain nombre de problèmes amenés par les circonstances sous ses yeux. Il ne rejette pas seulement la métaphysique, il se méfie des systèmes, la philosophie ne lui laisse pas ses aises. Il a cette idée très juste qu'un système de philosophie est toujours un excès, et c'est ce qu'il exprime avec une ingéniosité délectable dans son « Retour de Hollande » (*Variété II*) : aux philosophes il préfère pour guides des penseurs plus libres, plus soucieux d'acuité que de force à dépenser pour joindre des vérités comme des pierres. Mais non pas les historiens. A ceux-ci il refuse presque tout pouvoir d'enseignement et de prévision, parce que leurs prétendues leçons ont toujours été débordées par les événements : ce qui arrive aujourd'hui plus que jamais. Rien ne se répète, dit-il, et les hommes doivent être « prêts à affronter ce qui n'a jamais été ». En quoi il s'oppose à Charles Maurras et s'accorde avec le cardinal de Richelieu.

Bien entendu, les grands essais de Valéry foisonnent d'idées qui entretiennent la vie autour des thèmes fondamentaux. A leur tour *Variété I, II, III, IV* en multiplient les échos, que prolongent encore quelques méditations en plaquette. Un jour, bien avant 1914, exactement en 1895, il a intitulé *Une Conquête méthodique* (recueillie par Édouard Champion pour sa collection des « Amis d'Édouard ») des pages effrayantes sur la méthode allemande pour la domination du monde économique. Effrayantes, parce qu'il prétendait démontrer, d'abord que cette méthode appuyée sur un bloc de moyens politiques, militaires et économiques, ne laisse absolument rien au hasard et, par suite, vainc infailliblement, ensuite qu'elle donne tout son rendement aux mains de la médiocrité disciplinée. Le plus affreux à penser, après cette lecture, c'est que tout État puissant sera toujours tenté de prendre une telle méthode à son compte, et Valéry ouvrait une perspective de termitières : ce qui n'eut d'ailleurs pas l'air de lui faire très peur, puisqu'il en vint à se demander si la conception allemande ne pourrait pas s'appliquer au travail du monde intellectuel. Qui sait ? suggérait-il au terme de cette méditation de jeunesse...

Mais cependant il ne s'attardait plus à rêver, ni en 1919, ni en 1922, dans ses deux lettres à l'*Athenaeum* de Londres, ainsi que dans sa conférence de Zurich : trois essais qu'il a groupés en tête de *Variété I*; ils composent la célèbre « Crise de l'esprit », qui souleva à l'époque une vague d'effarement et de terreur dans la société qui lit. L'essai commence en effet par ces mots : « Nous autres, civilisations, nous savons maintenant que nous sommes mortelles », et quarante pages expliquent pourquoi. Et puis *Regards sur le Monde actuel* développe sur certains points ce Mane, Thecel, Pharès... On y voit, par exemple, l'histoire dénoncée comme le poison de la politique européenne; on y voit le monde moderne considéré comme « *fini* » et plein, de telle sorte que rien ne s'y peut plus accomplir sans tout ébranler et que la prévision politique devient donc impossible; ce qui voue à l'échec les grands desseins à la Richelieu, les calculs selon Machiavel. On y voit encore l'importance monstrueuse des techniques, une invention nouvelle toujours possible et capable de supprimer à elle seule, fait nouveau, des siècles de tradition. Nous vivons à une époque magnifique et terrible, où les idées se trouvent sans cesse contredites et dispersées par les faits, en conséquence de la puissance grandissante de la science. Tremblons surtout devant le pouvoir d'agir à distance. Peut-être agira-t-on bientôt par des moyens physiques et mécaniques, par quelque rayon Z, sur nos pensées, nos sentiments, nos émotions. Ce jour-là, qu'adviendra-t-il du Moi conscient et libre ?

Remarquez que Valéry n'est pas toujours original. Il arrive qu'il surprenne avec charme, mais qu'à la réflexion on reconnaisse des idées qui étaient dans l'air et même déjà imprimées. Seulement il les chauffe à un tel degré et les trempe dans une telle eau qu'elles prennent un éclat d'acier : les voici neuves. C'est vrai, par exemple, de ses considérations pessimistes sur la décadence de l'Europe, sur le dressage systématique de la jeunesse par les États modernes. Des moralistes peu écoutés, des essayistes sans génie, des savants modestes en ont présenté de plus fouillées dans l'indifférence générale : je pense à M. A. Demangeon, maître de la géographie humaine en Sorbonne, pour son *Déclin de l'Europe* (1920), au grand voyageur le Docteur Legendre, pour son *Tour d'horizon mondial* (1921). Valéry, dans ses ouvrages de circonstance, devient un peu le penseur de conférences, et peut-être a-t-il abusé de cette pensée par fragments où il brille et plaît (voyez les mélanges de *Rhumbs* et de *Tel Quel*, poussière dorée d'aphorismes) aux dépens de sa réputation future.

Passons vite sur *L'Idée fixe*. Cette fois, c'est le penseur en caleçon de bain, quoique la conversation improvisée au bord de la mer, qui fait voir si mouvant le ciel des idées, brille d'une vivacité merveilleuse.

4. L'Art du Prosateur.

Rien n'existe que par le style, et Valéry met au service de tous ses exposés un style exact, habile, souverain. Il tend sa brièveté comme une corde, et au même moment réalise le miracle de la plénitude et de l'ampleur, grâce à la rigoureuse vigilance d'un vif esprit auquel aucune syllabe n'échappe. Par surcroît, ce style concret et taillé dans le cristal incorpore l'image à l'abstraction : qu'on se livre à l'enchantement dans *L'Ame et la Danse*, dans *Eupalinos*, dialogues qui supportent la comparaison avec les plus grands, parce qu'ils enchâssent leur pensée moderne dans une beauté forgée à l'antique. Les vifs points de départ, la présentation et la métamorphose infinie des idées qui glissent les unes dans les autres et pourtant à chaque moment brillent nettes et distinctes, la richesse et la signification étincelante des comparaisons, des similitudes et des contrastes, des tableaux familiers et des visions poétiques : que faudra-t-il de plus pour offrir aux analyses le meilleur des climats ? Encore oubliais-je les formules, elles scintillent dans un azur sur lequel tout se détache. Une seule chose arrête quelquefois ce beau style au seuil de la perfection : n'est-il pas trop visiblement châtié, taillé et compressé comme par un bourreau ? En revanche, chaque fois qu'il propose des pierres précieuses, ce sont des diamants. Dans telle « Variation sur une pensée » de Pascal (*Variété*), quand Valéry suit le rapport qui s'établit chez le contemplateur entre le scintillement qu'il voit dans le ciel étoilé et ce qu'il sent au fond de son être, la page tressaille de sublimité. Ah, que son florilège serait abondant !

5. Passage de la Pensée a la Poésie.

Il n'est pas sûr que Charles Du Bos ait eu raison d'expliquer, dans une de ses *Approximations* souvent invoquée, que le Valéry nihiliste a échappé au désespoir par la joie poétique des rigoureux rapports de mots, hérités des rapports qui, constituant la science, surnagent provisoirement dans les tourbillons sur le néant : les contraintes de son mallarmisme rénové lui auraient donc ré-enchanté la vie... Mais est-ce que le désespoir et la joie se succèdent dans son œuvre en deux périodes successives ? N'alternent-ils pas à plusieurs reprises dans sa prose comme dans ses vers ? Je croirais plus simplement qu'il passe de la prose à la poésie, chaque fois que ce qu'il y a de hasard dans les mouvements de toute pensée le décourage : il se réfugie alors dans la nécessité de la poésie telle qu'il la conçoit. Ses contraintes prosodiques atteignent à leur manière un absolu et, par là, un apaisement, soit ! Mais elles n'ont pas éclaté comme une illumination au cours de sa carrière : elles y ont présidé, elles marchent en tête de l'œuvre. Une lettre à Louÿs définissait dès 1890 le caractère volontaire de son dessein poétique. « Je rêve, écrivait-il, d'une poésie courte — un sonnet, précisait-il alors — écrit par un songeur raffiné qui serait en même temps un délicieux architecte, un sagace algébriste, un calculateur infaillible de l'effet à produire. » Edgar Poe l'avait mis tout jeune sur cette voie, il l'a dit et redit dans l' « Eureka » de *Variété*, dans l'avant-propos aux poèmes de Lucien Fabre. Mais rien ne m'est plus probant que la prose insérée à la fin de l'*Album de Vers anciens*, et qui fait parler ainsi l' « Amateur de poèmes » : « Si je regarde tout à coup ma véritable pensée, je ne me console pas de devoir subir cette parole intérieure sans personne et sans origine, ces figures éphémères... Incohérente sans le paraître, nulle instantanément comme elle est spontanée, la pensée par sa nature manque de style... » Au contraire pour le poème : « Je m'abandonne à l'adorable allure... Cette mesure qui me transporte et que je colore, me garde du vrai et du faux. Ni le doute ne me divise, ni la raison ne me travaille... et je pense par artifice une pensée toute certaine, merveilleusement prévoyante, aux lacunes calculées, sans ténèbres involontaires, dont le mouvement me commande et la quantité me comble : une pensée singulièrement achevée. »

Certes, les disciplines de la science que Valéry s'était données pendant de longues années ont eu large part de conseil et de poids dans sa préférence pour une méthode instruite et exacte, pour un art presque mathématique, pour une expression obtenue par chimie verbale. D'une part, un poète dressé à s'observer dans son activité pensante a eu un objet tout trouvé, si j'ose dire, pour ses compositions : la vie même de l'intellect, les échanges intérieurs de l'intellect, comme s'ils étaient attitudes et gestes de personnes vivantes, le pathétique de cette vie, son travail pour arracher la conscience intellectuelle à tout ce qui l'assiège. D'autre part, un chercheur familiarisé avec le jeu des rapports s'est naturellement plu à une méthode destinée à faire de la création poétique un ouvrage de précision. La poésie de Valéry sera une poésie savante et presque de savant. Elle passera sous le joug d'un arbitraire qui prendra ainsi une beauté propre et qui, loin de l'accabler, l'allégera, l'élèvera à des consolations. Mais consolations insuffisantes, finalement. Des cris comme

Zénon, cruel Zénon

diront assez que le drame de la solitude du Moi et de son dialogue interdit avec le monde aura continué à étreindre le poète. Valéry parlera de sa « nuit d'éternelle longueur ». Il trouvera des vers si lourds de négation et de révolte qu'ils troueront enfin l'hermétisme général du poème :

Toi, qui masques la Mort, Soleil,
. . . .
Tu gardes les cœurs de connaître
Que l'univers n'est qu'un défaut
Dans la pureté du Non-Être.

6. Vers la Poésie pure.

Ce laudateur du Symbolisme, disciple et émule du Mallarmé le plus contraint, quel rapport a-t-il avec Régnier, avec Griffin ? et quel rapport avec Rimbaud ? Car ce n'est pas de glisser à de molles rêveries qui l'intéresse, ni de connaître l'inconnu qui le tente, mais de pénétrer dans son propre esprit, de se regarder penser, et de chasser complètement de ses vers le hasard. Pour la construction, c'est surtout *Hérodiade* ou bien *L'Après-Midi d'un Faune* qu'il continue et pousse à l'extrême. Aux antipodes du lyrisme romantique et même baudelairien, ce n'est pas lui qui se livrera aux lecteurs non plus qu'aux choses; le seul de ses poèmes qui contienne des éléments de sa propre existence est *Le Cimetière marin*, souvenir de sa ville natale. Les autres sont résolument symboliques. Il développe ses thèmes en images parlantes par elles-mêmes — nymphes, femmes endormies ou s'éveillant, beaux arbres, heures du jour, ciels de la nuit — d'où se dégage souvent une seconde signification, autre que la philosophique ou la psychologique, quelquefois même une troisième, amoureuse, érotique. Or des conceptions qui tiennent à la fois de la musique et de l'architecture (ce qui n'étonnera aucun lecteur d'*Eupalinos*), avaient besoin d'une syntaxe portée au maximum de souplesse, afin de multiplier les combinaisons sonores sans les disjoindre des significations, en les prêtant d'ailleurs au gré d'interprétateurs variés, mais toujours en vue de la plus inexorable netteté : ne s'agit-il pas de sculpter des déesses ? Jamais le marbre ne sera trop dur. Voilà donc pensées, suggestions, cadences, et sons choisis à égalité pour entrer dans l'isolement accompli d'un monde. Tant de riche densité pouvait-elle s'obtenir, si le poète n'interdisait son poème, ou ne les en excluait au fur et à mesure de sa composition, à tel souvenir personnel ou d'histoire, à telle pensée morale, à telle sentimentalité, telle anecdote, telle description, à tel sujet enfin, bref à tout ce qui ne perd rien à s'exprimer en prose, à tout ce qui ne réclame pas le chant ? Jusqu'ici, dans l'histoire littéraire, un tel métal sans alliage ni sertissage ne brillait que dans un vers ou un groupe de vers : l'effort poesque, baudelairien et mallarméen de Valéry part à la conquête du poème idéal, qui ne serait plus qu'un lingot d'or. Pureté de l'absolu. Est-ce réalisable ? Il s'agit, bien entendu, d'une limite vers laquelle s'efforcer. Valéry en convient dans son Avant-propos aux poèmes de Lucien Fabre, mais il s'en est approché plusieurs fois.

Pour sa métrique, il a employé à peu près toutes les formes classiques; il a même repris dans Hugo et Lamartine les grandes strophes traditionnelles de Malherbe, du Racine lyrique, de J.-B. Rousseau; il a usé du vers de huit et de sept pieds ainsi que du décasyllabe et de l'alexandrin. Il a célébré dans son étude sur *Adonis* la bienfaisance du système des vers réguliers.

7. Les Poèmes.

Les premiers poèmes, ceux de l'*Album de Vers anciens*, présentent l'étonnante « Baignée », et çà et là, à travers le chant mallarméen, tels vers qui portent déjà le secret valéryen. Dans « Anne » et dans les dernières strophes de l' « Air de Sémiramis », ne dirait-on pas que le poète fait entendre un adieu au *sujet* ? Il donne aussi une suprême fête de poésie traditionnelle, avant de s'enfermer dans les sévères cellules de la « poésie absolue ».

Vint *La Jeune Parque*... La critique est distraite. Un auteur a beau dire : « J'ai voulu faire ceci et cela, comme ceci et comme cela », elle n'écoute pas. Valéry, dans sa dédicace à

André Gide et dans divers entretiens, a pourtant averti qu'il s'était livré à un exercice : qui en tient compte ? *La Jeune Parque* est un exercice, c'est-à-dire une série d'essais, de difficultés soulevées pour avoir à les vaincre, d'effets cherchés, de gageures à tenir. Un travail plus qu'une œuvre, pénible moins par ténèbres de profondeur que par recherches de technique et de construction. Obscur et insupportable plus souvent qu'on ne voudrait, il offre des vers, des distiques, égaux au plus pur Racine, au Vigny le plus inusable, et des moments de nouveauté propre à Valéry, où la pensée cristallise.

La Jeune Parque, ainsi nommée sans doute parce qu'elle tranche un problème, traduit un état conscient qui évolue pendant la durée d'une nuit : tel M. Teste, « l'être absorbé dans sa variation ». Elle est aussi une mortelle vivante :

Les dieux m'ont-ils formé ce maternel contour...

Elle semble figurer encore la jeune Vierge, qui hésite devant la vie, qui va par moment jusqu'à souhaiter la mort, qui craint de déchoir en se réalisant, mais qui parvient tout de même à accorder son Moi avec le non-moi. Enfin dernier sens, qui rejoint les autres : la conscience intellectuelle s'élevant à son faîte puis redescendant au niveau des femmes heureuses, aux heures voisines de l'inconscience, que des vers pareils à un paysage de Manet évoquent au cours du poème. D'autres vers, très beaux, élèvent aux cieux l'invocation

Tout-puissants étrangers, inévitables astres...

Une inquiétude court en filigrane, l'inquiétude à s'interroger, à se découvrir, à s'arracher aux simples sentiments et même à la beauté du monde contemplé, afin d'entrer dans le jeu mortel de la pensée lucide, inexorable, destructrice de tout et d'elle-même. Cette lutte ne se livre pas sans faire palpiter le corps, l'être né pour agir, pour aimer. Elle fait s'ouvrir le matin et le printemps, la vie... Tout de même, Valéry n'avoue-t-il pas en fin de compte l'égale impuissance du rêve et de l'état de veille à déchiffrer les énigmes de l'univers ?

Valéry a conquis dans certains poèmes de *Charmes* sa perfection. Là, plus de longueurs, plus de reprises difficiles, plus de pentes harassantes à gravir, comme en présente *La Jeune Parque*. L'habileté se fait suprême à capter des moments de l'esprit : le plus souple analyste aurait peine à les saisir dans sa prose, le poète les cueille comme rosée ou larmes, et il les fige en pierreries. Le caractère le plus marqué de cette poésie, sa dense plénitude, donne envie d'en grouper des exemples : la ménagère (« Intérieur ») qui, glissant discrète dans la maison du poète,

Passe entre mes regards sans briser leur absence ;

le temps si vivant de « Palme »,

Chaque atome de silence
Est la chance d'un fruit mûr...

la consolation à la captivité du « Platane »,

Tu peux grandir, candeur, mais non rompre les nœuds
De l'éternelle halte...

la salutation émerveillée à Ève (« Ébauche d'un serpent »),

Ta nuque énigmatique et pleine
Des secrets de ton mouvement...

et bien d'autres raccourcis.

Rien de frêle, rien d'exsangue. Au contraire, la résistance des chairs. Le strophe du « Cimetière marin » qui se termine par ce vers

Tout va sous terre et rentre dans le jeu

n'exprime que la plus vive entre de nombreuses émotions sensuelles : la complaisance de la « Jeune Parque » dans ses regards sur elle-même, les éveils d' « Aurore », les antiques jeunesses des « Colonnes »,

Chair mate et belles ombres,

la « Dormeuse » tout entière, etc...

Et puis, Valéry sait sourire; jamais morose, il s'amuse à ses heures; il laisse même passer à cette occasion le bout de l'oreille de son terroir : un peu de vulgarité.

On devrait aborder la poésie valéryenne par les courtes pièces simples, limpides, prêtes à rejoindre l'Anthologie grecque, comme « L'Abeille », ou « Le Vin perdu »; mais « La Dormeuse », ou « L'Insinuant » ou « Intérieur » n'appartiendra qu'à une Anthologie délicieusement, terriblement moderne. De ces pièces, celles dont on a peine à savoir si elles chantent une inspiratrice ou l'inspiration ne sont pas les moins aimables : « Les Pas »,

Tes pas, enfants de mon silence,

ou la voluptueuse « Fausse Morte ».

Parmi les poèmes moins faciles, le « Cantique des Colonnes » assemble en faisceau les puretés conjuguées des mathématiques, de la musique et de la parole stylée, sœurs architecturales, offrandes au jour, à la clarté, aux dieux. Un autre, qui est sombre et furieux, « La Pythie », suscite un contraste aux désordres violents de l'inspiration : la sagesse impersonnelle de l'oracle (« Belles chaînes en qui s'engage — Le Dieu dans la chair égaré »),

Honneur des hommes, Saint-Langage...

Enfin, si parmi les vingt et une pièces de *Charmes*, il en est de plus riches que les autres et où le lecteur même initié trouve plus à prendre, peut-être sera-ce ce trio : « Fragments du Narcisse », « Ébauche d'un serpent », « Le Cimetière marin ».

Le « Narcisse parle » de l'*Album*, uniquement descriptif, n'annonçait guère le Narcisse de « Fragments », qui contemple dans la fontaine un Soi stylisé comme Valéry se cherchait dans le Vinci, qui se regarde être et penser à l'instar de M. Teste et qui aboutit comme lui à une mortelle stérilité. Le poète va au plus tintant de ce cristal lorsqu'il fait sentir l'inquiète fragilité de sa contemplation profonde et essentielle. Il semble alors répondre au Socrate d'*Eupalinos* : construire, plutôt que connaître... Des beautés d'évocation font chœur autour de cette philosophie ou, si l'on veut, sont les danses de cette musique : le soir qui descend, la tourmente des amants symboliques, l'espoir vain du contemplateur. Il y a là de grands vers mystérieux et parfaits,

J'entends l'herbe des nuits croître dans l'ombre sainte

ou suavement rêvés,

Te voici, mon doux corps de lune et de rosée

ou faits de cette simplicité immense de loi qu'on admire chez Lucrèce :

Ces grands corps chancelants qui luttent bouche à bouche...

Pour l' « Ébauche d'un serpent », le poète, étant parti du récit biblique, a tout transformé : le Monstre en initiation à l'amour de soi, l'Arbre en péril de la connaissance, la tragique Aventure en espoir qui aura passé comme un souffle sur le néant non sans faire choir les fruits de désordre et de malheur. Toute la comédie aux dépens de la femme,

Elle buvait mes petits mots...

n'est pas du meilleur goût; mais l'apparition d'Ève inonde de son éclat trois strophes radieuses et le chant blasphématoire du désespoir prend une noire grandeur.

Dans le « Cimetière marin », Midi se suspend au-dessus de la Mer, le Moi conscient domine les mouvements de la vie, les morts font sentir le poids de tout leur repos immuable à la terre, et la méditation du poète s'abat sur l'instabilité éphémère de l'être humain à qui est refusée l'immortalité, mais invité à conquérir au moins les joies actuelles :

Le vent se lève... il faut tenter de vivre.

Malheureusement le plus connu des poèmes valéryens laisse deviner la carcasse d'une suite d'idées sous son lyrisme sec, rêche, à demi paralysé, bien que Valéry ait désigné son origine, ainsi que pour la plupart des autres, dans « la présence inattendue en son esprit d'un certain rythme ».

8. Plaintes et inquiétudes.

En effet, quoi qu'il veuille, quoi qu'il dise, ce poète exprime des idées. Si le plus souvent il s'arrange pour que l'idée ne prenne forme que dans notre esprit et sous l'action d'un pouvoir incantatoire, il n'échappe pas tout à fait au ton didactique de ses émules, il n'échappe pas davantage à l'allégorie. Qui sait si dans cent ans on ne l'accusera pas d'avoir été, non un frère assurément, mais un cousin de Sully Prudhomme, brouillé avec lui, bien entendu ?

Après des vers magnifiques,

Je ne sacrifiais que mon épaule nue
A la lumière ; et sur cette gorge de miel,
Dont la tendre naissance accomplissait le ciel,
Se venait assoupir la figure du monde,

la « Jeune Parque » se met à parler avec cuistrerie :

Une avec le désir, je fus l'obéissance
Imminente...

Telle strophe d' « Ébauche d'un serpent », réminiscence classique,

O vanité ! Cause première,
Celui qui règne dans les cieux...

quel poète du XVIIIe siècle la renierait ? ou ce dizain précieux de « Palme » :

Parfois si l'on désespère,
Si l'adorable rigueur... etc...

Lorsqu'à de tels manquements aux promesses s'ajoutent des ruptures dans l'unité de ton (par humour déplacé, par imprévues préciosités, par mots trop vagues), où en est l'intégrité du poème ? Les thuriféraires vantent les allitérations de Valéry. Certes, il en est riche, mais le « pur pillage », le « Use de tout ce qui lui nuise », le « entre les pins palpite », le

Dore, langue, dore-lui les
Plus doux des dits que tu connaisses

font grincer des dents... Et puis, Valéry abuse du droit qu'a réclamé le Symbolisme d'exiger pour l'écrivain la collaboration du lecteur, et celui-ci se passerait fort bien d'un certain nombre de rébus à résoudre. Enfin il n'est pas vrai que ses vers soient tels qu'ils doivent être et qu'on n'y saurait rien changer; car lui-même, pour l'édition complète de ses poésies, a remanié certaines pièces, et de façon heureuse : n'a-t-on donc pas le droit de rêver à d'autres remaniements, c'est-à-dire à moins de molles rimes en épithètes, facilement interchangeables, trop attendues... sauf de la part de ce poète rigoureux ? Pour résumer nos doléances de détail, cette dixième Muse, la Poésie pure, subit trop de fois la surprise de voir son propre prêtre qui s'arme pour la blesser...

Dans son ensemble, la poésie valéryenne a le tort d'équivaloir à une solitude. Ce à quoi on la comparerait le plus justement, c'est au rayon d'une étoile arrivé à destination terrestre longtemps après la mort de l'astre. Même plaisante, même sensuelle, elle porte de la mort dans son éclat. C'est une belle mortelle qui se glace, la source de son sang est tarie. Si cette poésie est une interrogation, la Source d'inspiration pourrait, comme dans le poème « Poésie », répondre :

Si fort vous m'avez mordue
Que mon cœur s'est arrêté.

En sorte que ce poète fait penser, du moins dans ses moindres moments, à un Delille métaphysicien, à un Gongora méphistophélesque, quoique toujours lui-même, d'ailleurs dangereusement. Il a créé un type de nudité savante, un éther, non du ciel, mais de l'esprit, où les gestes de la vie, les sentiments et les pensées s'immobilisent : est-ce pour mûrir des secrets pervers ? est-ce pour rentrer dans le néant ?

9. Un texte posthume.

Et puis, nous avons lu *Mon Faust* (1946), inachevé.

Sous forme de comédie presque sans action... Des remarques cocasses, malignes, perverses, justes, sur cent choses, des remarques désabusées, dégoûtées, d'homme que tout offense.

Des plaisanteries assez faciles, convenons-en. On retrouve, en somme, les amis : l'intelligence cruelle, l'érotisme, un rien de mystification. Un rien, beaucoup peut-être.

Une pensée centrale ? Celle-ci alors. L'homme, l'homme supérieur, est quelque chose d'extrêmement précieux, entre l'ange déchu et Dieu. L'homme, et la femme aussi, avec son incarnation de tendresse. Le mal, le bien, le tout, le rien, sont des brutalités du sort : parmi elles, il y a pour l'être humain, se faufilant, éphémère, une possible destinée.

Ce Méphistophélès ! Faust se moque de lui magistralement, quand il lui explique que l'homme a évolué, qu'il a supprimé l'âme pour jouir des machines, que son esprit refait la création et que le Diable est joliment dépassé...

Mais néanmoins le Diable, que Valéry définit « toutes les tentations de la vie », ne garde-t-il pas nécessairement son pouvoir, fût-il obligé de se confondre avec la plus basse sensualité des êtres, avec la flamme de cérébralité que nous mêlons aux sens ?

Chemin faisant, tout Valéry repasse à nos oreilles : nihilisme, méfiance de l'histoire, analyse de l'effort puissant, blasphème contre l'amour, ironie sur l'amour de soi, et naturellement des percées de poésie à travers l'existence.

Faust, par moments, montre sur son visage une beauté qui est le reflet de la pensée humaine.

Et la jeune Lust, la secrétaire très moderne, a un cœur, sans doute inexplicable, opaque à elle-même, opaque à Méphisto : mystère de l'humain.

« *Ébauches* », écrit le poète de cette prose accomplie. La seconde ébauche sous la même couverture s'intitule *Le Solitaire* : un acte, prose et vers. Faust aux mains des fées, féerie du désespoir. La nuit, le renoncement à penser, même à vivre. Un des derniers alexandrins,

Et je suis excédé d'être une créature

est assurément la racine découverte de cette méditation mi-prose mi-vers du Voltaire mallarméen.

Oh ! des mots, après tout, rien que du verbe. Mais qu'il est beau !

10. Conclusion.

Paul Valéry dresse au centre même de nos lettres une figure dont le caractère capital me paraît être la liberté. S'il est un esprit que n'enchaîne aucune mode et qui ne montre pas plus de respect humain que d'opportunisme littéraire, c'est bien celui-là. En plein désarroi poétique des années 20, Valéry a apporté l'hommage et le soutien de son exemple à la discipline et aux règles. A l'apogée de la victoire pragmatiste, au comble des ambitions irrationnelles, il a relevé et aménagé, en le durcissant quoique en le voilant, un imperturbable rationalisme. En plein tumulte de prétentions économiques, sociales, techniques, il a affirmé la primauté de l'art, et aussi proposé à la multitude des étourdis quelques vues de politique civilisée.

Son œuvre de prose a une valeur d'avertissement : il est de ceux grâce à qui l'humanité du XXe siècle aurait dû savoir depuis vingt-cinq ans à quoi s'en tenir sur les fruits futurs et prochains des sciences appliquées. Ses remarques sur la politique, dans *Regards sur le Monde actuel*, font abstraitement et schématiquement une critique de la démocratie qui coïncide avec celle de Maurras, sauf en ceci : que Valéry ne pense pas qu'une volonté puisse renverser la vapeur. Pour lui, la force des choses existe. Et puis, il paraît nourrir peu d'illusions, non seulement sur le pouvoir des élites, sur leur valeur également.

Mais son pessimisme relatif à l'Europe et à la civilisation n'est qu'un aspect d'un pessimisme général auquel sert d'appel, comme un terrible courant d'air, le terme nihiliste de son aventure intellectuelle. C'est un regard luciférien que Valéry promène sur l'horizon de la destinée humaine.

Avec cela, il rirait au premier mot des possibles consolations. Il y a chez lui un anti-Pascal : ni la religion ni même la morale n'occupent la moindre place dans son œuvre. Est-ce bien à son honneur, tant de sévérité sommaire à l'égard des *Pensées* ? S'il a peut-être raison de reprocher à Pascal une présentation pathétique qui sent le théâtre (Voltaire le premier avait vu cela), l'objection qu'il lui adresse dans *Variété I*, à propos de la pensée « Le silence éternel... », après des pages admirables d'impressions personnelles sur la nuit étoilée, s'inspire d'un positivisme un peu court d'ingénieur... M. Teste a beau refuser le non-moi, Eupalinos devenir tout non-moi, et le Vinci faire comme la jeune Parque une synthèse des deux thèses, ces exercices s'effectuent dans un laboratoire étroit où il n'y a qu'une lucarne pour communiquer avec le monde et son mouvement, pour entendre discourir l'architecte de Mégare, pour regarder les astres et entrevoir l'univers vivant. Et cet isoloir intellectuel n'a-t-il pas entraîné Valéry à séparer trop délibérément de la psychologie humaine les ressources propres à l'âme : intuition, aptitude à la foi, sympathie mystique ? En le quittant, on a envie de se désaltérer l'être intime dans Péguy, dans Bergson, même dans Renan.

Une œuvre déçoit, qui décrit des attitudes mentales, des

positions de problèmes, des notions et des oppositions de notions. Le « connaître » et le « construire » jouent une comédie, ou un drame, sur les lèvres du Socrate valéryen : où s'accomplit le dénouement ? Si Valéry est arrivé à décrire sous le nom d'intelligence une machine à découvrir des rapports et sous l'enseigne d'intelligence géniale une machine capable de supprimer toute solution de continuité entre les choses et de tendre par là à l'équivalence théorique avec l'univers, le fol désintéressement d'un tel ouvrage est sans bornes, on voudrait savoir dans quelle lointaine existence il commencera d'offrir enfin une première possibilité d'emploi...

Bref, Valéry est-il arpenteur ou mathématicien ? Osons risquer ces formules, car il est les deux : mathématicien de l'impondérable, arpenteur d'espaces idéaux.

Pour ses synthèses poétiques, Valéry les a certainement cérébralisées à l'excès. Reconnaissons néanmoins que cet art conscient et tout lié à la connaissance, cet art raffiné et exigeant, cet art qui obtient ses vibrations dans l'air de l'intelligence, apporte une pure nouveauté, une rareté unique, et même une merveille utile. Il dresse un phare, en effet, il le dresse face à cette Mer des Sargasses où se pressent tous les jeunes barbares de la poésie qui ne savent trouver leur style. Au lieu de servir un vain « renouveau classique », il désigne une direction. Pourquoi Valéry ne redira-t-il pas pour lui-même le mot prêté à Mallarmé : « Mon art est une impasse » ? Tout simplement parce que, bien qu'il fasse marcher de pair les sonorités et les images vers le silence et l'immobilité, l'esprit garde chez lui son activité souveraine. C'est une question peut-être de tempérament. A travers théories et desseins, on en revient toujours à la nature de l'artiste. L'artiste, chez Valéry, est mâle et très armé.

Ah, certes, on ne l'expliquera jamais dans les classes; en ce sens, il ne sera jamais classique. Il ne donnera pas son nom à une station sur la grande voie de la pensée et de l'art. Mais lui qui a dit de l'Europe qu'elle est un petit cap du continent asiatique, son œuvre détache une pointe aiguë, trop aiguë, au bout du promontoire intellectualiste et de cette résistance hardie, qui renaît toujours chez nous, aux licences libertaires de l'imagination et de la sensibilité.

III. — *ANDRÉ GIDE*

Il devrait être le mieux connu de nos écrivains (1), car il s'est confessé publiquement et abondamment. Il a publié son Journal en treize cents pages et par surcroît ses mémoires, au moins jusqu'à la mort de sa mère, jusqu'à ses fiançailles en 1895 (*Si le Grain ne Meurt*, 1920 et 1926). Il prétend n'y rien cacher, il dépasse Rousseau en audace, il ne fait pas grâce d'un repli de son cœur, d'un frisson de son épiderme.

Avec cela pourtant, il reste le plus insaisissable et le plus mystérieux. Chacune des photographies qu'il a prises de lui-même est nette, mais comme ses clichés se surimpriment entre eux, qu'il en a produit sans arrêt, et qu'il ne se ressemble guère de l'un à l'autre, on n'est jamais sûr de bien le voir sur les épreuves qu'on tire timidement.

Il n'est pas, il devient, lui-même le dit, et c'est vrai, il devient malgré lui, et il veut devenir. Cela tient à deux causes. D'abord, loin d'être tout d'une pièce, il est multiple, il se sent en perpétuel combat avec lui-même; et puis, une curiosité le possède que rien n'épuise, la curiosité d'une jeunesse sans pareille.

Sa littérature d'ailleurs restera sa plus sûre confidence; il l'encombre, mais la vivifie de sa personne. Néanmoins, il n'a pas voulu seulement s'exprimer, mais faire aussi œuvre d'art et par conséquent s'est posé des problèmes qui viennent compliquer chez lui les problèmes moraux et psychologiques. Une singulière complexité en résulte, aggravée par des hésitations, des retours et repentirs, des jeux de balance. Ce labyrinthe, qui n'offre certes pas une exploration de tout repos, finit par laisser déchiffrer malgré tout un sens très cohérent.

1. La Morale.

Le benjamin des maires de France a commencé par croire aux droits absolus de la personnalité, et il les enseigna à sa manière : culte du moi sans les barbares, plus du tout par rapport à eux, — absolu. Se libérer, ne rien perdre de ce que chaque instant apporte, être joyeux, ne ressentir aucune tris-

(1) Cf. tome I, pp. 497-504.

esse, être soi le plus possible. Il lui arriva de travailler à s'avilir, de vouloir perdre toute estime à son propre égard : pourquoi ? Pour aller jusqu'au bout de soi. Gide a toujours tenu ses yeux fixés sur Barrès, avec une sorte de haine. Dans le culte du Moi, il se montra d'ailleurs plus acharné que Barrès. Il ne tourna pas court. Je l'appellerai le jusqu'au-boutiste du Moi.

Son subjectivisme parfait entraîna son plaisir à devenir la règle de tout. Lorsqu'il reçut en Algérie cette révélation de l'éblouissante volupté qu'il a trop franchement racontée dans *Si le Grain ne meurt*, un autre à sa place se fût inquiété; car, parti pour conquérir sa santé, le jeune homme tombait sans avertissement et avec une violence significative dans l'anormal. Or Gide ne trouva rien d'anormal dans les conditions imprévues de sa joie, et voilà le premier anneau de la chaîne qui mène jusqu'à *Corydon*. Mais *Corydon*, c'est de l'audace, toujours de l'audace. « Sincérité », dit Gide.

Il s'est donné pour but la sincérité absolue, qui est si difficile à atteindre, non seulement à cause des préjugés, des habitudes, du souci de ce qu'on aime et qu'on voudrait ne pas blesser, mais parce que le Moi subit une perpétuelle métamorphose et, dans son mouvant espace vital, échappe en grande partie à la conscience. Dans ces conditions, comment s'y reconnaître ? où se tient le centre du Moi ? En d'autres termes, quels sont les actes qu'un fanatique de liberté estimera absolument libres ? Être libre, ce n'est pas choisir entre deux actes possibles, c'est agir selon sa durée, avec tous les éléments de son être à un moment donné. Mais Gide n'est pas bergsonien et secoue la durée comme une défroque, car soudain le voilà passionné pour l'acte gratuit, pour l'acte qui n'obéit à aucun motif, que ne déclenche aucune espèce de priorité, et que l'on commet volontairement afin de se prouver que la liberté existe. L'acte gratuit ne va-t-il pas jusqu'à parodier la philosophie du moment et le besoin de ne point s'enchaîner ? Il ne s'agit que de vivre dans le présent pour accomplir un acte gratuit en pleine conscience. Acte gratuit, acte de totale révolte. Lorsqu'un des préférés de l'auteur, le Lafcadio des *Caves du Vatican*, précipitera par la portière du wagon un voyageur inconnu, ce sera se débarrasser de ce qui lui reste de vie morte, ce sera se rendre disponible pour tout ce qui pourrait se présenter par la suite.

Lafcadio doit y gagner une admirable légèreté d'aisance, une possession absolue de lui-même. On voit que le barrésisme de Gide aspirait à la nudité parfaite pour mieux s'épanouir. C'était un barrésisme de bain de soleil.

Au reste, faudrait-il, en vue de défendre sa sincérité contre tant d'habitudes morales et sociales, risquer d'avoir à s'examiner sans arrêt ? Tant de vigilance paralyserait l'action. C'est pourquoi Gide publia une décision dans la même page inédite des *Morceaux choisis* où il parle de sincérité : agir « n'importe comment et sans me donner le temps de réfléchir ». Des actes non raisonnés sont les plus significatifs du monde. « Je me délivrai du même coup du souci, de la perplexité, des remords... » État des dieux immortels... Et Gide, en effet, se trouve rejoindre ainsi son interprétation originale des mythes grecs (*Un Esprit non prévenu*, 1929), laquelle n'offre de clair que ceci : l'instinct conduisait ces héros, les Hercule et les Thésée, un instinct parfois irrité, toujours inconsidéré, même lorsqu'il s'offrait la fantaisie de la vertu. Façon évidente d'accepter les forces obscures de l'être, cette toute-puissance de l'inconscient qu'enseignent Bergson, Freud, Proust, et que d'ailleurs Barrès enseignait aussi.

Barrès instaura son culte du Moi pour échapper au nihilisme. Aucun nihilisme chez André Gide. Il est parti de la ferveur, il oppose une ferveur à une autre. Ainsi, il échappe à l'égotisme : il donne tout de suite à autrui la juste place dans son univers. Affranchi, il voudra affranchir. Cet homme né avec une Bible dans son berceau, apparaîtra même très vite, après son assez court temps de tour d'ivoire, affecté d'un coefficient de prosélytisme. Affranchir l'homme en lui inspirant l'amour de la vie, en provoquant l'essor de ses ressources, en lui redonnant la joie de son corps libre et de l'harmonie avec la nature. Affranchir l'esprit de l'homme, pour l'arracher aux idées du mal qui sont fausses, qui naissent de faux jugements; et pour lui apprendre que l'action qui paraît la plus mauvaise peut encore recéler un principe fécond. Affranchir l'individu humain des tyrannies sociales, des coutumes morales et religieuses, de toutes les peurs, et lui donner ainsi puissance et bonheur, comme à Philoctète, qu'il oppose dans un drame philosophique à la raison d'État représentée par Ulysse et à la pitié pré-chrétienne incarnée dans Néoptolème. L'affranchir enfin de lui-même, ne jamais le laisser s'installer confortablement en soi, comme font par exemple les bonshommes de *Paludes*, mais l'inquiéter ou l'exalter. Ces affranchissements, les conduire par l'ironie comme dans *Paludes*, comme dans *Les Caves du Vatican*, ou par une satire déguisée comme dans *La Porte étroite*. Les conduire aussi avec conviction et colère rentrée dans quelques autres livres. A plusieurs reprises, Gide s'est pris de miséricorde pour la femme dans le mariage : l'héroïne de *L'Immoraliste*, l'épouse du pasteur dans *La Symphonie pastorale*. Sur le tard, il écrira plusieurs récits romanesques, *L'École des Femmes* (1929), *Robert* (1930), *Geneviève* (1937), pour suggérer que mariage et amour ne coïncidant que par exception, il n'y a pas de raison pour sacrifier l'amour au mariage, et que le couple a intérêt à maintenir dans sa vie le plus de liberté possible. Vous pensez à l'enfant ? Gide aussi. Il le voit malheureux le plus souvent, et les parents malheureux par lui, quand ils perdent son affection. Peut-être l'enfant ne peut-il que gagner à fuir la geôle où il a grandi. Gide s'indigne de l'incroyable ignorance des familles, qu'il dit faite d'égoïsme hypocrite, à l'égard de leurs enfants : ce qui pousse ceux-ci à mal tourner. Il a une prédilection pour les bâtards (son Lafcadio, son Bernard), il marque la chance à leur front. La famille, cellule sociale, disaient les traditionalistes. Gide réplique par ce jeu de mots : « La famille, régime cellulaire. »

Cependant il a écrit *Le Retour de l'Enfant prodigue* (1907), où l'on voit bien que son opinion ne lui donne pas quiétude : il a besoin d'apaiser les débats de sa raison dans le refuge de l'art. La maison que l'enfant prodigue a quittée, peu importe qu'elle représente ordre social, tradition d'art, ou Église catholique; c'est avant tout la Maison. Mais il importe beaucoup qu'aux yeux de Gide elle ne possède pas le beau et le bien, parce qu'une vertu lui est étrangère, pourtant plus précieuse que tout : la volonté qui en elle-même, en elle seule, cherche ses motifs et trouve sa récompense. Une telle volonté méprise les réalités terrestres, et les plus hautes. Si donc l'enfant prodigue est rentré au foyer, ce n'est que par lâcheté, ne l'avoue-t-il pas à son père ? Il a manqué de cran pour persévérer dans l'inconnu sur les routes non tracées. D'ailleurs cela n'empêche pas l'auteur de donner au foyer la plus tiède douceur et au sentiment du jeune homme reconquis un tendre charme de nostalgie. Au reste, le frère puîné aura peut-être plus de chance pour changer l'or en plaisir, les préceptes en fantaisie, et pour poursuivre des joies nouvelles. Mais quoi ! le rescapé envoie son jeune frère tracer à son tour un sillon au champ de la liberté infinie, et pas un seul conseil tiré de son expérience malheureuse ? Même attitude, quoique renversée, chez le frère aîné réprimandant le prodigue. « Ce que tu ne sauras jamais, lui dit-il, c'est la longueur du temps qu'il a fallu à l'homme pour élaborer l'homme. A présent que le modèle est obtenu, tenons-nous-y. » On aimerait que le prodigue eût répondu : — « Eh bien, j'obéis, je garde ce domaine d'un cœur soumis, mais adjoignons-lui les nouveautés que je rapporte. »

Insaisissable et compliqué, Gide se méfie même de sa conscience. Ah ! sa conscience n'est pas une suzeraine comme celle de Rousseau. Après tout, cette conscience est-elle libre ? Elle a reçu une éducation, des traditions l'ont façonnée, des éteignoirs l'ont couverte, on l'a condamnée aux refoulements. Qu'elle se délivre donc, elle aussi ! Avec l'affranchissement, plus de lutte obscure, plus de drame intérieur.

Pour obtenir si pleine euphorie, il faut évidemment pouvoir faire bon marché de Dieu et des mystères de la vie. André Gide, en effet, a rejeté le spiritualisme et toute croyance au surnaturel. Sommairement panthéiste, il répand Dieu dans la nature. Allons donc ! cet esprit gonflé des Écritures ? Comment s'accroche-t-il si solidement à son paganisme de fait ? Tout simplement par la grâce d'une interprétation simpliste de l'Évangile. Scandale pour les catholiques, scandale pour les incroyants de bonne volonté. Superprotestantisme peut-être. Car par delà une période de frénésie, s'il a retrouvé l'Évangile avec des « transports d'amour », il l'a lu « d'un œil neuf », et alors il en a vu « s'illuminer soudain et l'esprit et la lettre ». Il projeta dès lors d'écrire un livre qu'il a d'ailleurs écrit en partie, mais sans en rien publier, et qu'il eût intitulé *Le Christianisme contre le Christ* (*Si le Grain ne meurt*). La conception du Christ, dit Gide, c'est un état de joie, c'est l'éternité conquise dans l'instant, c'est le paradis en ce monde; qu'on se dépouille de tout ce qu'on tient de ses pères — habitudes morales, vertu, pudeur — de façon à se re-créer naturel et ouvert à tout, dans le désordre peut-être, mais libéré d'un ordre arbitraire, faux et peureux !... Seulement, pour lire cela dans l'Évangile, on doit le débarrasser des interprétations et des règles établies par l'Église. Grâce à quoi Jésus devient un héros de la morale gidienne : révolté lui aussi contre sa famille, sa religion, sa tradition, dressé lui aussi contre les Pharisiens, que nous appelons Conformistes. Il s'entourait de hors-la-loi, dit Gide, parce que c'est trop facile de vivre tièdement et de se faire considérer; seul le risque couru est un signe divin. Et voilà un évangélisme nietzschéen. Gide a découvert Nietzsche quand il écrivait *L'Immoraliste*, il se trouva donc nietzschéen avant de le savoir, et peut-être le fût-il devenu plus audacieusement par la suite, si Nietzsche découvert ne lui avait fait quelque peur en lui représentant un risque de redites. Mais il l'admire, et d'abord de n'avoir pas de système proprement dit. Tous deux pensent incontestablement que le Christianisme organisé par l'Église a déformé et détruit la véritable sagesse incomparable du Christ, qui parle du royaume de Dieu comme d'une réalité immédiate, la réalité d'une vie humaine selon la vérité : nulle vie future, nulle vie éternelle...

On aurait tort d'interpréter ces vues comme du laisser-aller délibéré, comme une exhortation à toute licence. L'effort de Gide pour se déchaîner à travers la jouissance égale à peu près celui que d'autres accomplissent pour atteindre la vertu. Il s'agit d'un ascétisme à rebours. C'est une volonté bandée, une énergie sur ses gardes, une contrainte contre les contraintes. Gide croit aux bienfaits de la contrainte; l'homme, dit-il, ne crée que par elle. Il faut même l'imposer de l'extérieur au commun des hommes, afin de faire malgré eux leur bonheur relatif. L'individu supérieur, lui, la trouve en lui-même, il se la forge : grâce à quoi il jouira de la liberté de l'esprit et tiendra son rôle, qui consiste à chercher la vérité. A ce point de vue, *Saül*, écrit dès 1895, quoique publié en 1903 et joué en 1922, et *Bethsabée* (publié en 1912, mais composé en 1903) rejoignent les *Nourritures*. On pourrait certes interpréter les cinq actes en prose de *Saül* comme une révélation de la vie apportée par l'enfant David et qui révolutionne le vieux roi; il apparaît plutôt que le roi se saoule de la liberté qui le disperse et le volatilise en mille désirs auxquels il a consenti; les démons le suppriment; il perd sa personnalité, une déchéance lui ruine l'âme. Le « Tout ce qui t'est charmant, t'est hostile » réagit donc contre l'orientation initiale des *Nourritures*, mais confirme leur exhortation finale à différer, à refuser pour s'augmenter. Et *Bethsabée* réalise une magnifique monographie du désir. Quelle fureur d'exigence ! Celui qui a tout veut encore le peu qu'a un autre. Mais quelle tromperie ! car ce que David désirait, c'était moins telle femme que l'inconnue apparue près de la fontaine, et c'était même le petit jardin et l'heure du calme sur les gazons. Aussi, quand il fut satisfait, au moyen d'un véritable crime, tout le bonheur escompté a-t-il creusé un vide dans son âme, dans les choses, dans la vie... Beau message, cette *Bethsabée*. Beau par l'art : jamais Gide artiste n'a harmonisé tant de puissante douceur. Beau aussi par la pensée : il signifie que certaines contraintes sauvent la ferveur. Contraintes intérieures, dont on se sert soi contre soi.

En somme, premier temps gidien : honte de la chair et contrainte du corps. « Triste éducation que nous eûmes, est-il dit dans *La Tentative amoureuse*, qui nous fit pressentir sanglotante et navrée, ou bien morose et solitaire, la volupté pourtant glorieuse et sereine. » — Second temps : les luttes d'antan pour triompher de soi-même crient leur vanité. N'est-il pas plus sage de se laisser vaincre, de consentir à la libre jouissance : c'est-à-dire de « ne plus s'opposer à soi » ? D'où les découvertes rapportées dans *Si le Grain ne meurt* et transposées dans *L'Immoraliste*. — Troisième temps : dépasser cela, le traverser. « Aucunes choses ne méritent de détourner notre route; embrassons-les toutes en passant, mais notre but est plus loin qu'elles. Notre but unique, c'est Dieu : nous ne le perdrons pas de vue, car on le voit à travers chaque chose » (*La Tentative amoureuse*). Mais ici, qu'on se reporte à une chronique de *L'Ermitage*, dont le tome II des *Œuvres complètes* reproduit en notice ce passage concernant le Ménalque des *Nourritures* : « Il disait aussi : J'appelle Dieu tout ce que j'adore. — Cela peut nous mener loin, répliquait quelqu'autre. — C'est ce qu'il faut, reprenait-il... » Très loin, en effet. Pourquoi le Gide du troisième temps ne regrette-t-il rien, même les plus dures luttes soutenues naguère par le puritain ? Il le proclame dans la préface de 1930 à l'édition définitive des *Cahiers* : « J'aurais eu moins soif si d'abord je ne m'étais refusé de boire », car rien ne vaut la soif inextinguible, la plus grande joie se cueille dans le dénuement. Tel est l'extrême nietzschéisme de Gide. Nietzschéisme original, car lisant les premiers volumes traduits par Henri

Albert au moment de rédiger *L'Immoraliste*, il y découvrit sa propre pensée, dont il décida aussitôt d'alléger son livre au profit du récit impersonnel et objectif.

2. La Critique.

Gide dans toute son œuvre, même romanesque, fait la critique de personnages et d'attitudes. Ses volumes de mémoires et de journal intime constituent une critique de lui-même et, par delà, une critique générale. Plusieurs recueils d'études critiquent des idées et des formes. Bref, sa production entière prend position d'examen vis-à-vis de son temps et de l'évolution des temps.

Il y a un classicisme gidien. A vingt ans, Gide trouvait chez Mallarmé et les Symbolistes un goût trop littéraire pour la musique de Wagner. Lui, par réaction, préfé ait le quatuor et la sonate, ce qu'il appelait « la musique pure » (*Si le Grain ne meurt*). Il ne cache pas dans le *Journal* sa sévérité pour Proust; il lui reproche de s'en être tenu à un travail préalable : Proust a rentré du pollen, il n'a pas fait le miel. Gide se rapproche à cet égard des exigences de Valéry. Son art tend à la perfection.

Doctrinalement, il est souvent classique. Il disait en mars 1904 à son public bruxellois : « l'art naît de contrainte, vit de lutte, meurt de liberté » (*L'Ermitage*, mai 1904). Naturellement, le classique qui compte a peiné pour l'être : il faut disposer d'une matière puissante pour la traiter selon un art qui ne sente point le pastiche.

Gide estime qu'un classique ne peut qu'être Français; ni Dante, ni Cervantès, ni Shakespeare ne sont classiques. Le classicisme consiste surtout dans une modestie de langage qui ne cherche pas à épuiser l'émotion; or nos romantiques jettent sur l'émotion un lourd et brillant filet de paroles. Mais même en France, on connaît des génies non classiques : Rabelais, Villon, Pascal.

Son classicisme, Gide le professe sans monter en chaire. Il sait très bien que son esprit appartient à une tradition, mais malgré lui, et il veut être Français, dit-il, sans penser continuellement qu'il l'est ou sans qu'on le contraigne à l'être.

Surtout il n'écrirait plus en tête de nouveaux *Caractères*, s'il en composait : « L'on vient trop tard », mais de préférence :

« L'on vient trop tôt », prenant position sur ce point contre les théories qui se recommandent des anti-modernes du XVIIe siècle. Son avidité des *Nourritures terrestres*, il l'a transportée dans le domaine intellectuel et littéraire. « J'attends toujours je ne sais quoi d'inconnu, nouvelles formes d'art et nouvelles pensées » (*L'Ermitage*, mai 1899). On a de lui une subtile critique de La Rochefoucauld, à qui il reproche une doctrine trop linéaire : le cœur humain a bien d'autres replis et détours. Il pense comme Saint-Évremond que Plutarque a vu l'homme trop en gros. Est-ce que la chimie d'hier ne présentait pas comme simples des corps qu'elle décompose aujourd'hui ? Les écrivains nouveaux, les maîtres étrangers, de Dostoïevski à Tagore et à Conrad, lui ont toujours été terre promise et il prétend bien y entrer pour explorer des profondeurs. Sans cet affût dans la chasse à la nouveauté, l'art de cultiver l'esprit se mourrait, il n'y aurait plus rien à cultiver, le classicisme perdrait toute matière. C'est pourquoi le *Dostoïevski* a tant d'importance. Gide avait déjà publié un *Dostoïevski d'après sa Correspondance* en 1908 ; l'étude complète de l'homme et de son génie a paru en 1923. Elle réforme quantité de jugements, elle entre avec ampleur chez le maître russe, sans doute parce que les deux écrivains s'apparentent par leur pensée. Gide a trouvé confirmation chez Dostoïevski des propres mesures que lui-même avait déjà prises, à travers la complexité psychologique, d'un étage de notre vie intérieure ignoré des classiques, entrevu par Stendhal. Au-dessous des étages passionnels, eux-mêmes au-dessous des intellectuels, il y a l'étage souterrain de la sensation sans pensée et sans accent sentimental, celui de la communication obscure avec la vie totale, de l'oubli de l'individualité dans la communion amoureuse, dans la contemplation quiétiste, etc... Là éclatent des minutes de bonheur, des secondes où la vie entre dans l'éternité, ces moments dont l'ensemble peut réaliser le Dieu des athées. Mais Gide oppose Dostoïevski à Nietzsche, il voit ses personnages nietzschéens culbuter dans la faillite et le dépassement du surhomme se perdre dans l'impuissance. Plutôt le renoncement, pensait le Russe. Un dépassement d'abord, un effort nietzschéen, puis son « évangélisation ». Or Gide va dans le même sens, quoique par une autre voie, celle de la vie dangereuse, dans laquelle il s'accorde encore avec son maître. Jamais Dostoïevski ne nous montre un personnage plus près de Dieu que dans l'extrême péché, et Gide se souvient de Baudelaire écrivant : « Il y a dans tout homme deux postulations simultanées, l'une vers Dieu, l'autre vers Satan. » Voilà pour l'homme gidien une raison de vénérer ses antinomies, de quoi aussi se convaincre que ce ne sont pas les gens en règle avec eux-mêmes et avec le Ciel qui mûrissent pour les vérités évangéliques... Alors, fermée, la porte étroite ? On va passer maintenant par la porte infernale... Ce qu'il faut de démoniaque à une œuvre d'art, ou plus simplement la nécessité de l'anormal pour écrire quelque chose de neuf et d'important, si cette idée est propre à Gide, il l'a aiguisée dans Dostoïevski; il s'est aussi préparé auprès de lui à son interprétation de la révolution bolchevik, cette sorte de souffrance qui peut profiter, osera-t-il penser, au reste de l'Europe et du monde.

En somme, on comprendrait mal Gide si l'on oubliait de supposer à la base de ses réflexions un scepticisme, c'est-à-dire que pour lui toute chose pourrait être autre qu'elle n'est. Les règles ne sont donc que des possibles; ces possibles se sont réalisés parmi plusieurs possibles même opposés. Comme une telle pensée alimente et excite la curiosité ! On regarde derrière les choses, on veut explorer au delà. Curiosité enragée et perverse, qui avait tout d'abord pris une forme assez philosophique, car n'oublions pas le projet de jeunesse noté dans *Si le Grain ne meurt* : histoire imaginaire d'un peuple, conduite de façon à prouver que l'homme civilisé aurait pu vivre autrement qu'il n'a vécu, tout en restant aussi « humain ».

Un des Gide que nous connaissons pourrait s'appeler Anti-Maurras. Celui-là ne croit pas à la santé en littérature. Les grands réformateurs, dit-il, un Mahomet ou un Rousseau, sont des déséquilibrés; la folie d'un Nietzsche, l'épilepsie d'un Dostoïevski ne lui paraissent pas de mauvais brevets. Naturellement un tel choix de noms est de lui et l'on en voit l'arbitraire. Il honnit le nationalisme littéraire, il applaudit à l'enrichissement par l'influence étrangère. La France est-elle une race ? Sommes-nous seulement des gréco-latins ? Quand les grands étrangers ouvrent des voies et nous y entraînent, nous trouvons bien moyen de nous y montrer originaux. Gide n'accepte pas le traditionalisme doctrinaire, il invoque contre lui, dans ses *Nouveaux Prétextes*, la théorie de Carey : les terres d'abord cultivées ont été choisies pour leur facilité; plus tard seulement, l'homme s'est attaqué aux terres basses, aux terres limoneuses, aux terres d'alluvions. En littérature pareillement, dit Gide. Un Racine a défriché des terres maudites. Les Gréco-Latins avaient pris les terres faciles, les modernes se sont vus contraints à plus de hardiesse. Il reste pour nous et nos successeurs des ressources à l'infini.

Ne croyons pas qu'il s'agisse de dénationaliser. Au contraire, Gide n'espère en littérature un concert européen que réalisé par l'ensemble des littératures fortement nationales, de même qu'il n'attend une littérature nationale que d'écrivains fortement individualisés. Et il y a dans *Le Journal* des pages fermes et sévères sur la « littérature juive » en France.

La critique d'André Gide est essentiellement psychologique. Sa psychologie descendant à travers l'obscur, le mystérieux et l'inconscient comme celle de Proust, atteint un monde secret difficilement exprimable qu'on ne peut guère que suggérer, mais dont la complexité contient des énergies en réserve. Gide a pressenti et même a peint avec tact un inconscient mis par Freud en brutal système; il n'a ignoré ni les refoulements, ni les instincts cachés et déguisés, ni les motifs secrets. Un puits mystérieux et inquiétant s'ouvre dans le jardin de beaucoup de nobles demeures, Gide y a tiré de l'eau, il a arrosé avant l'Autrichien. Et tout cela crée une obsession qui plane sur le *Journal* plus visiblement que sur le reste de l'œuvre, mais à laquelle le reste de l'œuvre n'échappe jamais. D'où cette surveillance des moindres gestes, ce je ne sais quoi de policier entre les personnages, mais aussi cette admirable pénétration progressive dans le mystère de beaucoup d'entre eux. Qu'on se rappelle le Vincent des *Faux Monnayeurs*, quand il joue et gagne; qu'on regarde tout ce qu'il y a dans son acte, dans sa série d'actes, depuis le motif honorable jusqu'à la vilenie, en passant par la chimère, l'orgueil, la griserie de la chance; qu'on voie enfin ce que l'auteur a écrit dans le *Journal* de ce roman. Quelles perspectives pour l'ironie ! Elle devient un instrument d'investigation. L'homme ne se croit-il pas héros de la vertu ou du devoir, dans le moment où le désir le moins noble le possède ? Les cilices d'André Walter réservent des surprises; le dévoué Azaïs, dans *Les Faux Monnayeurs*, derrière un paravent de générosité, fait trimer le pauvre vieux

La Pérouse qui n'en peut mais. Entre les deux œuvres, *La Symphonie pastorale*, qu'est-ce autre chose qu'une ironie prolongée ? Le pasteur aime de passion, quand il croit remplir une obligation charitable : il en devient presque un Tartufe qui s'ignore. Que d'hypocrisies inconscientes pour déguiser nos fautes et interpréter les actions d'autrui ! C'est de ce point de vue que Gide a considéré la justice humaine. Son analyse, partie des *Souvenirs de Cour d'Assises* (il fut juré en 1912 à la Cour de Rouen) a abouti à la collection de faits divers, *Ne jugez pas*, en 1930. Au regard d'un tel psychologue, la recherche de la responsabilité est une pure folie et notre appareil de justice une survivance.

Il ne serait d'ailleurs pas trop malaisé d'appliquer ces observations et cette ironie à la personne même de l'auteur. Plusieurs fois, à le lire, il y a lieu de se demander : « Faut-il le croire ? » Tenons-le certes pour sincère lorsqu'il affirme : « je ne suis ni catholique ni protestant, mais chrétien ». N'empêche qu'en réalité, il est protestant dans les moelles. Il prétend que la conception que Corydon professe de l'amour a le pouvoir bienfaisant de former les jeunes gens : or, on le devine prêt à les corrompre. Il avait eu l'idée de faire raconter l'histoire des *Faux Monnayeurs* par le Lafcadio des *Caves*, lequel y aurait pris part, lit-on dans le *Journal* de ce roman, « en curieux, en oisif et en pervertisseur ». Voilà des flagrants délits; dans les intervalles, que d'involontaire mauvaise foi pratiquée de la meilleure foi du monde !

Je dirai même que l'inlassable recherche d'André Gide manque d'un parfait désintéressement. Pourquoi, pour quelle fin lointaine explore-t-il si passionnément la psychologie ? Pour trouver des références à ses partis pris de morale. Il s'acharne à nous convaincre que beaucoup de sentiments et d'actes aujourd'hui répréhensibles coulent en réalité de la nature, et les voilà légitimés à ses yeux. L'anormal d'aujourd'hui deviendrait ainsi presque à coup sûr le normal de demain... Gide trouve donc son compte, ou il croit le trouver, à nous montrer par exemple, à travers son Lafcadio, avec ironie d'ailleurs, qu'un acte peut réaliser l'amoralité la plus flagrante et cependant rester pur.

Le moment est peut-être venu de rechercher si la philosophie de Gide a des bases. Sur quelles fondations repose l'édifice ? On a vu ici à chaque page qu'il cherche ses garanties, au delà des Écritures, dans l'introspection. Prenons garde aussi à ce qui fut une passion de sa jeunesse, l'histoire naturelle. Peu s'en est fallu qu'il s'y consacrât au lieu d'écrire. Son esprit, en effet, a quelque chose de scientifique, dans la mesure où les sciences non mathématiques s'adonnent à découvrir du nouveau par places, un nouveau destiné à entrer dans l'ensemble futur qui remplacera tel ensemble présent. C'est la méthode des naturalistes. Gide écrivain en garde l'observation patiente et minutieuse, le besoin des références exactes, un scrupule méticuleux dans les détails privilégiés. Cette position se manifeste avec constance, depuis la « querelle du peuplier » où l'on doit reconnaître qu'il tint le bon bout contre Barrès et Maurras, jusqu'à *Corydon*. Gide entomologiste s'est engagé pas à pas dans une recherche qui tourne le dos aux vérités établies, psychologiques et morales, montrant grande méfiance à l'égard du sentimental sous toutes les formes et grande fidélité à son expérience propre, du moment que rien ne la fait dévier. D'où ce que ses œuvres montrent de lent, d'hésitant, d'où aussi leur témérité à scandaliser, d'où enfin leurs incessantes reprises, car n'oublions pas le Gide anguille et protée; il l'est par scrupule d'ailleurs, mais il a toujours l'air de se préparer un alibi pour le cas de découvertes imprévues. Il vit un procès en perpétuelle revision.

Et autre chose encore le rend pénible, harassant, irritant : c'est que l'idée générale l'attire et tout ensemble lui fait peur. Dès qu'elle apparaît dans le champ de sa lunette : — Oh, oh, s'indigne-t-il, voilà du tout fait ! Il ne voudrait que de l'expérience, de l'expérimentation, et de vraies découvertes, même infimes. Il se penche à la quête de la rareté et de l'exception. Quand il arrive à des idées, ce n'est jamais qu'en hésitant et en souffrant, par une sorte de pénible maïeutique et comme provisoirement. Certes, de telles manières lui procurent l'avantage de pouvoir nous mettre en garde. Il nous apprend à nous tenir sur le qui-vive. Il entretient l'inquiétude et l'esprit de connaissance. Ajoutez qu'à contredire il se procure de la joie. Ainsi doué et armé, comment ne s'instaurerait-il pas le redresseur d'orgueils doctrinaux ? Toute doctrine fermée et prétendue complète l'horrifie; elle fait se dresser contre elle toute sa psychologie, toute sa morale et toute sa critique. Il considère Barrès, Maurras, comme d'inquiétants pragmatistes, et le classique c'est lui. Il est ami de la vérité et non pas de Platon. De ne l'être même pas de lui-même, il s'en convainc avec sincérité, jusque dans les moments où il l'est scandaleusement.

C'est pourquoi plusieurs de ses livres, romans en apparence, sont en réalité des essais de critique. Qu'on lise notamment *Robert*, ce portrait biographique d'un réactionnaire « bien pensant ». L'intention vise bien au delà. Il ne s'agit de rien de moins que de bafouer quiconque accepte en morale, en direction de conscience, une autorité.

3. Le romancier de la première manière.

Aucun auteur n'a autant fait passer la vie par la réflexion. Mais il est romancier et artiste. Ce romancier et cet artiste a composé son univers avec les reflets dont chatoie son esprit et il en est arrivé un jour, dans *Les Faux Monnayeurs*, à disposer des sortes de miroirs sur lesquels on bute mais qui permettent aux personnages de se voir sous toutes les faces, puis de se juger, et au lecteur de « super-juger » les personnages.

Bien entendu, il a peuplé ses romans de tous les êtres dont il portait en lui les possibilités et qu'après tout il aurait pu devenir. Ses héros lui servent à porter sa pensée à tel moment de sa vie, de façon à la déposer ensuite, et ainsi à s'en débarrasser. *L'Immoraliste* (1902) a recueilli Michel comme un échappé des *Nourritures terrestres*. C'est encore *Les Nourritures*, mais avec héros différent de l'auteur et participation d'autrui, d'où drame. Livre admirable, livre abominable. Livre admirable, parce que Michel, sortant de la double prison de son éducation puritaine et de sa maladie, découvrant la joie des sensations, se détache, infernal, avec un relief qui effraie; parce que sa femme Marceline prend des attitudes et prononce des paroles où la fragilité humaine se livre toute; parce qu'entre eux deux le drame rampe, caché et violent, étouffant de son affreuse vérité tout ce qui n'est pas lui; parce qu'enfin l'auteur ose des scènes atroces, tout en restant rigoureusement psychologue.... Mais livre abominable tout autant. Quel acharnement Michel met à ne rien sacrifier de ses plaisirs et de ses satisfactions, dont pourtant sa femme se consume ! Il la tue par des mots, par sa pensée même, elle qui naguère l'a sauvé par ses soins. Il vit de cette mort qu'il prépare. Livre admirable et odieux, livre impie où triomphe l'art d'un écrivain qui s'enivre de recréer paysages et atmosphères (d'Algérie, de Normandie, de Paris), mais plus encore de découvrir le crime qui a mûri dans une âme : le crime inexpiable qui ne tombe sous le coup d'aucune loi.

Que l'homme doive réussir à atteindre son maximum de joie envers et contre tout, serait-ce l'enseignement de *L'Immoraliste* ? Non, bien sûr. Il y a un Michel dans Gide, mais aussi un ami de Marceline et, s'il le pouvait, un vengeur. Le ton du récit condamne évidemment l'individualisme absolu de Michel et de ce Ménalque satanique qui l'entraîne. Confondre individualisme et personnalité, ce serait confondre deux plans.

Dans *La Porte étroite* (1909), Gide conclut-il à l'erreur et au regret d'Alissa, qui a sacrifié sa vie à Dieu ? Conclut-il au malheur de ces âmes religieuses qui jusqu'au seuil de la mort ont peur de n'avoir pas été assez pures ? *La Porte étroite* raconte un extraordinaire amour. Alissa, être d'exception, impose sa chasteté sainte à l'homme qui l'aime et qu'elle aime. Regimberait-il ? Elle romprait. Céderait-elle un jour, comme elle y paraît prête ? Leur amour s'en empoisonnerait. Gymnastique morale telle, et procurant une telle exaltation, qu'au moment où cette exaltation se repose, la jeune fille déçue croit que leur amour fléchit; or elle aime trop pour s'en accommoder. Lui comprend mal, comprend trop bien, se désespère; et elle à son tour. Qui veut faire l'ange souffre et meurt : voilà la contre-partie de *L'Immoraliste*. Mais cette souffrance mortelle assure le pathétique du livre, un long martyre qui se révèle à des attitudes et à des dialogues, les uns furtifs, les autres en relief, tous déchirants. La porte « étroite » de l'Évangile, on n'y passe pas à deux de front. Ne plus devoir qu'à Dieu seul la joie qu'elle avait connue par Jérôme, voilà la prière d'Alissa; mais à la minute de la mort, elle frissonne et frémit d'une solitude dont elle ne soupçonnait pas l'horreur. Ce roman est un chef-d'œuvre de la littérature subjective et du récit linéaire. Gide y parle un langage parfaitement exact et strict; il y obtient ses effets d'émotion avec une brièveté inouïe. Certains mots très simples, bien placés et que leur justesse isole, ont plus de vertu que tout un lyrisme. Les dialogues, les lettres qui font le point de l'aventure gravent un dessin parfait. Le « Journal » d'Alissa est un chef-d'œuvre dans ce chef-d'œuvre.

Isabelle (1911), après cet adagio, fait entendre un mouvement plus léger. L'allée de parc bordée de grâces et de causeries, aboutit à un pavillon abandonné où l'imagination d'un jeune curieux s'excite; aussitôt le mystère éclairci, l'excitation tombera : là encore, le désir aura mieux valu que la possession. Mais ce récit de style décoratif fait passer entre les feuillages furtivement une vie compromise, le malheur d'une femme qui a tout perdu pour avoir voulu fuir avec son amant. Pourquoi Gide l'a-t-il faite vulgaire ? Pour châtier la chimère de son chartiste en disponibilité d'amour, et c'est ce qui prouve qu'il n'a pas ici conçu œuvre sérieuse. Son joli conte reste un jeu. Autrement on lui demanderait : — Si la pauvre Isabelle avait poussé jusqu'au bout sa faute, au lieu de reculer devant l'acte en une minute de remords, n'auriez-vous pas modifié par sympathie son personnage ?

La troisième « sotie » de Gide, après *Paludes* et *Prométhée*, s'appelle *Les Caves du Vatican*. Elle a paru en 1914. Qu'est-ce qui invita Gide à écrire ce roman-feuilleton drolatique où la caricature s'attaque aux thèses conservatrices des disciples de Taine et mobilise des personnages qui ont l'air échappés de leurs romans ? On dirait qu'il a voulu se libérer largement et définitivement 1° par l'invraisemblance bouffonne de la fiction, 2° par un tableau saugrenu de la société bien pensante, 3° par la conception de « l'acte gratuit » (voir plus haut) : le jeune Lafcadio, qui l'accomplit, élève au relief et à l'absolu du type les jeunes gens négatifs de 1910-1912 qui se rebellaient contre l'exigence traditionaliste, mais en même temps il présente à Gide une figure extrêmement expressive de sa soif d'évasion. Comme il a le pouvoir de séduire ! comme il inquiète ! Sa naissance bâtarde l'aide à s'élever au-dessus de la vie conventionnelle. Mais à cette hauteur, il devient le jouet des tempêtes. Son cœur, son esprit vivent dans un perpétuel tumulte. Où est le bien ? où le mal ? Lafcadio rejoint par les voies de l'intelligence libérée et ironique le satanisme byronien de l'autre siècle. Or le personnage a fait des petits et ils devaient peupler l'après-guerre des années 20. Le pessimisme rieur sera son fils et Dada son petit-fils. Mais le gaillard a beau valoir qu'on le considère à part et pour lui-même, puisqu'il a un caractère et semble avoir une destinée : il n'est pas né naturellement, il est sorti tout armé de la tête de l'auteur. Celui-ci a mis en lui toutes ses complaisances. Il l'a doté d'un cerveau qui est une partie du sien, d'un cœur formé des goûts et dégoûts qu'il a lui-même éprouvés. Il a confectionné et placé tous les ressorts. Il a construit un automate perfectionné, il le suit toujours et partout, il presse ce bouton-ci, puis celui-là. Nous admirons une merveille d'Edison.

Avec *La Symphonie pastorale* (1919) au contraire, on revient au Gide humain. La grâce d'une jeune aveugle, des amours en éclosion, des sentiments inconscients ou à peine conscients, puis douloureusement avoués, la vie d'une famille de pasteur bouleversée par la passion dans le cadre d'une campagne paisible, tout cela nous assiège avec un art pénétrant et fort. On devine, on entrevoit, on comprend, comme par lumière de douces projections. Le drame se forme lentement et puissamment; une eau monte, puis soudain rompt les digues et fait ses ravages. De grandes souffrances innocentes élargissent leurs cercles.

La Symphonie pastorale, *La Porte étroite*, *L'Immoraliste* posent des problèmes sans proposer de solutions. Mais l'art y dispose toutes choses pour que nous puissions les résoudre nous-mêmes : à vrai dire, selon nos tendances et même de façon que Gide garde le droit de choisir après nous et de passer d'une solution possible à une autre non moins possible. Dans *La Porte étroite*, par exemple, y a-t-il erreur d'Alissa sur son devoir ? méprise de Jérôme sur la situation ? abdication excessive de Jérôme ? impossibilité pour les âmes de résister à la pente de leur formation ? A votre gré. « Il n'y a pas de problèmes dont l'œuvre d'art ne soit la suffisante solution », lit-on dans *L'Immoraliste*. Importante déclaration qui précise un double aspect gidien : la hardiesse et les dérobades. Il est évident que les dérobades ne sont en aucun cas autre chose que scrupules de moraliste, lequel aimerait mieux manquer la vérité que l'avoir brusquée. Chez André Gide, le moraliste commence et c'est l'artiste qui finit. En somme, l'artiste l'emporte, l'artiste psychologue heureusement. En sera-t-il toujours ainsi ?

4. Évolution de Gide : le souci d'autrui.

André Gide s'est soucié d'autrui dès le début de sa vie de réflexion; seulement, il a maintenu longtemps son œuvre dans les hauteurs de la tour d'ivoire. Au cours de ses premiers voyages en Algérie, s'il ne ferma pas les yeux sur les difficultés de la population arabe avec administrateurs et colons, si même il consigna des observations sur ses carnets, l'artiste d'*Amyntas* ne se devait-il pas d'éliminer ces échos de vulgaire existence ? Tant d'autres pouvaient les recueillir ! « L'homme est plus intéressant que les hommes », disait-il (*Journal*). Mais à quelque temps de là, les Français commencèrent de réagir à la guerre qui venait. Gide alors malgré lui se mit à l'unisson. Célébrant dans son *Journal* la *Jeanne d'Arc* de Péguy, il approuva la campagne d'Agathon auprès de la jeunesse; la guerre venue, il approuva Maurras, tandis qu'il donnait tout son temps à l'œuvre du Foyer franco-belge, au moins de novembre 1914 à septembre 1915. Une crise s'ensuivit. Absorbé dans le collectif par devoir patriotique et par sympathie humaine, il s'en voyait « dévoré » et son Moi finit par regimber. Sans compter qu'il se sentait plus isolé que jamais, lui grand bourgeois et esprit supérieur. D'où un long et pénible désarroi. Il en sortira, il se reprendra : n'aura-t-il rien gagné à l'épreuve ? Il aura connu la douleur et la misère des hommes dont l'homme l'avait détourné; il se sera donc enrichi.

Une crise religieuse doubla cette crise civique.

Le *Numquid et tu*, paru en 1926 seulement, mais écrit de 1916 à 1919, a sa place tout à côté de la *Symphonie pastorale* écrite peu de temps auparavant. Le pasteur du roman a-t-il raison de s'éveiller à un christianisme démailloté de contraintes, illuminé de joie ? En tout cas, il le fait sous l'empire de son amour qu'il ignore mais qui va répandre le malheur et la mort. Il découvre un ineffable bonheur de l'âme, et il le découvre par l'amour; mais c'est un amour qu'il vole à son fils, un amour qui torture sa femme et qui détruira son propre objet, la jeune fille. Quant à son christianisme, nous le connaissons, car *Numquid et tu* ne fait que renforcer les positions des *Nourritures terrestres*. Ce christianisme contre saint Paul, qui situe en ce monde-ci le « royaume de Dieu », est d'ailleurs exigeant. Il veut qu'on se dépossède et de soi et des siens et de tous les biens. Ni race, ni famille, ni patrie. L'individu nu, — le pauvre; il a tout donné et n'est plus que ferveur. « Celui qui vient à nous n'a plus de maison », comme dit saint Jean. À cette condition seulement il entre, dès ce monde-ci, dans la vie éternelle. Qu'on imagine une *Symphonie pastorale* composée après *Numquid et tu*. C'est sans doute l'existence entière du pasteur que Gide eût remise en question. On se demande même s'il s'en serait dépêtré. Son pasteur tel qu'il est, il ne le félicite pas plus qu'il ne félicitait Michel l'immoraliste; mais le voici qui adhère à sa conception libertaire du christianisme. S'y reconnaissait-il lui-même, ou à la faveur de quels étranges raisonnements ?

Gide néglige assurément de parti pris certaines paroles capitales de l'Évangile, et d'ailleurs n'a-t-il pas dit à M. Martin-Chauffier (« André Gide », *Cahiers de la Quinzaine*) que ce petit livre, *Numquid et tu*, n'était peut-être qu'un développement littéraire ? On en doute, car il prend par endroits un accent d'ardente prière. En tout cas, elles émeuvent, cette pensée d'amour qui se fait jour, cette retraite absolue, cette libération presque mystique qui, arrachant définitivement l'auteur à l'égotisme, le tient disponible pour les dévouements et pour les croisades.

En effet, André Gide apparut, après l'autre guerre, en attitude d'affranchi. Pour mieux couper les amarres avec toute espèce de port et de quai, il accepta le titre d'oncle auprès des Lafcadio qui s'appelaient Tzara, Aragon, Breton. Pas longtemps, précisément parce que le mouvement « Dada » ne sortit pas de la négation, et Gide devait en venir à appeler ces iconoclastes « les jeunes haïsseurs du passé ». Rien, dit-il (*Pages de Journal*), « ne vieillira plus vite que leur modernisme; ce n'est qu'en s'appuyant sur le passé que le présent peut prendre élan vers l'avenir ». On ne devra pas oublier de telles déclarations, elles en compensent d'autres de la même plume. Mais déjà Gide était rentré de son enquête congolaise (1925-1926), chargé d'un terrible dossier contre la colonisation. Il avait constaté des abus que la métropole ignorait, il eut conscience d'un devoir à remplir, il parla. *Le Voyage au Congo* (1927) et le *Retour du Tchad* (1928) dénoncent les exactions des Grandes Compagnies qui ont miné la colonie, qui ont fait mourir ou déserter les indigènes. Le scandale fut immense, et l'État conclut au non-renouvellement des concessions à la féodalité financière. On dira que cette critique des méthodes de colonisation a le tort d'utiliser chez les Noirs des principes formés chez les Blancs et pour eux. Quoi qu'il en soit, n'obtient-elle pas la condamnation unanime des Compagnies concessionnaires, ces inhumaines qui ont tout courbé sous la passion du gain ? Par delà, l'enquête de Gide l'a amené au pied du mur capitaliste, et c'est à partir de son anti-colonialisme qu'il s'est mis dans la tête de travailler à changer le monde. Il a donc adhéré à l'anti-capitalisme le plus avancé de l'époque. Mais il était si pressé qu'il adhéra avant de connaître. Il était pressé de voir ce que peuvent donner un État sans religion (en tout cas, sans mythologie), une société sans familles et sans classes. Malédiction ! Trois ans avaient à peine coulé qu'il publia *Retour de l'U.R.S.S.* (1936), puis *Retouches à mon Retour* (1937), réquisitoires contre ce qu'il appelle l'Église nouvelle, les nouveaux dogmes, la nouvelle théocratie. Gide est devenu communiste comme il était devenu chrétien, chrétien évangélique à la manière de Tolstoï. Il prétend donc avoir été communiste sans le savoir et adhérer à un communisme qui remplace le christianisme failli, puisque l'Église, pense-t-il, fait le jeu du capitalisme en endormant les déshérités. Mais une autre faillite ne compromet-elle pas le régime de Moscou ? Toujours est-il que Gide paraît avoir choisi Trotzky pour Messie et qu'il a déguisé Staline en nouveau saint Paul pour l'envoyer au diable.

Si la ferveur révolutionnaire d'André Gide risque l'insatisfaction, c'est peut-être que quelque chose cloche ici dans sa logique. Trop pressé, ai-je dit. En effet, il s'est jeté sur le politique, en paraissant oublier que si le politique dépend du social, le social à son tour dépend du moral. Cette hiérarchie se discute, mais Gide l'avait reconnue. Ne la reconnaîtrait-il plus ? Ne pense-t-il plus qu'il importe avant tout de changer l'homme ? On admet qu'il veuille changer l'homme en s'aidant d'un système économique nouveau et d'un régime réformé qui ne dresserait plus les enfants à accaparer les biens matériels. Mais voilà donc l'homme individuel pris dans le tourbillon d'un cercle vicieux, voilà aussi le matérialisme de Marx et le « Politique d'abord » de Maurras accordés par une dictature totalitaire. Gide pense-t-il à peser ce qui restera de liberté pour la personne ? On le dirait, après tout, puisqu'il croit à la possibilité d'un communisme protecteur du plus légitime individualisme (*Journal*, passim). A la bonne heure : voilà des croyances ! voilà une foi ! Il ne s'agit plus de connaissance par expérience, et la partie expérimentale de l'aventure a provoqué des déceptions... Où sont maintenant les précautions quasi scientifiques ? où les lenteurs prudentes et les analyses inspirées de l'histoire naturelle ? Un partisan têtu des méthodes positives a pu, devenu vieillard, se laisser aller à ce qu'il faut bien appeler une mystique. C'est beau et décevant; on est ému et l'on s'inquiète. Mais, au fait, si nous réalisons ces deux Gide, est-ce que le second n'a pas toujours guetté le premier et ne l'avait-il pas entraîné déjà quelquefois ? La rouerie impatiente de Corydon, la fureur nietzschéenne à se surpasser, la prétendue découverte du vrai Jésus, n'ont-elles pas été autant de créations absolues, les violentes projections d'une âme ou d'un tempérament sur une réalité qu'elles firent vaciller ? Il n'y a plus à en douter, la passion se partage avec l'observation André Gide : une passion d'homme, une passion de sectateur, homme et sectateur qui a sa terre et ses morts, lui aussi, et qui, lui encore, insatisfait de la raison, s'élance au delà des vérités partielles dont il voulut longtemps se contenter, à l'assaut d'une totalité sans doute inaccessible.

5. La vie et l'œuvre (*suite*).

Les attaques d'Henri Béraud, en écartant de Gide une infime partie de son public, lui en avaient attaché le reste plus fidèlement. C'était en 1923. Peu après, les impudeurs de *Si le Grain ne meurt* et celles de *Corydon*, faisaient de lui un réprouvé que, de Souday à Gabriel Marcel et à Massis, on se montrait du doigt. Mais dès les années 30, Gide socialement se vit sauvé. Non seulement le gros de l'opinion littéraire et morale se rangeait à la complaisance intégrale de l'époque; mais Gide triomphait littérairement avec la Maison Gallimard, avec Freud et Proust, avec Conrad et Rilke. L'étranger le sacrait maître. Et les polémiques au sujet de l'U. R. S. S. aboutirent à la séance de l' « Union pour la vérité » (1) d'où Gide sortit

Vêtu de probité candide et de lin blanc...

(1) Le 26 janvier 1935 (cf. le *Bulletin* de l'*Union*, avril-mai 1935).

C'est dans cette atmosphère nouvelle que son œuvre a pu s'épanouir, ne disons pas s'achever, au théâtre ainsi que dans la confession publique, et que le roman des *Faux Monnayeurs* a commencé de rayonner sur la littérature.

Au théâtre, le 18 février 1932, les Pitoëff représentèrent *Œdipe*, trois actes en prose écrits depuis 1930. *Œdipe*, est-ce la tragédie de la liberté affranchie des traditions et châtiée de sa hardiesse ? Celle de l'hérédité et de la prédestination ? Celle qui dit la beauté de l'audace humaine et l'étroitesse de son sort ? Le *Journal* nous renseigne : c'est par-dessus tout « la lutte entre l'individualisme et la soumission à l'autorité religieuse ». Cet *Œdipe* veut échapper à tout ce qui l'emmaillote et l'aveugle, c'est-à-dire à tout ce qui prétend lui confectionner une existence confortable; il voudrait échapper à la divinité qui l'enveloppe, afin de se dresser nu, libre et, au besoin, héroïque. Cette mouvante synthèse d'idées et l'alternance de grandeur tragique et d'humour moderne réalisent la réussite théâtrale de Gide. Quels que soient la patine dorée de *Saül* et l'agréable velouté de *Candaule*, *Œdipe* l'emporte par la force. Les shakspeariens m'en voudraient de ne pas signaler l'influence ici de leur dieu.

La Confession publique a pris plusieurs formes : *Si le Grain ne meurt*, paru en 1926, et le *Journal*, commencé en 1889, arrêté en 1932, chargé de suppléments en 1935, complet en 1939. *Si le Grain ne meurt*, biographie détaillée, mais interrompue aux fiançailles et jamais reprise, a constitué un essai de sincérité absolue, à laquelle son auteur cessa vite de croire : le roman, vint-il à penser, en approche de plus près. Ce livre aurait perdu en signification exacte, aurait-il gagné en pouvoir d'audience, à se priver de quelques rares passages exceptionnellement osés ? Deux très belles scènes le dominent. L'une pénètre l'âme d'une émotion biblique qu'enveloppe une lumière dorée à la Giorgione, c'est la soirée de l'enfant au foyer d'une famille protestante de paysans cévénols; l'autre secoue le cœur d'un sanglot, c'est la mort de la mère. En outre, maintes pages sont riches où se peignent des caractères et des tempéraments : sa mère, ses amis, Pierre Louys, le couple Wilde-Douglas, et quelques autres.

Quant au *Journal*, c'est tout l'univers gidien : cinquante ans de vie littéraire, cent visages de ce temps, de Copeau à Valéry, de Mallarmé à Claudel et à Jammes, les sources de l'œuvre, les projets, les élans et les dépressions, des idées, des discussions, des sentiments, des sensations, un homme, une famille, des amitiés, l'écho des événements. Rien de plus passionnant depuis le *Journal* de Jules Renard, dont il diffère absolument. Une mine et un lieu de promenade, une révision des valeurs et une confidence. Un panorama de l'époque et le monologue d'un esprit « non prévenu ». Si cet énorme livre d'introspection et de jugement a des défauts, voici les deux plus voyants. D'une part, il paraît plus apprêté que *Si le Grain*, au moins quand il s'agit de la présentation des livres; par exemple, lorsqu'il veut faire croire que jusqu'aux *Faux Monnayeurs* ils étaient tous ironiques. Et d'autre part, trop de simples esquisses : trop de fois le propos s'arrête au plus vif de l'intérêt, les images glissent et disparaissent, comme dans un film trop rapide et qu'on coupe.

Enfin remontons jusqu'au roman des *Faux Monnayeurs*, publié en 1925, mais qui reste le plus sûr épanouissement de l'œuvre et comme son legs le plus cher aux jeunes générations. Le roman anglais a dû peser sur Gide pour le faire sortir du simple et du linéaire, pour l'entraîner dans la complexité du temps et de l'espace; la nouvelle psychologie de Freud, de Pirandello et de Proust a fait son plein de tentation; enfin sa propre et perpétuelle curiosité avait à courir l'aventure de la fiction à multiples personnages, à destinées entre-croisées, à interprétations embringuées les unes dans les autres. Plus que quiconque, je me rapprocherai de la vie, pensa Gide : est-ce que la vie réelle présente des ensembles pleins et complets comme chez les classiques ? Elle-même invite à préférer des commencements et des fins d'histoires, actions en train qui aboutiront ou non, les personnages passant par petits groupes. Afin de réduire encore l'arbitraire, pourquoi ne pas briser l'épaisseur que donne aux personnages une continuité fictive ? Il faut que chaque personnage puisse se demander : « Que suis-je ? » et que l'auteur lui-même demande : « Qu'est-il ? » Le lecteur les verra tous avec les intermittences et les troubles qui font ressembler la vraie vie à un rêve. Ainsi le pathétique naîtra d'erreurs dans les jugements réciproques, un pathétique d'intelligence remplacera l'ancien pathétique de cœur et de volonté.

Gide a composé selon cette théorie *Les Faux Monnayeurs*. Au fond, il ne fait guère plus vivre ses héros que ne faisait

Bourget; c'est son esprit qui les engendre, même s'il les a pris dans la vie (1), et qui les projette sur son récit. On se rend compte de la chose assez vite pour Édouard, pour Bernard et Olivier, pour Passavent, etc... Elle saute aux yeux pour Pauline Molinier dans la scène inadmissible où elle confie son fils Olivier à Édouard en déclarant accepter qu'il aime et protège l'adolescent. Gide n'écrit pas de roman à thèse, mais crée des personnages symboliques. La grande différence entre lui et Bourget c'est que ces personnages, il leur laisse un halo de mystérieuse indécision, il nous les fait découvrir peu à peu, ne les révèle lentement que par leurs actes, leurs attitudes et leurs propos; il sait encore leur ménager de l'imprévu : ou bien lui-même ne les connaît-il qu'au fur et à mesure ? Une autre différence, aussi capitale et très heureuse, vient de ce qu'il les soumet à la perspective aérienne : nous les connaissons par ce qu'ils font, par ce qu'ils disent d'eux-mêmes, par ce qu'ils disent les uns des autres, par le fait qu'ils sont plusieurs à juger d'un même acte. De cette façon, le livre isole vraiment l'histoire de ses héros, dans un tableau où la lumière existe par les ombres : chaque figure sur son ombre repose et s'appuie, dit Gide lui-même, en sorte qu'une illusion de vie se forme, elle vient d'un véritable appareil critique qui semblait devoir l'empêcher. Appareil critique auquel l'auteur tient tant qu'il en a rassemblé des parties dans un volume à part, le *Journal des Faux Monnayeurs*, ayant trop bien compris qu'il mettait le seing français à une méthode inspirée de l'étranger. On joue la difficulté à ouvrir ainsi les coulisses; on écrit un ouvrage extrêmement original, mais irritant, puisqu'il nous entretient dans l'impression que le roman reste encore à faire, qu'il est peut-être le moins bon des deux ou trois romans possibles qui passent par ce roman-là.

Tel est sans doute le livre où Gide a mis le plus de lui-même, de ses idées, de ses directions et de ses goûts. Il déborde l'oasis solitaire; il se rend maître de toute une province que traversent de grandes voies de communication. Il communique avec le drame social et religieux par la

(1) Trois faits divers sont à la source : 1° une affaire de faux monnayeurs : la « bande du Luxembourg » (*Journal de Rouen*, septembre 1906, et *Figaro* du 16 septembre); 2° une affaire de faux monnayeurs anarchistes des 7 et 8 août 1907; 3° l'affaire du suicide d'un lycéen à Clermont-Ferrand, le jeune Nény (*Journal de Rouen*, 5 juin 1909).

famille Vedel, avec l'œuvre entière de Gide par la psychologie d'Édouard, avec le système des lentes découvertes psychologiques par Édouard, par Laura, avec les problèmes de la famille par Bernard, Olivier et leurs parents, avec le freudisme par la méthode éducative de Mme Sophroniska, etc... On ne lit donc plus seulement un roman, mais une somme presque doctrinale à multiples figures romanesques. Cependant l'air circule aisément, la surprise se trouve ménagée comme dans la réalité.

6. L'Écrivain.

Le style d'André Gide ouvre un éventail unique de modération, de prudence, de choix minutieux. Il va jusqu'à un mouvement quelque peu contraint. Jamais de cris, ni la moindre emphase. Gide a le goût de l'abstraction la plus claire; il se méfie des images; celles qu'il accepte sont étonnamment nettes, c'est l'intelligence qui les a prises, taillées, serties. Finalement, ce style est, par distillation ou sévère tri, une essence de vie profonde et même secrète.

La perfection, donc ? Non pas, trop d'application gêne. On hésite à qualifier de classique un naturel si étudié.

On déplore aussi des retours trop constants de l'auteur sur lui-même. Je ne lui reproche pas la riche inspiration de son Moi, mais de revenir sans cesse, comme obsédé, au « Je », à un « Je » qui ne représente pas toujours l'humaine condition, et c'est peut-être ce que voulait signifier Oscar Wilde quand il lui conseillait : « Promettez-moi de ne plus dire Je. »

La subtilité aura toujours chez lui le dernier mot. Il dessine plus qu'il ne peint, avec l'idée de se défendre, dirait-on, contre une épidémie de peintures. Il dessine, un peu comme dessina Ingres, avec la volonté de trouver le seul trait juste. Ses pages les plus originales sont des mines de plomb.

7. Conclusion.

André Gide a été encouragé dans son culte du Moi par Barrès, dans sa revendication d'amoralité par Oscar Wilde. Sa conception de la vie dangereuse et de l'inépuisable désir s'est fortifiée chez Nietzsche, sa vision de l'anarchie intérieure du cœur humain dans Dostoïevski. Ces influences, qu'il a fait vivre, s'amalgament à son propre apport, qui est considérable.

Les antinomies intimes ne lui font pas peur, mais il aura surtout contredit.

Il croit nécessaire de ne point rompre avec le passé, et d'autre part il s'insurge contre les traditions qu'imposent la religion, la morale et l'esthétique. Mais qui sait si ce n'est pas parce qu'un Barrès et un Maurras ont tracé leur trajectoire ? Eux absents, n'eût-il pas joué une partie de leur rôle ? Et cette question entraîne à le poursuivre dans les coins où l'on devine qu'il ne mérite pas toute confiance. N'est-il pas quelquefois un juge à récuser ? Il fait dire à son Armand des *Faux Monnayeurs* que l'éducation puritaine engendre chez ceux qui s'en affranchissent « la haine de tout ce qu'on appelle vertu ». Il a reçu cette éducation, il s'en est affranchi, il éprouve cette haine des valeurs morales traditionnelles. Le jugement ainsi dicté n'est pas un libre jugement.

N'empêche qu'il y a chez André Gide du solide et du grand.

Il est le découvreur. D'auteurs étrangers, pour commencer, ou de leur beauté exacte par ses traductions (Conrad, Rilke, Shakspeare). Découvreur aussi dans le mystère souterrain de la psychologie, dans tout le monde caché, désordonné, contradictoire, pervers qui vit au-dessous, non seulement de la conscience claire, mais des obscurités déjà explorées par un La Rochefoucauld, un Racine, un Rousseau. Découvreur enfin d'un univers d'injustices à réparer. Justicier dans la société : pour tout ce que la force opprime, tout ce que la chance dessert, tout ce que la vie n'a pas favorisé, peuples, races, individus. Mais justicier aussi dans son domaine propre qui est la psychologie, justicier pour les instincts négligés. Gide se fait l'avocat « de tout ce qui n'a pas encore pu ou su parler, de tout ce qu'on n'a pas encore su ou voulu entendre », a-t-il déclaré crânement dans la séance fameuse de l'*Union pour la vérité*.

André Gide tient une position importante de l'humanisme anti-religieux. Professant et pratiquant un amour joyeux de la vie, s'indignant qu'on puisse avoir honte d'éprouver le bonheur dans tout son être, il estime que loin de jeter notre volonté au travers de nos instincts, nous devons essayer de les comprendre et de les interpréter pour les faire entrer dans une harmonie. On entend alors à travers sa voix la voix d'une lignée qu'illustre Molière. Volontairement exilé du climat des conversions contemporaines (Jammes, Claudel, Ghéon, etc...), il a la pensée pénétrée d'incroyance et dressée contre le surnaturel. Une seule impiété le scandalise, celle de l'homme qui a horreur de la vieillesse et peur de la mort. « Je ne suis pas un tourmenté », écrivait-il à Mauriac (*Œuvres complètes*). Il a donc pu relever pour nombre d'esprits l'optimisme, abattu depuis Taine. S'il veut remettre tout en question, s'il essaie de n'agréer rien que d'absolument dégagé des croyances aveugles, c'est qu'il croit au progrès. Bref, il continue le classicisme libertin du XVIIe siècle et encyclopédiste du XVIIIe, et même Renan pour une part. Mais cartésien, nullement. Ami des savants, humble et hardi comme eux, il a prôné et revalorisé en littérature et en morale les méthodes de l'expérience, même si sa propre pratique les a quelquefois contredites. Il ne trouve valables que les esprits qui, au lieu d'accepter les problèmes, les mettent au monde dans la douleur. Certes nous l'avons vu montrer involontairement que l'expérience ne suffit pas aux hommes. Seulement, s'il lui arrive d'entrer malgré lui dans un mysticisme, ce sera en direction révolutionnaire. Il est capable de devenir révolutionnaire comme Michelet, par confiance d'optimiste dans l'avenir. Et par là, il renonce à Montaigne qu'il suivait volontiers sur d'autres voies.

Individualiste assurément, mais d'une espèce peu française : ce dont je crois qu'on doit le féliciter. Lorsque Gide parle avec ferveur d'individualisme, il entend : « individualisme bien compris » (*Pages de Journal*), c'est-à-dire capable d'aboutir à « l'acceptation d'un devoir » (préface à *Vol de Nuit*). Un tel individualisme n'a rien de l'abstraction des Codes ni de l'arithmétique des cerveaux latins; il se fonde sur la valeur de la personne et sur un sens absolument concret de la liberté. On voudrait l'appeler libre personnalisme. Gide y voit le serviteur le plus sûr de l'intérêt général, au point de le transposer de l'homme à la nation et de la société nationale à la société humaine. En effet, s'il condamne l'infatuation nationaliste, il condamne également l'internationalisme, parce qu'il dépersonnaliserait les nations au grand dam de l'humanité (« Réponse à une enquête sur l'Avenir de l'Europe », *Revue de Genève*, 1923).

Il est certain que cette position, ainsi que l'amour passionné de la vie, soulèvent des problèmes dont Gide ne semble pas se rendre compte. L'amour de la vie tel qu'il le comprend a bien des chances de ne convenir qu'à une aristocratie d'artistes, d'intellectuels, d'âmes exceptionnelles : sa déception russe ne l'a-t-elle pas condamné à ne pouvoir satisfaire ni son personnalisme ni sa tendre sympathie pour la misère des hommes ? En ce cas, et au point où nous le savions venu, l'amour de la vie lui devenait impossible. On touche ici au dramatique et au tragique de sa carrière et de son œuvre. La logique de cet esprit non prévenu et de cette intelligence disponible aurait dû le conduire à chercher les moyens d'un compromis entre une légitime anarchie et tous les blocs qui se nomment État, Église, Classe, etc... Mais a-t-il jamais pris le chemin d'une semblable recherche ? Il suivit un chemin dévié. Et c'est la meilleure preuve, s'il en fallait une, de ce qui lui manque, qui est une certaine force de ces liaisons philosophiques dont disposent un France, un Maurras, un Valéry. En compensation, nous y gagnons des intuitions fécondes; ces pierreries rares peuvent avoir plus de prix qu'un beau travail de bijoutier.

Quant à se mettre en quête des disciples de Gide, ne serait-ce pas révéler qu'on l'a mal compris ? Ceux qu'il n'aurait point découragés, quels enfants ! Il n'a jamais voulu que pousser ses admirateurs, ses fidèles, dans leurs voies respectives.

Il a été cependant trop neuf et trop fort pour ne pas exercer une action autour de lui, puis une influence à longue portée.

Littéraire, tout d'abord. Il a fondé *La Nouvelle Revue Francaise*, a inspiré les Ghéon, les Copeau, les Schlumberger. Les écrivains encore inconnus qui venaient à lui ou qu'il découvrait, de Rivière à Cocteau, entendirent sa secrète leçon contre la facilité, suivirent son exemple de style surveillé et de ton classique un peu sec, son invitation peu déguisée à prendre la tangente au bord du Symbolisme, enfin à se replier entièrement sur l'humain, exactement à faire éclore en soi le plus original de soi, l'irremplaçable. Dans la suite, il lui est arrivé de donner la formule de la poésie « fauve » dans le premier numéro de *La Revue Littéraire*, où il écrivit en mars 1939 : « Ah, qui délivrera notre esprit des lourdes chaînes de la logique ? Ma plus sincère émotion, dès que je l'exprime, est faussée. » Et lui qui par ces mots se contredisait, puisqu'il intégra tant de réflexion dans l'art, ce Gide des mauvais jours a donné les plus évidents coups de barre aux mouvements littéraires d'après guerre. Il a gouverné dans une autre direction, heureusement, l'audacieuse direction du débrouillement psychologique à travers les fonds de l'être humain. Et, dans cette tâche, il fut un frère de Proust, plus complètement amoral. Enfin il a accroché le XXe siècle à certaine esthétique anglaise et russe du roman, et cette esthétique se résume dans la formule : anti-Maupassant.

Son influence de sentiment et de pensée, qui ne pouvait pas plus s'individualiser que les autres grandes influences de l'époque, reste diffuse. Néanmoins, l'inspiration anti-familiale des Thibault vient directement de lui, et Jean Schlumberger continue d'étudier dans son œuvre romanesque le problème posé dans *Le Retour de l'Enfant prodigue.* D'une façon plus générale, il faut lire les notes intimes qui ont été publiées de Jacques Rivière et sa correspondance avec Claudel, pour se rendre compte que l'œuvre de Gide devint dans l'esprit des jeunes intellectuels de la génération suivante l'Évangile du désir sans fin, de la recherche sans fin, de l'interminable souffrance et de la haine contre toute domination consentie. « A la moitié de ceux qu'on appelle les jeunes », il a « révélé la conscience intellectuelle » ; Malraux le dit, et par là d'ailleurs lui-même est de sa descendance.

Il faut l'avouer, le non-conformisme gidien, s'il représente un enrichissement pour la connaissance de l'homme et dont toutes les doctrines peuvent profiter, n'a pu que nous appauvrir en volonté, en pouvoir d'action et en dévouement à la vie sociale, même et surtout depuis l'adhésion au communisme de l'U. R. S. S., puisqu'il a abouti sur ce terrain à confesser une erreur. Gide, en creusant et minant la notion de notre être, remplace-t-il quelque chose de ce qu'il supprime ? C'est douteux. Son apport est surtout de jouissance et d'orgueil. Mais il nous libère largement de beaucoup de sottises. Il est grand, incontestablement, comme Faust le fut dans les griffes infernales.

IV. — *VALERY LARBAUD*

C'est une exquise culture que se donnent les voyageurs, surtout s'ils poussent parallèlement voyages et lectures;

Larbaud lui a assuré, en outre, un fond de connaissances classiques très personnelles : qui possède mieux que lui dans les textes la vieille littérature française ? A travers les littératures de plusieurs nations il a voyagé comme les dilettantes du XIXe siècle voyageaient à travers les mœurs; il est un humaniste de l'esprit moderne et il confronte dans sa mémoire l'Empire anglais avec les pays de parler espagnol. L'enthousiasme littéraire, les facilités personnelles de vie, la connaissance des langues l'ont jeté sur la piste de talents que nous ne connaîtrions peut-être pas sans lui; il a été le découvreur français de Chesterton, de Conrad, de Coventry Patmore, de Joyce, de Gomez de la Serna, de Ricardo Guiraldes. Il les a traduits avec la même ferveur que nos humanistes renaissants mettaient à faire passer en français les Grecs et les Italiens. Avec quelle délectation il parle de sa tâche dans *Ce Vice impuni* (1925) !

Quant à sa première randonnée hors des livres, il l'a effectuée à seize ans : Allemagne et Russie. A partir de vingt et un ans, sa jeunesse a vécu partout en Europe. Ce fervent d'André Gide et d'Oscar Wilde voulait arracher des sensations au monde, s'y user l'âme. N'oublions pas l'originalité du poète (1). Aspects et figures des pays lui sont, comme leurs littératures, moyen de découvrir en tout endroit le sort humain, son attrait, sa misère. Cette ville offerte, cette gare déserte, ce matin pluvieux, cette femme, cette petite fille, tout cela, c'est moins le physique des êtres qu'une pensée vivante et concrète, capable de rayonner en poésie. Par un tel biais poétique apparaissent l'Italie, le Portugal, l'Espagne, sœur des Amériques, même la France et Paris, dans *Jaune, Bleu, Blanc* (1927), ce miracle du loisir, et dans *Aux Couleurs de Rome* (1938) où se retrouvent l'Angleterre, l'Algérie, l'Italie, avec nos provinces. Larbaud, si cosmopolite, est en même temps très province française, prodigieusement sensible aux « couvents tintants » des villes ensommeillées, dont il souhaite d'ailleurs le réveil. *Allen*, qui tire son titre d'une devise de l'Ordre de l'Écu d'Or fondé au Moyen Age par le duc Louis II de Bourbon, et qui raconte une exploration dans la vallée de la Sioule avec dialogues et entretiens sur les déchéances et les charmes des existences hors de la capitale,

(1) Cf. tome I, pp. 554-555.

aboutit à une profession de régionalisme. « Qui sait, s'écrie Larbaud, si malgré toutes les apparences le système national n'a pas fait son temps ! » Et il allait jusqu'à espérer pour son cher Bourbonnais (il est né à Vichy en 1881) « un statut d'État confédéré »... Ces rêveries sont de 1929 !

Dans ce décor d'une Europe qui vivait toutes frontières ouvertes, Larbaud, en 1913, nous présenta son *Barnabooth*. Un richissime Péruvien, las de se sentir emprisonné par sa fortune, vend ses terres, échappe à ses chaînes d'or et part errer à travers le monde, afin de se regarder vivre et de montrer qu'il est un homme au lieu d'un simple milliardaire américain. Il veut essayer de se libérer de la nation, de la classe, de la famille. On dirait une créature de Gide. Mais quelle amplitude d'aventure ! Voilà un Gargantua du Cosmopolitisme. Il va multiplier les expériences pour s'en composer une définitive avant de rentrer au foyer. Hélas, n'échouera-t-il pas ? Obtiendra-t-il le contact humain qu'il cherche ? Ni la charité ni l'amour, pas plus qu'aucun vice, ne le fixent en Europe, où Putouarey, son ami le gentilhomme français, se révèle lui-même incapable de lui faire un sort.

Qu'est-il après tout, cet Archibald Barnabooth ? Larbaud en personne, et aussi chacun de nous, écartelés entre les appels de la vie sensible — ceux qui retentissaient si fort dans les *Nourritures terrestres* — et les exigences difficiles d'un repos dans l'essentiel et le nécessaire. Mais il est également l'homme démoralisé par son pouvoir de riche au point d'en venir à souhaiter faire le mal ou le bien indifféremment, afin de faire enfin quelque chose. L'argent le métamorphose en institution; les proportions humaines semblent perdues pour lui. Déraciné par sa puissance même, devenu une sorte d'apatride, où trouverait-il place dans le monde ? Jamais n'avait été si bien suggéré l'affreux isolement d'êtres séparés du passé et qui n'ont pas le pouvoir de créer un avenir : ce que l'auteur souligne en ramenant le héros sur ses terres, auprès de la Péruvienne Concha, jadis sauvée par lui de la misère à Londres. On pourrait tirer de l'histoire toutes sortes de conclusions politiques et sociales sur le capitalisme et sur la démocratie. En somme, Barnabooth aura traversé la désinvolture sensuelle de Gide, la pitié à la Dostoïevski, le nomadisme de Larbaud lui-même, puis aura fait retour à Barrès. L'itinéraire d'esprit se double d'un itinéraire de cœur; c'est une nouvelle « Éducation sentimentale » et elle remet finalement le mélancolique errant aux mains d'une femme de son pays.

Qui n'aperçoit le caractère composite de l'ouvrage ? Il va jusqu'au pot-pourri. Un petit nombre d'épisodes donnent un merveilleux accent d'humanité à certains gestes très simples : par exemple, l'histoire aigre-douce de la danseuse, qui fait voir à Barnabooth « sa petite flamme d'amour méprisée », ou l'invective sensationnelle aux pauvres, parce qu'ils se refusent à le prendre pour un homme. Malheureusement il y a cinq cents pages. Un homme, Barnabooth ? On hésite à répondre, non pas à cause de son compte en banque, mais parce qu'il apparaît plutôt comme un assemblage fortuit de membres humains. Cet arlequin essaie de vivre disloqué et, par là, monstrueux. Seul, bien entendu, un globe-trotter du dilettantisme pouvait devenir un tel monstre. Il inaugurait une littérature voyageuse et une sorte d'anti-exotisme, c'est-à-dire une sympathie si complète avec les mœurs des différents pays que, chacun d'eux devenant une patrie, leur concert doit forcément détruire tout conformisme héréditaire. Barnabooth redevenu Péruvien a certainement passé dans son pays pour un mauvais esprit.

Parallèlement à ce livre tumultueux, Valery Larbaud travaillait à des portraits de jeunes garçons et jeunes filles, en animait quelques scènes toutes vibrantes des illusions visionnaires des enfants : ainsi devait se composer *Enfantines* (1918). Mais le meilleur en avait été déjà poussé jusqu'au roman de *Fermina Marquez* qui est de 1911. Cette histoire d'une jolie Colombienne à l'âme pleine d'un feu mystique où le péché brûle si bien, objet inaccessible pour une pléiade de collégiens cosmopolites (observés jadis là même où Larbaud a fait ses études, c'est-à-dire au Collège Sainte-Barbe-des-Champs qui longtemps groupa à Fontenay-aux-Roses une jeunesse étrangère, surtout sud-américaine) a le charme audacieux et doux des belles jeunes filles apparues, des lointains souvenirs, des rêveries troublantes dans le vieux parc, des tentations de Paris à l'horizon. Comment Larbaud, écrivain docte, érudit scrupuleux, romancier sceptique et satirique, a-t-il pu se montrer à ce point imaginatif et — faussement sans doute — ingénu ?

Scepticisme et satire pourraient paraître tout d'abord ne viser que les ennemis du cœur, et de fait, le tourment amoureux, qui traverse l'œuvre entière, fait une longue station dans les trois nouvelles d'*Amants, heureux Amants* (1923). Toutefois, de l'amour, tel qu'il l'a conçu dans ces images de sa jeunesse avec un esprit de lucide élégie, c'est justement le cœur que Larbaud exclut à peu près, au profit d'un goût sensuel fort délicat. Larbaud n'est pas un sentimental, mais un voluptueux. Une mélancolie naît inévitablement de ses voluptés d'intellectuel, et les trois titres des nouvelles la soulignent, ces trois hémistiches de La Fontaine, de Malherbe, et de Tristan l'Hermite. Elle naît aussi du sort des jeunes femmes, Queenie Grosland, Gertie, Rose Lourdin, qui restent toujours en secondes, qui ne conquièrent pas, qui font ornement et récréation pour l'intelligence masculine. On les cueille comme des fruits. Aussi leur entente avec l'homme rend-elle les sons d'un bonheur éphémère : à durer, l'amour perdrait le caractère qui lui fut donné, élément de voyage, atmosphère pour lectures préférées, garantie contre la passion. Il faut ajouter que ces jeunes femmes, l'auteur les a évoquées plutôt que montrées en chair et en os; cependant elles dégagent un charme attachant. Et donc elles existent, mais surtout comme les figures de la nostalgie; elles ont pour sœurs et frères les collines et les ciels des paysages les plus aimés et que le voyageur ne reverra plus.

La complexité de l'art n'étonne point dans une œuvre si claire mais si mouvante que celle de Larbaud. C'est que ce psychologue est poète, ce poète est artiste, cet artiste sensuel et caressant. On dirait qu'il a voulu saisir la forme même de la vie entre ses mains et en respirer l'odeur dans l'instant où il exerce sur elle sa clairvoyance. Il arrive que le résultat apparaisse trop mêlé; l'expérience internationale et le goût du neuf nuisent parfois à Larbaud; elles l'ont, par exemple, compromis dans un abus extrêmement artificiel du monologue intérieur tant admiré chez Joyce. On se plaindra de quelque amalgame aussi dans son style, où domine heureusement, avec la plus authentique tradition, cette magie très moderne qui tourne toute chose en douce étrangeté.

Initiateur dans la prose et le plus précurseur des poètes, Valery Larbaud sert de point de départ à toute une littérature sur les trois voies du chant lyrique, du roman et de la critique, où tant d'autres, Morand, Cendrars, le premier Giraudoux — quelle diversité ! — passeront après lui.

II

TENTATION DE L'IMPOSSIBLE

I. — *ALAIN-FOURNIER*

Le Sainte-Agathe du *Grand Meaulnes* s'appelle dans la réalité Épineuil; c'est un village perdu sur une route du Cher. Un autre village, à l'autre bout du département, endormi entre la forêt de Saint-Palais et les étendues de Sologne, s'appelle La Chapelle-d'Angillon. Henri-Alban Fournier est né dans celui-ci, le 3 octobre 1886, et il a vécu son enfance dans celui-là, où ses parents furent instituteurs. Ses études, commencées par les soins de son père, se poursuivirent en divers lycées, à Paris, à Brest, car il songea au Borda et à la navigation. Enfin il fit une rhétorique supérieure à Lakanal : c'est là qu'il se lia avec Jacques Rivière, qui devait épouser sa sœur, Isabelle. En même temps il découvrait Jammes, Debussy, le Symbolisme. Il faisait sa seconde année préparatoire à Normale lorsqu'il rencontra sur les dernières marches du Grand-Palais la jeune fille inconnue. Ils se virent plusieurs fois furtivement et sans que rien de positif fût possible, mais pourtant, au témoignage de Rivière, avec « un grand amour partagé ». Cette aventure, qui tient de l'apparition mystique et de la présence réelle, alimenta la vie du jeune homme, jusqu'au bout, « de ferveur, de tristesse et d'extase ». La jeune fille incarnait cette nostalgie d'un domaine mystérieux qu'Épineuil lui avait laissée au cœur, et aussi l'insertion bizarre et enivrante de l'impossible dans le réel.

Ayant échoué au concours de Normale, Henri-Alban, revenu du régiment, travailla avec négligence, puis se mit à écrire sous le nom d'Alain-Fournier, s'adonna au journalisme, tout en servant de secrétaire à Claude Casimir-Périer.

Les revues lui prenaient des contes à travers lesquels se devinent des douleurs d'âme, de longs recueillements, des envies de foi catholique. Enfin *Le Grand Meaulnes* paraît dans la *Nouvelle Revue Française*, de juillet à novembre 1913, brillant presque aussitôt d'une réputation que la guerre va briser net en apparence, mais, en réalité, ne mettre qu'en sommeil. Hélas, le jeune auteur fut tué le 22 septembre 1914, près des Éparges, au bois Saint-Rémy.

Ses sources sont simples et claires. Tout d'abord, l'enfance. Accessoirement, les lectures : Péguy (le sens du réel comme garantie à l'invisible et au mystérieux), Dostoïevski (amour et pitié évangéliques), Gérard de Nerval (l'épanchement du rêve dans la vie), et les romanciers anglais de l'aventure. Alain-Fournier a peint, en effet, la féerie enfantine, puis cette attente d'on ne sait quelle révélation qui tient en alerte les adolescents, enfin la fuite du jeune homme devant le bonheur, parce que des paradis de songe l'obsèdent et lui ôtent toute confiance en ce monde-ci. Rien d'étonnant qu'il ait intitulé *Miracles* un recueil de contes qui n'a paru qu'après sa mort, proprement merveilleux, car ces anecdotes rustiques font transparaître derrière la vie familière des paysans un envers romanesque ou même surnaturel. Ne faut-il pas se souvenir que sa sœur, Isabelle Rivière, devenue très pieuse femme, a donné ses deux enfants, une fille et un garçon, à l'Église ? Mais surtout il resta longtemps sous l'influence de la philosophie idéaliste qui au lycée l'avait frappé. Il vivait, il a fait vivre son œuvre dans un monde qui pourrait n'être que rêverie.

Le Grand Meaulnes, sous le couvert d'un récit limpide, fait tournoyer des mystères sur la tête de ses jeunes héros. A plusieurs reprises ils disparaissent, replongent dans la nuit de l'imagination, et leur âme engagée tout entière en rapporte une provision d'étrange espoir et de découragement mélangés. Ce qui semblait devoir rester rêves purs de l'adolescence la plus éperdue, ils l'accomplissent et l'éprouvent, en amour, en amitié, en risques, en sentiment de l'inconnu. Entre temps, il arrive que le roman donne la surprise délicieuse de déboucher sur des clairières de facilité, de familiarité, et découvre alors comme peuvent s'accomplir tout aisément les choses extraordinaires. Dans chaque personnage, ce n'est pas le caractère que l'auteur a marqué, mais plutôt la destinée à tête humaine; et les grandes scènes en reçoivent un supplément de pathétique, ces scènes ravissantes, ces scènes déchirantes : la fête des enfants dans le château ruiné, Yvonne de Galais perdue et retrouvée, les fiançailles au terme des tristesses inexprimables de la « partie de plaisir », la conversation sous la pluie du soir, enfin toutes les folies nobles, toutes les belles souffrances de très jeunes gens qui ont plus d'âme que la vie n'en peut épuiser.

Rester fidèle à une apparition humaine, c'est mettre tout son trésor dans l'émotion la plus haute dont on soit capable, c'est frôler avec délices païennes les flammes de la croyance mystique : quel risque du cœur ! En espérer ensuite désespérément le retour, c'est passer avec armes et bagages dans le monde imaginaire. On engage alors une poursuite sans fin; elle effleure en passant les bonheurs sages dont toute la douceur apparaît dans un halo d'angoisse. Parfois elle les broie et les abandonne en ruines. Mais il y a dans cette poursuite une si exceptionnelle humanité, une telle ivresse de tristesse privilégiée qu'Alain-Fournier, faute d'être grand poète pour la chanter, a voulu du moins la transposer dans un roman fait de pressentiments, d'approches, de nostalgies et de secrets. Le grand Meaulnes en est le héros qu'il fallait : un peu sauvage et d'un étonnant scrupule. Mlle de Galais résume toutes les promesses d'unique bonheur inespéré dans une figure merveilleusement simple et très doucement douloureuse... Cela est beau et ne se situe nulle part. Cela n'avait pas encore paru en littérature. Nerval suivait une autre direction.

Ce n'est pas que le livre soit sans défauts. Plusieurs aventures entremêlent à l'excès leurs pistes : on sort peu à peu du naturel. Et puis, la confusion devient irritante qu'introduit dans la trame romanesque l'esprit de scrupule, scrupule moral, nuancé de christianisme non moins que scrupule personnel, longtemps inexprimé, du héros. Enfin le romancier ne finit-il pas par soutenir, en vue des rebondissements du roman dans l'étrangeté, une série de gageures ? Il s'applique, insiste et prolonge, comme s'il soutenait une thèse. Il entrecroise trop les fils. Nous ne respirons plus la fleur d'une « Vita Nuova », nous suivons l'exploitation d'un filon.

Tel quel, *Le Grand Meaulnes* a le prodigieux mérite d'objectiver une expérience intime que l'auteur estimait quasi miraculeuse; on la connaît par la correspondance avec Jacques

Rivière (janvier 1905-juillet 1914). Quant à ses moyens, étonnamment suggestifs, ils semblent bien résulter d'une fusion de toutes influences, mais accomplie au feu d'un charmant génie : c'est par là que le mystère individuel s'insinue, puis rayonne. Aussi Alain-Fournier est-il resté aussi inimitable qu'imité. Mais il a ouvert une perspective. Robert Francis à ses débuts, Marcel Arland avec plus de secret, certainement Germaine Beaumont et peut-être Julien Green, enfin beaucoup de débutants ont subi sa force d'envoûtement. D'une façon plus générale, s'il existe aujourd'hui un nouveau thème romanesque, celui de l'aventure d'où l'on ne revient pas et qui est l'aventure intérieure, l'aventure en profondeur et en poésie, dans la direction de l'impossible, Alain-Fournier en a été le créateur, et son roman le grand exemple.

II. — *ÉMILE CLERMONT*

Une correspondance et un journal publiés par sa sœur en 1919 montrent Émile Clermont s'exaltant sans relâche sur ce programme : « vivre sur les hauteurs, dans une atmosphère sèche, intellectuelle, où la pensée vibre, frémit, s'agite, voilà ce que je voudrais, ce que j'aime ». C'était l'intellectuel né avide de se posséder. Une anecdote rapportée par René Gillouin dans son portrait d'Émile Clermont (*Idées et Figures d'Aujourd'hui*, 1920), est bien significative. Clermont accompagnait un jour à la gare une jeune femme aimée qu'il ne devait plus revoir. Or, ce jeune homme de vingt ans la pria de le quitter avant l'heure et de permettre qu'il la regardât encore présente et déjà absente, errer, petite chose perdue, parmi la foule indifférente. « Elle avait consenti, peinée et choquée, à ce caprice qu'elle ne comprenait pas; et lui, indécis et troublé, acteur et témoin de cette scène, en hâte composait avec sa douleur d'amant une mélancolie de dilettante. »

Émile Clermont, qui naquit à La Combelle (Puy-de-Dôme) le 15 août 1880, était philosophe et historien, il savait l'anglais, l'allemand, l'italien. Reçu premier à Normale, particulièrement estimé de ses maîtres, il préféra à des postes brillants une situation modeste à l'Hôtel de Ville, afin de garder pour son travail personnel des loisirs bien délimités. Lorsque d'ailleurs toucha son front le premier rayon du succès, il démissionna, se retira à la campagne...

Amour promis (1910) fut son roman de début. On y voit un jeune homme rechercher l'infini de l'émotion, l'ivresse de l'absolu, à travers un amour humain dont sa propre impatience d'homme éteint et fait retomber les plus hautes fusées. Il en subit et en inflige une intolérable souffrance, qui conduira la malheureuse jeune fille au suicide, et il ne lui survivra que privé de vie véritable. Des pages d'une richesse unique racontent comment Hélène se laisse prendre par l'amour de son camarade d'enfance au fur et à mesure qu'il l'entraîne, dans leurs dialogues, à se forger une personnalité avec ce qu'elle se sent de plus ressemblant à elle-même. Elle gagne ainsi d'étranges hauteurs : mais c'est pourquoi, dans la suite, le partenaire aura le pouvoir de lui faire des blessures si cruelles.

L'histoire peut paraître renouvelée des romantiques, c'est le cheminement intérieur surtout qui en est original. Cet André, mélancolique et imaginatif, accoutumé à se repaître de souvenirs et de songes, l'emporte sur ses devanciers par une lucidité qui brille intensément à travers un charme voluptueux. Le récit, sans considérants, simplement par le sens de son cours, condamne le dilettantisme égoïste dont souffrait précisément l'auteur qui d'ailleurs ne s'en est point guéri. Clermont préférait à la réalité un amer plaisir d'imagination sans issue : celui de se composer un Moi avec des rêveries douloureuses et de nobles tourments.

Rétrospectivement, nous voyons se former à travers le destin de l'Hélène d'*Amour promis* ce besoin d'au-delà qui devait introduire Clermont aux beaux secrets de son second roman, *Laure*, auquel l'Académie, en 1913, fut tentée de décerner le grand prix des Lettres; mais, au dernier moment, elle préféra Romain Rolland.

Laure est l'histoire d'une jeune fille incapable de s'adapter à la vie par excès d'une élévation d'âme que n'ont disciplinée ni dogme ni activité pratique; des idées puissantes et imprécises, venues de mystérieuses régions, accaparent cette intelligente passionnée, que l'absolu dévore. Pourtant Laure et sa sœur Louise s'aiment d'amour profond, et ce sentiment inspirateur de dévouement total affronte la passion mystique, ardemment individuelle, pour nouer le drame : le renoncement de Laure à Marc en faveur de sa sœur, ce sacrifice bien caché, une vie d'effort intérieur désespéré... Mais la voici chez Louise, qui est l'épouse de Marc depuis six ans et qui a de lui un fils. Aucune place ne reste plus à l'homme naguère aimé dans le cœur de Laure, et l'affection des deux sœurs a repris toute sa force; Louise redevient l'élève, celle qui écoute, elle voudrait seulement plus d'abandon. C'est qu'elle s'imagine la vie mystique toute tranquille, pareille à un égoïsme supérieur; elle réclame sa part de tendresse terrestre avec énergie. Elle éclate en reproches. C'est alors que Laure, désespérée de paraître impénétrable et dure, éperdue d'affection elle aussi, sent que son secret lui brûle la gorge. La catastrophe va donc s'accomplir : l'aveu d'une histoire plus humaine que divine, le secret du cœur périssable qui se délivre, le remords qui détachera Louise de son mari et la jettera dans le sillage d'héroïsme supra-terrestre. Laure a beau refuser cette communion qui lui fait peur : trop tard. Au moins réparera-t-elle. Vaincue et victorieuse, elle va chercher Marc, le ramène à sa femme et lui dit adieu. « Elle ajouta : — Ce que j'ai fait dans ma vie toujours s'est décidé au-dessus de moi... Elle prononça ces dernières paroles comme si elle était à bout de porter un grand fardeau. » Alors, sur les ruines de la grande âme douloureuse, l'auteur ramasse quelques brins d'espoir qui lui permettent de terminer son livre en posant le vieux problème sans doute insoluble : le sacrifice a-t-il pouvoir de compenser le mal du monde, ou n'apporte-t-il qu'une grandeur à contempler ? et dans le sacrifice, quelles sont la part du renoncement et la part de l'orgueil ?

Voilà seulement le squelette du roman. Il faut en chercher la beauté, qui est de prix, dans la vie extraordinairement fouillée des âmes et dans chacune des grandes scènes, depuis les premières fiançailles d'une si exquise convenance, jusqu'à l'explication décisive entre les deux sœurs, qui éveille dans nos mémoires les plus grands souvenirs, ceux des entretiens d'Ostie entre Augustin et sa mère. Le livre multiplie les dialogues douloureux; il les nuance infiniment tout en les menant avec énergie. Certains épisodes, comme celui des secondes fiançailles faites devant le lit d'un père mourant qui a deviné sa fille aînée, sont d'un écrivain qui avait le sens du sublime.

L'intuition bergsonienne passe par Émile Clermont dont elle semble avoir conduit les analyses; mais il avait aussi entendu la double invitation de Claudel et de Péguy au sacrifice, celui qui donne héroïquement un sens à la vie. Si la littérature d'Alain-Fournier révèle une Muse de l'impossible, celle d'Émile Clermont signifie un besoin de Dieu ou, faute de Dieu, un signe à la mort. Ne s'engageait-il pas dans une avenue sans issue ? Une avenue inondée, une belle nappe d'eau ! Et certes elle reflète le plus pur cirque de collines, un ciel immense, et le vent la modèle en vagues amples qui semblent ne vouloir agiter que de la lumière. Mais elle absorbe tout, elle déborde, elle inquiète les riverains.

Le héros d'*Amour promis*, rencontrant une troupe de grévistes affamés, rougit des souffrances dont il se laisse accabler, et, devant cette réalité plus large et plus poignante, sent s'évanouir ses peines illusoires. De même, dans un roman inachevé dont M. Gillouin a eu communication par fragments, « le principal personnage était amené à renoncer à sa souffrance idéale au contact d'une grande et vraie souffrance ». Des natures aussi noblement riches que celle-là, gémissent forcément des tortures de leur subjectivité. Clermont, vers la fin, chercha une issue dans l'histoire, il en disait sa ferme intention, il amorça l'entreprise : car *Le Passage de l'Aisne* (septembre 1914), rédigé par Clermont, alors sous-lieutenant, sur l'ordre de son colonel et publié en 1921, est une admirable narration en même temps qu'un document de premier ordre sur la psychologie des troupes.

Si la guerre n'avait fait de lui un cadavre de héros, le 5 mars 1916 à Maisons-de-Champagne, nous aurions donc vu Émile Clermont s'enfoncer dans le charnier du passé. Mais s'il eût, au contraire, continué à nous donner les monographies émouvantes de ces âmes d'élite qu'il trouvait en lui plutôt qu'il ne les inventait, et qu'il sentait, comme nous-mêmes les sentons, *dépaysées*, c'est un tel dépaysement qui sans doute l'eût tué avant l'âge.

III

DESCENTE DANS LE MONDE CHARNEL : COLETTE

L'abondante production d'une femme a éclairé d'un jour violent la psychologie de son sexe, a pactisé presque cyniquement avec la sensualité de l'époque qu'elle a même encouragée, mais en même temps nous a ménagé une fraternisation réconfortante avec la nature, tout en fournissant une réussite imprévue de classicité.

On avait connu avant la guerre de 1914 une sorte de pré-Colette. La Colette la plus elle-même, la plus significative, celle qui se conquiert son domaine le plus neuf et y élève les constructions qui deviendront classiques, elle s'est révélée dans le moment où on la voit ici située. Qu'elle pratique à sa manière une psychologie et un art parents de ceux de Gide et de Proust, certains le pourront nier quant au mystère (cependant elle est trouble sinon mystérieuse), mais qui le niera pour la profonde descente en l'être ?

1. La période des Claudine.

Les premiers livres de Mme Colette, la série des Claudine, passèrent assez longtemps pour être de Willy, pseudonyme d'Henry Gauthier-Villars qu'elle a eu pour premier mari (Henry de Jouvenel pour second). Il les signait. Au divorce, il a fallu déterminer les parts de création, et les deux signatures se joignirent côte à côte. Mais justice n'était pas achevée. En comparant le roman de l'*Ingénue libertine* (1909) avec les deux romans composés en collaboration, *Minne* et *Les Égarements de Minne*, dont il fut la refonte autorisée (pour être signé désormais du seul nom de Colette), on voit ce que Colette en a exclu comme étant de l'autre plume; et si l'on se réfère alors aux livres postérieurs, on ne se trompe plus sur l'exact partage. Willy, chroniqueur de la vie parisienne et inspirateur de romans légers qu'il laissait à une pléiade de collaborateurs secrets le soin de construire et de rédiger, homme de haute culture, au surplus, et de beaucoup d'esprit, mais perverti par sa bohème de journalisme et de théâtre, avait apporté la blague, la manie d'actualité, les propos et allusions de musicographie, l'érotisme des détails scabreux et des scènes équivoques. Par contre, la force vitale de Claudine et son attente amoureuse, les fêtes de village, la famille, toute la substance neuve et saine entrent incontestablement dans le bien de Colette.

Sidonie-Gabrielle Colette est née à Saint-Sauveur, dans l'Yonne, en 1873. *La Maison de Claudine* (1922), complétée par *Sido* (1930), conte à peu près son enfance; ces livres révèlent, comme par de brusques déchirures dans la phrase, une femme primitive, la femme éternelle. — Colette, par sa mère, descendait de journalistes et d'artistes. Son père, ancien combattant du second Empire et percepteur à Saint-Sauveur, deux frères et une sœur composaient avec les deux Sido mère et fille ce milieu natal où personne ne manquait du grain de folie nécessaire à la rêverie solitaire des enfants doués. Mais la maison elle-même, les bêtes aimées, toutes les solides réalités de la campagne ont vite intéressé Colette. Certes, quelque chose en elle comme dans son œuvre pourrait faire mettre au féminin *Le Paysan perverti*. Cependant les yeux et l'esprit de la terrienne ont toujours, après les courts égarements, repris le dessus.

A bien lire *Claudine à l'École* (1900), la perversité se limite aux tentations, qui n'ont rien d'exceptionnel, mais que l'auteur, sous l'influence de Willy, a soignées comme amorces et pièges. La fillette, elle, se gardait; à travers ses curiosités de petite « garçonne » audacieuse, elle appelait l'amour le plus normal. Amoureuse et mariée (*Claudine à Paris*, 1901), déçue dans *Claudine en Ménage* (1902), elle s'échappe, quitte à revenir pour un temps, dans *Claudine s'en va* (1903). Enfin *La Retraite sentimentale* (1907), dernier avatar de Claudine, et son renoncement réfléchi, première évocation aussi des deux grands paysages, celui de la nature et celui de la vie, atteste l'aspiration à une existence d'épouse fidèle, femme d'un seul homme, profondément et en dépit des apparences.

L'Ingénue libertine, transposant les « Claudine » dans le registre vicieux qu'imposait de plus en plus commercialement Gauthier-Villars déguisé en « ouvreuse du Cirque d'été » pour les journaux boulevardiers d'alors, se trouve pourtant avoir mis fin à cette jeunesse acide. Les heures de l'été venaient et avec elles la libération. *La Vagabonde* (1911), premier roman de Colette toute seule, ouvrit une série de témoignages vrais sur l'amour.

2. La confidence amoureuse.

Renée Néré, qui ressemble tant à Colette par son enfance de sauvageonne, par son mariage et sa déception, par son courage, a cru aimer, et ce n'était pas l'amour. Elle n'osera donc plus, l'amour sera comme un enfant qu'elle aurait perdu. Cependant la solitude l'épouvante, une solitude perdue dans le brouhaha des music-halls où son manager et partenaire de mimodrame et de danse l'emmène gagner sa vie. Harassée, elle n'en refuse pas moins le cœur et la fortune de l'honnête Dufferein-Chautel. Heureusement elle héritera vingt-cinq mille francs de rente, ce qui assurait la vie large en 1911...

Le goût et l'orgueil de liberté, qu'avait satisfaits son métier, interdisaient à Renée d'aimer, et c'est pourtant la lente formation d'un amour que dessine *L'Entrave* (1914). La jeune femme est devenue une nomade de luxe, une habituée des hôtels de la Riviera et du lac Léman, entourée d'amis légers et brillants. Et voilà qu'un silencieux et hautain garçon lui impose malgré elle sa beauté de mâle égoïste; va-t'elle se jeter dans une passion, elle qui avait rejeté un amour ? Elle se venge, pour ainsi dire, de sa déception de *La Vagabonde* en traitant Jean avec mépris, comme si sa beauté le chargeait d'une tare. Il le lui rend bien, il se ferme. Il s'absente, même. Elle comprend alors combien elle l'aime. A son retour, après une explication violente, c'est son âme qu'elle lui donne. Telle est l'entrave amoureuse; elle fixe l'errante, elle soumet l'orgueilleuse.

Colette, dans ces deux livres, a projeté beaucoup d'intelligente lumière sur des choses obscures. Et elle les a fait vivre, car ce que d'autres romanciers mettraient en paroles et en descriptions, elle l'a mis en muscles et en mouvements du sang, en vibrations de tout l'être. On descend avec elle dans les régions généralement cachées d'émotions sensorielles, de frissons physiques, de communications secrètes entre le cœur et la chair, mais en constatant qu'elle y règne par l'esprit et même par la pensée.

3. Romancière de l'instinct féminin.

On n'avait pas assez compris, à l'époque, combien c'est la nature, dans l'œuvre qui en paraissait peut-être la plus éloignée, la nature avec ses ressources, ses consolations et sa renaissance infinie, qui parlait. L'auteur avait même fait alliance avec les bêtes, et elle n'a jamais trahi. Elle avait publié en 1897 *Dialogues de Bêtes* où un chat, un chien, jugent leurs maîtres et la vie. Des *Vrilles de la Vigne* (1908) à *Prisons et Paradis* (1932), qui s'intéresse aux fauves et aux serpents, en passant par tous les autres livres dont chacun a son animal, ses animaux, un naturisme authentique ne cessera de maintenir la montée de la sève, l'arrivée des effluves campagnards, de l'odeur de la terre et de tous les conseils d'une enfance morvandelle qui par là se perpétue. Colette n'aura-t-elle pas traîné sa ménagerie personnelle jusque dans les tournées théâtrales ? Et *La Chatte* (1933), l'animal au sûr instinct, pénètre profondément dans la vie d'un jeune ménage.

Quelle ardente amie de l'instinct, Colette ! Et sans doute, par là même, une amie des humains. Qui sait si elle n'a pas travaillé délibérément à les enrichir par la racine, à les revigorer au contact des forces naturelles et des plaisirs qu'elles procurent ? Son œuvre est un Musée de plaisirs, mais vivants, et qui continuent de nous emplir les yeux, les mains, le palais, tout l'être. De la beauté du soleil à celle de l'eau froide dans le verre, de la puissance de la mer à la douceur du sommeil, du chien consolateur à la recette de cuisine qui met l'eau à la bouche, on possède, à lire Colette, le trésor des choses créées. D'où vient qu'il n'y a rien de niais, de vain ni même de choquant dans cette collection des moyens de jouissance ? C'est que Colette ne s'en est pas servie pour être heureuse; elle se rend cette justice, dans *La Naissance du Jour,* d'avoir méprisé le bonheur. En somme, ce qu'elle a cherché et trouvé, c'est la joie de connaître ce que la plupart des gens ignorent tout à fait ou connaissent mal, le monde physique. Volupté joyeuse de découvrir, de faire son tour du monde, de s'allier aux choses pour se fortifier et s'instruire, de se composer un savoir, dont on a le droit d'afficher la fierté, comme d'autres s'enivrent de leur savoir livresque.

Colette rapporte que Sidonie Colette savait prédire le temps avec des grains d'avoine barbue, annoncer le dégel par l'examen des pattes des chattes, suivre le travail des plantes sous le sol. La fille a hérité de ces complicités où s'exerçait le grand instinct féminin de la mère. Elle y a ajouté les siennes. Elle use toujours de sa subtilité d'enfant, de ces « sens qui savent goûter un parfum sur la langue, palper une couleur et voir, fine comme un cheveu, fine comme une herbe, la ligne d'un chant imaginaire » (*La Maison de Claudine*). Naturellement, elle parle des enfants avec une connaissance qui devient passionnée, lorsqu'il s'agit de la sienne, Bel-Gazou. Des adolescents, ceux du *Blé en Herbe*, qui se découvrent l'un à l'autre l'amour sur une plage de Bretagne, pas une émotion, un clin d'œil, une rougeur de joue ne lui échappe. Et c'est évidemment dans la science de l'amour qu'elle déploie les merveilles de cette féminité consciente. On pense alors aux oscillations d'un pendule. Premier mouvement : réponse à cet appel masculin auquel la femme ne peut résister, déclare-t-elle. Second mouvement : déception à l'égard de l'homme, d'où retraite et repli sur les réconforts du doux confort familial. Troisième mouvement, qui reprend la direction du premier : déception nouvelle, celle-ci à l'égard du calme solitaire, ou satisfaction qui ne satisfait pas, et reprise de goût à l'aventure, voire au malheur, s'il le faut. Oscillations fatales des *Claudine* à *La Femme cachée* (1924), de *La Vagabonde* au *Toutounier* (1939), nées du besoin farouche d'échapper à la tyrannie de l'autre sexe. Évasion impossible, puisque cette tyrannie, la nature la veut.

4. Histoires inventées.

Mitsou (1917), idylle du temps de l'autre guerre, ayant interrompu les confessions déguisées, des romans impersonnels révélèrent à Colette elle-même et à son public un pouvoir de complète création romanesque. *Chéri*, avec sa suite, en est le chef-d'œuvre. Dans *Chéri*, personnages, milieu, intrigue, rien qui ne soit méprisable, rien néanmoins de plus émouvant par la psychologie... Mais la souffrance qui monte pour l'amante d'une trop grande différence d'âge (vingt-quatre ans) et ensuite, après la rupture, après la guerre, la souffrance correspondante qui s'abat sur l'homme de tout le poids d'une obsession implacable et l'anéantit dans le suicide, quoi qu'on pense de la particularité d'une telle aventure, enveloppent le lecteur dans les mailles d'impressions insaisissables et d'autant plus irrésistibles, puis l'empoignent par des scènes finales où le tragique de l'attachement charnel atteint la grandeur.

Le milieu est plus honorable, mais les veuleries non moins pitoyables, dans *La Seconde* (1929) où la femme de l'auteur dramatique Farou accepte que son mari fasse de sa secrétaire une maîtresse, laquelle d'ailleurs en tolère d'autres, simples passantes, parce qu'une « seconde » ne lui paraît pas de trop dans le combat que les femmes ont à mener pour garder leurs hommes. *La Seconde*, roman écrit dans les tons gris et qui, après les violences de *Chéri*, apportait comme un repos, concentre peut-être la plus grande tristesse féminine de l'œuvre, tandis qu'un troisième roman impersonnel, *La Chatte* (1933), choisira les traits les plus aigus dont se puisse accabler la maladresse de la passion amoureuse.

5. Valeur morale.

Rien d'aussi limité que le domaine de Colette, en un certain sens : tous ses livres, même quand ils ne sont pas les drames, ne disons pas du désir, mais de la possession et des problèmes à peu près uniquement physiques qu'elle soulève, la désignent toujours pour prêtresse des instincts, des sens et du corps. N'existe-t-il donc rien d'autre au monde ? On le dirait. Si la société contemporaine cultive la jouissance avec une ferveur et des rites de religion, c'est pour des causes générales qui dépassent la littérature; cependant la littérature s'inscrit dans le compte, avec Colette en tête. Aucune œuvre n'invite davantage l'homme à regarder à son niveau, à ne lever jamais les yeux, sinon pour admirer un ciel clos et qui nous enferme. Aucun au-delà en vue. Colette, qui tient la mort pour un terme et ne s'intéresse nullement à « ce qui vient après » (*La Naissance du Jour*), borne vraisemblablement la vie à ce qui se voit et se palpe... Attention, toutefois.

Si tout au long d'une partie de son œuvre elle avoue que la terreur de vieillir la ravageait, elle ne s'en est pas moins résignée à vieillir et elle aura vieilli de façon à contenter même les difficiles Sainte-Beuve. Cette résignation magnifique et féconde, inaugurée dans *La Naissance du Jour* (1928), installée et renforcée dans la suite, marque une de ses âmes, celle qui descend de Sido, la mère réaliste, prudente et bonne, et qui a pris essor dans la maison de Claudine. Il ne faut pas oublier cette âme-là. Grâce à elle, l'œuvre de plaisir laissera tout de même dans son héritage ces biens qui l'honorent et qui nous enchantent : le bonheur de l'enfance et son souvenir gardé à travers la vie, la belle religion domestique, une poésie virgilienne des choses et cette sagesse sûre qui est d'expérience paysanne, de bonne femme et de poète bien portant.

Mais l'autre âme aussi, l'âme amoureuse et avide, a dit son mot cruel et bienfaisant. Colette, d'intelligence acérée et aiguisée par l'expérience, sachant que les satisfactions s'émoussent et que les corps déchoient, ne ferme point les yeux sur la douleur qui se forme dans le monde limité à lui-même; elle en laisse monter une véritable plainte de prisonnier aux fers et nous entendons la leçon. Qui ne l'entendrait, puisque la nature elle-même, dont Colette n'est plus que l'interprète, la donne ? Dans les romans de confidence amoureuse, les oscillations du pendule semblent obéir à un regard terrible de démon lancé sur le cœur païen et ses esclavages. Dans les romans plus objectifs, bien qu'ils exemptent leurs personnages de toute réaction morale, on sent planer sur eux les grandes réalités dont le sort impose la menace à l'humanité entière; ils n'en prennent pas conscience, mais elles les humilient et les écrasent. *La Vagabonde*, *La Fin de Chéri*, ou le *Toutounier*, c'est toujours la destinée insidieuse, la destruction de l'être par l'amour, la fragilité du monde charnel, l'ironie de la passion. Est-il donc histoires plus morales ? Mauriac va jusqu'à les trouver catholiques. Le fait est que si le tragique de l'amour n'eut pas plus de tristesse chez Racine, le pauvre destin de la chair ne fut pas dénoncé avec plus de conviction chez Bossuet.

C'est à se demander si le cœur d'une Colette, comme naguère d'une Noailles, avait le moyen de vivre, pris entre la puissante machine d'enregistrement sensoriel et l'appareil de l'intelligence. Celui-ci n'a cessé de se perfectionner sans que celle-là s'usât. Donc, pas de vrais obstacles aux regards de la raison. En avançant dans son œuvre, Colette s'est mise à écrire des livres qui ne sont plus des romans ni des chroniques de simples souvenirs, mais des jugements explicites et des témoignages de moraliste. La moraliste s'avère de premier ordre ; elle a la pénétration aisée, le tact exquis, la courtoisie compréhensive, comme dans *Ces Plaisirs* (1932)... ou *Mes Apprentissages*. Lisez les portraits de Jean Lorrain ou de Polaire, celui même de « Monsieur Willy », ou la monographie consacrée à Renée Vivien et à sa cour. La panthère, à force de poids et de souplesse, n'a plus besoin de ses griffes; le juge, à force de lucidité supérieure, ne formule plus ses décisions; le psychologue ne se soumet plus à l'objet, il s'y identifie.

6. L'ÉCRIVAIN.

Colette entre dans la compagnie des grands prosateurs. Elle s'exprime rarement dans l'abstrait, et quand elle s'épanouit dans la sensualité, c'est avec une netteté pleine et sans le moindre étirement féminin. Je ne nierai pas son défaut : il est grave. Colette, précieuse à sa manière, pratiquant donc parfois la quête de raffinement, ou bien accumule des métaphores qui se contrarient et se détruisent en encombrant le texte de leurs débris, ou bien même — c'est rare — veut tellement faire scintiller l'expression qu'elle triche sur la propriété des termes. Mais le plus souvent, elle est parfaite. Et dans l'habituel de sa manière, le moment où l'apparence brille le plus de splendides ou délicieux emprunts au monde des images est aussi le moment où la signification profonde et spirituelle devient la plus transparente. Voilà pour le détail courant du récit. Quant à l'ensemble, c'est tout acte et toute vie. Voyez par quelle série de mouvements, de dialogues et de silences Léa et son amant, dans la scène essentielle de *Chéri*, sentent le temps se lever entre eux et condamner impitoyablement leur amour.

Cette naturiste d'art, impudique d'inspiration et de sincérité, sait rester contenue et mesurée. A ce point de vue, elle est une Noailles née française, c'est-à-dire décente à la façon des classiques, jusqu'en pleine indécence des sujets et des situations.

La composition de ses romans s'arrange d'un laisser-aller

approprié à leurs très simples intrigues et à leurs thèmes. Sobres dans leurs lignes générales, ils se donnent liberté de profusion dans leurs à-côtés. Ce ne sont jamais récits de tête-à-tête. Le monde bousculé des comédiens et des artistes de la scène tient beaucoup de place dans *La Vagabonde*, *Mitsou*, *L'Envers du Music-Hall*; elle l'a peint avec sympathie et pitié parce qu'elle le connaît. Le monde des courtisanes vieillies met son pittoresque triste dans *Chéri*; les Américains d'après 1918, leur agitation insupportable dans *La Fin de Chéri*. N'oublions pas les comparses singuliers : le Brague et le Hamond de *La Vagabonde*, le Masseau de *L'Entrave*, le petit Farou de *La Seconde*, et ces figures inquiétantes et mélancoliques de femmes : Annie, Rézi, Jane... On ne peut s'empêcher de rappeler encore la beauté des décors, les paysages parisiens de *La Fin de Chéri*, les marines du *Blé en Herbe*, tant d'autres...

IV

L'UNIVERS DE PROUST

Un romancier qui a fait concurrence à l'état civil comme Balzac, quoique dans une bien moindre mesure, et pour qui aussi on a dressé un Répertoire de ses personnages, mais qu'en même temps la critique a traité comme Barrès ou comme Gide en multipliant les commentaires d'esthétique, de psychologie et de philosophie, comment s'étonner qu'il oriente une partie de l'époque, soulève des controverses sans fin, et aide de part et d'autre les esprits à reconnaître leur famille ? Proust est apparu au grand public en 1913, le Prix Goncourt a fait surgir sa gloire en 1919, et presque aussitôt son œuvre, passant les frontières, suscita en Europe des sociétés d'admiration et d'étude. Pas plus que Gide ou Claudel il ne se lit en écrivain très facile; il n'est pas tout à fait étranger aux directions symbolistes. Néanmoins, il n'est jamais entré dans aucun cénacle; sa seule chapelle littéraire, si c'en était une, le rattacherait au snobisme mondain : encore n'en eût-il pas convenu. Très vite retranché, il a eu sa solitude liée comme par la nature à la plus haute et large tradition. Au surplus, l'œuvre proustienne ne semble pas près d'avoir son exégèse achevée, nous ignorons encore beaucoup des secrets de sa formation, elle n'a pas fini de s'arracher à cette gangue : la surprise qu'elle causa.

1. La vie, les fréquentations, la maladie.

Marcel Proust a eu un père professeur à la Faculté de Médecine de Paris et un jeune frère chirurgien estimé. L'épouse et la mère de ces trois Français catholiques était une demoiselle Weil. Né à Paris le 10 juillet 1871, Proust passa ses étés d'enfance chez un oncle à Illiers, au voisinage de Chartres; plus tard, en glissant les images de cette propriété parmi celles d'une autre que possédait son grand-père maternel à Auteuil, alors campagne, il s'est arrangé le Combray de ses fictions. Il fit à Condorcet des classes qu'un asthme, dès l'âge de neuf ans, interrompait souvent, ce qui ne l'empêcha pas de briller, en histoire notamment, et aussi en histoire naturelle : on ne s'étonnera point de trouver une curiosité d'entomologiste à la base de sa littérature comme il s'en trouve une de botaniste à celle de la littérature gidienne. Il couronna ses humanités d'une licence ès lettres. Robert de Flers, Jean de Tinan et Marcel Boulenger, Louis de La Salle, Léon Brunschvicg et Robert Dreyfus avaient été ses camarades de lycée et de jeu aux Champs-Élysées, quartier de ses parents. Il fit son volontariat dans sa dix-neuvième année, à Orléans, puis tenté de s'ouvrir une carrière pour exaucer le vœu de son père, il fréquenta en hésitant entre elles l'École de Droit et la Sorbonne. Surtout il se laissa prendre par son existence de jeune riche. Ses mois d'été se passaient à Cabourg et à Trouville : l'une de ces plages avec son Grand Hôtel, l'autre avec son Hôtel des Roches Noires, lui fourniront le Grand Hôtel de l'imaginaire Balbec, dont l'église aussi naîtra de plusieurs églises de ces régions. Mais l'asthme lui interdit très tôt des déplacements lointains, en sorte que quelques jours à Genève et en Belgique, un séjour un peu prolongé à Venise, voilà tous ses voyages. Même en France, s'il quittait Paris, c'était pour quelque course, un porche à visiter.

A Paris, il allait au Bois vers midi avec le marquis d'Albuféra, avec le comte de Fénelon, et voyait passer le prince de Galles, les dames du faubourg Saint-Germain; il avait aussi la curiosité des cocottes célèbres; il en connut une, Laure Heyman — qui est la Gladys Harvey d'une nouvelle de Bourget — et il devait se la rappeler pour dessiner son Odette de Crécy. Il continuait d'habiter chez ses parents, boulevard Malesherbes. M. Adrien Proust était devenu inspecteur général de l'Hygiène publique, Mme Proust veillait sur le fragile Marcel, son idole. On lui permettait cependant de donner des dîners personnels, soit dans l'appartement familial, soit au restaurant. Après le restaurant ou le théâtre, il

rendait au Café Weber et Léon Daudet a laissé des croquis
e ces « nuits » (*Salons et Journaux*, 1917). Ou bien il travaillait
usqu'au matin, quitte à dormir le reste du jour.

Beau, séduisant, causeur adroit, il a été le chérubin intel-
ctuel d'une princesse Mathilde et d'une baronne de Roth-
child. Il se prodiguait dans les salons : salon de la princesse
Iathilde (noblesse impériale), salon de la princesse Edmond
e Polignac, où il put encore voir le fils du ministre de
harles X ; salon de Madeleine Lemaire, qui recevait artistes
e tout ordre, salon bourgeois et intellectuel de Mme Auber-
on, salon de Mme de Caillavet, où il se lia avec Anatole
rance... Quand la fille de l'Halévy de la *Juive*, Mme Georges
izet, devenue Mme Strauss en secondes noces (Émile Strauss
ut une vedette du barreau) recevait, et que Bourget, France,
emaître, Forain, Degas, se pressaient autour d'elle, le jeune
roust était là et apprenait le monde. Certaines réceptions
hez la prince se Mathilde lui ont fourni le déroulement
t l'ambiance de celles qu'il situera chez les Guermantes.
Ime Aubernon, bourgeoise autoritaire, qui menait en colonel
es invités, a fait passer un peu de sa physionomie dans celle
e la Verdurin. Il doit à Bertrand de Fénelon et à quelques
înés le type du jeune noble français qu'il a peint sous le
om de Saint-Loup. Un Swann a réellement existé, qu'il a
onnu, et qui s'appelait Charles Haas ; c'était le juif « hon-
ête homme », bourgeois élégant et amateur d'art, accepté
ans l'aristocratie, reçu chez les ducs, ami intime du prince
e Galles. On a beaucoup dit et écrit que Robert de Mon-
esquiou avait été un Charlus avant la lettre. Charlus après
Des Esseintes, quel inspirateur ! Mais ce personnage rappelle
ussi, des amis de Proust l'ont assuré, un baron qui n'est
lus guère connu que par un vers satirique du comte poète.
oilà le monde que Marcel Proust a observé non seulement
ans les salons mais aussi dans les grands hôtels, surtout
u Ritz.

Tout en vivant de cette vie, il avait grand désir d'écrire :
u parce qu'il vivait de cette vie, car il s'essaya d'abord sur
es sujets mondains et des sujets d'esthétique. L'équipe de
Condorcet avait fondé une revue, *Le Banquet*, et il y publia,
n 1892 et en 1893, des paysages et des notes de lecture ainsi
ue des portraits du monde et même du demi-monde. Ces
squisses et celles de *La Revue Blanche* de 1893 ont été recueil-

lies les unes dans les *Chroniques* posthumes, les autres e
1896 dans *Les Plaisirs et les Jours.* Un autre recueil, *Pastich*
et Mélanges, devait rassembler en 1919 la plupart des articl
du *Figaro* qui traduisirent de 1900 à 1904 des préoccupatio
ruskiniennes et fixèrent de 1907 à 1912 des impressions
des souvenirs; d'eux aussi quelques-uns figurent dans l
Chroniques. Les pastiches publiés dans le même journ
allaient de Saint-Simon à Renan, de Balzac à Henri de Régnie
et portent sur un thème unique : l'affaire Lemoine. Dernie
hors-d'œuvre : les préfaces des traductions de Ruskin (*L*
Bible d'Amiens en 1904, *Sésame et les Lys* en 1906). *Les Plaisi*
et les Jours, qui groupe des portraits, des tableaux de cam
pagne, des nouvelles, pouvait faire deviner, surtout dans l
nouvelles douloureuses, la future idéologie des sentiment
De brusques jets d'observation déjà terribles s'y font jou
à travers pas mal d'artifices. Le psychologue qui avait écr
« La Confession d'une Jeune Fille » était capable de tou
en bien ou en mal. Ce jeune Proust annonçait la jalousie d
Swann, les dîners Verdurin, les intermittences du cœur,
passion filiale et sa propre vie d'enfermé. Il annonçait e
propres termes une vaste fresque où il dépeindrait « sa vi
sans la raconter, dans sa couleur passionnée seulement, d'un
manière très vague et très particulière, avec une grand
puissance touchante ». Évidemment, le « très vague » est
de trop.

On ne se doutait guère alors, bien qu'une des études don
nées à la *Revue Blanche*, « Avant la Nuit », eût pu en averti
qu'un grand thème de littérature sociale avait sollicité Prous
de bonne heure : le thème sodomiste. Pendant plus de di
ans, l'idée de se jeter dans ce péril l'a fait écouter tour à tou
(qu'on lise sa correspondance) les suggestions encoura
geantes du procès d'Oscar Wilde en Angleterre et des grand
procès allemands, puis les découragements que lui inflige
le double scandale soulevé par les livres de Lucien Daud
et de Binet-Valmer. Il y renonça; mais l'aspiration profond
à créer ne l'abandonnait pas. Où s'ouvrirait la voie pour lui

Or Proust, un beau jour, se retira du monde, s'enferm
dans une thébaïde. C'était en 1909, il n'avait pas quarante ans

Certes, ses bronches ne supportaient plus les poussière
de l'air, et bientôt ce fut du fond d'une voiture qu'il contem
pla les paysages et inspecta les architectures d'églises. Dan

son appartement du boulevard Haussmann aux fenêtres fermées, dans sa chambre capitonnée de liège pour la défendre du bruit, il se mit à vivre clos lui-même sous des plastrons fourrés, dans des chaussons de tricot et des gants, relié à l'extérieur seulement par sa servante Céleste, qui deviendra Françoise, et par le mari de sa servante, Odilon, chauffeur. S'il se rendait encore à Cabourg, dans l'été, c'était pour se calfeutrer à l'hôtel. Mais n'était-ce que conséquence de son mal ? Peut-être aussi du chagrin d'avoir perdu son père en 1903, sa mère en 1905 ? Surtout il travailla, il lut et écrivit dans son lit, et ses amis crurent qu'il se recueillait pour une confession, ou bien qu'il rédigeait de gentils mémoires, ou encore qu'il composait un roman.

On sut en fin de 1911 qu'un livre était terminé — roman, mémoires, confessions — qui parut seulement en novembre 1913 après plusieurs refus d'éditeurs et avec de grosses difficultés pour l'édition à frais d'auteur (ne fut-il pas refait sur épreuves dans tout le détail ?). C'était *Du Côté de chez Swann*, qui rayonna dans un groupe d'amis; puis quelques articles et la propagande orale élargirent une réputation bientôt mondiale.

Dans le même temps, Proust, ouaté d'isolement, ne mollissait point sur ses lauriers, mais au contraire fournissait un effort extraordinaire. Il quittait rarement son lit de malade, ne voyant presque plus personne, quoiqu'il eût hérité de sa mère une bonté dont il a donné des preuves. Le cœur était atteint, la santé définitivement ruinée. Se plaint-il ? Au contraire, il salue la maladie comme une collaboratrice, puisqu'elle nous protège contre les distractions, elle nous installe sur le bord de l'écoulement des jours. Dans *Les Plaisirs et les Jours* déjà, évoquant une maladie de son enfance, il écrivait : « Je compris alors que jamais Noé ne put si bien voir le monde que de l'arche, malgré qu'elle fût close et qu'il fît nuit sur la terre. » Un jour vint où son écriture avait rempli vingt gros cahiers; les misères de l'insomnie faisaient son affaire, une peur semblait le pousser : mourir sans avoir fini. Quelques heures à peine avant sa mort (18 novembre 1922, rue Hamelin), il demanda la page de manuscrit où il avait représenté un de ses personnages à l'agonie, et prononça ces mots stoïques qu'on dirait d'un Ancien : « J'ai plusieurs retouches à y faire, maintenant que me voici presque au même point... » On parle souvent à son sujet d'expérience mystique, est-ce bien nécessaire et n'abuse-t-on pas de la formule ? Aucune mystique sans doute, mais peut-être de l'héroïsme.

Je parlerai surtout de bonheur. Tant d'acharnement à atteindre le point final de quinze volumes, la vie jetée entière, âme et corps, dans une œuvre littéraire dont le bruit viendra battre les murs du reclus, c'était la poursuite d'un but que Proust s'était découvert avec joie et dont il gardait le secret. Il devait ne le révéler, ce secret, qu'à la fin de l'œuvre entreprise, mais il lui avait obéi dès le début; il suivait depuis juillet 1909 l'étoile d'une révélation qui, à cette date, soudain, l'avait bouleversé de son éclat, et désormais il s'agissait pour lui de bien autre chose que de raconter des histoires. On se demande en effet : pourquoi l'interminable recensement des années perdues ? Pourquoi Balbec après Combray ? Pauvres petites villes... Pourquoi Albertine après Gilberte ? Femmes interchangeables... Pourquoi la série des oublis, des déchéances et des morts ?... Tout s'était écoulé, il voyait cet écoulement, il ne tenait plus rien, ni de ses amours, ni de ses amitiés, ni de ses plaisirs d'art. D'autre part, cette société mondaine, où il s'était plu si largement, cette société des Grands, qui l'avaient intéressé d'abord comme derniers chaînons de l'histoire de France, ne lui inspirait plus que pitié et mépris... Alors, à quoi bon ? Faillite de sa vie, faillite du monde, quel intérêt d'en entreprendre le bilan ? Or, non seulement il l'entreprend, mais il en jouit, il s'en délecte. D'un long échec il tire une réussite. Que s'est-il donc produit et quelle force a le secret qu'il détient ?

Il avait trouvé ni plus ni moins une nouvelle qualité de passé. Non pas le passé qui n'est que de l'ancien présent vieilli et qui meurt, mais un passé féerique d'où renaissent et vivent des moments merveilleux, un passé de magie, et qu'une autre magie, celle de l'art, sera capable de faire durer. Quelle illumination ! Mais alors le sujet, le grand sujet que, candidat à la gloire, il avait longtemps poursuivi en tâtonnant, il le tenait. Ce serait : Avant et Après la découverte; autrement dit : la longue genèse d'une vocation littéraire à travers l'évolution d'une conscience et celle d'une époque, vocation amorcée de temps à autre par des pressentiments, longtemps retardée par les expériences, les erreurs, les chagrins, mais enfin jaillissante de ce miracle qui lui versait par surcroît un bonheur de presque chaque jour. Voilà la raison exacte de la thébaïde, voilà pourquoi *Du Côté de chez Swann* (1913) et *A l'Ombre des Jeunes Filles en Fleur* (1918) n'étaient qu'un commencement dont personne ne soupçonnait vers quel terme il se développerait, voilà surtout pourquoi *A la Recherche du Temps perdu* devait conduire, en passant par *Sodome et Gomorrhe* (1921), *La Prisonnière* (1924), *Albertine disparue* (1925), jusqu'au *Temps retrouvé* (1927). Proust ayant eu l'annonciation de sa foi, abandonna tout pour elle, s'ouvrit tout entier à elle, et s'y embauma.

2. Une vision nouvelle des choses.

La part inconsciente ou subconsciente est grande dans l'homme, on le savait, mais Proust l'a su aussi bien que Freud lui-même. Le Moi se conçoit comme une réserve de souvenirs oubliés; leurs groupes forment autant d'êtres, dont un seul veille avec la conscience intellectuelle, tandis que les autres dorment ou s'agitent à notre insu; chacun d'eux peut être appelé à veiller à son tour. Ce monde obscur et nullement rationnel, ce passé mêlé vraisemblablement à de la sexualité, nous mène souvent. Mais nous ne le savons pas; il représente pour le Moi conscient une suite de morts antérieures, un constant évanouissement. La mémoire, quand elle en éclaire quelque image, la trouve pâlie, destinée à pâlir de plus en plus, jusqu'à s'effacer... Heureusement, il existe deux mémoires.

Si la mémoire habituelle est incapable de revivifier le passé tel que nous le vécûmes, parce qu'uniquement utilitaire elle dessèche ce qu'elle touche, une autre mémoire au contraire revigore un passé intégral avec sa vibration, sa pulpe, ses couleurs. C'est la mémoire involontaire, celle qui agit spontanément et à l'improviste, celle qui donne un choc. Elle pousse brusquement dans le présent des impressions reçues dans le passé; elle les tient comme en suspens entre le passé et le présent; elle les libère ainsi de toute contingence, de toute compromission, de toute déchéance; elle les arrache au temps dans ce qu'elles ont d'essentiel. Évidemment elle est de nature affective, elle obéit au plaisir ou au chagrin, elle répond à une envolée de l'imagination ou à un battement du cœur. Et tel est le premier temps de la démarche proustienne.

N'ayant rien à faire de la première mémoire, Proust a tiré parti de la seconde. Dira-t-on qu'à redonner toute leur force de vie aux heures mortes il risquait de ranimer son insatisfaction ? Non, puisque le passé qui avait fui s'arrêtait maintenant et redevenait un présent durable dont l'esprit avait loisir de jouir. Ce n'était plus la chute d'un sablier qui se vide entre les doigts, mais une belle cité contemplée dans le soir. Les mauvais souvenirs eux-mêmes, ainsi réveillés, éliminent du passé ce qu'il contient d'hostile, y substituant le halo de nostalgie, l'irisation d'absence. De toute façon, il s'agit de moments exceptionnels et, pour certains souvenirs, de paradis perdus et retrouvés. Si un Moi existe malgré tout, un Moi qui nous est retiré et rendu chaque jour, c'est celui dont on prend conscience dans ces moments-là et dont la mémoire serre le lien.

Supposez le narrateur en train de penser volontairement ou habituellement à sa grand-mère morte, qu'il aimait tant. Cette pensée ne lui donne pas de la disparue une ressemblance saisissante, la morte reste morte... Au contraire, voici la surp ise qui la restituera toute vivante. Un étouffement qui prend le jeune homme à l'hôtel de Balbec, tandis qu'il s'apprête à enlever ses bottines, lui rappelle tout à coup un étouffement semblable qui l'avait pris un jour qu'il attendait sa grand-mère pour qu'elle l'aidât à se déchausser. Or sa grand-mère était morte peu après et il s'en était voulu d'avoir gardé dans ce deuil, malgré lui, une certaine froideur. Mais ici, à Balbec, l'identité sentie par éclair soulève d'effervescence sa vie spirituelle; un passé plus complet qu'en son ancien état de présent, a fait irruption, a doublé son Moi d'un Moi qui est lui et plus que lui, a ressuscité l'être aimé qui soudain se jette contre son cœur à le briser... C'est par une surprise analogue qu'en trempant une madeleine dans du thé il retrouvera le pays et l'époque de son enfance, ou qu'en passant sur ses lèvres une serviette empesée il reverra Balbec et ses jeunes filles... Qu'on prenne bien garde à ces surprises brusques : il faut absolument leur secousse pour, en quelque sorte, arrêter le temps sur une contemplation intérieure et, par là même, rompre l'abêtissante habitude. Car voilà l'important. Il s'agit de « soulever un coin du voile lourd de cette habitude » qui « pendant tout le cours de notre vie nous cache à peu près tout l'univers et, dans une nuit profonde, sous leur étiquette inchangée, substitue aux poisons les plus dangereux ou les plus enivrants de la vie quelque chose d'anodin qui ne procure pas de délices » (*Albertine disparue*).

Les moments où s'accomplit une telle re-création de vie se produisent par miracle unique, fruits rares du hasard auxquels d'ailleurs beaucoup d'hommes ne mordront jamais. Une phrase comme celle-ci, prise à *Du Côté de chez Swann*, « Tout à coup je m'arrêtai, je ne pus plus bouger, comme il arrive quand une vision ne s'adresse plus seulement à vos regards mais requiert des perceptions plus profondes et dispose de votre être tout entier », dit bien l'exception et le privilège de telles minutes, profondes en effet, pendant lesquelles l'intensité de contemplation équivaut à la possession de l'objet. Sans compter que pareil bonheur réclame de la peine. Le contemplateur doit se détacher du monde extérieur, pénétrer en lui-même, percer la couche d'images conventionnelles et indifférentes comme pour trouver au delà quelque chose de caché. L'observation intuitive devient alors une sorte d'instinct qui se réfléchit et s'approfondit. Quiconque tient à ne rien perdre du bergsonisme que Proust pouvait recéler, a là sa pâture, et certainement se rappellera avec insistance que Bergson s'est allié à la famille de Proust en épousant Mlle Neuburger. Mais l'étudiant Proust avait eu beau accepter à dix-huit ans l'intuition bergsonienne, l'écrivain refusait de se reconnaître bergsonien dans son œuvre : une interview publiée dans *Le Temps* du 12 novembre 1913 en porte témoignage. Disons donc qu'il a été partiellement bergsonien malgré lui, par son rejet du tout-fait, par ses intuitions immédiates. Accordons-lui également le bénéfice d'un état tout proche de l'état second. Proust aboutissait au don complet et absolu de sa personne; il faisait passer le monde dans son être intérieur et désormais en disposait, mais pas du tout pour le regarder comme à la lanterne magique. Non, les regards de Proust étaient et voulaient être actifs. Il disait qu'ayant tout tiré de lui-même, à des profondeurs aussi étrangères au rationnel qu'un motif musical, il avait eu beaucoup de mal à les éclairer intelligemment. En somme, après l'imprévue victoire fulgurante de la durée sur le temps, et tout aussitôt jaillie la synthèse vivante que produisait la mémoire involontaire, c'est l'analyse qui entrait en action et qui, si l'on peut dire, rationalisait le miracle; et Proust y a consacré une volonté tenace, une pensée instruite, une culture d'artiste, de lettré et de philosophe, une observation qui mobilisait son être total, bref une inlassable méthode. C'est sur elle qu'on a fondé les comparaisons devenues banales — mais elles s'imposent — avec le microscope qui grossit les objets, avec le ralenti cinématographique qui décompose les mouvements, de façon que n'échappât au contemplateur plus rien de la matière humaine qu'il en arrivait à traiter en savant.

Enfin il reste à sauver définitivement les trésors mis à jour, à les protéger contre la voracité du temps : l'art seul en a paru capable. Proust, dans *Le Temps retrouvé*, parlant des vérités découvertes soit dans la souffrance, soit dans de médiocres plaisirs, met à part et au-dessus de toutes celle qui lui avait révélé dans l'œuvre d'art l'unique moyen d'arracher au temps cela à quoi l'on tient. Mais n'oublions pas que l'art a affaire, non à la vie réelle, à celle que la fatigue, la tristesse, le désordre, le désaccord de tout avec tout empoussière et éteint, mais à celle que l'être intérieur a recréée et à laquelle il a donné de l'éclat par l'illumination initiale, de la clarté par la réflexion, de la valeur rayonnante par la contemplation méditative. Et l'art de Proust se mettra en accord avec sa vision; son style introduira le plus possible de franche lucidité dans le réseau d'images et d'incantations auquel les écoles modernes ont recours pour prendre la vie au piège.

Tel est donc le délicat et fort appareil dont une disposition de l'esprit ainsi reconnue a donné l'idée pour explorer et conquérir un vaste domaine psychologique. Proust en a usé secrètement, puis ouvertement. N'a-t-il pas raison de prétendre : « La réalité n'existe pas pour nous, tant qu'elle n'a pas été recréée par notre pensée » (*Sodome et Gomorrhe*) ? C'est une vérité capitale. Toute littérature qui ne pense pas ce qu'elle voit et ce qu'elle sent est une littérature mort-née ou qui restera de classe inférieure. Voyez le moment immortel que Proust a tiré du moment perdu où, enfant, il avait la joie de voir sa mère venir l'embrasser le soir dans son lit, moment douloureux à force de l'avoir vécu par avance, moment radieux et devenu presque divin par la grâce d'une mémoire exceptionnellement active... Cette méthode de communion, de spiritualisation et de stylisation, Proust l'a étendue même aux impressions d'ordre secondaire, aux impressions de nature, par exemple, et à des sensations de toute sorte négligées d'ordinaire, qui nous paraissent trop élémentaires pour les explorer et dont il a saisi ce que nous croyions incommunicable. Les choses sont devenues avec lui des êtres qui ont une histoire, elle les apparente à lui, à nous, elle les humanise, elle les annexe à la patrie intérieure. Quant aux personnes, elle les prolonge d'un sillage ou bien elle met un nimbe à leurs figures, ce qui les isole et tout ensemble nous les associe, dans la zone d'inconnu dont la vie les entoure à nos yeux. Quel univers de sortilèges ont pu ainsi mettre en branle les appels mystérieux des trois clochers de Martinville, la hantise de la « petite phrase » dans la sonate de Vinteuil, le son d'une voix aimée au téléphone, le sommeil d'Albertine, et combien d'autres « moments musicaux » !

La vision proustienne, qu'avec fantaisie l'on pourrait définir fil d'Ariane dévidé dans les labyrinthes de l'âme, mais plus sérieusement, en déformant une formule de Taine, hallucination vraisemblable et subjectivement vraie, cette vision révèle un idéalisme absolu; elle pourrait prendre pour enseigne le « port de Carquethuit », toile du peintre Elstir qui fascinait le narrateur du *Temps perdu*. Qu'est-ce que cette beauté enchanteresse ? Personne ne la soupçonnait dans le petit port normand. Y existait-elle ? C'est dans l'œuvre peinte que le jeune Marcel en a pris conscience. Il est évident qu'une certaine réalité n'existe pas ailleurs que dans la rétine des privilégiés. De cette évidence Proust a tiré toutes les conséquences, aussi bien sa littérature que l'art d'Elstir, non seulement sa théorie de l'amour, mais sa doctrine psychologique tout entière. Du fond de ses catégories idéalistes, fils affranchi du Symbolisme, il s'est élevé à la connaissance du cœur humain et des hommes.

3. La psychologie.

Le nom de Proust fait toujours penser à Swann, à Charlus et à Albertine; plus qu'à tout autre mystère il s'est attaché à celui de l'amour. Bien entendu, s'il a analysé cette passion et en a peint certains effets, cela a été en fonction de sa théorie d'extrême subjectivité, foyer central de sa création. Les femmes qu'aiment Swann, Saint-Loup, le narrateur, et qui répondent aux noms d'Odette de Crécy, de Rachel, d'Albertine ou de Gilberte, ils se les sont façonnées avec des éléments tirés d'eux-mêmes. Aussi, quand ils veulent forcer les femmes réelles à ressembler à ces poupées, s'ensuit-il de terribles malentendus : d'où les merveilles de l'absence... Cette Odette qu'il s'est fabriquée dans son atelier d'amateur d'art, Swann vient-il à l'imaginer menant une vie cachée de lui ? Il entre aussitôt dans une angoisse jalouse qui lui rend Odette nécessaire; c'est même cette jalousie qui la lui fait épouser, car le mariage seul pourra, par la présence, le débarrasser de sa torture. Pour l'amour même, il faut que la sensibilité alertée devant l'inconnu fasse travailler l'imagination. Voyez comme la duchesse de Guermantes approchée déçoit l'amoureux qui l'avait désirée à travers le prestige du nom. Et quel morne état d'âme chez Marcel lorsqu'il tient pour certitude la fidélité d'Albertine ! Par contre, Saint-Loup est attaché à une Rachel dont il ignore la réalité exacte, connue du narrateur. « Où sont nos amoureuses... » Nulle part. Au tombeau dès leur vie. Proust fait vivre l'amour par lui-même, indépendamment de l'objet. C'est au moment où Swann se rendit compte qu'Odette enlaidissait qu'elle lui devint plus chère : il n'y avait plus d'Odette, il n'y avait plus qu'une volonté passionnée de la capter. Pareille vie complètement autonome est vécue par sa jalousie, que des pages merveilleuses montrent égoïste, « vorace de tout ce qui la nourrissait aux dépens de lui-même », le long d'une série d'épisodes où Swann traverse les mensonges d'Odette comme un explorateur pris dans une inextricable forêt des Tropiques. Est-ce par hasard que les femmes aimées du *Temps perdu* sont moins près de l'être vivant que de l'évocation ? On dirait qu'une sorte de brouillard invisible engendré par le cerveau de leurs amants voile leurs contours, noie leurs mouvements. Et naturellement toute la construction échafaudée par l'amant autour de ses idoles, dès qu'il n'aime plus, s'écroule.

« Un amour de Swann », monographie désormais classique qui met à nu les cheminements obscurs de la jalousie, qui relie les mouvements intérieurs les plus secrets à ce qui se voit et s'exprime, qui découvre les plus subtiles correspondances et reconstitue les heurts les plus audacieux, aurait captivé Racine. La pensée d'Odette aimée et détestée, les gentillesses et les outrages, les imaginations et les regrets, les illusions et les fureurs, les naissances, apaisements et rebondissements du soupçon imposent à Swann une activité harassante, vaine, désespérée, qui lui fit maintes fois souhaiter la mort. Le narrateur de *La Prisonnière* souffre lui aussi d'un surmenage moral épuisant. On voit ces hommes descendre une spirale de torture. Les tortures, dans la passion spéciale qui possède le héros de *Sodome et Gomorrhe*, le baron de Charlus, deviennent particulièrement humiliantes; elles ont entraîné Proust dans le détail d'existences abominables, car elles s'accompagnent, celles-là, d'horreur et de grotesque. Même il semble que Proust les ait traitées en expérience-témoin à l'extrémité des possibles et en pendant aux tristes plongées de Mlle Vinteuil, pour faire apparaître comme sous verres grossissants les tromperies et trahisons réservées à ce que nous appelons l'amour et qui n'est réellement qu'une ingrate poursuite.

Si l'on considère sous tous ses aspects l'histoire de Swann, elle ne constitue pas seulement une étude clinique, comme on l'a dit, de la jalousie, mais une démonstration de la diversité d'êtres qu'un être humain contient. La démonstration est reprise pour tous les autres grands personnages de l'œuvre. Proust a dissocié les abstractions classiques : amour, jalousie, ambition, etc...; il a vu et fait voir à leur place des états de conscience, aussi individuels que possible, produits par chaque individu et différents d'un individu à l'autre. Mais il a été plus loin, jusqu'à une doctrine qu'on pourrait vraiment appeler « le fleuve d'Héraclite ». — « Il y a une géométrie plane et une géométrie dans l'espace, disait-il à l'interviewer du *Temps*; eh bien, pour moi, le roman, ce n'est pas seulement de la psychologie plane, mais de la psychologie dans le temps. Cette substance invisible du temps, j'ai tâché de l'isoler... » Il rêvait de donner la sensation du temps écoulé, et il annonçait des personnages en perpétuelle évolution, ne se ressemblant pas de volume à volume, fût-ce par certaines de leurs impressions profondes. Et, de fait, depuis la dame en rose jusqu'à Mme Swann, depuis les idylles enfantines des Champs-Élysées jusqu'au mariage d'Odette Swann avec Saint-Loup, il y a loin. De plusieurs Swann qui existent également, lequel est le vrai ? Aucun et tous. M. de Charlus subit de nombreux avatars dans la mémoire de l'annaliste. Entre Marcel et Albertine, entre Charlus et Morel, entre Morel et sa femme, ce n'est que jeux de cache-cache, aveuglements et erreurs. Les êtres se font face comme des masques. Tous, nous sommes en perpétuel dénivellement les uns par rapport aux autres et nous nous entrevoyons réciproquement dans un imbroille de miroirs où notre réalité objective s'évanouit. Si l'oubli ne protégeait l'intègre portion de notre être qu'atteignent les coups de sonde involontaires de la mémoire dans le passé, chacun de nous consisterait-il en autre chose qu'en velléités mensongères d'un Moi, risquées par notre intelligence pour les besoins de l'existence ? Tout change, passe et fuit en nous comme autour de nous; c'est ce qui explique que nous ayons à nous dire tant de fois : « Comment ai-je pu... ? » En conséquence, Proust conclut à la dissociation complète de la personnalité, et il place si cruellement dans la perspective du temps sa comédie humaine qu'elle aboutit à une danse macabre : telle est à peu de chose près la fête chez la comtesse de Guermantes, sujet proprement moyenâgeux, traité par un moderne qui a le sens historique.

A la Recherche du Temps perdu apporte, en effet, une contribution à l'histoire des mœurs. Du monde avec lequel Proust avait été familier, des occupations et des loisirs de ce monde, de ses goûts et de ses préjugés, il a brossé une fresque mouvante sous les noms inventés de Guermantes, de Cambremer, de Charlus, du diplomate Norpois, et de quelques autres autour de qui les évolutions, jugements et attitudes de Swann, de Saint-Loup, de Bloch père et fils, achèvent de faire tourner un vrai système planétaire. Les distinctions comiques et même un peu chargées qu'il a faites entre certaines de ces figures que Bossuet aurait appelées « têtes de morts assez touchantes » authentiquent savoureusement le connaisseur. Les Guermantes estiment l'esprit tout en le méprisant et diraient peut-être volontiers de la noblesse : « Pensons-y toujours, n'en parlons jamais »; les Courvoisier, infatués de leurs ancêtres, imaginent les autres classes peuplées de gens plus ou moins dignes de la potence; et les Gallardon sont bêtes et méchants comme on ne peut l'être qu'en province. Au début de la soirée de Mme de Sainte-Euverte (*Du Côté de chez Swann*), on passe une revue de visages à monocle : elle est insultante. Proust donne aux gens du monde une réplique qui les soufflette : la société des domestiques, qu'il a observés dans les hôtels et restaurants, chez lui aussi, où Céleste reçoit nièce et sœur (elles composeront à elles deux la fille de Françoise). Les deux sociétés se rejoignent dans leurs sottises et leurs affectations, dans le mensonge forcé qui leur insuffle une seconde nature, ainsi qu'aux snobs, aux médecins et aux diplomates. Dans une lettre à Mme Sert, publiée par la princesse Bibesco, et où il se défend fermement quoique spirituellement d'être snob, Proust avoue compter des valets de chambre et des ducs, des chauffeurs d'auto et des princes parmi les amis qui passent demander de ses nouvelles. « Les valets de chambre, ajoute-t-il, sont plus instruits que les ducs et parlent un plus joli français, mais ils sont plus pointilleux sur l'étiquette et moins simples, plus susceptibles. Tout compte fait, ils se valent. Le chauffeur a plus de distinction... »

Voilà pourquoi la classe aristocratique s'enfonce, le faubourg Saint-Germain se désagrège. En évolution inverse de ce « royaume du néant », la bourgeoisie riche monte, sans élégance, lourdement, liée à l'élite qui travaille; Mme Verdurin, traitée avec mépris par le baron de Charlus, reçoit des hommes éminents, qui ne sont pas du monde et qui d'ailleurs gagneraient à en être s'ils devaient y garder intacte leur personnalité, un médecin prestigieux comme Cottard, un grand professeur comme Brichot. Les ballets russes, puis l'Affaire Dreyfus, enfin la guerre favoriseront la réussite du salon Verdurin extrêmement mobile, et la dame finira princesse de Guermantes. Pendant la même période, évoluent peinture, littérature, musique. L'immense métamorphose n'accorde merci à personne, et l'on pourrait croire que Proust prend à ce spectacle une sombre joie... Un soir qu'il avait accepté, lui n'allant plus nulle part, une invitation pour le bal de l'Opéra, n'explique-t-il pas : « Cela m'intéresse extrêmement de voir comment les figures vieillissent » ? Simplement, il manifestait un vœu d'observateur. On lit dans une de ses *Chroniques* : « Un artiste ne doit servir que la vérité et n'avoir aucun respect pour le rang : toute condition sociale a son intérêt. » Devise parfaite pour la peinture qu'il nous laisse d'un vaste champ des morts et des vivants.

4. Difficultés.

La méthode de Proust utilise savamment beaucoup d'irrationnel, et toute une partie de son entreprise est née de frissons auxquels il s'offrit, tendu, au point qu'on pourrait le dire activement passif. Féminin par là, il l'est encore par ses minauderies. Qu'il s'agisse de Gilberte Swann et des amours perdues, d'Albertine secrète, qu'il s'agisse même de conversations de salon, simplement d'une robe de la duchesse ou d'un paysage, quels mystérieux pièges de signaux ne tend-il pas ! La réalité annoncée ne répond pas toujours à tant de mise en scène. Il faudrait voir si la psychologie proustienne est tout à fait exempte de coquetterie bluffeuse.

Dans une lettre de 1913 à la princesse Bibesco, Proust parle du livre sur *Alexandre asiatique* où la princesse a peint le vainqueur, ce bonheur fait homme, qui meurt désespéré. Que lui dit-il ? « ...Rien ne m'est plus étranger que de chercher dans la sensation immédiate la présence du bonheur. Une sensation si désintéressée qu'elle soit, un parfum, une clarté, s'ils sont présents, sont encore trop en mon pouvoir pour me rendre heureux. C'est quand ils m'en rappellent un autre, quand je les goûte entre le présent et le passé, qu'ils me rendent heureux. Alexandre a raison de dire que cesser d'espérer, c'est le désespoir même. Mais si je cesse de désirer, je n'espère jamais. Et peut-être aussi, la grande sobriété de ma vie sans voyages, sans promenades, sans société, sans lumière, est-elle une circonstance contingente qui entretient chez moi la pérennité du désir... » Il va jusqu'à prétendre que l'important c'est de ne pas tenir, de ne pas posséder. Ainsi que le commente très justement l'auteur d'*Alexandre asiatique*, Proust, tout au contraire d'Alexandre, a joué sa vie à qui perd gagne, a situé le bonheur dans un « espace sentimental nouveau » où le désir durait et où soit la déception, soit le renoncement servait à la joie. Planter ainsi ses jours dans le désir et le regret, n'est-ce pas d'un « femmelin », pour reprendre l'injure de Proudhon ?

Sans doute dira-t-on qu'il n'y a eu passivité qu'au point de départ. Nous avons vu Proust se dégager de son romantisme féminin et inventorier des trouvailles intuitives au moyen de l'intelligence cultivée. Passionné d'une connaissance exacte des hommes et des choses, il insiste sur la joie de saisir des lois et sur la nécessité de se mettre en bonne condition pour les saisir. Et s'il s'aventure dans le singulier, voire dans l'étrange de la psychologie, ne court-il pas, après tout, un risque qui exige la vigilance de l'esprit critique et de la volonté ? On peut considérer dans Proust une âme que la vie épuise; on peut non moins y considérer l'énergie d'un esprit qui, ayant reçu de Stendhal la conception atomique du cœur, l'a fait progresser jusqu'à une conception plus hardie où l'atome devient à son tour un nouvel univers à dissocier.

N'empêche que Ramon Fernandez n'a pas eu tort d'avancer qu'un chapitre de la psychologie proustienne, celui de l'amour, manque de valeur générale. « Moraliste de parti pris », écrit-il. Proust, en effet, semble nier qu'il existe des couples équilibrés; il ignore l'amour partagé. Un tel amour unit-il deux illusions qui se croisent ? Comment expliquer alors qu'elles se répondent exactement ou même que le croisement se soit fait ? Et puis, ne se pourrait-il pas que la personnalité de l' « objet » eût plus d'importance que Proust ne lui en accorde ? Est-ce que vraiment l'objet peut n'être à ce point qu'une cible ? et le sexe féminin n'a-t-il à présenter que des exemplaires d'aussi pauvre qualité ? Si Proust ne se trompe pas, c'est Corneille qui s'est trompé dans *Polyeucte*, Racine dans *Bérénice*, Stendhal dans la *Chartreuse*, Claudel dans le *Soulier de Satin*.

Sur un plan plus général, on voudrait savoir quand Proust nous place dans le réel, quand dans l'imaginaire. Il a beau juger imaginaire ce qui passe pour réel, ne jouit-il pas du temps retrouvé comme d'une réalité ? Son œuvre a beau aboutir à l'évanouissement de toute réalité, hésite-t-il à parler de l'essence des choses et de la réalité profonde de la vie ?

A vrai dire, son nihilisme ne fait pas de doute. On le voit même résigné à compter sur les grandes œuvres de la littérature et sur leur création continue de la personne humaine pour fonder l'ensemble d'idées et de principes nécessaires au progrès moral; car il dénie à l'âme individuelle le pouvoir de se gouverner, il juge la vie sociale pure invention. Quand donc il parle de temps retrouvé, de réalité profonde et d'essence des choses, de quoi s'agit-il ? Il en parle, notons-le, à propos d'émotions, d'affections ou d'impressions poétiques, à propos de ce qui lui est cher ou de ce qu'il voudrait retenir. Il s'agit d'une nostalgie, il s'agit de vues esthétiques, et par conséquent de réalités fictives. L'équivoque, même si elle n'est que de langage, irrite le lecteur et obscurcit l'écrit.

Une équivoque voisine de celle-là provoque directement,

elle, le cœur ou l'esprit. Proust, qui adorait sa mère, a mis cette adoration, dans ses récits, au bénéfice de sa grand-mère. En plusieurs épisodes, y compris celui de sa mort, notamment lorsqu'il se revoit dans une cabine téléphonique en communication avec elle et soudain n'entendant plus sa voix, il écrit on sait quelles pages capables d'arracher des larmes. Or n'explique-t-il pas avec insistance que son cœur n'avait pas atteint dans la réalité immédiate le haut diapason qu'il atteint dans le souvenir ? En somme, il a supprimé la personne vivante de la chère femme, il l'a convertie en vision intérieure, il l'a absorbée. Vérité de cœur ou émotivité d'homme de lettres ? Descend-il dans les replis d'une passion affectueuse ou révèle-t-il un égotisme despotique, cruel et presque cynique ?

Le peintre social à son tour soulève des interrogations. La société rassemblée dans son œuvre, est-ce un grand corps qui évolue pour se maintenir, et lui alors un homme vieillissant aux yeux de qui elle se détruit comme le paysage aux yeux du voyageur ? Ou bien est-ce une chair qui se décompose absolument ? On dira que les deux cas reviennent au même. Mais alors, y a-t-il si grande découverte, et le contemplateur artiste n'a-t-il pas eu là, sous les yeux, simplement une des figures de la vie ?

Suprême doléance : une impression démoralisante plane sur l'œuvre, car cette œuvre peint une humanité qui ne s'appartient plus, puisqu'elle appartient à ses émotions, à ses penchants, à ses sensations mêmes. Seuls, le baron de Charlus et Françoise, tous deux hors la loi en quelque manière, méritent le nom de « caractères ». Le moraliste, conseiller de perfectionnement intérieur, n'a donc plus de rôle à jouer : quel effort demander à des êtres toujours près de se fêler en tous sens, mosaïques mouvantes de « moi » successifs ? La mémoire maintient peut-être une unité, soit ! mais quelle garantie pour la capacité de se conduire, de se surmonter, d'agir ? Proust détruit et disperse l'homme : que propose-t-il pour le recomposer ? C'est un mythe qu'il faudrait, ou traditionnel ou inventé : en est-il question ? Lui, il a trouvé dans l'art un moyen de reconstruire au moins sa propre personnalité; est-ce à la portée de beaucoup de ses semblables ? Décidément l'œuvre proustienne est un spectacle de ruine.

Claudel le disait à Frédéric Lefèvre (avril 1925). Il ajoutait : « Et puis, il y a autre chose dans la vie que ce peuple d'oisifs et de larbins. » Voilà une dure critique. Non pas littérairement, car, somme toute, quels que fussent les personnages choisis, ils étaient bons et suffisent pour la démonstration. Mais tout de même, quelle compagnie Proust nous impose ! Quelle illustration de pessimisme, quel étranglement d'espoir ! Heureusement, la rigueur psychologique a le pouvoir de dégager par émanation un enseignement moral que l'œuvre semble ignorer, et, comme certains classiques, Proust inspire une juste humilité devant les horreurs et les ridicules. Là où l'on n'attache pas d'importance à ses actes, là où l'on se croit parfaitement innocent, il fait voir exactement ce qu'il en est, et l'on se découvre laid, méchant, odieux. Personne n'a plus fait que lui pour détacher l'homme de l'orgueil de vivre, et même de la simple satisfaction.

En règlement des autres difficultés, pourquoi ne pas reconnaître que Proust n'a pas tout à fait accordé les nécessités de sa vision idéaliste avec celles de l'histoire romanesque et de la fresque sociale ? Malgré sa volonté générale de cohérence, l'œuvre comprend des parties qui répondent à des époques différentes et reflètent leur désaccord d'intention. Le temps a manqué pour tout unifier.

5. L'artiste et l'écrivain.

Il est si vrai que les visions en profondeur ont besoin de l'art, qu'on voit toute une existence gâchée, celle de Swann, pour n'avoir pas compris leur invitation. Swann, en effet, a laissé une émotion essentielle et féconde, celle que lui donnait la sonate de Vinteuil, dériver sur l'amour et se perdre. Il était fait pour produire, Odette l'en a détourné. Proust au contraire a recueilli les pressentiments, reçu la révélation. L'œuvre d'art, pour lui, fut la réponse à un appel.

C'est pourquoi il l'a voulue égale à sa vision tout entière et dans toutes ses dimensions. Il y a fait couler le temps, il a retrouvé la totalité du temps perdu, n'en laissant tomber aucune parcelle, ni dans sa conception d'ensemble ni dans ses tableaux particuliers, ni même dans son style.

L'ouvrage si vaste et confus à la première apparence révèle à l'attention un plan. On en acquiert la certitude à la fin du *Temps perdu*, quand le narrateur pressent que l'oubli amoureux va l'envahir et qu'il subit en effet cette invasion, que Venise le désenchante, qu'un séjour à Combourg le déçoit et qu'enfin la guerre fait chavirer la société sur laquelle il avait pris passage. Or il devait en effet laisser se creuser cet abîme pour que tout à coup le relèvement prévu par lui dès le début de ses récits décrivît sa trajectoire avec l'ampleur nécessaire : la révélation a lieu, Proust est sauvé, il entre dans le Temps retrouvé. Est-ce qu'il ne déclarait pas tranquillement dans l'interview du *Temps* : « J'espère qu'à la fin de mon œuvre tel petit fait social entre les personnes qui, dans ce premier volume, appartiennent à des mondes bien différents, indiquera que du temps a passé... » ? Or, au jugement de M. Robert Dreyfus (*Souvenirs sur Proust*), Proust préparait ainsi le mariage de Gilberte Swann avec Robert de Saint-Loup. Il faut reconnaître toutefois que la première impression de désordre vient de défauts réels : non seulement les désaccords d'époques différentes, mais aussi une disproportion entre certains sujets et les moyens déployés pour les traiter. On s'en rend compte dans des épisodes mêlés à la trame même de l'histoire, mais qui ne demandaient tout de même pas à tant s'étaler, par exemple les jongleries d'adolescence au milieu de la petite bande virginale de Balbec, quand le narrateur joue d'Aimée contre Albertine et réciproquement, ou bien les orgies masochistes de Charlus. D'autres épisodes, brillants, ingénieux, amusants, restent vraiment trop en marge : la longue digression sur l'affaire Dreyfus, la discussion stratégique au camp de Doncières, où Saint-Loup fait son service, même les pages extraordinaires de *La Prisonnière* sur le génie de Balzac découvrant après coup l'unité de sa Comédie humaine (car Proust est un grand critique). Sans aucun doute, ces pages abusives violent une grande loi de l'art qui est la loi des sacrifices, et Gide a raison, dans son *Journal* (22 septembre 1938) : Proust, à force de réussir ses merveilleuses analyses, s'y complut et finit par « céder à un maniaque besoin ». Gide dit encore très bien que Proust n'a jamais tout enlevé des échafaudages qu'il avait élevés pour construire son monument.

En revanche, André Gide peut-il déclarer sérieusement que Proust écrivait au courant de la plume ?... On s'étonne. Si l'œuvre n'a pas été revue par l'auteur faute d'une année de plus à vivre, si l'on trouve, surtout dans les derniers volumes, des boiteries de vocabulaire, que de soins pourtant, que de recherches ! Recherches auxquelles répondent toujours des trouvailles. L'expression de Proust, compacte à la première lecture, déliée et mouvementée en réalité, ne manque jamais de s'adapter strictement au sens. Les phrases ne regardent pas à se faire longues, pour épouser la complexité de l'analyse. Bien entendu, leur diversité répond à toutes les exigences, il y en a de courtes. Les longues multiplient propositions incidentes, propositions conjonctives, adverbiales, participes, et semblent ne vouloir rien laisser en dehors d'elles. On se met à table avec Proust. On le voit détacher lentement le gâteau, le sortir et le partager, puis encore récurer le moule. Loin de procéder par allusion et suggestion, il est constamment exhaustif. Le tour de force a été de rendre par ces moyens les émotions les plus intimes, et ce que l'âme mystérieuse a de plus fuyant, de plus éphémère. Un jour, quelque érudit fera une thèse sur les rapports de ce style avec celui de Mlle de Scudéry; mais un autre érudit fera la sienne sur l'inspiration symboliste de ce même style, car il appelle à la rescousse la troupe des images, maniées avec quelle dextérité ! et même quelquefois dans une seule phrase où elles se succèdent, s'entremêlent, se fondent, furtives ou étalées, et volontiers empruntées aux arts comme par volonté d'insérer les choses dans une durée tout humaine.

A parler autant qu'on le fait d'analyse et de théorie chez Proust, on risque d'ailleurs de nuire à ce que son œuvre a de très solidement réel. Sa psychologie, il la développe sans abstraction. Presque à chaque page, à propos d'un moment ou d'un accident de vie sentimentale, s'il énonce une remarque psychologique, c'est offerte dans cette occasion vivante : le pistil dans la corolle et sur la tige. Même ses analyses, il en fait des présences, s'il ne les rend au besoin hallucinatoires. Quand il les innerve de grands traits d'observation généralisatrice, ces traits sont nés dans la réalité et ils y ont baigné. Qu'on le remarque : partout des visages, des regards, des rires; on rassemblerait une belle collection des « regards » de la duchesse de Guermantes... Tout compte fait, Proust s'est approché beaucoup plus que personne de la vie. Ce romancier qui a rejeté toute complication de fiction, tout élément inventé pour la cause, a touché du doigt l'individuel quotidien; au moins chez les hommes; il nous fait vivre d'heure en heure avec des âmes, et par conséquent dans un drame continu. C'est pour cela qu'un Swann jaloux, qu'un Marcel obsédé nous « prennent » si fort; c'est pourquoi aussi les moindres détours du long monologue ouvrent des perspectives. Enfin les tableaux et les scènes ne manquent pas qu'un maître du relief et du mouvement a taillés dans la vérité des choses et qui semblent attendre leur cinéaste : le jour de Mme Swann, la soirée chez Mme de Saint-Euverte, la représentation à l'Opéra, la promenade sur la digue de Balbec, la mort de la grand-mère, la matinée des Guermantes, le sommeil d'Albertine, la rencontre Charlus-Jupien, etc., etc... Cette dernière scène touche volontairement et comme goulûment au grotesque. J'en rapprocherai une autre d'un haut comique, au second volume du *Temps retrouvé*, lorsque Proust, venant de s'amuser de l'événement mondain que les gens du monde savent faire jaillir d'une mort, s'amuse au moins autant de la réjouissance qu'elle apporte souvent aux vivants, puis tout aussitôt s'amuse davantage d'une tendre princesse vieillie et des multiples souvenirs d'amour qu'elle ne distingue plus entre eux; enfin, après l'avoir montrée se pressant, courant presque d'un salon vers un autre afin de ne pas manquer un seul thé, ajoute : « Elle courait en effet à son tombeau. » Haut comique, certes, car il conduit à la crête d'une loi, d'où se découvre le panorama du sort humain toujours cerné par le néant.

Or, Proust ne détache pas tellement ces morceaux-là, il les laisse pris dans la trame. D'autres, qu'il aurait pu porter à la même chaleur d'intensité vivante, gardent une modération d'histoire lointaine. On dirait qu'il a jusqu'au bout hésité entre le roman, les mémoires et l'essai. Il est spectateur, il est contemplateur, il est collectionneur d'âmes. Il regarde vivre et mourir. Finalement il a choisi le roman, afin de peindre avec plus d'aise le personnage qu'il avait conçu pour dominer presque monstrueusement tous les autres, ce personnage qui dans un récit sans intrigues noue la sienne et la dénoue : le Temps, véritable héros de l'œuvre.

Dans ces conditions, Proust en composant, par exemple, les pages saisissantes où le narrateur voit sa mère prendre l'aspect bien-aimé de la grand-mère morte et la remplacer ainsi dans la vie, n'avait pas à leur donner beaucoup plus d'importance qu'à l'apparition des trois clochers de Martinville ou au bruit des vagues qui monte sur la falaise. Dans tous les cas, il s'agit d'interpréter un signe, de répondre à une interrogation, d'atteindre au delà de ce qu'on voit un « je ne sais quoi » qui doit devenir un « je sais ». Aussi la plus grande nouveauté du *Temps perdu* et du *Temps retrouvé*, a-t-elle été d'apporter un monde d'impressions — non seulement impressions d'humanité (les émois d'adolescent devant une femme inaccessible, le tête-à-tête avec le petit personnage intérieur qui saluait le soleil en chantant, l'enthousiasme pour la Berma, etc...), mais aussi impressions devant le monde physique (pommiers en fleurs ou marées normandes). On se demande même si Proust ne préférait pas à tout ces figures des choses qui passent inaperçues à beaucoup d'yeux, mais qui lui révélaient sa qualité d'élu, qui l'invitaient à s'initier comme si elles dussent livrer la clef du mystère; Proust les exprime, je veux dire les épuise, les vide, en arrache la substance pourtant secrète. Alors on les sent, on les comprend, on en voit la portée; tout en restant singulières et originales, elles acquièrent une force de généralité objective. De si peu qu'il s'agisse d'abord, le génie le développe en importance humaine.

C'est par elles surtout que l'œuvre proustienne marche à la poésie.

Elle y était destinée dès son point de départ dans l'exaltation, elle s'est orientée vers elle à travers le monde du souvenir et de l'évocation, et sous l'action d'une spiritualisation de tout dans une âme riche de rêveries. Fréquemment, dans le *Temps perdu*, des paragraphes se terminent en significations et sonorités également poétiques. Se rappelle-t-on, après la fameuse scène du baiser maternel, les sanglots contenus devant le père et qui n'éclatent qu'en tête à tête avec la mère ? Proust achève ainsi son évocation : « En réalité, ils n'ont jamais cessé, et c'est seulement parce que la vie se tait maintenant davantage autour de moi que je les entends de nouveau, comme ces cloches de couvent que couvrent si bien les bruits de la ville pendant le jour qu'on les croirait arrêtées, mais qui se remettent à sonner dans le silence du soir. » L'art recompose exactement la vie, a dit Proust lui-même, et c'est pourquoi flottera toujours autour des vérités qu'on aura atteintes en soi-même « une atmosphère de poésie, la douceur d'un mystère, qui n'est que le vestige de la pénombre que nous avons dû traverser ». C'est évident pour les découvertes nées de l'intuition et qui ensuite se ramifient en éclaircissements intellectuels; c'est vrai même de celles qui, trouvées par observation, s'épanouissent dans ce prodigieux faisceau que forme à toute occasion le rassemblement total de l'esprit, du cœur, de l'imagination et des sens sur un seul point. L'enivrement du passé, la magie de la vie profonde aboutissent à des féeries sentimentales, et elles arrivent à intégrer dans le roman, non de la poésie, mais le monde même que la poésie a pour rôle de créer.

6. Situation de Proust.

Sur le plan de la personne comme sur le plan social, Proust a poursuivi les fouilles des moralistes français, honneur de nos lettres. Le découvre-t-on surtout moraliste sous un aspect de romancier ? ou bien son air de moraliste cache-t-il surtout des plaisirs d'artiste ? A votre gré. Son œuvre, de toute manière, consiste à revivre des existences, puis à faire tomber peu à peu passions, intérêts, douleurs, à brûler tout cela où se mêlait tant d'imagination, afin de voir clair, afin de tout conduire à la clarté, afin de comprendre. Même atteint d'une impression poétique, ou bien s'aidant de la poésie pour s'exprimer, Proust va à la connaissance; il a certainement une parenté avec Montaigne. Comme Montaigne, il a mené plusieurs enquêtes à la fois; en lui-même et chez autrui; comme lui, il a rendu compte de la toute-puissance de l'imagination dans les rapports du mystère avec l'amour, avec l'art, avec les jours. Il continue la lignée qui est passée par Vauvenargues, qui a effleuré Maine de Biran. Hanté, tel Vauvenargues, par « la connaissance de l'esprit humain », il a dépisté les mensonges de l'être intérieur, il a calculé les intermittences du cœur, il a scruté le sommeil, la maladie, l'agonie et le seuil de la mort; il a fait le tour du snobisme, de l'inversion sexuelle, de beaucoup de goûts et de préjugés, de beautés et de laideurs.

C'est La Bruyère qui parle en Proust, lorsqu'il remarque, par exemple, que l'amour de la vie est une vieille liaison dont nous ne savons pas nous débarrasser. A-t-il comme La Bruyère réservé la chance d'une réalité supra-terrestre ? Pareil à tous les hommes qui ont un sens de la beauté des choses regardées en artiste et qui sentent vivre en eux des délicatesses supérieures et d'exquises noblesses, il semble ne pas pouvoir renoncer à croire qu'il existe une hiérarchie de la vie au sommet de laquelle le meilleur d'un chacun trouverait son espérance ou sa consolation. Cependant il a maintenu son œuvre si implacablement terrestre qu'on s'y sent par moments étouffer.

Le grand classique de Proust, est-ce Saint-Simon ? Il en savait beaucoup par cœur. Saint-Simon déjà se fit l'analyste d'une époque, l'embaumeur d'une société. Mais ses gens étaient actifs et puissants, tandis que ceux de Proust vivent à l'écart, sans pouvoir ou vouloir exercer la moindre influence. Il paraît à première vue plus près de Balzac. Mais si les deux voies se rapprochent dans *Sodome et Gomorrhe*, elles s'écartent dans l'ensemble et pour l'essentiel. Proust, qui pénètre de sa pensée un monde, qui incorpore une philosophie à son art, s'abandonne au génie de l'introspection; il reçoit le monde dans sa lumière à lui : Balzac, pourtant visionnaire, montre le monde dans la lumière de tous; et ce monde est une mêlée, celui de Proust un théâtre avec ses coulisses. L'art de Proust est tout de découpage, de recensement, presque immobile; l'art de Balzac synthétise, fait bloc, saisit l'objet en action. Certes, Proust a pour lui sa poésie; mais Balzac, génie plus puissant, a constamment créé en démiurge. Stendhal se tiendrait peut-être entre les deux.

N'oublions pas Fromentin et sa littérature du souvenir; Dominique également s'enfermait dans une retraite, lui aussi voulait sauver de la durée. Mais Fromentin n'a renouvelé d'aucune façon la vision de la vie.

Proust avait lu et relu Gérard de Nerval. M. Jacques Truelle l'a entendu déclarer : « Jamais livre ne m'a autant ému que *Sylvie* » (« Hommage à Proust », *N. R. F.* du 1-1-1923), évidemment par son déclenchement exalté, son appel brusque et imprévu du souvenir, les interférences fréquentes entre le présent et le passé.

Baudelaire, qui parle dans l'*Art Romantique* de « perception enfantine » — il veut dire et il dit : aiguë, magique à force d'ingénuité, — a donné souvent l'idée de cette contemplation intuitive qui fait entrevoir derrière les objets et les êtres une réalité insaisissable qu'on a la nostalgie de vouloir saisir. Et naturellement Proust se rattache par parenté collatérale aux successeurs de Baudelaire qui ont filtré les effluves de la subconscience.

Anatole France a certainement touché Proust par sa culture fleurie et les habiletés de son style.

Si quelqu'un a précédé Proust dans l'élan de curiosité psychologique hors de toute préoccupation morale, c'est André Gide. Mais, chez Gide, le but ne fait pas de doute; il espère toujours que ses études d'histoire naturelle de l'âme lui fourniront des références pour sa révolte; au lieu que Proust travaille dans la pure ardeur de connaître. En outre, Gide mène son enquête avec la crainte un peu sèche qu'une fleur manque à l'herbier; Proust conduit la sienne largement d'un horizon à l'autre.

Aucune littérature n'a eu sur Proust un pouvoir comparable à la littérature anglaise ou américaine, dans tous les genres, de George Eliot à Hardy, d'Emerson à Stevenson. Il prétendait reconnaître un peu son œuvre dans la *Bien-Aimée* de Thomas Hardy; deux pages du *Moulin sur la Floss* lui tiraient des larmes (lettre à R. de Billy, 1910). Car il a en commun avec ces romanciers l'art, ou plutôt le don, de faire évoluer des personnages dans le mélancolique enchantement du temps. Mais il va plus loin qu'eux, rendant sensible l'infiniment petit, le grain des jours comme d'une peau, la durée presque physiologique des êtres.

A constituer sa culture, les arts ne lui avaient pas été inutiles. L'impressionnisme pictural l'aida à concevoir une réalité qui aurait pour origine une sorte de division du ton dans la mémoire. De Monet et de quelques peintres d'outre-Manche, il s'est enivré comme on hume un air nouveau, un air que l'âme et le corps trouvent plus pur.

Enfin il est entendu qu'il n'a point connu Freud; mais ce que Freud a découvert et installé dans l'ordre de la science et de la pensée, il l'a découvert et installé dans l'ordre de la littérature et de l'art.

Proust, par son sentiment du fleuve intérieur et qu'il fût bergsonien ou non, a servi d'intermédiaire dans l'action de Bergson sur la littérature des psychologues contemporains. Il a aussi agi de lui-même par la hardiesse, l'ampleur épuisante, la beauté de ses analyses fameuses et aussi par le ton de savant et de poète à la fois qu'il leur a donné. Celle qu'il a risquée et réussie de l'homosexualité, comparable à tout un cercle de l'Enfer de Dante, a libéré le roman d'une de ses dernières entraves pudibondes. Enfin sa vision subjective se dresse à la frontière des deux siècles comme une revanche et comme une leçon. Proust aura donc exercé, quoique sans disciple direct, une immense et profonde influence.

CHAPITRE II

PERSISTANCE DES TRADITIONS

Voici un groupe d'écrivains qui tout en s'opposant au précédent n'offre pas, à beaucoup près, autant de cohésion; il est même fort hétéroclite.

Mais qu'on le voie comme une série de têtes restées attachées aux anciennes coutumes de pensée et d'art, et choisies pour en représenter quantité d'autres que leur nombre et leur diversité ne permettraient pas de rassembler en un seul chapitre.

Les traditions en effet persisteront à travers toute la littérature de notre *Deuxième partie*, chez beaucoup de poètes, de romanciers et d'essayistes. Ce sera tout un monde. Je crois bon qu'il ait ici ses délégués en face des plus hardis novateurs. Délégués, chefs de file. Et comment les annonciateurs d'une multitude ne différeraient-ils pas énormément entre eux de nature et de visage ?

Voilà mon excuse si un Tharaud, un Léautaud, un Halévy, un Benda, venus d'avant l'autre guerre, mais qui auront conduit jusqu'après la guerre suivante le plus brillant peut-être de leur travail, s'étonnent de se voir mis ainsi face à face.

Qu'on les imagine en tout cas dans le cadre et l'ambiance du moment. Politiquement, union nationale et parlement bleu-horizon jusqu'à 1924; ensuite, nouvelle Chambre réunie par des élections de gauche, mais assez vite revenue au « poincarisme ». Intellectuellement, prestige et action de Péguy, de Maurras et de Bourget; Barrès, quoique attaqué, fait figure de triomphateur. Le service de cette église s'est établi, elle a son clergé. C'est à partir de 1919 que Bergson publie ses livres les plus hauts, entouré de disciples et de continuateurs. Et toutes les directions de pensée se poursuivent, toutes les recherches de critique, de philosophie et d'histoire.

I

LE RÉALISME ARTISTE ET STYLISÉ DES THARAUD

S'il existe des modèles et, pour ainsi dire, des tours de force de l'ouvrage bien fait en littérature, les frères Tharaud y excellent. On apprend sans surprise que ce Jérôme et ce Jean, nés tous deux à Saint-Junien (Haute-Vienne) en 1874 et en 1877, ont eu pour père un notaire de campagne. Mais ils sont fameusement sortis de leur village ! Quand ils vivaient une partie de l'année à Minihic sur la Rance, ils se remémoraient sous les verdures de la maison blanche que la dernière guerre leur a détruite les randonnées de jeunesse en Europe, les tranchées de 1914 en Champagne et dans les Flandres, le service de Lyautey au Maroc, les sept années de sécrétariat chez Barrès et la réussite conquise en 1906 avec *Dingley l'Illustre Écrivain*, double de Kipling. De ces expériences multiples et si diverses ils ont nourri une œuvre qui touche, lorsqu'elle reste dans son ordre, à la perfection.

Ce sont des conteurs-nés, ils l'ont prouvé vingt fois et *Les Hobereaux* (1907) en fournissent l'éclatant témoignage. Aussi ont-ils assez peu touché au roman. *La Maîtresse Servante* en est un; il reprend le thème des *Hobereaux*, ruine d'une race en Limousin, et en même temps étudie une âme : l'ouvrière parisienne que son amant a amenée dans la vieille propriété provinciale pour la faire vivre près de sa mère et qui s'y trouve bientôt prisonnière, prise par le passé, captée par la terre. Les auteurs la comparent à certaines nappes d'eau : « fidèles, abondantes, toujours prêtes pour les soins domestiques... et l'on y voit le ciel ». Il est attachant, ce récit, comme un commencement d'automne. Toutefois c'est une description psychologique, plutôt qu'une création d'existence. Les Tharaud s'étant livrés ensuite à une enquête en Algérie, ne l'ont-ils pas organisée en « documentaire » plutôt qu'en vraie fiction romanesque ? Il s'agit, dans *La Fête arabe* (1912), d'une tentative avortée pour fondre en ville nouvelle du désert les deux civilisations arabe et française. Les auteurs disent le rêve, puis le montrent détruit : est-ce que le vrai sujet de roman ne consistait pas à évoquer la destruction même ? Il a fondu comme avaient fondu déjà certaines scènes nécessaires de *La Maîtresse Servante*. Plus récemment, dans le roman que les deux frères ont intitulé *Les Bien-Aimées* (1932), où ils n'ont pas été mécontents de se rajeunir en imitant le désordre de la vie, on pouvait craindre d'assister à une dérobade de leur imagination privée d'appuis sur l'expérience. Tout au contraire, ils ont filé à ravir l'histoire — piquante à exciter l'envie d'Henri de Régnier — d'un amoureux platonique qui s'enchante d'un essaim de sylphides dont il se peuple l'esprit et qui va avec cette complexion jusqu'au mariage... Mais survient une vraie amoureuse qui lui ouvre les yeux sur son erreur. C'est sans doute cette revanche de la réalité qui a excité les auteurs à prendre la tête de toutes leurs forces; ils ont enlevé la position.

Un jour, à vrai dire, les Tharaud avaient trouvé le type de livre qui convenait tout à fait à leurs dons et, sans les malmener, pût en tirer le maximum. Voici donc la méthode de leurs réussites, qui, loin d'en faire des reporters, rappelle Fromentin... Ils ont découvert des spectacles intéressants, se sont imprégnés des réalités, se sont instruits afin de nous instruire, comme pour les enseignements de *La Fête arabe*. Mais leur dessein capital fut un travail d'artiste. Ils voulurent que sous leur plume tout devînt images, tableaux achevés, détails choisis et poussés. Ils ont donc pris la direction du poème en prose tout en restant nets, précis, exacts. Or, d'autre part, ils se gardent de peindre sur-le-champ leurs « choses vues »; ils les laissent dormir de façon qu'elles mûrissent en accord avec le Moi créateur : bon moyen pour que le psychologique en transparaisse, que l'esprit et l'âme se dégagent... Bref, réalistes stricts en apparence, une force d'art les conduit à la composition symphonique.

C'est selon cette esthétique qu'ils ont fait un sort à l'expérience de Budapest où Jérôme fut jadis lecteur de l'Université (1899-1903). *Bar-Cochebas*, 1907 (devenu *L'Auberge dans la Plaine* et inséré dans *L'Oiseau d'Or*), *L'Ombre de la Croix* (1917), *La Rose de Saron* (1927) évoquent la juiverie de l'Est à l'état pur, ce monde bizarre de croyants, d'errants par nature ou par destinée, posés avec fièvre en différents centres d'Europe, mais le regard maintenu sur Jérusalem; ils cachent une riche psychologie sous leur pouillerie, ils sont capables de sublimité dans le dévouement, dans l'immolation, mais entretiennent des explosifs pour faire sauter la société : *Quand Israël est Roi* (1921) ne raconte-t-il pas la révolution de Bela Kun en Hongrie ? Puis ce fut en 1923 *L'An prochain à Jérusalem* : tel est le vœu de beaucoup de Juifs. Pourquoi ne pas reconstituer en Palestine, sur la terre des ancêtres, une nationalité, l'ancien royaume de David ? En allant voir sur place le sionisme, ses espoirs, ses efforts, ses déceptions, mêlés à l'embrouillamini dangereux de la Grande Guerre, les Tharaud ont recueilli des histoires saisissantes — celle, terrible, de Sarah et de ses compagnons, ou celle, nostalgique, de « la petite fille du ghetto » —, peint une fois de plus des tableaux évocateurs comme la frénétique attente du Feu sacré sous les voûtes du Saint Sépulcre, enfin relevé les traces de l'éternelle inquiétude d'Israël.

La série parallèle, la série musulmane de l'Afrique française — *Marrakech ou les Seigneurs de l'Atlas*, 1920; *Rabat ou les Heures marocaines*, 1918; *Fez ou les Bourgeois de l'Islam* (1930) — a un charme de spectacle : l'homme et le monde offerts avec un naturel noble et fleuri. En contant la comédie d'un mariage difficile, les Tharaud s'emparent de nous, mais leurs livres ont une importance qui dépasse notre plaisir; car derrière le spectacle, ils ont vu et ils montrent une situation : par exemple, l'indifférence des indigènes aux bienfaits les plus incontestables de l'étranger, sentiment aujourd'hui pittoresque, demain inquiétant. La seule qualité de leurs tableaux leur donne un rôle de vigie.Comme c'est clair encore dans *Cruelle Espagne* (1938) ! Un pays brave, héroïque, anarchiste, exacerbé, avec des tragédies du passé qui remontent à la surface, puis, pour finir, la grande figure d'Unamuno désespéré.

Et ils procèdent exactement de même manière lorsqu'ils ressuscitent des âmes en se tournant vers le passé lointain, comme dans *La Tragédie de Ravaillac* (1913), vers le passé proche comme dans leurs portraits de *Notre cher Péguy* (1926) et de *Mes Années chez Barrès* (1928). Entreprendre de tels portraits ! D'autres auraient cherché pour leur chevalet des poses avantageuses. Eux, ils se sont efforcés modestement d'être clairs, simples, exacts. Alors leur sensibilité, leur intelligence, leur amitié ont parlé avec naturel, et les personnages apparurent dans leur réalité d'hommes sur le fond de leur œuvre, enveloppés de cet éclairage du souvenir qui est une spécialité et presque le secret des Tharaud.

Les frères Tharaud, narrateurs artistes et peintres intelligents, travaillent ainsi dans des limites qu'ils se sont très exactement tracées. Même dans une chronique d'événements présents ou passés, ils ne se font pas historiens ; même dans une monographie de quelque aspect européen, ils ne se font pas politiques. Ils ne prétendent jamais à la philosophie ni à la poésie dans leurs souvenirs sur de grandes figures. Modestie astucieuse, car historiens, politiques, philosophes, poètes, ils le sont comme malgré eux. Ils y gagnent de mener à bien des ouvrages où l'information et l'art composent, à l'abri de tout didactisme, les plus prenantes harmonies. On les lit avec agrément et profit, on les lira toujours avec curiosité et de longtemps on ne verra vieillir leur style, qui est de sûr dessin et de riche palette.

II

MAINTENEURS ET CHERCHEURS DE CULTURE

I. — *DANIEL HALÉVY*

L'ancien collaborateur de Péguy aux *Cahiers de la Quinzaine*, le directeur des *Cahiers Verts* (1921-1927), le représentant de la France à la *Revue de Genève* s'est toujours souvenu de sa jeunesse qui chercha la pierre philosophale du bonheur humain dans la cité juste. Les circonstances historiques l'ont amené à peser les chances de la patrie et de la civilisation qu'elle illustre. Puis il est entré, cuirassé d'histoire, dans l'arène politique. Aux diverses époques de son existence, il a conduit son expérience avec une scrupuleuse attention, et si l'Esprit national devenu roi de France pouvait s'offrir un historiographe, le poste irait à Daniel Halévy comme un gant.

De race juive pour un quart et de famille protestante, le fils de Ludovic Halévy, né à Paris en 1872, a des petits-fils catholiques. Il appartient aux milieux de l'orléanisme libéral, c'est-à-dire à la haute bourgeoisie, mais aussi, par sa mère, à l'industrie. Il est, par sa femme, le beau-frère de Jean-Louis Vaudoyer. Ses premières années d'intellectuel plongent dans l'Affaire Dreyfus. Il s'y était jeté en vertu de sa formation d'esprit, ayant grandi en écoutant le murmure des discussions autour de Taine et de Renan. Il préférait Renan parce que Renan essaie de sauver l'espoir né au XVIIIe siècle. Il lui ajoutait Proudhon et autres militants de la révolution personnaliste. C'est ceci surtout, c'est aussi l'admiration pour l'esprit d'un Degas et l'âme d'un Fromentin, connus personnellement des siens, qui le sépara de Maurras et de Barrès. Il se battit donc pour le Capitaine. Bien que la victoire n'ait pas été belle, bien que les partisans de l'innocent aient porté atteinte à des institutions respectables, mais parce que les Droites avaient depuis longtemps divorcé avec le pays, Halévy entreprit douze ans plus tard une *Apologie* pour ce passé de guerre civile, éprouvant le besoin de se défendre contre ses propres déceptions. Péguy l'a blâmé dans *Notre Jeunesse* d'avoir pensé que les dreyfusistes pouvaient avoir à se justifier : mais Halévy a la raison pour lui. C'est qu'il avait été soldat, non pas d'une rébellion contre les institutions et les traditions, mais d'une croisade pour l'honneur national à reconquérir sur des fanatiques, pour le drapeau à reprendre aux pillards.

Halévy avait publié à vingt-neuf ans des *Essais sur le Mouvement ouvrier*; il allait rééditer en 1914 les mémoires d'Agricol Perdiguier. C'est avec *La Vie de Frédéric Nietzsche* qu'il est entré en 1909 dans la réputation littéraire. Il devait même devenir un maître de la biographie intellectuelle : *La Jeunesse de Proudhon*, *Le Président Wilson*, *Le Courrier de M. Thiers*, *Vauban*, *Michelet* (de 1913 à 1928). En sorte qu'il a fait s'engager par devers lui-même le dialogue des faits sociaux, des problèmes collectifs, avec l'individu, avec l'homme civilisé, avec la personne humaine.

Elle devenait passionnante, cette ardente figure crispée et un peu dédaigneuse au fond de sa sympathie. On voyait un chevalier fidèle à sa cause envers et contre tout. Quelle cause ? Lui-même l'a définie : « La fin que nous poursuivons est la culture des qualités humaines, le maintien d'un certain goût et d'un certain honneur »; c'est aussi « un idéal d'humanité en Europe ». Voilà pourquoi Halévy a mis un air de paradoxale complicité conspiratrice à prendre parti pour le petit nombre des meilleurs, et, avec le souvenir nostalgique des aristocraties périmées, à se précipiter vers tout ce qui brille d'une lumière de méthode, d'une flamme de progrès : équipes du devenir social, peuple paysan, élite ouvrière, découvreurs de perspectives intellectuelles, amateurs éclairés. Halévy a travaillé à fortifier l'institution syndicale : « elle seule peut donner un peu de conscience et de cohésion à ces multitudes dont l'agitation est un danger ». Sorel, Georges Sorel commençait-il ses exhortations ? Halévy regardait, tressaillait d'aise à l'idée de voir sortir de la masse ouvrière, par le prodige d'une grève générale cornélienne, l'héroïsme de demain. D'autre part, Wilson ébauchait-il le système autoritaire d'une présidence qui capte les forces démocratiques par le prestige personnel et les inventions d'idées ? Halévy bâtissait un livre documenté et allègre sur cet Orphée de la machine à écrire. Enfin, il faut une solidité à la France, et c'est le peuple de la terre qui l'assure; Halévy entreprend donc ses *Visites aux Paysans du Centre* (1910 et 1920), confiant dans la bonne volonté de cette France concrète, sûre et modeste; il trouvera dans les campagnes un refuge pour lui-même et pour le pays, contre l'illuminisme des révolutionnaires niveleurs qui broierait jusqu'à nos âmes... Il y a trente ans de cela... L'auteur voyait alors les terriens trahis par l'État moderne, en même temps qu'il voyait, du côté ouvrier, les syndicalismes tomber dans la mêlée anarchique. En somme, le sort d'Halévy est de contempler, incertain et angoissé, des antinomies. Jadis, à la veille de l'autre guerre, il présenta dans un livre excitant *Quelques nouveaux Maîtres*, qui se nommaient Péguy, Claudel, Romain Rolland, Maurras : et soudain l'introducteur croyait s'apercevoir qu'il n'y avait là que des *mainteneurs*, mainteneurs des idées libérales ou de la notion d'État, d'une tradition de mœurs ou de foi, d'une conscience humaine indignée contre les jougs massifs du capitalisme, du machinisme, de la presse tarée. Et comme ils différaient entre eux ! jusqu'à s'opposer en ennemis. Halévy ne tira de cette revue que de nouveaux points d'interrogation, à ranger avec les anciens. Selon le côté d'où on la regarde et selon le temps qu'il fait, son œuvre offre une pépinière d'idées fécondes ou un cimetière de questions mort-nées.

Il y a une bien significative parenté entre deux des livres d'Halévy. Dans *Pays parisiens* (1929), il dessine le Palais académique de son enfance, puis évoque son père rentrant quelquefois de chez les La Trémoïlle ou de chez les Rothschild; bref, il fait revivre la fin d'un quartier qui a vu briller une bourgeoisie savante, artiste et lettrée, et qui finit par voir Esterhazy dîner au bouillon Duval avec Margot-Quatre-Doigts... Fin à peine moins tragique que *La Fin des Notables* (1930), l'autre livre, cette défaite des grands bourgeois éberlués par la masse des petites gens arrivant sur le champ de bataille. Halévy n'est nullement réactionnaire, et sa sagesse est à l'image du cours des fleuves; le comte de Chambord accroché au drapeau blanc lui fait l'effet d'un rêveur hors du temps. Mais qu'on ne lui demande pas de refouler sa tristesse devant la mort de ceux qui ne laissent pas de successeurs, ni même de calmer sa peur devant les inconnues de la démocratie.

Aussi, lorsqu'Halévy est devenu strictement historien, a-t-on eu le droit de se demander s'il était tout à fait désintéressé. A force de conserver des idées et des sentiments, ne finit-on point par leur adjoindre des biens de famille et des privilèges de classe ? Halévy historien n'est sans doute pas impeccable. *La Fin des Notables*, *La République des Comités*, *La République des Ducs* (1930-1937) n'éclairent pas avec une impartialité totale les dessous psychologiques et l'accompagnement social d'événements mal observés jusqu'ici. A propos de *La République des Comités*, Jean Prévost demandait à Halévy : — Pourquoi ne parlez-vous pas du Comité des Forges ? Et son histoire est de l'histoire philosophique; elle pose des problèmes, quitte à les résoudre incomplètement, celui-ci, par exemple : comment le radicalisme, sans puissance économique ni héroïsme d'action, a-t-il pu longtemps régner ? De tels livres sont passionnants; mais il y a peut-être eu un coup de pouce de l'auteur s'ils tracent d'implacables graphiques de malheur et de décadence.

Sans doute pour reprendre indéfiniment courage et essayer de se garder intact, Halévy n'a cessé de tenir sur le métier son *Nietzsche* et son *Péguy*, qui ont abouti aux deux beaux volumes de 1941 et 1944, merveilleuses narrations d'entreprises d'esprits. Péguy maintint l'élévation de l'homme (par la culture, la liberté et la pensée du salut chrétien), en face de l'abaissement moderne; Nietzsche prit au bord de l'époque inacceptable de platitude une tangente d'héroïsme; certes, il versa dans la folie, mais Halévy l'a vu chercher à découvrir une nouvelle espérance humaine.

Halévy a conduit tous ses livres avec un mélange de courage et de prudence comme des explorations. Aussi son style n'est-il que sondes, lanternes sourdes, échelles de corde et foreuses. Un bon fusil n'y manque point, qui va à merveille avec le velours à côtes de son costume préféré.

II. — *L'ANTI-BERGSONIEN BENDA*

On est bien obligé de le présenter sous cette vive arête. C'est une véritable fureur contre Bergson qui a mis en branle ses ébats personnels de philosophie. Maurras, autre adversaire choisi, ne vient qu'en seconde ligne.

Il rédige agréablement la chronique, ce Parisien cousin de Simone (né à Paris le 26 décembre 1867), qui est sorti de l'École Centrale des Arts et Manufactures pour faire une carrière d'écrivain essayiste. Il sait mener des débats d'idées comme un jeu. N'irait-il pas aisément jusqu'à causer avec la marquise de Fontenelle ? On le voit toujours bien qui descend de sa tour de métaphysicien pour aller dans le monde, où il fait un peu le pédant. Que le monde est ignorant et qu'Éleuthère est savant ! Éleuthère, ou lui-même devant un miroir. Et débordant de mérites. Il est particulièrement libéré de tous les préjugés. Lorsque le *Dialogue d'Éleuthère* offre la surprise tonique d'un large parallèle entre la société de type aristocratique et celle de type démocratique en fonction du sentiment de la beauté, on se dit : voilà du bon Anatole France.

D'autres fois, cette liberté prend une allure assez cynique, bonne pour déjeuners d'hommes.

La grande affaire pour Julien Benda aura été de s'ériger en juge des mœurs, de la politique et de la littérature auxquelles tel système philosophique lui paraît servir d'emblème et de patron. Il se réserve ainsi les occasions de satisfaire une passion de pamphlétaire. Si les analyses tendancieuses du *Bergsonisme ou une Philosophie de la Mobilité* (1912) dénaturent l'intuition bergsonienne, n'arrivent point à mordre sur les *Données immédiates* ni sur *Matière et Mémoire* et donnent envie de croire intégralement à *L'Évolution créatrice*, chaque fois en revanche que Benda s'en prend, non plus à Bergson mais au bergsonisme, on fait cercle et l'on applaudit. C'est le cas pour certaines pages du *Bergsonisme* et de son complément, *Les Sentiments de Critias* (1925); le cas plus encore pour *Belphégor* (1919), « essai sur l'esthétique de la présente société française », la bonne société s'entend, les gens de loisir qui lisent et vont au théâtre.

Benda leur est sévère, au nom de Jahveh, vrai Dieu que Belphégor offense. Belphégoriens, Bergsoniens, n'est-ce pas tout comme ? Jahveh, c'est Socrate et Descartes, c'est Voltaire et peut-être Nietzsche. Ce Dieu des hauts plaisirs intellectuels s'est vu éclipser par le Dieu des émotions et des sensations; les préférences d'art, de littérature et de philosophie vont à l'intuitionisme; plus le moindre souci d'intelligibilité et de méthode; un quiétisme recommande les extases esthétiques par la fusion de « l'âme » dans le trouble illogique des choses. Voilà jusqu'où s'avance l'extrême pointe du Romantisme; le lyrisme, monté de la vie élémentaire et mystérieuse, prétend s'étendre à tout, jusqu'à la critique, jusqu'à l'histoire. L'anti-intellectualisme barrésien n'y échappe pas, ni même le voluptueux positivisme de France et de Gide. Il n'est pas jusqu'à Maurras et son école qui n'aient à expier ce qu'une formule plaisante de Benda présente comme un lyrisme de la raison. Et d'où viennent ces folies ? Benda accuse l'influence de certains juifs, qui ont le goût de jouir par l'esprit, l'importance des femmes dans le public mondain, les changements fâcheux dans la culture (auteurs grecs et latins mis à l'écart, la logique exclue du programme de philosophie, l'ignorance des méthodes de la théologie), et les changements non moins fâcheux dans le corps social (avènement des parvenus sans culture, ruine de la stabilité, perte des loisirs et des lenteurs nécessaires à l'esprit) : en somme, tout ce que Maurras a dit avant lui. Il y a un Benda maurrassien, et un Maurras bendaïste. Qui l'eût dit ? Et comment contredire Benda et Maurras accordés ? Mais si les campagnes de Benda pour une saine virilité de l'esprit lui font grand honneur, on trouvera son « classicisme » desséché, linéaire et finalement injuste pour toute une littérature, dans *Belphégor*, et d'une préciosité idéologique un peu trop enrubannée dans les *Lettres à Mélisande* (1925) puis, beaucoup plus tard, dans *Non Possumus* (1946).

Benda s'est élevé jusqu'à une région supérieure des problèmes, il a isolé et porté à l'absolu un grand problème actuel de l'esprit et de la société. En 1927 et pendant quelques autres années, on a tenu pour un livre important *La Trahison des Clercs*, confirmé deux ans plus tard par *La Fin de l'Éternel*.

Un clerc, c'est, d'après Benda, le penseur qui se retire d'entre les intérêts de nation, de classe ou de famille, qui se refuse à envisager les conséquences pratiques et collectives de ses idées, qui enfin entend demeurer le chevalier de la vérité précisément dans ce qu'elle a d'universel et d'éternel. Un tel phénix ne s'enfermera pas dans une tour d'ivoire, mais au contraire combattra en partisan sur la place publique. Benda distinguait dans son livre une droite et une gauche, et c'était afin de déclarer son clerc partisan de gauche, pour la raison que certains intérêts embrigadent les hommes de droite, tandis que ceux de gauche se purifient dans un idéal de justice sociale. Il s'en prenait donc à Bourget, à Sorel, à Péguy, autant qu'à Barrès et à Maurras, également à Claudel, tous attachés à des réalités, la nationale entre toutes. Il englobait dans un même bloc de traîtres tous les clergés, parce qu'ils se laissent lier à leurs nations respectives et en épousent les injustices. Tous ces fils spirituels de Machiavel et de Richelieu l'ont fait hésiter entre haine et mépris. A vrai dire, la part de mépris, il a bien envie de l'étendre à l'humanité entière, qu'il voit destinée à périr dans d'immenses tueries si elle ne substitue pas aux traités et cartels une coopération de pensées et un rétablissement des valeurs universelles, comme il l'y invite par le *Discours à la Nation européenne*, allant jusqu'à regretter que les Hohenstaufen n'aient pas « su unifier l'Allemagne et l'Italie » : car « c'était la paix du monde et sa beauté pour de longs siècles ». En attendant cette chrétienté laïcisée, qui n'en conviendra ? les passions politiques longtemps dispersées ou mal groupées sont devenues cohérentes, permanentes, homogènes, prépondérantes dans un public de plus en plus étendu, et renforcées sans cesse par l'agrégation d'artistes, d'écrivains, de savants, à des groupes en lutte. Cela mène aux partis totalitaires. Voilà un point sur lequel le monde comme il va a donné raison à Benda. Mais quant au reste, n'y a-t-il pas faute d'omission ? Benda signale des intérêts d'un seul côté : ne se répartissent-ils pas entre les deux ? Il dénonce les intérêts liés au passé : est-ce que sa justice sociale n'en comporte pas qui prétendent engager l'avenir ? En ce cas, la spiritualisation devient une notion bien confuse. Une objection encore : l'universalité, dogme cher à Benda, n'est-elle pas grosse de cette standardisation totale contre laquelle justement Benda a dressé une partie de ses analyses ? En de tels cercles vicieux s'enferment parfois les philosophes. Moralité : qui ne manque par quelque endroit à la pureté du clerc ? Benda y manque certainement. A force de pourfendre cléricalismes, pragmatismes, socialismes, il a fini par prendre certains airs d'Isaïe. Sur l'*Essai d'un Discours cohérent*, Thibaudet flairait des effluves du Talmud. Notons toutefois que *La Fin de l'Éternel*, corrigeant quelque peu *La Trahison*, réclame des réguliers à côté des séculiers, de purs spéculatifs retirés du siècle, mainteneurs de l'idéal dans son absolu et, pour tout dire, philosophes dans le sens où Benda voudrait que le mot fût entendu.

Et le jour vint où le besoin se fit sentir en lui d'aller chercher des forces dans l'espace métaphysique; il construisit alors, sous le nom d'*Essai d'un Discours cohérent* (1931), un système fondé sur une opposition de Dieu et du monde. Dieu est l'infini, disait-on, Dieu est l'être. Benda dit : l'indéfini, l'indéterminé. En suite de quoi le monde, ou ensemble des phénomènes distincts, s'écarte de Dieu chaque jour davantage. L'intelligence donc ne peut vouloir retourner à Dieu sans risquer la mort, au grand dam du monde; et d'ailleurs la conception générale de l'infini, toute sentimentale, est absurde; aussi oscille-t-elle absurdement entre le panthéisme et la croyance en un Dieu personnel... Faut-il aller plus avant ? A supposer que Benda arrive à légitimer l'identification de Dieu avec l'indéterminé — et ce n'est pas pour demain, — son coquet petit athéisme le découvre tout de suite comme un pur jongleur de concepts. Alors, pourquoi rester à le regarder ? Qu'importent les tours qu'il fait ? Mais on reste étourdi par ces départs à grand fracas. Ainsi encore évolue l'*Histoire des Français dans leur Volonté d'être une Nation* (1932), qui n'aboutit qu'à mettre en forme un écho passionné de Michelet.

La raison abstraite de Benda n'a donc réussi à traiter ni la question du pouvoir spirituel ni la grande question métaphysique. Il ne dispose de moyens décisifs que descendu à la hauteur où la faculté logicienne, qu'il possède excellente, peut suffire. A cet ennemi du contingent, c'est le contingent qui convient. Les chroniques intellectuelles de *Précisions* (1937) sont remarquables à ce point de vue. Elles montrent même un clair courage. Étant en pensée politique l'allié des « travailleurs », Benda n'a pas hésité à démontrer que le loyalisme des fonctionnaires se doit à l'État; membre par doctrine du parti hostile aux études humanistes, il a couru à leur défense. Quiconque a conclu à une certaine « stupidité » du XIXe siècle et même du XXe, notamment dans leur superstition des méthodes scientifiques étendues aux domaines moraux, ne doit pas ignorer que Benda diagnostique dans ces misères tragi-comiques les effets d'une maladie démocratique; et dans *La Grande Épreuve des Démocraties*, publié à New-York pendant la dernière guerre, il fait du point de vue de la démocratie idéale la plus dure critique qui soit des démocraties réelles. Il a souvent argumenté pour une autonomie de l'esprit à l'égard du travail manuel ou de l'organisation économique, pour la liberté spirituelle contre tout ce qui la menace : passion romantique, unification égalitaire... Et puis voilà que tout à coup ce sage rejette son désintéressement, se précipite hors de son cabinet et se joint à la multitude derrière des drapeaux. Sa conception du clerc expliquerait assez une si violente rupture avec l'esprit critique. Mais il invoque par surcroît, dans les graves circonstances, le droit de suivre une « préférence morale » : serait-ce la préférence de son hérédité ? Il ne s'en défend point.

A cheval sur le contingent et l'éternel, c'est une bonne position pour le romancier et il y a un romancier chez Benda. *Les Amorandes* (1922) se peuvent négliger avec leur jargon philosophique appliqué à des banalités romanesques et malgré des vues de bon psychologue. C'est *L'Ordination* (1912) qui compte. En groupant ce livre avec *Le Journal d'un Clerc* et *Un Régulier dans le Siècle* (1938), on a devant soi la personne intérieure de l'auteur. Le roman fait vivre un philosophe qui fuit toute attache mais qui est tout de même homme : il a rompu une liaison avec cruauté, puis, s'étant marié, a souffert du malheur de sa fille coxalgique; voilà donc que la pitié l'a jeté dans l'amour d'un être et il s'écrie qu'il a « sombré dans la chair », il ne sera plus « qu'une chose qui aime », au lieu d'être un homme qui pense : un vaincu... Le thème comporte plus de violence facile que de vraie hardiesse, et c'est un paradoxe. Que la pensée ne se forme que du pur jeu des idées, en sûreté contre le sentiment et les devoirs sociaux, l'histoire biographique le dément. Que les données de l'existence, même chez un intellectuel, soient si absolument séparées (amour, mariage, situation, d'un côté; de l'autre, pensée), est-ce d'une psychologie vraisemblable, même pour un anti-bergsonien ? Benda, en somme, qui vécut en célibataire endurci, a romancé l'égoïsme forcené de son être, l'audace de son insensibilité, la « pureté » inhumaine de son intellectualisme absolu. S'il y a de la grandeur dans sa volonté de penser au-dessus de la vie, contre la vie, au nom d'un ordre supérieur à la vie, elle faiblit plus d'une fois. Mais *Un Régulier dans le Siècle* la fait apparaître nettement. On se souvient alors du soin avec lequel Benda s'est distingué des « sémites sensuels, aïeux de Porto-Riche et de Bernstein », et s'est proclamé fier d'appartenir au « peuple hébreu, adorateur de valeurs graves ».

III. — *J.-R. BLOCH, PROPHÈTE D'ISRAËL*

Offrande à la Musique a rassemblé sous son titre, en 1930, trois petits ouvrages : *Dix Filles dans un Pré*, ballet imaginaire, *L'Illustre Magicien*, drame conçu pour musiciens, et *La Nuit kurde*, conte oriental. Consonances éclatantes de littérature ! Qui ne s'y laisserait prendre ? Mais qu'on entre dans les textes : on les verra tout entiers destinés à exalter la joie de vivre que promettrait une civilisation renouvelée dans le sens d'Ézéchiel. Et qu'on regarde de près le troisième écrit, qui a grande force d'évocation : c'est une explosion d'audace raciale. L'auteur, malgré ses romans et ses contes, a donc sa place ici, puisqu'en toute son œuvre couve et parfois s'enflamme une idéologie passionnée. Jean-Richard Bloch (1884-1946) est juif, et grand juif, juif de la Bible et du Prophétisme.

Ce sont des histoires de psychologie juive (*Lévy*, 1912) qui composaient son premier livre publié à vingt-huit ans, au début d'une carrière universitaire dont il devait vite se dégager... *Et Cie*, peu après, beau roman gonflé d'humanité et plein de suggestions, suivant la destinée d'une famille juive d'Alsace agrippée à une usine normande après l'option de 1871, faisait retrouver à son extrême rejeton, par delà les réussites du génie mercantile et les vaines tentatives bourgeoises d'assimilation, le sens de la mission des juifs dans le monde : c'est-à-dire le service de la justice. Car l'auteur ne veut point que le génie juif s'assimile, il lui assigne une place de dissident solitaire dans la patrie française, il lui confie une fonction de ferment révolutionnaire.

Littérature d'idées encore, *Le Dernier Empereur* (1926), qui n'est pas une pièce, mais un apologue en treize tableaux sur le souci héroïque d'un chef d'État réformateur révolutionnaire; littérature mythique, *Sybilla* (1932), qui mêle le souvenir d'Isadora Duncan à la propagande prolétarienne; littérature d'observation politique, la série de voyages, *A la Découverte du Monde connu*, où le problème de la colonisation tient une place de choix. Ces livres-là vieilliront vite, quoique pleins de substance : au contraire de *Et Cie*, l'idéologie s'y incarne mal.

J.-R. Bloch avait fondé en 1910 à Poitiers, où il enseigna, une revue, *L'Effort libre*, qui a paru ensuite à Paris, où il était né et qui le vit revenir en écrivain libre. Il y publiait des études critiques extrêmement personnelles. *Carnaval est mort* (1920) s'est fait là peu à peu, continué par *Destin du Théâtre* (1930) et *Naissance d'une Culture* (1936). Le principe essentiel de cette longue campagne, hérité peut-être de Whitman, est que l'art a une âme collective, qu'il émane de la souffrance ou de l'espoir du peuple, que « la littérature ne reprendra une signification humaine que le jour où elle annexera définitivement les passions nées de nos besoins sociaux », et enfin « qu'il n'y a donc pour notre art (notamment l'art de la scène) qu'une ressource, le rendre révolutionnaire ». *Carnaval* (la société bourgeoise démocratique) étant mort, la foi seule du Carême (vaste effort du Travail qui s'organise dans la souffrance et la révolte) assurera la résurrection... Je dois dire qu'au temps du Front populaire, lorsque Bloch présida à de solennelles représentations théâtrales montées selon ses principes, la résurrection a raté.

Le matérialisme marxiste de Jean-Richard Bloch et l'idéalisme libéral de Julien Benda auront été aussi strictement terrestres l'un que l'autre. Clerc, Benda tenait-il son cadet pour ami ou ennemi ? Lui en voulait-il de brandir le sémitisme comme un drapeau ? Lui reprochait-il de vouloir rompre la continuité à laquelle, humaniste, il se sent lié ? Je ne crois pas qu'ils se soient trouvés d'accord sur grand-chose d'important. Et puis, Bloch ne fut nullement métaphysicien, mais en compensation se préoccupa de techniques littéraires. Il était par surcroît romancier de valeur. Tous deux excellents écrivains, Jean-Richard Bloch a le style ardent, généreux, avec des muscles dans la chair mais qu'on voudrait plus nue, tandis que Benda a le sien clair, démonstratif, spirituel, dissimulant son anatomie sous un costume de bonne marque.

III

LES CONFESSIONS D'UN LIBERTIN

Positiviste d'instinct, strictement circonscrit à l'homme, indifférent à tout ce qui dépasse l'homme et même à tout ce qui l'entoure dans l'univers, sans religion, sans mystique, sans morale, cynique, candidement naturel, écrivant par surcroît d'un style qui court en vif animal avec sa syntaxe bien articulée et débarrassée de métaphores, lucide, rationnel, spirituel, désinvolte : ne voilà-t-il pas, tout à l'opposé du second Symbolisme, un classique comme il y en a eu dans notre XVIIIe siècle le plus intelligent et le plus sec ? C'est Paul Léautaud.

Qu'il ait écrit sous ce nom ou sous un pseudonyme, qu'il ait composé romans et nouvelles ou rendu compte des représentations théâtrales, Léautaud a-t-il jamais fait autre chose, sous ces diverses formes, que se confesser ? Il s'est confessé hardiment, scandaleusement; et il nous promet la confession intégrale de son journal.

Né en 1872, enfant abandonné par une mère sans foyer aux jupons des maîtresses de son père qui fut souffleur à la Comédie-Française, il porte la marque de ce malheur dans ses provocations de libertin voluptueux et pas toujours délicat, mais est-il mal né de cœur et d'esprit ? Il a grandi en hors-la-loi, mais il a le caractère droit et l'âme honnête. Ayant évoqué père et mère de façon évidemment choquante, il manquera toujours à un tel fils le respect dû aux humanités fondamentales, avec tout un ordre de sentiments que ce respect naturel commande; mais n'est-il pas naturel aussi, le défi qu'il jette à une société dominée par l'hypocrisie ? Devenu homme, la connaissance des hommes l'a rendu misanthrope, et il a vomi son dégoût sur leurs conformismes intéressés, sur leurs sentimentalités niaises, en même temps d'ailleurs qu'il a piétiné de respectables convictions, de belles idées.

Remarquez qu'il en honore d'autant mieux les originaux. De ses possibilités de sympathie, qui douterait ? Elles ont fait leurs preuves. Léautaud donna son cœur, en dépit de tout, au souvenir filial, et il le donne maintenant aux chiens et aux chats qui sont sa compagnie dans un pavillon de Fontenay-aux-Roses. Qu'on lise « La Mort de Span » dans le premier volume de son *Théâtre*; qu'on lise « Madame Cantili », la nouvelle qui ouvre *Passe-Temps*, elle est incomparable de force sobre et brève dans l'évocation d'une ancienne belle solitaire et pauvre, qui attend fidèlement et vainement toute sa vie l'appel de l'amant devenu ministre en Roumanie; elle s'use d'amour obscur et naïf pour les bêtes. Léautaud : cœur limité, resserré, cocasse mais très vif. Pourquoi faut-il que l'attaque une gangrène tantôt de sécheresse, tantôt de méchanceté ?

L'esprit est de même race. On s'amuse à le voir, dans de nombreuses chroniques, trier les écrivains selon son goût. On saura plus tard ses préférences et ses répulsions pour ceux d'aujourd'hui, on sait déjà qu'il abomine Claudel et que Valéry le laisse froid. Pour ceux d'hier et de jadis, il déteste Barrès et France, Mallarmé, les Romantiques, Corneille; il aime Stendhal et Diderot, Molière, Montaigne. Quoi ? Montaigne malgré tant d'images ? C'est que Montaigne dit tout de lui et nous plonge dans l'humain jusqu'à la vessie... Léautaud possède l'humeur d'un Chamfort, qui le dispute à celle du Neveu de Rameau.

Œuvre dominante sera ce *Journal* que Léautaud tient soigneusement, goguenardement, voluptueusement, rageusement; il en a publié quelques fragments. Mais somme toute, ils ne diffèrent guère de ses livres, *Le Petit Ami* (1903), *In Memoriam*, *Passe-Temps* (1929). Ce sont, disais-je, des confessions. Tant mieux, car en parlant de lui-même, Léautaud parle de beaucoup de gens qu'il a connus, du monde des théâtres, du monde des lettres, de la vie et de la mort, de l'amour, du plaisir, de toutes sortes de mélancolies savoureuses, de toutes sortes d'amertumes domptées. Avec cela, il a composé une infinité de drames en raccourci, de petites comédies. Et quel trésor d'anecdotes ! Un de ses livres s'intitule *Gazette d'Hier et d'Aujourd'hui*. Voilà un diable de moraliste.

Même le *Théâtre de Maurice Boissard* raconte encore une autobiographie. Non que l'auteur, sous le pseudonyme de Maurice Boissard, y bavarde de tout, sauf des pièces dont il avait à rendre compte : point de pièces importantes, au contraire, dont il n'ait parlé avec attention, entrain, fermeté. Admirateur de quelques-uns (Tristan Bernard, Bénières, Sée, parfois Hermant et Guitry), dur pour Porto-Riche, Bernstein, Bataille, Coolus, Flers et Caillavet, il a défendu le sain et le vrai ; il l'a fait dans des pages d'un admirable français, quoique très simplement, en spectateur qui a du plaisir ou qui est déçu.

Mais, en effet, que de digressions ! Souvenirs drôles ou mélancoliques, mots gaillards. La surprise renaît sans cesse, irritante ou bonne, que fait le moraliste, ou le satirique ou le critique, en attendant celle du *Journal*, qui sera posthume, bombe à retardement, mine de rancunes, puits de poisons.

DEUXIÈME PARTIE

LA LITTÉRATURE DE L'ENTRE-DEUX-GUERRES

CHAPITRE PREMIER

LE DRAME DE LA POÉSIE

Malgré Valéry, et peut-être même par la faute de ses artifices, une poussée violente de révolte et d'anarchie a bousculé la poésie comme le roman d'entre les deux guerres. Mais à vrai dire, c'était un nouveau recommencement, la reprise d'un ancien mouvement. Depuis Jarry et Apollinaire, depuis le cubisme, jamais n'a cessé d'exister une tradition d'iconoclastes.

Les ferments rimbaldiens, laforguiens, ubuesques, cubistes, avaient travaillé activement pendant la guerre certaines têtes de jeunes gens d'autant plus impatients de rompre le garde-à-vous que la menace implacable des épées de Damoclès suspendues au-dessus d'eux vidait toute chose, sauf leur chair vivante, de son importance. Ils firent donc de leur liberté un usage de désespoir ou de vengeance, quand ce n'était pas de sarcasme mystificateur.

Dans cet état d'esprit, ils organisèrent à Paris, sur une scène de la rue de l'Orient, le 24 juin 1917, la représentation d'une fantasmagorie d'Apollinaire, *Les Mamelles de Tirésias* (1). Les journaux du temps ont raconté qu'un de ces messieurs était entré dans la salle, revolver au poing et le braquant sur le public. Ce sont les mêmes à peu près, semble-t-il, qui, cinq ans plus tard, organisèrent avec un sérieux imperturbable le Congrès appelé à déterminer les directions et la défense de l' « esprit moderne ». Dans l'intervalle, *Dada* avait vécu sa brève existence.

(1) Cf. tome I, page 562.

I

LA SUBVERSION

I. — *DADA*

Dada entra dans la vie, au fond d'une brasserie de Zurich, à l'automne de 1915, par les soins d'un Roumain (Tristan Tzara), d'un Alsacien (Hans Arp) et de deux Allemands, tous réfugiés. Tzara servait de pilier à ce « cabaret Voltaire » qui a tenu du Chat Noir et de la Coupole. Il a passé pour avoir fait prendre au groupe cosmopolite conscience de lui-même autour de ce fétiche : *Dada*. En réalité, la paternité revient, comme l'a révélé dans la suite André Breton, à un certain Val Serner, docteur en philosophie, habitant de Genève, dont les manifestes publiés en langue allemande ont servi de modèle à leurs frères français. Toujours est-il que Tzara fonda une revue qui s'est appelée tour à tour *Le Cabaret Voltaire*, *Dada* et *Cannibale*. L'alliance fut bientôt conclue avec deux jeunes revues parisiennes — *Sic*, fondée en 1916 par ce Pierre-Albert Birot qui s'est copieusement amusé de ses contemporains avec *Trente et un Poèmes de Poche* (1917), *La Triloterie* (1920), *La Lune ou le Livre des Poèmes* (1924), et *Nord-Sud* de Reverdy, parue en 1917 —, qui cherchaient la formule systématique du cubisme d'Apollinaire et de Jacob. Voilà Dada parisien. Il groupa alors les Breton, les Aragon, les Soupault, les Éluard, les Ribemont et quelques autres. Accourant d'Amérique pour tomber dans leurs bras, Francis Picabia, peintre et poète, apportait un lyrisme rigoureusement cocasse. En 1919, on lança la revue *Littérature*. Les grandes œuvres dadaïstes sont *Le Mouvement perpétuel* d'Aragon (1920-1924), *Rose des Vents* de Soupault (1920), les manifestes de Breton conservés dans *Les Pas Perdus* (1924).

Dada brandissait son nom comme un étendard de dérision et de saccage. L'entreprise fut peut-être de fumisterie, à coup sûr de sarcasme et de démission humaine à la Lautréamont. Qu'était l'œuvre d'art pour André Breton ? Un boulet qui retient l'âme après la mort. Ces jeunes gens ne voulaient pas laisser de traces sur terre. Ah, disaient-ils, s'affranchir, même d'une inspiration à fixer ! Se désintéresser de tout, sauf d'une Révolution et n'importe laquelle ! Bien entendu, plus de critique, plus de morale, plus de goût. Plus d'accord avec ce qu'on a l'habitude de nommer le réel. Georges Ribemont-Dessaignes demandait : « Qu'est-ce que c'est, beau ? qu'est-ce que c'est, laid ? qu'est-ce que c'est, grand, fort, faible ? Qu'est-ce que c'est Carpentier, Renan, Foch ? Connais pas. Qu'est-ce que c'est, moi ? Connais pas, connais pas, connais pas. » Tout à fait la clownerie qui ricane en désespérée. Le clown Grock a été un Dada.

Or *Dada* apparut bientôt d'une monotonie tyrannique à ses propres sujets. C'est pourquoi André Breton, pour qui l'hygiène restait de mener vie et pensée nomades, comme dit à peu près Picabia, et de « traverser les idées comme on traverse les pays et les villes », rompit en 1922 avec *Dada*, c'est-à-dire en somme avec l'impresario roumain, cet étrange Tzara qui devait publier en 1930 seulement son épopée chaotique et fumeuse, *L'Homme approximatif*. Il déchaîna ainsi la dispute. Mais *Dada* mourait déjà, emporté par les crises d'une extravagance et d'une insincérité dont ses sept manifestes, réunis en 1924 par Tzara, témoignent assez. Au reste, Breton avait avec lui Picabia et Picasso, Éluard, Aragon, Soupault; il s'adjoignit Desnos, Vitrac, Pierre de Massot. André Gide ne voit finalement qu'une « entreprise de démolition » dans *Dada*, fort différent par là du Futurisme et du Cubisme. C'en est bien une. *Dada* a vraiment voulu annuler l'art et la culture, comme complices de la raison et de la société, tous coupables d'éclipser le réel authentique et fondamental. Niera-t-on toutefois que les dadaïstes laissent le retentissement de quelques cris d'angoisse ? *Dada* est sorti de la guerre; la faillite du monde civilisé en 1914 a produit cette forme de nihilisme. Plus qu'un méchant collégien, *Dada* fut un condamné au suicide.

II. — *LE SURRÉALISME*

1. Les théories.

Les poètes rescapés avec Breton du désastre dadaïste ont recommencé tout aussitôt d'abandonner le réel pour les univers cérébraux; et ils s'appelèrent Surréalistes.

Il a existé un premier Surréalisme trop peu connu, qui se formait en 1924 autour d'Ivan Goll avec Birot, Crevel, Delteil, Reverdy, Dermée. Ces poètes s'exprimèrent dans la revue *Surréalisme*; ils semblaient vouloir réaliser une fusion de la réalité avec le rêve sous toutes ses formes afin d'obtenir une surréalité capable de résoudre les contradictions du conscient et de l'inconscient, de l'homme et du monde, du naturel et du supranaturel. Ce Surréalisme-là eût continué Apollinaire, qui accordait à l'esprit le grand rôle et s'efforçait d'amplifier la réalité comme l'industrie humaine enrichit nos jambes en leur donnant la roue. Or André Breton l'a supplanté. Breton eut sa propre revue, *La Révolution surréaliste* (1924-1929); avec elle et ses amis, il a mis en train une autre aventure, plus subversive. Ce que ce second Surréalisme, celui qui s'est organisé et a vécu en école, ajoute au Cubisme, c'est un surcroît de violence dans la libération de l'homme à l'égard des exigences logique, morale et sociale. Il est, bien entendu, reconnaissant à *Dada* d'avoir ruiné l'art. Lui aussi, est iconoclaste. Il l'a montré dans ses manifestations de potaches grotesques et quelquefois odieux, qui ont mis en accusation et solennellement condamné Barrès (aux Sociétés Savantes, le 13 mai 1921), sont entrés en énergumènes dans des réunions littéraires, ont acclamé l'Allemagne au banquet Saint-Pol-Roux en 1925, au moment des premières difficultés de la France avec son Empire.

Le Surréalisme a ses parrains livresques. Certains nous feraient remonter à des poètes saugrenus du XIIIe siècle. Les plus évidents sont les vedettes du roman noir (Artaud a adapté *Le Moine* de Lewis), le marquis de Sade, Pétrus Borel, Lautréamont, Freud, c'est-à-dire les créateurs d'une atmosphère de peur et d'horreur, de mauvais œil, de vampirisme, de refoulements. Alfred Jarry en est, à cause d'*Ubu* pour lequel ces messieurs se sont offerts à donner tout Shakespeare, à cause aussi de *Faustroll*, ce super-Bonhomet. Il se peut, en effet, que l'humour, noir ou non, assure une évasion, venge l'âme de son dégoût pour le monde moderne, la distraie de son angoisse. Les Surréalistes aiment la douche écossaise. Qu'on n'oublie point l'*Oniro-Critique* publié par Apollinaire dans *La Phalange* du 15 février 1908 ni les *Contes des Yeux fermés* où Alphonse Séché traduisait en 1905, directement comme en instantané, les sensations d'un dormeur qui rêve : premiers des purs automatismes psychologiques (et deux de ces rêves, a remarqué François de Roux, ont paru dans *Le Festin d'Ésope*, la revue d'Apollinaire). L'invocation de Nerval précurseur n'est pas à retenir, malgré le fameux « épanchement du songe dans la vie réelle » : qu'offre de commun ce que l'auteur d'*Aurélia* vécut malgré lui, puis interpréta lucidement au cours des heures saines, avec les états semi-volontaires de ces systématiques qui s'adressent au rêve en solliciteurs, pleins d'idées de derrière la tête et bien décidés à ne jamais traduire ? Se recommander du *Second Faust* est leur autre imposture. A Baudelaire, à Rimbaud, ils ont fini par renoncer d'eux-mêmes, rejetant tout ce qui peut autoriser l'interprétation chrétienne, ne voulant rien d' « en-haut ». Quand ils parlent de saint Jean, c'est qu'ils pensent sommairement à l'Apocalypse, car ils se plaisent à insister sur leurs pressentiments de lendemains sinistres.

Volontiers définirait-on le Surréalisme un précipité de Freud sur l'acide des poètes de l'humour tragique. La poésie est devenue pour lui, quand elle n'est pas la simple pêche à l'immédiat, une activité métapsychique, qui comporte la pratique de la « parole intérieure » dans la demi-conscience, l'écoute du rêve et de ses échanges avec la veille, celle du sommeil hypnotique, l'exercice de l'écriture automatique, la révélation occultiste, la fréquentation des fous, car Aragon et Breton furent professionnels de la psychiatrie. Ayant ainsi mis sur pied un système d'exploration dans les profondeurs cachées du Moi, les Surréalistes l'ont proposé comme moyen de connaissance et comme moyen d'action. Qu'ont-ils fait connaître ? Un recueil de poèmes en prose, *L'Immaculée Conception*, permet de s'en rendre compte. Il s'agissait pour les auteurs de supprimer la ligne de démarcation entre la démence et la santé mentale en montrant expérimentalement sur eux-mêmes les possibilités de passer de l'une à l'autre.

De même, *Les Vases communicants* et *L'Amour fou* veulent enseigner que le rêve et la veille n'ont rien d'antinomique. Et sur quoi, sur qui porte l'action annoncée ? Sur la nature humaine au fond de laquelle on pense avoir plongé en freudiens, sur la nature humaine et son devenir. Car si pour les Surréalistes comme pour Rimbaud la vraie vie est « ailleurs », mais si contrairement à Rimbaud ils se refusent à toute mystique et regardent du côté de la nature crue, du moins veulent-ils la retrouver, cette nature, en brisant l'appareil qui la civilise. Ils la retrouvent et elle se résume essentiellement, assurent-ils, dans la force du désir, ce désir que toute l'organisation de notre vie, toutes nos habitudes et traditions paralysent. Leur devoir est donc de le libérer à tout prix, fût-ce pour courir au malheur; et la condition humaine doit être modifiée pour assurer les victoires du désir sur la tradition spirituelle et sociale. C'est pourquoi le Surréalisme a prétendu faire alliance avec les fils soviétiques de Karl Marx. Il nie et veut détruire. Il s'est révolté contre la patrie et la famille autant que contre la tradition et la raison. Seulement les Russes se méfient de cet Occidental, ils le tiennent à distance. Si Breton s'acharna longtemps à une conciliation difficile entre Surréalisme (personnaliste, après tout) et Communisme (totalitaire), Aragon, revenu du Congrès de Karkov et sacrifiant le premier au second, rompait avec ses camarades littéraires en 1932 pour entrer au parti stalinien et y militer : *Hourra l'Oural* (1933) rassemble ses poèmes de propagande. A travers la confusion de leurs démarches politiques, les Surréalistes fidèles ont poursuivi imperturbablement leurs efforts pour le renversement de notre condition dès cette vie; mais tantôt ils ont opté pour la Révolution indéfinie, en trotzkistes de la littérature, et tantôt ils ont eu l'air de laïciser certaines doctrines hindoues.

Il est évidemment impossible de déceler la part de supercherie et de mystification qu'un Aragon ou un Soupault ont glissée dans l'aventure ou ce qu'un Breton accumule d'illusion entêtée derrière son sérieux de Pape. Qu'est-ce qui nous garantit que les rêves n'ont pas été arrangés ? Tout le monde sait que l'écriture automatique nécessite une tension musculaire et que le conscient y participe nécessairement : par là s'insinue d'ordinaire le truquage. Les autres appels à la vie inconsciente et aux spontanéités de l'esprit n'excluent pas davantage la mauvaise foi ou l'aveuglement. Et n'en est-ce point, et des plus flagrants, que de vouloir faire passer tant de sensationnisme charnel pour une ascèse sinon de mystiques, au moins de métaphysiciens ? En tant que moyen de connaissance, le Surréalisme n'est qu'une sous-psychiatrie, une sous-psychanalyse. Il ouvre des lucarnes sur le sommeil et le rêve, sur les états hallucinatoires, sur la folie ? Mais la science correspondante ouvre des baies ! Pauvre garçon de laboratoire ! avec ses gaucheries, ses tricheries, ses obscurités... Quant à la découverte de la mission du désir, mais elle est de Nietzsche ! Elle n'en a pas moins d'intérêt, elle pouvait déchaîner de grandes forces. Elle ne l'a pas fait, précisément en raison de cette pauvreté. Bref, plus de paroles que de réelle création et, sur le plan proprement poétique, un espoir et une ambition voués à décevoir. L'ambition d'atteindre une réalité absolue dans un ordre de vie tout humaine était haute, les lueurs qui brillent dans la pénombre surréaliste font penser à certaines lumières d'Edgar Poe et de Villiers ; et l'espoir était beau de faire toucher le mystère de l'esprit, comme par magie. Mais quoi ! les Surréalistes ont gonflé démesurément l'importance de quelques trouvailles. En quoi, par quoi, s'est manifestée la surréalité promise ? Leurs œuvres découragent la lecture, parce que ne subsistent presque plus de liens entre les sensations (vécues ou rêvées), entre les groupes de matière verbale (tout se passe dans un univers qui est la caricature du nôtre), et parce que dans la métaphore sans fin l'écartement entre les deux termes va jusqu'à l'extrême, en sorte qu'aucune illumination suffisante n'embrassera jamais les multiples apports de l'obscur. La correspondance universelle aura tourné à la dislocation, l'inspiration subconsciente à la puérilité.

La vie a dispersé les Surréalistes. Breton s'est absenté de France. Les uns se sont vu exclus du groupe, des compromis en ont dénaturé d'autres. Certains ont déserté. Sans parler de ceux que la mort a pris encore jeunes... Maurice Nadeau a-t-il écrit son intéressante *Histoire du Surréalisme* (1946) avec l'espoir que l'histoire soit une résurrection ? Ce qui flotte dans la mémoire quand y passe ce fleuve déjà chargé de cadavres, c'est un certain nombre de notions sur la valeur desquelles l'histoire littéraire gardera les plus grands doutes, et c'est un certain nombre de livres qu'on ne saurait guère rassembler sous d'autre enseigne que l'hermétisme. Naturellement une part importante des poèmes surréalistes se manifeste étrangère aux théories qu'ils sont censés illustrer. Le Surréalisme exact et intégral deviendrait pure expérience scientifique, ou entreprise occultiste ou gouffre de suicide; il est donc resté le plus souvent partiel et mélangé; et ses exécutants, hommes de lettres, ont délayé leur extrait de parole secrète dans une eau de littérature. Ainsi leur œuvre est à leur doctrine ce qu'est au vin la « piquette » paysanne. Tels quels, les Surréalistes — et il faut en tenir compte — n'ont été qu'approximativement sincères dans leur espoir mi-naïf mi-farceur de trouver à l'homme ses ultimes raisons de vivre.

2. Les poèmes.

André Breton s'est associé avec Philippe Soupault pour écrire *Les Champs magnétiques* (1920), comme avec Paul Éluard pour composer *L'Immaculée Conception* (1930), car les Surréalistes ont aimé et cru bon d'œuvrer en commun afin de ramasser plus riche récolte de suggestions et d'images. Ils font bien voir, ces *Champs magnétiques*, que la poésie surréaliste, affichant l'extrême audace de la sincérité gidienne, constitue une catégorie de la psychanalyse. Nous y gagnons quelques émotions vives non pas tant fixées comme papillons par l'épingle que jetées comme balles dans l'œil, d'entre un chaos de rêveries où l'image devient un stupéfiant. *Les Vases communicants* (1933), *Ralentir, Travaux* (1930), *Point du Jour* (1934), de Breton seul, tressaillent d'une fabrication perpétuelle d'allégories et de légendes qui exploite en désordre la fluctuation entre le rêve et la veille, pour essayer d'annuler leur divergence. Breton a l'esprit conquérant des Normands; il est de Tinchebray (né en 1896). Cependant c'est l'univers qui le conquiert et l'égare dans sa forêt de signes. Il n'en persistera pas moins dans son tâtonnement d'aveugle révolté jusqu'à la fin de ses jours. New-York a vu paraître en 1945 *Arcane 17*, pot-pourri de rêveries en prose engagées dans l'actualité mondiale, surgies des rêves et tendant à une métaphysique avide d'arracher l'homme à la mort, et *Ode à Fourier*, *Les États Généraux*, poèmes qui prolongent la révolte contre le réel, l'appel à l'impossible, la destruction des coutumes de la connaissance.

Westwego (1922) et *Georgia* (1924) de Soupault (né à Chaville en 1897) contiennent des notations du furtif, des couleurs de minutes. Il y a tellement loin des théories aux œuvres que ce docteur du Surréalisme reste un fantaisiste assez lucide. En fait, il remonte du Surréalisme vers Apollinaire.

Si le Surréalisme de Breton vole dans le rêve, le mirage et la nuit, celui d'Aragon marche dans l'action terrestre et vers la révolution sociale : ses grands romans porteront pour titre général *Le Monde réel*, et ses poèmes de *Feu de Joie* (1920), son premier recueil, faisaient flamber des colères contre le Moloch qui venait de se gorger de sang. La vie d'Aragon — si l'on en excepte l'activité de Français moyen (études de médecine, service militaire, années de guerre) — se confond avec son œuvre d'écrivain et de militant. C'est une œuvre très actuelle, même dans sa part poétique : on dirait souvent la voix d'un journal du soir. Breton a tracé le cercle du Surréalisme; Aragon, tout théoricien de l'école qu'il soit lui aussi dans son *Traité sur le Style* (1928), mène à ce cercle une tangente. Quant à toutes les sources de l'inconscient et de l'irrationnel, il pense évidemment : — Très peu pour moi ! Poète de méthode subversive, il n'a guère fait que recommencer le cubisme, ses reportages fantaisistes et ses découpages à surprises. Mais d'autre part, il avait toute une sentimentalité à exprimer, elle coula dans une facilité chantante et heureuse d'aimable midinette. Et puis, un jour, n'a-t-il pas rejoint le Rostand de *L'Aiglon* ? *Crève-Cœur* (1940) est d'un surréaliste qui aurait ressuscité Théophile de Viau et même Benserade pour se mettre dans leur peau, d'un communiste qui pleure aussi patriotiquement que Déroulède. On retiendra d'ailleurs de ce recueil et des suivants, tels *Les Yeux d'Elsa*, quelques poèmes touchants où l'amour se colore à l'incendie des années 40 et se fortifie de la douleur éprouvée pour la patrie.

L'occupation allemande a inspiré les poèmes violents, vengeurs ou mélancoliques de *Musée Grévin* (1943). Leur énergie sommaire en fait des tracts plus que des poèmes. Les tracts doivent être clairs. Dès ce moment, la réaction s'affirmait dans l'art de l'auteur, qui, parlant des mots, écrit dans *Musée Grévin* :

Les plus simples d'entre eux ont le plus de puissance.

Il a depuis lors visé au public le plus large, et certes il y a gagné d'oser enfin chanter. Certains de ses chants prendront place dans les Anthologies du lyrisme éloquent, de la rime héroïque, de la facilité qui claque comme oriflamme au vent, de la chanson populaire intégrée dans la poésie nationale, des émotions collectives portées par des sonorités d'accordéon : au milieu de ce Coppée, de ce Déroulède, de ce Géraldy, quelques reliquats de surréalisme, si prosaïques paraissent-ils, sourient comme des visages de la paix perdue.

Paul Éluard lisait à dix-sept ans (il est né en 1895) les poètes unanimistes, puis à vingt ans Walt Whitman. Enfant de Saint-Denis, il a pu revivre sincèrement leurs émotions, reprendre en adolescent l'hymne au travail et à l'amour des hommes. Puis il fraternisa avec la misère humaine à la guerre. Démobilisé, il a connu Reverdy et ses amis de *Nord-Sud* (Breton, Aragon, Soupault) et aussi Tzara; il est entré presque aussitôt à *Littérature*. Il a nourri son âme par des voyages en Europe et jusqu'en Océanie. L'Espagne, connue à la veille de la révolution, l'a entraîné dans la poésie politique.

Il paraissait donc prédestiné à continuer l'Abbaye, mais il tient d'Apollinaire et des fantaisistes cubistes un certain rire des mots et la pochette surprise de l'impression. La critique ne l'en salue pas moins comme le maître de la poésie surréaliste; cette poésie se hérisse en effet dans *Capitale de la Douleur* (1926) et dans *La Rose publique* (1934). Si le chant de l'amour, de ses espoirs et de ses arides solitudes s'en accommodait, le lyrisme de la collectivité vers lequel le poète inclina l'obligeait, quoi qu'il en eût, à clarifier un peu son expression; il sortait du souterrain des rêves personnels au demi-jour de la conscience sociale : *Cours naturel* (1938) et *Chanson complète* (1939) se partagèrent ce double lyrisme de l'amour et de la révolte anti-bourgeoise. La guerre vint, puis la « résistance », qui contraignit les fantômes d'Éluard, en proportion même de leur clandestinité, à affronter la pleine lumière; et, du même coup, ils se garnirent de quelque chose qui hésite entre la chair et la baudruche. *Poésie et Vérité* (1942), *Dignes de vivre* (1943), *Au Rendez-vous allemand* (1944) donnent le spectacle de cette demi-métamorphose. Le premier des trois recueils inquiéta la censure des envahisseurs, car il portait en filigrane de ses pages le mot Liberté.

Jusque dans son plus récent avatar, Éluard garde des

coutumes surréalistes l'ellipse maxima, l'obscure concision, dure de secrets retenus. Elles le conduisent souvent à détruire purement et simplement le langage français; un vers banalement amoureux,

Immenses mots dits doucement

précède ce petit nègre : « grand soleil ? les volets fermés ». Souvent aussi il oublie ses systèmes; il inscrit une large impression dans un vers-éclair et produit alors du pur Valéry :

Fruits confidents de la chaleur...

ou bien même il dresse soudain des vers classiques et raciniens. De si brusques regards clairs qui se lèvent dans des yeux perdus d'ombre et sous de lourdes paupières montrent une fragile beauté, à la rencontre des contrastes chers au poète, feu et glace, sensualité et pureté.

Le lyrisme de Paul Dermée (né en 1888) installe le lecteur comme chez lui dans le trouble espace où se forment et éclatent des orages d'images. Le contraste des titres fait apparaître l'étendue de l'œuvre : *Spirales* (1917), *Films* (1929), *Le Cirque du Zodiaque* (1937). Dans les dix-huit années d'intervalle : *Le Volant d'Artimon* en 1922, *Lyromancie* en 1932. On s'arrache Dermée dans l'univers; l'amour du cœur individuel le dispute à maints appels cosmiques. — Cécile Arnaud, l'auteur de l'*Apaisement de l'Éclipse*, est de sa parenté lyrique.

Corps et Biens (1930), qui a rassemblé les poèmes de Robert Desnos né en 1897, mort en 1945 dans un camp allemand de déportés, compose un des mélanges détonants les plus curieux. La virtuosité verbale en est l'ingrédient essentiel; le calembour même n'y manque point, ni l'outrance fumiste. Surréaliste néanmoins, Desnos fut le grand maître du sommeil hypnotique.

Antonin Artaud, émouvant quand sa voix nous arrivait de derrière la raison, René Crevel qui se suicida, Benjamin Péret, Roger Vitrac, ont fait partie du groupe.

Une de ces revues provinciales qui servent de terrain à la jeunesse littéraire pour ses galops d'essai et qui s'insèrent ainsi dans la nouveauté créatrice, les *Cahiers du Sud*, fondée en 1923, s'est consacrée au Surréalisme comme le *Mercure de*

France jadis au Symbolisme, avec la même liberté éclectique, c'est-à-dire que, tout en publiant les purs de l'École, et notamment le Marseillais André Gaillard, disparu tout jeune en 1926, elle les a mêlés à des collaborateurs moins marqués. Elle s'est même ouverte à de fortes études de culture générale, et ses numéros spéciaux sur le Romantisme allemand, sur le Retour aux mythes grecs, sur le génie d'Oc et l'homme méditerranéen, demeureront des documents. Léon-Gabriel Gros, rédacteur en chef de la revue depuis douze années, poète des *Raisons de Vivre* (1936) et de *Saint Jean du Désert* (1939), nullement surréaliste, est surtout homme de goût. Gabriel d'Aubarède, qui devait attendre la dernière après-guerre pour commencer la publication de son œuvre personnelle, avait précédé Gros à la tête des *Cahiers du Sud*.

3. Les romans-poèmes.

On a le droit de s'étonner que le Surréalisme, école ésotérique, ait prétendu aux agréments du plus sociable des genres. A-t-il cherché joie d'orgueil à englober dans son entreprise ce qui par définition lui échappait ? N'a-t-il pas plutôt voulu faire glisser le roman sous les prises de cette nouvelle poésie qui se dit totale et fond l'une dans l'autre vie et littérature ?

André Breton mit tous ses moyens en œuvre dans *Nadja* (1928) où deux fantômes se partagent l'existence de somnambules propre aux créatures de cette atmosphère; on espère jusqu'au bout, mais vainement, que l'un des deux éveillera l'autre. Breton a cherché éperdument dans ce livre à libérer le Moi de sa prison; le mystère du Moi l'entraîne et l'égare; il ne respire dans sa poursuite, et nous avec lui, qu'à quelques points de rencontre de la vision fantastique avec le réel, cependant que s'enfuit, perdue de brume, la si prenante figure de femme. D'apprendre que Nadja est devenue folle, sa faculté magnétique avait beau en avertir : une nostalgie nous en point. Mais que de didactisme freudien ! que de mornes fantaisies sur l'écriture inconsciente ! Tout au long du roman transparaît sans cesse par avance son envers technique, que devaient développer les essais de *Point du Jour* (1934). La voie est ouverte pour une nouvelle littérature de *Dicts*. En route pour le Moyen Age !

Aragon a débuté dans le roman par *Anicet* (1921) où l'imitation de Lafcadio, passé au bain de relativité à la mode, s'efforce de réaliser un « merveilleux quotidien » singulièrement brouillé mais de ton poétique. *Le Paysan de Paris* (1926) a voulu rassembler trop d'éléments disparates : des heures oniriques, un labyrinthe rocambolesque, des souvenirs de *Dada*, l'insertion en pleine réalité d'une capitale de rêve et de chimère. Le paysan de Paris, c'est l'homme pour qui Paris est un pays. Or voilà un livre bien lourd, avec des sujets légers et charmants, des sujets de poète. Il commence comme un Nerval des *Nuits d'Octobre*, il se perd vite dans un capharnaüm infesté de Lautréamont. Des insultes l'achèvent; une brusque scatologie le souille, pareille à celle dans laquelle le *Traité sur le Style* plongeait les couleurs du drapeau.

L'Unanimisme a pesé sur Aragon romancier comme sur une certaine poésie d'Éluard. Il présente ses promenades du *Paysan de Paris* comme « une imagination » qu'il avait « du divin et des lieux où il se manifeste ». Et quand l'ambition le prendra de brosser des fresques du monde moderne, capitaliste et révolutionnaire, intellectuel et populaire, ses compositions reflèteront *Les Hommes de Bonne Volonté* dont il aura eu le temps de lire les premiers tomes avant d'entreprendre les siens : trois romans que nous retrouverons et par lesquels il dira définitivement adieu aux rébus du Surréalisme, ainsi qu'à sa poésie intégrale.

Soupault n'avait pas attendu l'évolution d'Aragon pour s'entendre avec la prose la plus prosaïque. Pas de romans-poèmes chez lui. Il est le strict romancier du groupe. Après son *Bon Apôtre* (1923), esquisse de jeune homme qui se cherche sans paraître avoir envie de se trouver, Philippe Soupault presque cyniquement a pris du large pour devenir, par l'esprit de ses livres, l'Henry Bordeaux et, par leur art, le Paul Adam du Surréalisme, si j'ose risquer ces à-peu-près. Des *Frères Durandeau* (1924), vrai « luna-park » des affaires, d'*En joue* (1925), existence d'apprenti littérateur désaxé, et du *Grand Homme* (1929), satire des manitous de l'industrie, totalement déshumanisés, se dégage cette idée qu'un monde est en train de mourir et qu'il faut essayer de rester vivant par tous les moyens. Ces gens sont autant de Lafcadio malgré eux. S'ils foulent un des foyers de l'ellipse surréaliste, l'autre sera, sous les pieds de Maurice Blanchot dans l'*Aminadab* (1943), assez proche du conte romantique allemand.

En somme, Breton paraît s'être arrêté en route, Soupault a dévié sur les bas-côtés, et l'évolution d'Aragon l'a entraîné loin de ses compagnons de la vingt-cinquième année.

4. L'INFLUENCE.

La propagande surréaliste favorise évidemment l'insertion de l'insolite dans la réalité la plus familière; voilà le mystère au bout de la rue, voire au cul de la bouteille. D'une façon plus générale, le Surréalisme aura, si peu que ce soit, grossi tous les courants modernes tendant à pousser l'inconscient dans la vie, à prolonger la vie en rêves qui la délivrent des contraintes logiques ou morales et qui gagnent sur la nature en perdant sur la tradition civilisée. C'est en poésie surtout qu'il aura pénétré la littérature contemporaine en continuant et approfondissant l'action cubiste, l'action nihiliste, l'action de l'irrationnel. Cependant quels noms inscrire ici de jeunes surréalistes ? Plutôt ceux de sympathisants. Ce sera fait plus loin. En attendant, constatons que le Surréalisme, s'il exerce une influence, d'ailleurs diffuse et non circonscrite, ne laisse aucune œuvre complètement lisible, sauf pour initiés ou tartufes d'initiation.

II

LA TRADITION RÉVOLUTIONNAIRE

I. — *LES MODERNISTES*

Certains poètes restés sourds au Surréalisme ne sympa-
hisent nullement avec l'esprit de subversion totale, mais
: l'esprit nouveau » les possède. C'est-à-dire qu'ils participent
plus ou moins au cubisme, à l'unanimisme, au symbolisme
romantique, à l'hermétisme.

Paul Morand apparut dans l'éclat des *Lampes à Arc* (1919) :
mages dures et méprisantes de notre temps. *Feuilles de Température* suivirent (1920), exercices d'un Cendrars plus fin et
noins poignant. D'ailleurs Morand, né pour une littérature
le réussite mondaine, avait ses vraies chances dans la prose.

A Cendrars, à Jacob, à Jarry, mais par l'intermédiaire de la
concision éluardienne, se rattachent Henri Michaux (né en
1899), de famille belge, humoriste plus déchaîné qu'inspiré
dans son *Barbare en Asie* (1932), dans *Fables des Origines* (1923),
Voyage en Grande Garabagne (1936) et autres échos chaotiques
d'un exotisme de l'irréel (il a aussi publié des scénarios de
cauchemars); Yanette Deletang-Tardif, psychologue des préciosités inquiètes et ardentes; Antoinette d'Harcourt, la magicienne de *Neiges*, qui enferme et dissout toute réalité dans
le monde pensé, rêvé, impalpable; Gisèle Prassinos, René
Char, Pierre Morhange, et cet autre Belge, Paul Neuhuys,
qui a trouvé un titre fameux : *Le Zèbre handicapé*.

D'autres voyageurs que Michaux, tel Louis Brauquier,
lequel a capté dans *Le Pilote* (1935), dans *Soirs*, les nostalgies
courant sur la mer d'Océanie, prolongent le souvenir de Nau
avec des moyens empruntés à Romains. Certains rajeunissent
nettement l'optimisme des Unanimistes : par exemple,
Gabriel Audisio, né à Alger en 1900, et qui a entre-croisé

dans la Méditerranée autant de sillages qu'Ulysse; sa versification très libre est aérienne dans *Hommes au Soleil* (1923), *Le Hautbois d'Amour* (1932), *Blessures* (1942). Le plus éveillé de ces poètes, le Vosgien Henri Thomas (né en 1912), a intitulé *Travaux d'Aveugle* (1941) la course qu'ami de l'oiseau marin il poursuit à travers le monde.

Le grand blessé de guerre Joë Bousquet, le poète de *Traduit du Silence*, adaptait sa forme mi-roman mi-poème à une inspiration de symbolisme très XIXe siècle. La féerie du romantisme allemand flotte dans les rêves de sa nébuleuse où éclatent çà et là des étoiles.

Jacques Audiberti, le fils du maître-maçon d'Antibes, où il vit le jour en 1899, rêva longtemps sur son rivage natal à l'élixir mallarméen qu'il ferait tomber goutte à goutte dans la jarre d'Hugo. En réalité, le poète de la *Race des Hommes* (1937) n'a fait que porter au maximum le contraste intime d'une prosodie austère avec les mots affolés de leur sonorité, où les consonnes servent de cuivres. Il y a même du sorcier nègre chez Audiberti, il tape sur un gong. D'entre ces enfantillages se dégage avec peine l'intention d'appeler à revivre la dignité humaine enterrée sous un amas de misères. C'est à quoi s'emploient, dans *Des Tonnes de Semence* (1941), certaines strophes assez belles d'amour et de prière. Chez le romancier comme chez le poète, le réel va jusqu'au monstrueux, le rêve jusqu'au cauchemar, et le flot métaphorique coule sans lit syntaxique, à travers une vase peuplée de fantômes, vers une lointaine promesse de grandiose. Enfin, dramaturge truculent, absurde et drôle, surtout dans *Le Mal court*, Audiberti se laisse tirailler entre Giraudoux, Salacrou et Jarry.

Rolland de Renéville et ses cadets, Robert Ganzo, Lanza del Vasto se meuvent dans une obscure clarté du sentiment, de la pensée et de l'expression. — Adolphe de Falgairolle, chantre pervers du *Graduel passionné* et des *Voluptés du Silence*, hildago des impressions rares, des émois incertains au bord de l'impossible, remonte à l'hermétisme le plus aigu.

II. — *AFFRANCHIS DE LA PROSODIE*

Cet affranchissement a fait l'essentiel d'un effort révolutionnaire. Certains se couvrent de l'autorité spéciale de Claudel, si fort que le maître ait rejeté l'assimilation de sa forme au verset. Incontestablement, il leur a donné l'exemple d'un vers mesuré sur l'haleine. Mais ils ont tenté des variations.

En tête, Henriette Charasson. Elle avait chanté ses émotions de sœur et ses émotions d'amante (trop mélangées) dans les douloureux vers de guerre, *Attente* (1919). Mais l'esprit de maternité chrétienne a pris possession du reste de l'œuvre : *Les Heures du Foyer* (1926), *Deux petits Bonshommes et leur Mère* (1928). Le verset y est rimé, habilement court et maintenu en rapport étroit avec le sens. Elle a enfin chanté sous cette forme la foi elle-même dans *Mon Seigneur et mon Dieu* (1934), puis dans *Sur la plus haute Branche* (1938), avec une simplicité qui la fait parler à Dieu comme à une personne.

André Mabille de Poncheville, avant de se consacrer à la grande chronique d'art et à ses romans historiques (*Le Sang des Gaules*, *Charlemagne*), a entonné en 1917 *L'Hymne aux Américains*, qu'on retrouvera avec le meilleur de l'œuvre dans *Nord et Midi* (1924), où est scellée l'amitié de France et de Flandres à l'effigie de l'Ange de la Cathédrale d'Amiens, à celles aussi de Verhaeren, de Watteau et de Carpeaux, compatriote de l'auteur. Poncheville a fait à pied de grands pèlerinages à travers la France jusqu'en Italie et en Espagne; il les a racontés dans une prose cordiale, mais toute pénétrée de la poésie de Péguy dont il fut un des premiers propagandistes.

Daniel Halévy prétend avoir lu dans *Interrogations* (1917) de Drieu la Rochelle « le secret des tranchées ». Tout de même, les tranchées toléraient moins de littérature. Sur le ton claudélien, Drieu cria d'orgueil pour sa génération, de mépris pour les générations antérieures; il n'en revenait pas, d'avoir fait cette guerre victorieuse. Le livre fut, comme on dit, un message; il obéissait à une nécessité du moment. Aucune nécessité dans le recueil suivant, *Fond de Cantine* (1919). Au reste, ni l'un ni l'autre ne sont d'un authentique poète.

Le vers libre et même le vers régulier se mêlent au verset dans *Encore un Instant de Bonheur* (1934), où Henry de Montherlant a chanté ses voluptés et ses tendresses en grandes odes lyriques et en petites musiques de type oriental. Le tissu poétique n'en est pas de parfaite qualité. Il a le grain inégal. Qui pardonnera à l'auteur les *e* muets sacrifiés dans tel vers :

La vie s'est posée sur moi ?

ou, presque partout, des à-peu-près de style dont la prose ne voudrait pas ? Les vers de Montherlant donnent l'impression d'être prestement traduits : du persan le plus souvent, et c'est dire malgré tout qu'ils offrent leur nihilisme dans une fraîcheur.

La forme se libère entièrement avec Antonine Coullet-Tessier. La poétesse se livrait peu dans *Un Visage à la Fenêtre* (1929), malgré certains tableaux stylisés qui la révèlent par transposition. C'est dans les poèmes publiés plus tard, en revues, que sa création poétique semble être devenue la doublure de sa vie, sous une forme tout à fait libre, parfois sautillante comme un feu : en somme, prose de substance poétique, d'accent poétique, où les images ont l'air de déborder le monde réel en s'imprégnant d'une sorte de métaphysique triste. Ainsi les thèmes réalistes s'entourent d'un halo d'apparition ; on dirait des rêves qui se prendraient pour vrais, on pense à certains poèmes anglais. — Alliette Audra, qui rejette elle aussi toute discipline imposée, est effectivement de climat anglais. L'âme qui vit dans *Les Herbes hautes* (1931) et dans *Prairies* (1936) s'affirme par une complicité avec tous les êtres de la nature. Elle participe d'ailleurs à l'allégresse du monde en passante descendue d'une planète encore sans nom. Si *Voix dans le Renouveau* (1938) fait grande place à la mort, plusieurs fois cruelle pour l'auteur, la mort cependant n'en écrase pas les poèmes, mais les dresse comme des cyprès. Et c'est avec un amour pur de tout désespoir qu'Alliette Audra prie, dans *Du côté de la Neige* (1939), pour tant d'âmes inconnues.

Raïssa Maritain, juive russe convertie au catholicisme, a maintenu sous les formes modestes de sa *Vie donnée* (1935) une constante pureté de mots que ne trouble point l'ardeur pourtant impatiente. Une telle pureté est celle même d'une âme de bénédictine médiévale, à qui la modernité est une macération.

Claire et Yvan Goll visent à l'essentiel, ils en expriment le jus d'une synthèse idéaliste, à force de raccourcis et d'allusions elliptiques. Par là, ils eurent leur part dans la formation du Surréalisme. Le poète de *Jean-sans-Terre* (1936-1939) et sa femme ont bien tort de s'en tenir à une prosodie trop arbitrairement capricieuse, car leurs coulées d'émotion neuve et de surprise, surtout aux heures d'amour, mériteraient de pouvoir se fixer dans la mémoire. Une plus suave fontaine jaillissait dans les *Chansons malaises* (1935), où l'amour fait penser au *Cantique des Cantiques.*

C'est toute l'abondance messianique des prophètes qui déborde de l'œuvre d'Edmond Fleg, Suisse naturalisé Français en 1920, à quarante-cinq ans, et qui s'est mis alors à publier hâtivement romans, pièces de théâtre, poèmes, anthologies. Les uns et les autres invitent le « peuple élu » à remplir sa mission. Elle paraît orientée vers le bonheur dans l'avenir, et, pour commencer, vers la paix universelle. Cet Ézéchiel se montre, en somme, accommodant, quoique furieux d'optimisme. *Écoute, Israël* (1922) est d'un poète véritablement biblique : épique et familier, plein de maximes et de paraboles.

III. — *UN EXCENTRIQUE OPPORTUNISTE*

La révolution a ses doux et même ses habiles. Il arrive qu'ils la renient ? Peut-être pas. Peut-être embrassent-ils l'adversaire pour le mieux étouffer ; ou bien encore ils croient au retour éternel, et alors chacun de leurs livres a pour rôle d'annoncer mieux que par enseigne lumineuse : — Une mode est morte, une autre est née !... Jean Cocteau possède pour tenir cet emploi toutes les ressources voulues, il est le baladin rêvé des fêtes de la nouveauté ; on l'y voit comme en service commandé. Il se déguise, se grime, arbore les couleurs roses du funambule, fait le cercleux, s'empanache de fantaisie monoclée.

Il y a eu un Cocteau rostandiste (*La Lampe d'Aladin*, 1909, *Le Prince frivole*, 1910). C'était au temps où le bourgeois mondain se voyait admis tout jeune (il naquit le 5 juillet 1892) à Maisons-Laffitte dans la haute société des lettres ; il faisait lire ses poèmes par des vedettes du Théâtre Fémina. Puis il a traversé le naturisme d'Anna de Noailles (*La Danse de Sophocle*, 1912). Il se divertissait et amusait ses aînés. Il a ensuite renié ce dandysme. Devenu futuriste, il écrivit *Le Cap de Bonne-Espérance* (1918), douces fureurs en l'honneur de la montée rapide d'Apollinaire : vive la machine, vive le voyage universel, vive le tohu-bohu des images ! *Vocabulaire* (1922) expose Cocteau à cheval sur deux fantaisies, la néoclassique et la dadaïste, avec ritournelles vieille-France accompagnées de jolies mines, sous l'influence, semble-t-il, du jeune Radiguet, qui le détachait des « poètes maudits ».

Un autre Cocteau encore, celui de *Plain-Chant* (1923), suit Valéry et, embarqué dans le retour à Racine, pousse jusqu'à Malherbe, qu'il rajeunit à la crème de beauté moderne. Le voyage, l'enfance, l'amour de *Plain-Chant* restent mornes, et, avec la mort, le poète coquette. Mais enfin le recueil a de charmantes trouvailles à offrir; il représente en pleine période dadaïste la conversion de la poésie au chant; et ce dialogue de l'être physique et amoureux avec la muse chaste qui s'appelle ange suscite des figures de sommeil et de rêve aimables à regarder. Voilà le Cocteau qui mérite de compter, d'autant plus qu'il venait de se livrer dans les années précédentes à des examens critiques, et que ceux-ci avaient fait sensation.

Ce Cocteau critique, qui écrit une langue si racée où les images ont la justesse d'un rébus déchiffré, ce Cocteau qui sait distinguer à coup sûr entre le bon original et la camelote, comme il dit dans *Carte blanche* (1920), tient avant tout à être moderne, c'est-à-dire en disponibilité absolue. Il a cherché, pour y réussir, du côté de ses contradictions, ordre et solitude : *Le Secret professionnel* (1922), qui est son Art poétique, avoue clairement de difficiles efforts pour avancer de ceci à cela sur la corde raide. Il avait donc à se défendre contre tout poncif, fût-ce le mallarméen ou l'apollinarien, et c'est par besoin vital qu'il s'est détaché de l'anarchie, « pour retourner aux lois avec un esprit nouveau ». Mais qu'est-ce à dire, esprit nouveau ? De tumultes tels que dadaïsme et cubisme « un ordre neuf se dégage toujours », juge Cocteau, ce qui revient à mettre tous les « tumultes » dans une même catégorie privilégiée. Sont-ils donc tous régénérateurs ? Qu'on relise *Le Coq et l'Arlequin* (1918), ces « notes autour de la musique ». C'est du classicisme, mais le classicisme d'Erik Satie, un classicisme de reflet, maigre, cocasse, provocant, classicisme de cirque et de bal Tabarin. L'art littéraire de Cocteau, dans ses retours au passé « avec un esprit nouveau », aboutit à un classicisme de cette qualité.

Plain-Chant aura marqué un moment dans l'évolution de Cocteau vers l'oreille du grand public. Mais qu'y a-t-il de constant chez lui ? Un talent si habile à prendre le vent, doué de si preste désinvolture, il faut que sa poésie soit un jet de poudre aux yeux, un tour de chevaux de bois, une élégance de carnaval. Elle compose sa substance, combien composite ! de sensations très vives qui traduisent surtout de l'immédiat (un vol en avion, par exemple) et d'images précieuses qui font bijoux; à travers elles, courent futilités, gentillesses et drôleries comme croquis semés dans un texte. Çà et là une lourde abstraction a l'air tantôt d'une maladresse et tantôt d'une farce. Partout on retrouve du Montesquiou allégé, avec de l'Apollinaire, du Toulet et le cubisme de Picasso. Au fait, n'est-ce pas en louant Picasso précisément que l'auteur a fourni de lui-même la meilleure définition ? Il a écrit : « L'esprit seul reconnaît l'esprit, le trompe-l'esprit existe, le trompe-l'œil est mort. » En effet, Cocteau vise à une quintessence de cérébralité méta-réaliste, si je puis dire, et pour raffinés du dernier cri.

Je ne commettrai pas le péché d'oublier le Cocteau converti de 1926, ramené à la foi catholique par Maritain (*Lettre à Jacques Maritain*, *Réponse à Jean Cocteau*) et qui des vertus chrétiennes oublia tout au moins, dans une orgie publicitaire, l'humilité; mais il a si peu duré que sa poésie n'eut pas le temps d'organiser pour lui un spectacle. Après quoi, Cocteau poète s'est un peu répété, et le Cocteau intégral s'est consacré presque entièrement au théâtre et au cinéma.

IV. — *LE POÈTE FÉERIQUE, SUPERVIELLE*

L'Amérique latine a longtemps gardé, elle a repris pendant la durée de la dernière guerre un fils, Jules Supervielle, qui naquit à Montevideo, le 16 janvier 1884, et qui est d'ailleurs Français de fine race, puisqu'il descend de nos Pyrénées. Mais l'empreinte des climats lointains reste forte sur son imagination. Elle ne le cède qu'à celle de la mer parcourue d'une patrie à l'autre; car les sillages, les étoiles y tiennent une place considérable. Sa culture éclectique a emprunté quelque chose à toutes les œuvres, même plastiques et musicales. Ami des légendes, des contes de fées, des mystères, il fait un peu souvenir de Schwob; symboliste, il retourne jusqu'aux pionniers de l'équipée; sympathisant du surréalisme, aucun aventurier de la poésie ne le renie.

Il s'intéresse au vaste monde, voire aux machines et aux foules. Tout l'inspire : un concert, le paysage à la portière, le sifflement d'un moustique, le mouvement des vagues. Il est tour à tour mélancolique, humoristique, fantaisiste, et soudain éclate de douleur.

En ve sification aussi, il fuit l'emprisonnement dans les habitudes. Vers plus ou moins régulier, vers libre, verset, avec ou sans rimes, avec assonances terminales ou intérieures, il « laisse à chaque poème le soin de choisir lui-même sa forme », a-t-il déclaré un jour au *Journal des Poètes*. C'est pourquoi un malheur souvent lui arrive, c'est que cette forme se fond en prose subtile et molle.

Supervielle débuta avec *Comme des Voiliers* (1910) qui doit beaucoup à son compatriote Laforgue. *Débarcadère* (1922) fait respirer l'air des Tropiques, *Gravitations* (1925 et 1932) devient plus humain sans perdre d'étrangeté exotique. L'auteur de ces recueils s'enfonce par instants dans l'obscur inconscient avec une charmante satisfaction de se trouver ainsi au goût du moment. Dans les recueils suivants, *Le Forçat innocent* (1930), *Les Amis inconnus* (1934), *La Fable du Monde* (1938), la rêverie continue de jongler avec le réel à travers l'espace et de muer l'univers en une perpétuelle allusion au Moi profond; or on dirait que ce Moi s'est lentement formé au secret des temps, avide d'accords, tourmenté de la peur de demeurer seul en face du surnaturel soudain surgi de la vie quotidienne. Les réalités affleurent, puis s'évanouissent dans un invisible bruissant, plein de correspondances et d'harmonies. De sorte qu'en tournant les pages, le lecteur espère toujours arriver à surprendre le mot, à découvrir le sens d'une cocasserie immense et mouvante, grosse de surprises. Supervielle va jusqu'au plus vif sentiment du divin dans *La Fable du Monde*, son recueil à la fois le plus humain et le plus magique.

Des *Poèmes de la France malheureuse* ont paru à Buenos-Aires en 1941. Puis *1935-1945* a résumé l'œuvre.

Supervielle voulut porter sa fantaisie féerique sur les planches pour quelques soirées sans lendemain (*La Belle au Bois* en 1939, *Bolivar* en 1936); elle y parut trop flottante. Mais *Le Voleur d'Enfants* en 1948 a été plus heureux. Son humour lyrique et son entente de la féerie font merveille dans les contes et les romans — *L'Homme de la Pampa* (1923), *Le Survivant* (1928), *L'Enfant de la Haute Mer* (1931), — à condition d'échapper à un certain développement de logique livresque apprise chez les petits Symbolistes. Conteur et romancier, il reste poète. Du fantasque tendre et malin, il est le poète, comme Marcel Aymé (l'Aymé des enfants) en est le prosateur. On le voit rendre viable sur ce plan un surréalisme dépouillé par tempérament plus que par volonté et auquel il aura injecté le charme d'Andersen. Une rêverie qui franchit les océans, les limites des espèces et les mondes intermédiaires, fait vivre la fantasmagorie délicieuse de Supervielle.

V. — *POÈTES DE L'HUMOUR*

Cocasse et savoureux, spirituel, matois, mais fou de jeu verbal, et entêté dans l'excès moderniste, Pierre Guéguen a le goût des légendes populaires et des chansons de son pays breton, le sentiment élémentaire et puissant de la nature, le sens de l'harmonie sensible aux lèvres et qui le mène trop souvent jusqu'à l'allitération insistante. Inventeur de sensations, découvreur d'étoiles, il a justement nommé son premier recueil *Jeux cosmiques* (1929), où le poème « Sur la mer des Sargasses », entre tous, émerveille. *Vénus sous le Vent* (1933) est de la même veine, capable d'illustrer les « deux infinis » de Pascal avec cent observations tendres, grandioses et bouffonnes. Mais pourquoi pousser si loin, surtout dans *La Chasse du Faon rose* (1935), l'effroi de glisser dans le désarroi sentimental ? Pourquoi une préciosité partout si appliquée ? Pourquoi un culte si fanatique du saugrenu ? Pourquoi enfin tant de rythmes aussi mal faits qu'orgueilleux ? Dans le naufrage de cet art, on entrevoit la poésie naturelle d'une âme riche. La bonhomie de La Fontaine, un Laforgue shakspearien, le père Hugo retrouvé par Rimbaud auraient pu s'accorder ici et y faire concurrence à la fraîche et vaste surprise que donne chaque jour la nature. Guéguen est aussi l'auteur d'un roman, *Arc-en-Ciel sur la Domnonée* (1925), reflet de ses vers sur le pays qu'ils chantent.

Fernand Lot est trop vraiment poète pour n'avoir pas malignement réussi dans ses essais de critique. Mais poète, il l'est essentiellement, depuis son sourire à fleur de peau jusqu'au plus profond de sa vie intime. La poésie d'*Invitation au Mystère* (1933) et de *Sortie de Secours* (1939) apparaît tout d'abord, quand on y pénètre, comme un beau navire peint à neuf, prêt à partir, qui hisse ses oriflammes. Elles battent au vent et le vent est joyeux. C'est que cette poésie ne veut que le détail imprévu, la correspondance inédite, l'image absolument inventée, la métaphore levée comme perdrix; tout cela engainé dans une prosodie qui gagnerait à moins se souvenir d'Alfred Jarry, à qui Lot a consacré une étude perspicace.

La précision inouïe des impressions parfois les plus fugitives — cette précision ironique à force d'être juste — enferme le poète dans une prison dont le mystère baigne les murs. Au fond, Lot nous fait vivre un poème d'Edgar Poe. Sans doute n'y a-t-il pas d'heure, pas de minute qui ne soit chargée de destinée, pas de lieu au monde, pas de parcelle terrestre, pas d'atome, où ne se joue un drame. Aussi Lot fait-il allusion à un tragique latent; quand il dépeint l'univers comme un sourire de Dieu, c'est pour essayer de se tromper sur sa peur. Quelle peur ? Contre celle de vivre et de mourir, il connaît, outre les sortilèges de son art, l'illumination des villes, le refuge de l'amour, cet amour-passion et cet amour-tendresse qu'il a chantés en de nerveuses et suaves mesures. Mais c'est d'une peur surhumaine qu'il s'agit, car Lot a un sens de l'universel et même, comme Guéguen, du cosmique (qu'ils ont fortifié chez Laforgue). Et la peur qu'il éprouve monte de toutes choses, et elle descend des étendues astrales. Elle ne s'exprime pas dans un ordre déterminé, elle s'insinue, elle jaillit parfois au détour des strophes ou dans des quatrains aigus comme des épigrammes; elle occupe donc le centre de l'œuvre, elle l'inspire.

A cette poésie moderne qui joue à travers le monde avec les rapports les plus distants et sans crainte de mêler les plans (un vaste calembour, explique Cocteau), Alphonse Séché s'étonnera de se voir associé. Il le doit à un vers d'école buissonnière et de bravade, intermédiaire entre celui de Paul Fort et celui de Laforgue, et à une verve qui emporte dans le toboggan d'*Un Petit Tour d'Éternité* et de *Dans toute Cage il y a deux Oiseaux* la chevalerie des amours, l'angoisse de l'âme, le destin des hommes.

VI. — *QUELQUES JEUNES*

Les cahiers trimestriels de poésie, qui s'appellent *La Bouteille à la Mer*, auxquels Fernand Lot s'intéresse depuis plus de douze années, publient une poésie plus régulière. De là sont sortis depuis 1934 *Abattre son Jeu* de Hugues Fouras, *Sérénades indiennes*, *Magie verte* et *Chapeaux de Fer* de Roger Michael, *Almanach* de Henri Sales, *Folle Avoine* de Paul-Marie Fontaine. Ces poètes et leurs amis Pierre Moussarie, Georges Gabory, sont extrêmement vivants. Mais tout de même, entre le cœur ému de Vildrac, le cœur intelligent de Fargue et le cœur tragiquement spirituel de Lot, leur « fantaisisme » a la place de se perdre. J'ai peur qu'il ne se retrouve pas, tant il est menu et sec.

Il semble que les jeunes poètes les mieux doués veuillent désormais, pour le fond de leur œuvre, échapper à l'immédiat des sensations brutes, reprendre la coutume du lié, du spirituel, du civilisé et, pour leur forme, remonter la pente de la poésie-prose, parfaitement insupportable comme toutes les équivoques. En d'autres termes, l'humain les rappelle à lui et à son langage. Jean Follain, après la *Main chaude*, assez insignifiante, après *Paris* et *Chants terrestres*, vers follement libres et images tirées d'un chapeau, a trouvé un ordre, une cadence dans *L'Épicerie de l'Enfance* (1938), c'est-à-dire ce monde de tristesse, de pauvreté, d'ancienneté ennoblie et douce qu'il appelle un village d'antan; *Inventaire* (1942) a continué l'exploration fantaisiste et charmante des choses simples et familières de la paix. — Maurice Fombeure en est venu à tourner autour de la tradition idyllique; et n'est-ce pas la chanson, c'est-à-dire la hantise rythmée du vieux temps, qui aura orienté le poète d'aimables recueils : *Silences sur le Toit* (1938), *D'Amour et d'Aventures* (1942), *Arentelles* (1943), orienté dans la direction de Verlaine et de Paul Fort ? Il s'arrête d'ailleurs à la hauteur de Tristan Klingsor pour obéir à un charmant génie de la drôlerie bon enfant et taquine plus que mélancolique. Sa poésie chante. Les braves gens de France chantent en elle, ceux des villages, ces villages aériens comme le coq de l'église, et ceux des petites rues de Paris qui sont des provinces privilégiées. Sa poésie chante doucement et profondément, accordée à la joie et à la peine des hommes qui l'accompagnent dans son tour d'horizon. A certaines heures pourtant jaillit une force drue. La farce lyrique *Orion le Tueur* prolonge Apollinaire et Jarry, avec un souvenir du Courteline des « déménageurs ».

Mais pourquoi Patrice de La Tour du Pin, lui, ne se décide-t-il pas et reste-t-il au carrefour des tendances ? Un rayon de la gloire le frappa dans les derniers temps de la paix, lorsqu'on lut dans la *N. R. F.* « Les Enfants de Septembre ». Ce poème a survolé les âmes comme un triangle d'oiseaux de passage sur la forêt. Des rimes nostalgiques laissaient un sillage, de grands vers tendaient leurs ailes de proie, emportant des sentiments vagues et amples, des mystères paniques de la nature, les échos obscurs d'aventures finies. *La Quête de Joie* parut (1939). Ses évocations d'amitiés et d'amours, de tragédies, de hameaux perdus en Sologne et de courses loin entraînées, avaient le charme puissant d'allusions angoissées et sauvages au sort humain. Mais on ne voyait point vers quoi marchait cette troupe de beaux fragments et d'obscurités. Et devant *Une Somme de Poésie* (1946) tant attendue, on a vacillé. C'est une somme, et elle contient de beaux vers, quelques pièces de beaux vers. Mais elle les noie dans une multitude de vers faciles, de proses rapides, d'histoires hétéroclites, de portraits sans modèles et d'épîtres sans destinataires. Voilà une grande barque démâtée sur un océan de soliloques sans rivage.

Est-ce que cette aventure n'éclaire pas celle même de la poésie moderne ? Est-ce que le dérèglement volontaire du langage, l'énigme à clef perdue, les fraudes de la cérébralité n'ont point fatigué les talents et surmené l'art ? Certes, le trésor de l'inconscient, la hardisse de la fantaisie ou de l'humour, l'étrangeté resteront toujours des biens. Aucun veto contre la découverte. Mais pour sa mise en place, quelle folie de se priver d'un monde de moyens et de garanties en refusant de reconnaître que la poésie française digne du monde moderne ne coïncide pas plus avec le cubisme qu'avec le surréalisme !

Voilà ce que semblent reconnaître les Audiberti et les Audisio, les Goll et les Guéguen, les Follain, les Fombeure, plusieurs autres. Voilà ce qu'ont reconnu certainement Cocteau, Lot et Supervielle. Le premier de ces trois prend la poésie pour une boîte de nuit et y joue un rôle d'entraîneuse : il y faut beaucoup d'art. Les deux derniers sont des magiciens, des génies aériens, des Ariel. Les avatars et accommodements de la tradition révolutionnaire sont bien intéressants.

III

LA TRADITION CONSERVATRICE

Ce sont les révolutions successives qui forgent en art la tradition véritable, l'avenir donc se lève ou se prépare en elles. Mais ne leur faut-il pas le tremplin ou le contrepoids du passé continué ? Moins fécondes, moins saisissantes qu'elles, la conservation des formes et la persistance d'une notion de l'homme n'empêchent d'ailleurs point la poésie de varier ou même de renouveler ses thèmes, elles comportent même des personnalités créatrices. La tradition conservatrice entretient, elle peut élever des monuments. Parfois elle organise les conquêtes récentes. Et puis, elle a le charme des jardins à l'automne. Faisons-lui donc large place.

1. Spiritualistes catholiques.

Un poète nous émeut particulièrement quand nous assistons à sa gloire posthume. Il n'y a pas bien longtemps que le nom de Germain Nouveau a pris possession de la sienne, et certainement ce nom y a gagné.

Germain Nouveau (1852-1920), né et mort à Pourrières (Var), revenu à la foi sous l'influence de Verlaine, signa *Humilis* ses poèmes chrétiens. Il a travaillé par moments, ce bohème, et même au Ministère de l'Instruction publique ! Il a aussi fait l'étude et enseigné le dessin. A d'autres moments, il se délestait d'un petit héritage. Finalement, une errance l'a conduit à travers la France et jusqu'en Orient, mendiant parfois sous les porches d'églises, vivant sur les lisières du mysticisme et de la folie. *Valentines*, vers posthumes réunis et publiés en 1922, vers de fantaisie parnassienne où se reconnaît plus de Cros que de Banville, correspond à la moitié gaie de cette existence. Nouveau, comme Verlaine, avait fait à Londres un séjour tumultueux en compagnie de Rimbaud. On dirait que devenu Humilis avec ses poèmes de 1911, il transposa selon le plus tendre mode verlainien des extases aussi directes que celles de l' « Enfant terrible ». C'était une âme douce autant qu'un chrétien simple. Ses accents de croyant sont vrais. Mais ne grossissons pas l'importance de son œuvre, qui dort dans l'ombre de *Sagesse*.

Fagus, né Georges Faillet à Bruxelles de communards proscrits (1872-1933), a porté en lui, et y faisant bon ménage, du Jordaens et du Fra Angelico. Doux candide et fleur amère des cités, tout instinct d'animal était sien, et aussi toute spiritualité, toute espérance, tout savoir. On le découvrait historien et érudit, grammairien et moraliste dans ses proses d'*Aphorismes*, d'*Éphémères*, de *Pas perdus*. Mais ses vers le révèlent si profondément poète qu'il semble l'avoir été uniquement. En parallèle au cycle d'*Ixion* (1903) et de la *Danse macabre* (1920), Fagus mena la rédaction et, de 1893 à 1896, puis de 1918 à 1920, les remaniements d'un poème, *La Guirlande à l'Épousée*, expérience vécue où une sensualité de feu arrive toujours à s'épanouir en chasteté poétique, où l'intensité d'amour avoue la mort pour sa sœur. La France n'a pas eu depuis Verlaine de poète à ce point cynique et ingénu à la fois, éperdument moderne et vivant; moyenâgeuse pourtant, mais jaillie de son être actuel, une antithèse écartèle la pensée lyrique de Fagus vers deux pôles : la femme monstre charnel de l'Enfer, la femme vierge-mère. Fagus a commis des erreurs. Son vocabulaire a parfois cultivé la rareté, voire la cuistrerie; cela lui venait de vieilles habitudes « décadentes ». On a même vu son style s'égarer dans le désordre, on a entendu sa versification grincer. Mais ces accidents ne compromettent jamais irrémédiablement une poésie débordante de vie, gorgée de science digérée, illuminée de visions.

Villages de la Côte-d'Or, meuniers et artisans, un collège de province, la musique au petit orgue d'une église : aimons cette imagerie pour l'amour de Marie Noël (Mlle Rouget), car tel fut le berceau de son œuvre. Elle a introduit une familiarité populaire dans les effusions de piété et dans les chants de réjouissances; elle porte sur elle l'odeur du pain, elle fait penser au caressant réalisme de la chandelle dans les anciens tableaux d'intérieurs. Aux grands recueils — *Les Chansons et les Heures* (1920), *Le Rosaire des Joies* (1930) — elle a donné un cortège de cantiques et d'hymnes de fêtes, dont elle composa paroles et musique dans la fraîcheur de la cathédrale d'Auxerre, sa ville natale : on imagine que par des portes restées entr'ouvertes les effluves de la campagne entraient, et la poésie de Marie Noël, c'est un peu la nature qui va devenir paradis. N'empêche que lorsque son élan vers Dieu dépasse tout à fait l'horizon terrestre, cette poésie très féminement fluente s'enfle et bondit avec une violence inouïe, dans une rafale qu'on dirait accourir des antiques chansons de geste. Qu'on lise *Chants et Psaumes d'Automne* (1947). Le poète s'y fustige devant Dieu avec les pleurs bouleversants de l'âme croyante qui se croit assiégée par le péché.

Un Breton de Saint-Brieuc, ville qui l'a vu naître en 1883, confesseur posthume de Lamartine dont il reconstitua *La Vie intérieure* en 1913, Jean des Cognets a mêlé prose et vers pour célébrer son Argoat trégorois dans ce livre au titre charmant, *D'un Vieux Monde* (1917). *Sous la Croix de Sang* (1920) et *Fugitives* (1930) contiennent sa production proprement poétique, dont on ne ferait pas sans erreur le sœur cadette d'*Amour breton* de Le Goffic. C'est aux secrets celtiques de la paysannerie la plus enfoncée dans les terres que des Cognets prête l'oreille.

Léon Cathlin (né en 1882) a écrit des romans, celui d'*Un Prêtre* et celui de *Sidonie Gavoille*, vieille fille falote à l'extérieur, secrètement et puissamment illuminée de foi comme certaines minables chapelles. Ce sont cependant des poèmes, *Les Treize Paroles du Pauvre Job* (1920), qui porteront le plus longtemps son nom; ces « proses » de guerre touchèrent Francis Jammes. — André Delacour (né en 1883), poète de l'*Angoisse spirituelle* (1913), de *La Victoire de l'Homme* (1921) et du *Voyage à l'Étoile*, a fait pénétrer jusqu'au fond de ses rythmes la hardiesse noble et élevée de pensée et de sentiment qu'affirment de tels titres. — Guy Chastel (né en 1883), enfant du Forez, historien de *La Sainte-Baume* et de *La Trappe*, est surtout l'auteur de *Vigiles*, poèmes équilibrés et tranquilles. — L'œuvre de Louis Lefèvre, né dans l'Oise (1871-1947), oppose douleurs et consolations, depuis *La Maison vide* jusqu'aux *Mères viriles*, jusqu'à *La Symphonie de la Joie*, laquelle est la joie du croyant. On voudrait le vers de Lefèvre moins inégal à sa fière bonne foi, à sa magnifique honnêteté. — Charles Grolleau (1867-1940), traducteur des poèmes en prose d'Oscar Wilde et d'une nombreuse littérature anglaise, a rassemblé ses propres poèmes aux vers lents dans ces recueils : *L'Encens et la Myrrhe* (1909), qui est de dévotion fervente, *Sur la Route claire* (1913), *L'Étoile et le Cyprès* (1931), qui donnent plus d'ampleur à ses oraisons.

Une âpreté du XVe siècle travaille comme volcans les vers de Serge Barrault, né en 1887, le poète catholique du *Grand Portail des Morts* (1930), vision de la mort en même temps qu'arc-en-ciel de foi et d'espoir. Ce beau poème semblait annoncer une œuvre immense dont l'auteur a en effet établi les plans et qu'il a même commencé de bâtir. *La Terre, la Mer*, évoque la nature comme un pays en partie mystérieux où l'homme cherche son bonheur; l'horizon, au delà de la réalité, paraît promettre de satisfaire nos aspirations, ce *Désir des Collines éternelles* : tel est le titre général des six volumes prévus comme les chants d'une « Divine Comédie », mais limitée à la destinée humaine. Exceptionnelle ambition ! Serge Barrault, pour la réaliser, possède de grandes qualités; on lui souhaiterait toutefois pour sa forge verbale une enclume plus dure, des marteaux plus lourds. — Est-ce l'art valéryen qui égare René Fernandat (abbé Louis Genet, Dauphinois, né en 1884) sur les traces de Dante ? L'auteur gracieux de *La Forêt enchantée* (1927), fervent et presque heureux du *Royaume des Cieux* (1932), est aussi le sombre narrateur du *Voyage au Purgatoire*; ce discours de désolation, d'extase et de délivrance dénoue dans la bonté du Dieu chrétien le malheur d'Orphée et d'Eurydice, il sauve dans l'au-delà le destin passionnel de la terre; et ce sont encore des âmes du Purgatoire qui gravissent les pentes de *La Montagne mystique*. Beaux thèmes, grands desseins, insuffisamment réalisés ! — L'Oratorien Robert Tardiveau est entré bravement dans le lyrisme philosophique, entraînant après lui, avec *La Dispute des Créatures* (1938), une grande luxuriance d'images pour en couvrir le sommet d'abstruse abstraction vers lequel il s'élève.

Des jeunes poètes chrétiens, les plus intéressants inclinent vers une sagesse esthétique qui leur est imposée par la foi. C'est le cas de Pierre Emmanuel, bien qu'il oscille de la densité personnelle et symbolique de Jouve à la catholicité vaste de Claudel. Aurais-je dû le ranger parmi les révolutionnaires ? Je le range ici parce que *Tombeau d'Orphée*, *Le Poète et son Christ* et les poèmes suivants rejettent la poursuite préalable d'une forme et, soumis, déchiffrent des visions qui ont fondu sur leur être comme les foudres du ciel. — Luc Estang s'est élevé du *Mystère apprivoisé*, tableau d'une dure adolescence, à *Béatitudes*, orages et ciels lavés de la foi; dans ces poèmes comme dans son essai, *Le Passage du Seigneur*, il vise à introduire le plus de lucidité possible dans la confidence de ses illuminations. On en voudrait au roman, qui a séduit une fois déjà l'auteur, d'arrêter ou de détourner une recherche très inventive dont poèmes et essais me semblent être les meilleurs outils. — Jean Soulairol s'est dégagé de ses travaux de critique et d'histoire pour planter en classique assez valéryen ces cyprès de poésie entre lesquels monte *Le Cantique de l'Amour*, beau chant du couple chrétien, épithalame éperdu.

Des Belges demandent à rejoindre ces jeunes catholiques de France : Hugues Lecocq, qui a versé dans *Quinze Dévots Mystères* (1916) et dans *Septembre* (1919) la sensualité d'un Jammes belge et la mysticité de notre Marie Noël accordées et fondues à la flamme de sa croyance; le Flamand Camille Melloy, D.-J. d'Orbaix.

2. Bucoliques.

S'enchanter discrètement d'une vie simple, l'exprimer avec une frugale sincérité, c'est l'affaire des poètes bucoliques, c'est celle d'Auguste-Pierre Garnier, né en 1885, dans la Manche, d'où viennent presque tous ses chants. Il a réuni de nombreuses plaquettes parues depuis 1913 dans un volume de *Poésies* (1934); toutes célèbrent les eaux et les prairies, la maison des ancêtres et des petits enfants, l'époux et l'épouse. Au son d'une musique plus large et franche que la flûte de Segrais, Garnier donne un rare et agréable spectacle : la gentillesse familière atteignant les grandes lois de la vie au moment même où on lui voit son air le plus modeste, et les fruits du clos natal se faisant deviner sous le gonflement vernissé de ses vers succulents.

Jean Lebrau tient un peu sa manière de Jammes et d'Henry Bataille, lequel était de Moux (Aude) comme lui.

Il y est né dans l'automne de 1891. Sa poésie fait alterner le hale d'une rude sécheresse et les molles nuances de la Pyrénée, le cyprès qui pointe vers le ciel et l'oiseau qui le traverse d'une brève course aiguë, dans *La Voix de Là-bas* (1914), *Six Morceaux de Buis* (1918), *La Rumeur des Pins* (1926), *Montagne Noire* (1928), *Quand la Grappe mûrit* (1932). Chose curieuse, ces méditerranéens n'ont pas leurs pareils pour saisir l'atmosphère de Paris et de ses alentours : le Luxembourg, la Seine, Ville-d'Avray. Heureuse imagination ! Elle découvre une Hespéride dans la marchande d'oranges des quartiers populaires...

Louis Pize, habitant du Vivarais — né à Bourg-Saint-Andréol en 1892 — appartient aussi au groupe des poètes qui chantent des thèmes peu variés dans leur fond, mais formant entre eux des combinaisons infinies, toujours harmonieuses : paysages, souvenirs, émotions, pensées. Ses recueils, *Les Pins et les Cyprès* (1921), *Les Muses champêtres* (1925), *Chansons du Pigeonnier* (1928), *Les Feux de Septembre* (1931), *Sur les Routes du Soir* (1945), dégagent tous la robuste et grave mélancolie d'élégiaque latin à prédominance rustique. Avec cela, il est chrétien et catholique : son art s'épanouit volontiers en prière.

3. Élégiaques.

Trois malades : Garnier, Dérieux, Rey. Le premier s'est tué, le mal de poitrine a emporté les deux autres.

L'œuvre de Georges-Louis Garnier (1880-1944) compte deux recueils : *La Grêve du Sang* (1924), *Le Songe dépouillé* (1931). Le premier avoue un mal physique inexorable qui tire son tragique d'espoirs suivis de rechutes et qui inspire à sa victime l'amour de la vie en proportion de ce qu'il lui retire de force à vivre. Le second donne des coups au cœur. Les vers d'Henry Dérieux (1892-1943), disciple direct d'Henri de Régnier, ont eu longtemps les fragilités de l'élégance, dans *Le Regard derrière l'Épaule* (1912), dans l'*Élégie aux Saisons* (1927). La maladie donna plus de poids et de sonorité au poète du *Regard sur le Monde* (1934). Son recueil capital, *Face à Face* (avec le péril de la mort), est de 1935 : cris d'amour perdu, obsessions déchirantes et haïes, éblouissements d'étés dans la mémoire, violents espoirs d'une consoation dans l'éternité. — Maurice Rey s'enfonçait dans les olitudes du rêve et du renoncement avec *Mélancolies passionées* (1928), *Escales* (1936) et *Musiques dans la Nuit*, ce dernier ecueil paru en 1937, deux mois avant la mort du poète.

Mortes aussi Amélie Murat, poétesse embrasée et désespéée du *Chant de la Vie* (1935) et Catherine Pozzi qui, dans ses *Poèmes* posthumes, si douloureux, fait penser à une Louise abé ascétique.

Revenons aux vivants de l'élégie. Voici d'abord les vivantes.

Mme Violette Rieder atteint autant par nature que par discipline à l'expression la plus dense. Entre son premier recueil le 1926, *Les Rythmes du Silence*, et son récent, *Le Secret des Vergers*, les autres portent des titres comme *Départs*, qui est nostalgique, et *Ciels*, qui est éperdu. Elle consent à voir la destinée sous l'aspect de visages humains, et elle publie alors, en 1934, *Fiancées*. Certes, elle croit davantage à la réaité des ouragans et des nuées, des obscures forêts, des fleuves par où se délivrent les cités, des ports au sommeil inquiétant. Surtout les arbres lui parlent en secret de leur beauté mêlée aux astres. Mais le drame humain n'y perd rien. Violette Rieder, bacchante authentique, a beau dépasser l'amour : usque dans la beauté des choses à étreindre, la possession se révèle impossible, et c'est d'avoir frôlé ce néant mystérieux que les musiques de ses poèmes font tressaillir. — Une absence éternelle fait passer l'ombre de son nuage invisible sur les grains dorés des *Grappes* cueillies par Mme George-Day, âme chaude qui engendre chaque jour son Dieu. Quel Dieu ? Un grand rêve d'amour, l'évasion hors de soi. Mais la prison terrestre la tient bien, et la désolation du monde voué à la mort l'y rejoint. Vivre, vivre ! fût-ce en damnée... O souvenirs de *Rhapsodies* (1927 et 1934) et de l'*Arche d'Amour* (1942). Romancière et historien d'art, George-Day cherche réconfort dans la poésie, sa vraie foi mais douloureuse. — La comtesse de Noailles se continue en Marie Cossa. Le mélange de la personne humaine à la nature, de notre attention douloureuse à la durée des étés : voilà de quoi Marie Cossa a nourri les poèmes d'*Arpèges* en vers libres, puis ceux d'*Accords*, soumis aux lois. Elle sait mesurer l'exacte découpure des feuilles d'arbres aussi bien que le manège des saisons. — Gilbert Mauge, pseudonyme de la duchesse de La Rochefoucauld, écrivain poignant de *La Merveille de la Mort*, a dessiné une évolution semblable à celle-là pour la forme de ses poèmes; le bénéfice de la contrainte se fait intensément sentir dans *Concert* (1937), en accord avec la substance d'une poésie de la conscience, de la pensée et du rêve.

Le poète du *Rosaire d'Amour* (1920) et du *Cercle Magique* (1931), Noël Ruet, enfant gâté de Liége, disperse sa tendresse dans une nature qui l'enivre. Qu'il ait ici la compagnie de ses compatriotes Yvonne Herman-Gilson et Hélène-H. Dubois, singulièrement vivantes. — René Georgin, l'auteur d'un livre exhaustif sur Moréas, a fait choix d'une riche métrique pour nous faire partager la vie d'une nature symboliquement orchestrée dans *L'Ame du Fleuve* (1913), avant de nous confier de personnelles et pénétrantes *Emotions* sous le pseudonyme de Michel Dacy (1920). — Adolphe Métérié, né en 1887 à Amiens, de famille gasconne, a élevé dans *Le Livre des Sœurs* (1923), *Le Cahier Noir* (1924) et *Nocturnes* (1928), la longue plainte d'un solitaire né pour chanter comme Verlaine, mais si délicat qu'il s'affaisse sous les deuils de la vie, sous les chocs d'une société insolente. Alors, entr'ouvrant la porte des songes, il s'évade à la recherche de belles disparues, femmes ou chimères, qui lui semblaient fraternelles. — Un amour d'humanité généreuse s'élance des *Poèmes de Tendresse* (1920) et du *Livre de l'Immortelle Amie* (1924), ce double hosanna un peu étouffé d'Ernest Prévost, né en 1872 à Beaumont (Seine-et-Marne). — A. Pourtal de Ladevèze relève de fière romanité nimoise une harmonie de type harmonieusement traditionnel. Le recueil qui le recommande le mieux est *Jeu* (1929), où une forme presque secrètement mallarméenne porte au comble la volonté méditative qui dirige son inspiration et ennoblit sa douleur. — La mosaïque de réminiscences dont Gilbert Charles composa *Les Signes de la Nuit* (1934), le concert de graves pensées dirigé par Pierre Boyé, l'anxiété intellectuelle de Tristan L'Amoureux, la richesse sentimentale et douloureuse, mais pudique, de Paul Jamati (*Poèmes*, 1936) achèvent un lignage.

4. Lyriques divers.

Léon Deubel vivant semblait ne s'être pas réalisé. Trop romantiquement orgueilleux pour s'adapter à la vie sociale, la misère l'accula au suicide, et ce sont ses amis qui ont rassemblé les vers de *Régner* (1913), qui sortaient peu de l'ornière. Mais dans les *Œuvres* publiées en 1929, certains poèmes révèlent que peu à peu une personnalité s'était fait jour à travers les réminiscences symbolistes et parnassiennes; l'alternance du défi et de la détresse dans un entêtement de chimère invincible trouvait plus d'une fois son vrai rythme. C'est ainsi que Deubel, malheureux enfant de Belfort (1879-1913), mérite sa réputation posthume.

Marcel Martinet (1887-1943), poète de la révolte et de la violence prophétique dans *Les Temps maudits* (1917), n'avait pas rejeté tout amour ni même tout espoir; ses *Chants du Passager* (1934) le situent pour l'inspiration entre Romain Rolland et André Spire. — Maurice Chevrier, né Cremnitz et de sang hongrois, fleureta avec la Fantaisie, mais son chef-d'œuvre restera la tragique suite des « Stances de la Légion Étrangère ». — Raymond Schwab est essentiellement poète d'inspiration, même en plusieurs livres de prose : car pleine d'âme est la monographie qu'il a consacrée à Nancy, ville de sa naissance en 1884, et écrivant *Mangeatte* (1914), joli roman de la petite héroïne lorraine, il a dessiné une figure de vitrail, au premier plan des horreurs de guerre et de destruction. Plus tard, il a truffé de fragments poétiques le roman d'un intellectuel inventé mais prétendu réel, *Mathias Crismant* (1925), et quelques beaux vers annonçaient *Nemrod* (1932), torrent de lyrisme tendu et difficile, fleuve de sentiments pensés. Une révolte roule dans ses flots, celle de l'espèce humaine que tout limite, vie et mort, monde et individu. *Les Tablettes de Mathias*, *Quelques Chants pour une Enfant d'Aujourd'hui* (1938) iront jusqu'à maudire notre temps, où l'homme s'affranchit de la civilisation qu'avaient faite ses grands morts. La forme de Schwab, parfois prosaïque, reste toujours élevée. — Marcel Sauvage, le poète brisé, écorché dans la bataille de 1918, excelle à déployer une voie lactée de sensations neuves dans l'espace ouvert par quelque thème capital, amour de l'amour, férocité inutile de la guerre, angoisse sur l'Europe. La réussite est moindre pour les impressions trop furtives de son pittoresque fantaisiste. Aux petites chansons de ce poète il faut de grands prétextes.

François Porché (1877-1934), Charentais de Cognac, sait dire à la suite de Baudelaire l'anxiété camouflée des villes.

Mais son inspiration eut grande diversité. S'il fut poète de la guerre, il a demandé ses meilleures chances, je crois, à une poésie de confidence à la fois tendre et noble dans l'amitié, fière et osée dans l'amour. La grande délicatesse de goût qui caractérise *Les Dessous du Masque* (1914), *Sonates* (1923), *Vers* (1934) compense une technique trop lâchée.

André Payer mit en vers ses amours, c'est-à-dire des ciels, des maisons au soleil couchant, des fontaines et des jets d'eau. Ceux-ci ont prolongé leur danse dans ses rythmes, fixé les perles de leur lumière au bout de ses alexandrins. *Petits Ciels* (1933) semblent cependant avoir gardé l'avantage sur *La Parabole du Jet d'Eau* (1934); le titre exact en serait : « Paris, ses splendeurs, son charme et ses jeunes femmes ». — Paul Leclère est riche d'amour. Ses recueils, de *Amante des Fontaines* (1923) à *Et pourtant aimez-moi* (1938), sont d'une diversité incroyable. Ce poète se plaît aux jeux de l'angoisse avec l'ironie, rompus soudain par un vers qui bondit de désir. Ou bien il berce toute chose dans l'harmonie, avec une pointe de préciosité quand il s'agit de fixer des nuances. Ne serait-il pas le seul des poètes vivants à répondre encore aux rires inquiets de Toulet ? Ma préférence va — en suis-je sûr ? — à *La Page tourne* (1947) où, sous le masque des écrivains contemporains les plus notoires qu'il fait parler tour à tour, il évoque d'un trait intelligent presque toutes les grandes attitudes de la vie. — Sully-Louis Peyre, le fondateur et directeur de la revue languedocienne « *Marsyas* », a réuni dans *Choix* (1929) des poèmes qui profitent de toutes les ressources de notre forme traditionnelle, en la nuançant toutefois d'influence anglaise. Ils sont consacrés aux sujets éternels sentis par son cœur vigoureux. Mais pourquoi tant d'emprunts au vocabulaire latino-provençal ? Et le grand poème d'*Hercule* travaille dans l'ennui. — Baudelairien passé par Rodenbach, Emmanuel Aegerter vivait dans le monde des livres; on doute qu'il ait senti directement quand on l'entend, dans *Le Voilier aux Diamants* (1935), parler de Cahors comme Rodenbach parlait des canaux de son pays. — André Blanchard, dans *Les Figures et les Songes* (1938), rehausse le lyrisme septentrional d'une fierté humaine à l'égard de l'univers, qu'il a le courage d'appeler « une noble méprise ». Son goût des mètres rares, son faible pour le vers de onze pieds et pour celui de treize, révèlent un outillage choisi qui lui fournissait l'étrangeté nécessaire du ton. Ses plus récents recueils donnent l'impression d'une candidature au lyrisme de la connaissance, mais par d'autres attitudes que Valéry, car Blanchard n'a pas rompu ses liens avec Moréas. — Noël Jeandet (devenu André Bellivier) prolonge la lignée de Mallarmé avec une intention de rigueur classique dans *La Nuit inclinée*, dans *Atys*. — Jean Hytier, l'historien philosophe du *Roman de l'Individu* (1928), le poète de *La Cinquième Saison* (1934), est surtout un rhétoricien de l'expression poétique. Il s'est instruit chez Mallarmé et Valéry. — Paul Dresse, le poète belge de *Ternaires*, s'est apparenté à Moréas surtout par la dignité du sentiment et la volonté de pureté formelle. Son compatriote Mélot du Dy est un symboliste agréablement classicisé dans *A l'Amie endormie* (1935) et *Signes de Vie* (1936). On a le droit de lui préférer Marcel Thiry (né en 1897), le nostalgique de *Plongeantes Proues* (1925), le moderne angoissé de *Marchands* (1936).

Jean Loisy, qui est romancier et homme de théâtre, a groupé dans un assez grand nombre de *Suites*, *Odes*, *Stances* et *Hymnes* (depuis 1936), des voluptés pensées, des amours jugées et quelques larges méditations à travers lesquelles court une veine satirique. C'est un poète psychologue; il assemble tous les éléments des émotions, des sentiments, avec une netteté d'analyse qui en fait exactement le tour : au point quelquefois qu'un peu de froideur entre dans ses vers, où l'intelligence isole et sépare; en revanche, elle lui fait dominer les choses. Loisy a célébré l'amour, son objet essentiel et central, avec beaucoup de force ardente et, par moment, indécente, mais jamais sans au-delà métaphysiques. Il est également poète-citoyen, il a entendu la terrible interrogation posée à l'homme occidental. Malgré cette envergure des ailes, le vol est d'une brièveté nette, un peu dure, avec une sorte d'immobilité, doucement frémissante.

Je finirai avec les descendants de Jean-Baptiste Rousseau et de Malherbe.

La retraite vivaroise que Charles Forot appela « Le Pigeonnier » et dont le nom lui a servi de firme pour ses éditions, ne cachait aucun égoïsme ni aucun renoncement. Non seulement Forot a édité des poètes de son goût (de Pize à Chabaneix), mais son *Almanach vivarois* a glorifié pendant dix années la vieille province où il naquit en 1890. Enfin, poète lui-même, il a regardé de là-bas, comme dans une lanterne magique, tourner l'univers. L'appel orphique sonne dans ses *Odes* (1932) pour célébrer les nymphes, les saisons, les génies de la vie; il chante aussi dans des poèmes plus modestes, *Charmes des Jours* (1935), les amours, les espoirs et les deuils. — L'auteur de *Polymnie* (1921) et du *Chant pour les Morts et les Vivants* (1929), Jacques Reynaud, né en 1894, embrasse les cadences d'il y a deux ou trois siècles avec un esprit de latinité. *Les Métamorphoses* (1946) réunissent l'ensemble de son œuvre; c'est un large et somptueux domaine. Le poète y a rassemblé des marbres antiques, et il nous émeut quand il les retaille en figures du christianisme. — Ode aussi, l'*Inde Irae* de Jean-Marc d'Anthoine (1945). L'auteur d'*Au clair d'Hellas* (1938) et du *Drame de l'Homme* (1946) a la pensée sévère, quoique imprégnée de charité mâle et noble. Il la fait curieusement s'enrouler dans des rythmes de tour embarrassé, telle une cape trop ample qui drape un corps fier.

5. VIRTUOSES DE LA PERFECTION MENUE.

Certains élégiaques semblent avoir trouvé le secret d'une brièveté essentielle en même temps que pleine, juteuse et chargée soit de volupté, soit de signification. Quand il y a volupté, elle est roucoulée et pourtant vigoureuse; les douces et caressantes sonorités roulent comme le cou de la colombe. C'est le cas de Philippe Chabaneix. Il lui a peut-être été bon, comme un signe des dieux, de naître sur un bateau entre la mer et les étoiles, son père, médecin colonial, rejoignant la Nouvelle-Calédonie en mai 1898. Ses père et mère, Marie et Jacques Nervat en littérature, furent les auteurs de *Célina Landrot* (1904), roman de mœurs néo-calédoniennes, et de *Rêves unis*, poèmes de folle élégie. Dans le ciel de la poésie, Chabaneix fait passer de beaux oiseaux clairs et harmonieux. C'est un poète diablement amoureux. Au temps des *Tendres Amies* (1922) et du *Bouquet d'Ophélie* (1925), on se scandalisa de voir l'objet changer trop souvent, ce qui semblait écarter l'espoir d'une grande vague d'émotion. Si *Poésie* (1932) offrait des perles, on avait peur qu'elles ne fussent que rosée éphémère. Mais la tendresse est venue et même la douleur, avec elles le temps d'aveux plus secrets. Chabaneix a déroulé avec *Comme le Feu* (1935) sa plus belle suite de stances. Elles offrent de grands vers comme des sillages et s'enfoncent profondément à la poursuite des chimères et de l'absolu.

Une jeune femme lui fait écho, Claude Fourcade, moins lyrique et moins parfaite, mais plus psychologue. Elle évoque des êtres et des destins qu'elle a devinés, pénétrés, et dont elle sait la blessure sœur de la sienne.

André Castagnou (1889-1942), témoin d'une France poétique qui se retournait vers les danses et musiques de son passé le plus exquis, a réinventé une Ile-de-France de rêve; en Ariel d'aujourd'hui, il usa des plus fragiles échelles de l'analogie; les rythmes libérés et désinvoltes des *Quatre Saisons* (1923) rejoignent, à force de délicat bonheur, les mètres traditionnels sur la mesure desquels ils raffinent.

Parmi ces poètes dont la caractéristique est de faire subir à l'émotion de longs stages de maturation et d'affinement dans l'esprit, Robert Houdelot n'est pas le moins doué ni le moins appliqué. Il a chanté *Le Temps perdu* (1937), après sa *Fugue un peu triste* (1934). Tristesse bien fondée. Peu de poètes ont marié plus cruellement l'amour et la mort; mais ce mariage lui inspire, même quand la mort n'est qu'absence, des gémissements dont les plus mélodieux s'entendent dans *Toi qui dormais entre mes Bras*.

Mais y a-t-il, en fait de brève perfection, essai plus hardi que le haï-kaï ? Cette forme classique, créée par le Japon au XVIIe siècle, compte trois vers au plus, dix-sept syllabes généralement : îlot de mots perdu dans le silence. P.-L. Couchoud l'introduisit chez nous au début de ce siècle-ci. Un groupe de haïjins se forma autour de Julien Vocance lorsque il se fut servi de ce mètre pour fixer ses visions de guerre. Jean Paulhan en a fait partie, Anatole France s'y est intéressé. A vrai dire, les Occidentaux en prennent à leur aise, et Vocance, dans son *Livre des Haï-Kaï* (1937), va jusqu'à ne plus s'astreindre à la coupe 5-7-5. Il ne se refuse même pas d'enfiler plusieurs tercets sur un même thème. Son charmant livre n'en bruit d'ailleurs que mieux d'émotions menues, de drôleries, de pathétique et d'esprit. Vocance est le maître du haï-kaï français, bien que sa verve résonne avec plus d'abondance et d'ampleur dans les amours, jeux et moralités du *Héron huppé* (1939). Et ne prépare-t-il pas une *Symphonie héroïque* ?

Emmanuel Lochac ayant lui-même composé tout un livre

de haï-kaï, *L'Oiseau sur la Pyramide* (1924), a fini par trouver encore trop longues ces mesures et les a abrégées des deux tiers. Il cultive le vers unique, et ses *Monostiches* (1936) sont bien nommés.

6. Hors de France.

Le Canada, sur ses sept millions d'habitants, en compte plus de deux millions qui restent attachés à la langue française et fiers de leur culture française. Voici à peu près cent ans qu'ils ont commencé de l'illustrer par des œuvres. Je nommerai beaucoup plus loin les historiens et les critiques contemporains. Je vais nommer ici les poètes qui maintiennent la tradition fondée par Crémazie et Fréchette, continuée par Charles Gill (1871-1918), Jean Charbonneau (né en 1875), Albert Ferland (né en 1872).

Albert Lozeau (1878-1924) fut un élégiaque instruit par Sully Prudhomme dans *Le Miroir des Jours* (1912), dans *Lauriers et Feuilles d'Érable* (1916). Émile Nelligan, trouble, désespéré, sombra dans la folie, mais son œuvre contient des poèmes très humains où il y a du grandiose. Blanche Lamontagne est une fidèle régionaliste; *Par nos Champs et par nos Sèves* (1917), *La Vieille Maison* (1920) émeuvent les Français. Il y a un naturel fervent chez Paul Morin, l'auteur des *Poèmes de Cendre et d'Or* (1922). Ces poètes sont demeurés plus ou moins sous la domination de notre Parnasse. L'influence symboliste est cependant apparue avec Marcel Dugas, qui la représente non sans grâce en prose et en vers. A côté des poèmes savants de René Chopin (*Le Cœur en Exil*), des poèmes cérébraux d'Alphonse Beauregard (*Forges*), ceux de Jean-Albert Loranger ouvrent une brèche pour l'unanimisme. Louis Dantin, Désilets, entretiennent dignement le culte de notre langage.

C'est tout récemment que le Canada littéraire a conquis l'indépendance complète de son inspiration. Deux grands noms dominent la poésie d'aujourd'hui : Saint-Denys Garneau (1912-1943), qui a gardé jusqu'au bout la fraîcheur de l'enfance (qu'on lise *Regards et Jeux dans l'Espace*) ; Alain Grandbois, son cadet, le chantre cosmique des *Iles de la Nuit*. Rina Lasnier, qui joint une mystique ardente à la passion de la nature dans *Images et Proses*, *Le Chemin de la Montée*; Anne Hébert, qui dit le doux bonheur de vivre dans les *Songes en Équilibre*; d'autres poétesses, Simone Routier, Cécile Chabot, Marie-Anne Fortin, et des poètes comme François Hertel et ses *Feuilles des Saints*, Pierre Baillargeon et les concerts de *Commerce*, prouvent que la poésie canadienne a dépassé le stade de l'imitation.

Pour l'Europe, la part de la Belgique a été faite dans notre premier volume, elle se complète dans le présent chapitre à propos de tel ou tel poète mêlé aux Français. Cependant j'ajouterai encore que la France aura bientôt à connaître plusieurs jeunes poètes belges, assez dans la tradition de cette Liégeoise Élise Champagne qui figure dans notre tome premier, et qui a continué sa production « vildracienne » autant que « pèlerine » dans le *Service de Cristal* (1934), *La Cité des Ombres* (1935). Mais ils sont plus qu'elle marqués d'un certain fantaisisme courageux. Ce sont Maurice Carême, à l'émotion abrupte (*Chansons pour Caprice*, 1930; *Mère*, 1935); Roger Bodart dont *L'Office des Ténèbres* (1937) montre de la santé lyrique, un essor pathétique; Pierre Elstir, qui n'a publié jusqu'ici qu'en revues les vers où l'odeur fraîche de la mer ou de l'Escaut se mêle aux nostalgies du terroir; Jacques Soenens, qui exprime dans les rythmes purs de *Quatre Cailloux jetés dans la Mer* (1937) et de *Couleur de ces Jours* (1947) une âme, bien que laforguienne, tellement de sa patrie belge !

Quant aux Suisses, parmi leurs poètes, nommés au cours de « L'évolution poétique » de notre autre tome, ils se gardent d'oublier les chansons de Ramuz, ce grand prosateur qui est le poète savoureux du *Chant des Pays du Rhône*.

Enfin le Luxembourg aussi produit sa poésie française. Il a eu sa période d'inspiration parnassienne, marquée à ses deux extrémités par les noms de Charles Kayser (mort en 1887) et de Marcel de Noppeney qui publiait en 1908 son recueil *De Myrrhe, d'Encens et d'Or*. Après quoi se forma un néo-symbolisme. C'est de Verhaeren que sont partis en droite ligne *Les Seuils noirs* (1918) et *La Pourpre sur les Crassiers* (1931), de Paul Palgen, dans les mêmes années où le roman, dont le grand nom est Willy Gilson, obéissait à un art plus évolué et richement composite.

Voilà pour nos voisins. Mais dans le monde entier, des poètes écrivent en français. Autant qu'au Canada, en Amérique du Sud. Qu'ils soient représentés ici par l'Argentin José Maria Cantilo, diplomate en Europe pendant de longues années, mais Parisien dans sa jeunesse et qui a été de toutes les initiatives en l'honneur de la France au cours de la dernière guerre. Romancier dans sa langue, il a chanté dans la nôtre les *Jardins de France*, en même temps que la mer, la pampa et les femmes, avec un accent de tendresse et de mélancolie extrêmement humaines.

7. Le sort de la Muse du Terroir.

Toute cette poésie française de l'étranger dessine une courbe, elle évolue vers le lyrisme le plus général. Et l'on constate une évolution parallèle chez nous, quand on pense aux poètes amoureux de leur région natale.

Leur dernière grande voix s'est tue, celle de Gandilhon Gens d'Armes. Celui-là s'était fait pendant trente années un rassembleur régionaliste, et le livre des *Poèmes arvernes* servit de phare rayonnant sur la France en proportion même de son enfoncement dans le terroir.

Et pourtant aura-t-il formé un successeur ? De plus en plus, les poètes s'éloignent de la petite patrie, même chérie, pour chercher leurs aises sous toute la calotte des cieux. Un Pierre Jalabert, par exemple, a recueilli des légendes de Provence et de Languedoc, a remporté des couronnes aux Jeux Floraux. Maintenant qu'il a mûri, il chante en vers symphoniques *La Vie enthousiaste*, vide *La Coupe d'Ambroisie*, entonne dans *La Divine Psyché* l'hymne de reconnaissance au créateur des beautés de ce monde.

Non, les heures de la poésie ne sonnent plus au clocher.

IV

HUMANISTES SAVANTS

On ne saurait dire que Paul Valéry ait influencé les derniers humanistes dont la production se trouve à peu près contemporaine de la sienne. Mais ses réflexions critiques aussi bien que ses réussites de créateur leur ont au moins servi de caution, parce que Valéry descend de Mallarmé et que cette descendance légitime son classicisme aux yeux de tout moderne. Eux-mêmes d'ailleurs se distinguent des traditionalistes, si même ils ne s'opposent à eux, par une réfection énergique de leur appareil à syllabes, de leur solfège incantatoire.

I. — *UN CHŒUR MÉRIDIONAL*

Entre les deux familles, voici quatre poètes qui feront transition.

La poésie de François-Paul Alibert est de terroir plus qu'on ne le croirait d'abord. Le poète n'est pas né pour rien à Carcassonne, le 15 mars 1873. En lui se prolonge la pleine mélancolie de certaines solitudes d'extrêmes Cévennes. Mais il chante les thèmes éternels de l'amour et de la mort, et son chant, nourri de la terre natale, monte dans le ciel humain de la pensée. C'est un chant parfaitement païen. Alibert voudrait assurer à l'âme de grands bonheurs, et il s'y efforce dans les limites d'une sagesse fondée sur deux principes : d'une part, ne pas consentir à mutiler l'être, c'est-à-dire ne reconnaître de véritable satisfaction même très haute qui ne soit de l'âme et du corps tout ensemble; d'autre part, maintenir le sens général d'une hiérarchie. De cette double ambition il a tiré son programme d'existence, qui est d'assurer au Moi l'aisance parfaite à sentir et à penser, et son programme d'art qui vise à décanter des passions lourdes et fortes. Cette philosophie, avant de s'exprimer en propos discursifs dans des ouvrages de voyageur et d'esthéticien écrits en prose, *Dissonances* (1935) et *Le Collier d'Aiguilles de Pin* (1936), a inspiré les recueils de vers, *Le Buisson ardent* (1912), *Les Odes* (1922), où la plénitude charnue de Chénier a donné rendez-vous aux aspects les plus accessibles et les plus élégants de Mallarmé. Ces poèmes ont malheureusement un défaut constant : leur fontaine coule sans que rien puisse l'arrêter ou la graduer. Alibert en a pris conscience et, traitant le mal par la base, a taillé dans les genres pour n'en plus garder que le plus bref et le plus concis; il a donc versé dans les coupes d'*Épigrammes* (1932) et de *Nouvelles Épigrammes* (1937) le jus pressé d'une expérience de douleur méditée, où sa propre activité intérieure retrouve celle des maîtres latins : il avait publié en 1923 des *Élégies romaines*.

« Tous mes aïeux sont hellènes ! » disait orgueilleusement Fernand Mazade. Quoique auteur de l'*Élégie italienne*, ce Languedocien né à Anduze (1863-1938), mais de souche provençale, semblait en effet ne devoir jamais aimer que sveltesse attique; *Athéna* (1912), *Dionysos et les Nymphes* (1913) embaumaient comme des collines de Grande Grèce et de Sicile. Néanmoins le lyrisme de notre âge a quelquefois amené Mazade sur le versant celtique et gaulois. Puis est venue la saison de la poésie intime : les *Cahiers des Amours* (1934-1937) disent assez familièrement les fiançailles du cœur avec la chimère, le rêve cherchant un autre rêve, les présences invisibles de Mélusine, d'Yseult, d'Ophélie. Enfin le poète n'a pas voulu quitter la lumière du jour sans avoir fait pétarader l'*Intermède fantasque*; ce fut le bouquet du feu d'artifice que ce méridional brillant, facile, cocasse et tendre a tiré chaque soir de son existence pour se donner l'illusion de vivre parmi les astres.

Charles Derennes, Gascon déraciné (1888-1930), a entretenu la tradition des grands vers alexandrins avec une certaine mollesse d'humaniste las, dans *La Chanson des deux Jeunes Filles* (1918), *Le Livre d'Annie* (1918), *La Fontaine Jouvence* (1923) et *La Matinée du Faune* (1926). Poète du bonheur qui n'est pas heureux, il restera l'auteur de *Perséphone* (1920), large élégie du souvenir et de ce rêve qui éternise les amantes. —

Xavier de Magallon (né en 1866) a l'éloquence majestueuse et la sonorité un peu grasse de ses compatriotes phocéens. Sa meilleure œuvre, *Le Livre des Ombres* (1935), est nourrie d'une douleur qui maintient les morts auprès des vivants comme les mânes antiques.

II. — *LES GALLICANS*

La joyeuse Bourgogne (où il naquit en 1879), Paris et le bon langage d'autrefois s'étaient partagé l'André Mary des *Forêteries* (1910) et du *Cantique de la Seine* (1910), cette « Seine au flot courtois ». Mais certaines platitudes et hypocrisies de la vie française dans l'entre-deux-guerres ont soulevé de révoltes cette âme bien née, cet esprit fier, et il a confié ses sarcasmes au style le plus crânement verrouillé. Les fureurs satiriques du *Doctrinal des Preux* (1919) et des *Rondeaux* (1924) n'ont d'ailleurs pas empêché Mary de muser dans la nature et de descendre en lui-même; il amassait lentement pour *Le Livre nocturne* (1935) les plaintes d'une amertume abondamment et hautement motivée.

Parallèlement, Mary cherchait un langage plus éloigné que jamais « du négoce et de la politique », un langage tout à fait hors de prose, un « haut français » décisif, et il le trouvai dans les ressources du terroir gaulois, dans le trésor des mots et des tours provinciaux du meilleur Moyen Age : son savoir philologique est grand; parfait, son goût de connaisseur pour le style de l'ancienne France; n'a-t-il pas fait passer très ingénieusement en français moderne les récits romanesques de Béroul, de Chrétien de Troyes, de Jean Renart ? Naturellement, il profita de sa petite révolution pour redonner du sang et des nerfs à la ballade, au rondeau. Et c'en fut assez pour qu'une nouvelle école fît sentir son besoin. Mary est donc le maître de l'École gallicane, il en a publié les principes en tête de *Poèmes* (1928). Ah ! faisons-en l'aveu, il s'agit d'archaïsme. *Rimes et Bacchanales* (1942) s'accompagnent d'un glossaire : on ne le trouvera pas de trop, et beaucoup verront dans cette nécessité la condamnation de la romanité nouvelle. Par bonheur, l'archaïsme n'est pas seulement de mots, il est aussi de mouvement : combien bref et preste ! Cette allégresse physique est ce qu'on pouvait le plus regretter de l'héritage des aïeux : notre contemporain nous la rend, c'est une aubaine. Au reste, sous tous ses avatars, la poésie de Mary est originale. A travers splendeurs et tristesses de la vie, belles amitiés et bonnes haines, charmes de la nature et traîtrises du monde, toujours se retrouve la mélancolie, cette compagne, et elle nous entre dans le cœur à une allure toute neuve.

François Pradelle a publié en disciple de ce maître *Le Dit du Grand Pin* (1936), charmant par le tableau qu'il esquisse de son pays blézois et de sa famille, imprévu et effarant par le métier poétique de ses quarante-quatre strophes qui comptent 12, 13, 14 ou 15 vers. Pradelle est le Baïf du nouveau Ronsard, comme Henri Courmont en est le Belleau. Certes, ce n'est pas Du Bellay que nous reconnaîtrons en André Berry ! Mais on se demande pourquoi l'École gallicane ne s'est pas ouverte à Fernand Fleuret. Une verve chaude, un langage drolatique et truculent faisaient deviner sa Normandie (1884-1943). Sans doute sa poésie restait-elle trop prisonnière des premières années du XVIIe siècle et des dernières du XVIe ? L'honnête satire contre la presse et l'Académie, *Falourdin* (1916), et les *Épîtres plaisantes* sur l'actualité mouvante et diverse rejoignent les *Friperies* du jeune âge dans un air commun de pastiche. Évidemment Fleuret est un poète de bibliothèque. Il a mis en prose d'excellente tenue, il aurait pu mettre en vers *Les Derniers Plaisirs* (de don Juan), *Jim Click* (amours de Lady Hamilton et de Nelson, 1930), ainsi que la légende de *La Bienheureuse Raton*, fille de joie (1927). *La Boîte à Perruque*, un de ses derniers livres, rassemble un bilan d'amitié, grâce à de fidèles souvenirs sur le groupe de la fantaisie apollinarienne auquel ont appartenu des écrivains comme Salmon, Jacob, Mary, des peintres comme Dufy, Friesz et le douanier Rousseau. De tous, c'est peut-être lui qui avait le plus de savoir, lui certainement qui était le plus vieille-France, remontant au delà de Malherbe comme ce sieur Louvigné du Dézert qu'il a spirituellement inventé. Mais il se montre aussi moderne que les autres dans la gaîté et la belle humeur.

Gallican comme Mary, mais plus facile dans l'archaïsme, aussi plus rapide dans la démarche, le Gascon André Berry, né en 1902 à Bordeaux, érudit en littérature d'oc, auteur d'un *Florilège des Troubadours*, romancier aussi, romancier fantaisiste de ses amours et de sa lignée qu'il fait remonter à Pic de la Mirandole et jusqu'à l'empereur Constantin, est surtout le rénovateur du *Lai*. Qu'on ne prenne d'ailleurs pas ce mot au pied de sa lettre moyenâgeuse. Pour Berry, c'est une suite de strophes narratives alternant avec des ballades sur le même thème, écrites en octosyllabes et décasyllabes. Ce système aide une exubérance de race à mettre en cordial lyrisme une bohème mouvementée. Car le poète a parcouru l'Europe à pied, sur roues et à voiles; il a fait cent rencontres romanesques, noué mainte amitié et consommé combien d'amours ? Les *Lais de Gascogne et d'Artois* (1925) content la petite enfance et disent l'amour maternel; *Chantefable de Muriel et d'Alain* (1930), l'adolescence amoureuse; *La Corbeille de Ghislaine* (1932) un beau mariage; *Le Congé de Jeunesse* (1935), souvenirs, regrets, regards dirigés vers la mort et jusqu'à la consolation paradisiaque. Tous affermissent d'un art modérément gallican leur modernité résolue. Mais on se plaint que l'auteur n'évite pas toujours le ton de la complainte et aussi que, sous prétexte de belle humeur et de robustesse gaillarde, il se réduise à l'expression de sentiments sommaires et d'émotions fondamentales. La longueur excessive d'une sorte d'épopée agreste versifiée en mètres légers, *Les Esprits de Garonne* (1942), qui compte quinze mille vers, hisse ces défauts sur le pavois. Il reste que la poésie contemporaine ne connaît rien de plus fier, rien de plus gentil, et que le parfum des provinces ne pénètre à ce point aucun autre embarquement pour Cythère. On comprend que Berry se soit essayé dans le roman picaresque, il est le Le Sage très modernisé du *Puceau vagabond* (1947). Oh ! qu'il nous donne plutôt d'autres rondeaux, odes et sonnets du même troussé que ceux de *La Course entre deux Ports* !

III. — *CONSTRUCTEURS DU VERBE*

Parmi les poètes qui se sont désespérés de la démarche pédestre de notre poésie et qui ont cherché un Pégase à dresser, ou plus exactement qui ont essayé de construire un balcon de prosodie et de style au-dessus du vulgaire, quelques-uns ont rejeté tout appareil que l'érudition aurait compromis. Toutefois leur a plu l'emploi rajeuni d'une mythologie.

Le poète du synoptisme polyplan (1), Nicolas Beauduin,

(1) Cf. tome I, pp. 557-558.

quand la guerre faite dans l'infanterie l'eut submergé d'horreur : — Voilà donc, se dit-il, à quoi aboutit le matérialisme de l'époque ? ... La retraite que l'après-guerre lui ménagea dans le calme de la ville d'Amiens, son berceau, acheva de l'arracher au siècle pour l'amener à rejoindre l'Homme. Il relut les grands Grecs et les grands Français; il vécut profondément avec lui-même; et lorsqu'il rentra à Paris, il y apportait des poèmes nés de cette renaissance intérieure et qui devaient composer le recueil des *Dieux Cygnes* (1935), où la mythologie ne sert qu'à mieux prendre toutes choses dans les plus dures serres de l'esprit. Ensuite *Mare Nostrum* (1936) a ressuscité de glorieuses époques, surtout les grands exemples de la Méditerranée classique, avant que *Santa Venezia* (1937) ne célébrât l'oasis de songerie et d'amour, l'union extasiée de la femme et de la cité.

Beauduin ne se montre pas moins personnel dans cette poésie humaniste qu'il ne l'avait été à l'avant-garde du modernisme. Il emploie, en effet, à repenser les thèmes essentiels un système de rythmes étudiés de façon à profiter de toutes les recherches faites naguère en virtuose (tendres consonances des voyelles, sonnerie des consonnes, homophonies, contre-assonances, rimes multiples et plus nombreuses à l'intérieur des vers qu'à leur terme). Il fait coïncider cette musique orchestrale des vers avec leurs degrés de force sensible et pensive. Mais est-il possible au lecteur de supporter longtemps pareille polyphonie sur plan unique, que porte à son comble d'éclat le dernier recueil publié, *Dans le Songe des Dieux* (1938) ? Beauduin a bientôt senti la nécessité d'éteindre un peu les ors de sa magnificence dans les poèmes parus en revues et qui doivent composer *Le Tombeau pour les Ombres*; il en est venu en même temps à délaisser toute mythologie pour les figures de fantômes propres à son imagination.

Enfin l'ambition l'a saisi d'adresser à ses contemporains un message. L'idéal de Ghil renaît ainsi, mais orienté vers l'orphisme. Un vaste poème encore inédit, *Dans la Lumière noire des Apocalypses*, déploiera donc une vision de la fin du monde. A faire passer la colère de Dieu sur une humanité satanique, Beauduin s'est enivré d'employer son ardeur de mystique longtemps contraint, son expression prismatique à facettes presque aveuglantes, ses réserves inépuisables d'images et d'allitérations.

Un autre musicien, hostile également au Symbolisme amorphe et à la pédantesque école romane, Alexandre Guinle, renonçant à son goût pour l'acrobatie banvillesque dont il avait tendu les cordes au théâtre, a accordé en lui Chénier et Valéry, puis s'est attaqué non sans succès aux thèmes mythiques, *Orphée*, *Atalante*.

Vincent Muselli a revigoré la syntaxe. Il l'a voulue hardie et tout en muscles. Le langage qu'il s'est forgé, allié plutôt que parent de celui du roman Maurice du Plessys, fait alterner le marotique avec le malherbien, empruntant d'aventure à Ronsard, à Chénier, à Moréas. Il est composite. Sa versification également. Mais tout cela vit, possédé de griserie formelle. Certaines strophes de Muselli ont des départs de grands oiseaux.

Le poète, né en 1879 à Argentan (Corse par son père) et qui a égrené de 1914 à 1919, de 1931 à 1934, *Les Travaux et les Jeux*, *Les Masques*, *Les Strophes de Contre-Fortune* et les *Sonnets moraux*, plaquettes réunies en 1944 dans les *Œuvres complètes*, est savant et bachique, grave et libertin. Sa pensée souple, délurée, éclaire tous les sentiments d'un cœur qui se soumet à la vie tantôt avec une fantaisie empanachée, tantôt avec une stoïque mélancolie. Il ne dédaigne pas l'art de la mignardise et de la jolie arabesque; il sourit, fringant, au plaisir; mais sa fierté est de la famille de Vigny et de Moréas. La mort plane sur le tout, non point funèbre, presque allègre au contraire, promesse de résurrection.

Affectionnant les genres à étroites limites, Muselli aura distribué sa matière dans les flacons « eumolpiques » de la ballade et de l'épigramme, dans les vases du sonnet. Au moins faut-il, à de telles doses, une essence : celle-là concentre-t-elle assez de richesse ? Des contours serrés des poèmes, on nous promet toujours le jaillissement d'une surprise, la vue de l'immensité ou le contact du mystère; on ne tient pas très souvent la promesse.

Enfin Muselli est arrivé à composer sa grande ode, *Les Convives*. Ses thèmes habituels s'y retrouvent : noblesse de la bonne chère, revanche du plaisir sur la brièveté de la vie, pouvoir magique du vin, autre pouvoir divin celui-là du poète, puisqu'il éternise ce qu'il veut, honneurs à rendre aux héros, aux grands esprits du passé classique, à la sagesse. Mais cette fois, au cours de ces vingt-trois strophes, nulle défaillance. Le poème part comme un avion qui décolle, puis monte dans l'air des étoiles ; il gagne les hauteurs de la vénération et de la joie, il a l'équilibre sûr, il plane à la rencontre de la « connaissance parfaite ».

Lyrique de l'intelligence, mais épargnant à ces deux mots de jurer, Henry Charpentier (né à Paris le 15 juin 1889) a longtemps été le poète de l'*Harmageddon* (1920) chargé de pensée, et, pour son style, impressionné par Hugo et Leconte de Lisle. Puis on l'a vu planer au ciel de Mallarmé et de Valéry. *L'Océan Pacifique* (1925) imitait assez vainement la typographie d'*Un Coup de Dés* et construisait sa vision sur un amalgame étrange d'Edgar Poe, de Rimbaud et du vieux Lefranc de Pompignan. Peu à peu, à travers *Odes et Poèmes* (1932), *Signes* (1937), *L'Ode sur l'Acropole* (1938), le poète évolua vers le pôle maurrassien, bien que gardant sa personnalité de nihiliste hautain, de sévère contemplateur, avec des moments de simplicité très humaine. Henry Charpentier s'est forgé un merveilleux métier ; il fait fleurir facilement en beaux vers ses tiges difficiles. On doit lui reconnaître aussi le sentiment de la grandeur, il sait diriger notre rêve sur

des constellations aux formes inconnues...

Les Odes pindariques (1923-1927) de Noël de La Houssaye, né en 1895, et son *Mausolée pour Euterpe* (1937) sont curieuses pièces de musée. Ayant du souffle, pourquoi l'épuiser à ce point dans l'impossible imitation technique d'un antique poète grec ? — Pierre Pascal, auteur d'odes héroïques et civiques, a jeté son Pégase, pindarique également, dans une emphatique chevauchée.

Deux poètes cherchaient leur accord en Yves-Gérard Le Dantec, Breton né à Ajaccio, où il vit le jour en 1898. L'un, savant qui sait le grec et que des entreprises critiques n'effraient pas, a renouvelé les mythes antiques sur des mètres divers, dans *Ouranos* (1930 et 1932). L'autre mêle à l'élégie amoureuse du type Charles Guérin un sentiment chrétien et catholique, dans *L'Aube exaltée* (1932), qui est un long épithalame pensif, accompagné de touchants rêves et de détresses fort musicales. Comme beaucoup de poètes contemporains, Le Dantec ne mûrit pas suffisamment ses idées de poèmes, il ne fait pas les sacrifices nécessaires, il n'est pas en chacun de ses vers. Mais on le verra intensifier la conscience de son art, et les *Sonnets ouraniens* de 1940 le montrent déjà capable d'un lyrisme de Table Ronde qui refuse de se laisser méditerranéiser; la leçon antique ne lui sert plus qu'à trouver sa discipline en lui-même, afin de ne rien perdre d'un monde où son cœur chevaleresque poursuivra la quête idéale et mystique.

V

CONCLUSION

Pourquoi avoir parlé de drame ? Oui, il y a drame, parce qu'aucune des poésies en présence, la subversive, la révolutionnaire, la conservatrice, la savante, ne montre la force de s'imposer aux autres. Or il importe qu'une poésie domine pour entraîner le public et marquer l'époque. Il importe donc qu'une grande âme unie à un grand esprit apparaisse pour rallier et polariser. Il est apparu, ce phénix, mais n'a triomphé qu'au théâtre : c'est Claudel. En poésie proprement dite, nous avons eu le grand esprit, Valéry; l'âme reste éparse. Quel poète aujourd'hui remplace Valéry ? Lequel s'égale aux grands Symbolistes, ou à Jammes, ou à Moréas ou à Apollinaire ? Quel nouveau sommet répond au dernier que fut Verlaine ?

Il y a drame, parce qu'ils sont légion, et qu'en eux se dépense une abondance de dons. Où va ce réseau de rivières ? Faut-il croire que tant de grâce, d'esprit, d'invention, de rêve et de foi court se perdre ? Je ne redirai pas ceux que je distingue, on l'a bien entendu : l'un d'eux se dégagera-t-il un jour tout à fait, manifestera-t-il enfin son génie, fût-ce en œuvre posthume ?

Qu'il arrive, ce prince ! Sinon, la poésie, à force de prendre des visages de prose sous prétexte que les visages prosodiques sont usés, ou à force de continuer une tradition sans la renouveler d'essors assez hauts, fera si bien que le besoin d'elle baissera, tombera, mourra.

Déjà on la voit trop souvent se détourner vers le roman, la pièce de théâtre et même l'essai. Elle s'y disperse, s'y dissout. Sans doute, elle enrichit la prose, et divers publics s'en enchantent. Mais toute grande littérature réclame de grands poèmes.

CHAPITRE II

DU COTÉ DE L'AVENTURE

Le besoin de récréation, bien naturel au sortir de la geôle guerrière, devait créer un esprit favorable à la liberté des fantaisies, des rêves et même des terreurs. Les fêtes de l'Armistice durèrent, elles se prolongèrent sous mille formes. La curiosité et le plaisir provoquèrent un tire-d'aile du génie inventif et une escapade du langage écrit. Le public féminin, accru, a recouvert les autres publics, et ce n'est ni à la réalité immédiate ni au grand réalisme d'esprit qu'une femme s'intéresse le plus.

Climat idéal pour le Giraudoux et l'Arnoux venus d'avant-guerre, pour le Cassou et le Benoit surgis après. Et non moins pour quelques écrivains situés eux aussi aux confins du réel et du rêve, ou bien ouverts aux effluves étranges d'autres terres, mais qui ont leur chapitre plus loin, les uns parce qu'ils seront de purs romanciers et les autres parce qu'ils auront commencé de se manifester aux environs de 1930.

En attendant, la jeunesse qui s'était livrée à l'école buissonnière sous toutes les formes pendant la guerre de 1914 et qui se trouva ainsi à peu près coupée des siècles passés, se passionnait pour la littérature pittoresque qui a son Parnasse dans les bistrots, pour l'excitante littérature qu'inspire la bohème; elle fit fête aux écrivains qui l'emmenaient au fond des quartiers maudits, dans les chambres du « cafard » rougi de sang, sur les routes de la Légion. Voilà l'affaire des Carco et des Mac-Orlan.

Mais voici la rançon. Les plus désaxés, les plus marqués des contre-coups de la guerre, la plupart élevés sans père, presque sans parents, ont choisi parfois de vivre avec une audace de brise-tout dans cette boîte de nuit qu'était devenue la société. Pour jouir des plaisirs de l'instant, comme par peur extravagante d'être dupes, ils affrontèrent le nihilisme. Trois d'entre ces écrivains entraînés au risque suprême, J. Vaché dès 1918, plus tard J. Rigault et René Crevel, se suicidèrent. D'autres s'enfermèrent dans un hermétisme cérébral. Et l'on n'avait jamais tant parlé d'un nouveau « mal du siècle ».

Naturellement, ils ont eu des témoins sévères et des juges, quelquefois à peine plus âgés qu'eux. Plusieurs de ceux-ci ont d'ailleurs débordé par une œuvre variée cette occasion à propos de laquelle je les retiens, et l'on trouvera ici des talents à qui le « mal du siècle » n'aura servi que de départ.

I

AUX CONFINS DU RÉEL ET DU RÊVE

I. — *GIRAUDOUX ROMANCIER*

On prend toujours un livre de Giraudoux comme un cornet de friandises parce qu'un tel livre, c'est tout d'abord un style à croquer. Voilà l' « écriture » la plus plaisante de notre temps. Elle brille de sucre, elle est fourrée d'amandes. Elle traduit les visions du poète dans une prose reconnaissable entre toutes, qui fait du superflu le nécessaire. Le génie de l'image met Giraudoux à égalité avec Claudel, mais celui-ci près des racines des choses, celui-là près de leurs fleurs. C'est ingénieux, ou magnifique, ou trop joli.

Giraudoux invente un enchantement fantaisiste et moqueur, assez voisin de la manière de Charlie Chaplin pour la moquerie et inclinant, pour la fantaisie, tantôt du côté de la pointe d'observation à la Jules Renard, tantôt du côté de l'imagination poétique. En tout cas, la surprise est reine et le divertissement ne s'interrompt pas. Si rien n'est plus répandu aujourd'hui que le sens du comique même chez les auteurs les moins amuseurs, et si Giraudoux sur ce chapitre n'a guère sujet d'envier Duhamel par exemple, sa marque de fabrique s'inscrit dans une certaine prestesse à attraper d'adorables détails de la vie familière d'une maison, d'une personne, d'un événement : de ces détails tout simples auxquels il fallait penser. La gamme va du comique attendri à des ironies espiègles qui clignent de l'œil, entre de grands faits d'intérêt général et de tout petits faits particuliers, ou bien entre les éléments les plus disproportionnés d'un problème. En somme, on décompose devant nous le réel, et il se recompose au fur et à mesure sur un plan nouveau. Il en devient incomparablement plus souple, plus léger, plus bulle de savon. C'est un réel transposé de la vie telle que nous la connaissi ns à une vie que nous aurions pu rêver. Le rêveur Giraudoux, dans le parlement des écrivains, siège de préférence au plafond. Et, pour commencer, il se détache de nos routines ou même de nos besoins. Naturellement ses héros ne font rien comme tout le monde. L'un d'eux ne fixe-t-il pas ses rendez-vous d'amour à sept heures du matin ? Ce caprice nous vaut une page fraîche comme la marche matinale des laitiers sur les trottoirs des temps anciens. En littérature amoureuse, Giraudoux fait régner par discrétion, par omission, une chasteté. A-t-il à montrer la vie des corps, il la montre dans un éclairage d'esprit. A n'importe quelle réalité, il ôte sa banalité en remplaçant l'expression attendue par une analogie, et l'analogie épouse les plis et replis de la réalité avec une telle exactitude qu'elle lui refait une virginité. Tout devient alors nouveauté et découverte, presque féerie. Cela se passe-t-il vraiment en ce bas monde ? O pages de liesse imprévue, qui balayant tourments et laideurs, allument à leur place des feux de fête et d'illusion !

S'il s'ouvre une porte facile pour l'entrée dans l'œuvre, ce sera *Elpénor*, qu'on a trop tendance à négliger. Cette idée d'aller chercher un héros qu'Homère a laissé tomber (c'est bien le cas de le dire) trahit le Giraudoux ami des bons tours. Giraudoux a été rhétoricien à Lakanal, lauréat aux concours généraux, élève à l'École Normale Supérieure; son adolescence fut assez dorée sur tranches; et d'autre part, sa jeunesse a pris le café au Vachette, au Cluny, à la taverne du Panthéon, avec les jeunes littérateurs. Le potache savant, le Normalien farceur, le causeur de spirituelle camaraderie se retrouvent en compagnie d'Elpénor pour lui faire conduire Ulysse à l'île platonicienne où le héros s'empêtrera dans la création comme robe à traîne dans un chantier. *Elpénor*, explosion d'ironie féerique, est aussi un petit univers métaphorique, une cité de rapprochements insolites et brillants. L'insensibilité, si manifestement voulue, est celle du Français qui redoute la mollesse sentimentale et qu'accaparent le goût de comprendre, le plaisir de jouer.

Influencé par notre Symbolisme et par le romantisme allemand d'Hoffmann et de Jean-Paul, ainsi que par les systèmes allusifs et les destinées stylisées dans l'art de Maeterlinck et de Claudel, Giraudoux participe également au « fantaisisme » qui a couru de Jean de Tinan à Cocteau, de Toulet à Apollinaire. Aussi l'a-t-on vu spirituellement frivole dans les romans juvéniles, *Provinciales* (1909), *L'École des Indifférents* (1911), exercices d'apprentissage sentimental. *Simon le Pathétique* (1918) continua cette série (Jacques l'égoïste, don Manuel le paresseux, le faible Bernard, peints comme par Vuillard, et déjà à l'ombre de jeunes filles très en fleur). Pourtant, dans l'intervalle, l'auteur avait fait la guerre en Alsace, sur la Marne, aux Dardanelles; elle sert de personnage central à *Lectures pour une Ombre* (1918) et à *Adorable Clio* (1920). Car Giraudoux a aimé livrer de grands sujets à la préciosité mi-poétique mi-railleuse qui servait d'alibi à son refus de se laisser entraîner par l'émotion.

Siegfried et le Limousin (1922) tentait le difficile parallèle entre la France et l'Allemagne. Le livre en même temps fixe durablement ce qui se passe d'éphémère entre une naissance et le début d'une carrière. Car si Giraudoux a grandi à Cérilly (Allier) où il découvrit à quinze ans Charles-Louis Philippe, il est né en Limousin, exactement à Bellac, le 29 octobre 1882, d'un père ingénieur et constructeur de ponts. Mais tout jeune, il a voyagé en Europe, avec une bourse universitaire; quand ensuite le Quai d'Orsay pria le diplomate d'aller observer l'Allemagne vaincue, l'écrivain raviva ses souvenirs et rapporta ce livre d'où devait sortir plus tard sa première pièce de théâtre. *Siegfried et le Limousin* joue avec la politique extérieure, *Bella* (1926) avec l'intérieure. Ce livre-ci, multiple, ne raconte rien de moins que la lutte de deux hommes publics, la rivalité de deux familles, la singularité d'un amour paternel, l'amour de Bella et de Philippe, réplique de Roméo et de Juliette, et quelques autres actions subsidiaires que l'histoire d'une troisième famille domine finalement, celle des Fontranges, passionnés qui donnent de l'amour jusqu'à la souffrance et jusqu'à la mort. Double tragédie intime, greffée sur un drame politique : on pourrait l'imaginer traitée en thème cornélien. *Églantine* (1927), qui achève l'histoire des Fontranges, hésite entre l'idylle, l'élégie et un essai sur la civilisation : la jeune femme ne se décide-t-elle pas entre Fontranges et Moïse, c'est-à-dire entre l'Occident et l'Orient, un peu comme Colette Baudoche entre la France et l'Allemagne ? Curieux Giraudoux, qui cachait derrière ses arcs-en-ciel un ciel chargé dont aucun nuage ne lui échappait ! Il n'était pas indifférent à la politique. Ses hymnes en l'honneur des Dubardeau, dans *Bella*, élèvent au rang de saints laïques Philippe Berthelot et tous les siens, — ce qui constitua assurément à l'époque le contraire d'une flagornerie. Le portrait de Rebendart, qui laissait reconnaître Raymond Poincaré, fait contraste. Portrait, que dis-je ? C'est tout juste si l'histoire universelle n'était pas convoquée comme témoin à charge et pour foncer, par delà Poincaré, sur une France d'avocats, d'huissiers et d'aigres plaignants. A toute la France du XXe siècle, en effet, Giraudoux allait dénier l'envergure dans sa politique et dans ses mœurs, en écrivant *Pleins Pouvoirs* (1939). Les deux tiers de ce livre imprévu comblent d'aise quiconque s'irrita d'un abaissement collectif de l'esprit et du cœur des Français; mais le dernier tiers déçoit par les conclusions. Déception également, le volume de *Littérature* (1941) qui dénonce la politique aveugle de la France, puis propose pour remède dérisoire un recours à nos trésors littéraires. Déception encore, *Les Cinq Tentations de La Fontaine* (1938) qui déguisent le poète en clerc de la dérobade naïve, en patron de la distraction, en juste exceptionnellement libre. Rien de plus faux, mais qu'importait à Giraudoux ? Il a inventé ce paradis rétrospectif de la singularité uniquement pour faire honte au XVIIe siècle qu'il admire sans l'aimer et auquel il oppose son saint Antoine fabuliste à la fois comme une condamnation et comme un rachat.

A lire sans complaisance pour leurs grâces ces études critiques, on se rend compte que Giraudoux s'y offre à peu près les mêmes plaisirs que dans ses romans : l'inattendu des thèmes, le flamboiement des tirades. S'il y eut un incontestable grand sérieux dans cet esprit, les fâcheuses manies qui eussent fait de lui, trois siècles auparavant, la vedette de l'Hôtel de Rambouillet l'ont constamment compromis. On a pu s'étonner de le voir élevé à la tête de l'Information nationale dans l'ambiguë année 1939, mais nullement de le voir, une fois là, briller, rutiler, puis échouer, quatre ans avant de mourir (le 31 janvier 1944).

Les meilleurs romans de Giraudoux n'en reviennent que plus heureusement à l'humanité générale des premiers livres. L'humanité se réduit à un être unique dans *Suzanne et le Pacifique* (1921), ce *Robinson Crusoé* tombé en quenouille. Mais elle ruisselle d'une abondance de dons, cette histoire d'une jeune naufragée qui, dans son île déserte, recrée l'univers par sa seule imagination. *Aventure de Jérôme Bardini* (1930) met en histoires irisées la hantise d'un monde qui connaîtrait plus d'invention individuelle que le nôtre, plus de variété et de jeu dans les libertés humaines, une vie plus déliée, une vie perlée comme une musique. Dans *Le Combat avec l'Ange* (1934), un amour léger et gai menace de tourner à la passion douloureuse lorsque la pensée y entre, née dans le malheur du monde (après l'autre guerre) pour former un complexe d'indignité dans l'être d'une charmante Sud-Américaine. *Choix des Élues* (1939), l'effort le plus poussé pour pénétrer dans l'étrangeté des êtres, scrute des âmes de religieuses laïques qui remplacent le Seigneur par une sorte de démon de Socrate et l'au-delà par l'agrément qu'elles ressentent de toutes choses, âmes incapables de s'attacher quoique très sensibles, transparentes plutôt que pures, sans vocation, sans aucune flamme de piété, mais, dans l'espèce humaine, les égales d'une opale ou d'une améthyste; elles courent d'ailleurs le risque de s'éteindre dans un bonheur banal, si le sort justement le leur impose.

Jusque dans ces romans-là, quelque chose manque : une certaine densité. Il n'y a pas assez d'épaisseur et de poids ni dans les personnages ni dans les péripéties... Qu'est-ce que l'Amérique ? Une amie, une camarade, qu'on taquine, qui rit, ou bien qui, si elle s'attendrit, paraît un peu ridicule. Qu'est-ce que les Allemands ? Des millions d'êtres égarés entre Slaves et Gaulois et qui « ont inventé, pour passer la vie et le temps, la bière, la guerre, l'okarina et un si grand nombre de verbes irréguliers » : ce qui n'a guère plus de portée que la partie si cérébrale et hautement fantaisiste que jouent Le Forestier, le Zelten, l'Éva de *Siegfried et le Limousin*. Et Bella, grandie sans affections, mariée sans amour, qui succombe noblement aux coups des haines familiales, puisque c'est en voulant réconcilier des ennemis, pourquoi s'y prend-elle comme ferait une ombre ? Dans l'épisode suprême, elle ne pèse pas plus lourd qu'une apparition. Le Dieu avec lequel une autre héroïne, Maléna, dialogue secrètement sur la pelouse de Chantilly pendant une course, un Dieu assurément de son invention, se partage la plus vaine cocasserie avec le pauvre diable qui déclenche d'ineffables conséquences psychologiques en elle et autour d'elle. Les bonnes et mauvaises fortunes de tout le petit peuple d'originaux que Giraudoux gouverne, leurs amours, leurs démêlés de famille, leurs expériences, leurs aventures, tout cela, comme on dit, ne tient pas debout, mais tout cela est ravissant, et là précisément gît le tort. Giraudoux traite ses semblables et l'existence comme il traite la province française; il aurait pu écrire *Le Bonheur de Bellac*; il l'a même écrit, avant qu'on écrivît celui de Barbezieux, mais diffusé dans son œuvre entière et appliqué à toute la France. Cette province, nous ne la reconnaissons que de loin; nous lui sourions avec un ravissement réservé; nous avons envie de convoquer Jules Renard, Eugène Le Roy, Roger Martin du Gard, pour nous aider à refuser le tableau, brossé par un éternel adolescent en éternelles vacances. Elle ressemble à une bergerie du Moyen Age le plus gracieux. Elle est bien la source des sentiments qui nourrissent l'œuvre entière, qui se sont développés dans des conditions insolites et favorables à l'émoi pénétré d'ironie, et que l'auteur nous présente sous forme de marionnettes qui agitent un bras poétique, un autre narquois, en faisant des plongeons de tête tendrement idéologiques.

Il n'importe, par delà tant de préciosité, la grandeur humaine existe, et Giraudoux la définit, après tout, sans la nommer, lorsque par exemple il révèle chez le président Brossard, dans *Le Combat avec l'Ange*, le pessimisme généreux qui le fait lutter sans illusions contre la guerre. Seulement il la représente, cette grandeur, comme une curieuse anomalie, sans qu'on puisse savoir si c'est par pudeur ou par ironie négatrice. Toujours est-il que finalement cette lutte impuissante du Président contre la guerre, venant à se confondre avec la lutte sans espoir de l'homme contre la mort, élève brusquement le ton des scènes... Gravement blessé et convalescent, Joffre et Bergson avaient amené Giraudoux en mission aux États-Unis en 1917, et il devait rédiger au retour *Amica America* (1918). Là-bas, il vit les défilés de femmes qui réclamaient le droit de s'engager, groupées par compagnies portant chacune son étendard. Il note les inscriptions des étendards et il y en a de drôles : « Parce qu'on nous dédaigne », « Parce que nous sommes irritées d'être jolies ». Mais tout à coup il montre cent mille spectateurs qui se découvrent d'un seul geste, « comme si, dit-il, le même mort passait devant chacun d'eux » et il déchiffre l'inscription qui explique ce mouvement unanime : « Parce que nous voudrions venger le *Lusitania* », tandis que les musiques cessent de jouer et que crient les sirènes des bateaux dans le port... On voit qu'une certaine grandeur de rhétorique et d'histoire est familière à Giraudoux.

Autre atout dans son jeu : un savoir de moraliste, une référence constante, par comparaison ou contraste, à l'expérience psychologique qui va d'Hérodote à Rabelais et de Sénèque à Proust. Enfin, sa propre pêche au corail dans le cœur humain. Il en remonte avec des morceaux de choix. Ce n'est pas le premier moraliste venu qui peut remarquer qu'il n'y a de réel et d'individuel que les petits sentiments, qu'il n'y a de liberté et de nouveauté qu'en eux; car « les grands, dit Giraudoux, sont du domaine public, ils relèvent de cette fatalité qui est l'administration du monde, ils en sont les missions officielles, ils nous rendent ses fonctionnaires, ils font les grands amoureux aussi conventionnels et irresponsables que les grands hommes » (*Le Combat avec l'Ange*). Giraudoux augmente par de telles remarques, fréquentes chez lui et faites sans avoir l'air d'y toucher, l'acquis psychologique. Cela explique que, romancier, il puisse d'aventure rendre vraisemblables des bizarreries et même s'en servir pour nous donner à l'improviste l'idée forte d'un sentiment, nous montrer par exemple à quelle absurdité touchante est capable de conduire l'amour : a-t-on assez remarqué les deux volontés rédemptrices de son œuvre, celle de Fontranges en faveur de son fils (*Bella*), celle de Maléna pour son amant (*Le Combat avec l'Ange*) ? Toutes deux vaines, mais d'une vanité qui accroît leur prestige... Allons enfin jusqu'aux idées, quoique sans sortir du cycle romanesque. Elles sont de qualité. Certains des morceaux de bravoure qui ont conquis la célébrité (le tableau de la guerre au second chapitre de *Bella*, la prière sur la Tour Eiffel dans *Juliette au Pays des Hommes*, etc...) traduisent des idées et des conceptions. Les péripéties de *Siegfried et le Limousin* ayant amené Giraudoux à fabriquer trois soi-disant lettres d'Henri Heine, il emploie la première à établir la différence entre culture et civilisation : quelle page de pensée forte et délicate ! quels horizons découverts !

Qu'as-tu fait, lecteur, pour que ce constructeur de romans use d'une méthode insupportable ? Ne parlons pas de défauts dans son art, car il réussit tout ce qu'il veut, et l'on n'a à se plaindre que de ses caprices, de ses partis pris, de sa désinvolture. Le voilà bien avancé ! Les merveilles énumérées ci-dessus vont se trouver noyées, l'œuvre entière va se voir condamnée à une beauté de fragments... Tout d'abord, la volonté de produire une étincelle de drôlerie ou de surprise au contact des précisions verbales avec les précisions psychologiques conduit facilement à de petites cuistreries. Si une femme a fui lentement l'homme qu'elle aimait, Giraudoux est heureux d'écrire qu'elle a fui « depuis trois mois, par millimètres ». Voilà pour l'infiniment petit. Dans les grands ensembles, les intrigues se moquent exagérément de la vraisemblance. Le point de départ des récits, l'arrivée des personnages ressemblent à des plainsanteries. On dirait une parodie du genre romanesque, et l'auteur l'a voulu ainsi. Regardez le roman le plus excentrique de construction, *Suzanne et le Pacifique* : pure gageure. Regardez de même celui qui se rapproche le plus de la conception coutumière, *Bella* : une fille de Président du Conseil prend-elle un amant sans se soucier de savoir son nom ? Quand enfin Bella a appris que Philippe était le fils d'un homme détesté par son père et qu'elle a cessé de le voir, elle se trouve conduite un jour en sa compagnie fortuite, et, par une cascade d'invraisemblances, dans la famille ennemie : croit-on que Giraudoux songe à dire comment les uns et les autres se sont tirés de pareille situation ? Ce serait le mal connaître. Il est le dernier à prendre ses affabulations au sérieux. Il n'exige pas du tout que nous croyions le moindrement à Fontranges décrivant ses cercles matinaux autour de la jeune Églantine ou à Bardini plongeant à distance égale de tous les bonheurs.

L'ordonnance de la narration trahit autant de sans-gêne : grandes lignes plusieurs fois interrompues, digressions interminables, brusques rentrées dans le courant, surgissements furtifs de réalité objective à travers le soliloque de l'auteur. Il est particulièrement irritant que tout personnage introduit pour jouer un rôle même secondaire sorte sa fiche en arrivant : en voilà pour trois, quatre ou dix pages. C'est comme si Giraudoux avait l'intention de nous léguer un recueil tout préparé de « Caractères ». Mais ce La Bruyère importun n'obéit à aucune nécessité, sans compter que les tantes de Bella, Nancy Rollat, les frères d'Orgalesse, les Seeds, etc...

ont une carte d'identité assez brouillée. Les souvenirs évidemment autobiographiques montrent le même genre d'indiscrétion; Giraudoux les insère sans prendre la peine de les laver nettement de circonstances initiales obscures (tout livre de lui en fourmille), et il les développe sans fin : images d'Allemagne dans *Siegfried et le Limousin*, maints tableaux d'*Amica America*, l'épopée domestique d'Amparo, nourrice de Maléna, etc... Qui est-ce qui, dans vingt ans, s'intéressera encore aux détails physiques ou biologiques des Dubardeau-Berthelot ? Qui lira sans embarras agacé cette phrase de *Bella* : « ...ma famille se plaisait sur des points magiques où les métaux s'allient, où les nations s'unissent... » ? Autre excès dans le développement, disons dans l'amplification, car Giraudoux a un faible pour le « topo », dont son goût pour le parallèle et l'antithèse accroît encore l'insistance.

Enfin Giraudoux, comme par mépris du mouvement, se drape dans une psychologie toute descriptive. Cette sorte de tapisserie de sentiments et de pensées, bien loin de l'animer en action, il la commente. Il n'isole en dialogue qu'un minimum de paroles, et les pages débordent de discours indirects. Certes il illumine sa glose d'un constant feu d'artifice, mais ainsi n'en ankylose que mieux, étrange statue, le démon du roman. *Choix des Élues*, à cause de cela, est d'une lecture harassante. A la fin de *Combat avec l'Ange* traîne un silence solennel entre trois personnes, qui pourrait, qui devrait être très beau : mais un silence se « parle »-t-il pendant huit pages !

Telle est cette œuvre dispersée et harmonieuse, tarabiscotée et noble, légère et solide. Le cœur n'y parle jamais seul, non plus que l'intelligence, quoique celle-ci, avec un certain contentement d'elle-même, se tienne constamment en éveil et domine. Ou plutôt intelligence et sensibilité ont fusionné pour former une faculté nouvelle qui enveloppe les émotions comme les sensations et les pensées dans le manteau de leurs causes et de leurs effets, plutôt qu'elle ne les saisit dans leur être et leur vie. Il arrive même que Giraudoux, qui se prêterait très bien à illustrer la théorie de Diderot sur la création esthétique, aiguise tout ce qu'il peut rassembler d'insensibilité (est-ce défendu d'appeler l'esprit une insensibilité qui contemple ?) pour dessiner au trait la vraie douleur, la vraie inquiétude, le vrai amour, le vrai plaisir.

Bref, les romans de Giraudoux ne sont guère des romans, mais plutôt les improvisations d'une culture folle de son éclat, danseuse habillée d'étincelles qu'en virant elle jette à la réalité pour la transfigurer ou faire saillir ses travers, pour l'éblouir. Elle déploie ainsi une féerie. Au centre de ce tournoiement étincelant, la tête reste droite, immobile, secrète, pleine d'une pensée qu'elle n'a pas dite mais qui certainement était haute.

II. — *JEAN CASSOU*

Le Pyrénéen Jean Cassou aime la vie avec une violence qui inquiète. Mais son origine (il est né en 1897 à Deusto, Espagne basque, de père mexicain et de mère espagnole) et la pensée d'Unamuno ont moulé son œuvre sur une double face humaine : furieux goût de vivre et sentiment désespéré du néant. Son regard sans cesse aux aguets, qui saisit et traverse, est évidemment l'agent d'un esprit lucide et dévorant qui, à travers toutes les réalités, entrevoit le vide et qui fera donc passer dans chaque émotion le flux et le reflux de la vie et de la mort.

Cassou a dû recevoir tout jeune une révélation et connaître l'étrangeté saugrenue des rencontres et arrangements de ce monde, le désaccord des âmes entre elles et avec les situations, toute une terrible ironie. Ce n'est pas pour rien qu'il intitula son premier livre *Éloge de la Folie* (1925). Mais *Harmonies viennoises* (1926) fut le second, parce qu'un sourire musical convient à ce qui n'est que songe. *La Clef des Songes* (1929), venu troisième, imprime à choses et gens un mouvement de tourbillon, fait se croiser les destins comme pour le jeu d'une goguenardise transcendantale.

Mais voilà que la pitié s'éveille sous ces coups de l'intelligence. Car Cassou a le goût de l'humain : de quoi prendre et ensorceler, mais de quoi aussi se faire souffrir. On rassemblerait une anthologie savoureuse en groupant les épisodes où la pitié pour la vie recouvre sa cocasserie : tel chapitre « le village et la maison », de *L'Éloge de la Folie*, dont la large émotion va rejoindre la vie universelle; la confession farouche de Mayrhofer, le paroxyste intégral des *Harmonies viennoises*; la scène de *La Clef des Songes* où Piérangelo se souvient avec les larmes aux yeux de tout un bonheur personnel qui n'a été que rêvé. Il est évident que les personnages préférés de l'auteur sont des chimériques, des obsédés, des douloureux. Le romantisme allemand a marqué Cassou au moins autant que le paroxysme espagnol : lui qui croit, avec la même force qu'un poète juif, que tout se passe ici-bas sans prolongement, narre pourtant des histoires qui ont toutes l'air de supposer non un au-delà, mais pour ainsi dire un par-delà, d'où nous arrive le conseil impérieux de ne point pactiser avec le réel et le normal. C'est pourquoi il s'intéresse tant à la folie. Il fait rôder la folie autour de ses personnages, elle leur ouvre la porte décisive de la délivrance. Son plus beau livre, *Souvenir de la Terre* (1938), se comprend comme un hymne à l'amour; mais l'homme et la femme damnés peuvent aussi bien être un couple de fous, dont le cerveau travaille sur leur ancienne croyance à l'immortalité; dans les deux cas, on pense à l'*Enfer* de Dante.

Les amoureuses dans l'œuvre de Cassou sont émouvantes au possible. Descendent-elles des lieder germaniques, de certaines nobles histoires de Cervantès ? Comme pour l'ensemble de l'œuvre, le tri de l'importé et de l'original à ce point de vue est impossible à faire, tant ils ont intimement fusionné. Mais l'expérience du féminin ne manque certes pas à l'auteur. Que ce soit Cécile et la petite Thérèse de *L'Éloge*, Lina des *Harmonies*, Marianne de *Comme une grande Image*, toujours on admire, souvent dans des conditions très humbles, la réalité bien découpée d'une fleur merveilleuse et fragile. Il a, lui aussi, ses cydalises et ses filles du feu. Il a voulu une fois, comme on cherche une preuve par l'absurde, pousser un tel charme jusqu'à son exaspération perverse, et il a composé *Les Inconnus dans la Cave* (1933).

On comprend finalement qu'il s'intéresse, non pas à ce que les hommes ont et mettent en commun, mais à une suite de lueurs et d'éclairs jaillis de la profondeur humaine, du mystère de la vie, et dont tout s'illumine soudain. Voilà les minutes furtives qu'il fixe d'un style rapide et plein, éclatant, total. Il néglige le reste. Cela explique que l'œuvre entière prenne un air d'exil en fête, de larcin féerique et de diabolique joie.

Pourquoi faut-il qu'une irritation, une âpreté sarcastique et sans frein soit intervenue dans l'œuvre au moment même qu'elle s'épanouissait ? *Légion* (1938), où le rationalisme bourgeois et calculateur se trahit en satire, est d'un Villiers (le

Villiers de *Tribulat Bonhomet*) aigri. C'est que le temps était venu pour les passions politiques d'envahir le cerveau de Cassou. N'avaient-elles pas déjà, deux années plus tôt, charrié les discours, monologues et dialogues, tout le lyrisme bavard qui empêche *Les Massacres de Paris* (vision de la Commune) de prendre figure nette et corps viable, malgré les beautés du roman intime et amoureux qui a sombré dans le grand roman social ? Cassou a longtemps joui d'une sauvegarde, sa dévotion à la seule beauté d'art. L'activité d'homme public, en débridant son besoin de conquérir et de posséder, nuit à ses créations de romancier.

Sans doute croit-il harmoniser tout cela dans sa conception de la poésie, car poésie, pour lui, — et il en a baigné son œuvre — c'est subversion du réel. Il va très loin, trop loin dans ce sens. Il s'est abandonné plus d'une fois, surtout dans les contes que rassemblent *Sarah* (1931) et *De l'Étoile au Jardin des Plantes* (1935), à une fantaisie idéaliste qui annihile la nature, à un songe surréaliste qui rompt avec l'intelligible. En revanche, dans la dure prison subie pour ses idées sous l'occupation allemande, Cassou a composé des *Sonnets* qui élèvent à une perfection de forme héritée de certains Espagnols les rêveries les plus humaines de liberté et d'amour.

III. — *ALEXANDRE ARNOUX*

On distingue mal les sources d'Alexandre Arnoux. Peut-être doit-il à Villiers de L'Isle-Adam sa double obsession de science et de musique; il a publié dans *La Revue musicale* ses premières proses; la féerie l'attire; romancier, il s'est inspiré de techniques scientifiques, et il éprouve un intense besoin poétique. On lui doit la biographie enchantée de Merlin, celle de Tristan Corbière; il a repris une vieille épopée, *Huon de Bordeaux*, afin de transporter Galafre, Esclarmonde et le nain Obéron sur la scène de l'Atelier (22 novembre 1923); et il s'était déjà inventé une âme spéciale pour célébrer *Abisag ou l'Église transportée par la Foi*. Quand il se passionna pour la critique cinématographique, on le sentait jouir de mondes créés. Il a intitulé un récit pour les enfants *A l'autre Bout de l'Arc-en-Ciel*. Enfin il n'a pas résisté à l'envie de publier, passé cinquante ans, un recueil de *CVII Quatrains*.

Arnoux a tort au point de vue de sa carrière, mais raison

pour notre plaisir, de prendre chacun de ses élans dans une direction nouvelle. Une forme neuve et capricieuse du « cafard » fait l'intérêt du « Chinois », la plus longue des nouvelles qui composent *Le Cabaret*, son premier succès. Il avait rapporté de la guerre ce livre de fantassin, ces épisodes d'un observateur artiste, ce style de guerrier lucide et ironique qui insère tous les mots pittoresques du peuple soldat dans une syntaxe à la redresse, tantôt librement déchaînée, tantôt héroïquement impeccable sous le feu. Hélas, il aura eu à raconter l'envers de cet héroïsme, les jours et les nuits de mai et juin 1940, dans *La Nuit de Saint-Avertin* (1942). Dans l'intervalle, il a longuement répondu à l'appel du fantastique, un fantastique sous les formes qu'on attendait le moins : les plus familières, les plus utilitaires, machinerie moderne des transports mêlée aux gosses dans *La Nuit de Saint-Barnabé* (1921); quartiers de Paris (*Paris-sur-Seine*) dont on voit chacun vivre sur les mystères d'un mythe; simplicité non moins mystérieuse des radiateurs dans *Poésie du Hasard*. Ce fantastique prend volontiers l'aspect de mythologie et d'allégorie; le métro, symbole des villes, s'incarne dans un individu fantomatique; *Écoute s'il pleut* (1923) est un faisceau d'emblèmes à figure humaine; l'amour y souffle sur la voile d'une imagination survivante à travers un temps extraordinairement relatif. *Indice 33* (1921) et *Le Chiffre* (1926) marquent les deux pôles de cette production moderniste, celui-là tout extérieur et rationnel, celui-ci intime, intuitif, en marge de l'inconscient. La technique contemporaine et les théories d'Einstein ont vraiment créé un nouveau réel pour Arnoux qui ne paraît d'ailleurs pas en ignorer les dangers d'affolement, de décervellement, de déshumanisation. *Algorithme* devait en 1948 poursuivre cette série savante en creusant la destinée d'Évariste Galois, le génial mathématicien tué en duel sous Louis-Philippe à vingt et un ans. Quel souple entrain dans une précision inouïe d'analyses !

Une de ses chances, Arnoux la possède dans son invention d'originaux maniaques. Le solitaire qui emplit de son orgueil et de ses ridicules échecs les pages du *Chiffre* est un pantin fort cocassement articulé. *Indice 33* fait se heurter et se battre, pour opposer en eux deux psychologies, deux races, un soldat français fameusement hors série et un officier bavarois armé de ses méthodes comme d'une sorcellerie.

Ce qui manque à cet auteur prodigieusement cérébral, c'est l'indispensable sensualité. Il est né à Digne (le 27 février 1884) et sa *Haute-Provence* évoque le pays natal comme un « pays de chimère », mais aussi comme un terroir de « soleil froid ». Ce soleil-là brille sur toute l'œuvre. On dirait par surcroît que les mécaniques se vengent d'avoir été utilisées. A des fictions complexes et intelligentes comme celles du *Carnet de Route du Juif errant* (1931), qui ne manque pas de pages presque grandioses, on se demande quelle méchante fée a refusé le pouvoir de rivaliser avec la vie. Un génie étourdissant des rapports imprévus, sans doute desséché par les artifices de l'esprit, n'arrive pas à se garantir de l'ennui. Et pourtant Arnoux écrit la langue la plus adroite, la plus brillante d'éclat pur, la plus prestidigitatrice de notre temps.

Si bien que ce virtuose impeccable a eu besoin de s'appuyer sur une histoire vraie pour écrire son roman le plus agréable : *Le Rossignol napolitain* (1937). L'âme (ce mot pris dans le sens qu'il a pour les violons) en est faite d'un oratorio de Stradella, que le Pape attendait pour la nativité de Jean-Baptiste. L'oratorio est conçu, il naît, il grandit, il remporte la victoire. Autour de lui, par lui, une femme trouve l'amour et le perd, un village entre en liesse et une ville en transes ; la République de Venise et la Rome papale jouent à la balle avec leurs espions, leurs cantatrices, leurs abbés, leurs courtisanes et leurs mauvais garçons. Et dans ce déchaînement de vie se lève le problème de la création artistique, qui est générosité et égoïsme, qui se révèle si forte en restant si fragile, que tout combat et que tout favorise.

Car Arnoux, poète comme Stradella est musicien, est par surcroît philosophe. Et c'est pourquoi, même quand il en vient à des histoires de notre siècle, il aime à montrer toutes choses suspendues entre l'évidence et le mystère. Cela lui a permis de merveilleusement distribuer la lumière et l'ombre dans l'évocation des deux pays qui pétrirent son enfance, puis sa jeunesse et qui occupent *Géographie sentimentale* comme des « maîtresses exigeantes ».

Quant à *Rhône mon Fleuve* (1944), pendant de *Paris-sur-Seine*, il se compose d'histoires dont quelques-unes appartiennent déjà au patrimoine classique du conte, à côté de celles d'Alphonse Daudet, de Paul Arène et de Jammes, mais certaines sentent diablement l'imprimé et les archives. Qui sait si l'inspiration d'Arnoux ne passera pas désormais par la poussière des bibliothèques ? Il aurait alors de plus en plus besoin de tous les sortilèges de son style.

Au théâtre, où le cercle de sa carrière en se refermant le ramène, l'inspiration première de *Huon de Bordeaux* se marie avec l'attrait de l'ancienne gaîté italienne par devant l'Art de la mise en scène que Baty et le Cinéma lui ont imposé à l'envi. Et là aussi, c'est le magicien du langage qui triomphe.

IV. — *ALBERT t'SERSTEVENS*

Celui-ci, Belge d'origine, s'attaque à ses peintures avec un beau réalisme vernissé que relève une fantaisie lyrique et satirique assez rabelaisienne, quoique *Les Vies imaginaires* de Schwob lui aient conseillé l'usage d'un pinceau dur et net, surtout pour *Les Corsaires du Roi* (1930), anecdotes de la flibuste au temps de Louis XIV. Mais t'Serstevens a déplorablement dispersé ses dons imaginatifs et descriptifs. L'éclat de son style l'a-t-il convaincu qu'il n'avait rien à se refuser ? Il a donc écrit cette *Taïa* (1929) qui double le *Mayerling* de Claude Anet, et la grosse satire antidémocrate de *Beni I*er *Roi de Paris* (1926), et encore tels récits de voyage qui ne dépassent pas un niveau de brillant reporter. *Le Vagabond sentimental* (1923) badaude, galant, sur les grands chemins d'Italie; moins jeune, l'auteur a pris une auto pour l'*Itinéraire espagnol* (1933), mais une auto magique qui lui permet de se mêler aux populations, sans dédaigner la rue ni les cabarets. Enfin que n'a-t-il choisi ? L'extravagance mi-imaginée mi-vécue de l'errance aux limites du monde normal, avec le type d'homme qu'elle comporte, n'était-ce pas la matière qui convenait le mieux au tempérament vigoureux, au caractère cocasse, qui sont ceux de l'auteur de *L'Or du Cristobal* (1936), de *Gens de la Mer* (1937) ? Son art est plein de reflets de ports. Cependant un livre de début, *Les Sept parmi les Hommes* (1919), est celui que Robert Kemp proclame « son œuvre la plus travaillée, où, s'inspirant des sept dormants d'Éphèse, il prouvait en prose dense et colorée que la folie des sages est de se mêler du bonheur des hommes vulgaires et de composer pour eux d'utopiques doctrines sociales ». Cette utopie sérieuse et qui tourne au tragique serait peut-être ennuyeuse si t'Serstevens était né penseur. Né artiste sensuel et ami des jouissances, il s'extasie de vivre, il cultive cette extase en chassant de sa pensée les moindres miettes de ratiocination, la plus furtive velléité d'analyse, même les complications de forme. Et il nous la communique avec la franchise d'une humeur qui sait parfois être joyeuse.

II

L'ÉVASION

I. — *LA PLANÈTE DE PIERRE BENOIT*

L'auteur de *Kœnigsmark* (1918) et de *L'Atlantide* (1919) adhère à un genre que le roman d'observation et d'analyse avait éclipsé et sur lequel l'influence de Stevenson a ramené la lumière; en effet, il sait raconter des histoires, et cela n'arrivait plus chez nous depuis Mérimée ou l'étonnant Alexandre Dumas des récits de voyage. Les histoires de Pierre Benoit furent la grande distraction d'après l'autre guerre.

La maîtrise du récit est incontestable; un bon calculateur a organisé l'illogique et l'imprévu qui doivent surprendre le lecteur sans détruire l'illusion de la vie et de ses mystères. Et qu'il se montre habile à renouveler notre curiosité par étages ou, à certains moments, par marches d'un escalier en spirale ! Il est d'ailleurs à remarquer que Benoit s'est très attentivement documenté pour situer ses aventures dans une géographie exacte. On a l'impression d'y être. Un réalisme concordant vient de ses connaissances précises en sites, coutumes, professions, connaissances acquises pendant les années où l'auteur conserva la bibliothèque du Ministère de l'Éducation Nationale. N'a-t-il pas dit un jour que le succès de ses romans lui permettait d'aller enfin visiter les pays qu'il y avait décrits ? Tenons compte encore de sa science en hiérarchie et coutume militaires; ce Landais (quoique né à Albi en 1886), fils d'officier, a peuplé d'officiers ses fictions. Et son récit marche avec un entrain de hussard.

En outre, Pierre Benoit a qualité de bon lettré, il sait

mettre le sel de la désinvolture malicieuse dans le grave et le dramatique; par surcroît, il fut poète à son heure de jeunesse (avec *Diadumène*, publié seulement en 1921) et une poésie enveloppe son œuvre comme une lumière, une lumière assez chaude de féerie et de mirage pour que tremble tout le long de l'histoire racontée la ligne de séparation entre le réel et l'imaginaire ou même le fantastique.

Ce dont on le dit généralement dépourvu, c'est de vraie psychologie. Est-ce exact ? Ses jeunes premiers et les vamps qui deviennent leurs amantes ont-ils des âmes confectionnées selon une recette ? Chaque personnage a-t-il pour occupation principale d'empêcher les événements de se produire comme tout le faisait attendre ? Même *Mademoiselle de La Ferté* (1923), qui paraît échapper à la série — et y échappe d'ailleurs en partie, puisque deux héroïnes remplacent le couple rituel et que le récit affecte un air psychologique — reste-t-elle conforme pour l'essentiel à cette formule ? Certes, pas de psychologie neuve, chez Pierre Benoit, pas de découvertes d'instincts, d'émotions, de secrets. Cependant, qu'on y regarde de près. Il me semble que sa psychologie est une atmosphère et que les figures de héros et d'héroïnes y donnent vie à tout ce qu'expriment les poèmes de *Diadumène*, c'est-à-dire à une nostalgie de Racine. En d'autres termes, les possibilités, les aspirations, les hauts malheurs du cœur humain passionnent Benoit, les mouvements fondamentaux de notre être l'émeuvent, quand ils donnent à penser qu'ils pourraient atteindre à un rythme de tragédie. C'est l'âme même d'une vengeance qui assure l'intérêt profond de *Mademoiselle de La Ferté*, comme le heurt de l'amour et de la mort celui de *L'Atlantide*.

Et voilà ce qui donne à Pierre Benoit, essentiellement, le moyen d'accomplir sa mission, qui est d'envoûter un vaste public avec ses ambiances de dépaysement, d'étrangeté, d'angoisse (que ce soit au Hoggar ou au Liban), ses jeunes héros, ses femmes dominatrices et cruelles, ses chasses à l'exception, ses intrigues adroites et surprenantes, un romanesque qui va jusqu'à l'impossible. Et l'astucieux auteur ne manque pas de faire planer sur le tout une fatalité. Cette rencontre du plus moderne exotisme avec l'antiquité classique du destin confère à l'œuvre un de ses grands traits et attraits.

II. — *LES CHADOURNE*

Louis Chadourne (1890-1924), Limousin de Brive, avait été le collaborateur de Jean Galmot et sans doute le véritable rédacteur de *Quelle étrange Histoire*, qui révéla les scandales de la Guyane. *Le Maître du Navire* (1919) le classa d'emblée parmi les romanciers de l'aventure, avec l'apport personnel d'un grain de masochisme. Mais son héros voguait sur une mer truquée, très littéraire et presque parodique. Après *L'Inquiète Adolescence* (1920), *Terre de Chanaan* (1921) s'est nourrie d'une psychologie moins facile; malheureusement une obsession de l'audace livrait ce roman de conception vigoureuse à la monotonie la plus fatigante. Il faut reconnaître que c'est en se repliant sur les voyages réels et vécus, c'est-à-dire dans *Le Pot au Noir* (1923), que Chadourne atteignit la maîtrise. Il a peint alors « la mêlée des haines, des convoitises, des superstitions sous un soleil tropical qui échauffe le sang et illumine brutalement les dessous de l'âme humaine ». Le tiers du livre reflète la grande géhenne française d'Amérique avec un dessin précis et dur, des tons purs et la constante et hallucinante présence d'une laideur.

Louis Chadourne a laissé comme en testament les vers d'*Accords* (1928). On y voit s'enfiévrer son romantisme, s'enivrer sa sensualité, on y entend retentir l'appel des rivages lointains. Et ainsi se résume l'inspiration de toute l'œuvre.

Son jeune frère Marc, qui est de 1895, a fait en Océanie, puis en Afrique, une carrière coloniale, et il nous en offrit pour premier fruit cette confidence d'homme d'action mué en écrivain : *Libération*. Il reste l'écrivain d'un seul livre, d'ailleurs fort, *Vasco* (1927), et *Vasco* détruit le mirage des terres merveilleuses. L'Éden qui avait jadis enchanté Loti, Vasco le montre transformé en comptoir colonial. Plus d'amour, le trafic. Plus de beauté, une sordidité tragique... Le livre raconte la pitoyable aventure d'un « décivilisé » : de quoi mettre un terme à la grande évasion... Dans la suite, Marc Chadourne a vainement cherché une constante. Il ne l'a trouvée ni dans la haute spiritualité de *Cécile de la Folie* (1930), ni dans les violences voluptueuses d'*Absence* (1933), ni dans plusieurs pérégrinations de grand reportage plus ou moins romancé. Reportage ? Non. Au contraire, finalement, romans à clef philosophique ou biblique ou luciférienne.

Ah ! que c'est truqué, arrangé, forcé, sincère seulement dans l'abandon aux banalités de la chair...

III. — *ZAVIE ET BARREYRE*

Emile Zavie a essoufflé le roman d'aventures sans lui faire atteindre aucun but; il avait tout d'abord raconté en vrai Gobineau une aventure réelle, l'odyssée d'un groupe de Français perdus par un hasard de l'autre guerre en Europe et jusqu'à ses frontières : *D'Arkhangel au Golfe Persique* (1919) est un beau livre. Est-ce que ces revanches anticipées ou tardives de la réalité sur la fiction dans les œuvres de Chadourne et de Zavie ne donnent pas un surcroît de mérite à celles de Pierre Benoit et de plusieurs autres ?

Jean Barreyre, par exemple, a réalisé dans *Le Navire aveugle* (1925) une vision fantomatique et horrible, « poesque » et pourtant humaine.

III

LE MAL DU « CAFARD »

I. — *PIERRE MAC-ORLAN*

Journaliste mêlé périodiquement au groupe d'Apollinaire et de Jacob, Pierre Mac Orlan a évoqué certains de ses souvenirs montmartrois dans *La Clique du Café Brebis*, et *Villes* rassemble d'autres souvenirs : ceux d'une jeunesse que Pierre Dumarchais (Mac-Orlan est un pseudonyme), né à Péronne en 1883, mena misérable et errante dans les ports et sur les mers. Attiré à la chevalerie de l'aventure par le prestige de Stevenson et de Marcel Schwob, il a trouvé son originalité à peindre une humanité à la redresse, courageusement désespérée, celle de la Coloniale. Quelques fortifiants lui ont donné du cœur à l'ouvrage : anciennes histoires de corsaires, livres spéciaux assez diaboliques, légendes des irréguliers de la Légion, récréations de sorcellerie.

Si Mac-Orlan s'est roulé dans l'instable et l'étrange avec un mélange de désinvolture et d'angoisse, s'il préfère à l'ordre naturel et aux mœurs civilisées des raretés inquiétantes et des renversements humains, l'expérience de ses jeunes années ne lui déconseillait-elle pas de vivre pareil dérèglement ? L'aventure véritable comporte des préoccupations et des calculs, ne serait-ce que d'argent. Plus belle quoique plus facile est l'aventure en esprit, l'aventure sur les tabourets de bars au son de l'accordéon. Là, en principe, aucune limite aux alcools du pittoresque et du rêve, même et surtout érotique. Rien que les limites du talent... Celui de Mac-Orlan a toute sa force et toute sa faiblesse dans l'imagination.

L'imagination est souvent décevante. Elle s'envole, prend de la hauteur, découvre un large horizon, puis soudain, vite fatiguée, tombe. Mac-Orlan assure à chacun de ses livres un beau départ, mais paraît se désintéresser de la suite. Dans son *Chant de l'Équipage* (1918), les personnages participent maigrement à la bonhomie caricaturale du récit; ayant engagé l'illusionniste et l'illusionné dans une aventure insoutenable, il ne les sauve des éléments déchaînés que pour les livrer à la traîtrise trop prévue d'un équipage bariolé : le Hollandais Krühl promettait mieux, au fond de la vieille auberge fleurant le sel et la vanille. *Le Nègre Léonard et Maître Jean Mullin* (1920) jaillit dans la diablerie avec un magnifique ressort de feu d'artifice, puis ralentit et enfin s'affaisse. Les légionnaires de *La Bandera*, les « joyeux » du *Camp Domineau*, ce double Kamtchatka de l'énergie, se réduisent malheureusement à des silhouettes et à des gestes de faits divers éclairés comme pour le film. *Malice*, *La Nuit de Zeebrugge* ont la même fragilité tumultueuse. En revanche, une chance merveilleuse sourit à Mac-Orlan lorsqu'ayant fait la guerre de 14-18, il assista à la révolution allemande; le « sens dessus dessous » européen s'accordait parfaitement avec ses cauchemars intérieurs dans un esprit de cow-boy sur le retour. Pris d'un élan d'invention visionnaire, il bouscula donc le réel et dressa de saisissantes allégories dans *La Cavalière Elsa* (1921) et dans *La Vénus internationale* (1923). La panique des loups, le passage des prolétaires intellectuels en loques sont des épisodes à haut relief. Elsa semble sortir de l'inconscient du monde, pour régner, après des chevauchées d'Apocalypse, sur une réalité transfigurée, rehaussée d'humour.

Dans *Le Quai des Brumes* (1927), Mac-Orlan a tâché de maintenir de niveau le réel et l'imaginaire, puisque beaucoup de sa propre existence a passé dans l'atmosphère de ce tohu-bohu d'aventures. En effet, le « lapin agile » réunissait quelquefois, vers 1910, tout un monde douteux mêlé à des écrivains et à des artistes, Marie Laurencin, Daragnès, Picasso, Salmon, Carco, Dorgelès : Mac-Orlan en a capté les ombres, elles sont devenues ses pauvres héros nostalgiques. — O tavernier du quai des Brumes ! crie Max Jacob à Frédé, dans un de ses poèmes couché sur le livre du bord... Une sauvage magie du crime, complètement débarrassée du problème moral, arrive-t-elle à s'isoler dans la fiction de Mac-Orlan avec sa seule valeur d'art ? Le romancier a tort de vouloir mettre à contribution notre vieux besoin de crédulité. C'est en s'en tenant à des imaginations pures qu'il pouvait s'approcher le plus près de son accomplissement.

Aussi, plus encore que la réalité visible, il avait à redouter les idées, dont il eut pourtant l'envie de charger son œuvre et à l'expression desquelles tout un volume (*Masques sur Mesure*, 1937) le montre si maladroit. Non que leur direction fût mauvaise : Mac-Orlan a senti l'humanité prise entre les périls opposés du progrès mécanique et de la stagnation paysanne. Mais ce sentiment n'a rien déclenché d'autre qu'une confuse rumination de cervelle.

Et le style prend le chemin de la pensée. Artiste pourtant, on dirait que le français n'a pas été la langue maternelle de l'auteur; l'impropriété y alterne avec le faux pas de syntaxe. Et puis, des météores métaphoriques glissant dans une nébuleuse de détails excentriques et de généralités floues, voilà du piquant, mais qui très vite mécanise et détraque l'exposé comme le récit. Déjà *La Cavalière Elsa* et *La Vénus internationale* s'en trouvaient quelque peu gâtées. Mac-Orlan avait-il pensé trouver là un moyen de porter au comble le marasme universel dont la pesante idée lui sert de leitmotiv ?

II. — *FRANCIS CARCO*

1. Les sources.

François Carcopino-Tusoli, dit Francis Carco, a vu le jour le 3 juillet 1886 à Nouméa. Jadis, ce port d'Océanie, l'étendue de la mer, puis naguère la Seine guettée d'une chambre qui lui faisait l'effet d'une proue fendant le fleuve, plus tard contemplée d'un immense appartement pour paradis artificiel, enfin L'Isle-Adam, voilà les successifs points de départ de beaucoup de ses rêveries. Il faut y ajouter ces solitudes provinciales où la débauche précoce a le goût de l'ombre et des feuilles mortes. Carco raconte qu'à Villefranche-de-Rouergue, une des villes où son père a « conservé » les hypothèques, l'hébétude des lendemains de sorties nocturnes se mêlait d'un dégoût secret, lequel finissait par lui « procurer plus de plaisir que le plaisir lui-même ».

Carco se préparait ainsi dès l'adolescence à illustrer la littérature du souvenir et à y pousser loin ses investigations. Il ne s'est pas moins enfoncé dans les puits d'une sorte de vie seconde où nous laissons dormir tant d'émotions et d'images. D'où la richesse d'une série de mémoires (1934-1938) commencée par *Mémoires d'une autre Vie* (petite enfance), poursuivie avec *A Voix basse* (adolescence naïve et cynique, fervente et mélancolique, dramatique et mystérieuse), puis avec *Montmartre à vingt ans*, *De Montmartre au Quartier Latin*, qui disent les premières amitiés littéraires, la bohème... Dure bohème du Paris d'avant l'autre guerre, où les jeunes gens frôlaient des assassins, où certains se rivaient à de tristes amours, où d'autres se tuaient de drogues. Carco a l'expérience d'un tragique assez superficiel, mais immédiat et pressant, intensément réel, envers lequel il montre cette gravité attentive que ses amis lui ont vue, par exemple, dans les bals musette si lugubrement compassés de la Montagne Sainte-Geneviève, même quand il y guidait la muette curiosité de Katherine Mansfield. A la sortie, il arborait le sourire de coin, les yeux complices, le claquement de langue libérateur qui font partie de son visage de chair, mais qu'on retrouve aux pages de ses livres. Car une des ressources de Carco est dans sa faculté d'évasion lucide, dans son art très intelligent, qui détache les aventures, les siennes et celles d'autrui, en spectacles.

L'œuvre, commencée par des vers dans les jeunes revues et en plaquettes, n'a jamais cessé de leur faire une place d'honneur. « L'important, m'a-t-il confié un jour, c'est de se réserver le moyen de publier de temps en temps à ses frais un bouquet de vers écrits librement; j'en ai besoin comme d'un viatique, c'est ma station à l'église... » La poésie qui lui a inspiré de beaux poèmes (1) et qui lui a dicté certaines pages de ses mémoires, a aussi brûlé en veilleuse dans ses livres les plus noirs.

Évidemment Carco a lu Jean Lorrain, Marcel Schwob et Charles-Louis Philippe. Sa dette à *Germinie Lacerteux* ainsi qu'à *La Turque* de Montfort ne fait pas de doute. Son initiateur immédiat fut un observateur intelligent, mais écrivain médiocre, Charles-Henry Hirsch, l'auteur de *Tigre et Coquelicot*, et du *Crime de Potru*. L'intuition l'a fait aller plus loin, et précisément une intuition de poète. Il a beau avoir manqué son évocation de Villon, dans un livre fâcheux, l'incontes-

(1) Cf. notre premier volume, pp. 538-539.

table don le tient rattaché au grand poète. C'est pour cela qu'il a évité tout ce qui rappellerait la plate exactitude des naturalistes. Il a rejeté la boue et ses romans les plus osés gardent une surprenante décence. Il a toujours cherché au delà des gestes et des paroles, pour viser au cœur. Or il y a fait jaillir un goût de la douleur, sous forme soit de remords soit d'expiation, tantôt jalousie torturante et tantôt complète déchéance. Par là, le petit Français rejoint Gorki. Il a pourtant cru à tort trouver des sujets chez les Russes transplantés (*Verotchka l'Étrangère*), il perdait dans ce fleuve sa rivière d'originalité.

2. Les sujets.

Tout un lot de livres est à écarter avec cette slave *Verotchka*: tel *Printemps d'Espagne* aussi bien que *La Lumière noire*; c'est-à-dire les récits où son type de fabrique oblige l'auteur à prendre le sujet par le plus petit côté ou à le déformer dans un sens prévu. Parmi d'autres encore, *Ténèbres* (1934) veut trop recommencer *L'Homme traqué*, et *Prisons de Femmes* sent le journal ou le cinéma. Il y a eu de l'industrie besogneuse dans l'œuvre de Carco, elle impose déjà un tri. Le tri fait, il reste de l'excellent.

Les romans qui le firent connaître, *Jésus la Caille* (1914), *L'Équipe* (1918), peignent les gens du « milieu », les mauvais garçons, les filles, la crapule. Romancier des bas-fonds de la capitale, il l'est, selon la remarque de Katherine Mansfield, avec « une sorte d'humour tendre, aperçu du dedans comme si c'était tout simple, tout naturel ». Même quand il sort de ce monde spécial, il traite encore d'états d'âme particulièrement troubles. Son chef-d'œuvre est certainement *Rien qu'une Femme* (1924), dont les protagonistes n'appartiennent pas à la pègre. Le triste héros du livre arrive à avoir besoin de sa jalousie, il en tire une exigeante et noire délectation; les fugues de sa maîtresse le comblent d'une souffrance voluptueuse qui devient le lien pervers de sa fidélité. Et bientôt il se fait l'entremetteur de cette femme, avec une pitié qui s'attendrit sur eux deux. Mais c'est pourtant un autre roman moins exceptionnel qui résume peut-être le mieux Carco : *Brumes* (1935). Était-ce à Bergen, était-ce à Oslo ou simplement à Anvers ? Cernés par la mer et le vent, errants et filles, patrons de bars, pourvoyeurs de coco, ne sont plus guère que tressaillement à la plainte des sirènes; et l'énigmatique M. Poop, qui sert d'aimant à cette limaille, lui-même tombe frappé par d'incompréhensibles fantômes.

Carco est moraliste à sa manière, avec une pointe moralisatrice. Son petit monde se compose d'humains, non pas faisandés, mais naturels et spontanés. Ces rebuts de la société et ces déchus sont surtout des primitifs. Ingénus d'un nouveau genre, ils naquirent ainsi. On les voit nus d'idées morales. Est-ce leur faute ? Qu'a-t-on fait pour eux ? Voilà, mêlé aux peintures de Carco, un reproche muet à l'égard de la société. C'est, après tout, un bout de la chaîne qu'à l'autre bout tenait Bourget. Cependant ce pseudo-Bourget en réduction se montre optimiste à sa manière. Il ne manque pas de nous apprendre que ses tristes gens, dans la société qu'ils forment en marge de la nôtre, se forgent des lois d'honneur spécial auxquelles ils obéissent rigoureusement et qui leur posent souvent ce qu'il faut bien appeler des cas de conscience. Hommage inattendu au bipède humain.

La psychologie y gagne. Elle dispose dès lors de personnages possédés d'un sourd travail intérieur; un pathétique obscur s'est mis en marche dans leurs profondeurs. On a prononcé à leur propos, surtout à propos de ceux de *L'Homme traqué* (1922), le nom de Dostoïevski : c'était déranger un trop grand souvenir pour ce livre qui noue son drame avec presque uniquement de la curiosité, de la peur et de l'intérêt. Dostoïevski nouait les siens à l'aide de pitié, d'amour, de responsabilité partagée; il entrait dans l'âme, et précisément c'est d'âme que manquent le garçon boulanger et la prostituée de Carco. Cependant l'homme incapable de porter seul son secret, au point de commettre l'imprudence fatale de le partager, cesse de fonctionner comme une sommaire mécanique : une conscience, aussi fantomatique qu'on voudra, s'ébauche en lui, et tel est le fond exact de l'histoire. De leur côté, héros et héroïnes de *Brumes* tentent un effort, avec douleur et étonnement, pour passer de leurs mornes prisons physiques à la région plus libre des émotions morales. Tous voudraient comprendre, et le destin le leur défend. Cette mue presque insensible et pourtant douloureuse, saisie dans les abîmes des villes modernes, semble bien faire écho à l'anxiété intérieure du romancier poète.

. L'ART.

L'hésitation obscure et comme souterraine entre des ins-incts brutalement primitifs et les sentiments humains dont e vague appel se discerne mal; la vie muette, secrète, qui lure chez certains êtres sans presque jamais passer par la arole; la présence larvaire de la tentation, de la peur, de la lus inconsciente nostalgie : tout cela réclamait un art rapide, nenu, évocateur, que Carco a réalisé en étreignant des visions rèves et abruptes dans une sertissure stricte. De plus, il a su aire parler sa pègre; il en a traduit l'argot avec un naturel rès heureux. Mais il était fatal que ces mérites eussent un evers : la façon trop sommaire de suggérer l'inexprimable. Des dialogues coupés et pendants, des phrases incertaines t inachevées, des rubans de mots où la fuite du mot essentiel isse un trou, font avec beaucoup de vraisemblance une allu-ion perpétuellement réticente à de pauvres sentiments : omment n'agaceraient-ils pas à la longue par l'évidence du rocédé ?

Et puis, Carco passe sur ses tableaux une couche de pitto-esque uniforme (quartiers perdus, chambres d'hôtel, bis-rots, pluie aux fenêtres) qui en étouffe un peu les couleurs ramatiques.

. CONCLUSION.

Francis Carco cultive avec habileté et de grands dons un omaine des mœurs excessivement limité, un petit champ de sychologie infinitésimale. Il a enrichi sa pitoyable humanité 'un sens qui la hausse, mais l'opération est à deux tran-hants : car ce sens-là, la réalité le tolérerait-elle en de si pau-res types ? Il y a, de ce fait, une fissure dans l'œuvre. Par lle, un romantisme s'infiltre et crée de la fragilité. Il aura llu à Carco infiniment de goût pour se défendre contre un éril si insinuant.

IV

DÉSARROIS D'ADOLESCENCE ET DE JEUNESSE

L'âge incertain rêve, désire, tremble dans les première
productions de Jacques de Lacretelle et de Louis Chadourne
Benjamin Crémieux a consigné avec sa force bonhomm
dans *Le Premier de la Classe* (1921) la rancune réciproque d
deux générations et Jean Prévost, dans *Dix-huitième Anne*
(1929), après avoir évoqué la Khagne où il eut Alai
pour professeur, a dépeint Normale comme une geôle
Tous ces souvenirs remontent aux années de l'autre guerre
et ils se rapportent à des états psychologiques naturels e
normaux.

Certes, les conséquences matérielles et morales de la guerr
ont tout aussitôt jeté en péril ou détruit les plus vulnérable
des adolescences et des jeunesses. Mais on voit que la litté
rature de mélancolie et d'aventures a fait paraître ses symp
tômes avant le massacre. Ces auteurs en effet, comme d'ail
leurs Carco, Mac-Orlan et pas mal d'autres, tel Obey encore
écrivent des souvenirs d'avant-guerre. Aussi Henry Bido
se demandait-il en 1921, dans un article de *La Revue de Paris*
« Ce que nous appelons cause n'est-il en réalité qu'une sort
de lieu géométrique où viennent passer ensemble une foul
de courbes déjà toutes tracées ? » Autre hypothèse du même
critique : « Tous les phénomènes existent à la fois, à l'éta
permanent, et les causes, au lieu de les produire, ne fon
que préserver un certain nombre d'entre eux en laissan
périr les autres »... Entre les philosophies auxquelles se réfè
rent ces quelques lignes, au lecteur de choisir à sa guise.

1. Victimes et coupables.

Il y en a eu de trop précoces dans leur apprentissage d'amour; un cynisme en résulta. Raymond Radiguet a écrit et publié *Le Diable au Corps* (1923), document franc et précis sur ceux des jeunes garçons ses contemporains (il était né en 1903) que l'absence de leurs pères ou celle des maris avait affranchis et mûris avant l'âge. Il devait mourir célèbre à vingt ans, laissant à éditer un second roman, *Le Bal du Comte d'Orgel*. De ces deux livres, le premier est original et carré, le second plus subtil, quoique trop débiteur des *Pléiades* de Gobineau et d'un brillant de glace dans sa forme parfaite. Le trait remarquable de ce jeune phénix, c'était une claire pureté de l'art; il réagissait contre les abus de la surprise et de l'enjolivement, il revenait à la primauté de l'analyse vivante dans un style volontaire et délié. Il fut aussi le poète des *Joues en Feu* : pudeurs feintes ou réelles ? Tant de discrétion classique dans l'art met en pleine valeur l'importance du témoignage, elle est considérable. M. Gérard Bauër n'a pas tort d'en rapprocher une des confessions infernales de notre temps : « *Le Diable au Corps*, écrit-il dans le *Figaro* du 14 juillet 1947, est le prologue d'une aventure dont *Le Sabbat* de Maurice Sachs est le suprême écho; et ces deux livres d'un talent saisissant, enveloppent, nous le comprenons aujourd'hui, le départ et l'arrivée d'une course douloureuse. »

Autre cynisme de jeunesse, mais de pure industrie littéraire, celui des « faiseurs » dont Joseph Delteil s'est montré le plus offensif. Ce vigneron de l'Aude (né à Pieusse en 1894) vint à Paris pour y courir sa chance de vedette. Il avait certes le mérite de préférer le bistrot au bar, et il devait rappeler avec raison que Jeanne d'Arc fut une paysanne. Mais paysan parvenu et prenant la littérature pour un champ de courses, il abusa du dopage et de la combine. Au demeurant, excellent garçon, et de bon sens dans le privé, puisqu'il a pris un jour le parti de tout planter là, de rentrer dans sa province et de se remettre à faire son vin... Romancier trop aimable de *Sur le Fleuve Amour* (1923), pseudo et érotico-épique de *Choléra* (1923), Joseph Delteil mêle candeur et emportement, outrance voyante, avidité du scandale, dans les sujets qu'on aurait pu croire le plus à l'abri des farces flambantes, absurdes ou obscènes de vieux collégiens : Jeanne d'Arc, La Fayette,

Napoléon, Don Juan (1925-1930). Les dames du jury Femina qui couronnèrent en 1925 la *Jeanne d'Arc* portent la responsabilité de la série. Au talent de l'auteur *Les Chats de Paris* (1919) avaient mieux convenu. Il lui est certes monté à la tête des bouffées de fraîcheur campagnarde, de chaude bonne humeur et de joie charnelle. Elles se font jour dans son œuvre, mais ne peuvent suffire à racheter un trop brutal défi à l'honnêteté la plus élémentaire. Delteil devait faire en 1947 une réapparition; ç'a été pour dépasser avec un *Jésus II* les bornes de la grossièreté, de la facile acrobatie, de la prétentieuse et vaine pétarade.

Mais ni Radiguet ni Delteil n'ont jamais émis la moindre prétention métaphysique. Tel n'aura pas été le cas, hélas ! des âmes en peine et des esprits malheureux à propos desquels il fut tant parlé d'un nouveau « mal du siècle ». Pitoyables nouveaux venus qui savaient peu et croyaient pouvoir beaucoup ! Ils se posaient des problèmes qu'ils n'avaient aucunement les moyens intellectuels de résoudre, ayant rompu avec une culture qu'ils songeaient même à rendre responsable du sang versé et du capital détruit. Ceux-là représentent une simple inflation de jeune âge, une exigeance capricieuse d'enfants prolongés. Ils ont pourtant fourni en leur temps des sujets d'enquête. Aujourd'hui il ne reste de leur naufrage que quelques bagages de Cocteau, eux-mêmes fort abîmés.

Car le poète protéiforme est aussi romancier et pouvait-il voir passer à sa portée ce dada sans avoir envie de l'enfourcher ? L'auteur d'un *Potomak* qui rassemble des sortes d'épures de l'absurde et de la mystification, le futur journaliste qui devait accomplir réellement à quarante-quatre ans le tour de force imaginaire de Philéas Fogg (*Mon Premier Voyage*, 1936), le snob astucieux qui allait ajouter *Opium* (1930) à la littérature des Paradis artificiels, et passer par là du défrichage gidien des terres incultes au surréalisme du rêve, avait prétendu vers la trentaine, en 1923, raconter une éducation sentimentale de jeune bourgeois parisien — difficile soufflage de verre que brise parfois le suicide — dans *Le Grand Écart* (le cœur ne se portait plus...), puis tout aussitôt refléter dans *Thomas l'Imposteur*, sur le mode d'une féerie, le cauchemar de 14-18, qu'il vécut un instant, en faux soldat, par le moyen d'ingéniosités d'ailleurs sympathiques, enfin quelques années plus tard constater le malheur des *Enfants terribles*, terribles à leur propre égard, car ils ont voulu dresser le rêve contre la vie, et ils en meurent. Ce petit roman écrit avec la brièveté et les images de la poésie, veut reproduire une innocence exquise et pure, magicienne, créatrice de paradis; en fait, il arrive à faire affleurer l'inceste inconscient, car des dessous maudits de notre condition mortelle tourmentent toujours Cocteau, ou plutôt il joue avec eux, c'est sa manière d'entrer dans l'invisible : histoires de fantômes, avouait-il à Maritain dans sa lettre de 1926. Ces histoires obéissent à la rapidité glissante et furtive d'un Mérimée désaxé qui aurait assez attendu de vivre pour brûler tous ses dossiers d'art en l'honneur de Marie Laurencin. Qu'elles nous apparaissent donc fragiles, inutilement énigmatiques, presque désuètes... Il n'a servi de rien de les appeler en sous-titre « Poésie de roman ».

Mais enfin un vrai « mal du siècle » a sévi, frappant des sortes de Radiguets refoulés, intoxiqués par surcroît de sophistique nihiliste, peut-être tous sincères, et dont l'un en tout cas a laissé la vie dans cette aventure. Ribemont-Dessaignes avec *Céleste Ugolin* (1926), *Clara des Jours* (1927) et *Le Bar du Lendemain* (1928), René Laporte, qui devait se faire remarquer par ses analyses du mensonge, et René Crevel surtout, ont composé une somme de vice, de lubricité, d'illogisme et de malheur. Crevel, après des livres d'introspection à la fois philosophique et charnelle, écrivit *La Mort difficile* (1926), qu'inspire le dégoût sarcastique de vivre mais où il se saoulait de plaisir avec ses inventions d'images forcenées, et *Babylone* (1927), vision hallucinante, criblée d'éclats de bombe qui détruisent son style. C'est celui-là, l'« enfant terrible » authentique.

Après tout, ce mal-là est-il à séparer tout à fait de la vraie et grave inquiétude du jeune siècle français, celle d'un Drieu La Rochelle, d'un Malraux et, si l'on remonte un peu, d'un Mac-Orlan (lesquels l'ont au moins motivée valablement ou se sont appliqués à la guérir, ne fût-ce que par leur effort d'art) ? Il rejoignait aussi le désespoir, à demi insincère, qui fut à la base du Surréalisme.

2. Quelques témoins, quelques juges.

Or plusieurs romanciers de la génération tourmentée, ceux que préservait une culture très poussée et que la sincérité la plus vive inspirait, se sont constitués juges, peut-être parce qu'ils étaient aussi critiques. Comme critiques, ils gonflaient un sujet de chronique ; comme romanciers, ils profitaient d'un point de départ. Aussi ont-ils presque tous débordé le thème initial et poussé leur œuvre dans une direction nouvelle afin de s'y accomplir.

C'est le cas précis de Marcel Arland, analyste du « mal du siècle » dans ses *Essais critiques*, romancier de cette analyse dans *Terres étrangères*, *La Route obscure* (1924), *Ames en peine* (1927). Son *Étienne* encore (1924) et sa *Monique* s'intéressent à la même disgrâce d'âmes malhabiles à respirer dans le bonheur et qui ne semblent même pas le souhaiter. *L'Ordre* (Prix Goncourt 1929) regarde vivre la génération malade et la condamne dans la personne du héros, au nom des vœux de la nature. Ce fut un petit Bourget, cet Arland sévère. Monstrueuse, la révolte de son héros contre l'ordre naturel propage le malheur, elle fait son immédiate victime de la femme aimante. La figure de cette Renée anéantie et celle à peine moins touchante du demi-frère (elle et lui restés humains) aident à supporter la lecture d'une histoire que son dessein même étouffe et asphyxie.

Puis Arland s'est évadé; sans abdiquer sa fonction de moraliste, il a pris contact avec des réalités plus larges, et il a rejoint nos meilleurs romanciers de la vie, apportant parmi eux une bien jolie originalité.

Marcel Arland pratique l'art du sous-entendu, du non exprimé, du pressenti et de l'évoqué. Il remporte son triomphe à faire entendre sans le dire l'émoi de deux époux qui découvrent qu'ils ont vieilli, un soir où tout est mélancolie d'automne, mais chacun d'eux pensant après un peu de désarroi : « Ma part a été bonne. » Ils n'échangent pourtant que de rares paroles banales. C'était indicible, et c'est dit. Il y a une présence... Voilà « Intimités », un des contes qui composent *Les plus beaux de nos Jours* (1937). Cette esthétique du frôlement devait pousser l'auteur aux contes, soit contes recueillis dans *Les Vivants* (1934) et dans *La Grâce* (1941), soit contes dont se compose un roman comme *Terre natale* (1938) ou *Zélie dans le Désert* (1944); en outre, elle devait, jusque dans le conte, faire tout prendre par le biais, par la tangente. Dans « Rendez-vous » des *Vivants*, une aventure de tendresse s'entrevoit du haut d'un grenier; un épisode de *Terre natale* s'entend du fond d'un couloir. *Antarès*, longue nouvelle (1932), fait deviner une destinée par les demi-découvertes d'une curiosité d'enfant. Voilà les conditions d'un pathétique de porte entr'ouverte, d'un romanesque de lanterne magique.

Il comporte évidemment une certaine fragilité d'esquisse. L'œuvre d'Arland ne déborde pas de puissance vitale. Elle est mélancolique. C'est à faire revivre son enfance qu'il semble avoir trouvé l'emploi le mieux adapté de ce charmant don qu'il a de styliser le réel pour en dégager une essence impalpable. Les enfants voient ineffable et étrange; l'enfant de *La Terre natale*, qui a connu dans son village une vie difficile et y a côtoyé des drames, inspire à l'auteur un ton général d'idylle, une innocence à source de résignation, une noblesse à base de gravité, malgré la Mme Lepic du livre. C'est peut-être aussi qu'Arland corrige Jules Renard et Roger Martin du Gard : ce peuple rustique, en effet, dans lequel il naquit en 1899 et parmi lequel il a grandi sur les confins de Lorraine et de Champagne, à Varennes (Haute-Marne), ressemble à son sol; il est sérieux, pudique, un peu mystérieux. Et le style d'Arland lui ressemble.

L'amour de la nature et le goût de la vie aux champs sont des traits à ne pas oublier dans cette figure littéraire : dons de la bonne fée. La mauvaise avait tenu dans sa main ce mal qu'Arland a combattu chez autrui, mais qu'il rencontra d'abord en lui-même. Ce catholique, ce chrétien pascalien, Gide l'a chargé encore de son scrupule. Cela ne lui rend pas commode la tâche de vivre. Et la marque du maître est indélébile : lorsqu'Arland a traité le sujet sentimental du couple, l'esprit de *La Porte étroite* l'a rejoint; *La Vigie* (1935) en est résultée, qui est d'un raffinement irrespirable.

Les ilotes ivres d'une jeunesse frénétique se déchaînent dans *Le Scandale* (1930) que Pierre Bost (né à Lasalle, Gers, en 1901, mais élevé au Havre) a écrit pour enregistrer l'échec psychologique des lendemains de la « grande guerre ». Cette sorte d'*Éducation sentimentale* adaptée à notre temps est conduite avec l'impartialité d'une enquête et le sang-froid d'un talent volontaire; elle aboutit à condamner une condition humaine qui supprime les apprentissages de la vie en acculant la jeunesse au problème de l'argent. Bost toutefois, au mal du siècle n'a été que tangent. Il avait commencé par évoquer finement, ironiquement, à travers la fantaisie sinueuse d'*Homicide par Imprudence* (1924) et l'amertume humoristique de *Mesdames et Messieurs* ou de *Faillite* (1928), une humanité trop menue pour lui; de fortes qualités de moraliste l'ont aiguillé sur la bonne voie. Il devait participer à l'histoire des prisonniers français de 1940 par *Un An dans un Tiroir*, puis reprendre le cours de ses récits vrais et nuancés avec *Monsieur Ladmiral va bientôt mourir*, étude des solitudes, scrupules, regrets de la vieillesse.

Maurice Betz (1898-1946) est le dessinateur pénétrant de *L'Incertain*, qui pourrait tout aussi bien s'appeler « l'égoïste » ou même « l'immoraliste »; il est un peintre de la jeune fille dans *Plaisir d'Amour* (1930). Il avait fondé les *Cahiers du Mois* (1924-1926) avec André et François Berge qui ont publié dans cette revue un « Examen de conscience » de leur génération. On connaît ses attentifs commentaires de Rilke. N'était-ce pas là bon accompagnement à la série qui s'appelle *Jeunesse du Siècle* (1924-1926), certainement indispensable, par ses mises au point, aux futurs historiens de nos mœurs ?

Auteur d'essais synthétisés sous le titre significatif de *La France perdue et retrouvée*, qui est de 1919, Pierre Lafue a longtemps consacré son impatiente curiosité à la politique étrangère, pour le compte de quelques journaux et revues. *Kurt et Grète* (1930) donna vie, sous couleur de voyage, à une psychologie de l'Allemagne vaincue et renaissante. *Allemagne 1928* et *Lénine ou le Mouvement* (1930) eurent une valeur de prophéties; cependant ces témoignages réfléchis trahissaient un regret de ne les avoir pas franchement romancés. Et, en effet, le roman a fini par distraire le germaniste et par happer l'essayiste. Écrite avec le seul souci des faits et des dialogues essentiels, *La Voleuse* (1938) traduit une vision de l'existence moderne, de ses énigmes et de ses bouleversements; de soudaines et larges douceurs s'y étendent entre des cruautés brutales et perverses. Après le court délassement du *Village aux Trois Ponts* (1939), où parle son amour pour la Lozère natale, Lafue a entrepris la psychologie du jeune Français contemporain. De *La Plongée* (1941) et de *L'Arbre qui avait pris feu* (1943) à la série des *Patrice ou l'Été du Siècle* (commencée en 1945), il s'est acheminé à la reconstitution de l'entre-deux-guerres par visages individuels représentatifs, auxquels il veut donner des incertitudes, de brusques audaces, des avidités et des impuissances qui leur confèrent l'authenticité. Quant à son ancien goût pour les études politiques, il a pris le parti de l'exercer dans le passé, entre deux romans; parti d'une agréable et coulante vulgarisation avec les esquisses de Frédéric II, de Louis XVI et de Louis XVIII, il arrive à un *Henri III et son secret* qui est de la véritable histoire.

Marguerite Yourcenar n'aura pas seulement contribué à la littérature onirique avec *Les Songes et les Sorts*, vrais mémoires de sa vie rêvée. Elle est l'auteur de romans sans action, ouvrages de moraliste, *La Nouvelle Eurydice* (1931), *Le Coup de Grâce* (1939), qui la préparaient à écrire un puissant livre d'histoire réinventée par la psychologie, *Mémoires d'Hadrien*. — Bertrand de La Salle, fils de Louis de La Salle, parmi les juges de la jeunesse se montre particulièrement intelligent et sensible, mais sévère toutefois dans *La Pierre philosophale* (1935). Son pessimisme ne devait pas se montrer moindre à l'égard du couple dans *Les Forces cachées* (1937); mais il y tient compte des fatalités mystérieuses qui veulent que l'homme souffre et fasse souffrir. — Je pense à Daniel-Rops, mais remets à plus loin de parler de lui. — Juge lui aussi, Jean Loisy, avec *Les Enfants des Vainqueurs* (1942). Il a vu la jeunesse de l'entre-deux-guerres trop neuve et trop orgueilleuse dans un monde qui ne lui enseignait rien. Elle a dû se débrouiller. Jeunes gens, jeunes filles se sont donc fait beaucoup de mal les uns les autres et à eux-mêmes. Aux soirs de leurs batailles morales d'amoraux, il pouvait, il devait se prononcer des paroles émouvantes. Loisy en a capté plus d'une. Son livre contient des scènes qui déchirent. Il a beaucoup aimé ses tristes héros.

Aussi nous oblige-t-il à penser au sympathique et beau côté de l'inquiétude : on recherche des valeurs, pour qu'il vaille la peine de vivre. C'est toucher, quand on le mérite, à l'inquiétude métaphysique, qui est noble et a toujours un rôle à jouer.

CHAPITRE III

DE L'INTROSPECTION A UNE PSYCHOLOGIE GÉNÉRALE

I. — *LA FORMULE DE CHARDONNE*

Éditeur, Jacques Boutelleau conduit avec Jacques Delamain le sort de la maison Stock. Éditeur nonchalant, souriant, faussement absent. Jeune, il avait l'air de méditer une surprise et c'était vrai. Il nous la fit à trente-sept ans en publiant son important et fameux roman, *L'Épithalame* (1921).

L'Épithalame mit à la mode, j'entends à la mode littéraire, les mariages d'amour. N'est-ce pas Chardonne que Maurois, Arland et plusieurs autres ont suivi ? Il réalisait un progrès de l'analyse psychologique, puisque, se privant des prestiges et preuves de l'absence ou d'autres obstacles, il se condamnait à chercher l'intérêt en profondeur, à creuser les êtres eux-mêmes au lieu de l'ardeur qui les unit et désunit. Chardonne est le portraitiste des amants-époux, en eux il devina un remarquable motif de littérature. Son œuvre souligne une date : les lois ayant distendu les liens du mariage, le pathétique de l'esclavage ou de l'affranchissement a rompu avec le social et s'est cantonné dans le cœur, l'esprit ou la chair.

L'auteur indique les faits au minimum, ils l'intéressent si peu ! Ce qui l'intéresse, c'est ce qui les amène, ce qui les suit, et la métamorphose d'entre-deux, une évolution créatrice. Tout coule, voilà le roman-fleuve. On adhère à la durée mouvante, fluide et envoûtante du bonheur tranquille et cependant dramatique, tragique un moment, de Berthe et d'Albert. Leur amour perdu, ils découvrent l'union du mariage plus forte que celle de l'amour.

L'amour, le mariage, le mari, l'épouse; jamais encore

on n'avait donné cette impression de deux univers irrémédiablement distincts, jamais on ne nous avait fait vivre ainsi, intimement, avec les magnétismes et les heurts, les accords, les outrages et les humiliations, l'empoisonnement lent de la beauté et du désir, la suspicion, l'hostilité muette, la souffrance. Le malheur glisse. Au détour des pages, on entend des plaintes doucement déchirantes. Que tout cela est vivant ! Non seulement le couple, mais tant de personnages autour : des sensibilités, des intelligences étonnamment précises et cependant discrètes, passantes, puis fondues dans le temps qui fuit. Les personnages de Chardonne, ceux du premier plan et les autres, sont d'une vérité qui n'appartient qu'à lui, ils sont vrais dans la mesure même où ils ne ressemblent à personne, où chacun est unique, avec une part de mystère qui les protège. Mais alors, exception ? invraisemblance ? Pas du tout : un don, un naturel, une liberté et qui s'ignore. C'est exactement, de la part du romancier, une création.

Le Chant du Bienheureux (1927) pèse les chances d'un amour né de la pitié et du dévouement : ne doit-il pas mourir de leurs illusions percées ? Mais le héros est décourageant, et le livre finalement est obscur. *Les Varais* (1929) souligne la faiblesse humaine, incapable d'embrasser à la fois le bonheur dans le mariage et les difficultés de l'existence : un domaine se défait dans la ruine, un couple se défait par l'inattention. *Éva, ou le Journal interrompu* (1930) enregistre les douloureuses conséquences d'un mirage : elle et lui ne se voient jamais l'un l'autre tels qu'ils sont. *Claire* (1931), ou le bonheur à ses limites, achève la série de ces vies jouées sur un sentiment unique. Chardonne se disait, a-t-il raconté un jour : « Aurai-je une plume assez fine, saurai-je trouver assez de nuances dans les gris pour peindre l'intimité, l'amour dans la vie à deux ? » Il a eu, il a trouvé.

Ces œuvres qui diversifient leur appareil d'expression — récit objectif, continu et égal qui déroule à la manière anglaise l'écheveau des jours, tableaux découpés de type réaliste, intimités de la confidence —, mais qui restent toutes fidèles au même style limpide et ménager de ses images, ces œuvres caressantes, ces œuvres fluides font penser à la douceur de l'éclairage indirect. Les dialogues, quoique trop multipliés, montrent une étonnante sûreté. La vie semble monter du fond des personnages pour produire le mouvement du pathétique. Voilà pour l'art. Dans leur fond, ces romans parlent net; ils dénoncent une témérité de notre siècle, qui a voulu, — dernières volontés du Romantisme — « inclure l'amour dans le mariage et la réalité ». N'est-ce pas forcer l'importance des êtres et exiger d'eux ce qu'on attendrait d'un don du Ciel ? Les êtres sont faibles, l'amour n'est pas de force.

Du couple, Chardonne est passé à la famille; et du coup, il a modifié sa manière. Les romans qui composent *Les Destinées sentimentales* — *La Femme de Jean Barnery*, *Pauline*, *Porcelaine de Limoges* (1934-1936) — ternissent la pureté cristalline de l'œuvre jusque-là si strictement psychologique en y introduisant des événements économiques et historiques du premier tiers du siècle. Cela a semblé inutile, bien à tort. Pourquoi le romancier ne ferait-il pas subir à ses algèbres intimes de l'âme l'épreuve des complications sociales ? L'insertion de l'amour dans la réalité y apparaît mieux encore folie, le romantisme s'y trouve plus fortement encore condamné. Voilà un gain pour l'auteur. En voici un autre : puisqu'il voulait affirmer son anti-romantisme en face de la société moderne, il a bien fait d'étendre son thème jusqu'à la politique, par le biais de ce mystère du chef qui rôde dans toutes les *Destinées sentimentales* et y répand l'idée de la nécessaire liberté, nécessaire à qui est responsable, à qui peut avoir à donner des coups de barre ou à renverser la vapeur, même si les circonstances rendent cette nécessité momentanément sévère et dure. Chardonne a fondu ces divers thèmes et celui de l'amour dans la douce lenteur de la vie provinciale avec autant d'art que les Barnery créaient un nouveau décor pour cette porcelaine dont il décrit la haute vie sans jamais ennuyer. La réussite est parfaite. Cependant *Romanesques* est revenu, en 1937, à la conception première. Rien n'oppose Armande et Octave. Ils sont heureux. Et pourtant... Octave, Armande, le jeune Babb... Léger, irrésistible affleurement du drame de trahison et de jalousie. L'existence normale recouvre tout. Mais on a eu le temps d'entrevoir l'inconscience profonde des possibles.

Presque à chaque paragraphe de ses romans, Chardonne, romancier, moraliste, énonçait des jugements sur la vie, assemblait un vrai treillage de maximes qui enserre ses récits et les gêne même quelque peu, au profit souvent d'une sagesse allègre quoique sévère. Il lui est arrivé de publier jugements et maximes sans les personnages et de jouer au La Rochefoucauld ou au La Bruyère sous forme d'essais et de souvenirs dans *L'Amour du Prochain* (1932), dans *L'Amour c'est beaucoup plus que l'Amour* (1937). Enfin, il a voulu remonter jusqu'au lac d'où toutes ses sources descendent. En 1938 donc, *Le Bonheur de Barbezieux* a reflété la petite ville de Charente où Jacques Boutelleau est né en 1884, et où, dit-il, « on ne souffrait que de maux éternels ». Il y affirme que le seul bonheur possible naît de l'ouvrage bien fait, de la vertu des bons artisans. Il va jusqu'à saluer une protection dans les nécessités aussi délicates qu'exigeantes qui s'imposent à la fabrication et au commerce du cognac. En somme, l'idée de chef-d'œuvre du vieux compagnonnage noyaute toute la psychologie même amoureuse de Chardonne, ainsi que sa philosophie morale.

Le moraliste associé au romancier dans toute l'œuvre de Chardonne suit une pensée courageuse qui va à l'encontre des conformismes de tout ordre, sans s'inspirer toujours d'un individualisme égoïste. Non, inspiré plutôt du goût le plus affiné, du sens des hiérarchies naturelles, de la compréhension des grandes lois telles qu'elles apparaissent à un homme sans préjugés qui vit à un moment de l'histoire où les attitudes humaines engendrent des conséquences à l'infini.

Et Jacques Chardonne vient de nous donner, en attendant un *Vivre à Madère*, ces *Chimériques* (1948) où il va jusqu'à l'excès de ses penchants mais qui fait penser à une pure et fragile éternité. On n'y voit plus que des moments non reliés entre eux, des personnages qui sont de délicats appareils d'existence, des hommes livrés lucidement au destin, des figures de femmes dont le charme fait presque mal. Personnages toujours aussi vrais, quoique aussi originaux. Étonnant roman, véritablement habité de remarques psychologiques, morales, sociales et politiques, élégance du suprême désabusement, testament d'humanité civilisée, esquisse d'un bilan du bien et du mal.

Ces histoires assez énigmatiques d'un écrivain amoureux de sa secrétaire, d'un médecin venu tard à un mariage passionné, d'une belle paysanne pervertie par la cour que lui fait un citadin troublé dont l'esprit la dépasse, traversent les remous de l'inconscient et mènent au bord du mystère, le mystère des âmes : on l'effleure, dans *Chimériques*. Comme l'a écrit Edmond Jaloux, « on ose à peine lire, à peine toucher ces pages, de peur de disperser cette poudre irisée. Et c'est un modèle de récit parfait ».

Les autres constructeurs emploient la pierre ou le ciment armé. Chardonne, architecte et entrepreneur, crée entièrement son matériau, et le secret ne s'en devine point. C'est léger comme du verre le plus fin, et rien d'autre que la barbarie ne le brisera.

II. — *SINCÉRITÉ GIDIENNE*

1. Jacques Rivière.

La foi dans les « nourritures terrestres », le dogme de la sincérité absolue, le culte religieux d'une conscience à écouter et à clarifier sans arrêt méritaient à Rivière un certificat gidien. Il est né à Bordeaux en 1886, a été un camarade d'études d'Alain-Fournier, a fait des cours à Stanislas, puis est devenu secrétaire de *La Nouvelle Revue Française* à la fondation de laquelle il avait pris part. Prisonnier dès 1914, envoyé en camp de représailles, évadé, repris, interné pendant une année en Suisse, rapatrié en 1918, il se vit confier la direction de la revue blanche à titre rouge. Il avait épousé la sœur d'Alain-Fournier, Isabelle, qui a veillé sur sa mémoire.

Jacques Rivière a laissé un roman, *Aimée*, et une esquisse de roman, *Florence*. *Aimée* (1922) observe l'âme avec une lucidité nettement cruelle, ne faisant grâce d'aucun trait dans cette radiographie morale de deux êtres que tourmente l'acharnement à se découvrir. Un Anglo-Saxon, Harrisson, a écrit dans un des « Hommages » que la *Nouvelle Revue Française* rassemble dans son numéro du 1er avril 1925 : « Dans *Aimée*, je trouve un esprit latin dépeignant quelque chose qui vaut d'être appelé amour; je trouve de la passion chauffée à blanc, une intensité de sentiment devant laquelle les sens sont toujours, inévitablement, je crois, réduits au silence. » Rivière s'était, dans la suite, passionné pour Freud; le roman de *Florence*, achevé, s'en serait ressenti. Il est allé s'éloignant de Gide et accordant davantage à l'analyse abstraite, moins à la suggestion; son art romanesque tend à l'idéologie.

Auparavant, dans *Études* (1912), devinant tous les maîtres du XXe siècle, il les avait traités en entomologiste appliqué, en critique non de jugement mais de méditation; un mélange d'analyse et d'intuition isole l'individualité irréductible de chaque auteur, et Rivière coexiste avec elle. *L'Allemand*, souvenirs et réflexions de captivité (1918), est le livre d'un observateur honnête s'interrogeant sur un peuple; il se répond que la nation allemande a perdu son Moi. Les diplomates de l'époque auraient bien fait de suivre les indications que Rivière donnait dans ses *Dangers d'une Politique conséquente* et dans ses conférences de Genève. Les *Correspondances* avec Claudel, avec Alain-Fournier, resteront longtemps des documents et des sources pour l'histoire de notre temps. Par ces essais et ces papiers intimes, Rivière s'est inséré plus profondément que par ses romans dans l'élaboration de notre art contemporain. Et d'ailleurs n'est-il pas étrange que, romancier, il ait pris le contre-pied de la charte du roman moderne, établie par lui-même dans la *Nouvelle Revue Française* ? En effet, il étudie les rouages de ses personnages, trace un graphique de leur fonctionnement et se désintéresse à peu près des actes.

Quand Jacques Rivière communia à Notre-Dame pour la première fois, le 25 décembre 1913, c'était Claudel qui triomphait de Gide. Mais il resta jusque dans sa foi un inquiet, sans doute à cause de sa curiosité insatiable, comme on le voit bien dans les notes rassemblées par sa femme et qu'elle a intitulées *A la Trace de Dieu* (1925). Après maints combats intérieurs, il est mort, croyant, le 14 février 1925, à Paris.

2. Henry Deberly.

Les violences et les quintessences de perversité ont trouvé dans l'auteur de *L'Impudente* (1923) et de la *Comtesse de Farbus* (1926), un peintre de caractères qui s'acharne à faire éclater, à force de sécheresse, un paroxysme. *L'Ennemi des Siens* (1925) scrutait le fond d'une troisième perversion féminine au cœur d'une tragédie familiale. Après *Le Supplice de Phèdre* (1926), *Un Homme et un Autre* (1928) a étudié l'inversion avec une pitié lucide. Henry Deberly (né à Amiens en 1882) imposait dans ces gageures une tâche harassante aux dons magnifiques d'un talent forcené et froid, le seul de notre temps qui fasse impérieusement souvenir des *Liaisons dangereuses*. Il est mort en 1946.

III. — *L'ŒUVRE DE JACQUES DE LACRETELLE*

Arrière-petit-fils de Jean Racine par alliance (est-ce pour cela qu'il sait dire ce qu'il n'exprime pas, en certains sujets scabreux ?), petit-fils du vieux député-poète de Tournus et de Cluny, Jacques de Lacretelle est né à Cormatin en Mâconnais, le 14 juillet 1888, d'un diplomate fort errant. Son père l'emmena en Orient, en Angleterre; après des études à Janson de Sailly, le futur traducteur de Marie Webb et d'Émilie Brontë est allé travailler à l'Université de Cambridge. C'est là qu'il a senti poindre sa vocation. Puis Hermant, bien avant de le recevoir à l'Académie, l'a persuadé d'attacher de l'importance à la pureté de la langue. Jacques Rivière a été son confident littéraire. De la lignée de Fromentin, il doit à Régnier et à Boylesve une certaine obsession voluptueuse. Mais Gide l'a vite conquis : triomphe d'un art net presque sévère, qui voudrait être parfait; bombe à retardement préparée contre la terre et les morts de Barrès.

Des destins passionnés et dramatiques donnent leur frappe aux nouvelles de *L'Ame cachée* (1925). *L'Histoire de Paola Ferrani* sert de titre à un autre recueil de récits violents qui trouvent leur unité dans le climat pittoresque et moral de Naples (1929). On regrette que l'auteur n'ait pas écrit ce journal de Claude Anet auquel il avait pensé. Il est un fidèle de Rousseau, qu'il a merveilleusement pénétré dans ses *Dix Jours à Ermenonville* (1926). Au reste, toutes ses rêveries à travers les livres (*Les Aveux étudiés*, 1934 — avec leurs portraits parlants de Proust, de France, de Montherlant) frémissent d'autant d'ardeur compréhensive que ses confidences de voyage; les *Lettres espagnoles* (1926), malgré des pages bien légères (sur Tolède notamment), vont loin dans plusieurs directions; *Le Demi-Dieu* (1931), récit un peu frêle de voyage en Grèce, n'a rien de convenu.

Lacretelle est un apôtre de l'introspection, et il lui doit de la gratitude. Il se multiplie en traits justes qui illuminent autour d'eux, parce qu'il possède une vaste réserve de psychologie pensée, décantée, rangée. Il puise dedans, ou plutôt ses personnages la traversent et en emportent ce qui leur convient. *La Vie inquiète de Jean Hermelin* (1920), narration pudique et délicate qui trancha sur les « juvenilia » à la mode, mais n'en dit pas moins et le tragique recul devant les femmes et l'incompatibilité d'humeur avec les parents, ne raconte guère que sa propre adolescence. Les autres livres ont fait tourner des mondes moins dépendants de lui, presque indépendants, mais qu'il avait observés au plus profond de sa réflexion, de sa mémoire, de son intime vision; car Lacretelle regarde la vie reflétée comme dans une nappe d'eau unique de densité et de transparence à la fois, c'est-à-dire d'intuition, d'intelligence et de raison.

Silbermann (1922) peint le jeune intellectuel, fils de juifs riches de Paris, météore, peut-être destructeur mais étincelant, qui traverse le ciel de jeunes Français, un peu fatigués de race, facilement indignes des richesses de leur pays qu'ils ignorent et que le juif, fièrement, leur fait découvrir et aimer. Quels livres ont montré plus juste sentiment de l'âme juive, de sa position dans le monde en général et dans la France en particulier ? On y goûte la grâce d'un récit mesuré. *Amour nuptial* (1929) devait primitivement ne faire qu'un avec *Le Retour de Silbermann* (1930); membre coupé et qui semble souffrir encore, ce drame poignant d'un ménage brisé entre l'amour et le désir se ressent trop de *L'Immoraliste* dans son art. *Le Retour* a l'accent tragique : Silbermann, chassé vers l'Amérique par les malchances de sa famille, n'y a éprouvé qu'antipathie pour ses coreligionnaires misérables; revenu à Paris, abandonné par les siens, trahi par sa maîtresse, il se reconnaît incurablement seul. C'est un lamentable raté. L'auteur peint en lui le représentant d'une race brillamment douée, mais à laquelle il attribue une intelligence-reflet et qu'il paraît croire incapable de véritable création.

Deux ou trois romans fondus en un seul, au lieu de s'éclairer les uns les autres, s'obscurcissent et s'étouffent, dans *La Bonifas*. Ce récit, est-ce l'extraordinaire solitude d'une âme de chef égarée dans un corps de femme parmi les larves humaines d'une petite ville ? Est-ce la preuve qu'il faut des défauts et peut-être des vices pour composer un héros, une héroïne ? Les pages sur l'invasion allemande et le courage civique avec lequel Marie Bonifas sauve la ville surprennent et offensent, à force d'ironie. Combien l'autre roman du livre est meilleur ! Il traite avec un tact extraordinaire et, vers la fin, avec un pathétique sinistre, le sujet exceptionnel mais profond de la femme doublement possédée : par le dégoût haineux de l'amour normal, par la tentation de l'amour saphique.

Les quatre volumes des *Hauts-Ponts* (1932-1936) racontent la décadence d'une famille en trois générations, la première obligée de vendre le domaine vendéen auquel elle est attachée, la seconde luttant pour le racheter, la troisième le perdant pour toujours. Lacretelle a peint là d'assez singuliers humains : le père ruiné et accablé, enfermé dans son insuffisance; le petit-fils, orienté vers les mondes invisibles et qui finira missionnaire; Sabine, isolée par le rêve, exquisement malheureuse, sa fille Lise acharnée au songe de la reconquête, marchant elle aussi à la lisière de l'irréel. Un monstre, cette femme, dans son avidité orgueilleuse de posséder. Elle en perd de la crédibilité vers la fin avec ses humilités, après tant d'arrogance. Quant à la « disparition » d'Alexis dans la vocation, on peut la trouver exagérément providentielle; mais ce personnage de justicier sans le vouloir est bien venu.

En somme, chaque grand épisode du cycle est consacré à une de ces cités que l'imagination construit dans les âmes et qu'isole de la vie soit le désir sentimental, soit une passion comme celle de la propriété, tantôt le vain souvenir et tantôt la vocation mystique. Ces cités intérieures s'opposent dans une même maison, qu'elles contribuent à détruire, et l'on se demande si l'auteur ne s'en félicite pas. Il est impossible de lire ces quatre volumes sans entendre leur diatribe secrète contre le mariage, la tyrannie des parents, l'étouffante tribu. Le monologue fiévreux de Solange de Prieix, à l'heure de mourir, dans le volume des *Années d'Espérance*, ne dénonce-t-il pas l'égoïsme incompréhensif des maris et les abus de leur pouvoir ? Mais le mari, à son tour, ploie sous le joug maternel, ainsi que plus tard le petit Alexis. L'indiscrétion impudique et jalouse qui avilit souvent les familles, on la retrouve en plus d'une page, en plus d'un propos des *Hauts-Ponts*. Il en est d'atroces. D'ailleurs, à travers l'œuvre entière court un tel éloge de la solitude qu'on devine Lacretelle dressé contre toute vie en commun. Un individualisme libéral et humain l'inspire, qui pourrait prendre, au besoin, des aspects escarpés et rudes. Mais la révolte de l'individu réussira-t-elle ? Non. L'individu s'enferme dans une prison et meurt. Tout compte fait, pas de livres plus amers et de signification plus sombre que ceux-là, profondément pénétrés d'angoisse protestante. Ils composent le roman des inadaptés, des hors-la-loi malgré eux, de ceux qui même dans leur race, même dans leur nation ou sous leur toit, ne trouvent pas l'accord nécessaire à l'existence; et ils enregistrent les jugements les plus durs. Durs pour la femme; la Phèdre de *La Mort d'Hippolyte*, la criminelle du *Cachemire écarlate*, détruisent des hommes. Durs pour les juifs, ai-je signalé. Durs pour les protestants dans l'atroce fin d'une nouvelle, *Le Christ aux Bras étroits*. Le contraste de ce fond noir avec l'eau si claire du récit et du style donne au fleuve lacretellien sa physionomie originale.

Étrange œuvre inspirée par la chimère et la critique de l'esprit chimérique, conduite comme une anatomie et écrite en traits précis, presque froids, parce que l'auteur ne veut jamais, même dans le pathétique, perdre le contact avec l'art tout intellectuel, choisi et poli, essentiel, qu'il a pour idéal et qui le classe si nettement à part. Ce n'est pas un art donné, le produit d'un tempérament délicat. C'est un art conquis sur une inquiétude et une violence (dont *Colère* et le *Journal de Colère*, 1926, sont secoués) et conquis par la solitude, la méditation, dans ce que Lacretelle appelle, en souvenir de Jean-Jacques, « ses îles de Saint-Pierre ». Première île : Cambridge. La seconde : tel coin de Provence où il découvrit le trésor de Littré. Les autres : quelques hôtels de petites villes comme Provins. La maison de Montfort-L'Amaury en aura été la plus constante, « endroit d'élection, a-t-il écrit, je veux dire où le choix se fait : retraite, défense contre l'excès, contre la vitesse et la multitude qui embrouillent le jeu de vivre ».

CHAPITRE IV

DU COTÉ DE LA RECHERCHE POSITIVE ET DE LA CONSTRUCTION

Nous en venons maintenant à des œuvres d'art qui sont œuvres en même temps non plus tant d'imagination que de pensée.

Avec Duhamel prosateur, en qui semble s'être accomplie l' « Abbaye », on part d'une inquiétude décérébrée propre à l'époque (elle s'appelle Salavin) et l'on s'élève aux réussites d'une entreprise qui, malgré son pessimisme latent, est réconfortante à force d'hygiène humaniste.

D'autres furent voyageurs et ont connu le mal du nomadisme. Mais une psychologie réaliste les a protégés. Il y a une vertu dans l'observation, il y en a une autre dans l'attachement aux réalités des nations, à commencer par la nôtre. Morand et ses émules en montrent de bons exemples, auxquels j'ai joint des exemples fournis par quelques étrangers qui, ayant choisi pour seconde patrie commune la France, surent parler dans notre langue de leurs patries respectives.

Ce qu'on peut appeler l'humanitarisme chrétien nous vient, si l'on néglige quelques intermédiaires, de Lamennais et de Lacordaire; l'entre-deux-guerres l'a favorisé. Ses représentants contemporains ont plongé dans la misère de l'homme et brandi les signes de la grandeur humaine. Les deux attitudes les ont mis au bord d'abîmes. Cependant, romanciers, essayistes, même pamphlétaires, ils proposent au mal du monde un grand remède. Mauriac, Jouhandeau, Bernanos l'ont proposé en remarquables écrivains.

Le remède s'est offert chez d'autres dans la renaissance de

l'énergie. Ceux-là ont voulu recommencer Barrès et l'atmosphère a été propice. Bien que des failles compromettent leur effort, un Montherlant, un Malraux figurent parmi les têtes les plus intéressantes de ce temps. L'énergie est certainement plus normale chez les sportifs que je nomme après eux, ainsi que chez les héros d'un romancier comme La Varende, romantique pourtant, ou chez un héros vivant tel que Saint-Exupéry; mais l'envergure littéraire est moindre.

Enfin la recherche positive et constructive a touché certains de ses buts dans les ouvrages qui jouissent d'une solidité de rustiques et surtout dans quelques grandes Géorgiques qui font confiner le roman à l'épopée.

I

L'ACCOMPLISSEMENT DE L'ABBAYE : DUHAMEL PROSATEUR

Il a existé un Anatole France de l'esprit. Il en existe un du cœur. L'Abbaye n'a trouvé en personne son accomplissement de poésie, elle trouve en cet Anatole France son accomplissement de prose. Seulement ce nouveau France, positiviste d'origine, s'oriente sur une expérience qui pourrait bien aller jusqu'à la croyance religieuse.

Georges Duhamel, poète et homme de théâtre dès sa jeunesse (1), prosateur à un âge plus mûr, tient sa physionomie d'une complexité qui harmonise, dans un esprit de compromis peut-être excessif, contraires et demi-contraires. Penseur, il se résout en romancier; moraliste qui sait à quoi s'en tenir avec les hommes, il veut avoir foi en l'homme; individualiste formé en des années d'anarchie, il ne plaisante pas sur le devoir social; en outre, le tragique et le comique vivent si naturels chez lui, qu'on ne s'étonne pas qu'il leur assure finalement l'entente la mieux proportionnée. De tels contrastes sont à peu près ceux du siècle. C'est pour cette raison que Duhamel, qui réussit à les rassembler en lui, donne l'impression, parmi les contemporains, d'être l'écrivain français le plus central, en même temps qu'un des connaisseurs de l'Europe et du monde.

1. Biographie.

Septième de huit enfants dont plusieurs ont vécu, Georges Duhamel est né le 30 juin 1884 dans la capitale, de parents

(1) Cf. notre premier volume, p. 546.

qui avaient leur berceau quelque part en Ile-de-France. Un de ses derniers livres raconte comme l'humeur vagabonde de son père a traîné cette famille de quartier en quartier dans Paris et de ville en ville autour de Paris. Après des études cahotées, il fit ses humanités tardivement, par une décision de sa jeune volonté, avec un esprit déjà mûri, qu'elles émerveillèrent. De bonne heure il se prépara à la médecine afin de pouvoir se consacrer à la littérature en parfait désintéressement. Et ses amis Arcos, Romains, Vildrac, ont voulu eux aussi avoir un métier. C'est à l'Abbaye de Créteil qu'il a écrit ses premiers ouvrages publiés; il y habita et y travailla, artisan typographe comme ses camarades, de 1906 à 1908. Longtemps Duhamel, aux mois de vacances, a voyagé en piéton à travers la France, la Suisse, l'Italie, l'Autriche : c'était encore de l'étude et de la préparation. Plus tard il a voulu connaître l'Afrique du Nord, la Russie, l'Amérique : semailles pour livres futurs. Même ses plus innocentes promenades au cours des rues parisiennes ou dans le jardin et les alentours de sa propriété de La Nase, près de Valmondois, il en fait un grappillage d'observations et d'idées. Son vrai délassement lui vient de la musique. Il en entend beaucoup, il en joue. Dans son appartement de la rue Vauquelin, puis dans sa maison de la rue de Liége, il aura rassemblé à soirs réguliers un orchestre amical dans lequel la partie de flûte le regarde. Le reste de sa vie se confond avec sa production littéraire, avec ses tournées de conférences, avec son assiduité aux séances de l'Académie Française. Une de ses fiertés est d'appartenir également à l'Académie de Médecine.

Je ne crains pas d'insister sur la biographie de Duhamel. Il a choisi pour idéal d'être un homme qui s'ouvre à la vie, au lieu de s'en défendre par privilège d'écrivain. Certes, Dostoïevski et Walt Whitman, Romain Rolland dans sa fleur, la musique et le voyage sont à désigner comme ses sources, mais qu'on n'en omette pas l'idéal qui le rapprocherait assez de Péguy, s'il n'y montrait surtout un besoin d'arriver à sortir avec honneur de la pauvreté, en chef de clan et avec tous les droits pour la coutume de ce clan. Ambition artisane, conception d'une ascension bourgeoise à l'image de l'ancienne France; elle servira de base à la chronique des Pasquier, qui forme un ensemble de « Mémoires imaginaires » plus encore que tout le reste de l'œuvre ainsi intitulée très justement. Les douceurs d'intimité qui bouleversent Salavin, la recherche ardente que poursuit Laurent Pasquier de la voie à prendre pour faire marcher de front la conscience, le cœur, l'ambition : tout cela, c'est témoignage même de l'auteur, c'est son apport de fils et de frère. Ainsi s'est constitué le noyau d'un romanesque expérimental que personne n'a poussé si loin que Duhamel, romancier des choses vues et éprouvées, aimant à montrer qu'il les a vues et éprouvées.

On ne comprendra donc parfaitement Duhamel qu'en le pensant médecin. Son observation a la précision minutieuse d'un esprit ami des sciences physiques et naturelles, elle a en même temps l'attention cordiale de l'homme qui ausculte et qui soigne : d'où beaucoup de sympathie et de pitié presque professionnelle. C'est le médecin qui servit à l'écrivain d'introducteur dans le monde intérieur des hommes par la compréhension de la souffrance. N'est-ce pas le médecin aussi qui a peint des incomplets, des passifs, des demi-conscients comme Salavin, pour s'instruire et nous instruire de l'humanité par le spectacle de ses déviations ?

Il a subi profondément l'influence de Charles Nicolle, médecin et biologiste (1866-1936), dont les découvertes préservèrent l'Occident du typhus pendant la guerre de 14-18, mais aussi philosophe de sa propre science et des disciplines intellectuelles générales dans la *Biologie de l'Invention.* Nicolle avait médité sur *La Destinée humaine* et notamment sur l'impuissance de la raison en face de l'infini monstrueux de la nature. Il se convertit au catholicisme.

2. Une œuvre de pensée.

On la voit avancer d'une triple et quadruple marche par chemins parallèles. D'une part, elle est pessimiste, quant à notre condition; d'autre part, elle admet l'efficacité de tous les efforts moraux. Ces efforts, Duhamel s'en est fait longtemps une idée qui lui était venue de Maeterlinck par l'Abbaye. *Possession du Monde* (1919) prétendit instaurer le « règne du cœur » en morale, en politique, en philosophie générale. C'était généreux et utopique. Duhamel a mis longtemps à en revenir, et à dire vrai, il n'en est jamais revenu tout à fait, puisque la sympathie, la pitié, la cordialité parlent toujours chez lui les premières. Mais tout de même est arrivé le temps du propriétaire et du gardien. Car il y a des biens à garantir et à faire fructifier, faute de quoi tout s'écroule. A mettre d'accord en lui l'homme qui donne, se donne et affranchit avec l'homme qui se défend, Duhamel a déployé de merveilleuses souplesses. Contre deux monstres toutefois il a foncé dur. L'un est la diablerie des sciences industrialisées; il y a un abcès à vider dans le monde moderne, c'est l'absorption de la variété humaine et du sens individuel par les plaisirs communs tirés de la mécanique, par les sujétions de l'automobile, par les mots d'ordre rigoureusement collectifs que transmettent cinéma et « téhessef » : qu'on lise *Querelles de Famille* (1932), *L'Humanisme et l'Automate* (1933). L'autre est l'esprit totalitaire des États modernes. Dans *Le Voyage de Moscou* (1927) Duhamel a deviné la montée nationale de la nouvelle Russie et, acceptant le fait, a tracé à la France le devoir de connaître cette nouveauté dans sa force; mais cela ne l'a pas empêché de protester contre la censure, la délation mutuelle, le fanatisme des techniques, le pédantisme scientiste et l'endoctrinement de la jeunesse. Dans *Scènes de la Vie future* (1930), cette anticipation de Wells français, il aurait écrit le plus injuste des pamphlets s'il eût prétendu peindre les États-Unis; il les a pris comme prétexte pour crier haro sur un monde de demain qu'il a peur de les voir préfigurer : M. Armand Hoog apprenait aux lecteurs de *Carrefour*, le 24 mars 1945, que la traduction publiée là-bas porte ce titre : *America, the Menace*.

Duhamel, dans la suite, n'a pas tardé à se faire un trésor personnel d'une sagesse dont il ne se souciait pas jusque-là, mais qui n'est nullement une sécrétion bourgeoise ou académique, qui a pour elle au contraire la même éternité que La Fontaine : elle est conservée dans *Les Fables de mon Jardin* (1936). Sans se terrer dans le pessimisme fondamental, elle tourne le dos aux complaisances du rationalisme et de l'égalitarisme; elle s'accorde avec la psychologie classique qui n'a jamais eu pour défaut de s'illusionner. Mais avec quelles précautions, quelle délicatesse allusive ! C'est des *Lettres au Patagon* (1926) — satires de l'éloquence politique, du scientisme, des jalousies du monde savant, du traditionalisme d'Action française et de quelques autres « maladies » — qu'on doit dater le passage de l'optimisme absolu à un pessimisme relatif.

Enfin, une générosité tonifiante qui ne consent pas à désespérer (*Querelles de Famille*, ce titre indique assez de quel cœur on reste à bord du navire infecté) emporte l'ensemble de l'œuvre malgré tout vers les ports de la confiance humaine, s'étant refusée jusqu'ici à visiter, littérairement parlant, les arsenaux de la bombe atomique.

Il est évident que Duhamel ne cherche pas à résoudre les terribles problèmes qu'il pose et impose : le problème capital, celui du sort humain sous le coup des nouveautés par lesquelles le XXe siècle a modifié l'état de la planète plus radicalement que ne l'avaient fait les quarante siècles précédents, aurait-il dû le contraindre à regarder en face la tyrannie de la science, je dis de la science pure ? Il serait alors juge et partie; car versé dans la science biologique, il y a toujours trouvé son réconfort et il y met une part de son espérance. On attendait plutôt de lui qu'il creusât les questions d'éducation nationale. A constater la double abstention, on sent bien qu'un esprit de conciliation et de paix lui paraît plus efficace et bienfaisant que tout. Il lui est cependant arrivé de s'engager encore furieusement contre une autre espèce d'automates et de monolithes : ce fut la campagne de *La Guerre Blanche*, en 1939, qu'inspira le patriotisme le plus délibérément dressé contre l'Allemagne hitlérienne. Avait-il donc conscience de dénoncer, après le totalitarisme et la mécanisation, l'ombre d'une troisième menace beaucoup plus immédiate sur la civilisation ? A comparer ce va-tout patriotique avec le pacifisme du jeune âge, on voit ces antipodes s'opposer aux deux extrémités d'un axe qui n'est pas celui de la raison et du calcul, mais celui du cœur et de l'instinct. Il faut dire qu'un autre axe parallèle fait tourner tout un monde de l'esprit et de la méditation. Une culture morale profonde permet de vivre à cette complexité.

C'est en fonction de ces états d'esprit où tant de sentiment se mêle à la pensée que l'œuvre entière de Duhamel est devenue à la fois création de personnages et discours aux hommes.

3. Les romans.

Le Duhamel de guerre, chirurgien, quand il allait au fond de la chair déchirée, cherchait-il l'âme au delà de ses doigts et de ses instruments ? La civilisation, disait-il, si elle n'est pas dans le cœur de l'homme, elle n'est nulle part. Aussi l'abomination du carnage guerrier, en aucun ouvrage d'aucune époque, n'a jamais suscité visions plus protestataires que celles de *Vie des Martyrs* et de *Civilisation*, mais à travers une familiarité pitoyable, relevée souvent de franche farce.

Si ce qu'on appelle humanité est un sentiment de bienveillance pour les hommes en général et de pitié pour les hommes en particulier, elle s'est faite singulièrement active chez Duhamel. Devenue chez lui dévouement et amour, elle est forme de sa sensibilité et de son esprit à la fois. Elle enveloppe, se glisse, s'insinue. C'est elle qui devine les intentions et les secrets, elle qui conduit les scènes, fait ressortir les traits. Comme les mets relevés de sel, elle prend tout son goût lorsque s'y mêle le grain de moquerie. Ses livres de pure douleur, depuis *Vie des Martyrs* jusqu'à *Lieu d'Asile* (1945), sont composés de ces éléments. Mais l'œuvre entière s'en inspire. C'est pourquoi, si désolante en ses peintures, elle apporte malgré tout un réconfort. Duhamel a créé une *aura* d'amitié, capable de faire vivre avec confiance, peut-être d'aider à mourir.

Ses deux livres sanglants orientent donc le cortège de tous ceux qui ont suivi et dont le dessein profond ne nous porte point aux anges. Qu'est-ce que *Les Hommes abandonnés* (1921) ? Huit nouvelles, rien que des êtres en détresse. *La Pierre d'Horeb* (1925) ? Un étudiant en médecine que font homme les souffrances de l'amour. *La Nuit d'Orage* (1928) ? Le fétu que deviennent les humains les plus évolués lorsque les emporte une tornade d'irrationnel obsédant. Mais partout, le sentiment fraternel, le soutien affectueux, la consolation. Qu'on lise attentivement *Les Hommes abandonnés* : Duhamel semble les avoir écrits pour jeter un pont entre les doctrines unanimistes et le public traditionnel. Son unanimisme faisait d'ailleurs porter l'intérêt beaucoup moins sur le groupe que sur les individus qui le constituent ou l'affrontent. Et il ne le privait point pour cela d'un air de légende.

Le noyau de l'œuvre demeure évidemment l'histoire de Salavin. Si d'aventure on y éteignait l'humanité constante de l'auteur et, dans le héros, tout un feu sombre de la conscience, que resterait-il des cinq volumes — *Confession de Minuit* (1920), *Deux Hommes* (1924), *Journal de Salavin* (1927), *Le*

Club des Lyonnais (1929), *Tel qu'en lui-même...* (1932) — où s'épuise un malheureux bien attachant ? Son créateur l'a laissé barboter dans de cocasses ou grotesques absurdités. C'est un faible, à qui son inconscient dicte des actes malencontreux. L'ami Édouard, plein de santé, se défend contre l'affection de cette âme malade. Ame inquiétante, au fond de laquelle remue doucement une boue de mauvais sentiments et de vilains instincts. On se souvient de pages pénibles (Salavin chez des amis), vraiment odieuses (Salavin ne pouvant s'empêcher d'imaginer sa mère morte et découvrant dans ce malheur des commodités de vie). Il a pour seul mérite de ne pas cacher ses lâchetés, ses laideurs; il en a honte, il lutte contre elles. Sa mère, sa femme, ces deux êtres doucement sublimes à force de tendresse rendue presque muette par son ardeur même, enchantent et déchirent l'âme de Salavin; pourquoi avance-t-il, par contre-coup de ses tristes expériences, la mort de cette mère adorée ? Pourquoi désespère-t-il sa femme chérie et vénérée ? Pourquoi martyrise-t-il son meilleur ami ? Mais autant demander pourquoi la nature l'a condamné aux tourments de l'illusion et du scrupule, ou pourquoi il ne se console pas d'avoir découvert que tous les hommes sont misérables et incompréhensibles. Cet état est cause que Salavin aboutit à l'échec dans la possession de soi, dans l'amitié, dans son travail haletant pour devenir un saint et jusque dans la vie quotidienne sous son toit.

L'histoire de Salavin ne propose d'horizon ni dans une foi ni dans une discipline; elle n'ouvre des perspectives qu'à travers les hommes réels : or Duhamel a multiplié les témoignages sur une humanité déshéritée que les individualités exceptionnelles n'ont pas le moyen de définitivement secourir. La réformer ? Cela ne serait possible que par le changement des âmes. A toutes ses erreurs Salavin a ajouté celle qui les couronne : il a cru qu'on pouvait changer les âmes absolument. Tout ce que lui accorde le docteur Duhamel, c'est qu'avec une bonne hygiène on peut les modifier à la surface, soigner quelques accidents de leur mal : ce mal subsistera, faute ou souffrances, crime ou misères. Il ne faut pas connaître ses semblables pour ne pas se sentir rassasié d'eux. Qui dit cela ? Ce n'est plus Salavin, c'est Duhamel. C'est lui encore qui finit par avouer que les hommes ne peuvent rien les uns pour les autres.

Mais l'histoire offre un autre versant sur lequel l'auteur a répandu beaucoup d'amour douloureux et de pitié : on y voit Salavin « s'abêtissant » à chercher la foi, puis rentrant bredouille de sa sainte quête, se méprisant alors et se fuyant, non sans courage. Il existait en lui une réserve secrète de vertus. Ses élans vitaux sont retombés impuissants, mais ils jaillirent. Sa femme ne voudrait pas ne pas l'avoir épousé; sa mère aura éprouvé de sombres joies à veiller sur lui, incurable. Duhamel a parfaitement réussi son tableau d'une petite société pauvre et de cœur tourmenté où Salavin semble avoir pour mission de rappeler que l'insatisfaction est capable tout de même de devenir qualité morale, chèrement payée, bien entendu. C'est même l'honneur d'une ville, d'un pays, d'une civilisation que de modestes foyers et jusqu'à la boutique d'un bouif de la rue des Lyonnais, renferment tant de vie intérieure, tant de fine inquiétude. Quant à Salavin personnellement, il a beau rester engagé dans l'âge chimérique par où toute la génération était passée et qui l'a conduit à une si douloureuse défaite, il a le goût délicat, et c'est pour cela que des gens le choquent, des gens et la vie même. Il reste très Français, plus rien en lui de tolstoïsant ou de dostoïevskien.

4. L'ART.

Duhamel nourrit ses romans de rêveries où l'esprit distille des souvenirs vivants, et il aime insuffler une vie romanesque à sa pensée d'observateur humain. Quel romancier donnerait plus de frissons que ne fait ce moraliste, dans tel chapitre de *L'Humaniste et l'Automate*, lorsqu'il montre qu'une foule d'appareils destinés à suppléer les sens du médecin menacent de faire perdre à la médecine sa vertu de connaissance véritable, laquelle est, au fond, une sympathie ? Ailleurs, les analyses du système généralisé de l'assurance semblent prêtes pour une comédie où l'on verrait la conscience endormie par des moyens légaux et vertueux. Partout, dans les livres d'idées, *Géographie cordiale de l'Europe* (1931), *Discours aux Nuages* (1934), *Querelles de Famille* (1932), en propos railleurs, en détails suggestifs, explose la nostalgie; des dialogues travaillent à préparer la révolte féconde. Pourquoi diable ! l'auteur a-t-il renoncé au théâtre ?

Il s'est heureusement prodigué dans le roman. Il y a développé un art robuste, sympathique et réchauffant.

Ce qui donne aux récits de Duhamel leur accent spécifique, c'est qu'en créant les êtres qui les peuplent, il a été aux extrêmes limites de la sympathie. Il ne les comprend pas du dehors, il ne les analyse pas; il se trouvait par avance en eux-mêmes, il les voit du dedans. Il n'y a qu'un cœur pour eux et pour lui. Voilà pourquoi il raconte tantôt si franchement, tantôt si douloureusement. Qu'on m'entende bien, ses personnages existent en dehors de lui, car ils vivent. Mais son cœur à lui est en eux. Il s'agit d'une transsubstantiation. Singulière chance que cette littérature subjective ait créé si souvent de l'humanité générale : ce qui peut s'expliquer par un sens exceptionnel des « correspondances » ou bien par des habitudes scientifiques et médicales qui maintiennent l'étroite communication avec le réel. C'est en ce sens que l'auteur vit ses histoires. C'est à cela qu'elles doivent leur capacité d'émouvoir.

Mais la bonne humeur tient grande place chez Duhamel. Elle va jusqu'à la comédie joviale dans *L'Œuvre des Athlètes* (1920). Et qui pense qu'il n'y a pas de joie dans l'histoire trapue et savoureuse des *Deux Hommes* ou dans *La Pierre d'Horeb*, ce souvenir de la jeunesse estudiantine ? « Discipline » glisse sa drôlerie jusque dans la tristesse et l'horreur de *Civilisation*. Il arrive à Duhamel de pratiquer l'ironie; mais il préfère se tenir toujours à quelques degrés au-dessus ou au-dessous, dans la moquerie tendre ou dans la verve comique. Il n'hésite pas à camper des grotesques, des maniaques. Il tient décidément toute la chaîne de la vie par ses deux bouts, le tragique et le comique; ce sont les deux extrêmes de Salavin. D'où lui vient ce démon molièresque ? Mystère de la nature, évidemment : Duhamel est bon vivant, il aime la bonne chère, les bons vins et les bons fromages. C'est cet heureux tempérament qu'une partie de sa littérature a traduit, et presque tout de suite, préalablement aux contacts prolongés avec le mal et la laideur, même après ces contacts : équilibre spirituel dans lequel a sa part la fréquentation jamais abandonnée des grands esprits, comme on le voit dans les *Confessions sans Pénitence* (1941). Duhamel, qui a su fouiller la psychologie jusqu'à ses moteurs obscurs, complexes, énigmatiques, n'a jamais été jusqu'à la subconscience infamante. Trait d'union entre la littérature nordique ou germanique et le classicisme, entre la psychologie plus ou moins freudienne et la traditionnelle, il continue les aînés qui ont inspiré l'Abbaye, mais en même temps des maîtres plus anciens et de chez nous.

Le style de Duhamel le reflète parfaitement. Très pointilleux sur la sûreté de la syntaxe, il ne l'est pas moins sur l'exactitude du vocabulaire. Il connaît la vie des mots et il entend la respecter. Pour le surplus, son style est d'une chaleur d'imagination qui fond ensemble onction d'apôtre, bonhomie et passion musicale. Il semble bien que celle-ci aille sans cesse étendant son empire. Elle est passée des phrases aux chapitres et aux livres. On verra *La Chronique des Pasquier* obliger de plus en plus les scènes sentimentales ou tragiques et celles d'une comédie intermittente à se répondre et à paraître se fuir les unes les autres comme le sujet, le contre-sujet, l'exposition et les reprises d'une fugue.

Peut-être voudrait-on que la perfection se rompe çà et là. Ah, qu'une brèche s'ouvre, qu'un éclair fasse scandale ! D'autant plus que cette perfection mûrit avec lenteur, avec un peu de cérémonie; elle prépare de loin les scènes, elle présente les explications comme des quadrilles; elle se dégage, précautionneuse, d'un mélange de sagesse et de tentation lyrique. Enfin, plus souvent qu'il n'était nécessaire, une perfection de langage dans l'entretien ou l'exposé remplace l'acte et le mouvement; elle n'incarne plus alors entièrement la pensée, elle la prive de quelques moments de sa vie allégrement marchante.

5. Conclusion.

Georges Duhamel avait donc écrit, avant d'entreprendre la *Chronique des Pasquier* (1), une œuvre qui va au fil du fleuve contemporain en plein dans son milieu. Il conçoit la littérature miroir de l'homme total, connaissance de l'homme misérable et grand, victorieux et défait. C'est peut-être trop dire qu'il obligerait, s'il pouvait, à se donner la main Gide et Péguy, Proust et Romain Rolland. Du moins la tradition Rolland-Jaurès-Whitman a-t-elle trouvé chez lui, corrigée

(1) Cf. plus loin, pp. 405-409.

par les classiques, la meilleure expression romanesque et moraliste. Mais la défense de la personne humaine — et c'est l'essentiel de sa longue tâche — dévoile de jour en jour à ses yeux plus de difficultés. Il les affronte avec tous les moyens que lui fournissent l'observation réaliste, la confiante poésie et la science biologique. Est-ce en cas de défaite qu'il a des positions préparées d'avance dans l'humour qui lui est propre et dont les *Souvenirs de la Vie de Paradis* (1946), mais auparavant bien des pages des *Pasquier*, auront renouvelé l'agrément ?

II

EXPLORATIONS

I. — *DANS L'ESPACE*

Le voyage a prodigieusement élargi ses cercles entre les deux guerres. Ce qui était l'exception, Tahiti ou le Japon, est devenu la coutume. Et comme on va vite ! Comme on séjourne peu !

Hasard des hommes et des choses : le grand livre qui inaugura le roman d'exploration dès le début de l'autre après-guerre a encore beaucoup de caractères de l'ancien exotisme. Aussi l'abîme s'ouvre-t-il moins abrupt entre Loti et Cendrars, entre Loti et Morand, si l'on prend soin de s'arrêter à *Maria Chapdelaine*.

1. Louis Hémon.

Ce Breton au long visage aigu d'Anglo-Saxon et au regard de Celte, Louis Hémon, qui était né à Brest en 1880, possédait la connaissance du sport, il en avait même découvert la valeur spirituelle; et cela prenait place en lui dans un ensemble presque mystique : d'où l'intérêt de son *Battling Malone*. Il vécut en Angleterre, puis arriva au Canada, accablé à trente ans de la perte de sa jeune femme. Tout de suite, laissant les villes, il alla « vers l'Ouest », comme on dit là-bas. Fixé dans la région du lac Saint-Jean au bord des forêts de Péribonka, « engagé » par goût plutôt que par besoin chez un bûcheron défricheur, il étudia sur place la vie des pionniers et de leurs familles. C'est de là qu'au bout de dix-huit mois, en 1913, il partit pour trouver la mort en chemin sous les roues d'un train. Il venait d'écrire *Maria Chapdelaine*, qui devait paraître d'abord en feuilleton dans le *Journal des Débats*, puis dans *Les Cahiers Verts* en 1921. Il avait bâti ce roman d'après nature; le cadre est exactement reproduit, les personnages ont existé, comment le drame manquerait-il de naturel ? Mais Hémon a eu le pouvoir personnel et mystérieux de le rendre profond comme le ciel et les saisons, comme la terre et le travail qu'elle réclame. Des existences simples dissimulent sous le ton uni du récit et sous la neige de leur décor, des âmes graves et comme imperméables. Quand l'émotion se fait jour, elle n'en est que plus belle. Les scènes capitales brillent d'une splendeur digne d'un Homère de l'exotisme.

Il faut noter que la poésie de *Maria Chapdelaine* déplaît aux Canadiens de ces dernières années. C'est ce qui explique le caractère quasi pamphlétaire du roman de Ringuet, *Trente Arpents*, qui prétend peindre le combat réel du paysan avec la nature ingrate. Un autre écrivain canadien, Germaine Guèvremont, a campé dans *Le Survenant*, un personnage vrai, quoique taillé avec une largeur de légende, et qui s'accorde profondément avec des étendues désolées de marécages. Dans cette littérature paysanne des anti-Hémon, je n'oublierai pas Adolphe Nantel, qui a montré de la force dans *La Terre du Huitième*.

2. Paul Morand.

Né le 13 mars 1888 à Paris, il a commencé sa carrière d'écrivain en 1919 avec les poèmes de *Lampes à Arc*; son premier livre de prose, *Tendres Stocks*, deux ans plus tard, s'essayait à l'expression moderniste et faisait passer la réalité par un appareil d'images à surprises. Giraudoux, imité à ce début d'une féerie cinématographique, surtout dans les évocations de visages de femme, fut vite quitté. L'influence d'Abel Hermant a duré davantage.

Bientôt le diplomate formé aux Sciences Po prit le dessus, aussi curieux des bouleversements d'après-guerre que des variétés humaines du globe. La doctrine de l'évasion battait alors son plein et la France avide de récréation se délecta aux cocasseries d'*Ouvert la Nuit* (1922), de *Fermé la Nuit* (1923) et de *L'Europe galante* (1925), recueils de nouvelles où le cosmopolitisme fait tourner ses feux précis et prometteurs comme enseignes de music-hall. On dirait que Morand a voulu rassembler une galerie d'originaux et d'originales capables d'apaiser la dévorante curiosité du Barnabooth de Larbaud : Russes, Catalanes, Viennois, Juives, etc., êtres qui ont faim de tout et que paraît frapper soudain un dieu inconnu. C'est gai, mais d'une gaîté de bar, au rez-de-chaussée d'une maison de fous. Sous les lampes des casinos, c'est brillant et triste comme la crête d'une écume marine. Rapide et cinglant Pétrone, Morand se montre là en plein jeu littéraire, mais aussi, et pour ainsi dire sur le même plan, en pleine utilisation industrielle de la littérature. Voilà, pense-t-il trop visiblement, ce qu'il faudra dans vos fumoirs de transatlantiques et de palaces, dans vos thés d'attachés d'ambassades, chez vos banquiers.

Il avait distingué parmi les particularités du moment la plus actuelle, l'offensive des femmes dans la lutte pour la vie, en même temps qu'il découvrait avoir à payer son tribut au roman. Évidemment un romancier qui écrit de son héros : « Il lui arrivait d'aller non pas au cinéma mais au théâtre, c'était toute une époque... » se condamne à n'être compris dans un siècle qu'à l'aide de notes au bas des pages. *Lewis et Irène* (1924) n'en est pas moins un roman comme tant d'autres qui font vivre l'être humain dans l'être social. Seulement, l'être social tient ici trop de place pour ne pas transformer l'être humain en marionnette. C'est ce qui arrive à la Grecque et au Français en conflit d'affaires, conflit qu'ils n'interrompent point, banquier et fille de banquier, en devenant amants. Et le drame d'amour se perd dans l'information de mœurs, parce que l'auteur s'est comme enivré de ce qui était nouveau pour lui presque autant que pour nous : le kaléidoscope mondial, câbles et bourses, grandes affaires, avions... Au reste, des âmes étouffées sous tous les attributs de l'existence moderne, n'était-ce pas la vérité parfaite du jour ?

Mais une nouvelle « avant-guerre » pointait : son métier de diplomate, par miracle, en avertissait Morand. Le caractère, le tempérament firent le reste. Il brisa la croûte cosmopolite et découvrit les races, les empires. *Bouddha vivant* (1927) est le prince héritier d'un royaume d'Asie. Ayant suivi le chauffeur français des autos impériales qui rentrait en France, l'Oriental se heurte à l'individualisme égoïste, au superficie matérialisme et à toutes les superstitions de l'Occident : l'Asie le reprend, il succédera à son père sur le trône de Karastra. Les nouvelles de *Magie noire* (1928) présentent des nègres possédés de leur folie instinctive, sensorielle, sexuelle, superstitieuse; et *Hiver caraïbe* (1929) ajoute un appendice à ces données du problème noir. Ajoutez *Paris-Tombouctou* (1928) et *Air indien* (1932) et quelques autres : modèles de voyage moderne, foudroyant, divinatoire, excellent journalisme aux antipodes de Loti, en même temps qu'une sorte de cours de la civilisation à l'usage mondain. Morand, sur un globe à la fois catastrophique et difficile à prendre au sérieux, recherche les diversités, les contrastes et, par suite, certaines constantes humaines.

Il est un remarquable portraitiste de capitales. Il l'est en romancier. On aimerait qu'il en eût de quoi faire une exposition, mais il s'est contenté de *New-York* (1930) et de *Londres* (1933). Il a tout comparé, pesé, compris, avec une sorte de mélancolie supérieure de l'intelligence. Dans *Londres* surtout, une atmosphère extraordinairement prenante enveloppe de vives photographies, des plans en relief et de saisissantes perspectives. On voit qu'il a vécu dans cette ville immense et souvent mystérieuse, qu'il y a fréquenté toute classe et tout métier, appris la société et la vie.

A mesure qu'il avançait dans son œuvre, Paul Morand donnait de plus en plus libre cours à ses goûts de moraliste. On se rappelle à peine le temps où il rompit avec l'invisible culture d'un Larbaud partout bien présente, n'emportant, lui, qu'un appareil d'enregistrement sensoriel, une machine à décrire vite et une méthode pour l'oubli total d'autrefois. Le voilà à New-York, surtout à Londres, revenu à une intelligence de Français instruit, qui fait contraste avec la déshumanisation et la folie de ses sujets. Déjà *Papiers d'Identité* (1931) contient l'accusation (plus heureuse littérairement que le pamphlet rétrospectif assené sur l'an 1900) contre la vitesse, parce qu'elle a tué le fécond loisir, détruit le sens de la perfection et réduit l'univers à une peau de chagrin. Déjà en 1926, *Rien que la Terre* raillait le besoin moderne de se répandre sur la planète et, par là, de l'étrangler par la rapidité des communications, d'en faire une sphère avare où l'on se disputera la meilleure place à coups de bombes. Dans *New-York*, Morand s'accoutume à l'idée que la civilisation blanche, devant s'effondrer en Europe, se réfugiera là-bas sur le roc de Manhattan. De tels aperçus illuminent brusquement ses chroniques plus ou moins romancées. Car Morand est essentiellement chroniqueur. Au point qu'il ne produit jamais aucune preuve de tel ou tel jugement qu'il a avancé et qu'il ne se fera pas faute de contredire dans un autre livre.

Apollinaire, Max Jacob, Cendrars l'avaient entraîné à rompre avec la contexture traditionnelle des récits et il a l'art d'utiliser les rapprochements brusques et les grands élargissements d'espace qu'a suggérés le cinéma. Classique par l'évocation de toutes choses dans leur trait essentiel et typique, il est moderne par leur transposition en images inédites qui surprennent, ravissent, irritent; à la réflexion elles sont justes, mais sentent trop le chêne truffier. Elles se gâteront d'ailleurs, elles s'abîment déjà, et là est la tristesse d'un talent qui fut le talent du jour, qui est maintenant le talent de la veille. Au surplus, bien que Morand se soit longtemps accordé trois mois par an de solitude laborieuse dans une propriété qui regarde de haut la forêt de Lyons, il n'a jamais eu la volonté de composer une œuvre absolument digne de son esprit, celle que réaliserait l'union de l'observateur, du moraliste et de l'écrivain assagi, celle que *Londres* entreprend mais dilue et dessèche tour à tour, celle qu'on espère et entrevoit dans *Milady* (1937), mais à laquelle il faudrait la double collaboration de la lenteur silencieuse et de quelques serrements de cœur. De ceux-ci et de celle-là Morand manque évidemment. Voilà pourquoi il suit ou accompagne les idées de son temps plus souvent qu'il ne les annonce. Voilà aussi pourquoi il introduit dans les thèmes qu'il traite cette observation à facettes dont s'enchante la conversation au cocktail. C'est trop souvent la mondanité de la diplomatie qui a prétendu avec lui au chef-d'œuvre.

3. Roland Dorgelès.

Montmartre, puis la guerre, ont marqué pour toujours l'auteur des *Croix de Bois*. Montmartre lui a fait voir comme la vie veut être drôle en revanche prise par avance sur un avenir macabre, la guerre lui a découvert le monde dans sa double tension de sublimité et de douleur. Écrivain, Dorgelès n'a rien fait d'autre que de remonter le cours de sa vie vers la guerre et vers Montmartre.

Roland Dorgelès (pseudonyme de Roland Lecavelé, né en 1886 à Amiens) emprunta le chemin du roman. Il pensait y apporter l'émotion à la bonne franquette, la verve montmartroise, le pathétique qu'exige le grand reportage (il avait été journaliste de métier), l'ambition de plaider des causes exaltantes. Pour *Saint-Magloire* (1921) que conçut-il exactement ? La critique d'un type d'homme ou la satire d'une société ? Au fond, il transposait dans cette aventure de prophète au cœur exigeant la psychologie des démobilisés incapables de réadaptation et gonflés de chimère. Hélas ! Il n'aboutit qu'à déguiser un médiocre en parleur sublimement ennuyeux. La guerre, il la retrouva encore dans *Le Réveil des Morts* (1923), car les morts étaient présents à toute reconstruction, et les profiteurs allaient ramasser des fortunes dans le sang des combattants, sur le sol même où il s'était répandu...

Puis l'escapade l'a tenté, puisque la voie restait ouverte où l'on pouvait renouveler Loti. Son style n'y convenait pas mal, un style plus parlé qu'écrit, brillant et bon à lire tout haut. *Sur la Route mandarine* (1925), *Partir* (1926), *La Caravane sans Chameaux* (1928) reluisent d'un joli vernis. Mais là, une fois de plus, le fantôme guerrier surgissait à travers un exotisme indochinois extraordinairement barbare, dans mille reflets d'horreur. Et le voyage dans le passé de la Butte, autour de ce *Château des Brouillards* dans lequel tourne la jeunesse bohème de l'auteur et de ses amis, se déroule à peu près dans la même humeur que les voyages au loin. C'est-à-dire que la gaîté n'est qu'apparente. L'étourdissement humain devant la mort, voilà la pensée pascalienne qui est au fond d'une œuvre éblouissante de jeux et de comédies.

4. Maurice Bedel.

Pérégrin de Norvège, d'Angleterre, d'Allemagne du Sud, d'Andorre et de quelques autres pays, Maurice Bedel, né à Paris en 1884, docteur en médecine, est passé brillamment, entre 1927 et 1928, d'un manuel de géographie amoureuse assez compromettant pour les dames scandinaves (*Jérôme 60° Latitude Nord*) à ce drolatique mélimélo d'après-guerre, *Molinoff Indre-et-Loire*, où des provinciaux, très « cabinet des antiques », s'effarent devant un comte russe exilé, devenu cuisinier d'un riche Bolivien fixé en Touraine. Puis l'auteur alla vivre une année sous les couleurs d'Italie (*Philippine*, 1930), une autre sous les couleurs de Turquie (*Zulfu*, 1933), etc. A vrai dire, il a fait le tour des pays, le nôtre compris, afin de pouvoir habiller en connaissance de cause les sottises les plus ridicules du temps, quelques-unes dangereuses; mais celles-ci mêmes n'éteignent pas le rose des jours de l'auteur, et il s'en amuse. C'est une forme du courage. Enfin tout voyageur a besoin d'un port d'attache. Bedel a choisi pour le sien un village de la vallée de la Loire. Il y a d'ailleurs fait d'importantes découvertes, qu'il consigna dans *Géographie de Mille Hectares* (1937), et la plus importante de toutes, celle d'une science nouvelle, l'horizographie ou science des horizons : il en décrit qui sont autant de terres promises, dont chacune l'attache davantage à la France. Le fringant chroniqueur européen est ainsi devenu le laudateur convaincu de son petit Liré, l'un et l'autre également légers, malicieux, d'une rare gentillesse de plume. Et c'est dans la campagne angevine que terrifié de tout ce qui menace *Le Destin de la Personne humaine* (1948), il s'est mis à la recherche et a fait trouvaille de « je » et de « mais » savoureux, de résistances spontanées aux endoctrineurs, d'arrangements libres de modestes existences. « La fin de l'individu n'est pas pour demain. »

5. Luc Durtain.

Autre médecin (le docteur Nepveu, né à Paris en 1881), mais pratiquant celui-là, et qui a comme beaucoup de ses confrères une philosophie. Venu de l'Abbaye, mais fils d'un bactériologue, il maîtrise son optimisme humanitaire par le respect du fait qu'il constate, du phénomène qu'il voit et touche. C'est marqué par ces deux origines qu'il s'intéresse d'une part à l'individu humain partout attaché à ses désirs et besoins, d'autre part à toutes les races aussi fanatiques d'elles-mêmes les unes que les autres : scepticisme excellent comme garantie des voyages d'étude. On a vu Durtain inquiet et hostile à l'égard des États-Unis qui servent l'idéal mécanique du rendement (*Quarantième Étage*, 1927; *Hollywood dépassé*, 1928; *France et Marjorie*, 1934), mais sympathique au sourire latin conservé en Amérique du Sud (*Vers la Ville Kilomètre 3*), intéressé et réticent devant la tentative des Soviets pour une synthèse de l'Asie mystique avec l'Occident scientifique. *Dieux Blancs, Hommes jaunes* (1930) fait redouter que l'Asie n'adhère finalement avec toutes ses forces barbares à la mécanique forgée par l'Europe, tandis que *Le Globe sous le Bras* (1936) développe le vœu de fraternité ancré dans l'esprit par les horreurs de la guerre. Durtain est intéressant à consulter sur les pays qu'il a observés, irritant à lire, parce que la peur de perdre quoi que ce soit de ses chocs d'impression lui fait parler un langage de faux primitif. Depuis *La Femme en Sandales* (1937) qui se passe à Saint-Tropez jusqu'aux plus récents livres où l'on n'a pas repris le bateau, il est allé se polissant, mais dès lors menacé par la banalité.

6. Autres dépaysements.

Jean Vignaud (Charentais né en 1875), avant de verser au dossier du roman sur l'état moral de l'époque *Le Huitième Péché* (1931) et *L'Ange du Treizième Jour* (1936), a-t-il voulu reprendre la Méditerranée à son confrère Louis Bertrand ? Il s'est emparé de l'Alger des dockers pour *Sarati le Terrible*, de Sfax et des travailleurs du phosphate pour *La Maison du Maltais* (1927). Les drames qu'il a construits sur ces bases réalistes sont clairs, vitaux, mouvementés.

Jean Mistler, vivant Normalien qui choisit de vivre et d'écrire (une double expérience de journaliste et de député-ministre ne l'a pas enlevé aux lettres), s'amuse quelquefois : témoins les jolies nouvelles de 1945, *La Femme nue* et *Le Veau d'Or*. Dans celles que rassemblait en 1932 *La Maison du Docteur Clifton*, mieux que nulle part on le devine cachant sa sensibilité derrière les jeux d'une intelligence qui domine la vie par les problèmes qu'elle invente. Né à Sorèze (Tarn) en 1897, agrégé détaché de l'Université pour les plaisirs du voyage et les hasards de la politique, il s'est constitué biographe d'*Hoffmann* (1925) pour réanimer autour du héros et de son fantastique l'Allemagne ravissante et « petite ville » des temps romantiques. On doit également à Mistler, outre une édition définitive du *Journal* de Benjamin Constant et d'autres éditions définitives de grands maîtres, deux enquêtes d'Européen. A peine les romança-t-il. *Châteaux en Bavière* (1925) raconte l'aventure d'une Allemande, dont il fait la Bérénice d'un Titus français, simple prétexte pour dessiner l'évolution de la bourgeoisie germanique. *Ethelka* (1929), ce sont les années de la crise, l'émeute dans la Hongrie bouleversée d'entre les deux guerres; des lumières de foudre traversent cette histoire fiévreuse et mouvante; et le malheur public met comme une auréole sanglante autour de quelques désespoirs privés, lourds de romanesque et de pathétique.

Louis Francis, né en 1900, rapporta en 1929 et 1930 de Turquie et de Géorgie deux romans de parfait dépaysement et qui sont du Gobineau plus coloré, *Les Nuits sont enceintes*, et *Daria ou la Médée contestée* (troubles amours dans un cadre exaltant), avant de s'intéresser au rude héros de *Blanc* rangé des voitures dans son village savoyard. — Fidèles hispanisants : Jean Camp n'a pas toujours suivi les traces de Don Quichotte, on le connaît romancier de la vie catalane dans *Jep* et dans *Le Vin nouveau*; Falgairolles secoue dans *Valencia* et autres folies d'Espagne son obsession d'amour et de mort. — *Malaisie* fit à Henri Fauconnier en 1930 une double réputation de peintre très exotique en même temps que de psychologue nietzschéen; *Visions* (d'enfance et de guerre), paru huit ans plus tard, atteste encore un talent varié et fort. — Le sentiment qui attend le voyageur le plus passionnément avide, cette déception qui lui fera toucher le néant, *Conquête* (Singapour et la presqu'île) en 1931, puis *Irlande*, *Extrême Occident*, deux beaux livres de Pierre Fréderix, en imposent la fatalité au lecteur dans son fauteuil. — André Demaison (né à Bordeaux en 1885), comme tout fervent de l'exotisme, se passionne à confronter le civilisé avec la nature primitive dans ses créatures humaines et dans ses bêtes. L'auteur du *Livre des Bêtes qu'on appelle sauvages* (1929) et de *La Comédie animale* (1930) n'a pas ambitionné de donner une réplique française à la jungle de Kipling. Aucun impérialisme chez lui, mais la connaissance habile des fauves, la connaissance affectueuse des noirs dont *Diato*, *Le Pacha de Tombouctou* et ce drame racial, *Le Jugement des Ténèbres* (1935), s'acharnent à pénétrer l'âme par sympathie. Son plus attachant livre, *Diaeli*, fait vivre le sorcier qui porte ce nom en Afrique et qui conseille les princes, raconte des histoires à la foule, enseigne des fables pleines de sage malice.

Marcel Brion a imaginé au pays des danseuses populaires son *Caprice espagnol* (1929). Mais il figurerait aussi bien au chapitre du fantastique; car des lueurs de diableries et de sur-nature traversent des amours d'Autriche dans *La Folie Céladon* (1935) et des amours de partout dans *L'Enchanteur* (1948). Or n'est-il pas encore le maître sorcier d'une haute vulgarisation ? Il ressuscite Théodora, Attila, le Téméraire, et grands artistes et grands écrivains... O classement de l'inclassable !

Il existe un admirable tableau de mœurs lapones, *Nuits de Fer* (1924); il est d'Yvonne Schultz, peintre des confins de l'Europe et de l'Asie. — Marie Le Franc, qui a conté une idylle du Morbihan, *Grand Louis l'Innocent* (1928), a aussi peint des existences humaines élémentaires peu explorées, mais éclairées de sensibilité et d'imagination, et assistées de la complicité des terres encore vierges du Canada : *Hélier des Bois* a l'accent des livres nécessaires. — Il aura donc ici pour compagnon plus nordique *Le Grand Silence blanc*, de Louis-Frédéric Rouquette (1884-1926).

Élian J. Finbert a consacré plusieurs romans mouvementés aux contacts de son vieux pays, l'Égypte, avec la vie moderne importée d'Occident : *Le Batelier du Nil* (1929), *Un Homme vint de l'Orient* (1939), pour nommer les meilleurs. C'est quelque chose de tout différent et même de contraire que François Bonjean a mis dans *Mansour* (1924) et dans *El Aghar* : aspects de l'enfance en Égypte, initiation à l'esprit de pauvreté, vrai message idéaliste de l'Orient. — *L'Honorable Partie de Campagne*, roman caricatural de mœurs japonaises, a rendu fameux le nom de Thomas Raucat.

Indiscutable écrivain français, la princesse Bibesco conte son autobiographie dans *Catherine-Paris* (1927), histoire élégiaque et drôle d'une Roumaine, plante du cosmopolitisme, mais fleur de notre capitale. *Images d'Épinal* (1937) et *Feuilles de Calendrier* (1939) font suite : grande revue des relations de l'auteur et carte de politique pittoresque. La princesse sait peindre les figures et ressusciter les êtres, avec quels raccourcis ! C'est du Plutarque au magnésium. Le livre qui la rendit célèbre en littérature, *Le Perroquet vert* (1924), peignait des âmes russes exilées sur notre Côte d'Argent. L'auteur n'y donnait point le bonheur à son héroïne. S'y peignait-elle elle-même ? Peut-être a-t-elle inventé une sorte de freudisme asiatique, en le tempérant du paganisme latin qu'elle partage avec la comtesse de Noailles.

D'origine roumaine également, un autre écrivain français, Panaït Istrati, né en 1884 d'une paysanne et d'un contrebandier, commença par appeler notre pitié sur le peuple campagnard de sa patrie, victime de la domination turque. Puis il donna un affreux relief à la dureté des boyards et du régime qui les laissait maîtres. Ses romans de souffrance, de révolte, de rancune, de vagabondage épique, *Les Récits d'Adrien Zograffi* (1926-28), *Les Chardons du Baragan* (1928), *Le Pêcheur d'Éponges* (1930), peignent une humanité primitive et ardente, pleine de complots libérateurs et sanglants, d'amours et de morts, de tragédies où il y a du noble et de l'abject, de légendes violentes et tendres : tout cela situé dans des paysages de désolation et raconté dans un esprit de désespoir nihiliste, avec les moyens d'une langue rustiquement solide et hardie qu'Istrati prétendait avoir perfectionnée dans Fénelon, Voltaire et Rousseau.

Ventura Garcia Calderon, ministre du Pérou hier à Bruxelles, aujourd'hui à Berne, membre de l'Académie belge, parfait écrivain de chez nous, et d'ailleurs né à Paris, est à la fois le Kipling de l'Amérique du Sud et un Mérimée sans sécheresse. Maître de la nouvelle, il avait fait ses preuves en espagnol avec des récits traduits par Max Daireaux et Francis de Miomandre. Ceux du *Sang plus vite* (1933), écrits directement en français, tragiques, mêlés de poésie et d'ironie tour à tour, pénétrés de superstitions et de sorcelleries, pleins d'instinct et de grandeur barbare, évoquent l'âme du Pérou et de sa race indienne. *Virages* rassemble des contes d'inspiration parisienne, qu'eût appréciés Maupassant, et *Si Loti était venu*, qui nous ramène au Pérou, pastiche délicieusement *Madame Chrysanthème*. Garcia Calderon a aimé et aidé la France dans ses malheurs. *Don Quichotte à Paris et dans les Tranchées* nous avait été en 1916 d'un poignant réconfort. *La France que nous aimons*, recueil d'études écrites en Suisse de 1940 à 1944, est la déclaration d'amour la plus ardemment compréhensive qu'ait jamais faite un étranger. On voudrait même que les ombres aient été moins oubliées au tableau.

Philippe Monnier (1864-1911), fils de l'historien suisse Marc Monnier, mais tous deux italianisés (Philippe a écrit sur Florence au XVe siècle, sur Venise au XVIIIe, des études conscieucieuses et brillantes), est l'auteur de nouvelles inspirées par la vie genevoise et ses types : *Vieilles Femmes*, *Jeunes Ménages*. Topffer lui servit évidemment de parrain.

L'ironie nous propose de finir sur *Les Javanais* (1929) de Jean Malaquais, mineurs d'une mine anglaise qu'ils appelaient Java, à l'arrière de Toulon, entre les deux guerres : ils étaient apatrides absolus.

II. — *DANS LE TEMPS*

Henri Béraud et les ages de la France.

Les Goncourt couronnèrent en 1922 Henri Béraud pour *Le Martyre de l'Obèse*, nouvelle étirée ensuite en roman, nouvelle et roman agréables de drôlerie observée et d'allègre amertume. Il s'agit d'un martyre, on le devine, surtout amoureux.

Béraud apportait ensuite au genre du roman historique, dans *Le Vitriol de Lune* (1921) et dans *Au Capucin gourmand* (1925), ses qualités de conteur qui n'a besoin, pour faire voir, que de quelques traits décisifs, et ses qualités de psychologue qui l'ont dirigé à travers la complexité dissimulée de Choiseul. Il se préparait ainsi à ses admirables panoramas des grandes capitales, à ses interviews d'hommes d'État européens et à ses enquêtes de grande politique : *Émeutes en Espagne* (1931) et *Le Feu qui couve* (en Europe centrale, 1932).

Moins roman que chronique historique, l'œuvre la plus personnelle et la plus forte de Béraud vise à une fresque des différents âges de la France observés en une de ses provinces. Il a appelé *La Gerbe d'Or* (1928) ses souvenirs d'enfant parmi les travailleurs, ses images de la patrie lyonnaise (il y était né en 1885). D'autre part, il a raconté l'histoire du village de Sabolas en Dauphiné dans un triptyque de récits chaleureux et pittoresques comme des contes, solides comme des mémoires : *Le Bois du Templier pendu* — longues infortunes de Jacques Bonhomme et péripéties dramatiques d'un affranchissement paysan; *Les Lurons de Sabolas* — émeutes lyonnaises de la monarchie de Juillet; *Ciel de Suie* — lutte passionnée et sournoise entre riches et pauvres de la soie (1932-1933). Le tableau de sa ville, le portrait de son père boulanger, les figures de tout un peuple : succulente littérature, riche pâte bien levée.

Le levain, c'est un style franc et vif de bonne vieille France frondeuse. Cette qualité a eu chez lui son envers, elle l'a attelé à une littérature de combat, pour laquelle il n'était pas fait. Il a donc déployé contre un écrivain hors de sa portée, André Gide (*La Croisade des Longues Figures*, 1927), le mêlant d'aill urs abusivement à de moindres seigneurs, une injustice incompréhensive. Et plus tard il s'est déchaîné contre le colosse Albion avec un mélange de naïveté et de robustesse assez poussive, puis, la guerre venue, avec un fanatisme démoralisateur. Béraud a payé devant une cour de justice, d'un prix qu'elles ne valaient pas, ses délectations de pamphlétaire.

III

VISION CHRÉTIENNE DE MAURIAC

A certains catholiques profondément chrétiens Proust et Gide ont appris, le premier à ne se taire sur rien de ce qui est dans l'homme, le second à pratiquer la parfaite sincérité envers eux-mêmes et envers ce qu'ils trouvent de l'homme en eux. Ils se sont avancés, à leur exemple, jusqu'en pleine impudeur. Mais ces écrivains qui jugent le mal nécessaire à l'harmonie du monde, comme Leibniz et comme Rousseau, se distinguent des autres gidiens et proustiens en ce qu'ils font passer leurs personnages par la porte plus ou moins large du péché.

Aucun plus que François Mauriac.

François Mauriac doit à sa province bien des parts de son œuvre, mais peu d'événements nourrissent sa biographie. Elle se réduit à ceci : naissance à Bordeaux en 1885, solitudes d'enfant et d'adolescent, facilité de vie riche, mariage et paternité, existence partagée entre Paris et la propriété landaise de Malagar, production littéraire régulière et heureuse, entrée à l'Académie, campagne de presse contre le fascisme dans les années de la guerre d'Espagne, présence sur les estrades révolutionnaires de la « Libération », effort ardent et parfois dévié de journalisme chrétien.

1. Un type de roman.

François Mauriac a créé un type de roman. Il peint, en effet, non des caractères ou des mœurs, mais des figures de notre destin. Le drame de la nature humaine se joue en chacune de ses fictions. En toutes s'incorpore une angoisse.

Angoisse qui correspond aux noms de Pascal et de Bossuet, heurtés à ceux de La Rochefoucauld et de Racine. La concupiscence foudroyée par Bossuet, le tragique marché mis en mains par Pascal d'une part; et, d'autre part, les complaisances du sentiment, les mirages de la passion, l'amour de soi que varient à l'infini sensualité, avarice, orgueil et domination. Le problème du salut, le jet lumineux de la foi chrétienne et catholique traversant les confuses avidités de l'homme plongé dans l'immédiat : voilà le thème essentiel du roman mauriacien. C'est bandé par le christianisme que le ressort de ce roman passionné, sensuel, consumé, ravagé, a joué. Affranchi comme Gide des conformismes familial et autres, jugeant comme lui qu'il faut du pire pour composer le meilleur, Mauriac a trouvé sa liberté d'observation et d'invention dans un alibi d'au-delà, mais en gardant tous les contacts avec le lieu du péché et du crime. Si près de Gide, il s'oppose à lui par une œuvre qui ruisselle de foi en Jésus. Mauriac a donc créé le roman de vision chrétienne.

Son christianisme n'est nullement doctrinaire. C'est à peine si l'on entrevoit dans son œuvre l'allégorie de l'amour chrétien et de l'égoïsme nietzschéen (si voilée dans l'affreux combat du *Baiser au Lépreux*, 1922) ou la réversibilité des mérites à l'occasion de la petite paysanne qui a aimé vainement le Daniel du *Fleuve de Feu* et qui est morte au Carmel. Mauriac vit d'un christianisme qui ne met point en jeu l'intelligence, qui est de pure sensibilité, mais qui, baignant tout le tissu du cœur, sert de milieu singulièrement favorable aux troubles, aux remords, aux souffrances, aux réparations. Plus près de l'être humain humilié que de l'être humain relevé, ce christianisme plonge dans le péché originel pour ramener au jour des prises effrayantes. Un commentateur, M. Georges Hourdin (*Mauriac, Romancier chrétien*, 1945), a trouvé dans l'hérédité du demi-compatriote de Saint-Cyran une lignée maternelle « qui semble avoir incliné vers le jansénisme ». Un tel christianisme est, si j'ose dire, une concupiscence renversée. Ses peurs, ses menaces, tournoient autour de nos déchéances, de nos plaies, de nos cadavres. Ce que Mauriac reproche le plus à nos joies, c'est de puer la mort: le moins, c'est d'offenser son Dieu.

Or quelle position serait meilleure que celle-là pour prendre au piège lecteurs et lectrices ?

Tout d'abord, des consciences religieuses façonnent forcément des personnages très complexes. Puis, la foi et le péché, au choc de leurs fatalités, ne disons pas rénovent le destin antique, puisque l'homme mauriacien peut toujours compter sur la grâce, mais instaurent un sort tragique dans le sillage de la *Phèdre* racinienne. Gain ou perte du salut, nous sommes en pleine tragédie romancée. Le christianisme en inventant le péché a beaucoup fait, c'est évident, pour Mauriac et ses pareils. Et, du même coup, il les a rapprochés des maîtres du jour. Comment, en effet, une telle inspiration, si pénétrée de misère humaine, n'aiderait-elle pas à deviner, comme fraternellement, la vie cachée, les tentations les plus sournoises, les plus bas mobiles, au point de n'oser se reconnaître le droit d'en condamner aucun ? Voilà Proust en odeur de sainteté. Et Freud également, car pourquoi la pénétration freudienne ne prendrait-elle pas une direction mystique, capable peut-être de l'approfondir en l'ennoblissant ? On connaît Freud en France depuis 1924. Bien des pages de *Thérèse Desqueyroux* (1926) évoquent les méthodes de la psychanalyse.

Gidien, proustien, freudien, ce romancier de vision chrétienne sait rendre présentes des âmes malheureuses, altérées, possédées. Il est le maître peintre des pressentiments secrets, des fonds mystérieux. Il ne perd rien des complexes obscurs de la passion : ces préparations comparables à celles de l'orage, ces approches nouées et dénouées, cette peur et cette attente, ces connivences, ce louche espoir. Pour prendre un exemple entre vingt, ne respire-t-on pas tout cela dans les scènes rapides du *Fleuve de Feu* où les soupçons les plus pervers de Daniel rôdent autour de l'amie de Gisèle, tandis que la jeune fille devient une perdrix blessée ?

La conscience pesante, les sourdes voix charnelles, on ne sait quelle lie montée d'instincts inavoués, l'affolement presque physique d'un cœur inemployé : voilà ce qu'apporte l'inconscient des créatures dont la plus impressionnante restera Thérèse Desqueyroux, cette mal-née. Un pouvoir occulte et conseiller de crime la caresse et la terrifie à la fois; elle le redoute en l'admirant, elle lui rend malgré elle sa caresse. Parfois d'ailleurs, l'obsession vient de l'auteur, il l'a pour compagne. Mais les puissances de l'arrachement à l'ennui ou celles de la chair ne sont pas les seules à peser sur l'œuvre dont *Le Nœud de Vipères* (1932) pourrait être le titre général. Les pères sont odieux ou dépravés, haines et cupidités travaillent les femmes, les adolescents inquiétants ne manquent pas. *Le Nœud de Vipères* fait grouiller l'âpre et hideuse bataille familiale. *Le Baiser au Lépreux*, est-ce que ce n'est pas, à peine transposé du physique au moral, séjour à l'hôpital ? *Génitrix* (1924), férocité de l'amour maternel, sent la tanière ou la chambre de séquestration. Il n'est pas jusqu'au Jean-Paul de *L'Enfant chargé de Chaînes*, figure de 1913 pourtant, qui n'apparaisse en petit, tout petit Néron. Plusieurs autres romans ont fouillé, quoique à degré moindre que *Génitrix* ou *Thérèse Desqueyroux*, des coins perdus et fermés du monde où se jouent des drames presque primitifs.

Et par surcroît, cette humanité presque toute croupit en province. La province rend la famille plus familiale, la prison sociale plus emprisonnante, le secret des vies plus hypocrite et plus sordide. Providence des romanciers ! Et d'autant plus favorable à Mauriac qu'il a choisi pour province de son œuvre la sienne propre, la lande girondine, le Bordelais féodal des Chartrons et de la richesse vaniteuse, qui est en même temps la terre des journées chaudes et accablantes, des nuits bruissantes et grouillantes de vie, le climat complice des cœurs perdus ou avides de se perdre. En installant ses gens dans la prospérité et le confort, en les délivrant de la médiocrité et de la tâche, il a rejoint la commode conception des classiques : la damnation dans ce calme, quel éclat ! Ce qui ne l'a pas empêché, au contraire, de peindre le décor qu'il connaît maison par maison, coffre-fort par coffre-fort. Il a assez souffert de sa laideur morale pour le lui rendre avec usure. Le confesseur des cœurs s'est donc institué aussi le juge d'une société à laquelle personnellement il n'appartient pas tout à fait et qui, si elle était ce qu'il la montre, serait vouée à la démence, à la fange, à la mort ignominieuse.

2. L'ASPECT ARTIFICIEL.

Les adversaires de Mauriac lui reprochent d'avoir utilisé la peur dévote du péché comme un piment de plus pour des peintures risquées. C'est injuste. Assurément, il y a le jeune drôle et la vieille folle de *Destins* (1927) qui donnent raison au dégoût de Souday pour « ce mélange d'eau bénite et d'eau de toilette ». Mais presque toujours il s'agit de foi et non de dévotion, de psychologie et non d'images scabreuses. La faiblesse de Mauriac n'est pas là. Il en a une néanmoins. Car entre les multiples faces de la « vérité humaine », il a regardé la plus noire avec une insistance arbitraire. Quel air d'exception prend dans son œuvre *Le Mystère Frontenac* (1933), histoire réelle et à peine transposée de sa propre famille ! Elle réduit le réquisitoire contre le vice humain dans la même proportion que l'invention romanesque. Mais quel autre accroc Mauriac a-t-il fait au gidisme de « Familles, je vous hais » ? Quand s'arrête-t-il de rédiger l'acte d'accusation qui est aussi un acte de désespoir ? Suivi jusqu'au bout, il corromprait ou tuerait les satisfactions les plus honnêtement délectables : l'affection mutuelle des époux, la solitude studieuse, la conversation des honnêtes gens, l'amitié. Une telle fureur de châtier et de détruire, son *Bonheur du Chrétien* (1931) ne saurait l'équilibrer qu'en quelques âmes très rares, parmi lesquelles d'ailleurs la sienne ne figure pas. *La Vie du Jésus* (1938), qui s'applique à imaginer un Jésus extraordinairement humain, n'est-ce pas, en trop de pages, une vie de Judas ? Dans les romans, quand tout est sauvé, souvent un chapitre suffit à en avertir, alors que tous les autres chapitres s'attardent au cloaque ou au chancre. Il est curieux d'y relever des humeurs, des dégoûts, des mépris pour tels ridicules, telles laideurs qui auraient dû émouvoir la charité de l'auteur; et l'expression qu'il donne à ses irritations va jusqu'à la cruauté. Ce n'est pas lui qui omettra de remarquer que les fossoyeurs ont des têtes d'assassins. Quel poids de faute ancestrale ! Quel terrible confessionnal ! On y pardonne quelquefois, mais on croit n'arracher jamais assez d'aveux.

La psychologie de Mauriac paraît donc bien de parti pris; il charge l'humanité, il devient un maniaque de l'impur. Il accourt à l'abcès et au pus. Né ainsi, dira-t-on, avec cette affligeante vocation... Soit, mais il l'exploite littérairement, il s'en fait un certificat d'analyse. Il sacrifie sans hésiter le crédit de ses fictions à la frénésie d'un pessimisme anti-humain qui a même parfois tout l'air de se forcer. N'est-ce pas le démon, lui demandait à peu près André Chaumeix en le recevant sous la Coupole, qui se déguise en inspiration littéraire ? Prenez garde, Mauriac ! Vous nous renverrez à Anatole France... Sans répondre pour l'instant, je rappellerai du moins les vers des *Mains jointes* où parlait l'adolescent encore marqué par une famille heureuse, encore fidèle à une sagesse de petit garçon sensible. Autre souvenir, il vient d'une scène de *La Chair et le Sang*; c'est un baiser d'extrême jeunesse qui est gracieusement et presque vertueusement libertin comme d'un XVIIIe siècle revu par l'Henri de Régnier des *Vacances d'un Jeune Homme sage*. Est-ce que par hasard il n'y aurait pas eu à l'origine une âme naïve et pure ? et l'âme noire ne serait-elle pas alors plutôt une âme bouleversée et offensée, révoltée et vengeresse ?

Il faut l'avouer, une psychologie générale de l'homme, intense mais limitée et préexistant à tous les personnages qu'elle anime, ressemble à un stock de vêtements tout faits qu'endosseraient des mannequins. Une Desqueyroux elle-même, les vipères du *Nœud*, les malheureux de *La Pharisienne* subissent cette lassante uniformité. L'effarant clerc de notaire qui glisse son infamie dans *Les Chemins de la Mer*, c'est la marque de fabrique cousue dans la doublure d'un récit qui pourtant voulait visiblement renouveler l'œuvre.

Et naturellement la critique sociale incluse dans les romans de Mauriac, cette guerre à toutes les formes du pharisaïsme, cette condamnation de la dureté bourgeoise, des stériles préséances et du culte du veau d'or, tourne avec la psychologie à l'incrimination monocorde.

Par surcroît, s'il est évident que le roman « bien fait » ne doit pas servir d'idéal, il y a tout de même une façon de réussir le roman « mal fait », mais ce n'est pas celle de Mauriac. Bizarre architecture, tout d'abord. Les récits n'ont pas plus tôt commencé qu'ils quittent le présent pour l'évocation d'un passé. Puis tout à coup, dans ce passé s'ouvre une trappe par où l'on tombe dans un passé antérieur. De ces chutes de passé en passé, quatre à cinq se comptent dans *Le Désert de l'Amour*. Comment la magie romanesque résisterait-elle à une telle succession de romans partiels emboîtés les uns dans les autres ? Construction non moins contestable dans *Thérèse Desqueyroux* : le retour de l'acquittée à travers la forêt de pins fait trop longuement et trop lourdement passer la série des épisodes à reculons sur l'écran. A prendre ainsi ses aises, le romancier est-il maladroit ou désinvolte ? On se le demande encore devant les ressassements de souvenirs que *Le Fleuve de Feu* tourne et retourne dans la tête de Daniel Trasis en état de fièvre donjuanesque, puis dans celle de Mme de Villeron qui vient d'enlever sa protégée.

Escamotages aussi. Le roman contemporain aime prendre des vues sur une situation, isoler quelques moments d'une durée, relier plusieurs tableaux rien que par la communauté du sujet; est-ce un progrès sur les sommes massives ? En tout cas dans certaines limites, et Mauriac les dépasse. Gisèle de Plailly, née pour brûler de tous les feux, à quel moment et de quelle façon s'éteint-elle ? On l'ignorera toujours. De Maria Cross, on ne saura pas davantage l'exacte ligne de vie. Le vieil avocat du *Nœud de Vipères*, dans l'épouse qu'il avait vue vivre en mère-poule, découvre une fois qu'elle est morte la femme sensible, hautement chrétienne, misérable de se savoir non aimée : ces deux prisons vivantes côte à côte, ne fut-ce pas trop commode de les tenir fermées ? Que les efforts d'amour nécessaires n'aient pas été faits, n'existait-il que cette façon simpliste d'en inspirer le regret ?

Dénouements postiches enfin, et c'est le pire. Les retournements *in extremis* soulignent escamotages et vices de construction. L'avocat-vipère revenant à son devoir de père par une véritable opération du Saint-Esprit, le Jean énigmatique de *Ce qui était perdu* finissant par se donner au Christ, l'étrangleur Gabriel Gradère, frappé de la grâce tout juste pour finir l'histoire, Gisèle sauvée de Daniel et abordant à l'église de son village avec une soudaineté miraculeuse, voilà des comptes trop vite et mal réglés. A la place de son jeune confrère, Balzac certainement aurait eu peur que tant de personnages ne vinssent lui réclamer des dommages-intérêts. Il n'y a que Thérèse Desqueyroux qui, sinon dans le roman qui porte son nom, au moins dans deux nouvelles de *Plongées*, dans un chapitre de *Ce qui était perdu* et dans un autre de *La Fin de la Nuit*, ne fasse guère plus de saut que la nature pour aller jusqu'au bout de sa carrière. Encore eût-il fallu, au moment où elle touche au pardon chrétien, une scène de confession, et Mauriac n'a pas osé.

Bref, voilà des sujets qui méritaient d'être saisis à plein corps et de s'exprimer tout entiers. Ils sont touchés par la tangente ou traversés en éclair. Je sais parfaitement qu'un art de raccourcis, d'allusions, de rapides correspondances suggère sans décrire, découvre sans expliquer, et qu'on peut lui en être reconnaissant. Mais cet art s'avoue défaillant s'il présente comme en fraude et par insinuation les grandes directions de vie, par courte évocation les scènes capitales.

A-t-on pris garde au contraste instructif de *La Pharisienne* ? Dans ce roman publié en 1941 et qui reflète certainement le succès d'*Asmodée* à la Comédie-Française, on suit à la trace un attrait certain de l'art théâtral. Or le meilleur, en effet, s'en détache par scènes autonomes et bien marquées, sauf dans le dernier tiers qui a pris allure de résumé : si bien qu'on dirait que l'auteur a fait un effort pour obtenir la totale cohésion, qu'il a touché le but un moment, puis, soudain las, ne s'y est pas maintenu.

Dans l'ensemble, Mauriac substitue aux analyses continues et exhaustives la discontinuité d'un récit suggestif, parfois allusif. Ce faisant, il l'amenuise, à l'excès. L'appauvrissement est incontestable, puisque les situations laissent des doutes, que les caractères perdent leur volume, que le sentiment de la réalité diminue. Un puzzle d'images remplace la vie.

On le regrette d'autant plus que ce romancier s'est toujours révélé excellent conteur. Que lui demanderait-on, en somme, pour échapper à l'impression d'avancer avec lui dans l'artificiel ? D'être plus vraiment clair et, en étendue sinon en profondeur, plus complet. Mauriac raconte l'histoire rapide d'une crise; c'est évidemment la grande caractéristique de ses compositions. Mais cette conception racinienne de la tragédie n'a pas tout à fait réussi sa transposition dans le roman.

3. La grandeur.

La conception dévorante de Mauriac, cette flamme dans laquelle certains croyants jettent joies et beautés de ce monde, constitue-t-elle une monstruosité de la pensée ? C'est possible. Mais heureusement Mauriac la dépasse.

Après tout, il n'est pas janséniste; il ne cache pas, dans sa *Vie de Racine*, détester Port-Royal. Et puis, qui oublierait qu'il est poète (1) ?

A certaines heures heureuses et pures de la nature, quand

(1) Cf. tome I, pp. 525-526.

elle lui apparaît comme délivrée du mal, il voit une paix descendre du ciel. Il a écrit en une belle page de son *Journal* : « Nul n'empêchera qu'entre la mort et nous s'étende la musique. » Voilà les cruautés du destin sans force contre Mozart ! Une telle déclaration souligne le balancement de l'œuvre : d'une part, une délectation à promener dans le domaine de l'homme les idées de décrépitude et de destruction comme étendards du néant; d'autre part, l'étreinte de l'univers par une sympathie ardente et communiante qui en fait lever des aubes de renaissance. C'est évidemment que la mort, la vraie mort, aux yeux de Mauriac, gît dans l'abîme familier du Moi usé par la vie orgueilleuse du monde. Il suffit alors, pour vivre, d'un mouvement du cœur. Nous ne sommes peut-être séparés de la joie que par un soupir.

Il n'existe de vrai amour, dit Mauriac, que de Dieu, pour Dieu et en Dieu. Sans cet amour-là, tout est vain; avec lui tout se féconde. Mais comment s'y élèveraient-ils, les êtres sans capacité de don, sans courage au risque ? Ames vides, Mauriac se penchant sur elles donne le vertige. C'est d'être une source d'amour tarie qu'un homme manque à sa mission. Au contraire, jusque dans l'amour indigne, des possibilités attendent et des perspectives s'ouvrent. Mauriac nous persuade même que les pires passions sont les déviations de l'amour cherchant son objet, se trompant, se corrompant sur de faux objets, alors que le vrai est Dieu. Assassin involontaire de sa femme, le triste héros de *Génitrix* sent bien tout ce qui a été perdu; et c'est son remords, son regret qui l'arrachent enfin au joug de sa mère, mais pour faire d'elle la seconde victime de ce cœur passif. En regard, la Marie-Madeleine de la *Vie de Jésus* prend toute sa signification. Voilà le jaillissement bienfaisant, voilà un haut symbole mauriacien.

Par l'amour chrétien donc, par la pitié et la charité du cœur, Mauriac apporte le remède dans le mal, puisqu'il maintient l'espérance suprême de sa foi et qu'il oriente ses personnages, si obscurément que ce soit, vers leur délivrance. Il n'en a pas excepté la géhenne de *Génitrix*, où des êtres abêtis dans leur crime par l'insouci de l'au-delà ne commencent à s'humaniser qu'en soupçonnant à tâtons, sous l'empire de l'épreuve, les vertus vivifiantes de la douleur et de la sympathie à laquelle elle entraîne. Ce christianisme d'amour et de rachat balance avec bonheur le christianisme de damnation.

Eaux-fortes excessives ? cuivres trop creusés ? âme trop noire ? La vraie réponse vient à présent. Il y a pour Mauriac un grand ciel d'amour, il faut lever les yeux vers lui et les y tenir. Tout un roman, *Le Nœud de Vipères*, il l'a écrit pour se lamenter sur les soifs d'amour tournées en haine parce qu'elles ont été méconnues. Le triste héros du *Nœud de Vipères*, ce vieillard de soixante-huit ans, d'intelligence supérieure, de merveilleuse lucidité, vit chez lui en exilé et, rédigeant son journal, y déverse sa haine pour les siens — et ils sont en nombre —, son horreur du monde, son dégoût de tout. Mais il se découvre peu à peu, et nous aussi le découvrons. A divers messages envoyés par la vie (une lettre, une visite, un souvenir, touches caressantes de la dure musique), le solitaire égoïste entrevoit qu'il aurait pu vivre autrement. Il y a quelque part une douceur et il était capable d'en jouir. Trop tard ! Il n'a pas trouvé sa voie et d'ailleurs le monde qui l'entoure, médiocre, partage sa culpabilité... Que l'important c'est de n'être pas un tiède, que les êtres violents et producteurs de mal sont souvent marqués pour découvrir la charité et l'amour, pour deviner les lueurs divines, *Le Nœud de Vipères* veut tout particulièrement nous en persuader.

Mauriac aboutit même, creusant l'influence gidienne, à une complicité avec les victimes du « fleuve de feu » qui vont de Mlle de Plailly à l'Élisabeth des *Mal-aimés*; il entre dans leur tourbillon (Maritain, dans les *Dialogues*, s'en inquiéta); il les prend, par surcroît, dans un éclairage de tendresse (c'est du Pascal encore) qui met une douceur française sur le visage consumé d'Espagnol fanatique. C'est par là qu'un dangereux et courageux sublime s'insère dans la psychologie de notre auteur, et une incontestable grandeur dans son œuvre, à travers ses défauts. Il semble qu'à cette œuvre, Mauriac ait fait don de sa personne. Non seulement le « Madame Bovary, c'est moi » de Flaubert lui servirait de juste devise, non seulement il a formé la Desqueyroux et l'avocat vipérien d'une partie de sa propre substance, mais il a incarné en eux et dans tant d'autres l'infinie possibilité du mal et de la souffrance pour lui-même comme pour le monde. Tous, et jusqu'au hideux tabellion des *Chemins de la Mer* (1939), donnent forme et chair aux plaintes les plus intimes de leur inventeur. C'est si réellement qu'il s'engage pour eux, souffre en eux et descend avec eux dans l'abîme qu'à maintes reprises il intervient directement, interrompt le récit, lâche un aveu personnel. La *Vie de Jésus* n'est pas un roman, cependant lisons-la à ce titre, tant le livre contient d'amour sanglant, tant Jésus au milieu de ceux d'entre lesquels se lèvera le traître, et face au monde qui lui vaut la mort, fait penser, toutes proportions gardées, à Mauriac parmi ses créatures. Le romancier est, osons le dire, le Christ de ses personnages.

Ainsi des romans de grêle charpente, de psychologie sans naturel reprennent, au moins dans leur intention profonde, force et valeur par la large inspiration de fraternité douloureuse et de rédemption qui les traverse et monte à la rencontre des puissances du mal. Il s'ensuit un miracle, qui réintègre dans ces romans, surtout par leurs sous-entendus, une vérité non d'action ou de caractère, non même métaphysique, comme l'auteur l'a prétendu, mais poétique et lyrique, prétendra la critique objective. Si une beauté émerge, elle sort de ce subjectivisme effréné. Le roman mauriacien fait son salut.

La Fin de la Nuit (1934) n'élèverait-elle donc pas l'œuvre de Mauriac à son sommet ? Il semble que le personnage de la Desqueyroux y atteigne son maximum de poids fatal, quand son démoniaque appétit de détruire rencontre d'un côté l'amour maternel qui d'ailleurs restera larvaire, d'un autre côté la tentation d'un dernier amour qui ne va lui servir finalement qu'à faire un malheureux. Du fond de son abîme de solitude, vieillie, condamnée déjà, mais séduisante encore par la supériorité de l'esprit et de la provocation, pourquoi ne s'emparerait-elle pas du jeune garçon, la maudite possédée ? Elle le perd, parce qu'elle a voulu pour le rapprocher d'elle (dont il a soupçonné le passé), le convaincre que tous plus ou moins, nous avons voulu empoisonner, que nous sommes tous criminels. Crime ? C'est elle ici qui en commet un, en épouvantant soudain l'inquiet, en jetant entre eux deux sa monstruosité. Ah ! pourtant, peu après, mourante, elle appellera la pitié humaine, et c'est une pitié divine qu'elle entendra confusément lui répondre.

Nous voilà donc en plein christianisme mauriacien tout autant que dans un brasier de pathétique. Misère et délicate valeur des humains, Satan et Dieu. Message d'un chef-d'œuvre... Toutefois, un intérêt nouveau est apparu plus tard dans *Les Chemins de la Mer* et *La Pharisienne*. Ces deux récits, en effet, font se répondre ombre et soleil, donnent aux pages de passion un accent qu'elles n'avaient peut-être jamais eu, parce que l'intention sociale d'affranchissement humain, armée d'une colère ardemment chrétienne, a renforcé les ressorts dramatiques de la vie individuelle et de ses destinées.

La tristesse qui reste à planer sur l'œuvre, c'est que sa grandeur demeure en partie cachée au filigrane des livres, c'est qu'il faille aller au-devant d'elle au lieu qu'elle nous saisisse. La vérité chrétienne de lyrisme et de poésie, retenue encore dans sa gangue d'intention, n'a pas pris possession complète d'elle-même, de ses moyens, de son domaine. Plus exactement encore, elle n'a pas trouvé, soit en intrigues, soit en personnages, symboles tout à fait à sa mesure.

4. La part du style.

Le roman conçu par Mauriac avait besoin d'une ambiance ménagée par le style. Il l'a eue. Au point que le concert des mots, cette musique chargée d'ardeur, assure en partie l'évocation des existences. Ce style est sensualité et noblesse, frémissement des corps traduit à travers les âmes. Certains vers de Baudelaire annonçaient peut-être par leur densité fondante une telle prose à la fois voluptueuse et monacale.

On ne comprend jamais mieux qu'en sortant de la Comédie-Française ou de tel autre théâtre la grande importance du style dans les romans de Mauriac. Ses pièces, *Asmodée* en 1938, *Les Mal-Aimés* en 1945, puis *Le Passage du Malin*, clairement construites au rebours des romans (les nécessités de la scène ont de l'efficace) poussent à leur premier plan des caractères comparables par l'intention à une Desqueyroux. M. Couture fait incontestablement partie de la terrible famille. Ce flair pour le mal, cette âme torturante et torturée de prêtre manqué, ce double besoin contradictoire de flatter et de mépriser l'adversaire du salut, nous reconnaissons tout cela; nous le reconnaissons chez un homme avide de dominer les destinées, exactement comme l'héroïne du roman *La Pharisienne* et comme celle de la pièce *Le Passage du Malin*; car ce thème semi-sadique s'installe décidément parmi les thèmes mauriaciens. Mais est-ce assez spontané et libre pour prendre relief dans la lumière des spectacles ? De tels personnages, Mauriac les a construits du dehors, on n'y sent pas le jet, la synthèse intérieure, la vie irrésistible. Couture dispose de plusieurs déguisements moraux, et sous chacun d'eux tour à tour on voit affleurer, se bander les fortes velléités qui composent sa personnalité mystérieuse. Pour trop peu de temps. Vite, elles s'annulent entre elles. C'est la vie, dira-t-on, cette versatilité. Bien entendu, si elle révèle la profondeur d'inconscient dont Mauriac romancier sait rendre compte. Mais non, si le dramaturge ne nous montre que du conscient, et c'est un fait qu'il ne descend pas sous cette surface.

Tout se passe à peu près de même dans *Les Mal-Aimés*. Pins et chaleur des Landes, solitude d'une grande propriété, famille bourgeoise où la pourriture est entrée, égoïsme de proie, enfants perdus... Tirons notre chapeau à ces vieilles connaissances. Soit ! Mais la nullité fantomatique du jeune homme que deux sœurs intelligentes se disputent parce qu'Éros les possède, voilà un moyen vraiment trop fragile de souligner une exigence de sexualité. Avec leurs brusques décisions, leurs lamentables revirements, elles veulent si manifestement faire plaisir à l'auteur qu'elles gardent pour toute existence la présence de sa sempiternelle obsession. Le père seul, à vrai dire, existe réellement au milieu de ces plats désordres. Voilà une tête; l'unique drame viable serait celui dont on rêve et qui tournerait autour du dur vieillard. Ah, certes ! de la pièce offerte telle quelle, on n'a nulle peine à « tirer tout Mauriac ». Mais alors c'est le spectateur qui invente.

Le retournement d'Émilie Tavernas dans *Le Passage du Malin*, est-ce lame de fond ? La femme affamée de pureté change brusquement de faim devant nous, ou plutôt devant un Don Juan survenu et enlevé par elle, malgré elle, à la jeune femme même qu'elle voulait protéger contre lui; et la dominatrice des âmes passe à son tour sous une domination. Comment cela s'est-il fait ? Point brutalement, je suppose, car Émilie a de la branche. En profondeur, à coup sûr. En ce cas (psychologie chrétienne du péché, psychologie freudienne du désir et de la possession), il faudrait nous faire vivre la chose. Or les dialogues d'Émilie et de Bernard restent échanges cérébraux; la révolution charnelle qu'ils nous laissent à imaginer obéit aux seules décisions de l'auteur, elle est inscrite en théorie dans la pièce, elle s'y insère par définition, alors qu'elle devrait nous emporter dans son mouvement. Dire que Mauriac aura fait regretter Bernstein ! Quand l'horrible nettoyage final se sera accompli, nous aurons le sentiment d'avoir assisté à d'abstraites démonstrations. Une psychologie de caractère à ce point arbitraire, artificielle et monotone se trouve encore soulignée par les autres éléments de la pièce, notamment par la dispute des belles-mères d'un comique si gros, et surtout d'une vérité si conventionnelle. Le passage du Malin ? Eh bien, non, le Malin n'est pas passé...

Or Mauriac aurait-il eu, romancier, un moyen d'unifier son Couture dans les effluves de l'inconscient, de passionner les êtres des *Mal-Aimés* jusqu'à la torture, de faire d'Émilie une vraie douleur, une honte vivante ? Oui, son style. Le théâtre l'a contraint d'adopter le langage objectif, commun, et de quitter son langage personnel, ce style qui sent la chaude humidité et la folie électrique de l'air, qui crée la poésie visionnaire d'où le récit attend et quelquefois reçoit sa grandeur parce que la sensibilité immédiate y rejoint une métaphysique, ce style enfin qui se glisse entre les paroles échangées et qui envahit tout le récit. Admirables phrases du romancier, capables d'agir comme des philtres ! elles montent des nappes souterraines dont elles décèlent la pestilence. Mais sur les planches, il n'y a que les personnages à parler; les allusions qu'ils font au décor, à la nuit, au passé ne peuvent suffire. L'imprégnation, l'atmosphère, devraient venir d'une *vis tragica* obscure, enveloppante, irrésistible, qui manque ici. Au surplus, il est inouï que les adversaires, dans ces pièces, n'arrivent jamais à se colleter jusqu'au bout. Ils effleurent tout juste le ring sur lequel le public ne cesse de les inviter à monter. Dans *Asmodée*, personne (car la belle veuve n'est pas de taille) pour obliger Couture à vider son sac. Dans *Le Passage du Malin*, c'est le comble. Ni Agnès Lorçat avec Bernard Lecètre, ni Émilie Tavernas avec Agnès Lorçat ne se rencontrent jamais face à face.

Aperçoit-on maintenant que si les romans de Mauriac par prodige se vidaient de leur style, ils rejoindraient ses drames dans leur manque de force ? Ils se trouveraient démagnétisés. On doit du même coup apercevoir que de tels romans comme de tels drames auraient besoin de plus de lenteur ou de plus de densité dans leur durée : plus de marches, de contre-marches et de tranchées dans leurs batailles.

5. Conclusion.

François Mauriac a choisi l'état de romancier et de dramaturge, parce qu'il est homme de lettres et que le siècle s'étourdit de romans, se vautre au théâtre. Mais on rêve à ce que serait un ouvrage d'où ce moraliste éliminerait toute fiction pour reproduire sa vision des choses et dire sa propre aventure profonde sans la partager avec des personnages inventés. Il écrirait merveilleusement des *Confessions* et c'est fâcheux qu'il déclare en tête de *Commencements d'une Vie* (1932) qu'il s'en tiendra toujours à cet unique chapitre. Le *Journal*, quoique simple recueil de chroniques en principe éphémères, suggère qu'une mise à nu de son Moi baigné de prose magnifique lui serait, avec les meilleurs poèmes de sa maturité, la garantie de longue survie la plus sûre. Les pièces ne sont pas d'un véritable homme de théâtre; les romans, séduisants, originaux, brillants, noblement ambitieux pour le message qu'ils se destinent à répandre, souffrent d'une certaine faiblesse de structure; le *Journal* est presque toujours d'une éclatante et solide beauté.

IV

AUTRES CHRÉTIENS

I. — *MARCEL JOUHANDEAU*

Quelques miliers de lecteurs suivent Marcel Jouhandeau. Il leur donne des satisfactions fort différentes de celles que dispense Mauriac à un nombre considérable de fidèles. Et pourtant un commun besoin de Dieu rapproche les deux auteurs.

Jouhandeau, tout jeune, a passé ses jours et ses heures à regarder, à observer; depuis lors, il note tout ce qu'il voit, tout ce qu'il entend, et ces notations enfilées composent des livres où choses et gens apparaissent avec une netteté qui les cerne. Mais il contemple en mystique autant qu'en réaliste. Il voit la vie possédée, traversée, transparente d'une autre vie; derrière ces anomalies une puissance cachée grimace, et le monde prend une quatrième dimension, qui plonge dans une sorte de magie. Cela explique que Jouhandeau soit quelquefois difficile à suivre, hésitant perpétuellement entre la réalité particulière et le mythe, entre l'éveil et le songe, entre l'ironie et la métaphysique, et ne choisissant pas distinctement entre la nature et la surnature. La meilleure porte pour entrer chez lui est *La Jeunesse de Théophile* : apparemment sa propre jeunesse pleine de messes, de communions, de morts d'âme et de griseries. Théophile, né « au fond d'une triste province dans une cour de boucherie » (Jouhandeau vit le jour à Guéret (Creuse) le 26 juillet 1888) avec des aspirations à la beauté, à la splendeur des pensées et des formes, semblait n'avoir de chemin à prendre que celui de l'Église. Jouhandeau lui aussi ne restera-t-il pas hanté toute sa vie par cette image : « Il y avait au IVe » siècle après Jésus-

Christ dans la Thébaïde un solitaire qui faisait des paniers de jonc toute la journée et les brûlait le soir devant le soleil » ?

Son œuvre se peuple d'une multitude de la ville et des villages : enfants et filles, curés et maires, bouchers et épiciers, dont chacun a son originalité aussi voyante qu'un peinturlurage de poupée. Voilà un coin de France, plus loin de l'homme éternel que le coin de Jules Renard, mais plus varié et avec des dessous ménagés par une inquiétude que Renard ignorait. Un coin de France actif à vivre, richement doté par la nature, avec des habitants merveilleusement doués, mais qui finalement souffre d'un grand vide, perdu en outre parmi une immense existence mystérieuse d'où se lèvent souvent de beaux rêves ayant un air d'avertissement; car Jouhandeau est un des plus brillants représentants de la littérature onirique. De tous les originaux qui composent le monde qu'il a créé, on pourrait dire ce qu'une vieille femme murmure de l'abbé Diverneresse dans une nouvelle du *Saladier* : « Nul ne sait la plaie qui le ronge ni quelle mouche l'a piqué dès sa naissance. » De ce fait, que de cocasseries ! Mais certaines capables de faire frissonner. Qu'on suive la drolatique et atroce histoire de *L'Oncle Henri* (1943), ce malheur logé dans une famille, la menaçant du fond d'instincts forcenés et indomptables, l'entraînant toute par son poids. Qu'on se penche sur les trois pierres qui jouent leur rôle dans *Opales* (1928), éclairant de lueurs maléfiques un combat d'amitié et d'amour. Qu'on se promène à travers *Chaminadour* (1934). Cette ville qui n'existe pas, bien qu'elle ressemble à Guéret et aux Guérétois, cette ville rêvée et honnie, c'est un tableau de peintre visionnaire, qui emploie en littérature le procédé déformateur et expressionniste employé exactement en illustration par Laboureur, mais un Laboureur qu'affole la vision d'humains obsédés, possédés, déchus ou exaltés. *La Jeunesse de Théophile* se termine sur l'extraordinaire épisode de Mme Alban, femme dominatrice, rouée et déçue, qui distingue mal entre l'amour de Dieu et l'amour de l'amour, faiseuse de vocations et peste des prêtres, monstre de petite ville, sincère avec des dessous confus qui lui donnent un air de Tartufe femelle. On sent Jouhandeau souvent emporté par sa conviction secrète mais tenace de la présence personnelle, constante et vigilante du Mal. Avec le Mal l'humanité muette ou loquace, terrifiée ou inconsciente, est toujours acculée à se battre : d'où tant de folies, d'horreurs, de grimaces, de faux rires. Bref, ce garçon croit au Diable.

Voilà pour le monde qu'il contemple. Une hantise aussi cruelle pénètre et torture son introspection. Si Jouhandeau a mis en circulation un personnage du nom de M. Godeau, c'est par pure modestie ou du moins pour avoir plus d'aises à se maltraiter. *Monsieur Godeau intime* (1926), *Monsieur Godeau marié* (1933), *Chroniques maritales* (1938), font aller et venir, rêver, parler, et se taire une victime de l'amour conjugal. Si dur et sévère que soit Jacques Chardonne, ses romans sont idylles en face de ces drames ignorés et souterrains entre deux êtres qui s'aiment. Non que des sortes de sketches fort réussis ne les égaient çà et là; leur force comique bouscule des pages; la brève histoire du nègre engagé par Élise est impayable, elle n'est pas l'unique du genre. Élise aux prises avec la religion dont l'envie lui est venue, devient héroïne d'une tragi-comédie. Mais de tels ridicules naît toujours, contre l'un ou l'autre partenaire, une férocité de plus : série caricaturale de petites hontes, de gestes bouffons, de mots mesquins, qui aboutit à dénoncer l'odieuse intimité. La réduction à une moitié de lui-même qu'un homme accepte en se mariant est dessinée ici en images ironiques, cocasses, burlesques, cruelles souvent, haineuses parfois, vengeresses toujours.

Évidemment Jouhandeau considère la terre comme un lieu de passage. Il faut s'y préparer à l'autre vie et le mieux est d'y souffrir, parce que la souffrance mûrit l'homme pour Dieu. L'humanité, quand la pensée de Dieu l'abandonne, tourbillonne dans le vent des vices ou des malheurs vains. Il y a chez ce romancier un Gide souffrant, qui se complaît dans le trouble et dans l'équivoque, et qui, marié ou non, ne dissimule point le mal sodomite, mais qui a le goût de Dieu. Puis un Mauriac s'y superpose, c'est-à-dire cette arrière-pensée mystique de derrière les péchés que l'auteur a avouée dans son *Algèbre des Valeurs morales* (1935). Ses personnages passent sous le joug du péché pour faire leur salut. Son propre personnage est un champ de bataille sur lequel le salut se gagne ou se perd. Dieu, la Femme, Satan, sont les acteurs du drame concentré et profond auquel se ramènent tous les livres de Jouhandeau, et qui semble courir à ce dénouement : exaltation croyante, renoncement à soi comme chez les saints, volonté de devenir par ces moyens un Homme.

Jouhandeau a construit son œuvre par brefs récits, portraits et maximes, même quand elle prend les apparences d'un roman. Cette construction a malheureusement un défaut trop fréquent dans les productions du groupe de la *Nouvelle Revue Française* auquel Jouhandeau appartient. Par peur de la narration trop claire, elle glisse à la description psychologique, quelquefois à la tapisserie monotone où les regards sortent de profils plats, semblables à ceux de l'art égyptien. De rares paroles s'échappent et s'immobilisent. N'empêche que les deux cycles de M. Godeau et de Chaminadour, auxquels il faut joindre la biographie du Commandant *Tite-le-Long* (1932), qui tangue entre folie et sainteté, mettent en œuvre tant de pénétration, d'intuition divinatrice, de lucidité rouée, de sentiment de l'invisible, qu'ils arrivent à constituer par approximations un monde complet et même à lui donner par endroits quelque chance d'être le monde vrai.

Quant à l'écrivain, il est de premier ordre. Lui et Lacretelle sont à remarquer comme les deux écrivains importants qui ont fait retour à un style généralement abstrait. Mais Lacretelle recherche une aisance simple; Jouhandeau resserre, contracte, raffine. Il est assez sec pour bien brûler. On dirait qu'il s'est rassasié de La Bruyère, et peut-être de Retz, avant d'entrer dans Gide et dans quelques autres.

II. — *DANIEL-ROPS*

Henri Petiot, dit Daniel-Rops, né en 1901, l'analyste de *Notre Inquiétude* (1926), celle de la jeune génération d'alors qui vivait sur un Moi dissocié, écartelé, est resté hésitant entre l'essai et le roman. Les essais sur Péguy, sur Rimbaud mettent en valeur un esprit critique de large horizon et cependant très exigeant en exactitude contrôlable. Cet esprit agile et résistant s'est consacré dans *Le Monde sans Ame* (1931), *Ce qui meurt et ce qui naît* (1937), aux moyens de restaurer les valeurs spirituelles que notre temps détruit. Il emprunte son point de vue à une Église qui a ses Pères dans Péguy et Claudel autant que dans Tertullien. Voilà le climat de foi choisi par le romancier de *L'Ame obscure* (1929) pour incarner les défauts des « inquiets » dans un adolescent voué au néant. A quoi mène une absence d'idée sur le but de la vie : le livre suggère non sans puissance cette cause d'une déchéance analysée avec habileté. Un éclairage d'apologétique catho-lique fait de *Mort, où est ta Victoire?* une pathétique opposition d'ombre et de lumière; c'est dommage que les personnages soient moins pétris par la passion que découpés par l'intel-ligence. Inscrivons encore au compte de Daniel-Rops deux grands trésors de savoir : *Le Peuple de la Bible* (1945), qui met à jour nos connaissances sur les origines du Christianisme, et *Jésus en son Temps* (1946) qui traite le problème du Christ en catholique et en historien. De tels livres résument cent cinquante ans d'études critiques pour essayer de fixer l'his-toire sainte sans heurter l'orthodoxie et sans blesser l'exac-titude historique. C'était difficile. S'étonnera-t-on qu'il arrive à Daniel-Rops d'échapper par la tangente à l'histoire quand il redoute d'elle quelque gêne pour l'enseignement de l'Église ? Mais, dans l'ensemble, il a tenu sa gageure, et il met en pleine lumière à quel point l'exégèse de l'Église s'est redressée en ce siècle.

Je crois néanmoins que les pages les plus importantes attendent le lecteur dans les livres d'élucidation critique des littératures, c'est-à-dire dans plusieurs essais — de *Rimbaud* à *Où passent des Anges* (1947) — sur cette poésie moderne qui s'oriente vers la métaphysique (l'auteur n'y participe-t-il pas dans des poèmes assez hermétiques ?). Les ambitions de cette poésie, sa grandeur et ses erreurs chimériques, sa place dans notre intellectualité, tout cela est parfaitement fixé. Daniel-Rops définit en même temps sa conception propre, c'est-à-dire son exigence de l'analogie et du symbole à orientation chrétienne, ce qu'on pourrait appeler une esthé-tique de la transcendance retrouvée à travers les aspects les plus périlleux de la condition humaine.

III. — *GEORGES BERNANOS*

Entré brusquement avec toute sa fougue dans le monde littéraire, Georges Bernanos y a déployé une vision de l'uni-vers plus chrétienne que catholique, d'un christianisme paroxyste. Il jette sur le monde, au nom de la justice et de la charité, une terrible nuée pleine de foudre, qui allumera des incendies dans les âmes, qui torturera l'être humain, qui fera payer atrocement cher les joies les plus pures. Ah, ce n'est pas un tiède ! Il a inventé une espèce de terreur et ce qu'on oserait presque appeler un jansénisme de Grand Guignol. Ayant mis l'humanité sur le gril, il l'y regarde se tordre, et c'est là qu'il la ramasse pour en faire la substance de ses romans. Bernanos diffère de Mauriac par sa conception de la vie. Son obsession du péché déborde les drames de la chair, de l'argent et de la vanité, elle le précipite à forer les profondeurs d'âme dans toutes les directions; en outre, au lieu de peindre un monde où Dieu manque et dans lequel la grâce reste une espérance passive, Bernanos, romancier de vision plus violente, crée un monde divin et luciférien, impose la présence des deux forces surhumaines dans la lumière et dans la nuit. Il porte donc au comble la ressource immense du romancier catholique, lequel a le moyen d'étreindre l'homme tout entier en participant avec lui aux luttes de la tentation avec la grâce. Mais il pousse son pathétique aux frontières extrêmes de la vie, là où l'inconnu s'en empare et l'enfouit. Enfin il possède pour ses desseins un art qui en sert le meilleur et le pire. Il n'analyse pas, il met debout des synthèses de chair et de sang, et il leur fait traverser d'abominables obscurités psychologiques, ainsi que de paradisiaques clairières, pour composer avec tout cela des scènes forcées, fausses, harassantes, illuminées, tout ensemble inhumaines et poignantes.

Né à Paris (1888-1948), mais d'origine artésienne, le sang espagnol mêlait des gouttes au sang lorrain et berrichon dans ses veines, et il a eu un ancêtre corsaire. Georges Bernanos se dévoua longtemps au mouvement d'Action Française. S'en étant détaché, il vécut d'un métier, à la tête d'une famille nombreuse. C'est en huit jours de l'année 1926 que *Sous le Soleil de Satan* lui conquit sa réputation et lui permit de vivre désormais en écrivain libre : livre extraordinairement mêlé, inégal et débordé par la folie verbale, mais remarquable d'audace, car il s'agissait d'éclairer l'intérieur des êtres par explosions de la puissance du mal que le péché originel est censé y avoir mise. Satan ! C'est lui qui tente et torture l'abbé Donissan, curé de Lumbres, nouveau curé d'Ars; c'est lui qui le fait sans cesse tituber devant l'évidence du mal universel, l'obligeant à se demander en toute circonstance, même lorsqu'il s'offre aux plus durs sacrifices, s'il agit en instrument de Dieu ou en jouet du diable. Mais le salut se forge en lui, tandis qu'Antoine Saint-Marin, en qui se reconnaît Anatole France tel qu'un Bernanos pouvait le concevoir, est destiné à rester outre vide : injustice pour le maître d'ailleurs, lequel nous mit sur le chemin d'une connaissance familière, cordiale et ironique du monde ecclésiastique. Pourquoi donc le livre défaille-t-il finalement dans sa partie essentielle, malgré une incontestable puissance hallucinatoire ? Par défaut de crédibilité. L'apparition du Démon dans la campagne sous le masque d'un maquignon mystérieux, celle de l'ange gardien qui a pris le visage d'un carrier connu, convainquent des lecteurs : ou ils ont de la chance (c'est une grâce) ou ils sont convaincus d'avance, mais est-ce pour ces lecteurs-là que Bernanos écrivait ? Plus tard, le curé devenu un saint essaiera de rendre la vie à un enfant mort : l'épisode traînera, pénible et décevant. L'erreur est égale d'avoir voulu faire vivre une sainteté incarnée et d'avoir entrepris d'évoquer une présence démoniaque : la même que commettent d'autres romanciers en prétendant faire voir et toucher du doigt le génie littéraire ou scientifique. Remarquez qu'il y a une partie du livre où la pénétration de tout par la puissance maligne est près de se révéler, c'est le prélude où se démène une fille véritablement possédée, Mouchette, monstre gorgé de la force du mal : or, là, pas de présence surnaturelle; rien que d'humain, de terriblement humain, mais comme pétri d'une méchanceté d'au-delà. Qu'il est fort, ce prélude ! Le livre, après lui, ne tient plus le coup.

Bernanos allait poursuivre ses témérités en peignant de pied en cap Chantal de Clergerie, la pure créature qui éclaire *L'Imposture* (1927) et illumine la sombre *Joie* (1929). L'écrivain capable de créer des êtres exceptionnels aussi différents ne le peut qu'avec des dons exceptionnels eux aussi. Malheureusement *L'Imposture* s'appuie sur une conception du monde simpliste à l'excès. Un prêtre athée s'y oppose à un saint homme de prêtre; l'héroïne a pour père un ami du premier et pour confesseur le second. Matière romanesque qu'on dirait empruntée au pire Hugo, puis traitée par le Barbey d'Aurevilly le plus bizarre et le plus emphatique. Néanmoins la figure de Chantal attachait déjà. *La Joie* achève par une mort violente l'histoire de cette vierge qui se méfie de ses élans mystiques au point d'en apparaître terrifiée et dont la tendresse a quelque chose de déjà céleste. Malheureusement, l'action est obscure et, pour autant qu'on la comprend, absurde. Le Russe pervers et détraqué qui la conduit ne déparerait pas un roman de Georges Ohnet; et des autres personnages aucun ne nous apparaîtra jamais dans la vie. S'ils composent à eux tous un symbole de la réversibilité des mérites, c'est par le moyen d'invraisemblances tellement saugrenues que des catholiques clairvoyants en ont montré leur effarement. Dans le cœur même de la pure jeune fille et dans tout son être, l'auteur entretient un tumulte confus à plaisir et qui finit par ressembler à une intime danse de Saint-Guy.

On voit bien le dessein magnifique de Bernanos : plonger dans le mystère des âmes en pleine lutte pour y saisir le mouvement même de la tentation et de la grâce en train de s'affronter : triomphes et défaites, sursauts et chutes qui tourbillonnent comme soldats dans la mêlée. Voilà ce qu'il a visé. Ce qu'il a réalisé est malheureusement autre chose : spectacle de fantômes et de clair-obscur que la nuit envahit, fiction quelquefois incompréhensible, morceaux juxtaposés, digressions hagardes, caractères extra-humains.

Un Crime (1935) ensuite prétendit élever le genre du roman policier à la haute littérature, mais sur des bases impossibles. Je crois savoir que Bernanos eut grand mal à terminer cette malheureuse histoire où les invraisemblances abondent, les plus ridicules d'ordre matériel et physique, les plus fâcheuses d'ordre canonique.

En revanche, le *Journal d'un Curé de Campagne* (1936), situé au centre de l'œuvre, rayonne sur elle toute. Au milieu du monde ecclésiastique qui y figure au complet, le caractère du jeune desservant de Mézargues, héros et martyr de la charité, atteint au sublime en plus d'une scène et embaume de sublimité tous ses jours. L'univers mouvant des malheureux, des tièdes, des riches et des méchants, vient battre au pied de cette frêle tour d'héroïsme. Aux prêtres insuffisants, à la châtelaine perdue et sauvée, à tant de pauvres humains, le romancier a imprimé on ne sait quel air de danse macabre, tandis que le jeune prêtre condamné à si tôt mourir resplendit déjà, à travers son abominable agonie, de vie éternelle. Des défauts pourtant affaiblissent ce beau livre; un défaut qui lui est spécial : l'auteur pense, sent, parle, écrit trop à la place de son curé; un autre défaut, qui est le défaut général de toute l'œuvre : ce protagoniste est un forcené du scrupule et de l'amour; peut-être que si chaque paroisse française avait jouissance d'un tel levain, le pain du pays ne cuirait plus, mais brûlerait; or l'intention n'était-elle pas de nous présenter un type ? Reste-t-il assez de généralité humaine dans ce cas rarissime ?

Vint en 1937 la *Nouvelle Histoire de Mouchette*, le plus significatif des romans de Bernanos, le plus difficile aussi à accepter. On y voit, au cours d'une nuit infernale, l'incompréhensible fillette de quatorze ans, victime hallucinée et inconsciente, terrassée par une crise de haut mal. Quel amour obscur et pesant s'est depuis lors emparé d'elle ? Par quel sentiment de complicité avec un garçon assassin a-t-elle passé de sa solitude humiliée et indisciplinée d'enfant à sa solitude de révolte contre elle-même, à sa solitude de honte et de défi ? Il semble que Bernanos ait voulu peindre une solitude innée, une âme enclose et maudite. A certains moments, on peut croire que la vie va forcer ce secret; alors se lèvent, comme pour le garder, d'éclatants spectacles, par exemple la mort de la mère, cet atroce tableau de misère matérielle et morale, avec sa gerbe d'éclairs sur le malheur des femmes, dans les taudis villageois du Nord que souille l'ivrognerie. En sorte que ce livre pourrait bien être le plus terrible que l'auteur ait lancé à la face de la société qu'il abhorre.

Monsieur Ouine a suivi la guerre et la libération. Il peint, ou plutôt dessine à la manière d'Hugo, avec de l'encre de Chine et de la cendre de pipe, un village séparé de Dieu, perdu, condamné. Tout s'enfonce dans la damnation. On trouverait la vision hallucinante, si le désordre du récit, l'obscurité fantomatique des personnages et l'inintelligibilité des dialogues étaient de l'inintelligibilité, de l'obscurité et du désordre moins ostentatoires.

Voilà Bernanos romancier. Il est déjà pamphlétaire malgré lui, comme Bernanos pamphlétaire sera romancier encore. Allié de Mauriac, il accable la bourgeoisie pharisienne et son personnel. Mais il l'accable sous des exemples monstrueusement rares. C'est une faute. Ni Mauriac, ni Martin du Gard, ni aucun autre ne commettent cette faute-là. Eux, leur exceptionnel aspire à l'humain, tandis que celui de Bernanos s'en sépare et lui tourne le dos, il s'enfonce presque toujours dans l'anormal, dans l'inadmissible.

Quant à Bernanos écrivain de combat, essayiste pamphlétaire, il descend des Livres chrétiens, par Bloy et Drumont, tous les deux imprégnés d'Apocalypse. D'où sa générosité injurieuse, son observation tourmentée et partiale, son manque total d'équité sous prétexte de justice, mais aussi les longues déchirures de sa sensibilité, certaines finesses soudaines de réflexion, une étonnante poésie de tendresse et d'amour. S'il n'existait pas, il faudrait l'inventer. Il est l'indispensable protestataire.

La Peur des Bien-Pensants (1931), qui peint une auréole autour de l'antisémitisme d'Édouard Drumont, puis allume à ses pieds un bûcher pour y brûler les lâches bourgeois de France, est un livre dispersé mais puissant par ses tempêtes d'invectives. Livre raciste et fasciste, et qui faisait entendre un hennissemnet guerrier (au moins de guerre civile). Les pages de conclusion rassemblent le Bernanos le plus riche et le plus hardi, le plus désespéré et le plus terrifiant : véritable et flamboyant *Mane*, *Thecel*, *Phares* lu par un nouveau prophète Daniel sur les murailles d'une société qui a choisi pour idéal d'escamoter Dieu.

Les Grands Cimetières sous la Lune (1938) — c'est-à-dire les vastes cimetières de l'autre guerre qu'on oublia trop — abat ses colères sur les nationalistes français, les dictateurs et Maurras, l'épiscopat espagnol, les Italiens à Majorque, les tyrannies de Franco et de Salazar. Même nature de fièvre que chez Mauriac journaliste, et, comme chez Mauriac, exacerbée par l'esprit de guerre au fascisme. Mais il n'y a rien de constant chez Bernanos. Il brûle facilement ce qu'il a adoré et vite un abîme s'est ouvert entre l'une et l'autre satire. Rien ne peut le contenter, tout risque de le décevoir. On dirait un Don Quichotte devenu acerbe et macabre. Cependant sa verve, quoique inégale, gardait dans ces deux livres un extraordinaire pouvoir d'infliger la honte, la brûlure, la glace.

Elle a paru en baisse, et compagne d'une pensée plus banale quoique impétueuse, dans les essais d'après 1940, dans *Nous autres Français*, par exemple, daté du Brésil; la désarticulation y a fâcheusement empiré. On part à chaque paragraphe, ou presque, dans une nouvelle direction, et l'on ne se sent pas souvent arrivé quelque part. Curieux et inquiétant docteur enrobé de vapeurs de soufre ! à la fois soldat de Dieu et son calomniateur, tout ensemble prophète, voyant et apprenti sorcier...

Le style du romancier a constamment évolué. Il était fort et rapide, athlétique dans *Sous le Soleil de Satan*. Alourdi dans *L'Imposture*, il est devenu par la suite un mélange de vitriol et de purée de pois ; le brouillard alterne avec l'éclat métallique qui annonce les orages. Le style du pamphlétaire appelle toutes sortes d'autres comparaisons : entre toutes, celle d'un hidalgo en loques, dans des fondrières, épuisé par une marche hagarde de cavalier qui a perdu son cheval, au matin encore tout encrassé de nuit, et fouettant l'air de sa vaine cravache.

IV. — *J. MALÈGUE ET J. WILBOIS*

Normand, longtemps mêlé à la vie anglaise, le regretté Malègue s'est révélé en 1933 par *Augustin ou le Maître est là*. Il y entretenait une vie toute cérébrale, celle d'un jeune intellectuel universitaire qui résout les problèmes de sa spiritualité avec les plus hauts moyens philosophiques. D'où une vraie gageure de technique romanesque. Il l'a tenue en partie, car ce personnage obtient l'existence à force d'intensité de pensée. Malheureusement l'air se raréfie autour de lui, comment respire-t-il ? Et puis, pourquoi ce détour si large et si lent, pourquoi ces deux ou trois romans dans un roman, pour faire aboutir une crise de modernisme religieux, évoquée certes avec ampleur, à l'apologétique du charbonnier ? L'art est inégal : alternances de longueurs et de raccourcis, de style hautainement dépouillé et de pathos rocailleux. Mais il a l'originalité de rompre avec les procédés de la suggestion, avec les envoûtements du trouble savant et pervers. Joseph Malègue s'écarte autant de Mauriac et de Jouhandeau qu'il se rapproche d'Estaunié. On regrette donc que sa tentative audacieuse aboutisse, pour les raisons dites ci-dessus, à un échec. Car elle s'est élevée à une grande hauteur d'émotion dans plusieurs chapitres. L'épisode de la mère et de l'enfant malades, la mort d'Augustin atteignent des beautés égales à celles d'Émile Clermont, quoique dans un registre différent.

Un philosophe de la technique administrative, un guide intellectuel de chef d'entreprises, Joseph Wilbois, a apporté en 1928, sur les années 1894-1914, un témoignage dramatique que rien ne faisait prévoir : *L'Homme qui ressuscita d'entre les Morts*, où il se révélait à cinquante-quatre ans comme un romancier catholique d'une extrême vigueur.

V

RENAISSANCE DE L'ÉNERGIE

I. — *HENRY DE MONTHERLANT*

Celui-ci a voulu recueillir la succession de Barrès; il prétend donc être à la fois un artiste et un homme de pensée.

L'artiste est exceptionnel. Il bondit sur la sensation avec le ressort d'une bête de race. Il cherche et trouve les effets. Il sait disposer ses plans, ménager des contrastes, distribuer la lumière et l'ombre. Des couleurs manquent à sa palette, mais il a le dessin ferme et subtil. Prodigieusement vivant, il possède le style le plus sûr de sa génération. Ce style est d'une aisance souveraine, capable de descendre au ton bon enfant, à la verve populaire, voire à la vulgarité quand elle est de mise, pour remonter brusquement et s'élever haut soudain, sans jamais rompre l'harmonie.

Mais l'homme de pensée marche à la suite de plusieurs maîtres juvénilement choisis. Il s'excuse sur Chateaubriand de l'indiscrétion insolente de son amour de soi. L'intermédiaire barrésien a encouragé la conduite d'une vie littéraire harmonieusement ramassée. A l'image de Barrès, Montherlant dessine des idéologies passionnées, mêle la sensation à l'idée, n'observe, ne cherche, ne se déplace que pour ausculter son Moi : ce qu'il a fait avec application dans le journal de ses voyages en Espagne, en Italie, en Afrique du Nord (*Aux Fontaines du Désir*, 1927). Il a écrit *La Petite Infante de Castille* comme Barrès avait écrit *Le Jardin de Bérénice*. Retourné contre l'initiateur, il alla à Tolède, traquant son souvenir, pour l'accuser de mensonge et de vantardise, mais en réalité traîné par lui dans ce moment même. A d'Annunzio se doit le culte du plaisir, l'orgueil d'élever la jouissance au rang de la beauté. Mais l'inspirateur le plus direct reste André Gide, convertisseur à la religion de l'instant, à l'abolition du néant par l'actuelle minute physique qui sature l'âme. Toute *La Petite Infante de Castille* (1929), où l'aventure avec la danseuse sert à planter une attitude (désinvolture, crudité, renoncement), qu'est-ce autre chose qu'une surimpression Gide-Barrès ? Gide en effet a enseigné à son cadet que l'homme étant incapable d'éprouver une suffisante immensité de désirs, ne peut compter sur sa plus grande joie que par le renoncement, par la maîtrise de soi que ce renoncement douloureux implique. Telles pages d'*Aux Fontaines du Désir* équivalent à un double. Violentes crises de gidisme sensuel, de tels livres ! « Vivent les sens, eux ne trompent pas », crie celui-ci. Et celui-là : « par les sens, j'atteins une solution; par l'esprit, je n'en atteindrai jamais une... ». Plus tard, l'apologue tragique de *Pasiphaé* (1936) voudra légitimer tout acte qui tente l'envie.

Montherlant paraît très fier de sa méthode de l'alternance qui consiste à « vivre toute la diversité du monde et tous ses prétendus contraires », à passer d'une extrémité à l'autre (de Barrès à l'anti-Barrès, de l'acceptation du « soyez durs » à la charité, de la passion de la beauté corporelle à l'exaltation de la vie de l'esprit) pour arriver à la possession totale. Il a mis en forme théorique, dans un morceau d'*Aux Fontaines du Désir*, « syncrétisme et alternance », ce désir d'épuisement de toutes les attitudes, qui ne fait qu'exagérer et, disons-le, systématise la doctrine gidienne. Car il n'en élude aucune conséquence. On devine que le système devient vicieux dans la psychologie de l'amour : oh, quel ravissement de pousser la hardiesse des *Bestiaires* jusqu'au bord de la bestialité ! L'auteur joue le plus souvent au « voyageur traqué », c'est-à-dire avide et anxieux tour à tour de son nomadisme, — ce qui donne finalement un air faussement romantique à une existence confortable et variée.

Son ami Faure-Biguet a appelé Montherlant « un homme de la Renaissance », c'est beaucoup dire. Quand Montherlant rétablit le culte d'ailleurs très littéraire des individualités fortes, amies de la beauté corporelle et de la liberté des sens, il rappelle Hugues Rebell. Quand il s'affirme catholique de tradition mais incroyant, catholique par adhésion à l'ordre public, mais anti-chrétien, il répète Maurras. Et ce paganisme maurrassien, Nietzsche l'a corsé de méfiance et de mépris pour l'humilité et la pitié : qu'un christianisme héroïque surgisse quelque jour, il l'acclamera... On lui connaît encore un créancier pour sa critique du catholicisme qu'il accuse de mondanité et de compromis avec les puissances d'argent ou de politique : n'est-ce pas l'écho de Léon Bloy ? Ce qu'il a apporté de personnel dans ce domaine, c'est d'imposer au catholicisme un partage avec le culte de Mithra, avec les cultes taurins...

Montherlant, qui ne se gêne donc pas pour utiliser les aînés, a sa pensée propre pas encore décantée. Il forme ses idées avec hâte, il n'attend pas d'avoir du recul. S'il a reproché à la France ce qu'il appelle dans son belliciste *Équinoxe de Septembre* (1938) « une morale de midinette », il devra reconnaître qu'il s'est imprudemment pressé de lui opposer la « morale léonine qui a cours dans plusieurs nations d'Europe... ». Les problèmes d'éducation l'ont amené souvent à confondre liberté avec désordre, force avec brutalité, tête solide avec tête brûlée. Il n'a pas hésité à écrire dans *Solstice de Juin* (1941) plusieurs pages qui font très mal à lire, car elles humilient sa patrie vaincue. Utopique à sa manière, il se complaît à des synthèses larges qui, hors du papier imprimé, ne sauraient maintenir l'accord de leurs parties. L'élan des Russes pour un idéal nouveau, quel qu'il soit, la fraîche entente de la vie courante en Amérique, la rêverie désintéressée des Orientaux, ces écussons de greffe sur notre vieux tronc gréco-romain, voilà certes un programme fécond : c'est à peu près ainsi que Simone Ratel résumait les déclarations de Montherlant en 1930... Ce prince n'est pas difficile ! et la logique ne l'embarrasse guère. Lui qui, par envie d'héroïser le christianisme, donne rétrospectivement sa sympathie au jansénisme, il ne se prive pas de repousser et de haïr la notion du péché. Lui qui estime Dieu un « idéal désuet » et qui nie, en somme, le problème religieux, il imagine un surnaturel dont on s'approcherait en s'attachant au corps, aux bêtes, à la terre et donc en sacrifiant la partie supérieure de l'homme. J'ai peur que cette réminiscence de très anciens Hellènes ne nous laisse démunis.

Voilà quelques accidents de Montherlant idéologue, ils sanctionnent son ambition d'avoir visé très haut avant l'âge... Il s'est fait une pensée avec des fureurs et des aspirations dont beaucoup sont fort sympathiques et révèlent une magnifique nature. Ah certes, qu'on ne le diminue pas. Il a un pouvoir sur les esprits, quelque chose en lui dépasse l'artiste : quoi donc ? Pas seulement les reflets bien captés des maîtres, pas seulement ses grands dons littéraires. Il doit le meilleur de sa carrière à un tempérament hardi qu'il a entraîné habilement, à un caractère qu'il a consciencieusement armé. Montherlant porte la marque du collège dans son stoïcisme inspiré de Marc-Aurèle, dans un sens de l'amitié héroïque qui lui vient de Plutarque. Il a prétendu s'être nourri des Anciens jusqu'à l'adolescence, et des lectures appropriées ont prolongé cet allaitement. Puis il s'est initié aux sports comme à une chevalerie. La tauromachie lui a proposé une mission de noblesse, et ce descendant d'aïeux catalans a inscrit à son compte, dès l'âge de quinze ans, deux mises à mort dans les arènes de Burgos (il devait, un peu avant trente ans, recevoir un coup de corne en toréant à Albacète). Enfin il est, pour ainsi dire, passé du lycée aux tranchées de 1918 et il leur doit d'avoir mené une vie non amollie par la famille ou les salons. En mémoire de ce beau temps, son corps garde huit éclats d'obus.

Étant né (à Neuilly) le 21 avril 1896, c'est-à-dire le jour anniversaire de la fondation de Rome, son humour gaillard a présenté cette coïncidence comme un signe du ciel. Pourquoi la « virtus » romaine, cherchant un écolier passionné qui lui fît un sort littéraire dans le monde moderne, n'aurait-elle pas choisi celui-là ? Il s'est donc imposé des disciplines viriles, il en a souhaité de pareilles dans les individus et dans l'élite. Son nietzschéisme à l'antique l'a cabré contre la morale bourgeoise autant que contre la tradition chrétienne. Il a dénoncé l'envahissement des médiocrités. Médiocrité, notre sentimentalisme de petites gens; médiocrité, la fausse sécurité de la Société des Nations; médiocrité, la conception de l' « Européen moyen ». A tout cela, Montherlant opposa son goût des valeurs héroïques. Dès *La Relève du Matin* (1920), cette réaction surgissait. Rassemblement des thèmes de l'enfance et de l'adolescence telles que les années de guerre les façonnèrent dans les collèges, ce petit livre de méditations et de dialogues, cet antidote tout préparé pour *Le Diable au Corps* de Radiguet, honnissait la génération précédente au nom de l'esprit d'équipe et de l'héroïsme. Et Montherlant admit de retrouver la grandeur par la guerre. Il ne cache pas, dans *Le Songe* (1922), dans le *Chant funèbre pour les Morts de Verdun* (1924), recueilli parmi les essais de *Mors et Vita* (1932), avoir aimé la guerre. Par goût non point de la violence ou de la domination, mais de choses nobles : explosion de force entre adversaires relativement égaux, rupture des entraves banales, pacte de camaraderie, élévation du cœur par le sacrifice. Des réminiscences antiques ont aidé à cette louange. Elles n'éclipsent pas, bien entendu, le spectacle des cruautés et des horreurs, dont *Mors et Vita* s'émeut plus d'une fois... Roman de guerre et essai d'idéologie lyrique, *Le Songe* fait passer son héros du sport dans la guerre, de l'idéal sportif méthodisé par les anciens Grecs dans la tuerie organisée : ceci et cela ne peuvent-ils se ramener à un exercice de volonté orgueilleuse ? Il y a de la générosité dans ce livre, une ardeur qui n'est pas que de style, d'excellents morceaux, tel le poème en prose qui célèbre l'amitié juvénile de Bricoule et de Prinet. Son intérêt le plus sûr naît des conceptions qui défendent Alban de Bricoule contre Dominique Soubrier, belle sportive et, d'apparence, froide infirmière. Elle l'aime, et l'amour la révèle femme de feu. Il refuse l'amour pour sauver la camaraderie, tout vibrant pourtant d'imagination charnelle. Le désir, soit ! Pas la tendresse, pas l'amour, pas la faiblesse...

Le Paradis à l'Ombre des Épées (1924) et *Les Onze devant la Porte dorée* (1924), réunis sous le titre d'*Olympiques* en 1938, réalisent le poème en prose des jeunes rescapés de la guerre, qui vérifient et entretiennent dans la vie des stades la primauté virile enseignée par la Société antique. La psychologie de Peyrony, gamin de quinze ans, capitaine d'une équipe « junior » de foot-ball dans un grand club de Paris — pur diamant qui éclate sur la décomposition morale d'une famille bourgeoise —; la leçon de Peyrony sur le calcul des efforts; l'épisode de Mlle de Plémeur, championne des « Trois-cents », puissante scène de courage vaincu, de pitié héroïque et de noble compagnonnage : ces contes vrais donnent une chair de bon grain à certains instincts et idées de notre époque, — le respect et même l'exaltation du corps rétabli dans sa dignité, la possibilité de camaraderie très farouche entre filles et garçons, le refus par avance de l'amour-passion, enfin un besoin de vivre avec discipline et courage.

Par là Montherlant réagit contre le « mal du siècle »; il lui apporte un remède, il entrevoit une éthique propre au temps et semble y dévouer son orgueil. Avec lui, l'évasion vers l'enfance et l'adolescense échappe à l'inquiétude. Ne voit-il pas d'ailleurs dans les enfants la garantie de demain, un capital, une certitude ? L'inquiétude romantique de l'après-guerre, il l'a éprouvée comme tous les garçons de son âge; mais au lieu de s'y attarder, il s'est jeté dans la vie active, il a donné de sa personne. A jouer du ballon, à courir les cent mètres, à travailler les taureaux, il a incarné la force non plus littéraire, mais réelle, de ses avis au lecteur. En somme, il jouit d'une certaine solidité de réalisme, et cela encore lui vient du tempérament et du caractère. Au surplus, la fameuse « alternance » veille, elle n'autorise pas à présenter le sport comme une panacée...

Hélas ! tempérament et caractère ont une autre figure à montrer. Comme Montherlant est provocant dans la volte-face du « Barrès s'éloigne » (*Aux Fontaines du Désir*) ! Deviendra-t-il jamais un Rancé ? C'est douteux. Être seul lui plaît, mais devant beaucoup de monde. Il a le particularisme spectaculaire, et il s'est construit un Moi de parade. Aussi tous les sentiments dont il anime son œuvre ont-ils un envers assez décevant qui est finalement l'envers d'une sincérité. Éternel potache, il est faible et cruel, plein d'élan et cynique, dur et dissimulé. Ne conçoit-il pas tout en fonction de sa jouissance, avec un mélange de naïveté et de rouerie ? Il a fait la guerre, mais en gardant soigneusement sa qualité d'auxiliaire, de façon à pouvoir « rompre » à son gré. Il en a rapporté une vision presque toute en actes insolites, théâtraux et fastueux. Cet engagé volontaire qui veut se battre mais non point par patriotisme, ce combattant qui fait horriblement et arbitrairement grimacer son exaltation dans le meurtre, ce catholique qui est à tu et à toi avec un Dieu d'ailleurs hypothétique, cet amoureux cuirassé de sa résistance à l'amour, arrivent à jeter le roman du *Songe*, qui a tant de mérites, dans une débauche de gageure et d'emphase. Mais dans les conditions posées par l'auteur, vers quoi donc orienter son courage ? A quoi faire servir l'héroïsme ? Pas question : refus de service. Une alternance, encore...

Montherlant s'est attelé à de véritables romans et il y courait un risque. Comment un auteur conduira-t-il ses histoires à leur but, s'il éprouve le besoin de tout faire converger vers sa propre personne ? Comment respectera-t-il la loi des sacrifices, s'il tient trop à tout ce qui le touche ? Comment synthétisera-t-il des idées, s'il pense en désordre ? Comment construira-t-il une fiction, s'il est marqué pour le court récit plus ou moins vécu (l'épisode de Mlle de Plémeur ou tel étonnant aveu d'un amour d'Afrique) ? Et pourtant *Les Bestiaires* (1926), roman tauromachique d'Andalousie, que les explications techniques encombrent, soutient une longue durée psychologique et porte gaillardement son héros, le même que celui du *Songe*, Alban de Bricoule. Comme ce dompteur n'a jamais trop à dompter, la jeune Soledad, fille du duc de la Cuesta, lui paraît une proie désignée. Seulement l'impatience, l'insolence, le tumulte intérieur du jeune homme emportent et noient la tentation de bonheur. Ces faiblesses sont assez cyniquement évoquées pour nous diminuer le téméraire d'un *Sous l'Œil des Barbares* hypertrophié, le machiavélique imitateur de Stendhal. Par surcroît, un commentaire insistant handicape l'adolescent que nous devrions voir léger comme l'air, et les autres personnages se réduisent à l'état de mannequins. Bien entendu, la scène de combat et de mise à mort figure déjà dans les anthologies. Le Montherlant sportif est toujours excellent.

Heureusement Montherlant est l'écrivain de toutes les contradictions. Une date ponctue fortement sa carrière, celle des *Célibataires* (1934), parce qu'il s'y force à l'objectivité de l'étude sociale. Ces vieux hobereaux qui luttent, chacun à sa façon, contre la déchéance, tous trois égoïstes et craintifs, bouffons, pitoyables, occupés à se jouer des tours mesquins, illustrent à souhait une fin de classe et d'époque. Qui sait si la réputation de Montherlant ne devra pas beaucoup à ce livre plein de pitié inexprimée pour des vies humaines et des restes de lignée, plein d'indignation souterraine et cachée contre une société responsable de pareilles tristesses ? Et pourtant il y a encore, il y a trop de lui, donc pas assez de vie autonome, dans le personnage de M. de Coantré.

Puis revenant à sa campagne virile, il a consacré un quatuor de romans à la lutte des sexes. *Les Jeunes Filles*, *Pitié pour les Femmes*, *Le Démon du Bien*, *Les Lépreuses* (1936-1939) bousculent énergiquement l'échelle de valeurs qu'il a accusée d'« émasculer » la France. Le voilà à sa tâche préférée. Tels

20

urbanistes font de la dé-ratisation, il fait de la dé-sentimentalisation.

Ce quadruple récit pratique la méthode de la douche écossaise. Une tendresse pitoyable pour ces dames et demoiselles ruisselle en certains chapitres; une émotion devant la simplicité de Solange Dandillot donne grand charme à certaines scènes. Il en est une délicieuse, celle de l'amour chaste dans l'abandon d'une cuisine du dimanche où la jeune fille de la maison a emmené le séducteur faire le thé avec elle; une autre agréablement tragi-comique, l'idylle de Gênes, roman (en raccourci) de l'amour en cohabitation; d'autres encore, on le pense bien. Mais celle-ci tourne en grossièreté et celle-là précède (toujours l'alternance !) l'abominable comédie du refus d'amour à Andrée. Car Montherlant ne prolonge jamais ses heures de pitié, il se les reproche. Au surplus, il s'acharne sur l'adversaire féminin sans épargner lui-même et ses pareils. L'œuvre ne traite, au fond, qu'un sujet, qui est grand : le gouffre ouvert par la nature entre les sexes. Montherlant voudrait enseigner aux hommes une conduite plus ferme dans le domaine sentimental, avertir les femmes d'avoir à ouvrir les yeux sur les vraies conditions de la vie. C'est un grand dessein.

Que la psychologie de la femme soit ici aussi juste que maligne, cela ne fait pas de toute, elle emporte le morceau ! Le romancier a su armer ses lutteurs et arbitrer les péripéties du combat. Les quatre livres ont des moments admirables de vérité torturante quand la défense de l'homme et de son désir égoïste, renforcée d'un quant-à-soi de littérateur (car Costals est littérateur), fait saigner d'affreuses blessures chez le moins armé des deux acharnés. Ils ont néanmoins une faiblesse, et elle tient au protagoniste. Montherlant a interdit qu'on le confondît avec Costals, mais Costals ressemble trop au Montherlant casseur de vitres pour ne pas priver de crédit une misogynie ostentatoire, blessante, injurieuse. A prendre un masque tantôt de grand seigneur et tantôt de littérateur stendhalien, l'impudence reste impudente. Elle fait travailler le héros contre sa cause. Elle le pousse à se forcer. Le geste atroce des lettres intimes de la mère et du fils confiées à Costals et qu'il jette à l'égout est une invention romanesque, j'entends bien. Costals invoque à sa décharge la satire qu'il a menée tambour-battant contre lui-même, les vérités qu'il s'est jetées, les gifles qu'il s'est administrées. N'empêche qu'il mérite condamnation. Mettre blanc sur noir les détails d'amour physique que les meilleurs écrivains avaient jusqu'ici la décence de taire, est-ce grande invention ? Quel besoin de rassembler tant de femmes qui s'offrent et d'en faire une ceinture à sa réputation ? Pourquoi cultiver l'exhibitionnisme psychologique ?

Le mélange d'excellent et de pire emplit les essais idéologiques et lyriques tout comme les romans. La ville populaire, les danseuses, le wagon de troisième classe, cette déflagration de pittoresque dans *La Petite Infante de Castille* (1929); « Un petit juif à la guerre », étonnante réussite de *Mors et Vita* (1932); « l'âme et son ombre », qui conseille le plus haut désintéressement moral, « un sens perdu », « la fête à l'écart » et les pages sur l'Espagne tragiquement isolée, dans *Service inutile* (1935), expriment un écrivain complet et rayonnant, avec les plus vilaines grimaces de fatuité.

Comme Mauriac, comme Giraudoux, Montherlant a abordé le théâtre. Il a donné à tous ses thèmes groupés l'orchestration de *La Reine Morte* avec un éclat excessif de style écrit. La pièce est somptueuse et sonore comme un drame de Victor Hugo. Il n'y manque que des vers et quelque ridicule. Aucun ridicule, mais le grand vide que creusent les scènes manquées du jeune couple amoureux. Elles n'intéressaient point l'auteur. Il n'y a qu'un héros dans le drame, le roi, cet homme vieux qui va devoir lâcher la corde et qui veut se prouver qu'il vit, qu'il est puissant, qu'il a toujours raison. Une manière de Mithridate. Terrible, plus que jamais, comme un taureau à la fin du combat. Magnifique figure, rôle de rare envergure qui lève sa torche et en illumine la pièce entière. *Fils de Personne* a porté sur les planches une protestation personnelle; car Georges Carriou c'est l'auteur lui-même, qui met en cause l'éducation de la jeunesse abandonnée aux démons de l'indulgence, de la facilité et de la veulerie. Mais Carriou est aussi Alceste, il paraît fort plaisant à trop exiger d'un enfant; enfin sa misogynie le trahit. *Le Maître de Santiago* devait consacrer Montherlant dans sa réputation dramatique. Il y est plus lui-même, faisant défiler là encore tous ses thèmes, que très espagnol, quoique son Don Alvaro figure un personnage à la Calderon. La religion, qui est, si je ne me trompe, amour de tout en Dieu, devient ici destruction de tout et refus plus que renoncement. Dieu apparaît alors comme fournissant un constant alibi pour cœur incapable d'aimer, ou refuge pour cœur que le néant aspire. Le maître de l'Ordre ascétique et épuisé ne se dévouera ni à cet ordre qu'il étrangle de rigueur, ni à sa fille ni à sa patrie; au contraire, il entraînera sa fille à imiter sa suprême solitude; il appellera le châtiment sur une Espagne qu'il juge souillée et perdue. Dressé par l'orgueil au seuil des tâches qui le distrairaient de Dieu et dont il ne veut pas, il se jette, vidé d'humanité, dans l'abîme absolu qu'il appelle divin. Cela est grand, cela associe l'action théâtrale à un magnifique langage, le langage de l'auteur à son maximum d'envergure. Et les grandeurs de ce monde se retrouvent encore mises en question dans *Malatesta*. Le condottiere paraît assez échappé de la *Renaissance* de Gobineau pour ne pouvoir se débarrasser tout à fait d'on ne sait quoi de livresque; mais il montre assez de mépris aux bassesses de l'homme et de l'existence pour exprimer à merveille Montherlant en personne et, par ce biais, vivre avec pleine puissance. Ce théâtre est décidément le théâtre du mépris. Peut-on espérer qu'il trouvera dans le *Port-Royal* promis ses pleins contours ?

Dans l'intervalle de ces pièces le romancier et l'essayiste ont moralisé encore : ce furent *L'Équinoxe de Septembre* et *Les Nouvelles Chevaleries*, où ils montrent de la force, de la justesse, mais aussi un parti pris qui se ressent trop des circonstances et qui, dans ces circonstances, est déplaisant.

En fin de compte, l'écrivain aura caché sous le manteau somptueux de son style la faiblesse provisoire de l'écolier lâché trop tôt. Sa carrière s'accroche à Barrès et à l'anti-Barrès qu'est Gide; sa pensée exhorte à l'héroïsme tout en refusant le dévouement; ses romans, essais et poèmes en prose considérés en dehors des *Olympiques* et des *Célibataires*, ne se défendent pas assez contre les contradictions et les vains effets. L'œuvre ainsi constituée a beau contenir de splendides morceaux et les plus justes exhortations, c'est demain que s'accomplira l'œuvre décisive. *Textes sous une occupation*, *Le fichier de Paris* vont élever dans la grandeur une destinée de moraliste. Au théâtre, l'auteur a déjà reconquis toute la force douloureuse de l'antique fatalité unie aux complications modernes. Ah, que Montherlant a bien trouvé le titre de ses Morceaux Choisis : *La vie en forme de proue !*

II. — *DRIEU LA ROCHELLE*

Normand un peu breton, un peu vendéen, un peu Ile-de France et né à Paris (1893-1945), Drieu la Rochelle a reflété cette diversité d'origine dans sa carrière restée incertaine jusqu'au bout entre plusieurs directions.

Il a eu pour entrer dans la vie intellectuelle deux introducteurs : Claudel et Barrès. Le premier l'a dirigé vers un style voisin du verset, vers la surabondance imagée, vers une psychologie frangée de mystique. Le second l'a soutenu par son rassemblement du passé français.

Aux Sciences Pô, il avait lié compagnie avec Raymond Lefèvre et Vaillant-Couturier, bourgeois comme lui, convertis politiquement au marxisme et littérairement au cubisme; il s'intéressa à l'un et à l'autre. Puis il fit la guerre. Blessé trois fois, rentré dans la paix par la porte de l'Action Française, les hasards de la vie le menèrent à la *Nouvelle Revue Française*. Cependant Stendhal l'obsédait, mais aussi Nietzsche et Kipling, peut-être Dostoievski. Un lyrisme bouillait en lui, qu'il a essayé de canaliser par ses enquêtes sur l'Europe et sur le monde autant que par l'observation de la France. Il a regardé se livrer dans la société américaine un combat de l'humanisme avec l'automatisme. Du communisme russe il avait espéré une délivrance de l'esprit, puis il en a condamné l'asservissement au matérialisme. Il fonda avec Emmanuel Berl, en 1937, un pamphlet politique et littéraire : *Les Derniers Jours*. Enfin on sait que le nazisme, envahisseur et occupant, engagea cet errant de la pensée dans l'impasse de la « collaboration » au fond de laquelle l'attendait le suicide.

Il faut le dire, ce solitaire inquiet et de bonne foi avait en même temps que le goût de la puissance, une conscience intellectuelle. Elle s'était formée dans la guerre, qui pose des problèmes et en précipite l'urgence. Et c'est la guerre aussi qui fait marcher les idées, les met à cheval, les motorise. De fait, une violente passion verbale a gonflé les questions de Drieu, ses objections et ses craintes, son aspiration à la grandeur et son exigence de justice pour sa génération, les appels d'alarme que lui arrachait une France affaiblie. *État-Civil* (1921) recueillit tout cela.

Le livre capital de Drieu, celui qui méritera de sauver son nom et qui le purgera de ses erreurs, c'est *Mesure de la France* (1922). On le lit aujourd'hui comme le programme national et humain, parfois perspicace, toujours généreux, d'une jeunesse jaillie de l'autre guerre et qui, prenant de l'âge, l'a abandonné dans la dispersion des partis. De cet abandon, Drieu a sa part de responsabilité. Mais n'oublions pas qu'il osa dans ce livre frémissant avertir, en pleine victoire, que son pays fléchissait sous de terribles causes démographiques. Le livre tirait sa vertu d'une alternance impressionnante de formules éloquentes et lyriques avec les statistiques. Il fit sensation.

Des illusions brisées s'avouaient dans *Le Jeune Européen* d'après-guerre (1927). Des deux essais qui composent ce livre, le second monologue sur l'attrait mortel d'une civilisation qui mélange dans sa nourriture ce qui la tue avec ce qui, peut-être, la remplacera. Après quoi, Drieu se fit l'annonciateur, dans *Genève ou Moscou* (1928), d'une nouvelle Droite de l'hémicycle politique : constituée, elle aurait cherché le salut de l'idéal et de la patrie dans une organisation du capitalisme rendu conscient de son rôle aristocratique. En même temps, l'Europe se fût fédérée. Le gros problème était alors pour Drieu d'arracher la nation au joug du machinisme, d'écarter d'elle la menace d'une sorte de futurisme américano-communiste, et de réintégrer dans ses têtes la liberté de l'esprit.

Drieu a consacré au roman une large part de son activité. Mais de *L'Homme couvert de Femmes* (1925) à *Rêveuse Bourgeoisie* (1937), de *Blèche* (1929) à *Gilles* (1939), il n'a guère fait que se raconter et raconter les aventures de son idéologie. On le reconnaît trop dans ses héros, qu'il montre toujours en bascule entre une spiritualité noble et les ambitions, d'ailleurs écrasés de souffrance au spectacle d'une humanité qui se débat contre le fatal, mais enfin confiants tout de même dans les restes d'une solidité nationale; car il affirmait cette vieille solidité consubstantielle à la France, malgré les déceptions d'après guerre qu'enregistre parallèlement au *Jeune Européen* le voyageur à la *Valise vide* (une des quatre nouvelles de *Plainte contre Inconnu*).

A ces victimes des maux du siècle, que restait-il, en somme ? Le dérisoire plaisir d'une orgueilleuse organisation de vie personnelle, laquelle comportait, avec l'espérance des couronnes civiques, l'égoïsme érotique qui tient les femmes pour le dernier luxe d'une société ruinée. Ce n'est pas un des plus jolis traits de l'homme (*La Suite dans les Idées*, en 1927, le dessine nettement) dont Drieu a laissé le portrait semi-autobiographique dans ses romans et dans sa comédie au dur dialogue, *L'Eau fraîche*. Le portrait est sévère. La veulerie mêlée au courage, l'avidité sensuelle en lutte avec le désintéressement, une intelligence qui donna souvent congé à la raison, rendent trop bien compte d'une malheureuse série d'entreprises avortées.

III. — *ANDRÉ MALRAUX*

Jamais peut-être esprit si lucide et concentré ne s'est exercé sur matière si trouble et si volcanique. Avant inventé des personnages fermés quoique déchirés d'angoisse, André Malraux les a jetés dans une agitation d'événements confus mais éclatants comme des flammes. Il semble que les lieux tragiques où le monde moderne secoue la planète attendaient un tel écrivain pour témoin et pour répondant. C'est eux que ce Barrès rouge, né à Paris en 1901 — Barrès des *Déracinés* vulgarisé en Paul Adam et retrempé dans Lénine —, a choisis pour fonder sa carrière sur une union intime de la pensée et de l'action. Chacun des romans de Malraux approfondit cette union et l'auteur offre en garantie un engagement de sa personne.

Leur inspiration morale est à celle des romans de Stendhal ce que l'audace violente est à l'énergie. Ils sont par là bien d'aujourd'hui, non moins que par leur dépaysement géographique : car tout d'abord ils ont déserté les ruines occidentales. — Pourquoi vivre ? A quoi bon ?... Rien d'autre ne sort du dialogue par lettres entre le Français et le Chinois, tous deux philosophes, de *Tentation de l'Occident* (1926), qui prennent acte de la faillite d'une civilisation vidée de toute foi. Aussi Malraux a-t-il situé son premier modèle d'héroïsme en Chine, dans Canton proie d'une grève générale. C'est pourtant un drame intérieur qui, dans *Les Conquérants* (1928), passionne l'atmosphère de révolution. Le héros, Garine, chef bolcheviste, un malade et un frénétique que toutes sortes de tortures et de morts guettent, s'occupe à jeter des sarments au feu dévorant de son nihilisme, car ce Julien Sorel sans espoir et durci ne croit pas au marxisme et méprise le troupeau humain. Seulement son jeu tragique s'insère dans une tragédie internationale et mondiale. Aussi le collectif du livre étouffe-t-il trop l'individuel. Garine est un Sorel qui titube dans un labyrinthe.

Pour Garine comme pour Perken, héros de *La Voie royale* (1930), comme pour Malraux lui-même, l'aventure est un recours suprême contre le néant dont la certitude les étreint. Imprévue renaissance de l'héroïsme en pleine démission humaine ! Elle a désigné Malraux comme une tête, mais une tête fataliste dont l'observation précise et le jugement perçant acceptent presque religieusement l'action qu'elle ne forge pas, qu'elle forgera peut-être un jour.

L'œuvre de Malraux ne fait à peu près que dérouler le roman de sa vie intérieure. On l'y voit tel qu'il est : obsédé par la mort, déçu par un univers absurde, angoissé par le sort de l'homme. Il ne lui a donc pas fallu moins, comme distraction, que l'action révolutionnaire, laquelle s'impose avec carrure à la vie. Il l'a prise comme une drogue. Il y a trouvé la chance des rassemblements fraternels et leur garantie contre la solitude. C'est pour cela que, parti du nietzschéisme des *Conquérants*, il a été jusqu'à *L'Espoir* : une véritable marche au salut, qui voit nettement son but à partir de *La Condition humaine*.

La Condition humaine (1933), encore plongée dans le néant, relèvera-t-elle la tête ? Sur le fond de sociétés secrètes, de trafics d'hommes et d'armes, de mystères diplomatiques et guerriers, que remue un complot communiste à Shangaï en 1927, des êtres détachent leur engourdissement secoué de désirs et de rêves. La lutte est étrange et obscure. A quoi tend-elle ? A assurer, semble-t-il, la dignité de l'homme en le libérant par un effort suprême des dernières entraves religieuses et sociales considérées comme un horrible enchaînement à la terre. En sorte que l'aurore sombre d'une délivrance encore désespérée par avance fait lourd et triste l'horizon de ce livre étouffant qu'un cri traverse, le cri humain que Vigny entendit, mais que Malraux entend avec moins de pitié que de fureur d'agir.

Le problème de l'humain n'a pas cessé de le préoccuper, ou, si l'on veut, le problème de la personne. Sa pitié pour la condition de l'homme brûle et se glace, non seulement devant tant de scènes d'horreur et de désolation offertes par le monde contemporain, mais devant les efforts insensés qu'exige le combat entre la dignité de chacun et la nécessité générale. Cela prend quelquefois la forme d'une tendresse qui se fait jour difficilement à travers les obscurités du caractère et les difficultés des circonstances, telle la tendresse paternelle de Gisors dans *La Condition humaine* ou tel l'amour de Kyo pour sa femme dans le même livre. Malraux s'est évidemment demandé : est-il impossible de maintenir la valeur individuelle en la subordonnant aux groupes ? impossible de réaliser la fraternité virile qu'un Proudhon ou un Vallès pressentit ? Les Soviets l'ont fait, assure *Le Temps du Mépris* (1935). En effet, le communiste tchéco-slovaque Kassner retrouve par la foi politique un moyen de se dépasser en approfondissant sa communion avec les hommes; perdu au fond de ses souffrances dans les prisons hitlériennes, il s'en voit tiré par le dévouement d'un « frère » inconnu qui s'est laissé exécuter à sa place pour les besoins de la cause. Mais Malraux a dû se faire à lui-même l'objection que Kassner était un chef nécessaire au parti : n'est-ce pas le parti qui implacablement a imposé l'héroïsme à l'un des siens ? A cette objection nous devrions *L'Espoir* (1938), évocation des batailles de la guerre civile espagnole, où les meilleurs veulent être responsables devant eux-mêmes « et non devant une cause, fût-elle celle des opprimés ». Et *L'Espoir* pose nettement le problème de la liberté, en maintes pages. Les plus belles jaillissent du grand dialogue entre le vieil Alvear, dont le fils vient de perdre les yeux dans le camp des Rouges, et le jeune révolutionnaire italien, du même bord, tous deux intellectuels dévoués à l'étude de l'art, — scène isolée au milieu des désordres guerriers, si juste de ton, si haute, si dédaigneuse pour toute vie que l'art n'ennoblit pas. Malraux y a inséré les paroles essentielles de son vieux civilisé : « La servitude économique est lourde, dit Alvear, mais si, pour la détruire, on est obligé de renforcer la servitude politique, militaire ou religieuse, alors que m'importe ? » La noblesse de l'individualité libre est un des deux éléments de la dialectique qui presse dans son étau la série des dialogues et des scènes dont

L'Espoir se compose; l'autre élément, c'est la contrainte massive de la Révolution, qui est une immense espérance pour les hommes déçus par trop d'injustices et qui remplace pour eux l'ancienne espérance de la vie éternelle.

Tout livre de Malraux porte donc une éthique qui en est le cœur et qui y précipite ou y ralentit le sang. Elle tend fortement ses récits en inscrivant dans chaque épisode un problème vital et souverain qu'un ou plusieurs personnages essaient de résoudre, et qui réapparaît sans cesse à travers la complexité des faits, des aventures, des milieux, des existences. Et c'est d'autant plus vrai qu'une telle éthique se rattache à cette recherche d'une âme perdue qui fait l'ardeur et l'épouvante de nos contemporains, à cette angoisse moderne qui est aussi voisine de Nietzsche que de Kafka. Chacun des personnages apporte à l'action qui les malaxe cruellement une mélancolie chargée, douloureuse ou pitoyable, une pensée de tourment et de malheur. Il n'existe pas d'œuvre plus triste, d'une tristesse qui devient presque une monomanie; elle nous effraie d'une sorte d'invraisemblable jansénisme matérialiste. La grandeur est incontestable, mais peut-être aussi, pour les mêmes raisons, la fragilité. En d'autres termes, est-ce là buter aux murs infranchissables de la vie humaine ou s'hypnotiser sur du transitoire ? A poser ce point d'interrogation, Malraux risque d'échouer dans son ambition de passer de la troupe des naturalistes français à la famille des grands Russes du XIXe siècle, malgré de belles obsessions à la Dostoïevski dans maintes scènes d'amour, de meurtre ou de remords.

La technique des romans de Malraux, elle aussi, inspire des doutes. Ces romans sont originaux et forts par l'âme qui les inspire; ils offrent des récits poignants, ils produisent d'extraordinaires chocs de destin. En outre, le romancier nous jette en pleine action, ne présente pas les personnages, les suit avec l'indispensable des indications, déroule la vie comme nous la découvrons dans la réalité. L'air un peu hagard que donne aux livres ce système accroît peut-être leur pouvoir romanesque. Quant au style, il est presque lourdement solide, et la prose de Malraux a le volume des paquets de mer par gros temps sur le pont du navire. Mais qui ne s'inquiéterait de certains défauts ?

Notamment d'une lenteur pesante, due à l'obscure com-

plication d'une matière vite défraîchie : un embrouillamini de révolution et d'affaires, de convulsions marchandes et sociales chinoises, de hasards politiques et guerriers espagnols, que l'auteur pouvait difficilement fondre dans la pâte de généralité humaine qui assure la durée. Qu'on pense au vieillissement rapide des machines de combat qui tiennent une place énorme dans ses livres. *La Condition humaine* et *L'Espoir* en deviennent déjà des parcs à ferraille. Et le mouvement traîne, à cause de trop de scènes de même signification, de trop de recommencements, de trop de longueurs, malgré l'imitation du cinéma (êtres saisis de surprise, scènes prises de violence, surimpressions). En ceci comme en cela, l'influence américaine d'Hemingway et, avant lui, de Faulkner, n'a fait qu'accentuer l'influence cinématographique; elle y a ajouté des conversations sans nécessité, de vrais disques de bavardage.

Cependant que de dialogues abrupts et harcelants ! Ils sont d'un très grand art, quand ils servent à faire affleurer au niveau de l'intelligence tout un monde d'obscures intuitions, d'instincts profonds, de sentiments qu'alourdit l'inconscient, de pensées informulées.

Par ses défauts comme par ses qualités, André Malraux est singulièrement représentatif; aussi son influence est-elle considérable, bien que son activité civique, qui tour à tour enthousiasma et déçut plusieurs clientèles, l'ait à la fois servi et desservi dans sa carrière littéraire. On sait qu'après ses exploits d'aviateur pour la cause du « front populaire » espagnol, il s'est donné à la « résistance » française, a participé aux batailles de 1944, et qu'il est entré en colonel vainqueur dans des villes d'Alsace. Enfin le voyageur insatiable de Russie, de Perse, de Chine, fait escale dans l'état-major d'un parti politique. Ici et là, partout, est-il réellement en changement ? Toujours il nous offre en spectacle la confrontation d'une conscience moderne aussi tenace qu'anxieuse avec un univers en immense tumulte. Je ne dirai pas qu'il cherche un équilibre; il cherche plutôt, prisonnier de trop de limites, l'issue par où faire passer son affranchissement. Issue sociale, nationale, politique, et non philosophique ou religieuse. Toutefois, qui sait ? Un tel homme vous échappe. Barrès, Barrès-rouge, ai-je risqué : un Barrès dont l'interrogation de jeunesse en tout cas ne lui convient plus, car il supprime la « religion », boude sur l' « axiome », est tenté de ne garder que le « prince ». Mais qu'est-ce qui satisferait, après tout, l'auteur d'une œuvre qu'une passion presque morbide brûle, que des frissons érotiques secouent ? Le marquis de Sade n'est pas un inconnu pour lui.

Les deux dernières œuvres, surtout la toute dernière (1947-1948), affirment cependant la maîtrise de l'homme sur le monde et la propre maîtrise de l'auteur sur tout son être. *Psychologie de l'Art* montre les révolutions de l'art accomplies par des individus privilégiés et l'idéalisme souverain des chefs-d'œuvre absorbant tous les réalismes secondaires. Dans ce beau livre dense, André Malraux conduit ses analyses et ses synthèses en grand méditatif, qui s'exalte devant notre destin à travers les siècles.

IV. — *PAUL NIZAN*

Autre Barrès révolutionnaire des années 1930, Paul Nizan, tué en 1940 sur notre front, fut conformiste contre le conformisme, non sans lourdeur universitaire. A vingt-six ans il écrivait *Aden, Arabie* (1931), « chose vue », pour charger l'Europe et particulièrement la France de tous les crimes contre l'homme. Puis il romança les idées bourgeoisicides, si l'on peut dire, d'Emmanuel Berl dans le roman d'*Antoine Bloyé* (1933). Un autre roman, *La Conspiration* (1938), s'occupe moins de répliquer aux *Déracinés* que de peindre sévèrement une jeunesse déplaisante et agitée, alors que *Le Cheval de Troie* (1935) inaugurait un long romancement de notre bataille politique, mais n'est encore que quelque chose comme des *Copains* sérieux, et assez plats.

V. — *ÉCLATS DE FORCE ET D'HÉROISME*

Si Montherlant et Malraux s'acharnent inlassablement à construire un univers de l'énergie, d'autres auteurs s'y employèrent comme eux, mais dans des champs plus étroits, avec beaucoup moins de portée, en liaison toutefois avec le courage de l'esprit sportif ou avec certaines grandeurs du passé.

1. Connaissance du corps.

Le sport mit le corps de l'homme à l'honneur dès le début du siècle. Ce sont les Jeux Olympiques de 1924 qui semblent avoir assuré son épanouissement dans la littérature. De cette année datent les grands livres sportifs de Montherlant, le 5.000 de Dominique Braga; de l'année suivante, *Plaisirs des Sports* de Jean Prévost et *Battling Malone* de Louis Hémon. Mais Joseph Jolinon avait publié en 1923 *Le Jeune Athlète*.

Je n'oublie pas non plus ici Marcel Berger. Son œuvre romanesque est abondante; elle va des souvenirs de la guerre de 1914-1918 (*Le Miracle du Feu*; *Jean Darboise*, le soldat auxiliaire) à des solutions originales de vieux problèmes moraux (*Sybil aux Serpents*, *Les Dieux tremblent*, par exemple). Néanmoins l'*Histoire de Quinze Hommes* domine ces livres à grand spectacle, elle anime avec un pittoresque dramatique l'idéal de son âge, idéal de beauté saine et de valeur morale. Berger, né en 1885, est un des maîtres de la littérature sportive.

Tous ces auteurs, forts de la sympathie d'un Giraudoux, ont introduit le calcul de l'esprit et la force de l'âme dans les applications de la nouvelle formule « Connais ton corps ». Le sport n'apparaît-il pas comme un recours au corps pour se défendre contre les dissociations du Moi et retrouver une unité de l'individu par le ressemblement de toutes les facultés autour d'un effort ? La volonté de culte pour le corps pouvait donc rouvrir un chemin à la marche spirituelle et venir à la rescousse de bien des redressements. Elle s'est, hélas, vite perdue dans une psychologie sommaire et massive qui ne convenait plus qu'aux journaux plus ou moins illustrés.

2. Maurice Constantin-Weyer.

Maurice Constantin-Weyer (né en 1881 à Bourbonne-les-Bains), c'est après avoir connu par lui-même, bûcheron, fermier, chasseur, la splendeur du risque et la magie de la vie sauvage, qu'il a consacré aux solitudes du Canada plusieurs volumes sous le titre général d' « Épopée canadienne ».

Les uns, *Vers l'Ouest* et *Manitoba* (1924) consignent des souvenirs; les autres font revivre d'anciennes gloires françaises comme Cavelier de la Salle. Une anecdote d'amour fournit l'intrigue centrale d'*Un Homme se penche sur son Passé* (1928), mais l'infini des steppes et la lutte de l'homme avec les éléments transforment l'anecdote en tragédie, avec la violence de la nature pour protagoniste. L'autre beau film du même auteur, *Telle qu'elle était en son vivant* (1936), force un peu son caractère héroïque.

Aux fervents du Canada il est intéressant de signaler une vraie épopée du commerce des fourrures au XIXe siècle, le roman canadien de Léo-Paul Desrosiers, *Les Engagés du grand Portage*.

3. Jean de La Varende.

Un terrien normand a écrit en romancier l'histoire sociale de sa contrée. Dans ses récits mouvementés de *Pays d'Ouche* (1936), Jean de La Varende fait parcourir à la famille des Galart un cycle de deux siècles à travers les plus vives images du terroir. Plus tard, mêlant le réel au symbolique, il a généralisé cette généalogie romanesque dans les nouvelles des *Manants du Roi* (1938).

De la production évidemment trop touffue de La Varende, deux romans se dégagent, que le sens de la grandeur bande comme des arcs. Mais ils obligent le lecteur, dans les vingt premières pages, à franchir la difficulté du style. Un fier pur sang, ce style. Il se cabre, pointe, choppe, jette à terre son cavalier. Une fois dompté (le lecteur y doit aider) et sur la grand route, quel train !

Un être superbement né, splendide garçon, revenu mutilé de la campagne de France napoléonienne, avec le visage détruit sous son masque : tel est Roger de Tinchebraye, *Nez-de-Cuir* (1937). Sa fougue indomptable crée un terrible destin en lui, autour de lui; il court dans le vent du malheur à tous les appels de la vie et de la mort. *Le Centaure de Dieu* (1938) humanise cette sauvagerie magnifique. Hardi cavalier encore, comme Tinchebraye, le cadet des La Bare, seigneurs de Normandie, sauva en 1870 un parti de francs-tireurs par une chevauchée d'intrépidité folle; se heurtant ensuite à la race pour défendre contre un père impérieux sa vocation de prêtre, lui qui reste seul à pouvoir continuer la lignée, il remporte d'un cœur désespéré la victoire.

Les grandes familles dont descend Nez-de-Cuir et qui se trouvent mêlées dans *Le Centaure de Dieu* à un renouveau normand du jansénisme, ont brassé le mal avec le bien. Si elles ont épaulé le paysan, civilisé la terre, maintenu des traditions de chevalerie, elles ont aussi magnifié le péché, dit Gaston de la Bare; elles ont perdu les filles et pris l'amour comme un butin : « ...le Christ est mort pour ces fautes-là aussi... chacun de vos baisers lui ajoutait une plaie... » La scène où Gaston, le « Centaure de Dieu », réussit à briser enfin cette tradition maudite, achève le chef-d'œuvre de La Varende dans une forte mais vraisemblable sublimité.

J'ajoute qu'une de ses constantes c'est de peindre des femmes grandes par le courage d'âme. Il existe une certaine beauté féminine qui, par l'allant de la physionomie et jusque dans la chair et le muscle, insulte à la canaille. Notre auteur en expose quelques exemplaires aux menaces de la vie : Julie de Rieusses, amoureuse téméraire de Roger de Tinchebraye, et la marquise de la Bare, auxquelles ont le droit de se joindre leurs pareilles des *Contes sauvages*.

Après cela, qu'on ne se plaigne plus d'une composition bousculée ni d'un style trop orgueilleusement singulier. Pour la grandeur du cœur et l'envol de l'imagination, toute licence ! Barbey d'Aurevilly a encore beaucoup à dire.

4. A. de Saint-Exupéry.

Antoine de Saint-Exupéry a exercé le métier de pilote de ligne. Le pathétique de méditation qu'il mêlait au pathétique d'action, ou plutôt qui en sortait naturellement, lui a donné sa figure littéraire, dès *Courrier-Sud*, davantage dans *Vol de Nuit* (1931) et plus encore dans *Terre des Hommes* (1939), récit du raid Paris-Saïgon brisé par un accident brutal. En renonçant à romancer les expériences, il ne les en rendit que plus bouleversantes. Les récits de Saint-Exupéry tirent en effet leur force des situations, toutes liées au péril de mort pour les personnages (camarades pilotes, officiers méharistes, combattants de la guerre). Ils doivent, par contre, leur faiblesse à un symbolisme lyrique assez confus où vient s'épanouir une pensée contestable. Se peut-il admettre que l'homme n'est homme que dans l'action, qu'il a l'âme destinée à braver le péril, l'esprit destiné à le combattre ? Saint-Exupéry, cornélien excessif, attribua d'abord à l'intelligence la mission essentielle de renouveler constamment et dangereusement la curiosité. Mais sa pensée a heureusement évolué; on la voit dans *Terre des Hommes* imposer au courage la nécessité d'un but, le devoir de collaborer à une œuvre : plus de gratuité pour la vie de péril. Même si cette généralisation d'une expérience professionnelle manquait de valeur philosophique, la vie de l'auteur et sa mort au cours d'un vol de reconnaissance sur le sud de la France rentrée dans le combat lui conféreraient une éminente valeur morale. Esprit religieux sans religion, l'écrivain chevalier s'était jeté dans le courant pragmatiste pour voler à l'action bienfaisante, à l'espoir fraternel qu'inspire la certitude d'une vaste communauté d'infortune, dont il prit si magnifiquement conscience dans *Pilote de Guerre*, enfin à la grandeur. *Lettre à un Otage* (1944) contient une substantielle méditation sur la réalité de cette patrie à laquelle l'auteur, quand nous lûmes le livre, avait déjà fait don de sa vie.

La grandeur humaine d'un Saint-Exupéry est d'avoir ses entrées dans la tragédie. Car il oppose dans sa personne et dans son atmosphère l'antinomie courage et mort, espoir et néant, magnifiée par les conditions que crée la machine moderne : double présence du doux et fragile destin dans l'heureuse maison terrestre et, à quelques heures d'intervalle, de la menace exceptionnelle et terrible dans la région des astres.

Sa grandeur littéraire appartient à la littérature de l'avion inventée par Kessel mais détachée par lui de vaines fictions, intensifiée par ses risques personnels. Elle consiste à doter le lecteur d'une vision nouvelle : à la suite de l'écrivain aviateur, on fond sur les choses et on les conquiert. On a l'impression poignante de les engendrer. Et cette littérature d'action totale atteint à une miraculeuse poésie, au grandiose de découvertes imaginées et de situations véritablement sublimes : la chute nocturne en plein désert de Libye, avec drame de la solitude, de la soif et de l'épuisement; atterrissage sur un plateau jamais foulé encore, sinon par les aérolithes.

Depuis 1936, Saint-Exupéry travaillait à mettre au point la somme de méditations qui ne devait paraître que posthume et mal achevée sous le titre de *Citadelle*. L'auteur construisait comme une citadelle, en effet, l'âme toujours nouvelle qu'il entretenait et perfectionnait pour une mission de sacrifice, face à une humanité glissant vers l'état de troupeau. Il s'exaltait dans l'attente et la volonté de l'ordre et de la hiérarchie s'élevant en fières tours de l'obscur, de tout l'inexpliqué, de tout le profond et le substantiel de la vie. Mais, disons-le, le livre arrive à banaliser la philosophie de l'héroïsme; parlant du travail, de la guerre, de l'art, de tout, il devient la prophétie-orchestre; enfin, hostile à l'intelligence et aux mille maux qu'elle déclenche, il donne presque à chaque page le regret et le désir d'une intelligence supérieure.

Pour finir, le moins fidèle des gardiens de cette mémoire ne sera pas *Le Petit Prince*, que le merveilleux des enfances entoure de miroirs.

VI

GRANDES ET PETITES GÉORGIQUES

I. — *L'ÉPOPÉE RUSTIQUE*

1. Ramuz (1878-1947).

Il était citoyen suisse, mais semble avoir dédié à la France son œuvre. Né dans le canton de Vaud, à Cully, Charles-Ferdinand Ramuz passa onze années de jeunesse à Paris. Les signes annonciateurs de la guerre de 1914 le firent se replier sur son terroir. *Aimé Pache* (1911) romance cette période, et *Paris, Notes d'un Vaudois* (1939) devait la raconter directement. Passionnantes, ces *Notes* qui collent à une existence déroulée dans un climat de liberté, et qui rejoignent les méditations de *Taille de l'Homme* (1935), de *Questions* (1936), et de *Besoin de Grandeur* (1938) où la sagesse est du meilleur miel. C'est une sagesse terrienne de grand solitaire; on la voit se construire dans le *Journal* (1896-1912) publié en 1946.

Ramuz a demandé sa matière de romancier comme sa matière de moraliste à cette « province qui n'en est pas une » (parce qu'elle est française d'expression mais séparée de Paris par une frontière). L'œuvre entière paraît commandée par le contraste montagnard du soleil et de l'ombre, c'est-à-dire de la joie et de la peur. Et l'œuvre entière, enracinée dans le sol originel, n'arrive point à en affranchir même les frondaisons extrêmes de son style. En effet, le style de Ramuz a dressé assez longtemps une barrière qui arrêtait les lecteurs français. On trouve en tête de *Salutation paysanne* (1929) la « lettre à Bernard Grasset », qui exposait une doctrine autonomiste du langage et réclamait le droit de faire passer dans notre littérature le plus possible du parler négligé et comme engourdi de la paysannerie vaudoise. Certes, c'eût été autant de chances perdues pour un membre, après tout, de notre société littéraire; car on a vite fait de dépouiller clarté et lisibilité. Ramuz, pour ne trahir en rien la couleur locale, ne fut pas sans donner rustiquement, à coups de sabots, pas mal d'entorses au vocabulaire et à la syntaxe qu'un français a coutume d'entendre. Au reste, il a fini par s'adapter tant bien que mal à la littérature qui a son centre à Paris; il a consenti un beau jour à mettre son style en marche vers une simplicité à peu près unifiée.

Même après ce compromis, il est resté de l'insupportable chez Ramuz. On comprend mal qu'un conteur agreste et savoureux, un sincère qui peint des sincères et des simples, accorde tant de place à des procédés. *Si le Soleil ne revenait pas* veut railler sans le dire les pessimistes, les tant-pis, les sans foi. Parfait ! Mais le symbole tourne à l'allégorie, c'est-à-dire à des ficelles un peu grosses. Et puis, tous ces paysans nourrissent des pensées pour lesquelles ils n'attrapent pas toujours le ton juste; au fond, l'auteur leur en a trop trouvé, de pensées, et de trop ingénieuses, et il les leur fait tourner dans la bouche avec une maladresse appuyée. Avec cela, il n'hésite pas à traiter cavalièrement notre curiosité. Quand Métrailles se prend dans les fonds de neige en allant voir où en est le soleil (qui ne reviendra peut-être pas, tant la montagne est haute !) pourquoi nous laisser en plan tout à coup ? C'est cinquante pages plus loin que Ramuz nous octroie la suite, cette « suite au prochain numéro » dont, sans l'avouer, il pratique ferme le système. S'il paraît quelquefois avoir vidé de caricature Jules Renard, celui du *Vigneron dans sa Vigne*, il ne se contraint pas moins à une lenteur grave, fruste, et néanmoins trop intentionnelle.

Dans tel autre livre, une malédiction pèse sur le village, sur ses troupeaux, sur ses bergers qui attendent la mort au haut de la montagne. Une jeune fille a voulu monter jusqu'à eux, s'unir par eux à son fiancé; on la ramène morte. Le fiancé fait alors la démarche inverse et, au moment de la veillée, immobilise tout le village de son fusil. Puis l'inondation détruit la petite humanité qui a vécu cette agonie terrifiée... On voit la méthode : stylisation lente et monotone, mais cependant par larges traits, avec soudain un épisode poignant. Si une grandeur se forme, le narrateur l'entretient en se gardant bien de la transposer dans le registre du lecteur, en la maintenant au contraire dans celui du rustre qui raconte les choses en témoin ou des rustres qui y ont été mêlés, par conséquent selon un art qui fait retentir dans les événements, dans les phénomènes, le choc du mystère hallucinant, l'intervention des forces supérieures à apparence surnaturelle. Tantôt elles engendrent une panique, tantôt elles s'emparent d'un mortel et cachent en lui leur volonté : la fille de l'ivrogne devenue sainte sur son lit de malade (*Guérison des Maladies*, 1910) ou la trop belle Juliette de *Beauté sur la Terre*.

Ramuz réussit ainsi à peindre des êtres instinctifs qui ne parviennent pas tout à fait à la conscience claire de leur vie personnelle. Qu'on lui passe donc la mine de dévotion qu'il prend pour parler de leurs naïvetés ou de leurs niaiseries. Qu'on lui passe même ce ton de littérature sacrée pour célébrer les actes ou attitudes élémentaires de la vie sentimentale et de la vie amoureuse. On doit des concessions à une œuvre qui tourne résolument le dos aux prétentions des villes affranchies. Ramuz a poussé hardiment sa tentative pour pénétrer au cœur fondamental de l'homme. Il creuse la terre autour de son village pour atteindre la nappe la plus profonde. Il va à l'élémentaire pour y découvrir l'universel. Dans ce sens, chacune de ses histoires prend valeur de mythe. Des mythes rousseauistes ou, si l'on veut, antirousseauistes le hantent. Mais il n'est pas allé de Rousseau à l'exemple terrien, il est parti de ceci et est arrivé à cela. Aussi nous émeut-il tout naturellement et poétiquement d'incontestable communion humaine. Son œuvre exhorte à la réconciliation des hommes. Quelquefois c'est une symphonie idyllique, comme *Passage du Poète*, devenu *Fête des Vignerons* (1929), d'autres fois une véritable marche funèbre comme *La Grande Peur dans la Montagne* (1927).

En somme, Ramuz, en dépit de ses partis pris, a mis la main sur des vérités sûres en se limitant aux sentiments les plus simples, mais forts et soutenus par les sensations grandioses qu'est capable de donner la nature. Qu'il est beau, le récit de *Derborence* (1936) où la montagne opprime l'homme par la force, où l'homme l'emporte sur la montagne par l'amour humain ! Ces deux grandeurs si souvent ennemies, voilà la matière essentielle dans laquelle Ramuz a taillé ses

personnages et ses scènes à la mesure des hautes solitudes.
Robert de Traz et Chénevière, même Pourtalès, sont des Français de Genève. Voilà un Suisse profondément national.

2. A. de Chateaubriant.

Les visions et démences d'Alphonse de Châteaubriant qui ont rempli de leurs illuminations tumultueuses *La Réponse du Seigneur* (1933), *La Gerbe des Forces* (1938) et *Les Pas ont chanté* (1938), avant de faire chavirer son existence même, ne doivent pas empêcher de reconnaître l'importance de *Monsieur des Lourdines* (1911) et de *La Brière* (1923), auxquels le grave solitaire avait consacré son expérience de hobereau poitevin et breton (né à Rennes en 1877).

Le premier de ces deux romans laisse reconnaître des thèmes presque usés (le gentilhomme retiré aux champs, le fils prodigue qui le ruine, la mère qui en meurt, la consolation de l'art). Mais l'auteur a fait glisser ces thèmes les uns sur les autres pour composer une harmonie qui devient un étonnant chant d'amour. Et si le courage et l'endurance du père devant l'adversité, si son violon qui sert de voix à une solitude remplie d'âme, rappellent trop Romain Rolland, l'idée d'envelopper le fils arraché à la ville dans l'ensorcellement de la beauté champêtre apporte un élément neuf. En outre, le livre raconte la fin d'une qualité morale liée à la possession d'un domaine : une certaine âme s'éteint là, une âme de naïveté, d'honnêteté, de franchise et de poésie.

Châteaubriant médita ensuite les nouvelles qu'il devait réunir plus tard dans *La Meute* (1935) et qui évoquent des gentilshommes de la Restauration, contemporains de M. des Lourdines (seigneurs-chiens comme il est seigneur-arbre). Et il vivait plusieurs mois par année chez les Briérons, rêvant *La Brière* avec une lourde et féconde lenteur. Cette étrange contrée de tourbières à l'indépendance sauvage, il a réussi à l'introduire dans notre mémoire moins par la peinture des paysages qu'en l'incarnant dans des figures humaines qui se détachent violemment. Celles du garde-chasse Aoustin et de sa fille, au premier plan d'un drame collectif, expriment l'antique pays, lui positivement par fidélité, elle négativement par révolte; et l'homme qu'elle aime et qu'Aoustin repousse. c'est l'Étranger haï de toute leur barbare petite patrie. Or ce sens allégorique ne nuit ni à l'intensité des personnages ni à la force des épisodes. Maintes pages sentent le feu et le sang. L'auteur a néanmoins voulu que la pitié et le pardon eussent le dernier mot, et ce n'est pas invraisemblable. En somme, Châteaubriant ressuscite la meilleure puissance de Zola, avec plus d'aération, grâce à la technique moderne des multiples tableaux successifs et détachés.

3. Henri Pourrat.

Ce que d'autres vont chercher par introspection dans l'inconscient et en marge des habitudes sociales, Henri Pourrat l'a abordé par de patientes observations en plein air et aussi par la légende et les souvenirs du folk-lore. Toute son œuvre est un chant de félibre et un dictionnaire provincial. Il a eu pour maîtres Mistral, Jammes et Péguy : on ne le constate nulle part mieux que dans les tableaux de *Sur la Colline ronde* (1912) ou dans les *Montagnards* (1919), chronique en vers des femmes, enfants et vieillards paysans en état de guerre, au pays du Livradois.

Au centre de l'œuvre s'élève, comme un puy et comme un espoir de geste épique : *Vaillances, Farces et Gentillesses de Gaspard des Montagnes* (1922-1931), monde d'amours douloureuses et de dures ruses, de traditions et de rites, d'émotions et de drôleries. Gaspard atteint la vérité de la vie par l'alliage du réel et du merveilleux, de l'exactitude minutieuse et du fantastique agreste. Anne-Marie et Gaspard font un beau couple : entrera-t-il dans la littérature comme celui de *Mireille* ? Tout un peuple de villageois, notables et travailleurs, parmi lesquels vivent des figures d'intense pittoresque, leur fait cortège comme aux ancêtres de Provence. Malheureusement les traits de passion et de caractère restent faibles, en même temps que la saveur du terroir est forcée au-dessus du naturel. Et puis, le style de *Gaspard* c'est le langage du cru, avec le bruit sec des noix dans la bouche et l'abondance mouillée du vin dans le gosier, ce n'est plus le large naturel homérique de Mistral ni d'ailleurs le primitivisme rustique tenté par Ramuz. Il nous met plus près du régionalisme que de l'épopée paysanne.

Le reste de l'œuvre apporte de patients et courageux compléments à cette somme. « Moi, dit un des *Compagnons* (1937) peints par Pourrat, je fais cas de la sève ! » Car il y a un « sens de la sève » et ce n'est rien de moins que le sens du concret vivant et verdissant, mêlé au sens du mystère, c'est-à-dire à l'esprit de vie qui est capable de tant de détours ! Pourrat, qui ne quitte pas Ambert (il y est né en 1887) et ses beaux environs, ami des bergers, vanniers, scieurs de long, dentelières, sabotiers et vignerons, familier de leurs chansons et de leurs contes, participe au sens de la sève et il tire de son intuition expérimentée, qu'il fait fructifier en cent tableaux, de grandes leçons.

Quant à la véritable épopée, qui sait s'il ne l'a atteinte par l'histoire ? *L'Homme à la Bêche* (1939-1941), qui vise à faire concorder l'esprit humain avec la nature, par delà les complications de la technique et les entraves d'un rationalisme contraire au courant de la vie (car Pourrat croit à la nécessité chrétienne pour l'homme des champs) retrace la série des âges paysans. Ce beau et grand livre rassemble tous les destins de la terre.

4. Jean Giono.

Le fils du cordonnier provençal de Manosque est né vingt-deux ans trop tard, en 1895. Ramuz l'a devancé. Sa personnalité pourtant, qui la contesterait ? S'il peint, lui aussi, la paysannerie au contact de la montagne et dans un esprit de paganisme homérique et mistralien, il situe dans le village paternel, ou dans les villages environnants, des drames précis ancrés dans notre tradition propre, et sans véritable mystère quoique bizarres et singuliers, impressionnants encore. Il se distingue également par des sensualités hardies ; telle de ses phrases est l'éclair d'une cuisse nue. Enfin le langage de Giono capte la poésie rustique dans un filet de mots extraordinairement directs, mais la reperd en partie dans la recherche excessive des images ; et pourquoi met-il dans la bouche de ses personnages une sorte d'argot très travaillé qui va jusqu'au maniérisme barbare ?

Le premier livre écrit par Giono à vingt ans, *Naissance de l'Odyssée* (paru seulement en 1930), ne pouvait rien devoir à Ramuz. Il est délicieux. A force de contempler avec passion sa Provence, Giono avait vu vivre Ulysse et compris que l'Aventure est le mirage nécessaire à l'horizon d'une telle lumière. Il imagina donc un fils subtil du pays méditerranéen qui, lui aussi sur le chemin de quelque retour, invente des fables; elles enchantent le peuple paysan et marin; elles enthousiasment les auberges à beaux parleurs et les ports où des femmes savent retenir. Déjà malheureusement l'écrivain eût gagné à se simplifier.

Ensuite s'est développée la série proprement paysanne, soulevée d'épouvante panique et travaillée d'un fanatisme de sorcier dans *Colline* (1928), épanouie en grâces d'idylle dans *Un de Baumugnes* (1929) qui fait passer au second plan l'élément fantastique et intensifie le goût de terroir; l'émotion humaine y triomphe à travers des péripéties d'amour contrarié. *Regain* (1930) continue de donner à la rusticité un air d'éternelles géorgiques, mais déjà fait redite. Elles sont trop concertées, cette mort du hameau de montagne et sa résurrection sous l'influence d'un couple à qui le bonheur rend tous les courages perdus. Néanmoins Giono maintenait de roman en roman son sens épique de la vie élémentaire.

Puis un malheur lui arriva... Énervé par le succès, il abandonna à leur mauvais démon son style et sa pensée. A côté d'amples rêveries cosmiques, de métaphores parlantes, de dures plénitudes, comment ne pas s'irriter de toute une boursouflure et de cet entêtement à exprimer les choses les plus simples par un mélange de l'énormité épique de Claudel avec le plus attardé symbolisme ? Ajoutez les laïus d'un Homais panthéiste et biblique, le fâcheux besoin de démonstrations emphatiques mises au goût de Gros-René. Gros... La pensée de Giono, c'est trop souvent du gros Jean-Jacques comme on dirait du « gros vin ».

Quel dommage, chez un écrivain capable de larges poèmes en prose ! J'en citerai comme exemples tout le premier quart du *Grand Troupeau* (1931), la majesté de la transhumance qui suivit le départ des bergers aux armées en août 1914, ou les idylles mythiques qui représentent l'amour comme une belle chose franche, ample, essentielle. Est-ce que l'épisode de la boulangère passionnée dans *Jean le Bleu* (1932) ne lui sert pas à magnifier le pain du village comme un dieu ? Quel dieu ? Une figure du dieu Pan. Toute l'œuvre veut rassembler les membres de Pan que notre civilisation a dispersés.

C'est pourquoi d'ailleurs elle est à considérer, cette pensée ambitieuse et que compromet l'enflure, cette pensée qui plastronne et jargonne dans *Les Vraies Richesses* (1936) et quelques autres livres de même calibre. Très évidemment les éléments n'en sont guère originaux, ils viennent de Whitman et de Tolstoï; elle s'inspire aussi d'un individualisme qui réduit chaque homme à l'envergure de ses deux épaules et enfin elle aboutit à la prédication anarchiste. Mais néanmoins tenons-lui compte de ce qu'elle contient de vérité prouvée par les événements. La société humaine succombe sous le poids de l'étatisme, du nationalisme, du grégarisme, des concentrations urbaines capitalistes et machinistes. Giono n'a pas édifié un système de défense; il penche trop facilement pour une vie végétative et animale, il exagère la gloire de faire son pain, il nourrit des illusions sur les chances d'un primitivisme d'ailleurs hypocrite. N'importe, il n'en a pas moins rassemblé le faisceau des menaces que d'autres avant lui n'avaient dénoncées qu'éparses, il n'en a pas moins battu le rappel pour une réaction à visage humain. Écrivain plus sagement franc, oracle moins pontifiant, il serait capable de répandre des bienfaits.

C'est en raison de cette position qu'on se sent indulgent non seulement pour les plus maladroits de ses recueils dogmatiques, mais aussi pour ses poèmes dramatiques, *Au Bout de la Route* et *Lanceurs de Graines*, qui en ont continué le message. Et pourtant, si les héros de ses romans sont des rustiques parfois contestables, ceux de ses pièces de théâtre sont nettement de faux rustiques; on dirait la progéniture du *Chemineau*, passée par de grandes écoles de pick-up. Aux dernières nouvelles, le panthéisme de Giono l'aurait amené au bord des « choses invisibles » : tous les renouvellements alors deviennent possibles.

II. — *LA VIE DES CAMPAGNES*

1. Charles Silvestre.

L'ermite de Peyrat de Bellac en Limousin, né à Tulle (1889-1948), le romancier qui eut le prix Fémina en 1926 avec *Prodige du Cœur*, a concentré les traits de sa vraie personnalité dans *Monsieur Terral* (1921), *Le Nid d'Épervier* (1934), *La Prairie et la Flamme* (1939), et c'est une personnalité forte.

Il a dit à un critique : « Je peins ces hommes avares, méchants, féroces, et j'en souffre parce que je suis bon. Je me fais du mal à moi-même ». Aussi prend-il naturellement l'accent de tragédie et de sourde angoisse. Beaucoup de puissances du sol, beaucoup de puissances du mal tendent et gonflent son œuvre. Elles engendrent des scènes vives et cocasses, de grand effet et terribles, au pays mi-poitevin mi-limousin où il a situé ses histoires.

Ne dirait-on pas que la gouvernante perverse du *Nid d'Épervier* a élevé plusieurs de ses personnages ? L'épervier de ce nid, c'est le maître du sombre château solitaire, le comte autoritaire et rapace, animé de dure sauvagerie, parfois secoué de drôlerie grotesque. Quelle proie palpite dans ses serres ! sa propre fille... *La Prairie et la Flamme* n'a pas moins de violence. Si Jeanne Barrière vit avec une douceur rustique, en sœur de la prairie, mais pauvre et courageuse pour son enfant, Léon Bastier apporte la flamme de sa nature dévorante et l'amour l'arme pour un meurtre; le siège que cet homme possédé organise autour de la femme née victime mais que sa pureté défend, est un des épisodes les plus forts du roman contemporain. A l'original bonhomme qui s'appelle Terral, père Grandet de toutes les avidités de village, une âme reste encore et c'est la lutte de l'âme avec la manie furieuse d'antiquaire campagnard qui donne si haut relief à ce livre éclairé par une figure d'enfant, pitoyable garçon voué à la mort comme pour racheter le mal causé par son père.

Silvestre a déchaîné aussi telle commère rusée et cynique, telle garce démoniaque, en même temps qu'il s'offrait la compensation d'une Monique de La Barthe, d'une Anne Mareilles. Par ces natures épaissies de matière ou illuminées de douceur profonde, il a prouvé ses ressources de création. Après quoi, il en gardait encore assez pour animer autour d'elles toute une agreste humanité pleine de vérité et pour évoquer une nature d'où ses personnages tirent leur sève. *Le Démon du Soir* (1936) a réalisé la synthèse d'un grand vieillard et du pays qu'il a dans le sang.

L'attrait impérieux d'une œuvre qui varie, mais sur un fond d'uniformité qui aurait pu lasser, tient à l'allure des récits. Ils marchent, courent et, ce faisant, déroulent des destinées. Aucune analyse abstraite ne se substitue aux personnages agissants. Tout a forme et prend essor. Trop de dia logues sans doute, mais ne sont-ils pas encore action et mouvement ? Pourquoi la critique s'est-elle si peu souciée de mettre à sa place, une des toutes premières, le créateur d'un univers — cet univers mal connu avant lui des maîtres de village ? Il brise le cadre régionaliste par une psychologie de qualité balzacienne, par la mise au monde d'humains forcenés et par l'évocation d'une vie en communication secrète avec l'inconnu et le fatal.

2. André Chamson.

Échapper aux jours, dominer le moment historique, éprouver le contact de l'éternel, c'est ce qu'André Chamson avait cherché dans l'étude de la vie paysanne. Pourquoi faut-il que les démons du temporel aient joué un méchant tour à ce solide rejeton des Cévennes, né à Nîmes (en 1900) mais grandi face à l'Aigoual qu'il a escaladé et parcouru ? Tout d'abord arcbouté sur la tradition de sa montagne, il produisit cette trilogie enracinée comme ceps : *Roux le Bandit* (1925), recommencement de l'insurrection chrétienne des ancêtres; *Les Hommes de la Route* (1927), paysans du Second Empire débauchés par la construction d'une voie de communication et raflés pour la ville; *Le Crime des Justes* (1928) qui fait voir la maîtrise d'une famille sur un village, entamée à peine par une faute des plus graves. Il y avait là de magnifiques intentions. On attendait donc de Chamson une libre et fière prose de mythes cévenols... Hélas, l'ambition politique s'est saisie de lui. *Héritage* (1932), témoignage critique sur la démission de la bourgeoisie provinciale et de ses familles capitales, laissait encore de l'espoir. Mais l'*Année des Vaincus* (1934), qui fait revivre les prodromes en Allemagne de la dernière guerre, *La Galère* (1939) qui romance l'aventure du 6 février, *Le Puits des Miracles* (1944) qui entretient la colère contre les « collaborateurs » de l'occupation sont de périssables actualités. Tant pis ! Il y avait en Chamson une sévérité d'art, et une force de taille à coups de hache, qui n'ont pas trouvé leur véritable emploi. Ses livres posent des problèmes, mais l'allégorie sociale y étouffe l'intensité individuelle réclamée par les personnages. Attendons-le au jour où il observera, évoquera, conseillera la jeunesse française.

3. Maurice Genevoix.

Maurice Genevoix, né à Decize (Nièvre) en 1890, Normalien jeté dans la guerre, blessé aux Éparges, s'est retiré depuis longtemps dans son Val de Loire. Il a peint un peuple de petites gens de Sologne, mêlés aux bois, aux bords d'étangs et de rivières, aux landes. La mémoire en détachera le pêcheur Rémy des Rauches et le braconnier *Raboliot* (1925), brave mari et brave père, mais assiégé et pris par la fatalité des instincts. D'autres livres de Genevoix, *Grille* (1928), *Marchelong* (1934), confirment cette vision d'une grosse rusticité qui aboutit à la folie et au crime. Elle est capable de produire aussi de la beauté, avec l'aide de son romancier. Ayant partagé la vie de la forêt et de sa faune, et ayant nourri d'elles sa vie intérieure, une osmose lui a permis d'être grand et tragique dans ce rude récit, *La Dernière Harde* (1938), qui dresse face à face la bête et l'homme, le fort piqueur et le beau cerf.

4. Autres rustiques.

Romain Roussel, dans *La Maison sous la Cendre*, dans *La Vallée sans Printemps*, a donné l'idée qu'il pourrait, en rassemblant plus de substance, faire vivre une humanité forte et douloureuse d'âmes primitives mariée à ce Jura qui ne connaît guère de transitions entre les brûlures du soleil et celles de la glace. — Rémy Beaurieux s'est intéressé à une union de cette sorte dans *Cailloute* (1931), roman d'un gars hardi et sauvage, devenu un aristocrate de la gueuserie à force de risques courus sur l'immense fleuve de Loire.

Universitaire de métier, mais rustique dans le fond, Lucien Gachon a publié *L'Écrivain Paysan* pour réclamer une littérature que le monde rural produirait lui-même. Il a voulu en fournir les premiers exemples dans *Maria* (1925) et *Jean-Marie Homme de la Terre* (1932), deux histoires sobres et fortes d'Auvergne.

Albert Marchon s'est égaré dans plusieurs voies divergentes. C'est dans *Le Bachelier sans Vergogne* (1925) que sa vie endiablée a le mieux trouvé son emploi : la Haute-Provence et le Dauphiné y ont mis la marque de leur rudesse. L'astrologie, à laquelle Marchon s'adonne avec le plus impressionnant sérieux, ne l'a pas empêché d'écrire et de publier des livres fort attachés à la terre, tels *Les Démons de l'Aube* et *Trésor en Espagne*. — Maria Borély, cousine littéraire de Giono, comme Jean Proal cousin avec *Tempête de Printemps* et *A hauteur d'Homme*, s'affirme dans *Sous le Vent* (1930), *Le Dernier Feu* (1931), aussi authentiquement rustique que provençale. — Une rivale lui est née en 1937 avec *Campagne* : Raymonde Vincent, Berrichonne, semble l'avoir écrit dans une intention idyllique trop évidente, ce livre du fond duquel se devinent toutes les saisons, ce livre un peu envahi de lenteur et de fumée, et qu'on dirait s'abriter de la grande lumière sous le manteau d'une haute cheminée paysanne. Mais non. Elle a partagé le sort d'une famille façonnée par le travail des champs, elle ne l'a quittée qu'à dix-sept ans. C'est pourquoi son livre reste malgré tout naturel, près des choses, exact dans ses figures, observé et poétique à la fois. *Blanche* (1939) dérange trop cette belle simplicité par ses recherches d'intrigue et son imitation de patois. Enfin, *Élisabeth* (1947), étrange jeune femme, sans doute obscurément hypnotisée par un envers des choses qui aurait pu devenir vision de sainteté : le portrait est mouvant, intérieur, déroutant, non sans magie. — Roger Breuil, qui avait fait vivre dans leur banalité quotidienne *Les Uns et les Autres*, a modelé avec puissance son *Augusta* (1935), paysanne singulièrement, magnifiquement mystique. — Jean Yole (pseudonyme du médecin Léopold Robert, qui fut sénateur de la Vendée) a raconté un long dévouement à la famille dans son roman *La Servante sans Gages* (1928), porté au théâtre en 1934 et appuyé sur un solide essai, *Le Malaise paysan*.

5. Henri Bosco.

Le dernier succès du roman rustique est allé à Henri Bosco, Avignonnais fixé au Maroc, où il a enseigné et où il dirige une revue, *Aguedal*. Il publiait à trente-sept ans une claire et vive fiction, *Pierre Lampedouze* (1924), pour informer l'univers qu'on peut rapidement se remettre sur pied en Haute-Provence, même si l'on est un jeune homme abattu par l'inquiétude d'âme. Autant que Giono en personne, Bosco est un amoureux lyrique de la Provence montagneuse, elle brûle et embaume dans ses livres comme sous le soleil. Je le rapprocherais de Paul Arène s'il n'avait le parti pris de nous baigner dans la puissance occulte de la nature. *L'Ane culotte* (1938) c'est un puits, non d'eau, mais de magie et d'initiation secrète; *Le Jardin d'Hyacinthe* (1946) en a creusé un second. Plus naturel, plus réellement vivant, se déroule le drame du *Mas Théotime* (1946), quoique encore secret, traversé de rêveries et de correspondances mystérieuses. Au reste, l'auteur est poète, il a chanté en vers la terre et la mer; les personnages du *Mas Théotime* marient sa poésie à leur psychologie hésitante, réticente, délicieuse. Il est permis de préférer cette peinture d'âmes fort délicates et enveloppées de solitude au paganisme à forme de sorcière pour lequel les autres romans de Bosco ont méthodiquement utilisé les superstitions des bergers provençaux.

CHAPITRE V

L'INNOMBRABLE ROMAN

Ce nouveau chapitre étonnera-t-il le lecteur, que plusieurs chapitres précédents ont rassasié déjà, saturé et sursaturé de fictions romanesques ? C'est qu'on n'en a jamais fini avec elles. Après qu'on a isolé des groupes de romans autour de plusieurs thèmes et objets de caractère extrêmement net (l'angoisse chrétienne, la vie agreste, l'exploration de la planète aux confins du réel et du rêve, etc.), il reste à en rassembler une infinité d'autres moins aisés à distinguer, parce que plus rapprochés de l'amalgame traditionnel. C'est pourquoi, bien qu'ayant déjà beaucoup parlé de romans, j'en parlerai encore.

Le roman, ce Protée, peut donner tout ce qu'on lui demande, c'est un terrain d'expériences, un laboratoire, un chantier; et s'il offre commodité de refuge pour satisfaire des préciosités d'initiés, il a de quoi convenir également à un vaste troupeau qui veut paître à tout prix. La fiction romanesque devient donc la vedette des genres, leur reine de beauté. Notre siècle a aimé l'histoire, l'étude critique, le reportage; puis tout à coup il a fallu les lui mettre en forme de roman. La littérature y gagne-t-elle ? N'y perd-elle pas du côté de l'information et sur les données de la pensée ? car enfin, toucher à tout, avec un art qui ne prétend que montrer, décrire, évoquer, c'est promettre l'objectivité, mais en se lavant les mains à la Ponce-Pilate.

Sans compter qu'il y a tant de pseudo-romans ! Quand le roman anime des personnages qui ne s'installeront pas dans notre imagination, ombres inconnues un instant arrêtées, il ne forge pas d'existences, il perd sa crédibilité, il n'est plus que vain. C'est pourquoi la folle surproduction de la littérature romanesque d'aujourd'hui promet un déchet immense. Par contre, que tant d'imaginations se fassent lire : cela ne consacre-t-il pas un droit nouveau mérité par cet antique genre, et, pour ainsi dire, l'avènement d'une sorte de huitième art qui a bâti une cité magique de dépaysements et de consolations ?

I

DU PENCHANT NATURALISTE A LA RECHERCHE DES VALEURS MORALES

S'il subsiste un naturalisme chez des romanciers que Flaubert, Maupassant, Daudet ont plus d'une fois orientés, mais qu'ont tempérés des maîtres plus récents, aucune œuvre n'en témoigne mieux que celles de Chérau, de Bachelin et de quelques autres.

Gaston Chérau (1872-1935) a eu le sens flaubertien des drames noués autour d'un personnage dans son milieu. D'autre part, l'auteur de *Champi-Tortu* s'inspire d'un amour sombre et pessimiste de l'être humain. Au temps de ses débuts, il passait des psychologies bourgeoises de *La Prison de Verre* (1911) aux violences de bergers landais et de foules ameutées (*L'Oiseau de Proie*, *Le Remous*, 1913); et peut-être ses pages les plus fortes se ramassent-elles dans une longue nouvelle d'alors, *Le Monstre* (1914), qui est d'un accablant réalisme. Malgré tout, son grand livre demeure *Valentine Pacquault* (1921), où se trouve réalisé de main de maître, disait Thibaudet, « ce qui est vraiment le trait supérieur dans l'art du roman, je veux dire la progression à la fois logique et imprévisible d'un caractère ». Valentine est une nouvelle Emma Bovary, jeune et belle victime de l'ennui provincial, mais qui ne perd pas définitivement son âme; elle la retrouve et guérit. Analyse du cœur et peinture des mœurs se nouent étroitement pour prendre le lecteur au piège de la pitié. Malgré sa fin trop arrangée, cette histoire est atroce au fond, comme allait l'être une autre, *La Maison de Patrice Perrier*, longue fidélité amoureuse aussi vaine et désolante que celle de *Dominique* : vies perdues, vies de néant... Gaston Chérau, qui était né à Niort, installa ses dernières années dans un coin agreste de l'Indre. C'est là qu'il a écrit, d'une part, des romans d'érotisme mondain (*Apprends-moi à être amoureuse*, *La Volupté du Mal*), et d'autre part, repris par d'anciens goûts, des romans de vie paysanne et de petite ville (*Le Flambeau des Riffault*, *La Maison de Patrice Perrier*). Toute l'œuvre, en somme, verse son encre sur la bourgeoisie de la ville et des champs.

Jean Gaument et Camille Cé, les auteurs de *La Grande Route des Hommes* (1923), de *J'aurais tué* (1925) et d'un grand nombre de romans solides et honnêtes, ont retrouvé une part de l'observation ardente qu'avait en don Rosny aîné, une part aussi de sa façon d'embrasser la vie avec sympathie et saine amertume; ils semblent avoir beaucoup pratiqué l'anglais Hardy.

Charles-Louis Philippe a sa descendance ainsi que Rosny. Henri Bachelin (1879-1942) l'illustre. Morvandiau lui aussi, né à Lormes (Nièvre), il a donné à la pitié de Philippe une façon mal venue et humiliée : *Pas-comme-les-Autres* est plein de la souffrance et de la résignation d'un petit paysan délicat que tout meurtrit et qui lui ressemblait. D'ailleurs, il devait échapper en partie à cet envoûtement pour décrire *Le Village* objectivement, mais tout de même en agglomération de pauvretés humaines. Enfin, il en est venu à une nouvelle « vie d'un simple » : *Le Serviteur* (1918), histoire complète, détaillée, fouillée d'un homme-à-tout-faire, attaché loyalement à ses besognes, à son village, à sa croyance, — par là ancienne France encore, par là noble et grand, à la manière du chef-d'œuvre de Guillaumin. L'art est exact, sec quelquefois, d'autres fois d'un humour un peu facile, allant jusqu'à une gouaillerie qui a toujours son goût de terroir.

Des contemporains de Chérau, celui qui est resté le plus attaché au passé naturaliste, c'est Léon Werth (né en 1879) : par la lignée de la révolte, en remontant à Mirbeau et, par Mirbeau, à Vallès. Il en devient un peu suranné. Cependant sa sincérité recommande *La Maison Blanche* (1913), diatribe romancée contre les maisons de santé organisées en purgatoires; elle a marqué une date; la littérature romanesque se chargea après elle d'une quantité d'opérations chirurgicales. Voilà la grande croisade de Werth; il en a entrepris une seconde et une troisième contre l'armée injuste et le peuple veule, dont *Clavel Soldat* (1919) et *Yvonne et Pijallet* (1921) offrent des tableaux satiriques, mais qui ne sont déjà plus à la page. Ce porc-épic généreux devait se jeter beaucoup plus tard dans les colères de la France occupée. Auparavant on l'avait vu se déchaîner à travers la foire des peintres.

J'en viens à un écrivain de grande autorité qui nous fera respirer dans un climat plus classiquement traditionnel et en même temps plus moderne, puisque c'est celui même de Gide. Nous sortirons avec lui de la présente catégorie, il marque transition d'elle à la suivante. Analyste de sentiments et de pensées, Jean Schlumberger fait confiance à l'homme. Protestant d'origine (né en 1877 à Guebwiller), il secoue, d'ailleurs agnostique, le joug du péché originel. S'il reconnaît dans le monde une inertie et presque une perversité, il espère que l'homme en saura triompher. Ne fut-il pas, avec une série d'analyses groupées dans *Plaisir à Corneille* (1936), l'initiateur du retour au dramaturge de l'énergie exaltée ?

A lui comme à Gide, la conscience a servi de lanterne magique, à lui comme à Gide la famille a posé des problèmes difficiles de psychologie et de morale. *L'Inquiète Paternité* (1911), suite d'un premier ouvrage, *Heureux qui comme Ulysse*, exprime l'angoisse d'un père qui redoute pour son fils les effets de l'hérédité, puis qui, rassuré sur ce point en apprenant qu'il n'est pas le vrai père, scandalise les siens par son indifférence à la faute de sa femme. Voilà le mal. Voici le bien : il reconquiert l'enfant, qu'il aime, à force de générosité et de courage.

Le romancier de l'inquiétude familiale sera aussi un témoin de l'inquiétude nationale, dans *La Mort de Sparte* (1921), qui fait penser à *La Mort de Corinthe* d'un autre protestant.

Après une histoire de frères ennemis (*Les Fils Louverné*) et les coups de sonde que donne un « cornélianiste », mais gidien, dans le fourmillement des obscures diableries de l'âme (*Un Homme heureux*, *Le Camarade infidèle*), le roman de *Saint-Saturnin* beaucoup plus tard portera le tourment de cent traverses venues de l'entremêlement des unions, des générations et des parentés, dans la fidélité volontaire au domaine de famille.

Enfin Schlumberger se jettera dans l'inquiétude sociale comme il s'était jeté dans l'inquiétude patriotique; son *Histoire de Quatre Potiers* (1935) résout le problème de l'association ouvrière par une méthode de coopération noyautée de communisme à l'antique.

L'auteur du *Lion devenu vieux* (essai psychologique sur le cardinal de Retz) et des *Hommages à Shakespeare*, *Stendhal*, *Thomas Hardy*, *Claudel*, aime la réflexion appliquée et un peu lourde; il ralentit de méditations en forme les récits de *Saint-Saturnin*. En somme, nullement romancier, quoique faiseur de romans, Jean Schlumberger est un moraliste, exactement un moment de la conscience protestante en France.

II

DANS TOUTES LES FORMULES

Leur art rattache directement un certain nombre de romanciers et de romancières à une ancienne tradition d'analyse variée autant que tenace, puisque des talents aussi divers que Feuillet, Duranty, Marcel Prévost, Boylesve l'illustrèrent.

I. — *ROMANS D'AMOUR*

Si l'on imagine de grouper à part les analystes de l'amour, des noms féminins s'imposent tout d'abord. — André Corthis (Mlle Andrée Husson, née à Paris en 1885), Bretonne par son père, descendante par sa mère des Comnène de Corse, fait de son œuvre une défense de l'amour contre l'autre sexe : défense de désespérée. La jeune épouse de *Pour moi seule* (1919), incapable d'aimer un mari inhumain dont les notables de sa petite ville se font les complices, cette émouvante martyre de la soumission et du silence se retrouve dans *Le Merveilleux Retour* (1935); elle n'arrive au bonheur que par une lutte de dissimulation et d'endurance qui le lui a certainement flétri par avance. Voilà les réussites d'Andrée Corthis. Dans la suite, sa production a senti l'effort, la construction artificielle, l'étrangeté mécanique, mais encadrée dans de beaux décors. La solitude grandiose de la Camargue restera le personnage principal de *Cris dans le Ciel* (1939). — Il y a une vérité plus tranquille chez Mme Claude Varèze, qui a corrigé d'une intelligence résistante et volontairement presque dure sa sensibilité de Bretonne dans des romans de psychologie aiguë, dont le chef-d'œuvre, *La Route sans Clocher*, est l'étude fort poussée d'un adultère de province. —

Romancière de l'appel mystique dans *L'Épreuve du Fils*, histoire d'une vocation, Camille Mayran, petite-nièce de Taine et femme de l'écrivain Pierre Hepp qui dirigea la *Revue de Paris* avant la guerre de 1914, est davantage romancière hardie de la passion amoureuse. *Hiver* (1926), narration puissante, a mis sa tache de sang criminelle sur un fond de mœurs alsaciennes; puis *Dame en Noir* (1937), livre moins trapu, mais au contraire tout en souplesse sinueuse, décrit le lent cheminement du désir dans l'être entier d'une femme que sa tradition familiale, provinciale et croyante semblait protéger; la crise éclate, bouleversante, à la découverte du bonheur total de sa fille qu'elle marie. L'œuvre est belle. Toutefois, n'est-ce pas un peu artificiellement que l'auteur, malgré son réalisme d'âme, referme l'abîme ouvert de l'amour profane par un don à l'amour sacré ?

Les œuvres féminines de l'analyse amoureuse se sont multipliées après 1930. Les romans de Mme Simone sont des sortes de tragédies modernes où les habitudes du théâtre ont dirigé l'action et les caractères; les scènes s'isolent, il y a de vrais dialogues et l'on voit se tendre les deux antiques ressorts de la terreur et de la pitié. Douloureusement moderne pourtant, la romancière enclave les cas amoureux qui l'intéressent dans des destinées entières livrées à l'ambiance d'une fatalité. Les récits implacables de *Désordre* (1930) se ramènent à une vision de vie maudite, ceux de *Jour de Colère* (1935) au spectacle d'une belle intégrité physique et morale qui se dégrade, ceux de *Paradis terrestre* (1938) à un martyre qui sanctionne des erreurs de prédestinée. — Une autre tradition littéraire a toujours offert des échos aux romans de chevalerie et d'amour : elle se rattache au sentiment d'amour passionné qui exalte dans l'homme sa valeur d'âme, dans la femme sa capacité de souffrir : tel est le climat où Marie-Anne Comnène a situé son œuvre. Il couve quelques périls, auxquels elle n'échappe pas tout à fait, et notamment elle escamote les réalités serviles de l'existence. Mais puisque les vrais romans d'amour restent une rare chance, qu'on ne boude pas au plaisir que distribue cette hardiesse romanesque. Notre mémoire sentimentale se plaira avec de belles filles dont quelques-unes sont mortes d'amour : Rose Colonna, Violette Marinier, Arabelle, Grazia, privilégiées de la joie et de la douleur, héroïnes de ces histoires supérieures à la vie et qui sont à la fois aventures merveilleuses du cœur, chroniques des villages corses, tableaux luxuriants de familles, confidences de grands vieillards. — Clarisse Francillon s'est attaquée au projet haut et difficile de peindre le bovarysme, si l'on peut dire, d'un pasteur protestant, dans *Le Plaisir de Dieu* (1939). Elle avait auparavant révélé avec grâce certaines erreurs sentimentales qui aveuglent les deux sexes d'aujourd'hui, dans *Béatrice et les Insectes* (1936) et *Coquillage* (1937). Mlle Francillon a le don de faire entendre à chaque minute les pas des personnages, celui aussi de projeter ces personnages lumineux de lucidité sur un fond de désespoir vague et inexprimé.

Des solitaires sont à nommer maintenant, voire des ombrageuses. Marcelle Sauvageot, morte jeune en 1934, s'appliquait avec une attention pleine d'espérance au bon usage pascalien de la maladie; ses *Commentaires* (1933) s'efforcent noblement à une barricade contre l'amour. Dominique André observe les âmes avec un mélange de sympathie et de cruauté qu'accorde une sorte d'esthétisme anglo-symboliste dans *Le Baiser froid* (1930), dans *Mademoiselle Colin* (1934). Violette Trefusis, Écossaise devenue Française, sait faire reconnaître dans *Sortie de Secours* (1929), *Écho* (1931), *Broderie anglaise* (1935), le romantisme légèrement ésotérique dont elle s'est fait une seconde nature.

Chez les romanciers, Thierry Sandre, qui avait raconté sa vie de prisonnier dans *Le Purgatoire*, s'orienta vers la psychologie douloureuse de *Chèvrefeuille* (prix Goncourt, 1924), de *Mousseline* (1925), petite âme des Batignolles, avant de devenir l'auteur amer et satirique de *Panouille* (1926), victime des démagogies. Pierre de La Batut a tourmenté d'amour adultère une âme de protestant dans *Suzanne*, *Ton pauvre Amant* (1925). Le poète André Castagnou a appelé *Diana* (1928) le roman d'un amour qui par exigence de plénitude aboutit au crime; le dessin en est d'un trait pur, sinueux, allégé de toute glose, presque excessif dans sa retenue. René Jouglet, romancier paroxyste des *Confessions amoureuses* (1925), puis psychologue d'amours internationales, a rencontré en Extrême-Orient le sujet dramatique de *La Ville perdue* (1936).

Critique et érudit, Jacques Boulenger (1870-1944) l'est essentiellement jusque dans ses romans, dont l'un propose une technique nouvelle de l'analyse d'amour, et dont l'autre a essayé d'une méthode ironique, d'une sorte de méthode par l'absurde, pour peser la valeur de la psychanalyse. C'est de ces deux romans — *Le Miroir à deux Faces* (1928), *Adam et Ève* (1938) — le premier, c'est-à-dire le moins cérébral, qui est le meilleur. On leur préférera peut-être les contes : douceurs du paysage contrastent avec drames humains dans *Les Soirs de l'Archipel*; sécheresse, dureté, cruauté, garantissent l'authenticité des histoires grecques recueillies à Corfou et conservées sous le titre maladroit de *Contes de ma Cuisinière* (1935).

Une place exceptionnelle revient au dessinateur André Rouveyre, esprit cultivé qui tira Balthazar Gracian d'un oubli d'ailleurs moins complet qu'il ne dit. Il a donné ensuite dans *Souvenirs de mon Commerce* (1921) des portraits subtilement écrits de quelques-uns de ses modèles, ou plutôt des victimes de son crayon : Gourmont, Apollinaire, Barrès, Moréas, Jules Soury; puis s'est composé *Le Libertin raisonneur*, « bréviaire cruel et charmant de l'immoralisme voluptueux », souligne son ami Billy. Mais Rouveyre a été aussi le romancier de *Singulier* (1933) et de *Silence* (1937), originales et bizarres conceptions de psychologie elliptique, de style secret, coups de taraud dans la chair et le cœur de deux amants que des scrupules d'ascétisme séparent, l'amant restant sous nos yeux à fouiller l'expérience d'une passion poussée à sa perfection jusqu'au vide. — Un visage de femme amoureuse a tant de force fière qu'il peut sembler faire face au monde entier. C'est le cas de *Justine*, unique mais brûlante réussite du Docteur Roger Couderc, Cadurcien mort dans sa petite patrie en 1944. — La jalousie, celle de l'amant à l'égard du mari, trouve une de ses plus fortes descriptions dans *Jalousie* (1931) de René-Albert Guttmann, qui est médecin. Livre remarquablement conduit et écrit, témoignage de marque sur l'état ignominieux auquel la frénésie des sens réduit un homme de nos jours. Guttmann a publié depuis lors, outre des travaux spéciaux de pathologie, une exégèse instructive de la poésie moderne, *Introduction à la Lecture des Poètes français*.

Nombre de romanciers, tout en peignant des figures de l'éternel et universel amour, ont fixé également d'autres aspects humains. Ceux-là, qu'ils donnent le pas à deux écrivains suisses, et d'abord à Robert de Traz. L'auteur de *L'Homme dans le Rang* s'attache par goût de la vie intérieure aux traces de Vigny et de Vauvenargues, mais Amiel l'a marqué. Moraliste, il a romancé des observations sur les enfants dans *Pouvoir des Fables*; voyageur, il a dit agréments et profits du *Dépaysement* (1923). Romancier profondément humain, il met en conflit la force passionnelle avec la maîtrise morale de l'être, et il crée des personnages nobles, délicats, inquiets : Clarisse, héroïne de *La Puritaine et l'Amour* (1917), victime d'un don absolu et d'une tendre dignité torturée, brûle ses riches réserves de vertu genevoise. Dans *Fiançailles* (1922), deux vieilles filles charmantes ignorent leur jeune sœur qu'elles élèvent et qui bouillonne de vie dangereuse, guettée par tous les périls de l'amour. Robert de Traz ose être cruel; les passions, une fois éteintes, laissent une vie de cendres et il y a une désolation de fin d'incendie dans *A la Poursuite du Vent* (1932). Tout auteur préférant un de ses livres, peut-être *Complices* (1924) a-t-il la faveur de Robert de Traz; on y descend profondément dans le mystère presque souterrain des liaisons de toutes sortes qui peuvent se pressentir entre les êtres. Des soucis de revue (l'admirable *Revue de Genève*) et l'examen méthodique de l'Europe d'entre les deux guerres semblent avoir assombri l'auteur de *L'Esprit de Genève*. En même temps, il pencherait vers une charité sociale où se peuvent retrouver transposés tous les scrupules qu'il avait découverts dans les amoureuses de jadis. La pitoyable humanité des sanatoria vit dans *Les Heures de Silence* (1934). — Un autre Suisse romand, quoique né à Paris en 1886, Jacques Chénevière, a la touche exquise dans la peinture des sentiments ingénus, frais et secrètement pervers d'*Innocences*. Un pinceau ferme et généreux couvre la toile de *Messagers inutiles* pour y installer la famille genevoise. Une série de romans, d'*Aveux complets* à *Captives*, a prolongé cette carrière de portraitiste psychologue.

II. — ROMANS D'OBSERVATION GÉNÉRALE

1. André Maurois.

Du succès de ses souvenirs humoristiques de guerre anglo-allemande en France (*Les Silences du Colonel Bramble*, *Les Dis-*

cours du Docteur O'Grady) André Maurois est passé à la réputation de romancier avec *Bernard Quesnay* qui romance une première partie de sa vie, les années passées à la tête d'une usine de tissage; il appartient en effet à une famille d'industriels d'Alsace émigrés après 1870 à Elbeuf, son lieu de naissance en 1885. Il a consacré la seconde partie à une production littéraire considérable. La troisième, commencée par l'exil de 1940 en Amérique, se poursuit brillamment.

Romancier bourgeois du mariage et de la famille, mais intellectuel juif, Maurois a dégagé son sujet de toute préoccupation religieuse, en excluant donc les déchirements trop profonds. *Climats* (1929), histoire de cœurs d'autant plus secrets que la passion les maltraite, semble surtout vouloir condamner la recherche romanesque d'amour. *Le Cercle de Famille* (1932), brisé par l'évasion d'une jeune femme, se reforme par le retour au droit chemin de cette femme que sa douleur de fille injuste a éclairée; l'ouvrage met en lumière une certaine relativité de la morale et rayonne d'indulgence, d'attendrissement et de pardon. Un jour, *L'Instinct du Bonheur* (1934), à peu près ignoré aujourd'hui, deviendra essentiel au crédit de Maurois. Des secrets de famille qui perpétuent des mensonges et déchirent père, mère, fille illégitime, avaient l'air d'annoncer un Mauriac; mais les données du trouble et du malentendu passent par les douceurs du foyer, par le cœur honnête de gens qui n'ont pas honte de leur vie; ils arrivent à l'incorporer à la paix profonde de la province qui les abrite, le Périgord. Maurois est des romanciers qui tout à la fois rationalisent et moralisent le roman. Il a fait de même pour le conte, genre de son goût, car il aime le trait presque schématique. *Meïpe ou la Délivrance* (1926), *Le Peseur d'Ames* (1931), *La Machine à lire les Pensées* (1936) lui offraient le moyen de s'emparer des nerfs par le fantastique; il a repoussé la tentation, il a voulu n'intéresser que l'esprit, n'intriguer que l'intelligence, ne donner de plaisir qu'à la raison. L'intelligence domine chez lui, comme isolée de toute passion, de tout ce qui peut empêcher de comprendre; sa sensibilité le porte aux sujets, l'y engage, puis reste spectatrice de l'analyse.

Au fond, il est surtout moraliste et n'a cessé de se poser, dans l'usine d'Elbeuf comme à l'État-Major anglais, les problèmes de l'autorité : d'où un ouvrage excellent, *Dialogues sur le Commandement.* Dans son recueil de *Sentiments et Coutumes* (1935) aussi, il faut aller chercher de bonnes observations psychologiques. Il s'est montré sous ce jour encore dans son rôle d'agent de liaison intellectuel entre l'Angleterre et la France, dans sa psychologie de *L'Anglaise* (1933), dans notre introduction à la connaissance profonde de l'Outre-Manche par *Édouard VII et son Temps* (1933) et par une galerie de portraits littéraires dont *Magiciens et Logiciens* groupent les plus actuels (1935). C'est à se demander si Maurois n'a pas traité les valeurs psychologiques en objet d'enseignement. Biographe des grands hommes sur le modèle de Lytton Strachey, n'a-t-il pas fait la classe aux femmes du monde et aux hommes pressés, comme il devait aller la faire pendant la dernière guerre aux Américains ? Bien qu'il ait rapporté de là-bas *Terre promise,* premier d'une série de romans consacrés à la France contemporaine, je considère l'auteur de l'*Histoire de l'Angleterre* et de l'*Histoire des États-Unis* comme un grand professeur. Ses magistrales leçons sur Marcel Proust ont fait de nous tous des élèves.

2. ÉMILE HENRIOT.

Un roman de charme tout à fait exceptionnel, *L'Instant et le Souvenir,* disait avant l'autre guerre, en 1912, au temps où Henriot publiait des plaquettes de vers, le charmant bonheur éphémère. Mais déjà il soupesait le fardeau de la mémoire, quand le couple, après une séparation, croit pouvoir se retrouver heureux. L'homme est un Français, la femme une Italienne; elle n'éprouve, au lieu d'amour, qu'un goût un peu vif : l'auteur a fixé cette nuance fort délicatement. *Valentin* (1920) est le grand roman psychologique à trois personnages : le chef-d'œuvre pour se faire accepter dans la corporation. *Aricie Brun ou les Vertus bourgeoises* (1924), *L'Enfant perdu* (1926) ont oscillé avec un talent souple entre la monographie d'âme et l'analyse des ambiances de classe ou de génération. *Aricie Brun* évoque la famille française au XIXe siècle, sa robustesse modeste, sa lente élévation, l'apogée, le déclin, et montre surtout quel soutien y a trouvé une société pour se maintenir. Aricie, toujours sacrifiée, sans le moindre éclat, mais raisonnable, prévoyante, fidèle à la continuité, humble héroïne d'une maison, émeut et fait réfléchir. La monographie l'emportera dans le roman des *Occasions perdues* (1931) à propos duquel quelqu'un écrivit : « les délicats vont être heureux »; puis l'analyse des ambiances dans *Tout va finir* (1926), où se reflète un siècle en naufrage : de beaux portraits individuels animent humainement ce livre plus intellectuel et moral que romanesque, d'ailleurs très perspicace sur les deux générations ennemies quoique également sacrifiées qu'il oppose sur un fond déjà historique. (Pour traiter un sujet analogue, Emmanuel Bourcier avait convoqué comme témoin une nouvelle Carmen, *La Beleba*, en 1925.) C'est encore une figure typique sur fond de vie parisienne qu'encadre *Le Livre de mon Père*, et le portraitiste n'y brille tant que parce qu'il a détaché le portrait sensible et pieux du légendaire caricaturiste, historien des mœurs lui déjà, au premier plan d'époques et de milieux : époque Meilhac et Halévy, époque Henri de Régnier, milieu d'Hébrard et du *Temps*, car voilà le berceau d'Henriot, né en 1889. Toute cette ravissante « petite histoire » n'empêche pas Henriot d'apparaître en personne dans son recueil de souvenirs. Il s'y peint en prose et en vers, face à son cher modèle. A travers des livres si divers mais si concordants, — diversité concordante qui devait se poursuivre après 1940, avec *Naissances* et *Recherche d'un Château perdu* — le souvenir me poursuit du *Diable à l'Hôtel*, diable de livre qui est tout à la fois, et par une vraie diablerie en effet, le poème en prose et en vers d'Aix-en-Provence, une féerie d'imagination voyageuse, la corbeille vivante des plus fins plaisirs.

3. Autres auteurs.

Raymond Escholier, dans un long conte, *Cantegril* (1921), évoque ce qu'il y a d'air sec et de lumière dans le climat variable de son pays natal, autour d'un Figaro gascon. On y boit sec. Le romanesque historique de *Dansons la Trompeuse* et de *Quand on conspire*, qui encadre par les dates (1923 et 1925) cette gaillarde figure, a de suaves bruissements de robes de l'Empire, une chaleur de baisers et de passion, des drôleries policières. *Maquis de Gascogne* est un documentaire furieux d'action. Mais Escholier restera le romancier de *La Nuit* (1923). Une jeune bâtarde aveugle en qui se réveille une perversité héritée est l'héroïne de ce drame mystérieux au fond d'une province mourante d'il y a soixante-quinze ans. Du monstrueux gonflait le sujet; mais l'auteur l'a traité par allusions et demi-mots, avec un art exquis de l'entrevu.

Une odeur de passé tout différent flotte dans l'œuvre rieuse de Jean Montargis. Comme tous les enfants de sa race normande, ce petit-fils de Paul Meurice raconte des histoires avec un petit œil d'inlassable malice. *Le Grand Amour de Monsieur Delormeau* (1913) ne laisse rien ignorer des provinces où se décomposaient jadis d'honorables universitaires; *La Carrière poétique d'Irène Pigeonneau* rend les mêmes services pour les milieux de lettres à Paris. Peu après la guerre, *Par devant Notaire* (1925) allait prendre une vue goguenarde des petites existences. Derrière Maupassant, devant les populistes, dans le voisinage de Maurice Beaubourg, Jean Montargis occupe une place singulière et charmante.

Si les contrastes sont amusants en histoire littéraire, saisissons celui que Piéchaud et Tisserand marquent fortement entre la douceur un peu molle et l'audace féroce. — Martial Piéchaud a un sentiment très personnel de l'intimité et du secret d'âme. Il s'est plu à traiter des cas de destinée cachée, clandestine ou fidèle à de nobles et pourtant pitoyables scrupules. La vie provinciale devait donc lui servir de cadre, et ce Bordelais accepta volontiers la condition. Ses romans, *Le Retour dans la Nuit* (1914), *La Dernière Auberge* (1921), *Vallée heureuse* (1925) sont d'un pathétique sentimental qui a eu son prolongement naturel au théâtre : *Mademoiselle Pascal* (1920), *Le Sommeil des Amants* (1923), *Le Quatrième* (1928) dégagent un charme que l'ancien Odéon faisait sien. C'est la brièveté violente et lucide qui éclate avec Ernest Tisserand dans ses *Contes de la Popote* (souvenirs de guerre) comme dans *Un Cabinet de Portraits* (caractères d'excentriques). Quand il en est venu au roman avec *Antoine et Ada* (1924), ce misanthrope est resté férocement soupçonneux à l'égard de ses semblables, les comparses de l'histoire. Toutefois il consent à quelque aménité en faveur des héros : couple heureux, l'infidélité du jeune mari l'a désuni, et la femme jalouse se venge en disparaissant pour ne reparaître que guérie de sa jalousie, c'est-à-dire guérie de son amour. Les duretés de M. Tisserand n'épargnent les êtres que pour accabler la vie. Il le fait en écrivain de bonne race. — L'allégorie de Martin Maurice caricature notre société en poussant certains de ses aspects jusqu'à l'absurde dans *Heureux ceux qui ont faim* (1932). Cet arbitraire trop mécanique avait déjà risqué de causer du tort à *Amour, Terre inconnue* (1928), qui reste cependant un petit chef-d'œuvre de psychologie. Le fin doigté, la netteté adroite lui ont donné les moyens de maintenir dans la décence et la sereine signification un conte « moral » fort risqué : n'y voit-on pas l'intervention de l'amant rendue momentanément nécessaire dans un ménage uni par le plus tendre amour, mais démuni de l'expérience propre à lui procurer le complet bonheur amoureux ? Auparavant *Nuit et Jour* (1927) avait approfondi en style d'épure un parallélisme d'amour et de sexualité, d'épouse et de maîtresse, qui en d'autres temps eût engendré une comédie et dont le nôtre apprécie l'intention quasi scientifique.

Du roman, Ignace Legrand s'est fait une conception très haute; il ne dispose pas toujours de moyens créateurs adéquats. Peintre de caractères, découvreur de situations, on le voit devenir proie de la sorcellerie romanesque : situations et caractères le possèdent; il perd toute liberté, il ne mène plus rien, et cela explique ses tours en rond dans la psychologie, sa lenteur lourde dans l'art : la lecture de *La Patrie intérieure* (1928), de *Renaissance* (1932), d'*A sa Lumière* (1934), de *Virginia* (1937) est fructueuse mais épuisante. Seulement, la belle ambition de l'auteur nous garde fidèles. En ses récits, presque toujours, il s'agit de prendre sur la vie une revanche absolue. Ce qu'elle refuse ou s'applique à détruire — l'amour ardent, l'espoir généreux, la poésie —, il faut l'imposer, l'incarner, le faire chair et mouvement; il faut forcer la nature, la chance, le destin : voilà la « patrie intérieure » à défendre et à élever au-dessus de tout. Ce noble héroïsme intime engendre forcément un type d'homme guetté par l'arbitraire. En revanche, les jeunes femmes, Claudia, Raphaela, Madeleine, portent naturellement leur étonnante et chimérique passion : ne sont-elles pas l'éternel allié qui peut aider à vaincre ou qui trahit ? Bien entendu, Ignace Legrand soigne à l'excès son pathétique.

On imagine le verlainien « Calme un peu ces transports fébriles », redit cette fois par des femmes, romancières songeuses.

Je pense à l'une d'elles, Geneviève Fauconnier, et aux nostalgiques destinées, aux longues poursuites imaginatives de *Claude* (1933), des *Étangs de la Double* (1935) et de *Pastorales* (1943), qui accordent des cœurs originaux et trempés par la solitude avec une nature sœur et complice : les terrains boisés qu'éclairent de larges flaques d'eau sur les confins du Périgord et de la Saintonge. Je pense à Paule Régnier et au livre isolé dans le silence, au livre auquel son nom reste attaché : *L'Abbaye d'Évolayne* (1933), qui a pris et garde des âmes faites pour vivre dans le siècle. A Jacques Christophe aussi (Mme Charles Silvestre), écrivain modeste et de grand prix, qui a le style transparent comme son inspiration. Elle éclaire d'une lumière joyeuse de sa foi le héros d'*Une Ame à Dieu*, âme qui s'élève à la sainteté, et les personnages de *Jour de Joie* (1936), d'*Au Chant du Coq* (1937) qui font vivre une tendre féerie chrétienne : sainte elle-même, comparée aux deux Minerves auxquelles je l'associe et à une troisième que voici, la dernière venue, Jean Voilier, emportée par la vie du monde et soudain arrêtée, redressée pour construire à son esprit une solitude de vrai écrivain. Un écrivain d'étonnante décision, dont le style éclate par la netteté des facettes et la dureté de la matière. Ce diamant a jeté ses feux tantôt à travers les surprises d'une dramatique pitié (*Beauté, raison majeure*, 1936), tantôt dans le conte de symbolisme ironique (*Ville ouverte*, 1942). Il triomphe dans l'enchantement de sentiment, de drôlerie et d'esprit qu'est *Jour de Lumière* (1938), où les figures trouvent moyen, étant pleines de vie réelle et attachante, d'avoir attrait de conte de fées.

Parmi tant de romanciers et de romancières psychologues, il y a place pour des Belges comme Cécile Gilson et Simone Berson, celle-là charmante et celle-ci audacieuse, comme encore Léon Chenay et Henri Davignon.

Une certaine psychologie du « chien crevé », selon le mot de Thibaudet, a pendant cinq ou six ans entraîné quelques jeunes auteurs à la suite de Green, depuis Emmanuel Robin qui racontait une monstrueuse histoire d'aboulique dans *Accusé, lève-toi* (1929) — et qui d'ailleurs s'est « régionalisé » avec intérêt dans *Catherine Pecq* (1933) — jusqu'à des effilocheurs plus distingués. Bernard Barbey dans *Ambassadeur de France* (1934) ne parle nullement de la Carrière. De quoi parle-t-il d'ailleurs ? Il saisit toutes les façons les plus subtiles qu'ont les êtres très évolués de communiquer entre eux. C'est le romancier des gestes ébauchés, des phrases inachevées, de tout un petit univers psychologique incomplet, obscur. *Toute à tous*, où d'aucuns ont voulu voir un cœur de femme amené par un amour défendu à s'absorber noblement dans ses devoirs familiaux, montre à d'autres un personnage féminin de complète atonie morale, avec un art gris et mince plutôt que discret et exact. — Allant plus loin, Pierre de Lescure, en tâtonnant, à l'aide d'un art formé par les romans anglais, distingue des êtres qu'il présente à l'état d'énigmes. Vont-elles être déchiffrées ? On le croit à chaque page, elles ne le sont jamais : *Pia Malescot* (1935) tint parfaitement cette gageure. Mais Lescure n'a pas renouvelé son coup de chance; ses autres romans jouent à de petits rébus psychologiques. On lui souhaite, puisqu'il la mérite, la révélation du grand naturel.

C'est une tendance toute contraire que Jean Prévost représentait (1901-1944). Sa mort au cours d'un combat dans le Vercors n'a pas étonné ceux qui le connaissaient : cœur noble et âme désespérée. Au surplus, Lorrain par sa mère. Mais intellectuellement, ce fils de Normand fut le type parfait de l'universitaire normalien lancé dans la carrière des lettres. Il a touché à tout : littérature sportive, biographie, souvenirs de jeunesse, essais politiques. L'auteur de *Dix-huitième Année*, de *Montaigne*, des *Épicuriens français* (Hérault de Séchelles, Stendhal, Sainte-Beuve) et de la *Création chez Stendhal* (1942) mérite tout de même un titre essentiel, celui de psychologue. Il écrivit *Les Frères Bouquinquant*, histoire déjà populiste d'un drame entre mariniers (1930), uniquement pour convaincre que les gens du peuple peuvent avoir une psychologie complexe. Sa vraie ligne, il l'avait choisie tout jeune, c'était celle de l'introspection intégrale, acharnée, sincère jusqu'à l'envie de suicide. Elle part de *Tentative de Solitude* (1925), effleure *Plaisirs des Sports* et arrive aux « aventures de l'esprit » que content les trois nouvelles de *Nous marchons sur la Mer* (1931). Malheureusement hâte et besogne ont gâché les dons magnifiques de Jean Prévost. *Rachel*, épure d'un amour infernal (1932), n'arrive qu'à contrefaire Stendhal pour la substance et, pour la manière, Benjamin Constant. *Le Sel sur la Plaie* (1934), *La Chasse du Matin* (1937) utilisent à des fins romanesques une documentation intéressante sur les milieux de politique et d'affaires, puis sur la jeunesse contemporaine qui nous est montrée avide, rusée, brutale; mais trop facilement étirés en multiples dialogues, ils découragent le lecteur, que gênait déjà l'obsession barrésienne des *Déracinés*.

Claude Aveline, ayant débuté avec un portrait de ville, *La Charité-sur-Loire* (une plaquette) et des souvenirs d'enfance (*Point du Jour*, 1928), tendres à souhait, a entamé une enquête psychologique sur l'époque présente. C'est peut-être Martin du Gard qui lui a suggéré cette *Vie de Philippe Denis* dont on ne connaît encore que *Madame Maillart* et *La Fin de Madame Maillart* (1930), troublant amalgame d'amour, de maladies, de vices, en même temps que fraîche et virginale jeunesse dans un sanatorium. S'inquiétera-t-on du goût de l'auteur pour le malsain ? *Le Prisonnier* (1937) ne rassurerait pas, car un homme y reste lié toute sa vie à une orientation d'enfance, et Aveline insiste sur ce cas psychanalytique avec toutes les ressources de son intelligence enveloppante et de sa collante douceur. La vérité est que le mystère de la vie et de la mort l'obsède, comme le révélaient les ardentes méditations de *La Promenade égyptienne* (1934), comme le confirment les maximes d'*Avec toi-même* (1945). — On nomme volontiers à côté de ce freudien un auteur d'inspiration proustienne, Louis Martin-Chauffier (né à Vannes en 1894). Quel dommage que *La Fissure*, *Patrice ou l'Indifférent*, *L'Épervier*, aient montré moins d'étoffe que les pastiches réussis de ses *Correspondances apocryphes* et surtout que ses essais de moraliste chrétien, *Jeux de l'Ame* ! Mais *L'Homme et la Bête* où il fouille jusqu'au fond l'épreuve des âmes dans les camps de concentration est un grand, beau et noble livre, une révélation. — Il est permis de préférer un art plus sain que celui de Claude Aveline, plus constant que celui de Martin-Chauffier. Je recommande Roger Chauviré et Albert Touchard. Est-ce de *Mademoiselle de Boisdauphin* (grand prix académique en 1933) que le nom de Chauviré fait souvenir ? Non. Le géographe et l'historien de l'Irlande faisait alors figure de romancier amateur. Mais il peignait déjà une âme obstinée, et il devait affirmer en 1939 son pouvoir d'animer une fiction de l'original et de l'unique : *Cécile Vardoux*. Cette vieille fille, après s'être débattue contre son amour de la vie, s'enfonce dans de vraies déchéances aux yeux de la société, alors qu'en réalité elle s'envole intérieurement aux régions les plus aériennes : cela réalisé en roman d'action, non point en lyrisme ou en commentaires. Il y a dans ce livre robuste un drame initial et plusieurs batailles de caractères. — Albert Touchard, en dépit d'autres livres remarqués, demeure l'écrivain de *La Guêpe* (1935). On s'intéresse dans ce roman original à un ancien officier qui accepte de remplir une mission secrète en Allemagne et de courir ainsi avec un héroïsme qu'il s'impose une dure aventure au-dessus de ses forces d'homme malade, faible, à la merci de ses émotions. L'auteur a voulu montrer en action ce genre de courage qu'est la lâcheté vaincue.

Journal d'un Imprudent, *Prométhée délivré*, *La Beauté morte* (1936-1938) de Georges Blond doivent leur qualité toujours en progrès à une découverte amère, hautaine et cependant fraternelle de la vie.

La revue de cette catégorie romanesque se peut achever avec deux écrivains qui, quel que soit leur âge, semblent y être des délégués de la jeunesse : Blanzat et de Roux. Jean Blanzat est subtil avec beaucoup d'intelligence et de mesure. Si *A moi-même Ennemi* (1933) analyse sèchement l'impuissance d'aimer, *Septembre* (1936) fait passer dans un amour tout l'automne. Puis voici fort bien exécutés dans *L'Orage du Matin* (1942) des tours au trapèze volant du roman par lettres. Sincère et ramassé, Blanzat semble impitoyable, et nous avons besoin de cela. — François de Roux (né en 1897) s'est longtemps partagé entre le journalisme littéraire et les études critiques, puis passé la trentaine, a publié son premier roman, *Jours sans Gloire*, qui lui valut en 1935 un prix important. Il a remporté trois ans plus tard un autre succès avec *Brune*; ce récit de style transparent donne discrètement les traits de la jeune bourgeoise française du XXe siècle à la traditionnelle passion amoureuse de notre roman d'analyse. L'intrigue est attachante dans *L'Ombrageuse* (1947). Un amour de jeune fille n'aboutit pas et toute sa vie en est détraquée sans qu'elle s'en doute, sans qu'elle se comprenne. L'auteur, habile, coupe souvent son fil pour le reprendre et le dérouler avec une force de surprise accrue et dans une langue si parfaite qu'à l'entendre on se sent rajeuni : est-ce que le miracle ne commençait pas dès le titre ? Et maintenant François de Roux va poursuivre, dans une série de récits dont le premier a paru, des desseins plus complexes. Son art offre un double agrément de discrétion un peu distante et d'inaltérable lucidité.

III

INSPIRATIONS ÉTRANGÈRES NATURALISÉES

Le Moi dissocié et dissous, l'analyse intuitive suraiguë des impressions, un goût de la psychologie en profondeur subconsciente reliaient Proust aux romanciers russes. C'est par où l'influence proustienne devait attirer des écrivains d'origine étrangère, certains de naissance russe précisément. Cette famille spirituelle d'aubains s'est trouvée ainsi nationalisée française avec plus ou moins de bonheur.

1. Emmanuel Bove (1898-1945).

S'il eût vécu et écrit dans son pays d'origine, Emmanuel Bove brillerait peut-être de gloire. Transplanté de Russie, cet arbre sain et robuste n'est pas arrivé à faire mûrir ses fruits. C'est dommage pour un romancier qui eut l'imagination peuplée de vies humaines, la force des longues contemplations, la connaissance fraternelle des êtres.

Qu'on prenne un de ses livres au hasard : *Le Beau-Fils* (1934) par exemple, quatre cents pages qui s'agglutinent autour de plusieurs familles emmêlées et que traversent des complications multiples héritées d'un mort qui n'a jamais été bien vivant. La veuve voit surnager le fils de la première femme, elle est d'un milieu supérieur au sien, il subit obscurément son prestige, tout en ne cessant de l'indisposer et finalement de la décourager. Pourquoi ? D'où viennent ses maladresses et ses sottises ? D'un amour qui n'arrive pas à la conscience claire ? De sa situation médiocre ? De sa veulerie orgueilleuse ? Est-il nul ? A-t-il quelque valeur ? Sur quoi donc se fonde-t-elle, elle si souvent méprisante, pour le traiter parfois en homme hors du commun ? Illusion affectueuse ? Dévotion envers le mari perdu ? Quand elle redevient indifférente et dure, est-ce reprise de lucidité ou pur égoïsme ? Autant d'énigmes. Elles se dissolvent sans se résoudre sous une pluie interminable de petits faits qui pénètre jusqu'au style. Ce n'est d'ailleurs pas l'inconscient qui semble les avoir proposés. On dirait le dossier d'une œuvre inachevée.

Bove eût invoqué sans doute les droits d'un parti pris esthétique : il a voulu créer un type d'homme : chômeur de la volonté, impulsif paralysé par toutes sortes d'inhibitions... C'est une telle humanité plate et molle que délayent dans une sorte de peinture à l'eau tous les romans de l'auteur : *Un Soir chez Blutel*, *Un Père et sa Fille*, *La Coalition*, *Les Amis*. On voit moins l'intérêt de l'entreprise que le procédé du romancier; il renchérit encore sur la dégénérescence des caractères : amorçant des scènes, il les fait s'évanouir dans le néant; des personnages, il laisse les sentiments moteurs plongés dans une obscurité totale, mais inspecte la surface de leur existence dans le détail le plus minutieux. Quelle grisaille !

2. Julien Green.

L'ascendance de Julien Green est plus complexe. Né en 1900 à Paris de parents yankees, Edgar Poe anime peut-être ses fantômes de la solitude et de la peur. Irlandais, il n'a pas échappé à la rêverie des impulsifs et des instables. Écossais également, il s'est nourri de la Bible et de l'Évangile. Mais il ne doit assurément qu'à lui-même les curieux tons qu'il donne à ses personnages comme par un procédé de clair-obscur dont il aurait le secret.

Julien Green, ses humanités achevées à Janson, fit la guerre en 1918, dans l'artillerie française, puis alla s'offrir deux années d'études supérieures classiques à l'Université de Virginie, province paternelle. Rentré en France, il toucha à la peinture (il avait vingt et un ans), rédigea des portraits de littérature anglaise (il avait vingt-deux ans), enfin se mit à un roman et le publia dans sa vingt-septième année, c'était *Mont-Cinère*.

L'invisible hante toute l'œuvre de Green; la pensée que notre vie tombe à chaque heure dans le néant l'a amené à tenir son *Journal* (publié partiellement depuis 1938), ces aveux d'un « ami de Dieu » sans religion, d'un amoureux de la nuit, parce qu'elle efface les apparences, d'un obsédé de la mort, qu'il a redoutée et qu'il admire. Green vit aux confins de ce monde-ci et d'un autre qu'il appelle le monde de la vérité. Aussi parle-t-il dans ce *Journal* de grands et mystérieux bonheurs d'âme, soudains et complets, liés à des espérances d'éternité. Mais son existence ici-bas s'enveloppe de pessimisme, d'hallucinant désespoir. C'est une solitude qui se dévore.

Romancier, Green cherche et suit les traces des tragédies cachées sous les apparences des vies calmes, comme si une force de vice et de mal concentrait sa lie au fond des existences les plus quelconques pour en être tantôt le symbole et tantôt la revanche. Non pas une force nette et décidée. Tel individu-loque, tels désirs qui n'aboutissent pas, tels gestes qui hésitent, voilà son affaire. Mais tout à coup, la tête s'égare, la colère éclate, le crime s'acharne, pourtant involontaire. Et tout autour, des détraqués, des imbéciles. Aboulie et instincts trop longtemps refoulés, fureur passionnelle et folles impulsions, jalousies et avilissements : enfer imprévu et presque inadmissible dans les décors de nature splendide dont l'auteur l'a entouré. Green est donc le romancier d'une humanité faible, effrayée, que domine la triple fatalité de l'amour, de la terreur et de la mort.

Mont-Cinère (1926), histoire américaine du dernier siècle, peint, dans le vide austère des jours, un cœur puritain que la tyrannie familiale pousse au crime. *Adrienne Mesurat* (1927) creuse la province française, derrière la jeune fille tyrannisée par son père, dédaignée par sa sœur, et, après le meurtre du père, tyrannisée par elle-même, jusqu'au secret bien gardé des existences closes où des haines se contraignent, où des folies se forment. *Léviathan* (1928) évoque par son titre le monstre biblique pour symboliser le terrible sort, provincial aussi, de vies possédées, maudites, inconscientes et humiliées : ce professeur criminel et traqué, ces femmes romanesques et refoulées, cette prostituée auréolée de souffrance et travaillée d'obscures velléités mystiques. Les membres de la famille parisienne d'*Épaves* (1932) sont tous candidats au drame; le héros est mouvant et traître comme l'eau de la Seine dont il hante les quais, miroir de son propre écoule-

1929). Il jette des brandons stendhaliens dans un brasier d'étrangetés slaves. *Gueule d'Amour* (1926) tourne autour d'une prenante diablesse. Les âmes non axées ont la préférence de l'auteur, qui dans l'*Entrée du Désordre* (1925) a peint le dérangement mental jusqu'à pousser son lecteur au bord de l'hallucination et, dans *La Ville anonyme* (1925), a rendu un compte hoffmannesque de l'Europe bouleversée par les tornades sociales.

Beucler, comme Jean Prévost, comme Pierre Bost, peint dans l'ensemble une humanité de petites gens. Ce n'est cependant pas encore le populisme. Celui-ci fera vivre l'homme sous le joug de la fatalité sociale qui doit déterminer lugubrement sa psychologie, son être, son destin. Chez ceux-là, on reste capable de bonne volonté récompensée et d'erreur punie, de liberté, en somme, et quelle que soit l'humilité du sort où l'on vit, on garde encore valeur humaine.

6. Georges Simenon.

Au tour d'un Belge. Né à Liége en 1903, d'un Wallon et d'une Hollandaise, Georges Simenon porte certainement en lui, mêlés à des constructions aussi nettes que rouées, des brouillards de port flamand, d'infinis reflets de canaux. On connaît son enfance par *Je me souviens*, sa jeunesse par *Les Trois Crimes de mes Amis*. Il fut journaliste à Paris, de dix-huit à vingt ans, puis devint Sim, fabricant de romans populaires. En moins de vingt années, il a mis au monde plus de quatre cents volumes, parmi lesquels tout le cycle Maigret. Car il a inventé cet inspecteur de police qu'on dirait formé par la lecture de William James et de Bergson, cependant vraisemblable. Voilà le roman policier métamorphosé en roman de psychologie intuitive. Quelle élévation dans la hiérarchie des genres ! Déjà *Le Charretier de la Providence* avait ravi les lettrés en loisir de grandes vacances.

Puis Simenon se fit psychologue et frôla la perversité. Avec une lenteur étudiée il silhouetta des déchus comme le M. Hire des *Fiançailles* (1933) ou comme les tristes héros du *Coup de Lune* (1933); à les suivre, on se sentait comme possédé et hagard.

Enfin vinrent *Les Pitard*, *Le Testament Donadieu*, *La Mauvaise Étoile*. romans d'atmosphère plus que d'aventure, dans lesquels on dirait que l'imprévu de l'action introduit une réalité de plus. Les personnages y vivent avec une densité mystérieuse, à l'aide de petits faits, de scènes courtes, de rares paroles.

Il est certain que Simenon ne se prive pas de certains procédés de cinéma et de roman-feuilleton. Il s'incruste aussi dans les siens propres, dont on dirait qu'il a tenté la parodie avec *Le Bourgmestre de Furnes* (1938), car le héros de cette histoire pousse aux extrêmes limites de la vraisemblance les réticences indéfiniment répétées qui nous enfoncent avec lui dans on ne sait quel aquarium de la vie inconsciente, secrète et à demi morte.

vouloir atteindre non pas autre chose que le réalisme, mais exactement son envers. — Albine Léger, qui fut une traductrice à la fois exacte et inspirée de Charlotte Brontë, de Lawrence, de Maurice Baring, a parfaitement réussi son roman d'atmosphère, *Élissa*, où la difficulté était double : différencier trois femmes en constante présence mutuelle sous des regards d'hommes, entretenir une vie pathétique dans la maison de campagne où rien, à peu près rien, ne se passe, sinon que le souci d'amour y est de toutes les journées, de toutes les minutes.

2. Le vert paradis.

Les années d'enfance ont orienté le roman comme des astres de rêve. Le naturalisme douloureux de Daudet, précurseur, cherchait dans *Jack*, qui est de 1876, une amertume délicieuse; le réalisme de Vallès a trouvé dans *Vingtras*, qui est de 1879, une apaisante revanche. On a aussi connu des enfants malheureux chez Jules Renard, Boylesve, Chérau; des enfants presque heureux chez Romain Rolland, France, Hermant. On s'est amusé du *Poum* des frères Margueritte (1897), de *Mon Petit Trott* (1899) d'André Lichtenberger; le *Charles Blanchard* de Charles-Louis Philippe reste émouvant, l'enfance de Proust est un chef-d'œuvre. De Séverine, une *Line* posthume a paru, histoire d'une petite fille très sauvage, passionnée de justice, celle que la grande journaliste fut sans doute elle-même entre 1855 et 1865 au fond de sa Lorraine.

Depuis lors, l'enfant a conduit ses jeux ou ruminé ses misères chez Duhamel, Derème, Robert Francis. *L'Enfant inquiet* d'André Obey (1919), le *Grigri* d'Henriette Charasson (1922), *Un Gosse* de Auguste Brepson, *Le Point du Jour* de Claude Aveline (1929), *L'Adieu à l'Enfance* (1926) de César Santelli, *Le Temps vert* (1931) de Josette Clotis, morte jeune en 1943; *Caroline ou le Départ pour les Iles* (1929) de Félix de Chazournes, ont fait vivre une lignée solidement constituée. *L'Enfant* de Gérard d'Houville n'est pas un roman, mais la somme du jeune âge, rassemblée par un moraliste, un conteur et un poète (1926). Nulle part plus que dans *La Maison des Bories* (1932) et dans *Le Raisin vert* (1935), de Simone Ratel, l'exactitude et une spirituelle complicité n'ont servi à peindre les enfants de l'entre-deux-guerres, presque privés de parents, et qui eurent des années secrètes, qui vécurent d'obscures féeries.

Livres fort divers, dévouement aux journaux écrits et parlés ne doivent pas éclipser l'ouvrage essentiel de Pierre Descaves, témoin de la résistance passive rhénane aux Français de 1920. *L'Enfant de Liaison* (1929), titre émouvant : il s'agissait de l'innocence et de l'humanité des enfants employées à un essai d'entente entre les deux peuples. Le récit est finement observateur, fait de scènes bien découpées et qui tremblent d'émotion pourtant surveillée.

3. Autres nostalgies.

René Bizet (1887-1946) a écrit des romans et contes de poète. *La Sirène hurle* (1918), *L'Aventure aux Guitares* (1920), *Anne en Sabots* (1926), *La Petite Fille que j'aime* (1928) l'ont fait comparer à Nodier. — Plus près de nous un conteur moraliste, André Fraigneau, continue la littérature raffinée de Marsan, avec plus de nerf et de tradition, dans *La Grâce humaine* (1938). Trois ans plus tard, *La Fleur de l'Age* apportait les plus étourdissantes impressions de voyage qu'on eût lues depuis les nervaliennes *Amours de Vienne*.

Le titre général des principaux récits de Robert Francis (né en 1907), *Histoire d'une Famille sous la IIIe République* (1932-1937), trompe beaucoup. Aucune peinture de mœurs. Aucun tableau de l'époque. Mais un recueil de scènes prenantes dans la brume des souvenirs, à travers une ville dont les rues ont l'air de conduire à un autre monde, sur un fond de pays où il pleut énormément. Tout se passe dans un halo de bruine lumineuse. Le premier roman de la série, *La Grange aux Trois Belles*, fait grandir dans un domaine paysan des Flandres trois petites filles qui regardent toutes choses comme un défilé d'images. Ainsi regardera à son tour le narrateur de *La Maison de Verre* et du *Bateau refuge*, c'est le fils d'une des trois petites Flamandes devenues femmes. Cette puérilité agace à la longue, elle est pourtant essentielle à l'œuvre, elle favorise le jeu de ce genre de récits qui sertissent le plus touchant, laissent tomber le reste, et s'accommodent trop bien des artifices de l'évocation ou du raccourci. L'auteur ne fuit d'ailleurs pas la réalité, il la redistribue : Émilienne, la directrice du pensionnat à la dérive, quand elle oblige sa sœur Angèle, solitaire dans la retraite de la Grange, à vendre cette maison de famille, anime un épisode écrasant d'horreur; c'est un comique balzacien qui secoue d'autres pages. La chimère amoureuse orne les plus touchantes. Enfin, autour du couple Patrick-Émilienne (épaves d'une vie de vaine imagination et de regrets), le tourbillon des jours entraîne quelques autres étranges fièvres humaines. Les dialogues se remarquent à leur sourde hâte, avec de brusques éclats qui les font retentir. Le plus curieux, c'est l'atmosphère, faite d'une sorte de solitude généralisée; au lieu d'installer les âmes individuelles parmi les choses, elle les isole, les enferme, au point de les faire respirer dans un air d'irréel qui dépayse le lecteur tout en l'enchantant. Le défaut général est une forte monotonie. L'auteur a tenté de se renouveler dans quelques romans plus récents, avec un médiocre succès.

Kléber Haedens, déjà satirique amusant dans *L'École des Parents* (1937), s'est jeté dans le divertissement absolu avec *Salut au Kentucky* (1947).

II. — *GOUT DU FANTASTIQUE*

Le roman fantastique pur a son représentant en Maurice Renard, bon écrivain qui a su donner au genre une base d'hypothèses scientifiques et vraies, voire vraisemblables (*Le Docteur Lerne Sous-Dieu*, *Le Voyage immobile*). Les êtres éthérés de *Péril bleu* (1911), qui traitent les humains en cobayes, équivalent aux Marsiens de Wells, et *L'Homme truqué* (1923) dépasse Wells en rigueur. *L'Homme chez les Microbes* a amorcé une série de vulgarisation romancée. — S'amusant aux plus folles logiques du merveilleux scientifique, mais ne pouvant oublier qu'il fut un promeneur psychologue et spirituel, Jacques Spitz (né en 1896) fait tourner ses histoires diaboliques (*L'Agonie du Globe*, 1935; *L'Homme élastique*, 1938) au conte voltairien du type *Micromégas*. — D'abord caricaturiste de la petite bourgeoisie provinciale dans *La Rose des Vents* (1928), puis humoriste satirique du *Septième Jour* (1931), c'est-à-dire du week-end (coutume alors toute neuve) des employés d'une banque, et de *La Bête écarlate* (1934), c'est-à-dire de la canaille des gangs, devenu ensuite romancier moralisateur de *Fin et Commencement* (1932) qui raconte l'agonie de la vallée de l'Andelle, mais propose pour ce mal économique et social un remède sentimental assez enfantin, René Trintzius, né à Rouen en 1898, semble vouloir désormais chercher son fantastique dans le réseau des influences planétaires et donner des forces occultes pour protagonistes à ses fictions.

Franz Hellens aime l'enfant, et il le comprend (*Le Naïf*, 1926). Il a étendu sa compréhension aux adolescents (*Les Filles du Désir*, 1930), ainsi qu'il l'avait fait aux noirs et à leur sorcellerie (*Bass-Bassina-Boulou*, 1922). Tous ces humains plongent dans un monde trouble d'émotions sensuelles à travers lesquelles soudain l'irréel, l'impossible se font jour. C'est dans *Mélusine* (1920), dans *L'Œil de Dieu* (1925), que la réalité de tous les jours communique le mieux avec les réalités fantastiques. Mais celles-ci n'accaparent point Hellens; des livres plus récents, *La Femme partagée* (1929), *Frédéric* (1935), révèlent ses qualités de psychologue hardi et exact, de naturiste somptueux et pourtant délicat. La merveille suprême éclôt dans la vie naturelle, et cet écrivain irréprochable n'aura dû peut-être finalement à ses prémisses fantastiques qu'une aération et comme un fond d'or pour ses meilleurs portraits.

Belge comme Hellens, écrivain français moins pur mais plus puissant, Robert Poulet dans *Handji* (1930), dans *Les Ténèbres* (1934) — ces confidences de l'hallucination et de la folie — s'est affirmé comme un explorateur habile des imaginations montées au sommet de la souffrance et du désir, engagées dans l'irréel. Les fantasmagories du cinéma malaxées avec celles du monde freudien emplissent d'un humour féroce *Le Trottoir* (1931) et, corsées par les paniques de 1940, *Prélude à l'Apocalypse* (1943). — Georges Imann essaie de refléter son époque par le biais de l'exception monstrueuse, de l'érotisme et du cauchemar. *Nocturnes* (1922) peint la naissance du bolchevisme à Genève dans le monde des révolutionnaires russes mêlés aux diplomates et aux espions; *L'Enjoué* (1923), c'est un Russe alcoolique à la Salpêtrière. — Jean Guirec obtient un certain halo de fantastique moins par des procédés que par un sentiment sincère des choses dans *La Maison au Bord du Monde* (1937), son livre le plus représentatif. Si *La Troisième Cour* (1948) fait penser à certains films parlants que les gamins inspirent à Daquin, c'est d'une poésie de film muet que *L'Enchantement de la Nuit* (1938) donne la nostalgie.

On ne saurait refuser à ce chapitre le nom de Maurice Garçon; car s'il fut le biographe de Huysmans et de Vingtras, il l'est aussi du diable en personne. A vrai dire, contre le diable, c'est-à-dire pour son enquête sur *Le Diable* (1926), menée à travers l'humanité névrosée et perverse, il s'était assuré le soutien du docteur Vinchon. Mais seul, il a fait une synthèse incarnée et vivante de toutes les sorcières, l'a appelée *Guillemette Babin*, fille du XVIe siècle, et a raconté sa *Vie exécrable* (1931).

Terminons avec quelqu'un qui nous fera sortir de tant de noir. Marcel Aymé avait paru tout d'abord vouloir évoluer dans le fantastique. Il en a gardé quelque chose dans plusieurs de ses romans : le bizarre prolongement de merveilleux insolite et de symbole déformant qu'il y donne en virtuose à la rusticité villageoise. Il en a même encore gardé beaucoup lorsqu'il a inséré des rêves d'enfants dans la réalité quotidienne : *Le Mauvais Jars*, *L'Éléphant* (1935), ingénus, cocasses, bouffons et attendrissants, sont des chefs-d'œuvre du conte. Mais ce qui assure la réputation d'Aymé, c'est sa production de satires à la fois réalistes et allégoriques, amères dans le fond, mais de bonne humeur à la surface : l'auteur a le caractère des gens de cette Franche-Comté d'où sort sa famille, bien qu'il soit né en 1902 à Joigny. Il l'a seulement poussé à l'extrême. *La Jument verte* (1933), qui ressemble à un Téniers par son réalisme de farce, fait une violente peinture de nos campagnes au temps de Boulanger, elle serait sombre et méchante si ne l'éclairaient un ou deux personnages joyeux et surtout si l'esprit de l'auteur par moments ne réinventait un peu Cazotte et d'autres fois Rabelais. Il va alors jusqu'à cette poésie qu'il devait incarner dans la personne de M. Watrin, l'amateur de planètes, personnage cocasse et exquis d'*Uranus*. Aymé s'est attelé avec grand succès au roman satirique de la France contemporaine en plusieurs livres éclatants de santé (*Travelingue*, *Le Chemin des Écoliers*, *Uranus*). Un humour baigne, pénètre le tout, un humour français et de terroir, une façon lucide, calme, remarquablement impassible, de raconter des choses énormes : ce qui lui permettra de triompher au théâtre.

III. — *LES ÉNIGMES POLICIÈRES*

S'évader, n'est-ce pas, au sens propre, se divertir ? et les analyses de tant de romanciers, ces longues stations devant les états d'âme de leurs personnages, divertissent-elles auteurs et lecteurs ? Chercher l'oubli dans la lecture romanesque, c'est vouloir des faits, des situations, des actes, plutôt que du commentaire moral ou psychologique. Un Stendhal, un Balzac savaient bien que toute psychologie doit devenir agissante; leurs successeurs ne l'ont-ils pas souvent oublié ? Le roman policier est capable de le leur rappeler, affirmait avec une piquante apparence de paradoxe François Fosca dans son indispensable *Histoire et Technique du Roman policier* (1937). Fosca (Georges de Traz, frère de Robert et né à Paris en 1881) a un goût vif pour tout ce qui ressemble à l'*Histoire des Treize*, et son *Monsieur Quatorze* (1923) est d'un vrai conspirateur. Cinq ans plus tard, *L'Amour forcé* (1928) révélait un moraliste d'expérience. A lire son exégèse de la fiction policière, on se dit que ce genre, même s'il doit rester inférieur, pourra fort bien passer pour l'Aix-les-Bains ou le Spa du roman. On songe à une tête de chapitre : « Une cure, le roman policier ».

Il a un ancêtre : Zadig. Dans la lignée reconnue comptent le Dupin de Poe, le Lecoq de Gaboriau, le Sherlock Holmes de Conan Doyle. Si deux maîtres vivants les continuent, l'un s'appelle Georges Simenon, qui a su faire descendre la méthode de l'intuition bergsonienne jusque dans le tuyau de pipe de l'inspecteur Maigret; l'autre est Pierre Véry. Nous avons parlé de Simenon. Quant à Véry, on voit bien que ce Charentais (né en 1900), qui a exercé maints métiers, invente à tire-larigot; mais ce n'est pas le passage à l'écran de ses meilleures œuvres, de *L'Assassinat du Père Noël* à *Goupi Mains-Rouges* (1937), qui doit fermer nos yeux à leur valeur romanesque et même poétique. — En comparaison, Gaston Leroux et Maurice Leblanc rétrogradent vers le roman-feuilleton. — Jacques Decrest, qui a donné à Maigret un collègue, M. Gilles, et qui n'est autre que J.-N. Faure-Biguet, le brillant biographe de Gobineau (1930), le sage commentateur de Montherlant (1925), affine le roman policier jusqu'à un véritable excès de littérature. — Claude Aveline, dans *La Double Mort de Frédéric Belot* (1946), a travaillé au même relèvement du genre avec une plus insistante psychologie.

V

PEINTURE DES MILIEUX

I. — *TABLEAUX DIVERS*

Faisons, pour commencer, un léger retour en arrière. L'éclairage littéraire qu'on vit si propice avant 1914 à la fantaisie ironique, est assez curieux à surprendre rétrospectivement sur le visage de tel écrivain qui par la suite s'est intéressé aux disciplines de la société.

Le comte de Comminges (1862-1925), ancien officier de cavalerie, auteur d'ouvrages sur l'équitation, avait en effet commencé son œuvre de romancier avec le siècle, et *La Comtesse Parnier* (1903) a un peu le ton d'un Toulet, d'un Gérard d'Houville. Or il ne devait pas en rester là. Plus tard, il entreprit l'histoire d'une famille, *Les Blérancourt* (1928), et c'est dans un esprit de sévérité et de nostalgie qu'il évoque le monde raffiné mais clos, contenu et discipliné mais plein d'instincts vicieux et de menus ridicules, qu'il connaissait bien. L'œuvre est posthume.

La gravité pensive de Comminges s'enveloppa d'ailleurs jusqu'au bout d'un charme souriant; et notre imagination n'a pas de peine à le voir tenir son rôle d'observateur dans le salon de Mme de Peyrebrune ou de Mme Claude Ferval, les plus en vue des femmes écrivains du monde, qui étaient alors en pleine offensive victorieuse. — Plus jeune, Mme Camille Marbo obtint le prix Fémina en 1913 avec *La Statue voilée*. Elle a peint ses pareilles avec une intention d'apologie; *Le Perroquet bleu* porte un titre trompeur, car les contemporaines y sont vues en rose. — Pauline Valmy, plus proche du peuple, plaidait dans le même temps pour son sexe, pour la légitime part de son sexe dans le couple comme dans la société, oh ! en franche romancière (*La Chasse à l'Amour*, 1913; plus tard, *Isolées*, 1926), passionnée de vie saine et naturelle.

Ces peintres de milieux, ou plus exactement de classes, loin de rompre avec la vie générale, ont réalisé un compromis avec le roman d'analyse. N'était-ce pas le cas déjà d'un Carco et de bien d'autres ? C'est le cas encore d'un Kessel, d'un Fabre, d'une Némirowsky.

Chez Joseph Kessel il y a eu partage plutôt que compromis. L'ingrédient romanesque a-t-il servi ou desservi l'auteur de *L'Équipage* dans son dessein ? Il est difficile d'admettre sans sourciller le hasard qui a fait des deux frères d'armes l'un le mari, l'autre l'amant d'une même femme dont ils se parlent souvent. Chacun garde d'elle une image si unique qu'après tout le lecteur y consent; et de grandes beautés naissent de cette donnée : le remords du jeune homme quand il découvre la vérité, le combat dans l'âme de l'homme quand elle lui est avouée. Au surplus, ne fallait-il pas que la fraternité d'armes triomphât ? que la vraie maîtresse ou la vraie épouse fût la guerre ? D'où un arbitraire fatal qui fait un trou dans ce noble livre d'analyse. Par ce trou, élargi jusqu'au succès de gros public, est passée ensuite la série mélo-dramatique des peintures de *Nuits de Princes* (1930) aux *Enfants de la Chance* (1934), avec le piment érotique de *Belle de Jour*. Mais cependant, jusqu'au bout, un art de barbare dépaysement a soutenu l'invention d'un éternel dépaysé. Kessel naquit, en effet, à Clara (Argentine), en 1898, de juifs russes émigrés : le reportage l'a répandu sur la planète et Pékin, au passage, l'a marié à une Roumaine. Il nous a peut-être donné pour chef-d'œuvre un conte exotique, *Mary de Cork* (1925). A moins que ce ne soit *Les Captifs* (1926), captifs des sanatoria, tragiquement pressés de se gorger de vie. Enfin ne faisons pas la petite bouche. Kessel a fondé la littérature de l'avion, il a romancé l'amour du risque, et il est l'auteur de l'admirable *Mermoz* (1938); il a décrit des situations osées et peint des âmes violentes, qu'il n'a que le tort de vouloir nous faire prendre pour de grandes âmes, avec placidité d'esprit et de style. — *Rabevel ou le Mal des Ardents* du poète Lucien Fabre (prix Goncourt 1923), qui conduit le procès de l'après-guerre avec un grand financier pour accusé principal, a l'originalité de traiter une histoire d'affaires en roman d'aventures et d'apporter une précision mathématique à l'analyse des caractères. Malheureusement le héros est faussement balzacien, l'intrigue rocambolesque et le style privé d'art. *Le Tarramagnou* (1925), qui romance la grotesque aventure de Marcelin Albert et *Le Paradis des Amants* (1931), qui décrit un enfer, ont confirmé l'impression du premier livre, à savoir que la psychologie de Lucien Fabre se livre dangereusement à des violences qu'elle calcule mal. — N'est-ce pas aussi le soulèvement des vignerons que Raoul Stéphan a pris pour sujet de son *Becagrun* (1935), lequel prolonge, au moins par un sens vigoureux des drames de la terre, *Monestié le Huguenot* (1926) ? Mais le romancier, qui est aussi l'historien psychologue de *L'Épopée huguenote* (1946), n'a pas imaginé des récits moins aisés pour dire sa *Dévotion à l'Amour* (1924) ou pour creuser le problème de la paternité (*Le Fils de ma Chair*, 1934) ou pour retrouver les émerveillements de son enfance (*La Féerie nîmoise*, 1941). — Irène Némirowsky, déportée et morte en 1944, prenait pour décor de ses livres la société cosmopolite installée au cœur de Paris depuis l'autre guerre; elle dresse dans ses premiers plans une humanité exceptionnelle et presque monstrueuse pour y incarner la fatalité qui pèse sur Israël : dans *David Golder* (1929), un banquier féroce mais dévoré par femme et fille plus féroces que lui; dans *Le Vin de Solitude* (1931), de tristes femmes sataniques; dans *Jézabel* (1937), une coquette qu'affolle le vieillissement... L'âme slave de l'auteur lui a fait étendre l'excuse de l'ennui désespéré à tous les épisodes d'un drame qui transportait dans son œuvre celui de sa race. — Christian Mégret se laisse trop porter par les occasions, les actualités et les modes. Cette passivité ne lui a pas encore permis de faire rendre à son talent ce dont il est capable. A un moment où notre administration coloniale se trouvait battue en brèche, il a caricaturé les petits singes de bâtisseurs d'Empire dans *Les Anthropophages* (1937). Un refuge d'orphelins lui a donné l'idée de *Ils sont déjà des Hommes* (1938); il y représente un de ces camps de misère qui livrent les enfants à leur démon sauvage et destructeur. *Les Fausses Compagnies* (1939) essaient de tourner en fantaisie le désespoir d'une jeunesse qui ne mangeait pas toujours à sa faim dans les années de la grande crise. *Jacques* (1942), roman de guerre, est une allégorie plutôt que de la vie. Dans ses derniers livres,

Mégret s'enfonce trop dans l'immédiat, dans le sans-lendemain : qu'y entendra-t-on dans vingt ans ? Il se sacrifie pour ses contemporains.

De tels sacrifices sont fréquents. Celui d'une noble femme comme Louise Hervieu est bien émouvant, lorsqu'elle s'acharne, avec les horreurs de *Sangs* (1936), à ameuter une opinion négligente contre le fléau d'une maladie qu'un jour prochain on guérira. Lorsqu'on guérira la tuberculose, *Les Allongés* de Jeanne Galzy perdront toute la précision de leur pathétique. Et comme elles flotteront dans nos regards, *Ces Dames de l'Hôpital 336* et *Les Inépousées* de l'autre guerre que Geneviève Duhamelet clouait à leurs tristes conditions d'existence ! Déjà s'effacent les couleurs de la vie dans *La Main passe* où Constance Coline présentait la défense des jeunes filles très libres des après-guerres. Les œuvres de circonstance, pour être grandes, exigent soit une belle force de comique ou de tragique, soit une vision originale, soit des caractères puissants. On est sur la bonne voie avec Pierre Chanlaine, de qui je retiens surtout ses *Concessionnistes* (1924).

On a comparé à *La Barbara* de Thomas Hardy le plus significatif des romans de Pierre Varillon, *Jérémie* (1931), tumulte d'amour, de politique et de fatalité. C'est l'art propre à Varillon d'insérer intimement les drames individuels dans les drames généraux de la profession, de la nation et du siècle; et à ce point de vue, l'aventure qui dans *Le Massacre des Innocents* incarne la déception tragique en 1939 des combattants revenus de l'autre guerre, nous secoue autant que *Jérémie*, plus fort que *Belle Jeunesse* (1923) et que *La Fausse Route* (1926). Varillon, curieux homme qui assure presque seul la défense de notre marine devant l'opinion...

Les catégories trop rigides de l'histoire littéraire cadrent mal avec les réalités du mouvement et de la vie. On le verra une fois de plus à l'occasion d'écrivains qui pourtant ramassent leur œuvre dans la peinture de milieux déterminés. Tel qui s'applique à étudier une classe sociale, tel autre qui a mis toutes ses chances de romancier dans des tableaux de l'Église ont si bien réussi à évoquer des âmes qu'on ne sait plus ce qu'ils sont davantage, des historiens de mœurs ou des psychologues.

André Billy, par exemple. Il s'est longtemps dispersé. D'abord courriériste littéraire, puis critique en divers journaux, après quelques contes et souvenirs, après quelques récits et nouvelles assez dix-huitième siècle comme *La Trentaine* (1925), on l'a vu se jeter à partir de 1932 dans une série de romans qui révèlent un impitoyable médecin Tant-pis de la maladie d'amour; il utilisait des confidences; mais *La Femme maquillée*, *L'Amie des Hommes*, *Quel Homme es-tu?* (1932-1936) sentent trop la hâte et ne valent pas le recueil de nouvelles réfléchies et sincères, *Route de la Solitude* (1930), où l'observation ici ironique, là nostalgique, a engrainé une bonne moisson. Enfin voici Billy arrivé à sa vraie affaire. Il le doit à l'expérience intime d'un monde dont son enfance s'était imprégné à Saint-Quentin (où il naquit en 1882) et dans laquelle *Benoni* (1907) avait puisé déjà. Certainement ses anciens maîtres jésuites imaginent quel curé Billy eût pu être, quel évêque devenir. Onction, autorité, science, j'entends la science canonique, fleurissent sur ses lèvres et sous sa plume. Existe-t-il beaucoup d'écrivains laïques à pouvoir comme lui ne laisser ignorer à leurs lecteurs absolument rien de la hiérarchie, des prières et du cérémonial ? *L'Approbaniste* (1938), dont il faut admirer l'intelligente simplicité de composition et la fermeté sensible du style, fait vivre intensément un apprenti congréganiste au milieu de ses éducateurs; et le récit ne diminue nullement ces hommes qui meurtrissent et qui broient par devoir. Que de chapitres sont à la fois singuliers et parfaits ! Le plus beau, où un missionnaire vient évoquer à l'esprit de ses futurs émules les martyrs de Chine, a la grandeur d'une veillée d'armes. *Introïbo* (1939), de même veine, n'est plus d'expérience aussi directe. Ce drame de deux insoumis en lutte avec une des plus grandes exigences de soumission que connaisse le monde, a lui aussi des sommets et le plus haut est atteint dans une messe d'ordination tragiquement insolite, mais dont le genre de vérité est celui de Villiers de L'Isle-Adam ou de Barbey d'Aurevilly. L'ensemble du roman froisse à plusieurs reprises la vraisemblance, quoique lié ou parce que lié aux événements réels qui l'ont inspiré.

Est-il besoin de souligner le contraste de telles peintures avec celles d'un Bernanos ? Un autre peintre de milieux ecclésiastiques, Maurice Brillant (né en 1881), est fils spirituel de Bremond et descendant d'Ollé-Laprune, mais apparenté aussi à Anatole France, dans *Les Années d'Apprentis-*

sage de Sylvain Briollet (1921). Il est curieux qu'un second roman donné comme pendant au premier dise tout ce que Brillant sait du monde du théâtre : *L'Amour sur les Tréteaux* (1924). Il en sait beaucoup, d'ironiques circonstances l'y ayant fait vivre.

D'autres écrivains se mesurent avec les milieux bourgeois : Mazeline, Guilloux, Jolinon, Plisnier, Braibant, Hériat, ayant choisi chacun d'explorer un compartiment différent.

Guy Mazeline a développé l'ample chronique des Jobourg, famille d'armateurs havrais (famille ? dynastie ? tribu ?) dont il est le compatriote, né lui-même d'une lignée analogue en 1901. *Les Loups*, prix Goncourt 1932, *Le Capitaine Durban*, *Les Iles du Matin*, *Le Grand Hiver* (1938) font vivre ce monde avide et féroce, cette citadelle de respectabilité étouffante, mais y mettent en valeur la grâce des femmes. Et l'une, une Durban, Élisabeth, l'oiseau qui s'est envolé pour les Antilles, encadrait de bandeaux noirs un visage de nonchalance romanesque. Elle a voulu, celle-ci, parier pour le bonheur dans l'aventure, elle a perdu : est-ce irréparable ? Mazeline a bien l'air de le penser, malgré les douceurs de *L'Amour de soi-même* (1939). C'est peut-être une forme de pessimisme, ce soin avec lequel il noie et dissout dans l'innombrablement et infiniment petit de ses récits pareils à des cendres, oh ! chaudes encore, une psychologie vigilante par l'amour, et puissante par l'ironie. Il avait fait de même dans *Un Royaume près de la Mer* (1931), drame de passion en même temps que de désaffection terrienne, où une vie intérieure affleure presque mystérieusement. — Louis Guilloux s'était préparé avec *La Maison du Peuple* (1927) et *Dossier confidentiel* (1931) — révolte intérieure de la jeunesse qui grandissait pendant l'autre guerre — à déployer dans *Le Sang noir* (1935) tous les affreux aspects de la vie bourgeoise en une seule journée de Saint-Brieuc, pendant la guerre encore. Forcé dans le ton, faux dans les personnages, le livre a le caractère d'une machine de guerre sociale, sur laquelle le drapeau de l'optimisme flotte pauvrement. L'auteur a dégagé du réalisme une fleur d'espoir plus net dans *Le Pain des rêves* (1942). Voilà, en effet, une humanité pauvre et contrainte, mais dans laquelle chacun se fait une raison de vivre : fût-ce simple marotte, elle dépasse la vie misérable et l'âme se trouve peut-être sauvée. — Joseph Jolinon, Lyonnais (né en 1887), romancier du sport et romancier de la guerre, écrivain de verve vaillante, semble avoir assouvi avec un tempérament de conteur de fabliaux une rancune personnelle contre les bourgeois de sa ville. L'histoire des Debeaudemont qui se déroule dans trois livres, *Dames de Lyon* (1932), *L'Arbre sec* (1934), *Le Bât d'Argent* (1935), devient sous cette plume qui a réhabilité *Mandrin* (1936), qui prépara jadis un mélange détonant de Rabelais et d'Aristophane pour *Le Meunier contre la Ville* (1936), une triste épopée du pharisaïsme. La saine chronique des *Provinciaux* comprendra douze volumes.

L'origine chartiste de Charles Braibant le maintient à mi-chemin du roman et de la chronique historique. Ses héros existent par eux-mêmes, mais il les veut aussi témoins. Mâlise et son fils dessinent donc à eux deux la courbe descendante d'une bourgeoisie villageoise de Champagne dans *Le Roi dort* (1933), livre chaud et d'odeur forte comme une terre qui fume sous le soleil. Braibant, gaillard qui n'a presque pas assez peur des mots, pousse sa narration avec une force mâle; droite et pleine, elle respire un vrai génie de la simplicité naturelle et les grandes scènes qu'elle isole çà et là montrent un beau volume humain dans l'émotion. La farouche tentation amoureuse qu'éprouve une belle paysanne chaste, l'héritage imprévu qui la charge de responsabilités, la mort du fils, les éclats de la tragédie familiale sont de larges précipitations de cours dans ce roman-rivière aux eaux profondes. Et combien d'adorables remous, par exemple le geste de la vieille servante qui, pour ne pas mentir à sa promesse de garder un secret torturant, va dans le fond du jardin le raconter aux abeilles ! Après les nouvelles rassemblées dans *Resplandine et d'autres Victimes* (1934), le romancier a voulu concrétiser et personnifier la névrose qu'il attribue à la bourgeoisie de la Troisième République et qui crée, dit-il, le danger de fascisme. Une disposition de vaincu inflige donc au jeune héros du *Soleil de Mars* (1938) la peur de la vie et le besoin maniaque de sécurité, ratatine de « pauvres petits cœurs » chez les héros du *Rire des Dieux* (1942), retient la belle *Irène Soubeyran* (1945) dans une mesquinerie calculatrice et jalouse qui refuse le bonheur à sa sensualité et à ses ambitions. Braibant conduit son œuvre en homme qui a réfléchi aux assises sociales de la psychologie individuelle et qui l'a fait avec un amour violent de la vie. Mais pourquoi donc s'est-il mis à écraser sa psychologie sous des avalanches de discussions politiques ? C'est tout juste si le Traité de Versailles ou le Poincarisme n'en viennent pas à lui fournir ses personnages principaux. Comme il est aussi l'auteur de livres d'histoire, qu'il a tenu un journal pendant les années de guerre, que son *Secret d'Anatole France* (1935) est plein de trouvailles, on peut toujours craindre qu'il ne se mette à négliger ses dons de romancier.

D'abord poète, Charles Plisnier apparut dans *Mariages* (1936) merveilleusement capable de donner la vie à des fictions, quoique certaine démarche empruntée du récit fît mal éclater des scènes pourtant fortes. Plisnier avait monté là une machine infernale contre le patronat industriel des provinces. On ne s'étonna point qu'il fouillât ensuite dans le secret des milieux révolutionnaires : ce furent les nouvelles très suggestives, disons même instructives, de *Faux Passeports* (1937). Puis il revint aux parages de ses débuts. Les cinq épisodes de *Meurtres* — achevé en 1941 — déroulent le drame d'un homme, la tragédie d'une famille et d'un monde. Un groupe humain, la grande bourgeoisie d'argent, perd son âme sous nos yeux. Les personnages vivent réellement, le récit qui les emporte va d'un mouvement qui les mêle à lui et à nous. Dans la vie totale se fond la durée intime et mystérieuse des pensées, des rêves, des instincts, devinés comme en transparence. Comment Charles Plisnier a-t-il pu se laisser tomber de si haut, avec *Héloïse*, dans une fosse de freudisme déjà pourrissant ? et ensuite avec *Mères* dans une usine de fabrication en série ?

Philippe Hériat adapte le naturalisme d'antan aux éléments troubles, plus ou moins freudiens, qui sont venus accroître les complexités de la famille bourgeoise dans l'esprit des psychologues. *L'Innocent* (1931), qui reste son meilleur livre, va allégrement jusqu'à l'amour d'un frère pour sa sœur. Hériat construit solidement ses récits, mais les écrit avec une banalité voulue qui date, et son art est d'une froideur excessive. Il semble se donner des sujets de devoirs qu'il traitera toujours consciencieusement. — Georges Magnane, qui a peint tour à tour la jeunesse sportive et la jeunesse studieuse, sait suggérer à travers l'irritant problème des éducations différentes ce qu'il y a d'impondérable, de quasi secret, d'indicible dans l'opposition profonde des groupes sociaux.

Les romanciers de la profession et du travail évoluent naturellement dans d'assez étroites limites. On leur est reconnaissant quand ils parviennent à mettre en valeur l'humanité du sujet, comme c'est le cas pour cette réaliste Canadienne, Gabrielle Roy, dont on a aimé en France *Bonheur d'Occasion.* Raymond Millet, poète psychologue de l'inquiétude et des mélancolies dans *L'Appel de l'Incertain* (1935), a été l'informateur social d'un grand quotidien. L'expérience que lui amassa cette fonction est passée dans *Les Chemins interdits* (1934), dans *Le Bonhomme de Clamart* et *L'Ange de la Révolte* (1938), romans que l'historien des mœurs consultera, ainsi que *Liberté* (1937) où Claude Morgan peint les chômeurs un peu comme auraient fait Henri de Groux ou Adler. — Il y a moins d'intensité peut-être mais forcément plus d'ampleur dans des activités qui mettent en action des ressorts multiples. Le fils de Mme Bourget-Pailleron le montre bien. Robert Bourget-Pailleron après des études consciencieuses, mais amusées de la vie politique en province (*Champsecret*, 1931), en est venu à des fictions qui, à pousser trop loin le goût des situations étranges, chavirent dans l'arbitraire (*L'Homme du Brésil*, 1933), mais racontent des histoires de passion et d'affaires (*Cœur de Russie*, *Routes de Berlin*). Ces jeux de l'amour et de la Bourse dans les conditions les plus propices aux combinaisons de chances procurent quelques moments hors de pair à des existences après tout médiocres. Voilà un romanesque très moderne, que porte un style direct et spirituel. Il témoigne pour la renaissance du roman de caractère après 1930; c'est un témoignage qui l'honore. — La finance attendait un observateur de bonne foi, qui continuât l'expérience de Balzac en adaptant sa leçon au monde contemporain. Alfred Colling, né à Paris en 1902, s'y est trouvé préparé par le parallélisme de sa vie : situation personnelle dans la banque, culture littéraire et artistique entretenue par des essais sur Schumann, sur Flaubert, sur Thomas Hardy. Et dans *La Montée des Ténèbres* (1944), auquel aboutit une série de romans dominés par la fatalité, de *L'Iroquois* (1930) à *La Bourse ou la Vie* (1936), il a su orchestrer dans des scènes en constant crescendo la rencontre de l'humanité sensible avec les batailles de l'argent.

C'est dans la traversée attentive des milieux sociaux que certains se forgent un art de redresseurs de torts : tel Maxence

Van der Meersch (né à Roubaix en 1907). Ce peintre de fresques populaires — soit les misères d'*Invasion 14*, soit les misères de grève (*Quand les Sirènes se taisent*) — a, chose rare, au service de sa vertu, un très puissant tempérament. Il reste encore en lui du Zola; mais l'idéalisme le transfigure. *L'Elu*, *Pêcheurs d'hommes*, *La Fille pauvre*, *La Petite Sainte Thérèse*, ne révèlent-ils pas une prodigieuse réserve d'âme ? *Corps et Ames* (1943) a soulevé un tumulte chez les médecins. Bien entendu, le romancier ne s'en prend qu'aux médecins marchands, et ses erreurs techniques, incontestables, sont moins à considérer que la gravité des accusations et l'ardente bonne foi de l'accusateur. Un livre de Van der Meersch, c'est toujours le soubresaut d'une conscience magnifiquement humaine.

Encore un contraste. Mais une vertu de satirique, n'est-ce rien ? Les contes francs du collier que Jean Galtier-Boissière a intitulés *La Bonne Vie* (1925), *La Vie de Garçon* (1930), peignent des garçons et des filles du « milieu » vus sans romantisme. La guerre de 1914 (il en a romancé les premiers mois dans *La Fleur au Fusil*), la foire du Paris des deux après-guerre et son propre tempérament ont fait du fondateur et directeur du *Crapouillot*, en plusieurs livres variés, le pamphlétaire au pittoresque net, au comique gaillard.

C'est une autre sorte de « roman de Paris » qui a fait de Jean Fayard un successeur de Duvernois. Le croquis après le tableau. Le chroniqueur déluré de nos légèretés sentimentales obtint le prix Goncourt à vingt-neuf ans, en 1931, avec *Mal d'Amour*. Livre sérieux, car le jeune Jacques Dolent, déçu sur tous les plans, c'est un garçon qui souffre, c'est le héros d'une « Éducation sentimentale ». L'auteur avait montré plus de verve à nous amuser des femmes du siècle, hésitantes entre la liberté et la responsabilité, dans *Trois Quarts de Monde* (1926); et sa gentille satire avait eu la plume plus à l'aise dans *Oxford et Margaret*, où un adolescent français bute contre la surprise des mœurs anglaises, puis dans ce *Journal d'un Colonel* qui s'intitulerait très bien « Le chef malgré lui ». Fayard se connaît mal, il n'est pas dans sa voie avec *La Chasse aux Rêves* (1935), qui l'entraîne derrière Martin du Gard et Romains.

Et maintenant égaillons-nous à travers le pays, courons les villages. Brunet et quelques autres sont bons compagnons. Il y a un Gabriel Brunet critique. Il y en a un autre qui a fourbi ses instruments de romancier dans *Une Femme se cherche*, originale et un peu acide monographie d'une destinée d'exception. *L'Étoile du Matin*, plus accessible, n'a pas moins d'acuité. J'y vois la chronique romancée d'un village français aux premières années du siècle. Ce n'est pas un beau spectacle, et le livre va de pair avec *Vieille France* de Martin du Gard. Le témoignage de Brunet vaut tout spécialement pour le maître d'école révolté, numéro privilégié dans une série de souffrance sociale qui s'étend du *Jean Coste* d'Antonin Lavergne à la Louise Chardon de Frapié, « l'institutrice de province », et au jeune instituteur de Madeleine Vivan. — Sortant de ce noir, on éprouve d'abord un soulagement mais très vite une tristesse auprès de Bernard de Vaulx qui représente en *Monsieur de Saugy avant le Phylloxera* (1935), avec une sagesse au sourire ironique (celle de ses essais et de ses articles), une aimable époque révolue et d'agrestes coutumes. Bernard de Vaulx semble céder de plus en plus à une passion pour l'histoire politique et l'histoire religieuse; il a pourtant réaffirmé ses dons de romancier spirituel dans *Charlotte Femme souple* (1947).

Claire Sainte-Soline, elle, est allée chercher son village dans l'extrême Europe; elle l'a trouvé, et rien n'y a changé depuis Homère. Elle dit son ravissement dans *Antigone ou l'Idylle en Crète* (1936). Même en France, elle avait montré une grande expérience des existences aérées sous le ciel libre, témoin *Journée* (1934) : journée d'un de nos bourgs. Entre ces deux livres dont le second est ironique et le premier enchanté, Claire Sainte-Soline écrivit *D'une Haleine* (1935), soliloque d'une femme du peuple qui moud et remoud ses misères, général comme un symbole et individuel comme une nuance de cheveux. — Passons dans les Landes avec Jean-Alexis Néret. Son châtelain, les gens de *La Battue* (1939), l'assassin traqué, sont locaux. Mais l'intérêt de ce petit livre, c'est que parti pour raconter une chasse à l'homme, il fait naître, grossir, éclater un drame de la condition humaine. Brillamment symbolique, il ne sort pourtant pas une minute du naturel.

Parmi les romanciers qui cherchent des mines de pittoresque humain à exploiter, Joseph Peyré aura été l'un des plus heureux d'entre les deux guerres. Ce trésor l'attendait en Espagne, dans le monde de la tauromachie, petit monde au rayonnement national. A l'évoquer, *Sang et Lumière* obtint en 1935 le grand succès. *L'Homme de Choc* (1936) et *Roc-Gibraltar* (1937), fruits de la guerre civile espagnole, ont moins juteuse saveur. L'auteur s'orientait là vers une sorte de roman-cinéma et perdait ce nerf à la Mérimée qui avait mû son premier récit, *L'Escadron blanc* (1931) Voilà le vrai livre de Peyré. Il lui avait communiqué la fièvre et la souffrance de deux pelotons de méharistes lancés à la poursuite d'un rezzou de quatre-vingt-dix fusils, sous le feu d'un ciel implacable, à travers l'immensité du désert. Mais on devine qu'il ne cessera de se renouveler par la passion des espaces et des altitudes. — Ce qui attendait Armand Lunel en France même offre une étrangeté moins voyante mais bien marquée. Peintre de milieux juifs comme Gustave Kahn, qui avait écrit *Contes juifs*, comme le Bernard Lecache de *Jacob* — sans parler de J.-R. Bloch, Edmond Fleg, Hertz, ou de la très curieuse *Arche* d'André Arnyvelde (mort en déportation), — Armand Lunel s'est intéressé au bizarre monde de juifs portugais, petites gens, que rassemble le Comtat venaissin. *Nicolas Peccavi* (1926), *Ballet de Sorcière* (1936), *Jérusalem à Carpentras* (1937) sont d'un observateur philosophe, à la fois réaliste et rêveur.

Il ne nous reste plus qu'à courir à la mer et à nous y risquer. La mer, les marins, la tempête et les ports ont fait un jour passer Édouard Peisson de la marine marchande dans la littérature. *Ballero-Capitaine* (1929) dresse une figure héroïque de la profession. *Gens de Mer*, *Parti de Liverpool*, *Le Pilote* (1937) content des drames dont l'auteur a vécu les pareils. Les péripéties d'ordre technique n'y brisent aucun ressort de l'intérêt dramatique, au contraire, et le pittoresque est plus ami qu'on ne croirait de ces marins de commerce comme il en navigue sous toute la calotte des cieux. Peisson le sait tellement bien qu'il a décidé de recommencer Jules Verne dans *Le Voyage d'Edgar* (1938) : quel dommage d'avoir à enregistrer son échec ! Heureusement il est revenu à sa véritable fortune avec *Les Démons de la Haute Mer*. — Un émule, Roger Vercel (né en 1894), venu, lui, de l'Université, et dont le *Capitaine Conan* (1934) fut une précieuse contribution au roman de guerre, montre plus d'envergure, de mouvement, d'aventure, de poésie dans *Remorques* (1935); les navires en perdition, leur sauvetage difficile multiplient l'intensité de l'autre drame, celui d'un ménage qui se perd. Les violences de l'instinct et la sauvagerie dramatique éclatent plus sommaires dans *Léna* (1936). Mais je reviens à ce capitaine Conan, héros d'épopée. Ce que l'auteur a peint en lui, en ses compagnons, c'est, pour ainsi dire, le chômage de l'audace et du risque. Comment, chargés de l'occupation en Bulgarie, ne souffriraient-ils pas de la nostalgie de la bataille et de leur liberté de loups ! Comment suivraient-ils le commun et morne chemin ! Ils n'échappent au conseil de guerre qu'en se battant splendidement un jour contre les Rouges du Dniester. Mais Conan surtout est un chef, l'exception vivante, l'incarnation de l'action et de l'entreprise, le responsable-né. Et l'auteur l'a fait humain. Pourquoi ne pas dire que Vercel est un de nos premiers conteurs, un des plus complets, des plus mâles ?

Hommage enfin s'impose au dévouement désintéressé d'un auteur qui consent à n'être point lu pourvu que l'histoire ait lieu de lui en être redevable un jour. Historien par avance, encyclopédique et protéen, Léon Bopp aura vécu entièrement, pour chacun de ses livres, dans un univers parfois difficile d'accès : soit le cerveau d'un savant (*Est-il sage, est-il fou ?* 1931), soit l'imagination créatrice d'un romancier (*Jacques Arnaut*, complété par l'ouvrage technique, *Esquisse d'un Traité du Roman*, 1931 et 1935), soit la foire politique et sociale du moment (*Liaisons du Monde*, 1938). Il est impossible de lire normalement ces énormes feuilletons documentaires, mais la vie française d'entre les deux guerres y dormira dans l'attente des chercheurs de l'an 2000.

II. — *LES RÉGIONS ET L'EMPIRE*

Les romans se raréfient pour lesquels l'évocation d'une province constitue l'objet essentiel.

D'Armand Praviel (1875-1944), Gascon, fondateur de la revue *L'Ame latine*, et qui a romancé des épisodes de petite histoire, il faut lire *Jamais plus* (1922), « roman d'une province qui s'en va ». — Instituteur en Vendée, Ernest Pérochon (1885-1942), ayant nourri son œuvre de cette terre et de ses indigènes, a montré le souci de dégager des pudeurs d'âme. Que Zola et Maupassant l'ont dû scandaliser ! En dépit du

Chemin de Plaine et de *La Parcelle 32*, c'est *Nène* qui servira de viatique à Pérochon (prix Goncourt 1920). Nène, diminutif de marraine, est le surnom d'une fille de ferme qui a élevé les enfants de son maître veuf; le remariage de l'homme brisera sa passion maternelle et elle se jettera dans l'étang. A si touchant fait divers, la peinture des paysans schismatiques de la « Petite Église » née au lendemain de la Révolution, ajoute une surcharge : pourquoi ces deux romans en un seul ? Le langage que parlent les gens de Pérochon apporte une autre gêne : il est invraisemblable de solennité. Heureusement le Bocage vendéen mêle au drame ses paysages et son peuple, la loi du genre est satisfaite.

Paul Renaudin (né à Paris en 1873) a un talent vigoureux et passionné d'écrivain catholique qu'il faut chercher dans *Le Maître de Froidmont*, dur aux siens, frénétique dans son identification orgueilleuse avec le domaine et avec la race, mais qui, vaincu un jour par la croyance, s'enfermera dans un cloître pour expier. L'âpreté des Ardennes s'incarne dans ce terrible seigneur. Qui aime les Ardennes les retrouvera dans *Mervale* et *Le Temps des Cerises*, de Jean Rogissart.

Isabelle Sandy, Ariégeoise de Saverdun, s'était, poétesse, élevée aux grands thèmes dans *L'Ève douloureuse* (1912). Romancière, elle est restée plus près du terroir, de ses mystères, de ses sagesses profondes. L'auteur émouvante de *Llivia* (1923), de *Andorra ou les Hommes d'airain* (1926), de *La Simple Vie des Hommes* (1929), aime les existences modestes et leurs trésors, qui sont du cœur. — Jean Balde (1885-1928) a situé dans sa patrie girondine des personnages dont la faiblesse devant le vice garantit la vérité; ses histoires sont vivantes : *La Touffe de Gui*, *Arène brûlante*, *La Maison Marbuzet* (1937). Elle aura montré une bien intelligente dévotion pour la mémoire de son oncle Jean-François Bladé, le grand folkloriste des *Contes et Poésies populaires de la Gascogne*, ressuscité dans *Un d'Artagnan de Plume* (1930). — On oubliera d'André Lamandé (1886-1933) ses romans inspirés par l'actualité, tels *Les Enfants du Siècle*, où son ambition n'est pas réalisée, et l'on se souviendra de *Ton Pays sera le mien* (1925), histoire de la conquête que le Quercy, avec l'alliance d'une femme, fit de son cœur : Lamandé était de Blaye.

Les passionnés de la Corse savent gré à Pierre Bonardi

du tableau dionysiaque qu'il en a brossé dans *La Mer et le Maquis* (1924).

Nos voisins belges ont aussi leurs régionalistes. On connaît déjà Glesener et Krains (cf. notre tome I); voici leurs émules : Maurice des Ombiaux, Hubert Stiernet, Pierre Hubermont, Georges Virrès, Jean Tousseul. Joindrai-je à cette pléiade Horace Van Offel ? Son *Exaltation* (1919) fait de lui le bourgmestre spirituel d'Anvers.

La France agrandie, épanouie sur des continents noirs et jaunes, appela naguère une brigade d'observateurs et de curieux à chercher littérature dans un nouveau monde d'espoirs et d'enthousiasmes, de regrets et de souffrances, d'originales fermentations humaines. Certains n'ont éprouvé l'attrait que du pittoresque, de l'étrangeté, du dépaysement; quand ils allaient plus avant, ils devenaient facilement hostiles. D'autres, de plus en plus nombreux, se familiarisèrent avec la nouveauté pour la comprendre et la servir, en admirateurs du progrès par les blancs, et soucieux d'accroître la mère-patrie. Voilà les romanciers de l'Empire, Pierre Mille, les Tharaud ont porté leurs bannières et, derrière eux, l'Algérien Robert Randau, dont la production s'étend de 1907 à 1924.

Voici quelques-uns de leurs successeurs et cadets.

René Maran est l'auteur de *Batouala* (1921), roman de l'Afrique équatoriale, qui dénonça les excès du colonialisme; pour la première fois les Noirs vivent dans une fiction comme les paysans d'Auvergne ou de Bourgogne dans d'autres. Maran a fait, en somme, du régionalisme; inscrivons dans la même catégorie la *Force-Bonté* (1926) de Bakary Diallo. L'œuvre de Maran se continua par de belles évocations de bêtes. Puis ce fils de la Martinique, d'origine guyannaise, a composé *Un Homme pareil aux autres* sur le thème si délicat de ce que Schœlcher appelait les « mariages fusionnaires ». Le grand souci national ne l'a pas moins possédé. Il a commencé dès l'occupation allemande de réaliser un large dessein, la louange des *Pionniers de l'Empire* qui conquirent à la France sa gloire d'outre-mer et peuvent aujourd'hui, par leur souvenir, lui servir de haut exemple. — L'Algérie de Magali Boisnard, morte en 1945, et d'Elissa Rhaïs, qui s'intéressa aux mœurs juives, est de pacotille. Au contraire, Lucienne Fabre, romancière de l'Afrique du Nord (*Mourad,* 1924), romancière de la vie d'Alger (*Bab-el-*

Oued, 1926), sait diriger d'une plume pittoresque les danses de la poésie musulmane. Elle rend attachantes des études de mœurs extrêmement précises en même temps qu'elle explique les questions politiques et sociales que la France impériale doit résoudre. — Jules Borély a consacré au petit peuple marocain un chef-d'œuvre de ton attique, *Ahmed et Zohra* (1935), plein d'anecdotes, de points de vue, de scènes délicieuses et de remarques profondes d'où se dégage une double pensée : les mœurs de ces pays ont de quoi faire comprendre et sentir les poèmes homériques; mais hélas, un Européen moderne peut-il regarder sans honte certaines de leurs finesses et noblesses d'existence ?

Louis Charbonneau a rapporté un jour d'Afrique *Maubec et son Amour* (1926), mais on le sait peintre surtout des anciennes colonies françaises; ses livres en ont le charme poudré et vanillé. Nous rangerons à côté d'eux la *Cristalline Boisnoir* (1929) de Thérèse Herpin et ses alanguissements guadeloupéens.

En Asie, les Farrère, les Daguerches, ont eu sur leurs traces Jean d'Esme, petit-neveu du poète Esménard. Il a donné à *Aziyadé* et à *Rarahu* une réplique vivante, *Thi-Bâ, Fille d'Annam* (1920), « petite esclave », elle aussi, amante absolue et humble d'un homme d'Occident. Mais Jean d'Esme, plus explicateur que peintre, évoque le passé légendaire et la vie des traditions, plutôt qu'il ne fait surgir en poète le présent. — Tahiti a pimenté à assez juste dose deux des romans de Jean Dorsenne, *C'était le Soir des Dieux* (1926), *Les Filles de Volupté* (1930).

III. — *LE POPULISME*

Au milieu de nos dernières vingt années de paix, la littérature d'inquiétude et de débilité, de préciosité et de désinvolture, de rareté et de luxe tenait la vedette. Les personnages de Giraudoux se coupaient les cheveux en quatre, quittes à se recoiffer, quand c'étaient de jeunes femmes, le plus délicieusement du monde; les personnages de Mauriac se mangeaient le cœur; les uns et les autres avaient-ils affaire dans Paris, ils ne dépassaient guère l'avenue de l'Opéra en direction de l'Est et, paraît-il, ignoraient la Bastille. Était-il donc possible que ne se formât pas un groupe hostile et protestataire ? Il s'est formé, ce fut le groupe populiste. L'initiateur en a été Léon Lemonnier qu'à partir de 1931 Antonine Coullet-Tessier allait appuyer par la fondation d'un prix annuel du roman. A. Thérive adhérait le premier au programme de son ami et tous deux publièrent les manifestes d'août 1929 et de janvier 1930. Lemonnier assure s'être rallié à la doctrine de Saint-Georges de Bouhélier, Thérive veut surtout faire concurrence à ce qu'on a appelé la littérature du seizième arrondissement. Eux et leurs adhérents se recommandèrent de Rosny et de Duhamel, de Descaves et de Charles-Henry Hirsch, mais également de Huysmans, ce qui ouvrait leur « naturalisme interne » au mysticisme : par les petites religions, par exemple. Les populistes ne devraient pas oublier Gustave Geffroy (1856-1926), Parisien d'origine bretonne, qui a évoqué *La Bretagne* (1905) dans sa destinée insulaire, mais qui s'est essentiellement dévoué aux écrivains nouveaux et aux artistes les plus nettement enfants de Paris. Son amour du peuple brûle toutes les pages de *L'Enfermé*, biographie de Blanqui (1897); sa connaissance attentive et tendre du petit peuple des faubourgs fait ses preuves dans *L'Apprentie* (1904) et dans *Cécile Pommier* (1923), celle du petit peuple des champs dans *Hermine Gilquin* (1907). Un souvenir aussi est dû à Masson-Forestier (1852-1912), qui se documentait au tribunal de commerce et de marine de Rouen, auprès duquel il fut avocat agréé, pour ses nouvelles vivantes et drues, pleines d'une pitié inspirée par les marins ou familles de marins sacrifiés aux égoïsmes financiers des grandes compagnies : l'art de *La Jambe coupée* (1894), d'*Angoisses de Juges* (1898), de *Difficile Devoir* (1901), respire une virile énergie. Or l'auteur avait donné à l'un de ses récits, *Sommations respectueuses*, paru dans la *Revue des Deux Mondes* de novembre 1894, ce sous-titre : « Histoire de petites gens », parfaitement adéquat au sujet, aux personnages, au ton. Il s'est agi également pour les populistes d'écrire le roman de ces gens-là et de leurs difficultés intimes; ils retrouvent, après tout, le « petit épicier de Montrouge », mais le suivent tout au long de ses journées. Ils retrouvent même les pauvres héros de beaucoup de devanciers : le populisme est éternel, le groupe populiste n'est nouveau qu'en tant que groupe et par sa volonté doctrinale, qui d'ailleurs se sera vue trahie plus d'une fois.

Un art précis, exact, parfait dans ses limites, s'imposait pour créer du durable. Notre jeunesse n'a-t-elle pas découvert avec ravissement les Mimes du grec Hérondas, ces témoignages secs et nets sur le peuple des âges antiques, ces Tanagras littéraires ? Il est vrai qu'Hérondas, sage, avait évité le roman et cultivé le bref tableau. Vrai aussi que ne l'accablait point le poids de la tristesse sociale. Le roman populiste est triste; ses humains subissent passivement un joug qu'ils ne sauraient secouer. C'est même une des raisons pour lesquelles une telle littérature n'intéresse nullement le peuple, qui lit pour se distraire ou pour s'armer. Le bourgeois seul se plaît à ce menu pittoresque psychologique qu'il domine.

Aussi Henry Poulaille et ses amis « prolétariens » paraissent-ils bien naïfs d'avoir voulu opposer à ces récréations bourgeoises leur connaissance exacte des « travailleurs » dans *Le Nouvel Age littéraire* (1930). Mais enfin l'école prolétarienne existe et proclame son mépris pour l'école adverse.

Le populisme servirait particulièrement bien d'exemple pour nier les notions d'écoles et de classements au profit des variétés individuelles et des familles d'esprits. Au populisme survivra, par exemple, Léon Lemonnier, mais pour rejoindre Carco dans une lignée qui est celle de *Germinie Lacerteux*.

Le groupe eut ses poètes. Labracherie, aujourd'hui Plutarque de Berry, les entraînait de sa pétulance passionnée.

. Léon Lemonnier.

Le romancier ne s'est montré à la hauteur du théoricien que dans un livre. Mais ce livre est très beau. Pour les autres, ni *La Maîtresse au Cœur simple* (1925), petit pamphlet social conçu dans un esprit de douce cocasserie, ni *Cœur imbécile*, enfermé par malice dans une loge de concierge, ne pouvaient forcer l'attention. Et puis, Lemonnier s'est un peu dispersé. Enseignant l'anglais dans les lycées, il a dit son mot savant sur Poe, Kipling, Shakspeare; et, un jour, il rapporta de Grande-Bretagne *L'Amour interdit* (1934), qui est un piquant aperçu des effets du puritanisme dans les mœurs. Cependant, à lire attentivement ces livres si divers, on pouvait se rendre compte que l'auteur avait le goût et le sens de l'exceptionnel. C'est ce qui lui a permis la réussite de *La Femme sans Péché* (1931). Ce roman-là, par l'intérêt d'une psychologie où les trouvailles ont un naturel merveilleux, par son type de femme du peuple extraordinairement délicate et pure, très vraisemblable néanmoins, et grâce aux dialogues si humains, à l'art discret et juste, est un des chefs-d'œuvre, non pas du roman populiste, mais du roman contemporain.

2. André Thérive (*né en* 1891 *à Limoges*).

Populisme, soit ! mais à condition que le peuple lui révèle des âmes : petites âmes très simples, mais qui constituent encore dans l'infinitésimal un monde des meilleurs. Que manque-t-il à *Anna* (1932) et à ses pareilles pour sortir de la platitude, à Jean Soreau du *Charbon ardent* (1929) et à la plupart des autres, pour mener à bien leurs possibilités ou pour satisfaire leurs scrupules moraux ? Que le destin ne pèse plus sur eux. *Sans Ame* (1928), roman populiste par excellence, résume-t-il particulièrement bien Thérive romancier ? Sa pitié à l'égard des femmes a pris là pour objet deux petites cabotines; en même temps il exerce sa verve à la fois caricaturale et compatissante sur des maniaques, des excentriques, des victimes du pli professionnel; La Butte aux Cailles et la Poterne des Peupliers représentent le décor général, coins et recoins du travail triste et du malheur sordide, qui convient à ces histoires et qui est peint avec une précision vivante; enfin on reconnaît le nihilisme de l'écrivain qui porta Schopenhauer dans sa musette pendant quatre années de guerre. Cependant les plus intéressants romans de Thérive ne restent-ils pas ceux de sa jeunesse finissante ? Il y cachait moins la métaphysique qui l'obsède; chrétien, il y dénonçait des hérésies; psychologue ardent, il y posait des problèmes. Il redoutait dans *Le plus Grand Péché* (1924) la faute orgueilleuse de se dégoûter du monde et plaignait dans *Les Souffrances perdues* (1927) les douleurs de cœurs vulgaires, les laides douleurs d'une société pauvrement positiviste et païenne, qui pourtant réclament elles aussi d'être rachetées. Ses livres capitaux, les voilà, antérieurement à l'activité du populisme. Même devenu populiste, il a encore retenu quelque chose de leurs préoccupations dans *Fils du Jour* (1936). Seulement, sous prétexte de bafouer le pharisaïsme d'un père et d'accompagner de sa sympathie, soutenue par saint Paul, le jeune bourgeois qui s'enfonce dans le monde des misérables

t s'y avilit avec innocence, il dilue et perd ce thème intéres-
ant dans le petit réalisme des peintures auxquelles se croit
bligé le populisme, auxquelles le populisme se délecte et
ui finissent par déborder sur toute l'œuvre.

Mais je dois noter que *Comme un Voleur* (1947) revient,
uoique sur une trame saugrenue, à la large et franche étude
es malheurs de l'homme moderne. Thérive puisse-t-il
etrouver la route de ses premiers et meilleurs desseins !
'uisse l'ensemble de ses qualités, style ingénieux, observa-
ion maligne, pensée grave, arriver de nouveau à compen-
er une certaine extravagance d'invention et son total déta-
:hement à l'égard de créatures auxquelles il ne croit pas assez !

. A. Coullet-Tessier.

La poétesse d'*Un Visage à la Fenêtre* avait déjà publié, un
n avant la fondation de son prix, un roman fort attachant,
Marthe Femme seule, pour plaindre la femme honnête et libre
ui doit travailler, pauvre, jolie, traquée, et *Toche parmi les
'emmes*, tourbillonnant de mouvement dans son évocation
u Montparnasse d'après-guerre. Un populisme plus âpre se
it jour dans *Chambre à louer* (1932), qui diminuait la part d'indi-
idualité dans les personnages et y figurait en laideur quoti-
lienne l'impossibilité matérielle et morale de se constituer
ne véritable existence humaine. *Défense de vivre* (1936), qui
ient la promesse de son titre, arrive à condamner la société
noderne sans avoir besoin d'un mot de réquisitoire et avec
ne stupéfiante sobriété de suggestions. La vision brève et
resque sèche qu'a apportée Mme Coullet-Tessier de la
léshumanisation du peuple des grandes villes reste la contri-
ution la plus authentique au Populisme. Cependant elle a
a grandeur sobre d'une inscription indicatrice sur la route
ui court aux ravins. Aussi désigne-t-elle nettement l'auteur
our d'autres tâches.

. Autres populistes.

Eugène Dabit est mort prématurément en 1936. Ce popu-
iste-né, lorsqu'il évoquait la vie des bords du canal Saint-
Martin, parlait de sa petite patrie. D'où une mise en place
xtrêmement naturelle et, dans la peinture de la laideur

pauvre, une manière de pureté. Ayant le sens de la plasticité (on a publié après sa mort des études significatives sur *Les Maîtres de la Peinture espagnole*), il concevait un livre comme un ensemble de photographies d'art, dont il savait soigner l'éclairage. *Hôtel du Nord* (1930), *Petit-Louis* (1936), *Train de Vies* (onze nouvelles), c'est du naturalisme encore, si l'on veut, mais miraculeusement détaché et douloureux. Ce serait de l'unanimisme aussi (on ferait un parallèle curieux entre *Un Mort tout neuf* de 1934 et *Mort de Quelqu'un*), si Dabit, à la place de la trouvaille psycho-sociologique de Romains, n'avait taillé sa part dans l'humanité individuelle, frissonnante d'esprit familial et d'amitié haute. En outre, nous possédons là une réussite du langage parlé. La psychologie amoureuse du long fragment de *Mal de vivre* (1939), les notes de voyage qui l'accompagnent et le *Journal* (1939), parfois si poignant, aggravent encore les regrets d'une telle perte.

La Femme à tout faire (1938) de Marius Richard le classe dans cette catégorie-ci. Toutefois il s'y distingue par une particularité, il essaie d'une technique nouvelle : intervenir dans le récit et bousculer de partis pris personnels plus ou moins lyriques la psychologie et les faits. Ce système, loin d'animer et de diversifier, engendre une monotonie. Mais, tempéré, il permet à *Jeanne qui s'en va* (1938) de rester un récit singulier et prenant. Richard y a fait vivre une femme originale, supérieure à sa classe, et qui se hausse à comprendre un intellectuel et même à lui faciliter, s'il l'eût voulu, sa carrière, cela sans cesser d'être la paysanne qu'elle redeviendra après l'échec. Depuis, *Aline qui s'en va*, *La Rapée* nous ont très simplement émus. — Si *Au Lion tranquille* (1922) de Marmouset se rattache aux témoignages de Carco sur les mauvais garçons de Paris, son *Mal loti* est un document populiste sur les petits ménages ouvriers qui ont acheté une cabane pour vivre en banlieue. — A la littérature du Paris populaire, José Germain appartient de droit, notamment par *Les Enfants perdus*, quoiqu'il ait fait sa partie principale ailleurs, conférencier et journaliste, ayant revendiqué et méritant largement le titre de commis-voyageur en idées, témoin le *Nouveau Monde français*, écrit avec Stéphane Faye à la gloire de notre Afrique du Nord. — Il y a un populisme de l'enfance, et assurément Alfred Machard l'illustre avec l'*Épopée du Faubourg* (1912-1946), truculentes, tumultueuses exactes « poulboteries ». Mais pourquoi ne pas se souvenir des deux actes sentimentaux, souriants quoique un peu amers, donnés à la Comédie-Française en 1924, *Croquemitaine*, où l'on voyait une gamine tyranniser le vieil ami qui la gâte ? — André Baillon (1875-1932), en passant de Belgique en France, a oublié ses Maeterlinck et ses Rodenbach pour Charles-Louis Philippe et son gauche maniérisme. *Moi quelque part* (1919), devenu *En Sabots*, et *Histoire d'une Marie* (1921), sont d'un dur réalisme, mais en somme du pur belge populairement pittoresque. Malgré ces livres presque classiques aujourd'hui, il est possible qu'un jour d'avenir la réputation de Baillon s'attache plutôt à *Chalet I* (1926) qui raconte un séjour à la Salpêtrière, section des « petits mentaux », et à *Délires* (1931), écrit d'après ses propres désordres et dont la précision est fort rusée.

Marie Gevers, Flamande de la province d'Anvers, que ses vers disent mère comblée, a mis dans ses romans une poésie de nature et de famille. *Madame Orpha* (1934) est celui qui fera le mieux comprendre qu'on ait appelé l'auteur « une romancière du bonheur ». Aussi le populisme ne la tient-il que par un bout d'une de ses ailes. — Ce sont au contraire les misères du peuple ouvrier que Marc Bernard considère avec une souffrance durement bridée. Il naquit au milieu d'elles... Le calvaire filial de l'apprenti d'*Au Secours* (1931) et la tendresse fiévreuse d'*Anny* préparaient auteur et lecteurs à *Pareils à des Enfants* (Prix Goncourt 1942), où tout est pauvre par le sujet, riche par la générosité de l'émotion. — De Thyde Monnier, *La Rue courte*, ce baquet de populisme naturaliste, cette chiennerie totale, calomnie certainement la banlieue marseillaise. Elle inaugurait en 1937 un déluge que le cycle familial des *Desmichels* continue avec gaspillage monotone de platitude parlée et enlisement dans la vie élémentaire. Et *Moi*, quel étalage !

Henri Pollès est l'auteur d'une familière et très provinciale *Sophie de Tréguier* (1933) qui est pour la Bretagne ce que *La Femme sans Péché* de Lemonnier est pour Paris. Ayant ainsi dépassé le populisme en recevant de lui son brevet, Pollès a écrit *Les Gueux de l'Élite* (1935), révolte brutale contre le poids des circonstances mondiales, puis *Toute Guerre se fait la Nuit* (1945) : la guerre d'Espagne en tout cas, tohu-bohu de massacres au terme desquels les deux camps, ne sachant plus pourquoi ils se battaient, haïssaient toujours. — Robert Vivier, Belge, ses prodigieuses sympathies de *Folle qui s'ennuie* (1933) et sa bizarrerie antoiniste, *Délivrez-nous du Mal* (1936); d'autres Belges : Neel Doff et ses misérables de *Keetje* (1919) et ce populiste avant l'heure, Léopold Courouble, l'auteur de *La Famille Kaekebroeck* (1902) et encore ce populiste sans le savoir, Constant Burniaux, le réaliste mordant de *La Bêtise* (1925) et du *Village* (1935); Marie Mauron, une Roumanille restée clouée au pays natal, désolante confidente du *Quartier Mortisson* (1938), moins savoureuse dans *Le Soir finit bien par tomber* (1944); René Lefèvre, auteur du *Film de ma Vie* (1947) et qui suit pas à pas l'Armée du Salut dans *Les Musiciens du Ciel* (1938); Marc et Sophie Stambat, peintres attentifs de *Sèves*, ce tableau d'un village d'Artois où mineurs et paysans se croisent; Maurice Rué, narrateur nostalgique de *La Route aux Embûches* (1933) et de *Vieux Chéri* (1935), n'auront pas fait œuvre inutile, ni Céline Lhote avec *La Petite Fille aux Mains sales* (1928), *Sur les Fortifs du Paradis* (1929), *Cœur triste chez les Sans-Repos* (1930), images de misère morale et physique.

L'Usine (1930), *Port d'Escale* (1931), *Les Novices* (1936) de Jean Pallu vivent, accablants par leur révélation d'un esclavage. — Tristan Rémy montre de la minutie honnête dans sa psychologie de la zone (*Porte Clignancourt*, 1928), du quartier des ébénistes (*Faubourg Saint-Antoine*, 1930) et du petit monde des mariniers (*Sainte-Marie-des-Flots*, 1932). — Jean Fréville, auteur de *Pain de Brique*, et César Fauxbras, auteur de *Viande à brûler*, apportent eux aussi des précisions.

IV. — *LOUIS-FERDINAND CÉLINE*

Un populisme existe qui n'est ni bourgeois ni prolétarien. Non pas celui d'un auteur, mais celui d'un livre. L'auteur a débordé sous le flot de sa production le genre romanesque; mais le livre est un roman populiste authentique, sans d'ailleurs l'avoir voulu le moindrement. Comment, par quelle inspiration ou par quel art ce roman, le plus populiste de tous, est-il un livre fort qui dépasse le populisme ? Ce n'est plus une question d'art ni d'inspiration, une personnalité puissante brise les cadres. Une folle outrance dans les thèses, une impudence dans leur expression n'auraient point suffi à faire mettre Céline hors la loi. Sa faute décisive fut de fustiger les Français en présence des Allemands vainqueurs et occupants, puis de s'enfuir en Allemagne avec les Allemands vaincus. Tout passionné de littérature regrettera cet échouage d'une valeur littéraire et intellectuelle. Est-elle sans renflouement possible ? Si la France s'organise une vie libre dans le monde de demain, il restera de Céline un roman puissant avec le souvenir désagréable d'un atrabilaire ravi de faire scandale en parlant mal de sa mère. Mais il n'avait pas attendu les Allemands pour vomir sa bile. Et s'il arrivait jamais que la France ne pût mener dans le reste du siècle qu'une vie diminuée et contrainte, le cas de Céline serait alors à reconsidérer. Encore aurait-on à lui reprocher un mauvais rire, la joie indécente d'espérer la catastrophe pour avoir raison.

Bagatelles pour un Massacre (1938), pamphlet anti-juif, *L'École des Cadavres* (1939), prévision sarcastique de la défaite, enfin *Les Beaux Draps* (1941), sont d'un homme, le docteur Louis Destouches, qui par l'exercice de sa profession s'était acquis l'expérience tour à tour de la vie londonienne, de la Société des Nations, puis de la banlieue parisienne. On s'alarma donc de son diagnostic sur notre classe moyenne qu'il prétendait avachie par enjuivement total, sur notre peuple qu'à Courbevoie, son berceau (il y naquit en 1894), puis dans un dispensaire de Clichy, il a vu abruti par l'alcool, enfin sur la nation, dont il dénonça le bas embourgeoisement et un goût pitoyable pour le cocuage moral. On devra tenir compte à Céline de ce que ses livres furieux et partiaux ont des éclaircies d'une délicatesse exquise. N'est-il pas curieux, en pleine diatribe contre l'école, cet écho au Barrès des *Amitiés françaises* : « Nous crevons d'être sans légende, sans grandeur, sans mystère » ? Il faudrait, ajoute l'auteur, rénover l'enseignement par les arts et les belles fictions, par « tout ce qui donne parfum à la vie ».

Littérairement, l'œuvre polémiste de Céline manque d'architecture, elle ressemble assez à un tas de boue dans lequel l'auteur prendrait de quoi pétrir les boules de son jeu de massacre, et finalement elle dégage de l'ennui malgré les pages qu'anime un génie de la gouaille ricaneuse et du plus féroce lyrisme. Ses romans apparaissent à peine plus construits. Le *Voyage au Bout de la Nuit* (1932) n'en est pas moins un livre saisissant. Quelle nuit ? Celle de la peur, de la haine, de la laideur hideuse qui installent au cœur du destin humain une médiocrité misérable et ignoble. Sans être le moins du monde une autobiographie, ce livre-là reflète la vie de son auteur. Engagé volontaire en 1914, blessé et réformé, Céline a étalé dans le *Voyage* un désespérant cloaque guerrier. Travailleur au Congo, il a transporté dans le *Voyage* son expérience écœurée d'une Compagnie forestière. Médecin populaire, il a fait dans le *Voyage* une satire aussi terrible d'un certain monde médical que du peuple, et d'ailleurs une satire générale de l'humanité. Il tient à extraire de l'homme et à mettre au jour des ignominies congénitales qui jamais encore n'avaient été avouées. Misanthrope, il l'est comme on l'est toujours, par pitié, par amour déçu. Il l'est jusqu'à l'excès monstrueux. Il a de la souffrance humaine, du malheur humain plein la bouche. Grossier, ordurier ? Assurément, et comme c'était inutile ! Mais grossièreté et ordure font l'envers d'une pureté perdue et cherchée avec nostalgie.

Il y a erreur à appeler Céline rabelaisien. Aucune santé chez ce médecin. Son flot verbal est une maladie. Sa verve n'est que pus qui coule, humeur qui suinte; c'est de la verve pourtant. En outre, il a un style de littérateur plein d'artifices, comme il a une psychologie de maniaque. Enfin il a le tort d'user d'un argot qui ne se situe pas, qui n'est point authentique et qu'on ne comprendra bientôt plus.

Céline est apparu comme un témoin inquiétant du dépérissement français qui rend si graves nos crises multipliées. Mais l'insulteur, le calomniateur ne se comprendrait point, si l'auteur du *Voyage*, qui n'est que désespoir, et de *Mort à Crédit* (1936) où il y a tout de même une âme qui ne se rend pas, ne portait dans ses viscères la misère d'un monde qui s'est privé de but et glisse au-dessous de lui-même.

V. — *ROMANS DE LA DÉCHÉANCE*

Il y a eu les désarrois d'après 14-18 et la subversion surréaliste, puis la psychologie que Thibaudet appelait « de chien crevé », ensuite la tristesse populiste et le cloaque de Céline. Voici encore une nouvelle forme de désespoir.

Dans les années où la guerre de 39 élevait sa menace dans le ciel de l'Europe, de jeunes écrivains français sous le nuage noir, par défi ou plutôt par haine du sort, par démission humaine, se mirent à donner la vie du roman à des êtres écrasés sous le poids de la fatalité, passifs, en proie au besoin de participer, eût-on dit, à l'absurdité totale et monstrueuse de la création. Ils montrèrent l'envers pitoyable de la personne, l'abandon au mal, prétendant arracher sa vérité à l'homme moderne débarrassé des « complications » morales et, avec adjonction de quelques bassesses de vocabulaire, s'orientant vers le « roman noir ».

On rencontrera cette monstruosité au carrefour de directions déjà connues : le sadisme et la psychanalyse, la tradition puritaine rebroussant chemin avec des écrivains d'Amérique, le rampement de la bête à demi écrasée que le Tchèque Kafka peint sous des apparences d'homme.

Je ne citerai point les auteurs ni les titres de ces nouveautés, déjà oubliées aujourd'hui quoiqu'elles essaient de se reproduire, et dont surnage avec peine, pour combien de temps ? le souvenir de Marius Grout. Ou plutôt si, je citerai un nom, un seul, certes parce qu'il désigne un incontestable talent, mais aussi parce que ce talent romanesque s'appuie sur une œuvre philosophique et descend un courant de pensée : Jean-Paul Sartre. *La Nausée* est de 1938, *Le Mur* de 1939.

« Tout existant naît sans raison, se prolonge par faiblesse, meurt par rencontre », dit Sartre. L'existence est partout et elle grouille dans l'absurdité. Voilà l'universel « sans raison » qui accable le héros de *La Nausée*, professeur excédé de sa province, personnage de Huysmans dopé de métaphysique. Il sait rendre la vie ainsi comprise sensible et palpable, obsédante, affolante, dans des pages magnétiques sur les arbres, sur la mer, sur un spectacle de café, sur un visage dans le miroir, sur l'amour, sur la vie de solitude dans la ville... Comment rompre l'enlisement au creux d'une pareille pieuvre ? Que trouver, que chercher au-dessus de l'existence ? Rien. Et le personnage s'enfonce dans sa vase d'érotisme, de scatologie, d'obscénité, d'introspection acharnée à travers les instincts, de vocabulaire ordurier : en quoi les influences de Céline, de Joyce, de Faulkner, de Cadwell se font sentir comme de fortes odeurs.

M. le Professeur de *La Nausée* avec tout cela ne vivait guère, il analysait plutôt, reflétée en lui, la philosophie de son créateur.

Dans les nouvelles qui composent *Le Mur*, dans la plupart

tout au moins, on suit au contraire une action, et elle illumine en brusques éclairs des personnages dont la brièveté des récits exige moins de vie que dans les romans, et qui en ont assez, ma foi. La lâcheté, l'angoisse, le cynisme se partagent la psychologie du « *Mur* », nouvelle de tête ; « *La Chambre* » est livrée à la folie; le dérèglement psychanalytique remplit « *Érostate* » d'un terrible mépris pour la personne de nos semblables; « *L'Enfance d'un Chef* » éclabousse de sa satire bien des choses à la fois.

Les Chemins de la Liberté, des êtres abouliques, détraqués, corrompus, pervers les cherchent à travers une jungle de vices, d'angoisses, de sexualités, d'obscénités et dans un monde de bêtes humaines auprès desquelles celles du Naturalisme ont des profils d'anges. Les trouvent-ils ? Ils les trouveront peut-être, mais plantés de quels arbres ? Le second volume du roman traîne son récit en marge de l'histoire récente : c'est *Le Sursis* (de Munich). Parmi ses nombreux artifices, le plus frappant est un mutiple simultanéisme qui va jusqu'à interrompre des phrases et qui transforme l'univers en un gigantesque *Ulysses*.

On sent bien que les dernières créatures de Sartre s'efforcent de saisir dans la disponibilité que leur laisse la perte de toute chance métaphysique, une liberté d'action, malgré tout. Albert Camus, parti à peu près des mêmes positions premières que son aîné, devait plus nettement que lui se servir de ce biais pour échapper coûte que coûte à l'inertie de l'angoisse et sortir de la déchéance. Peut-être aussi a-t-il entendu certains appels de Malraux et de sa génération; depuis *La Peste* surtout, il paraît vouloir remonter la pente en direction de la vraie personne humaine, il découvre la charité sans foi, l'engagement des saints l'intéresse et lui s'engage en tout cas à souffrir de la souffrance de tous.

Mais, bien entendu, 1940 me barre le chemin de Sartre, davantage encore celui de Camus, et je ne me permets pas de juger en quelques lignes ou en deux pages ces talents qui sont dans le plein développement de leur envergure.

VI

GRANDES CHRONIQUES DE LA SOCIÉTÉ CONTEMPORAINE

L'expression de « roman-fleuve » est sortie de la plume d'André Maurois, préfacier d'un roman de Maurice Baring, *Daphné Adeane*; ou plutôt la préface de Maurois louait des « romans interminables », des « récits-fleuves », et il entendait par là : une intrigue paresseuse et entraînante, des « personnages complexes et difficiles à connaître », une suite d' « événements petits mais parfaitement vraisemblables », surtout « ce sentiment de la fuite irréparable des heures qui, seul, peut donner au roman la poésie mélancolique et la grandeur consolante de l'épopée ». Si c'est là une définition exacte du roman-fleuve (et personne n'en propose une autre), elle ne convient évidemment pas aux romans de Balzac, trop dramatiques, ni à ceux d'un Martin du Gard ou d'un Lacretelle, si longs soient-ils; longueur n'est pas lenteur ni complexité. L'œuvre de Stendhal s'en rapprocherait par *La Chartreuse* plus que par *Le Rouge*. Le *Jean-Christophe* de Romain Rolland en reste assez loin, il a trop de coupures dans sa durée. C'est surtout du *Temps perdu* de Proust que Maurois a donné la formule. Voilà le « roman-fleuve » français. A vrai dire, ce type-là tranche sur nos coutumes et nos goûts. La tragédie a tenu trop de place chez nous pour que nous aimions beaucoup les lentes intrigues ou les « événements petits mais parfaitement vraisemblables »; les « personnages complexes et difficiles à connaître », si d'aventure nous les rencontrons, se mettent immédiatement, pour nous plaire, en quête d'unité et de clarté. Cela n'est guère favorable aux longues durées du roman anglais, aux vastes fluidités du roman russe.

Bref, la France n'a pas la tête « fluviale ». Au surplus, le texte de Maurois contient une obscurité : la comparaison avec l'épopée. La comparaison vaut pour Tolstoï, à quel autre romancier s'appliquerait-elle ? On devine qu'ayant pensé à *Guerre et Paix*, Maurois a laissé le poids de ce souvenir entraîner toute sa phrase. Or ce souvenir introduit une équivoque dans sa définition, car *Guerre et Paix* met au premier plan des personnages historiques de première grandeur, tandis que le roman anglais ne fait manœuvrer que des personnages moyens. Les personnages historiques paraissent furtivement, au second plan, dans le roman français.

Roger Martin du Gard s'est inspiré de *Jean-Christophe*, et plusieurs romanciers nouveaux ont l'air de s'être inspirés de lui. En effet, Béhaine, Duhamel, Romains se sont mis à construire des œuvres aussi importantes et étendues que la sienne et que celle de Rolland; et si ces jeunes ingénieurs ont établi des devis personnels, comment nier que la première idée en soit venue de leur aîné ? Préféreraient-ils descendre de Zola et de ses *Rougon-Macquart* ?

Quoi qu'il en soit, rejetons l'étiquette de « romans-fleuves », ou ce ne seraient que fleuves réduits à leurs ports de péniches. « Romans-cycles » vaudrait mieux, que proposait Thibaudet : mais quel son de Moyen Age ! « Romans à épisodes » manquerait-il de respect ? Il n'y a pas à rougir de l'influence cinématographique, mais d'une formule qui serait incomplète, puisque le roman de Martin du Gard consiste en grands tableaux, celui de Romains en découpage de scènes, celui de Duhamel en mémoires symboliques. Toujours est-il qu'en tous trois ainsi qu'en celui de Béhaine, il s'agit de récits qui, s'étendant sur une assez longue période d'années, déroulent des existences d'individus, de familles et de classes. Appelons-les donc simplement du vieux mot repris par Georges Duhamel : *Chroniques*. Ce sont grandes chroniques de la société contemporaine.

I. — *L'EFFORT DE BÉHAINE*

René Béhaine poursuit sans relâche un effort depuis sa dix-neuvième année. Il l'a commencé en 1907. Il en était au douzième volume en 1939, et le treizième a paru en 1947. Le personnage central dont il suit la destinée avec tant de patience, sort des nouvelles couches sociales, multiplie les heurts avec sa fiancée, puis sa femme, née dans la classe « survivante ». Leur fils, encore enfant, résoudra-t-il un jour le problème des origines et des générations ? Ce fils devenu homme se forme de façon intéressante dans le plus récent récit, *Sous le Char de Kâli*; la création d'une personne s'accomplit sous nos yeux avec un incontestable mérite de totalité vivante.

Malgré l'avidité insatisfaite qui tourmente Michel, un seul volume aurait dû suffire à raconter cette aventure familiale. Mais l'esprit de satire a gonflé Béhaine, qui construit sous ce prétexte romanesque un monument d'idées anti-démocratiques. L'individuel lui sert de support pour représenter le national et le social; il a incarné dans son héros, intellectuel méditatif, la volonté d'une lutte avec le monde nouveau, parmi les ruines d'institutions (à commencer par celle de la famille bourgeoise) qui ne soutiennent plus les hommes. Une telle lutte prend de la place. Elle fait d'ailleurs un excellent sujet de roman.

Hélas, il eût fallu, pour remplir un si haut dessein dans le cadre romanesque, une grande force de symbole et une vraie puissance de création. Cette somme d'idées, d'opinions, de goûts et de dégoûts que l'ambition de Béhaine l'entraînait fatalement à constituer, la même à peu près que celle de Léon Daudet, auquel cet écrivain né Belge (à Verviers) fait écho, il y avait à la faire vivre. Or le malheureux Michel se momifie sous un enduit de digressions, dans un embaumement d'analyses au ralenti.

L'auteur de *L'Enchantement du Feu*, d'*O Peuple infortuné*, du *Jour de Gloire* et de neuf autres volumes qui tous portent comme titres des énigmes pompeuses, s'est défendu fort inutilement d'avoir imité Proust. Ses longs détours serpentants, ses labyrinthes de mémoire, purement cérébraux, se développent en surface et aux antipodes de la poésie.

Quelle valeur d'œuvre ont-ils ? La fresque s'étire autour d'un regret nostalgique, celui de la spiritualité morte que nous avons à ressusciter; mais l'infinie juxtaposition des faits équivaudra-t-elle jamais à une psychologie ? Béhaine a visé au roman-fleuve, n'aurait-il pas abouti à ce qu'Eugène Monfort appelait le « roman-mare » ?

II. — *LES « THIBAULT » DE ROGER MARTIN DU GARD*

Solitaire, celui-ci a pourtant été un important agent de liaison. S'il descend de Gide par l'esprit, sa sensibilité et son imagination le rattachent aux réalistes du XIXe siècle. Et puis, il est entré dans sa jeunesse en même temps que dans la bataille pour Dreyfus, et celle-ci l'a mêlé à des aînés entre lesquels Romain Rolland eut sa préférence.

Fervent de la sincérité gidienne, dont il refuse néanmoins l'ironie destructive et l'acte gratuit, il l'a installée dans son œuvre avec un sentiment bourgeois de l'ordre qu'il garde jusque dans sa révolte contre la bourgeoisie. Toute sa hardie et minutieuse exploration psychologique est gidienne. S'il s'affranchit de la morale courante et du conformisme social, c'est dans le sens du Moi gidien : ce Moi nullement nihiliste, qui provoque l'essor d'autrui, qui est prêt pour le joyeux prosélytisme, qui vivra de liberté, mais non sans contraintes intérieures, nietzschéen mais justicier, enfin furieusement hostile à la famille et à tout ce qu'elle exige.

Cet écrivain ne veut pas être homme de lettres ; sa personne vit à l'écart, ne s'expose pas dans les salles de rédaction, ni sur les estrades des partis politiques, ni sous le plafond des académies. Il reste indépendant des modes, des courants. On sait qu'il est né à Neuilly en 1881, qu'il a médité les plans de sa grande œuvre à Clermont (Oise), où il se retirait plusieurs jours par semaine, qu'ensuite ce fut la retraite à Bellème (Orne), puis à Nice, dans le quartier qui domine la ville.

Chartiste et archiviste-paléographe, auteur d'une étude sur Saint-Wandrille, Martin du Gard a conservé de cette formation et de cette première activité le goût de l'érudition, l'habitude de la documentation, du classement, du jugement méthodique. Il s'en est servi pour essayer d'ordonner le tourbillon d'idées où l'avait jeté son unique sortie sur la place publique, à l'occasion de l'Affaire. *Jean Barois*, ce gros livre (1913), a fait propagande pour une raison laïque et matérialiste, animée de confiance scientifique, épanouie dans la solidarité sociale de la Troisième République. Le roman des *Thibault* incarnera dans le personnage d'Antoine un des points de vue de l'auteur sur la vie. Ce jeune médecin, aux obsèques de son père, écoutant la marche funèbre de Chopin, remarque qu'elle l'est à peine, funèbre, avec sa reprise finale de joie, et il diagnostique l'insouciance d'un tuberculeux. Il murmure en lui-même : « on s'attendrit là-dessus, on croit y voir l'extase d'un agonisant qui découvre le ciel. En réalité, pour nous, ce n'est qu'un des caractères du mal, presque un symptôme des lésions, comme la température »... Antoine ne s'interdit pas ce genre de remarques qui eussent enchanté le premier Taine, ce qui ne nous rajeunit pas, ni ne rajeunit le prix Nobel dont Martin du Gard a obtenu le laurier avant Gide lui-même.

Jean Barois compte cinq cents pages : récits, analyses de pensée, lettres, extraits d'articles, scènes dialoguées... Et pourtant cette variété d'expression n'en chasse pas l'ennui. Tant d'esquisses idéologiques eussent gagné à se présenter tout simplement et sans liaisons romanesques. Quant au fond des idées, Jean Barois double les maîtres qui s'affrontèrent dans le « Carrefour » politique (1). Pour prendre un exemple entre vingt, est-ce qu'on ne dirait pas que Péguy a dicté la scène du transfert des cendres de Zola au Panthéon, lorsque Jean Barois, devant les politiciens à l'honneur, fait le compte des morts et des déserteurs ? Mais si de telles ententes honorent Martin du Gard, elles ôtent de l'originalité et de l'importance à son message.

Le premier héros du romancier portait le poids d'un agnosticisme désespéré par le spectacle de la vie. Finalement abattu par la maladie, il acceptait le prêtre à l'heure de la mort : trait final contre la religion. La guerre de 14 et ses suites ne manquèrent pas de confirmer l'auteur dans sa plainte élevée contre Dieu pour la justice et l'humanité. La création du monde, s'il y croyait, le révolterait. Un œil cruel scrute les mœurs des campagnes dans la comédie dramatique du *Père Leleu* (1920), davantage encore dans *Vieille France* (1933). Enfin la série des *Thibault* (1922-1940) développe la triste épopée d'une bourgeoisie que l'égoïsme incurable a minée et qui croule sur le champ des luttes entre catholiques et protestants, entre conservateurs et révolutionnaires. Deux réfractaires : les frères Thibault. L'un, éminent médecin, s'évade par la trouée de ses convictions scientifiques et de sa foi professionnelle; l'autre, libre intellectuel, par les perspectives de son action pacifiste et révolutionnaire. Avant

(1) Cf. notre premier volume, pp. 305-384.

même de sombrer, déçus et comme châtiés, ils échouaient. Antoine, ne croyant plus à la distinction du bien et du mal, ne restant honnête que par une survivance des temps reniés, n'a plus su que faire son métier. Jacques, le sentimental, méfiant à l'égard de la culture et l'accusant d'étouffer le génie individuel, objecteur de conscience et déserteur, a emprunté la foi des parias et s'est décomposé au milieu des conspirateurs cosmopolites réfugiés en Suisse. La guerre vint et précipita la chute de classe dont voilà deux témoins. Or quelle autre classe se montre prête à remplacer celle-là ? Certes, Martin du Gard ne flatte jamais notre pays, mais pas davantage l'humanité; il en remontrerait sur ce chapitre aux tenants du péché originel; mais incroyant, il ne compte point sur le rachat par la grâce divine. Ce n'est que par la pitié qu'il peut espérer soulager les hommes, combien peu !

L'œuvre de Martin du Gard est évidemment née et a grandi dans une ambiance de fin de siècle. Les premiers livres de *Jean-Christophe* seraient à rappeler en tête de cette littérature romanesque de l'adolescence solitaire et incomprise qui s'est épanouie dans *Les Thibault* comme à travers toute l'époque. *La Belle Saison* introduit le printemps, l'amour et la volupté dans les destinées de Jacques Thibault et de Jenny de Fontanin, d'Antoine Thibault et de Rachel, en écho des années correspondantes de Jean Christophe et dans un goût encore neuf de ces choses. *Le Cahier gris*, où la fugue d'écoliers a ses dessous psychologiques fouillés avec une sympathie singulièrement active, et tout *Le Pénitencier* penchent presque exagérément dans le sens d'André Gide. Ce qui est le plus propre à Martin du Gard tout en résumant une tradition du siècle, c'est de blâmer la punition infligée sans finesse à son jeune fils par un père qui est un modèle d'austérité dévote : cela tourne ouvertement à une thèse qui rejoint celles de *Jean Barois*, car la sévérité aveugle du père catholique s'oppose à l'indulgence compréhensive d'un autre père protestant. *La Consultation* aussi répond merveilleusement à sa date. C'est un épisode professionnel et presque technique, qui a grande force; les scènes au chevet de la petite Héquet, fille d'un confrère, dont le cas pose à deux médecins le triste problème : « la médecine a-t-elle le droit de mettre fin par humanité aux souffrances physiques d'une enfant perdue ? » se développent avec une justesse qui fait mal par sa netteté coupante. Le volume suivant est *La Sorellina*; il fait toucher du doigt l'écroulement pitoyable du malade, un vieillard cette fois, qui tour à tour s'illusionne et prend peur. Son fils qui le dispute à la mort, les bassesses intimes des soins, les lampes baissées, le silence de la garde : autant de prolongements du naturalisme, sévère comme un diagnostic, doux comme un sirop. *La Sorellina*, c'est aussi le titre d'une nouvelle publiée par Jacques disparu, et, par une enfilade de péripéties, elle permet à son frère aîné de le retrouver à Lausanne : occasion d'un tableau des milieux révolutionnaires tendus en Suisse comme toiles d'araignées. La société vit sur un volcan, devenue inhumaine déjà dans la paix. La moindre duperie consisterait à s'en évader, si la conscience n'imposait des devoirs. Antoine Thibault et Martin du Gard condamnent Jacques avec une tendresse grave et profonde.

Roger Martin du Gard conte bien. Quand il arrive à se dégager des résumés historiques et des discours, on le voit admirable de netteté dans les contours, de précision dans les mouvements, de tact dans les éclairages. A preuve, *La Confidence africaine* (1931), ce récit difficile que son sujet handicapait. Dans *Les Thibault*, un découpage heureux des attitudes, des dialogues, des scènes, donne à l'œuvre le caractère assez agréable d'un bon film. Peut-être le cinéma a-t-il agi tout spécialement sur Martin du Gard : les épisodes de *Vieille France* défilent comme à l'écran; dans *Les Thibault*, « la consultation » a l'air réglée par un metteur en scène, et le tableau gracieux de la rencontre amoureuse au square Saint-Vincent-de-Paul dessine tous les gestes nécessaires, rien qu'eux. La scène, quoique d'intérêt tout intérieur, engage les personnes entières des deux jeunes gens; elles sont là, elles captent nos yeux et notre pensée. De même pour le dialogue : il s'entend, les paroles se détachent.

Réalisme exact, ce réalisme où tout ce qui est noté d'extérieur converge invisiblement avec une profondeur discrète mais sûre vers la vie intérieure des personnages. C'est un réalisme à transparence, c'est une richesse d'âme incarnée. Un tel réalisme évidemment est un choix. Tantôt il isole un épisode fortement pathétique comme il y en a dans l'existence, où il arrive bien qu'on soit brusquement bouleversé (ainsi Jacques chez le vieux maître admiré qui enseigne officiellement la confiance dans la vie et qui soudain, renversant les hiérarchies, avoue au jeune admirateur son vide, son désespoir). Tantôt, en quelques notations, il met une plaque de lumière sur un caractère, ou bien il évoque tout ce qui rôde entre les acteurs du drame; et de cette ambiance, conçue comme un rapprochement non expliqué mais senti et évoqué entre les êtres, presque indicible, naît l'émotion.

Malheureusement l'œuvre ne garde pas cette franchise de vision jusqu'au bout. On sait que le premier volume, *Le Cahier gris*, étant de 1922 et le septième, *La Mort du Père*, de 1929, c'est en 1936 seulement, après un silence de sept années, qu'a paru *L'Été 1914*, ce roman de l'angoisse européenne, puis en 1940 *L'Épilogue*, journal intime d'Antoine que la guerre a détruit physiquement et qui se sait perdu. Or ces derniers volumes laissent tantôt les conversations, tantôt les commentaires gagner, monter, envahir : ce qui n'est pas plus favorable à la psychologie qu'à la vision. Ils accueillent une psychologie qui n'est pas si étrangère que cela à celle de Bourget. Ils consentent à un débordement de la chronique historique où ne trouvent plus leur compte ni l'émotion ni la pensée. Un certain vide se creuse ainsi peu à peu et révèle rétrospectivement que les volumes précédents n'étaient point impeccables : l'échec d'*Été 1914* rejaillit sur eux; il fait ressortir une certaine banalité qui souvent, sous prétexte de vérité générale, s'est dispensée d'art personnel; il souligne pas mal de convenu (dans le solennel pharisaïsme de M. Thibault père, dans les amours de Jacques et de Jenny, dans le type de M. de Fontanin, époux coureur d'une femme sainte); il dénonce enfin des dénivellements entre telles attitudes momentanées d'un personnage, amenées par une certaine facilité de pathétique, et la valeur fondamentale dont on l'avait doté : par exemple le flot des discussions intimes dont s'emplit Antoine pour arriver à l'acte de son devoir, dans la « consultation », recouvre l'image du grand praticien moderne au moment qu'elle se formait et empêche ainsi le symbole attendu de prendre forme. Une gêne semblable avait gâté au théâtre, devant le drame d'*Un Taciturne*, notre plaisir déjà compromis par les caractères exceptionnel du sujet et anormal du triste héros.

Tel quel, le naturalisme décanté de Martin du Gard, quoique inutilement alourdi d'une pensée positiviste déjà vieillie, a créé un monde dont la vue ne nous bouleverse pas, mais qui vit et qui est attachant. Rien de Zola et de sa force épique. Rien d'artiste comme chez les Goncourt. Mais le naturalisme moins original qui est parti d'Alphonse Daudet et qui s'est pénétré de maintes influences pour devenir rollandiste et gidien à la fois, se précise ici, s'affine en se desséchant légèrement : une intime sensualité manque, et l'œuvre est comme trop appliquée, le narrateur s'enferme dans une besogne trop ponctuelle. Or l'idéologie venue de Rolland fait contraste par sa prodigalité avec cette correction de l'art; elle nourrit trop de longs entretiens, elle s'est infiltrée par tous les insterstices pour arriver à s'emparer de l'ouvrage, au point de noyer les péripéties essentielles d'*Été 1914*. L'œuvre a beau s'être peuplée d'êtres généralisés en types — le médecin, le grand notable, le bourgeois dévoyé, l'épouse, etc. — et participer ainsi à une fresque de la société française, non sans peindre fidèlement des heures historiques (Paris le soir de l'assassinat de Jaurès, par exemple) : entre la facile inflation idéologique et l'application mesurée à la tâche, est-ce que la grandeur attendue ne nous fait pas faux bond ?

L'art de Martin du Gard est égal à la vie. Est-ce du grand art ?

Le grand art, celui de Balzac, celui de Proust, c'est l'art de vision et de divination; c'est l'art de création idéaliste et souveraine. Le grand art n'est-il pas supérieur à la vie ?

III. — *LES PASQUIER DE DUHAMEL*

La biographie de Salavin racontait l'histoire d'un homme (1), *La Chronique des Pasquier* (1932-1945) raconte l'histoire d'une famille. Dressée au centre de la vie française, elle reproduit en réduction l'humanité moyenne de la Troisième République, telle que la guerre de 1914 ne l'avait pas encore mutilée.

Le cycle familial des Pasquier, quoique double d'envergure, fait vis-à-vis au cycle individuel de Salavin, et les deux pôles de l'œuvre duhamelienne, désespoir humain, espoir dans l'homme, s'y retrouvent.

On y voit de belles amitiés, de nobles femmes, de grands hommes bienfaisants, au point qu'on frôle la littérature fée-

(1) Cf. plus haut, p. 254.

rique et la boîte de jouets éclatants. Une incomparable musicienne, qui anime tout un volume, donne l'impression qu'elle tient son âme et son jeu, sa pureté dense, son diamant, d'un astre dont le nôtre ne serait que le satellite. Remarquons que cette muse arrive au bord de la croyance chrétienne, comme si l'auteur, quoique fidèle jusque-là au vague christianisme qu'a laïcisé la triple discipline de la raison cartésienne, de la science et de l'art, avait voulu qu'aucun grand sentiment ne fût absent de sa création. Enfin le protégé de Duhamel, Laurent, ne triomphe-t-il pas de la médiocrité ou du malheur en qualité d'homme libre, symbole vivant d'une société fondée sur l'individualisme libéral ?

Mais au travers de quels désastres ! Triomphe fragile et qui ne fait qu'entretenir avec peine une tradition humaine toujours menacée. Aussi bien, les noirs ne manquent pas au tableau. La peinture des soucis d'argent et d'avenir souligne l'affreuse promiscuité familiale, laquelle blesse chacun des membres jusqu'à la moelle de l'être, dans *Vue de la Terre Promise* (1934) et *Le Jardin des Bêtes sauvages* (1935). Une déception donne au *Désert de Bièvres* (1936), qui romance l'entreprise de l'Abbaye de Créteil, son sens complet; le plus idéaliste du groupe avait fui sa famille par horreur de toutes les menues bassesses qu'elle mêlait à sa vie : il a le dégoût de retrouver la même vermine dans le paradis créé de ses mains. Cécile, jeune mère, est une sainte, mais qui cherche son ciel à travers la tristesse, non moins malheureuse que le lamentable Salavin. *Les Maîtres* (1937), ces deux héros de la recherche biologiste, se détruisent par haine réciproque. On touche donc toujours l'argile humaine, et Laurent devra apprendre à vivre « avec des êtres imparfaits ». Mais il sait qu'ils « ont parfois de belles heures, parfois des minutes éblouissantes ».

Se retrouve également le long de ces dix livres le cher contraste entre le drame et la comédie. Le père Pasquier, écervelé, logique, partage, j'allais dire la scène (car il exécute de vrais sketches), avec les tragi-comédies de son fils Joseph d'une part et, d'autre part, avec cette triple passion de la pureté d'âme qui porte les noms de Cécile, de Laurent et de Justin.

La « Chronique » est donc merveilleusement variée. Variété des épisodes et des thèmes, variété des couleurs et des tons, variété des types humains. On passe d'idylles horticoles et agrestes à des drames souples et durs ou à des scènes de malheur suprême. Si la vie ici souffle dans tous les coins, la mort n'en réussit que mieux, plusieurs fois, à faire sombrement briller ses rivages.

Il n'y a pas que le père Pasquier que Duhamel ait campé rondement. Joseph, le fameux réaliste, avec son poids de drôlerie et sa violence de vie, fait penser à des héros de farce. Quant à la mère, tantôt elle reflète à pleine glace celle de Salavin, tantôt elle a une figure particulière, vraiment unique. A ces caractères, à ceux de Cécile et de Suzanne, à celui de Laurent surtout, dont je parlerai ci-après, joignent leur originalité vraie plusieurs caractères de parents, d'amis, de voisins.

Puis, à l'arrière-plan, la société contemporaine. Plusieurs mondes s'entre-croisent, se heurtent, s'associent : les savants et leurs aides de laboratoire (car Laurent est une illustration de la biologie française); la jeune génération des maîtres de l'esprit, leurs apprentissages et tout l'envers de *L'Étape*; l'étonnant Justin, Silbermann presque assimilé, héraut des jeunes intellectuels juifs; le milieu grouillant et scandaleux des affaires d'après-guerre; les femmes entrées dans les métiers scientifiques et artistes; le petit peuple de Paris dans ses maisons bruyantes et pleines d'odeurs; les employés, les dévoyés, d'autres encore...

Mais caractères et collectivités ne se limitent pas à eux-mêmes; ils n'ont pas seulement l'intérêt de leur mystère de vie, ils offrent aussi le mystère des problèmes de l'époque qui viennent bourdonner en eux. Ainsi la « Chronique » devient un rond-point de nos soucis, angoisses, disputes. Les grandes oppositions du siècle s'y affrontent : le culte de la raison avec la croyance, le désintéressement avec l'édification des fortunes, l'intelligence avec l'intuition. Et aussi les antinomies éternelles : devoir et fantaisie, liberté et famille, amour et vieillissement. Par exemple, un récit comme *Cécile parmi nous* (1938), roman aussi romanesque que possible, constitue une habile défense des valeurs spirituelles.

De cette énorme roue, Laurent est le moyeu. Le grand biologiste Chalgrin égrène quelque part, dans *Les Maîtres*, des réflexions courageuses sur le rationalisme et les métamorphoses qui lui permettront d'assurer sa victoire à condition de renoncer au monopole de la connaissance. Laurent insiste : « En ce moment, je ne cesse de penser aux problèmes du rationalisme dans l'époque moderne... » Et qu'on s'en rend compte ! Les conflits de son temps, Duhamel les entend retentir au plus profond, au plus central de lui-même. Aussi fait-il de son ami Laurent un écorché vif de nos grands drames. Laurent Pasquier est l'humaniste, vibrant, poignant et mis en croix. Oh, certes, insupportable quand il s'y met, c'est-à-dire indiscret et harcelant par des scrupules de conscience dont la paix d'autrui fait quelquefois les frais, par son esprit moralisant de dévot laïque qui poserait sa candidature au prix Nobel de scrupule, s'il existait. Son humanisme confronté avec la réalité pauvre et laide du monde ne lui en inspire pas moins une magnifique douleur — d'artiste ? de métaphysicien ? Elle a engendré en tout cas l'idée noble qui mène, semble-t-il, toute la « chronique des Pasquier ». Idée ou plutôt espoir, l'espoir qu'une âme au moins restera pure du cloaque. Laurent a cru longtemps que sa sœur Cécile pourrait être cette privilégiée. Hélas, craignons que cette sainte de la musique ait à racheter le monde. Il lui sera demandé d'atroces sacrifices.

On n'a donc pas à s'étonner que Duhamel, à certains moments des *Pasquier*, comme des *Salavin*, cède à un mouvement douloureux de tout son être vers la beauté de l'impossible. Pour exemple, je donnerai entre autres, dans *La Nuit de la Saint-Jean* (1935), le premier dialogue entre la jeune assistante Laure Desgroux et son maître, le savant Renaud Censier, qui l'aime et qu'elle veut aimer, mais qui se sent son aîné de trop d'années. Ce dialogue contient une force d'amour exceptionnel, métal précieux, mais retiré des échanges, force vaine, trésor perdu.

L'agrément suprême de Duhamel, dans *La Chronique des Pasquier*, comme dans toute l'œuvre, c'est qu'il conte à merveille. Dans les récits objectifs. Également dans ceux qui alternent avec eux sous forme de confession ou de confidence. Une histoire narrée par Duhamel, c'est un globe, si petit soit-il, qui roule sa destinée. Dans son orbite, il traverse des ciels amusants; alors, le récit se colore d'une vérité générale que nous connaissons, avec une drôlerie particulière qui authentique cette vérité. Le globe rencontre aussi de grands spectacles. Qu'on ouvre *Cécile parmi nous* — décidément la plus haute partie des *Pasquier* — aux deux scènes parallèles qui se répondent à travers le vaste espace du théâtre où l'artiste donne son concert. L'une se joue entre deux êtres dans une loge, l'autre dans le cœur de la pianiste sur la scène. Le sort les a liées si exactement qu'on dirait deux instruments accordés malgré eux dans un but tragique et dont la même corde, à la minute culminante, se rompt en même temps. Étonnante trouvaille. Plusieurs autres, comme celle-là, trouvent moyen d'ennoblir l'espèce humaine juste au moment qu'elles l'accablent.

D'autres chroniques de la société peuvent l'emporter en éclat dramatique; aucune n'a la narration si aimable et le pathétique si loyal. L'histoire des Pasquier n'est certes pas ramassée ni construite. Est-ce un défaut ? La vie aussi disperse ou néglige. Le charme de cette œuvre est qu'on la voit changeante comme la vie dans ses matins. Peut-être s'en faut-il de quelque chose que les personnages atteignent tout à fait à l'évidence, et ce quelque chose vient de la part que l'auteur prend à leur existence. Enfin dans l'ensemble, la maturité un peu mollissante des *Pasquier* peut faire regretter l'acidité que la jeunesse donnait aux *Salavin*. N'empêche que l'œuvre panoramique arrive parfaitement à son but. Quel but ? Celui de donner des visages humains très attachants, très drôles, très émouvants, aux dieux, aux déesses du monde contemporain, et aux plus puissamment souverains d'entre eux : l'amour charitable et l'avidité créatrice mais cruelle, la passion de l'égoïsme, la passion de la justice. Aussi chacun de nous sent-il cette œuvre à ses côtés.

IV. — *ARAGON SECONDE MANIÈRE*

La trilogie d'Aragon — *Les Cloches de Bâle* (1934), *Les Beaux Quartiers* (1936), *Les Voyageurs de l'Impériale* (1943) — est historique par les faits importants et par un certain nombre de personnages; elle met en train avec les assassinats de Serbie le long défilé qui passera par l'affaire Bonnot, la propagande Hervé, les agissements du Comité des Forges, l'Exposition Universelle, le Congrès international contre la guerre, etc., etc. Voilà le fond de la scène; mais sur le devant, des héros et des héroïnes de fiction s'agitent et parlent de façon à diriger la philosophie du livre dans le sens marxiste de l'auteur. Car l'œuvre est visiblement consacrée à accabler sous l'accusation de pourriture la bourgeoisie possédante et la classe moyenne : enlisement d'une société qui devait trouver son mélancolique emblème vivant dans le protagoniste d'un nouveau roman de 1944, *Aurélien*. Aragon se rapproche donc de Martin du Gard, il le continue. Certes il compose plus librement, de façon plus variée, et avec plus de don pour traduire le grouillement des vies, plus d'esprit à mener ses gens. Merveilleusement volubile et vivant, il s'avance dans le style parlé plus avant même que Jules Romains. Il est incontestablement romancier. Toutefois il n'a pas assez d'étude ni de sérieux. Son information, comparée à celle d'un Martin du Gard, d'un Romain Rolland ou d'un Romains, fait regretter leurs soins. Trop d'anachronisme moral et social chez lui. C'est pitié de le voir, par exemple, confondre une bohème très argentée de bars modernes et de groupes d'avant-garde avec la vraie bourgeoisie. Et puis, est-ce qu'on ne voit pas une fois de plus le simple intellectuel qui se mêle aux affaires conduites par les grands de ce monde faire figure d'égaré ? On ne l'a pas mis dans le secret ! Aragon, adhérent au communisme russe, se colla en même temps au pacifisme jaurésien, juste à la veille de guerres dans lesquelles la puissance soviétique allait jouer un rôle actif de premier plan.

Tout cela, récits, personnages, intentions, manque d'épaisseur et de poids. Et ce n'est pas le mode de composition qui arrange les choses. Cette composition hâtive et toute de verve achève d'imposer l'impression de bric-à-brac, non d'ailleurs sans charme. Quelles pages des *Voyageurs de l'Impériale* nous restent le plus nettement en mémoire ? Les prétendus fragments d'un ouvrage de philosophie historique que le triste héros du livre préparait sur l'aventure de Law. Or elles sont bien artificiellement rattachées à l'ensemble. Et quelle cuistrerie ! Voulue évidemment... N'était ce ton de cérébralité excessive quoique excitante, Aragon nous remplacerait aisément *Les Mystères de Paris*. Au fait, que ne remplacerait-il pas ? Ses histoires sont des rendez-vous d'influences. Elles ont donné aux Thibault des cousins et des cousines assurément très éveillés, et qui ont eu le temps de lire Cassou. *Les Caves du Vatican* tout près de là demeurent ouvertes, Lafcadio en est sorti pour hanter cette œuvre et ces existences.

Jamais autant qu'en de tels romans, et malgré une magnifique dépense de talent, la littérature ne s'est exposée à très vite vieillir. Aragon romancier aura brillé en météore. C'était fatal. Quiconque emprunte son bien à la chronique sans le dominer de tout un Moi créateur capable de le fondre dans ses propres visions ne bâtira que sur l'éphémère.

V. — *LES HOMMES DE BONNE VOLONTÉ*

Jules Romains (1) a entrepris en 1932 de composer une Iliade de la vie parisienne, française et européenne du xxe siècle en son premier quart, et il a donc peint des personnages fictifs, mais représentatifs, mêlés à quelques personnages historiques et jetés avec eux dans les grandes aventures de l'époque. Il espérait ainsi prendre possession complète d'un monde et d'un temps. Ambition fort belle, mais de géant. Elle rivalise avec celle de Balzac.

A. — Il y a trois parts à distinguer dans l'immense roman en vingt-sept volumes.

1° La première est celle de la connaissance par observation et par expérience. Elle intéresse les destinées particulières imaginées par l'auteur, mais baignées dans un collectif dont elles peuvent prendre conscience. J'y classerai sans hésiter les idylles qui débordent d'idées rafraîchissantes : « amours enfantines » dans un tome du début, amours de Jallez et d'Antonia dans un tome de la fin qui s'enchante de la *Douceur de la Vie*. On ne fera pas moindre sort aux cerveaux dispersés, isolés ou unis par tout menus groupes, dans les fresques citadines. Les joies et tourments de la jeunesse intellectuelle, sa grandeur fragile et féconde : voilà la vraie patrie de l'auteur. Les intimités de conversation, les hautes discussions que Romains prête à ses deux Normaliens, Jerphanion et Jallez, ou plutôt dont il s'est souvenu pour eux, imprègnent le lecteur de nostalgie : une civilisation aura-t-elle jamais plus touchant témoignage à laisser d'elle ? On se plaît à retrouver les deux jeunes gens aux tournants de l'œuvre, dans les moments où le lecteur, de bonne volonté lui aussi, se sent pourtant au bord du découragement. *Le Drapeau noir* par

(1) Sur l'œuvre antérieure de Jules Romains, cf. notre premier volume, pp. 549-552, 597-600.

exemple, si menaçant d'arbitraire dans son intention de peindre l'ennui (et non point l'anarchie) qui déferla, paraît-il, sur l'Europe avant 1914, apporte soudain une vraie corbeille de fruits, le tableau du jeune ménage Jerphanion recevant l'ami Jallez. Au reste, tout ce qui est de l'ordre de l'intelligence, Romains se l'approprie et nous en régale. Ses jeunes universitaires une fois devenus hommes, Jerphanion entré dans la politique, Jallez observateur de la Société des Nations, gardent leur intérêt. L'œuvre trouve une de ses réussites dans la curieuse histoire d'agence d'immeubles montée par Haverkamp avec tant de maligne et sympathique méthode, cet Haverkamp qui chaussera les armées de la République et tirera fortune de la guerre, puis de la révolution russe, avant de disparaître dans un bonheur secret. Et il y a encore Marcot et Laulerque, l'instituteur Clanricard, tout un groupe aussi intelligent qu'intellectuel, un groupe d'hommes libres. A classer dans la même chance que ces images réconfortantes tout ce qui se rapporte à la « vie unanime » de Paris. Ne dirait-on pas que l'œuvre antérieure aboutit tout entière à ce Paris-là, qui va du cerceau solitaire d'un gamin au mouvement fluvial des Champs-Élysées 1922 ? C'est ingénieux, ravissant, brillant. C'est parfois grand : des pages comme celles qui embrassent à la même heure les express lancés sur nos six réseaux vers les gares de la capitale éclatent de puissance physique, s'ennoblissent de vivante mythologie, font penser aux trouvailles d'Hugo.

2° La part des peintures exécutées sans expérience assez longue ou assez familière de leurs modèles se caractérise par ce qu'il sera clair d'appeler le fabriqué et le chiqué. Il y eut effort louable à vouloir amener en gros plan sur l'écran une catégorie de notables qui, politiciens, capitalistes, industriels, sont plus ou moins nos maîtres. Mais il eût fallu les connaître autrement que par la tangente de simples relations, avoir mis la main à la même pâte qu'eux (faute de pouvoir tout posséder par éclairs de vision balzacienne). C'est la mélancolie de l'intellectuel sincère, ce devrait l'être tout au moins, aujourd'hui plus que jamais de ne connaître les secrets du monde social que de seconde ou troisième main : mais qu'il en fasse l'aveu, qu'il n'essaie pas de ruser. Or Jules Romains a connu du dehors les milieux politiques, du dehors les milieux ecclésiastiques, et il a abordé les milieux mondains avec parti pris. Si sa comtesse de Champcenais est charmante, bien sympathiquement pitoyable, ses Saint-Papoul ont l'air de dessins animés. Les relations de son député Gurau avec les pétroliers sont rocambolesques. Comme l'abbé Jeanne et ses ruminations, Gurau et sa politique sortent de théories préalables, ils les illustrent, ils participent de leur apriorisme. Même dans sa peinture du peuple, si chaude et heureuse en beaucoup de pages, Romains fait regretter malgré tout l'exacte vérité d'un Robert Garric dans *Belleville*, ou la pitié de Roger Dévigne dans *Ménilmontant*.

De ce fait, une partie importante de l'œuvre souffre d'une fausseté d'ensemble. Même si l'auteur a fréquenté certains des personnages principaux qui animent cette partie contestable, ne dirait-on pas qu'il les a reconstruits avec réflexion et calcul, par pièces détachées ? Et l'on remarquera d'ailleurs qu'ils n'ouvrent point la bouche sans sa permission, qu'ils apparaissent sur un signe de lui au moment où il en a besoin, qu'il leur arrive exactement ce qu'il avait décidé qu'il leur arriverait. Rarement en eux cette force d'instinct ou de sentiment, cette poussée intérieure irrésistible, ce ressort naturel enfin qui supporte et pousse l'action dans un roman de Balzac ou de Tolstoï. Ils ont trop le nez entre deux doigts de leur créateur. On se souvient des recherches d'un savant médecin sur les phénomènes arythmiques du cœur, dans le douzième volume : cet épisode un peu en marge de l'œuvre ne rappelle-t-il pas irrésistiblement les recherches de Romains lui-même sur la vision ? Comme l'auteur est le *deus ex machina* de ses personnages !

D'où un double et triple inconvénient. D'une part, l'imagination les voit mal, ces personnages trop fictifs; d'autre part, leur cœur ne bat pas de lui-même : à cause de quoi l'œuvre se rapproche plus souvent du roman-feuilleton que du roman épique.

3° A ce romanesque qui entre-croise les destinées particulières et plus ou moins symboliques de ses personnages inventés, Romains a mêlé la chronique de nos destinées générales, calquée d'assez près sur l'histoire contemporaine. De cette troisième part, qui sert de fond aux deux autres, la série a commencé avec l'effervescence balkanique et les premiers vols aériens de Wright, lointain prélude à août 1914. On la voit lentement mais sûrement happée par la guerre.

Or Romains, socialiste jaurésien, Européen anti-nationaliste jusqu'en pleine conflagration, avait, comme Duhamel, l'expérience physique et spirituelle d'une Europe parcourue à pied et à bicyclette avant de l'être en wagon de conférencier célèbre. Il l'imagina, lui, organisée autour du couple *France-Allemagne* auquel allaient ses souhaits encore vingt ans plus tard, en 1935. De cette source politique jaillit une grande force de drame intellectuel dans le chapitre qui évoque le socialiste allemand Robert Michels, l'espoir soulevé par son attente, puis la déception laissée par son passage dans nos milieux pacifistes.

Dans cet ordre de la chronique historique vérifiable qui s'entrelace à la chronique des particuliers inventés par lui, Romains a été souvent heureux. C'était affaire d'intelligence. Le je ne sais quoi de facile et de rapide qui fait d'une moitié des *Hommes de Bonne Volonté* une lecture allégrement distrayante, vient d'un don de comprendre qui répand la clarté. La même intelligence, plus imaginative, a inspiré tels morceaux désormais illustres : le tableau de la France en juillet 1914, la carte idéologique des nations jetées dans la guerre, les doctrines stratégiques qui se sont succédé entre 14 et 18. Belles réussites encore, le Jaurès politique qui pense tout haut, grand témoin, ou le poète Moréas, demi-dieu dans le temple hebdomadaire de la Closerie des Lilas.

Pourquoi donc ces heures d'histoire, Romains s'est-il cru trop de fois obligé de les romancer ? Alors le mélange du réel et de l'inventé est vite devenu gênant, parce qu'il a ouvert la porte au douteux et au faux; fêlure dans l'œuvre, et qui en ruine partiellement l'autorité. Ce n'est nulle part plus sensible que dans la carrière politique de Gurau; car tout d'abord, M. de Selves, dont il tient la place, nous gêne : nous voyons double; puis voilà un personnage mécanique, il sert de haut-parleur à l'auteur, pour publier ses idées sur la question franco-allemande. Toute la mission de Mionnet à Rome, les rapports de l'abbé avec Poincaré, ses enquêtes sur Merry del Val et sa réception par le cardinal fournissent le plus voyant spécimen de cette catégorie catastrophique.

— Mais il paraît, dira-t-on, que Romains s'est chargé réellement de responsabilités de cette espèce... En ce cas, le vers de Boileau,

Le vrai peut quelquefois...

me fournit une riposte. Oui, je sais bien que le goût des couloirs secrets est sincère chez l'auteur; il explique une partie de ses inventions.

Lorsque les vérifications authentiquent la chronique, un autre danger la guette : elle sent l'imprimé et trahit l'extrait. Tout se passe comme si une campagne de la *Guerre sociale* avait fourni les pages sur la coalition des forces d'argent. On n'aurait que l'embarras du choix pour désigner les sources d'autres pages sur l'Église romaine, sur l'Action Française, etc... Dans la chronique de Paris surtout, Romains ayant eu à cœur de faire riche, ayant eu peur de ne pas tout mettre, en a mis et remis. Il y a alors excès de tiroirs. Le parallèle entre le fiacre et l'auto, pour ne prendre qu'un exemple, qu'est-ce autre chose qu'un « Au jour le jour » comme il a dû en paraître cent dans les quotidiens d'il y a trente ans ? Pourquoi pas une revue des groupes scolaires, une symphonie des bouches de métro ? Il faut reconnaître à de tels « topos » des qualités remarquables d'abondance précise et de copieuse fantaisie. Mais le bon et le mauvais de tels albums de vie réelle ou de vie historique ont l'air de sortir des collections de journaux de la Bibliothèque Nationale. Tort évident, et dont la conséquence est fatale : comment les derniers rapports de Mionnet sur les dispositions de l'Italie à la veille de la guerre ne feraient-ils pas maintenant panoplie poussiéreuse ? Comment les jugements sur la Russie soviétique de 1922, que *Cette Grande Lueur à l'Est* déploie en éventail, ne donneraient-ils pas déjà l'impression de momification par l'histoire ?

B. — Une œuvre qui vise à reconstruire une société et à évoquer une humanité par le biais du roman à desseins épiques ne saurait atteindre le vrai que par re-création intuitive et divination géniale. La civilisation des Phéaciens, que fut-elle réellement ? De toute façon, elle est vraie dans l'*Odyssée*. Ce n'est ni par description énumérative ni par supposition méthodique que les Balzacs parviennent à leurs fins. S'il existe chez notre auteur des épisodes douteux, telles les étrangetés ecclésiastiques des tomes XIII et XIV, leur tort fondamental est d'essence non pas historique mais psychologique et technique. L'imagination visionnaire, disons la baguette divinatoire, ont manqué à Romains pour remplir une tâche qui les réclamait. Ses qualités sont tout autres. Aussi certains de ses épisodes rappellent-ils des œuvres antérieures si impérieusement que, pour un peu, on les en dirait inspirés : la famille du marquis de Saint-Papoul et ses cocasseries, c'est de l'Anatole France; la famille Bastide et ses malheurs misérables, du Charles-Louis Philippe; un morceau de bravoure comme la « Présentation de la France en juillet 14 », du Péguy.

Dans l'ensemble, Romains a conçu et écrit son œuvre avec une intelligence explicative et raisonnante; et certes une telle intelligence est capable de beaucoup de choses quand la soutiennent comme chez lui une verve brillante et un pouvoir presque infini de dissertation. Très intéressante, cette faculté habilement discursive, très utile et très respectable, parfois éclatante comme l'acier. Elle reste tout de même étrangère au tumulte de la vie, elle ne pénètre pas dans ses profondeurs. *Verdun* en a apporté la preuve décisive. Récits, dialogues, lettres y sont combinés pour comprendre la guerre et la faire comprendre : pleine satisfaction pour l'esprit, mais rien d'aussi poignant que *Les Croix de Bois*; un point culminant, mais situé hors de l'action, au terme de la longue conversation où le combattant Jerphanion expose à Jallez quelle force humaine a pu maintenir des millions d'hommes dans l'endurance d'un supplice qui ne finissait pas... Là et ailleurs, on en revient toujours à la même plainte. Où est la vie intégrale qui devait ressusciter ? où l'objet de l'ambition initiale ? On avait promis lunette de nuit et avion, nous suivons à pied tous les chemins. Il est vrai que le guide a tout vu, tout compris, et qu'il explique merveilleusement bien.

Le roman ne se passe pas de romanesque, auquel d'ailleurs peuvent suffire de modestes réalités. Qu'on ne reproche donc pas aux vingt-sept volumes de Romains d'apparaître romanesques et parfois follement, mais plutôt de présenter pour romanesque, au lieu de trouvailles de l'imagination ou du cœur, tels appareils purement cérébraux, bobines qui se dévident au-dessus du réel. Rien de mieux préparé à fonctionner dans l'artificiel, et de là dans le saugrenu. Artificiel, le film dont le cardinal Merry del Val est la vedette; saugrenus, les rapports cachés de Guillaume II avec le journaliste européen qui se dévoue au maintien de la paix. Voilà des personnages historiques qui ressemblent à des marionnettes que Quinette aurait confectionnées pour d'énigmatiques desseins. Mais, au fait, ce Quinette lui-même possède-t-il beaucoup de chair et d'os ?

Et s'il existe un domaine où Romains s'acharne à nous procurer des surprises extravagantes et factices, c'est celui où le démon de la cérébralité s'exerce sur le désir amoureux. L'œuvre contient un vrai musée d'érotisme. Elle multiplie les chapitres scabreux, luxurieux, obscènes. Obsession ! Les hommes, les femmes, les prêtres, les gens du monde, les manucures, les doctoresses, les hommes et les femmes de lettres y passent, et jusqu'au chien Macaire. On rit d'une ou deux inventions drôles. Mais l'ensemble est pénible. Romains joue la gamme de cette surexcitation avec un acharnement qui inquiéterait, si l'on avait la naïveté de n'en pas deviner le vouloir froid et mystificateur.

C. — La mécanique de l'analyse explicative et raisonnante fonctionne jusque dans le langage. De même que la psychologie devrait donner des coups de sonde dans les sentiments et les pensées, le style aussi devrait faire résonner à temps des paroles directes, des mots révélateurs. On leur a préféré un débit de bavardage ronéotypé et, par surcroît, ces bavardages au second degré que sont le laïus indirect, le monologue en langage intérieur, le journal intime et la correspondance. Le bavardage sous ces diverses formes, entre maints inconvénients, a celui d'amasser un prodigieux poids d'inutilité. Qu'on le supprime, il allégerait l'œuvre des deux tiers.

Mais tout cela dit, Jules Romains reste un écrivain éblouissant. L'exactitude de l'expression jusque dans cette inondation verbale comme dans les plus rares subtilités de pensée, ainsi que dans le sentiment quand il est pensée encore, fait le ressort de son style. Il y ajoute un éclat de belles dents, où le bonheur de comprendre luit presque avec fatuité.

D. — De hauts mérites compensent les défauts dans la chronique des *Hommes de Bonne Volonté*. Non seulement les mérites de tant d'analyses exactes et d'émotions authentiques dont j'ai signalé les plus belles et les plus touchantes, mais, en quelque sorte, les mérites essentiels et d'ensemble.

Il fallait une étonnante dextérité pour manier la multiplicité des intrigues et des personnages. En embrassant l'Occident sur une longue suite d'années (près d'un tiers de siècle), Romains a dégagé les forces en lutte ou en compensation dans la société moderne, forces des individus, des groupements, des corps sociaux, des idées et des sentiments. N'oubliant à peu près personne, pas même les diseuses de bonne aventure, il s'est acquitté de sa tâche accablante. Il a ceinturé son géant, il a rassemblé un monde. Et ses dix mille pages, il les a écrites avec une abondance qui révèle la générosité : cette générosité sensuelle, amie des belles et bonnes choses, qui fait aimer l'humain et qui donne à l'œuvre sa signification générale.

En effet, l'œuvre conclut sur un refus de désespérer. On en était cependant bien tenté ! Mais non, l'auteur a voulu tout sauver, généralement par l'amour (les femmes qui aiment, c'est la chance de Jallez, la chance d'Haverkamp), toujours par la *Bonne Volonté*, par la croyance à la bonté, par l'espoir du bonheur, par la conscience d'une mission. La race blanche n'a pas terminé sa tâche, elle poursuivra sur la terre et dans les cœurs l'épanouissement d'une civilisation humaniste et humanitaire. Telles sont les perspectives ouvertes par quelques réconfortantes histoires des derniers tomes. Il est à remarquer que ce furent jadis les perspectives des jeunes socialistes. Jules Romains est resté bien fidèle à lui-même.

Nous l'avons dit et redit, faut-il le redire encore ? Romains a fait exactement ce qu'il a voulu faire et ce que sa nature exigeait qu'il fît. Le bon, le moins bon, l'excellent découlent également de la même source : cet art qui est essentiellement un art d'intelligence, mais dont, chose curieuse, s'accommode une poésie souvent présente, sans doute parce que l'intelligence prolonge sa rêverie jusque dans les opérations secrètes de la vie et du cœur, — la poésie des sympathies populaires, la poésie de Paris, la poésie des entrecroisements de destins

CHAPITRE VI

LE THÉATRE

Le théâtre contemporain reste commandé par la Révolution de 1913, à laquelle il nous faut remonter. A la féerie théâtrale organisée par Rouché avait succédé, en effet, la surprise du Vieux-Colombier. Enfin, Jacques Copeau vint !

Né en 1879 à Paris, orphelin de père trop tôt, Copeau essaya de plusieurs métiers avant de vendre des tableaux chez Georges Petit, puis, collaborateur de *L'Ermitage*, critique dramatique à *La Grande Revue*, secrétaire général de *La Nouvelle Revue Française* à sa fondation, connut le succès de grand public avec un drame tiré des *Frères Karamazoff* pour le Théâtre des Arts. Ses premiers articles à *L'Ermitage*, envoyés du Danemark, patrie de sa femme, se trouvent réunis dans un volume, *Critiques d'un autre Temps* (1923); il y étrille les Bataille, les Hervieu, les Capus, les Bernstein, tenus pour producteurs sans âme et sans style. En 1913, ayant rassemblé autour de lui quelques acteurs alors obscurs, il ouvrit au soir du 22 octobre la salle qui devait s'appeler Théâtre du Vieux-Colombier. « Nous sommes venus rue du Vieux-Colombier, a-t-il dit, pour être plus loin de ce que nous haïssons. » Ils haïssaient le Boulevard... La troupe joua *Une Femme tuée par la Douceur*, jolie vieillerie anglaise. Ce furent ensuite *Les Fils Louverné* de Jean Schlumberger, des comédies de Courteline, de Musset et de Molière.

Le Vieux-Colombier a conduit au but un important effort tenté par le Symbolisme; il a institué un théâtre entièrement soumis à l'art, c'est-à-dire qui rejette le joug de la vedette, joue en équipe, réduit le décor à quelques trouvailles suggestives. L'auteur demande-t-il un paysage panoramique au fond de la scène ? Copeau n'a pas d'argent à jeter dans ce luxe; il mettra donc une longue-vue aux mains d'un personnage, et notre imagination verra l'immense étendue... Le Vieux-Colombier répondait à un besoin. Le théâtre, pour résister et survivre aux foires de déploiement scénique dans lesquelles prospèrent music-hall et cinéma, n'avait-il pas l'obligation de se contracter dans une retraite de haute décence et de noblesse nue, propice à l'évocation de qualité ? Il ne s'agissait pas d'ouvrir un paradis de raretés aux seuls intellectuels et artistes, mais de monter d'honnêtes représentations avec des textes non académiques, des moyens scéniques bien accordés à leur style, un esprit formé par les grands modèles. Paris admira les résultats aux inoubliables soirées de *La Nuit des Rois.*

La guerre de 14-18 finie, Vildrac, Schlumberger, Ghéon apportèrent des œuvres à Copeau, qui lui-même livra le fond grave de sa nature dans sa propre pièce représentée en 1924, *La Maison natale.* C'est aussi en 1924, hélas ! que les difficultés matérielles l'obligèrent à fermer ses portes, car la salle, quoique pleine chaque soir, était trop petite pour produire des recettes suffisantes. Le héros se retira en Bourgogne, à Pernand-Vergelesses, mais non pas sous sa tente, car il se mit à faire la classe, forma des comédiens qu'il appela les « copiaux », troupe médiévale, chariot de Thespis, qui est venu quelquefois jusqu'à Paris. Ensuite il prit l'habitude de lire de beaux textes sur divers tréteaux, tout en écrivant *Les Souvenirs du Vieux-Colombier* (1931), enjoués, passionnés, mélancoliques. Ni le poste de conseiller à la Comédie-Française (1936) ni celui d'administrateur intérimaire (1939) n'ont su le satisfaire. Il avait conscience d'avoir donné à la scène française une magistrale leçon encore insuffisamment écoutée. Jacques Copeau est mort en 1949.

Dans le temps où Jacques Copeau remportait le succès du *Carrosse du Saint-Sacrement*, révélait Vildrac et Romains, donnait des ailes à Valentine Tessier sur le seuil des deux ou trois années où Réjane, Sarah, de Max, Guitry allaient mourir, Lugné-Poe remettait « L'Œuvre » à flots; il devait découvrir Sarment, importer le Suédois Strindberg, « sortir » Crommelynck, Passeur, Salacrou. Autres chances : deux acteurs du Vieux-Colombier, Charles Dullin et Louis Jouvet, ayant pris en 1921 leur liberté, jouèrent, celui-là à « L'Atelier » fondé par lui, celui-ci à la Comédie des Champs-Élysées, tandis que Georges Pitoëff, échappé de Russie rouge et qui avait formé sa troupe à Genève, puis avait monté du Lenormand en 1920 et du Tchékhov en 1922 au Théâtre des Arts, mariait Lutèce à Pirandello (1923). D'ailleurs l'esprit de Copeau les animait. Une vague cubiste de mise en scène, accourue d'Europe centrale, ne fit que mettre en valeur contrastée la discrétion rigoureuse, la stylisation pleine de goût par lesquelles ces novateurs ont tous accordé leurs tendances pour rétablir le théâtre dans sa dignité littéraire. Jacques Hébertot, qui travailla avec Pitoëff, a créé et maintenu son théâtre dans la ligne directe de Rouché et de cette salle des Arts où on l'a vu revenir comme à sa petite patrie après des séjours avenue Montaigne, aux Mathurins, à L'Œuvre. Depuis l'éclatant succès des Ballets Suédois, il a créé des pièces de grands étrangers. « Ses » pièces françaises sont de Lenormand et de Romains, de Giraudoux, de Cocteau et de Montherlant. Ce théâtre ardent, curieux, éclectique, ne se rassemble pas moins que ses émules dans une constante : la qualité. Hébertot jeune publia des vers, il est resté poète.

Dans ce concert, Gaston Baty a fait entendre sa note, non pas discordante, mais originale avec excentricité. Il venait des Marionnettes et de Guignol; il passa par chez Gémier. Sa baraque de « La Chimère » en 1921, puis successivement le Studio des Champs-Élysées, le Théâtre de l'Avenue, le Théâtre Montparnasse, ne lui ont servi à lancer aucun nouveau nom (car J.-J. Bernard existait, il l'a consacré); du moins a-t-il composé à propos de chaque pièce des ensembles magiques de décoration, d'art scénique et de jeu; par ses sortilèges, on assiste à des poèmes en mouvement. Avec eux et avec des auteurs comme Lenormand, Pellerin, J.-J. Bernard et... Musset, il a amené le théâtre à aborder le problème fondamental, le problème à la mode, le problème de la condition humaine. Mais pourquoi rogne-t-il l'importance des paroles ? Il a pris avec celles de Racine et de Musset des libertés scandaleuses. Son ouvrage de théoricien, *Le Masque et l'Encensoir* (1926), plein de vues intéressantes, a ses racines mangées par cette fatuité qui le pose en adversaire du texte de ses auteurs : ne l'appelle-t-il pas Sire le Mot, afin d'avoir la joie de le détrôner ?... Pour Jouvet, on l'entend s'expliquer chez Giraudoux, dans *L'Impromptu de Paris*; il y est admirable.

Enfin je n'aurai garde d'oublier le rôle tenu dans le spectacle parisien par Marie-Ange Rivain et son frère Xavier de Courville, fondateurs et animateurs de la « Petite Scène », compagnie d'amateurs fervents et doués. L'invention spécifiquement française du XVIIIe siècle Dancourt-Marivaux et du XIXe Mérimée y a rejoint le goût d'André Gide pour le « psychologisme » à la Tchékhov dans une atmosphère d'art scénique où le public put respirer un bonheur de création totale. La tradition installée par Copeau aboutit là au miracle de merveilles faites avec rien.

Et voilà donc le cadre dans lequel s'est développé ce théâtre d'entre les deux guerres qui, pour une part et la meilleure, cessa d'être une sensualité du Tout-Paris pour devenir un haut plaisir de l'élite française. Certes, les aînés continuent et achèvent; les Curel, les Porto-Riche, les Bernstein, les Bataille jettent leurs derniers feux. Les cadets que le XXe siècle a vus grandir, s'affirment; Claudel touche au triomphe. Les drames violents de Charles Méré, les épouvantes et les terreurs du Grand-Guignol (dont le fondateur en 1897 a été Charles Méténier et le plus habile pourvoyeur André de Lorde, disparu en 1942) allument toujours leurs enseignes. Cependant c'est bien un théâtre renouvelé qui s'empare de ces vingt années. Et il a beau s'être frotté à deux influences étrangères, celle lointaine de Freud, celle proche de Pirandello, il prépare merveilleusement tout pour nous faire la surprise si française : l'entrée de Giraudoux.

Avec Luigi Pirandello, l'angoisse tragique s'attaquait à la connaissance. Les valeurs sociales et morales étaient déjà ruinées dans beaucoup de têtes; voici en train la ruine de la valeur intime. Suis-je moi ? Chacun de nous se cherche, se voit-il tel que la vie le fait ? La conscience est débordée. Ainsi se forma une excellente source d'humour, mais d'un humour bouleversant ou qui prétendait l'être : en tout cas, cause nouvelle de dissociation et de dérèglement, toute une diablerie. Cette levée cocasse de multiples personnages qui rentrent peu à peu dans leur étrange solitude à travers tant de doutes sur leur propre existence laissèrent notre théâtre incertain entre le rire et la douleur, et créèrent même pour l'ensemble de notre littérature une ambiance d'énigme où elle s'est plu à respirer.

Bien entendu, les habitudes classiques et bourgeoises du théâtre de mœurs, du théâtre d'analyse, de la comédie et de tous les genres dramatiques se mêlent à ces nouveautés d'aristocratie spontanée, et ce n'est pas un mal, car le théâtre traditionnel a de la solidité, tandis que bien des novateurs, bien des révolutionnaires décevront. L'influence est à noter des comédies de Shakespeare et de Musset rénovées par Copeau.

Quels seront les signes de la plus neuve invention ? Les voici : une sorte de dénudation saine, le fait positif de l'intrigue réduit au minimum, le consentement aux solutions de continuité, la fantaisie mise sur le même pied que la réalité, la subtilité des silences, la curiosité et le goût des souterrains du sentiment et de la pensée, le renouvellement des légendes par l'intelligence imaginative, — c'est de ce côté-là que le théâtre contemporain, dégagé, libéré, aéré, a pris le plus d'aises pour s'orienter soit vers l'exquis soit vers le grand. En courant des risques, bien sûr. Il se met même en péril avec courage, quand, bouleversant l'acquis du réalisme psychologique, il s'aventure dans les obscurités profondes du Moi. Ce n'est plus alors le versant Giraudoux, c'est le versant âpre et désespéré où un Lenormand se fanatise. En découvrant des hommes écrasés par le destin, ce destin intérieur qui communique avec l'invisible où ils baignent, le théâtre de forage à la recherche d'eaux maudites créera des possédés doux ou violents, tragiques ou ridicules. Il se mettra ainsi en règle avec l'esprit d'une certaine fiction telle qu'elle a pris forme dans le roman. Mais ne plongera-t-il pas dans l'arbitraire ? Sur ce versant comme sur l'autre, le naturel d'exécution peut co-exister avec l'arbitraire de conception.

Quant au dialogue, le plus souvent simple et familier jusque dans les pièces de pensée, il aime se prolonger en résonances qui irradient l'émoi : en quoi il profite encore du Symbolisme, l'influence de Maeterlinck n'est pas éteinte. Ou bien il mousse et pétille d'esprit. L'emphase est rare.

Il fallait un auteur de transition pour encourager ces évasions dans la liberté presque totale par le biais d'une nonchalance désinvolte, qui invente et creuse sans avoir l'air d'y toucher, mais débouche maintes fois sur une charmante ou odieuse aboulie. N'est-il pas clair que Sacha Guitry s'est trouvé là fort à point ?

Sacha Guitry.

Ce fils d'un grand comédien a le génie des planches; il pense, sent, vit théâtre. Et c'est pour cela qu'il se donne de l'espace et déplace de l'air. Tout en flattant son public, il affiche une indifférence pour la « pièce bien faite », il bouscule la représentation réaliste de la vie, il use de familiarités avec les personnages et les situations. On entre avec lui dans une conception toute capricieuse et volontaire, on s'enferme entre un public, des panneaux coloriés et un lustre: mais dans ce boudoir de Thalie on jouit d'invention spontanée et d'allègre mouvement.

Quelque chose de Molière se retrouve en Sacha Guitry, et dans sa vie même. Lui aussi aura été auteur et chef de troupe. Lui aussi, amuseur, a composé à la va-vite un grand nombre de comédies. Lui aussi a aimé et épousé des comédiennes. Enfin lui aussi se tient de plain-pied avec le quotidien le plus actuel des mœurs, depuis certaines étrangetés du divorce jusqu'à la crise des domestiques, en même temps qu'il met un esprit jaillissant à rejoindre le mariage, l'amour, l'infidélité, sujets éternels.

Assurément, il n'a point créé de types; ses caractères ont plus de drôlerie ou de charme que d'efficacité. Mais comme l'Autre, il fait bondir la vie entre les portants. Pas d'homme de théâtre qui produise plus d'ébullition scénique, qui jette plus d'étincelles dans le dialogue, qui ait en réserve autant de ruses : dans les ornements et broderies, puisque l'action est cousue à la hâte. Pas d'artiste qui compte à ce degré sur ses grâces naturelles. Ses pièces ne sont pas des ouvrages, ce sont des jeux et tout le premier il s'y est amusé. N'a-t-il pas commencé à jouer dès son arrivée en ce monde, ayant fait la surprise de naître Parisien (en 1885) à Pétrograd, alors Saint-Pétersbourg ?

La philosophie de Guitry, nonchalante, amie méprisante de la vie, ironique (elle lui a dicté quantité de maximes), voluptueuse quelquefois, arrive à mélanger d'un sourire déluré le ton Marivaux avec le ton Beaumarchais. Tantôt l'on part d'une situation réelle, on traverse des zones satiriques, on parvient au terme dans une tendresse sentimentale (*Désiré*). Tantôt l'auteur est tout sentiment (*Mozart*, 1926). Il lui arrive de raconter avec le plus grand laisser-aller de fantaisie un *Miracle* (d'amour). Ses *Souvenirs* (1934) ne cachent pas à quel point il a installé sa propre personne dans son œuvre : non pas seulement l'extérieure et la trop connue; *Un Soir*, *Monsieur Prud'homme a-t-il vécu?*, *Je t'aime*, et tant d'autres des cent et une pièces, révèlent des traits intimes. Mais ce sont en même temps traits de la vie, de l'amour, de la douleur ou du plaisir : souvent traits de poète autant que de moraliste. Quel dommage que Guitry s'impose si opiniâtrément pour protagoniste ! Telle pièce se réduit presque à un monologue. C'est jouer avec la monotonie comme avec le feu.

Les meilleures pièces de Sacha Guitry resteront *Le Veilleur de Nuit* (1911), *La Prise de Berg-op-Zoum*, *La Pèlerine écossaise*, *Jean de La Fontaine* (1928), qui pourraient porter comme titre commun *Plaisir du Théâtre*. Les autres, une extrême satisfaction de soi les a construites autour du moindre avatar d'un Moi plus piquant que profond. Et d'autre part, à faire monter sur les planches trop de grands hommes de l'histoire, en les prenant sous sa protection, Sacha Guitry finit par composer un nouveau Musée Grévin.

Et maintenant que nous avons à entrer dans de nombreuses catégories, il importe que les yeux ne perdent pas les grandes perspectives. On se fait une fausse idée du théâtre contemporain, et surtout de ses proportions, lorsqu'on ne le voit pas éclairé par les maîtres qui se nomment : Claudel (dont la production puissante s'étendant activement sur plus de quarante années domine tout); Giraudoux, le dauphin; Montherlant, frère imprévu, et Anouilh, prince de la jeune génération. J'ai déjà parlé de Claudel et de Montherlant.

I

INTIMISTES

Une des grandes dominantes d'entre les deux guerres (Gide, Proust, Pirandello, etc.) consiste dans la dualité, sinon la multiplicité reconnue à tout être. Il se montre tel, il est en réalité tel autre; chacun a sa vie secrète, mouvante, obscure, furtive. Les personnages de théâtre la cachent par pudeur ou par faiblesse; mais des gestes, des mots, des silences les trahissent. Cela fait l'ambiance des Vildrac, des J.-J. Bernard et de quelques autres.

On a appelé leur théâtre le théâtre du silence. On l'appellerait plus justement le théâtre des dialogues sous-entendus; il est de fait qu'il donne le rôle principal à l'inexprimé qui se tapit sous les répliques et va jusqu'à les entamer. Les intimistes ont ce caractère-là en commun et celui-ci également : la nature de leurs personnages, qui ne vont jamais jusqu'au bout de leur voie, qui cèdent à la vie. Ainsi ont-ils fourni sur la France contemporaine un témoignage assez peu réconfortant.

1. Charles Vildrac.

Charles Vildrac (Charles Messager, né à Paris en 1882), beau-frère de Duhamel, est maître en ces drames qui naissent généralement d'un beau rêve, cheminent sous l'apparence à demi endormie des hommes et des choses, se manifestent par quelques attitudes, par des paroles raréfiées, comme s'il y avait un secret à ne pas trahir. Les mouvements de sympathie, de pitié et d'amour se communiquent d'un être à un autre par des passages ménagés étroitement. Vildrac a su tirer par ces moyens un vrai charme spirituel d'existences rudimentaires, dans des milieux modestes ou besogneux. Gestes, paroles, restent en deçà des limites qui les bornent dans la réalité, font deviner des cœurs supérieurs sans le savoir à leur sort. Dans *Le Paquebot Tenacity* (1920) on regarde vivre des êtres banaux, les deux ouvriers amis de la petite servante de l'auberge; le plus énergique attend le jour de s'embarquer pour une réussite lointaine; l'autre, son compagnon affectueux, devient amoureux en tendre rêveur. On sent l'amour travailler sourdement; en même temps, une impulsion passe d'un cœur et d'une volonté à un autre cœur et à une autre volonté : l'homme qui devait partir reste et celui qui devait rester part. L'étrangeté mystérieuse de la vie et une assez triste poésie enveloppent tout cela comme d'un brouillard.

Michel Auclair (1922), *Madame Béliard* (1925), *Le Pèlerin* (1926), *La Brouille* (1930) brodent des variations touchantes sur la même trame de sympathie humaine et de rapports impalpables qui porte la marque de l'Abbaye. Dans *Madame Béliard* un critique a découvert une Bérénice moderne. Soit ! A condition de ne pas oublier que Rome est devenue une petite usine de teinture, Bérénice la patronne, Titus un ingénieur, Antiochus la nièce de la maison... Ajoutez que le veto de Rome fait place à un vœu de la Nature.

Évidemment un tel théâtre n'échappe pas à la grisaille. Quel sang a-t-il dans les veines ? Déjà *La Brouille* aboutit à des émois douceâtres; dans *L'Air du Temps* (1938), bâti sur un sujet « bernsteinien », l'art de Vildrac a donné l'impression de s'évanouir.

2. Jean-Jacques Bernard.

Fils de Tristan, Jean-Jacques Bernard, né à Enghien en 1894, ayant débuté avec *Le Voyage à Deux* et *La Maison épargnée* (1920), s'est imposé par une réussite de psychologie douloureuse : l'incertaine et jalouse tristesse du démobilisé qui retrouve sa Pénélope, c'est *Le Feu qui reprend mal* (1921). *Martine*, que Baty, alors directeur du théâtre de « La Chimère », monta en 1922 aux Mathurins, acheva de situer l'auteur.

La pièce, qu'on dirait inspirée d'un Musset inédit, offre son meilleur attrait à ménager des temps muets. La petite paysanne met si longtemps à voir les barrières qui se dressent entre elle et le jeune Monsieur ! Et lui d'ailleurs reste sentimentalement si distrait ! Elle pressent, elle se tait et elle souffre. Le mariage de Julien avec une jeune fille de son monde ne décourage pas l'amoureuse secrète, mais l'étourdit et l'étouffe. Une scène où la nouvelle mariée prend la délaissée pour confidente de son frais bonheur, une autre où Julien venu de la ville pour revoir son amie de campagne, mariée elle aussi, lui arrache par curiosité de flâneur, non un aveu rétrospectif, mais vraiment son cœur saignant, sont des feux de supplice à l'éclat cruel.

L'Invitation au Voyage (1924), péripéties d'un amour chimérique et fragile qu'une femme a échafaudé sur l'absence et que le retour de l'objet fait tomber; *Le Printemps des Autres*, *Le Sonnet d'Arvers*, *L'Ame en peine* (cette autre Bérénice, de banlieue cette fois), jalonnent une carrière fondée sur les plus délicats frémissements d'âme, mais qu'a saisis cet esprit étonnamment juste dont J.-J. Bernard devait donner des preuves comme essayiste et moraliste. Il n'y a qu'un point faible dans son théâtre; il fatigue les nerfs par abus de l'allusif.

3. Autres auteurs.

Le romancier de *Marie-Galante* ayant réussi au théâtre avec *Une Faible Femme* (1920), a osé y aborder le grand sujet des mœurs de la classe moyenne dans *Étienne* (1930) et dans *Prière pour les Vivants* (1933). Jacques Deval (né en 1894) a choisi des personnages qui se prêtent à ce qu'il joue sur eux toutes ses gammes, depuis l'émotion jusqu'à la drôlerie, grâce à des situations scabreuses traitées dans un esprit de comédie bien observée, peu originale mais donnant l'impression du vrai.

La Souriante Madame Beudet (1922) est illustre. Denys Amiel et André Obey y ont peint une Bovary de petite ville. Il paraît que la philosophie d'intimisme conjugal intéresse Amiel; il lui a donné la forme de deux ballots ficelés côte à côte dans le train de la vie : on les voit passer dans *Le Couple* (1923), puis dans *Monsieur et Madame Un Tel* (1925), même dans *L'Age de Fer* (1931), pièce démonstrative sur le joug de la machine dès-humanisante, dans *Café-Tabac* encore (1932). Avec un air de gentille mélancolie, quelle vue amère ! que réalise un art trop distingué.

Au contraire, Léopold Marchand a écrit maintes variations spirituelles et émues sur des motifs naturels et sains qui sont propres à la moyenne humanité de l'époque, dans *Nous ne sommes plus des Enfants* (1927), dans *Durand Bijoutier* (1929).

Tous ces auteurs interprètent la vie à travers un certain mystère de surface et d'atmosphère. D'autres ont rencontré un mystère de profondeur plus difficile à saisir et tragique : c'est le cas de Lenormand.

II

SOURCIERS DE L'INCONSCIENT ET DE L'INSTINCT

Les secrets que dissimule la faiblesse ou la pudeur du théâtre intimiste, les personnages d'un autre théâtre s'en jettent l'aveu à la face ou se les arrachent. Ils tombent dans la violence, fouettée peut-être par l'expressionnisme étranger, ou tout simplement qui est dans l'air du temps. Une atmosphère diabolique les enveloppe, les baigne.

1. Henri-René Lenormand.

Henri-René Lenormand (né à Paris en 1882), mari de la comédienne Marie Kalff, qui a créé ses pièces, voit les hommes rivés à des forces invisibles et mouvantes ou livrés en proie aux phantasmes qu'ils engendrent : il veut révéler ces chaînes, et par conséquent peindre une humanité ténébreuse, des consciences hantées de diableries. C'est un peu de l'Ibsen de médecin psychiatre. Ibsen et ses conflits de conceptions, Becque et son âpreté où se mêlent cruauté et pitié, Villiers de L'Isle-Adam et tout l'invisible du théâtre symboliste, Freud et sa psychanalyse assistent en cercle aux inventions de Lenormand. Une technique générale le rattache aussi à Bouhélier : découpage en brefs tableaux démonstratifs. Mais quelque chose l'isole : la morbidité. Les secrets qu'il découvre dans l'inconscient sont des faiblesses et des hontes; ses personnages sont des angoissés, des agités au ralenti. Il a débuté avec *Les Possédés* (1909). Le héros du *Simoun* (1920) dont la conscience se défait sous l'action du climat, l'héroïne de *Mixture* (1927) qui veut mettre sa fille à l'abri de l'abjection où elle-même vit, mais qui ne l'a élevée dans l'honnêteté et dans la pureté, elle prostituée et voleuse, que par espoir inconscient d'une plus grande satisfaction à la voir un jour tomber, voilà les créatures qui font l'affaire de Lenormand. *Terres chaudes* (1913) annonçait *Le Simoun*. *Le Temps est un Songe* (1919) représente un long suicide, en sept tableaux. *L'Homme et ses Fantômes* (1924), *Les Ratés* (1930) n'ont pas le titre trompeur. La déchéance consentie, la complaisance aux tentations, la peur des fatalités cachées rôdent à travers tout ce théâtre comme des serpents.

Malgré son inspiration déjà vieillie et ses idées vite usées, malgré même une certaine immobilité de l'analyse parlée et de la rumination, qui arrêtent trop longtemps la crise à dénouer, Lenormand manifeste de beaux dons dramatiques. Il a l'art de camper des vivants et, par surcroît, de suggérer en eux, autour d'eux, un mystère intime et quelquefois poétique. Dans une matière qui semblait condamnée à l'imprécision, il taille le relief des figures; ce qui est impondérable ou secret, il le concrétise par suggestion et le fait rayonner.

Mais enfin la crédibilité se maintient difficilement, tant les personnages ont à composer avec des situations exceptionnelles, forcées et pénibles. Les mains de *L'Amour magicien* (1926), ces mains de la femme morte et jalouse qui viennent mystérieusement troubler le couple nouveau et étrangler la jeune fille au moment du bonheur, voilà des mains catastrophiques dont les admirateurs de Lenormand ne se consolent pas; les détracteurs en feront un emblème de son œuvre.

2. Stève Passeur.

Stève Passeur (né en 1899 à Sedan) s'est jeté dès son début dans la violence concertée, dans l'exception de sujets difficiles et de personnages abominables. *L'Acheteuse* (1930) reste une de ses pièces marquantes; il s'agit d'un mariage où l'argent corrompt deux âmes, la femme par cruel plaisir de domination, l'homme par vil plaisir de servitude. Passeur affirme une maîtrise dans les scènes où le sadisme étreint et lie les êtres. *Suzanne* déjà était une femme qui courait jusqu'au bout de la déchéance morale pour satisfaire sa sensualité perverse; *La Chaîne* (1931) tourne dans le cercle infernal d'un amour charnel. *Une Vilaine Femme* déchaîne le drame du dernier amour chez une cynique, une frénétique, impatiente d'imposer ses instincts; on se demande pourquoi la pièce se dénoue par une péripétie romantique qui n'est ni dans sa ligne ni dans celle du talent de l'auteur. Bien entendu, Passeur crée ses situations ou les fait revirer par le moyen d'invraisemblances matérielles et d'outrances toutes gratuites de psychologie, qui demanderaient au moins la longueur d'un roman pour se légitimer et que l'exigence théâtrale des resserrements rend aussi fausses que brutales. Un dialogue froidement féroce, un dialogue à fouet, achève le monstre.

3. Fernand Crommelynck.

L'influence de l'Irlandais Synge, dont *Le Baladin du Monde occidental* s'est fait connaître à la France de 1918, et celle des expressionnistes allemands, brutaux dans leur pensée négative et satirique comme dans leur mise en scène, ont agi sur un Lenormand, sur un Passeur. Elles se sont aussi greffées sur la verve rabelaisienne de certains auteurs comiques et, pour commencer, d'un Belge de langue française.

Le Cocu magnifique de Fernand Crommelynck (né en 1888), caricature somptueuse et truculente de la jalousie, lie le jaloux à son mal dans une lutte tout près de devenir atroce sous les rires. Ce pittoresque spectacle de force a pour axe regrettable un processus si abstraitement systématique, qu'il aboutit à des excès d'invraisemblance, notamment dans la grosse joyeuseté du troisième acte. La pièce tient malgré tout sa puissance d'une énormité lyrique et burlesque où la Flandre éternelle se dépense. Lugné-Poe la créa en 1920. Après cette sotie qui pousse la comédie au bord du drame, *Tripes d'Or*, *Carine ou la Jeune Fille folle de son Ame* (1929), *Chaud et Froid* (1934) ont piétiné tumultueusement et en forcenées dans une extravagance sensuelle de grosse kermesse. Dans toutes ses comédies, Crommelynck rompt durement avec la psychologie vraisemblable pour essayer d'arracher le vrai aux profondeurs d'instinct et de passion, en actes gratuits et scandaleux.

4. Autres auteurs.

La *Maya* de Simon Gantillon (192[illegible]) a monté en spectacle ingénieux les pouvoirs de l'illusion. Ou plutôt Baty a aidé l'auteur à gonfler jusqu'au gros symbole la prostituée du théâtre naturaliste métamorphosée en Cybèle d'aujourd'hui. D'autres temps eussent tourné à la bouffonnerie cynique cette figure; c'est tout juste si le nôtre n'en fait pas la vestale d'une cérémonie religieuse. Dans *Bifur* (1932), la même méthode allégorique n'a pas réussi à faire s'incarner son thème, la transmigration des âmes. — Bernard Zimmer, le satirique auteur du *Veau gras*, l'auteur mauvais plaisant de *Bravo l'Africain* (1926), du *Beau Danube rouge* (1932), s'applique à démontrer que les réputations historiques sont des mystifications de la vie, comme nos propres rêves. — Jean-Victor Pellerin a certainement à dire et a déjà dit, dans *Intimité* (1922), *Têtes de rechange* (1926), *Le Cri du Cœur* (1928), des choses ironiquement séduisantes et gravement utiles... Il a le tort de substituer l'échantillonnage des symboles à l'action de théâtre.

III

FANTAISISTES, ROMANTIQUES ET FÉERIQUES

1. Jean Sarment.

Jean Sarment était venu de Nantes pour être notre Musset. Dans l'immédiate après-guerre de 1918, c'était du courage. Mêlé un peu de Pierrot lyrique, d'ailleurs très moderne. Enfin, impressionné d'Hamlet, parce qu'une dure société refoule les élans de tendresse et les défait.

Comédien et auteur dramatique, Sarment avait dix-neuf ans quand il écrivit *La Couronne de Carton*, que l'Œuvre donna en 1921 : un « enfant du siècle », mis au ton de Laforgue, était né héritier royal du royaume le plus étonnamment romantique. *Le Pêcheur d'Ombres*, représenté la même année, continua de rajeunir le traditionnel héros fatal, lui fournissant l'éclat tour à tour de l'émoi qui se retient, de l'amertume qui ironise, de la drôlerie fantasque. Mais comment, chez un dramaturge, la volonté bien arrêtée d'émouvoir en poète ne fausserait-elle pas la vie ? A peine laisse-t-elle quelque vraisemblance fantaisiste aux caractères; elle ouvre la porte à des sentiments faux et choquants ou à de trop jolis airs de dialogue. Et elle favorise le glissement à des situations sans réalité, qui poussent l'auteur à des excès de difficile construction. *Le Pêcheur d'Ombre* — ce malade qui se fait diseur de phébus, cette veuve qui retrouve en un évêque son amoureux de jeunesse, ce frère bien portant qui joue si consciencieusement son rôle de contraste — en devient insupportable. Recouvrir le morne quotidien de rêveries chimériques pour corriger la vie à la satisfaction du cœur, c'est toute l'histoire de *Léopold le Bien aimé* (1927). Ah, certes, Sarment ne redoute point la romance.

Il avait dénoncé vertueusement en 1925, dans *Madelon*, un abject égoïsme et affiché, en même temps, dans *Les plus beaux Yeux du Monde*, la conviction qu'on peut ne pas trahir les rêves de jeunesse. Aussi, présentant plus tard *Sur les Marches du Palais* (1939), parut-il donner un coup de barre. On s'écria que Sarment disait adieu à la poésie et au rêve : il mettait le cap sur le réel, même laid, même sinistre. Crise de freudisme ? On se trompait. Sarment ne rompait nullement son pacte avec l'imagination romantique, mais il lui venait l'idée d'en exploiter l'envers dur et noir. S'il prétend arrêter les hommes sur les marches du palais qu'est l'amour, c'est qu'il a fouillé dans le cœur d'un mari obsédé par le passé amoureux de sa femme. Et ne voilà-t-il pas que ce mari, pour se libérer d'odieuses images, entreprend de les noyer dans la certitude ? Il fait accepter à sa femme une aventure; or l'effet de la purge sera pour lui... Besoin de trouble érotique, goût de l'humain inhumain... Ç'a été la mode. Il en sort une destinée empoisonnée pour la femme, une nécessité de suicide pour le premier mari retrouvé. Jean Sarment reste Sarment, mais risque de prendre feu au voisinage de Stève Passeur.

2. Armand Salacrou.

La diversité des genres et des tons est un des mérites d'Armand Salacrou (né en 1900); leur mélange, un de ses défauts. *Le Pont de l'Europe* (1927) et *Patchouli ou les Désordres de l'Amour* (1930) offrirent des spécimens parfaits d'un théâtre qui, parti de données follement conventionnelles, court de péripétie en péripétie plus gratuites les unes que les autres; il eût fallu plus d'aplomb dans le réel pour peindre l'inquiétude moderne. Mais *Atlas-Hôtel* (1931) a modelé avec un sens original du démon dramatique son Auguste, demi-héros qui, défait dans la réalité de tous les jours, remporte des victoires intérieures dans la réalité poétique qu'il imagine. *Les Frénétiques* (1936) sont allés jusqu'à la satire contre le monde du cinéma : pourtant n'est-ce pas un art de cinéma qu'appelait le déroulement de *L'Inconnue d'Arras* (1935) ? Car revoir en quelques instants — soit en songe soit au terme d'une agonie — toute une existence, cela exigerait une aura de suggestions et d'images. Le théâtre donne un corps trop lourd à ces amours, à ces joies, à ces tristesses ressuscitées en éclair, et qui ont charge de suggérer l'obscure étrangeté que sont les années les unes pour les autres.

L'auteur à demi surréaliste de cette tentative a fait représenter en 1936 la première pièce où la carrure de la construction, le réalisme abondant et succulent de l'observation, la généralisation intelligente d'une peinture de la société actuelle lui aient permis de s'emparer du public : ce fut *Un Homme comme les Autres*. Ensuite, il eut beau s'en défendre : il a dans *La Terre est ronde* (1938) reconstitué l'aventure violente de Savonarole ni plus ni moins que ne le fit Gobineau dans le premier drame de sa *Renaissance*. Il semble bien y avoir présenté du même coup une critique à la Bernard Shaw des mystiques totalitaires, mais pourquoi n'y aurait-il pas enfin entretenu tout du long une allusion dramatiquement fantaisiste aux conditions de notre espèce ? « La terre tourne, a-t-il dit, les temps reviennent, les vivants meurent, et nous l'oublions, comme nous oublions que la terre est ronde. »

Ainsi Salacrou, Normand de bon cru et, paraît-il, ami des plages où ses lointains ancêtres abordèrent, s'est longtemps préoccupé de situer la vie humaine dans l'univers. Il s'est ensuite orienté vers des spectacles moins rêvés, plus observés. Il s'est même singulièrement rapproché du Boulevard. Il a trouvé sur ce chemin le bonheur d'*Histoire de rire* (1939), qui est une étincelante comédie. Il y vient à rassurer les maris, à bafouer les amants, par un long détour paradoxal à travers des jeux de quilles psychologiques qui sont pleins d'esprit, dans des scènes où éclatent le don du dialogue et celui de l'invention scénique, mais aussi la passion de bavardage et un besoin d'artifices cocasses. Salacrou a achevé dans *L'Archipel Lenoir* de dire quelle pensée le tourmente : briser la réalité morale et sociale pour atteindre au delà du mal, de la déception, de l'échec humain.

3. Marcel Achard.

Découvert par Lugné-Poe qui joua *La Messe est dite* en 1923, Marcel Achard put conquérir son premier succès la même année à l'Atelier de Dullin avec *Voulez-vous jouer avec moa ?* Il a depuis lors exploité ce filon de petit Charlie

Chaplin très gai et prêt à devenir page, ce jeu optimiste, gentil et de fantaisie exaltée à la surface du sentiment, qui tourna un peu vite au charme trop facile dans *Malbrough s'en va-t'en Guerre*. Ces pièces ont vieilli. Le temps des Fratellini et du Bœuf sur le Toit est passé. Les légèretés cyniques ou inconscientes de la vie sentimentale d'après guerre protègent mieux leur ironie et leur grâce dans *Je ne vous aime pas* (1926) et *Mistigri* (1930). L'amour courageusement candide et chaudement honnête d'un jeune mari sans expérience pour sa femme qui en a trop est-il capable d'arriver à faire ressembler la frivole infidèle à l'image qu'il a voulu se faire d'elle ? *Jean de la Lune*, à la Comédie des Champs-Élysées (1929), l'affirmait avec assez de compassion narquoise, de mots drôles et de caresses habiles sur l'âme des spectatrices, pour avoir pu devenir la célébrité d'une saison. Clo-Clo, le beau-frère, l'inoubliable mufle, n'y avait pas été pour rien, d'autant plus qu'un autre inoubliable, Michel Simon, en tenait le rôle. Évidemment Achard se plaît trop à déguiser la chimère en réalité, quitte à faire une fois l'inverse, dans *La Belle Marinière* (1929). En ces années, son cœur engendrait une tristesse qu'il essayait d'amuser. Il l'amusa de plus en plus, au tennis des répliques, dans *Domino* (1931), dans *La Femme en blanc* (1933). Mais le sympathique admirateur de Labiche pouvait-il ne pas céder enfin la place à l'auteur ambitieux grisé par le succès ? Avec *Le Corsaire* (1938) et *Mademoiselle de Panama* (1942), Achard a remonté le cours du temps pour travailler dans la grandeur. Or, ce n'est pas son genre, même quand il mêle beaucoup d'amour à ces histoires d'antan. Il redeviendra lui-même dans *Auprès de ma Blonde* (1946), avec artifice empiré.

4. Autres auteurs.

L'artifice, l'arbitraire, pèsent en maîtres sur les pièces de Jacques Natanson : *Les Amants saugrenus* (1923), *Le Greluchon délicat* (1925) et plusieurs autres. Natanson donne forme humaine masculine et féminine à des cérébralités délicates, puis les fait danser comme libellules au-dessus d'un fossé de passion amoureuse. Elles y tombent brusquement. C'était un peu prévu.

Georges Jamati a le goût le plus vif pour un de ces charmants envers de la réalité qui flattent les cœurs ; on ne connaît pas assez ses pièces de drame et de féerie, elles sont ravissantes. Jamati a le sens du théâtre si ancré qu'en se faisant historien pour *La Querelle du Joueur* (1935), il a écrit une véritable comédie où s'affrontent Dufresny et Régnard en un catch littéraire qui est de son temps et du nôtre.

IV

PHILOSOPHES

Ils souffriraient de se voir confondus avec les dialogueurs à thèses, et celui qui le mériterait le moins serait Gabriel Marcel, né à Paris en 1888, d'abord professeur agrégé, très vite littérateur.

1. Gabriel Marcel.

Marcel met à la scène des décisions d'esprit, des attitudes de caractère et tout un tragique de la personne concrète, incarnée, celle dont il est le métaphysicien et dont il creuse la réalité jusqu'à en faire jaillir l'appel de l'homme à Dieu. Il montre des consciences déchirées : les unes violentes et absolues; les autres douces, complexes, toutes travaillées par les tentations de l'existence et par les offres de l'universelle contradiction. L'auteur ne les juge point, il les fait s'affronter pour découper en reliefs significatifs quelques grands aspects de la bataille éternelle de l'âme avec la chair, de l'amour avec l'égoïsme, de l'héroïsme avec toutes sortes d'inconscientes contraintes.

Théâtre éminemment naturel. Ses personnages mènent leur vie, les caractères s'installent chacun dans sa singularité, les fils se nouent, et des significations émergent spontanément, portées par une parole ou un geste, par un choc de répliques. Or nous n'en voyons pas moins se développer des expériences individuelles, familiales, sociales, et qui prétendent à une valeur métaphysique. Car ne rien perdre de son bagage de métaphysicien, rien d'essentiel, en tenant néanmoins très solidement les planches, telle a été l'ambition de Gabriel Marcel. L'a-t-il réalisée ?

Oui, par un effort d'idéalisme scrupuleux, quoique assez tard, il a fini par s'emparer d'un public resté longtemps réticent. Ah, comme ses pièces doublent aisément leur force quand on les suit ayant dans l'esprit la philosophie du mystère ontologique ! Jusqu'au *Monde cassé* (1932) nous vîmes une humanité se débattre dans son angoissante recherche et sans solution. Déjà pourtant *Le Quatuor en Fa dièze* et *L'Iconoclaste* faisaient pressentir l'accès à un ordre de vie supérieur. Puis on baigne dans une lumière d'espérance. *Le Monde cassé* fait passer son héroïne de la sensuelle facilité et de la dispersion des après-guerres à la vraie durée, à la solidité de l'attachement et de la communion. *Le Fanal* dit le bienfait de la mort, grâce à laquelle joue enfin son rôle bienfaisant une fidélité que rien ne dérange plus. C'est *Le Dard* (1938), où notre âge arrive tragiquement à la croisée des routes, qui a le premier conquis une salle de théâtre. Eustache Soreau n'est pas un être véritable, parce qu'il n'adhère pas authentiquement et tout entier à sa doctrine politique, et il est né tel qu'il ne possède pas en lui la richesse spirituelle nécessaire à l'adhésion totale. A ce thème s'en entremêlent plusieurs autres, repris comme celui-là de pièces antérieures, notamment celui de la musique, cette médiatrice, celui de la mort, qui crée la présence pure.

Marcel ayant donc posé plus sérieusement que Lenormand le problème de l'être et de son mystère, ayant même hésité entre le résoudre et le déclarer insoluble, le résout dans le sens de la spiritualité catholique, à une hauteur morale et intellectuelle où l'homme s'ennoblit. La reprise d'*Un Homme de Dieu* devait être, après la guerre, un triomphe.

2. Édouard Schneider.

Édouard Schneider aussi (né en 1880 à Fontenay-sous-Bois) s'est appliqué à étudier sur la scène des problèmes de vie spirituelle. Romancier de *L'Immaculée* (1915) et d'*Ariane ma Sœur* (1919), historien des monacales *Heures bénédictines* (1925), philosophe des *Raisons du Cœur* (1907), voyageur enthousiaste d'*Assise* (1933), il s'est réalisé surtout dans plusieurs drames, *Les Mages sans Étoiles* (1909), *Le Dieu d'Argile* (1912),

Le Bonheur (1931), que domine une préoccupation d'équilibre : l'égoïste jouissance détruit ceux mêmes qui la poursuivent; l'idéaliste échoue qui méconnaît l'expérience; le renoncement, quand il va jusqu'à l'ascétisme orgueilleux, aboutit à des désastres. Tout cela n'est pas très neuf et dépense beaucoup de verbe. Schneider s'est ramassé de façon plus intéressante dans l'amère conscience des impuissances humaines, comme le montrent la fille et la mère d'*Exaltations* (1921), âmes très proches l'une de l'autre, mais étrangères chacune à la vérité que l'autre chérit le plus. *Le Sacrifice du Soir* (1930) étend un voile d'opulente noblesse sur des ravages de l'amour.

3. PAUL RAYNAL.

Placerai-je ici Paul Raynal ? Par sa première pièce, qui fut saluée comme un chef-d'œuvre, il appartient au théâtre de pensée psychologique. Par *La Francerie*, il voudrait être notre dramaturge national; l'œuvre tout entière pose sa candidature au classicisme de la tragédie, et un bon observateur du théâtre, Benjamin Crémieux, l'a félicité d'avoir « retrouvé le sens de la fatalité ».

La recherche d'une formule de tragédie moderne se trahissait, en effet, dans *Le Maître de son Cœur* (1920) par la réduction des personnages à trois, et par l'observation d'au moins deux unités. Mais la volonté de faire grand et total produit des symétries accablantes dans ce drame implacable qui met l'amitié de deux hommes à la merci d'une entreprise de femme amoureuse; la virtuosité s'y fait ostentatoire. *La Francerie* (1929), qui évoque l'événement de la Marne, a trop hésité entre la pensée individualiste et la sentimentalité publique. *Napoléon unique* (1936), *A souffert sous Ponce-Pilate*, poursuivent des subtilités qui, sans se laisser un seul moment incarner, s'échappent en faisant une fumée d'emphase. L'œuvre dominante de Raynal demeurera *Le Tombeau sous l'Arc de Triomphe* (1924). Là encore, trois personnages, et, cette fois, les trois unités. En opposant l'âme des soldats qui se battent à l'âme des civils patriotes qui les félicitent de risquer la mort, l'auteur atteint en plusieurs scènes à un pathétique d'esprit aussi implacable que s'il était de cœur. Hélas, il s'exaspère vite et ne tarde pas à blesser l'humanité, non seulement par une rhétorique provocante, mais en soulignant et encadrant tout ce que la nature même ordonne de taire ou de cacher. Il n'est pas impossible que *Le Matériel humain* soit un chef-d'œuvre, et certes personne ne lui refusera la grandeur.

4. Jean-Paul Sartre.

Le théâtre de pensée allait d'ailleurs bientôt dépasser ce renouveau de Curel et se laisser mener aux excès idéologiques. Or, y a-t-il poison plus mortel pour le théâtre de pensée que l'idéologie ? Quand un auteur se sert de ses personnages pour publier un message plus ou moins personnel, il les prive infailliblement de toute âme et de toute chair. Ce fut assez longtemps le cas de Jean-Paul Sartre, par exemple. Il a ressuscité des héros de la légende antique, dans ses *Mouches*, pour apprendre aux hommes sous forme de leçon qu'ils sont libres et ne doivent obéir qu'à leur propre joie; *Les Mouches*, dernière incarnation des Érinnyes-Euménides, emportent terreurs, remords, confessions et hypocrisies, dans la liberté révélée par Oreste qui en assume le message : liberté, source infinie d'actes gratuits, liberté qui tue la contrainte morale, liberté fort gidienne de révolte athée. L'acte unique de *Huis-Clos* est un étouffoir où s'administre la preuve par neuf qu'un mort est un Moi qui a perdu sa liberté créatrice. *Huis-Clos*, c'est l'Enfer, un enfer matérialiste nullement situé et difficilement pensable. L'auteur, qui l'analyse dans le dialogue de ses personnages, prétend découvrir que c'est, pour chacun, son passé arrêté, fixé, immobilisé, devenu objet de jugement pour les autres; c'est le Moi qui ne jouit plus de son subjectivisme actif, qui ne fuit plus son passé, qui étouffe sous lui : alors les autres le bouclent, il est clos; en ce sens, l'enfer, « c'est les autres ». Le talent de l'auteur joue la difficulté de traduire en dialogues intelligiblement symboliques un message métaphysique dans lequel il avait commencé par couler des idées assez simples. Cependant si *Morts sans Sépulture* tient mal une gageure d'horreur, *La Putain respectueuse* parut se dégager enfin de ce théâtre cérébral pour défendre les nègres persécutés aux États-Unis; de même *Les Mains sales*, de construction parfaite et de puissante vie, pour condamner la stratégie politique des communistes.

V

PSYCHOLOGUES ET MORALISTES

Le poète de *Toi et Moi* (1920), Paul Géraldy, fait onduler dans une blondeur teinte sa psychologie. Ce Parisien (né en 1885), qu'il mette à la scène l'égoïsme naturel des générations (*Les Noces d'Argent*, 1917), la douceur méconnue de la connaissance intime et sûre dans le mariage (*Aimer*, 1921, essai de tragi-comédie bourgeoise à trois personnages comme *Le Maître de son Cœur*), ou le destin du couple dans une époque où l'être humain rejette toutes chaînes (*Robert et Marianne* 1925), toujours tend à esquiver l'analyse derrière la préciosité et à déguiser en subtilité le maniérisme. Son théâtre est le boudoir d'une bonbonnière.

Le réalisme psychologique au contraire ne manque pas à Henri Jeanson. Sa pièce maîtresse, *Toi que j'ai tant aimée* (1928), avant d'incliner à la gracieuse mélancolie parce qu'on était au temps d'Achard, est dure, et habile d'ailleurs, comme du Becque.

Claude-André Puget est passé des adroites ruses d'*Échec à Don Juan* à sa spirituelle observation des *Jours heureux* et du *Grand Poucet*. *Les Jours heureux* (1938), sa meilleure pièce, ravive le visage et la voix de l'éternelle jeunesse, blessée, crâneuse et chantante, qui fut le thème essentiel de l'auteur. *La Peine capitale* (1948), où un grand jet de force traverse violemment des emphases et des idéologies, révèle une ambition haute.

Sans autre ambition que de sobre solidité, Ch. de Peyret-Chappuis a construit dans *Frénésie* (1938) un drame sombre et de grande violence intérieure. Cette vieille fille encore belle qui renoncera le soir définitivement à connaître l'amour, mais qui, déchaînée, brise dans la journée le carcan des refoulements de vingt années, dresse pour longtemps une des fortes figures du théâtre d'entre les deux guerres.

VI

PEINTRES D'HISTOIRE

Nous eûmes la grande imagerie nationale de Paul Fort et de Saint-Georges de Bouhélier, puis les reconstitutions parfaitement réussies d'André Lang (*Les Trois Henry*, 1930) et de Claude Anet (*Meyerling*, 1930). Dans le même temps, Alfred Savoir (Poznanski, Polonais de Lodz, 1883-1934), après avoir traduit la folie désordonnée d'après guerre dans *Banco* et *Le Garçon d'Étage* (1922), pièces d'expressionnisme sommaire, habilement parisianisé pour la clientèle des boîtes de nuit, et avant de passer à des pièces meilleures, *La Voie lactée*, sur les gens de théâtre, *Maria* sur un dévouement féminin, a conquis le gros succès avec *La Petite Catherine* (1930) : une interprétation historique des plus libres travestit la cour de Russie au XVIIIe siècle.

Supérieurs apparaissent les tableaux du poète charentais François Porché, *Le Tzar Lénine* (1931), puis *Un Roi, deux Dames et un Valet* (1935); les deux dames sont la Montespan et la Maintenon. Auparavant, Porché avait connu deux années d'éclat, 1917 et 1919, avec des pièces en vers d'une extrême gentillesse, *Les Butors et la Finette*, *La Jeune Fille aux Joues roses* (1919). La première bafouait les Allemands envahisseurs, la seconde s'indignait contre l'Administration, toutes deux à l'aide de personnages qui sont de jolies poupées coloriées. Il fallait évidemment l'atmosphère de guerre pour mettre l'auréole à ces allégories présentées dans une versification parente de Rostand et de Rivoire. En 1922 et 1925, le public est resté plus fermé au *Chevalier de Colomb* et à *La Vierge au Grand Cœur*.

Porché a eu pour émules dans le théâtre en vers André Dumas, Fernand Gregh, René Fauchois, Maurice Rostand. *La Gloire* (1921) de ce dernier voulut dire grandeur et misère des fils de grands hommes; *Le Phénix* (1923), grandeur et misère des comédiens, ou bien envers des grandes causes. Puis *Le Masque de Fer* a bouleversé histoire et légende, et après que le poète eut fait parler les combattants de la guerre en rhéteurs emphatiques dans *L'Archange*, qui est Guynemer (1925), il était fatal qu'il en vînt à *Napoléon IV* (1928), — *L'Aiglon* du fils ! qui se montre filial jusque dans la figure de ses vers.

Revenons à la prose. La plus récente génération a fourni un effort remarquable pour renouveler le théâtre historique en rejoignant l'âme des grands morts avec une impartialité passionnée. Jean-François Noël a dressé Philippe le Bel face aux Templiers dans *Mon Royaume est sur la Terre.* — Claude Vermorel a recréé les juges savants et inquiets de *Jeanne avec nous.* — Jean Loisy a repensé et fait vivre, dans une action bien construite, *Marie Stuart*; ayant choisi l'épisode de l'assassinat du roi, il a serré la reine et le drame dans un étau qui vibre de résonances. On a pu lire du même auteur deux autres pièces : *La Guerre et les Amants*, fantaisie satirique; *Jeanne et Péguy*, drame légendaire, hymne héroïque, pensée d'un temps et d'un peuple. — La palme dans cette compétition, c'est évidemment André Josset, avec *Élisabeth la Femme sans Homme* (1935), qui l'emporte.

VII

PEINTRES DE LÉGENDES ET D'ALLÉGORIES

Je range dans cette catégorie André Obey, pour son *Viol de Lucrèce*, populaire et claudélien, pour son *Noé* (1931), rusticité d'un Giono biblique et qui serait parfois spirituel, — les animaux rangés autour du patriarche le consolent de l'ingratitude humaine avec une assez émouvante drôlerie —, enfin pour son *Trompeur de Séville*, qui est Don Juan (1937), mais un Don Juan sans prestige. *La Bataille de la Marne* (1932) voulait rappeler *Les Perses*. On dirait un tableau commandé par l'État. Quand Eschyle composait *Les Perses,* il ne gardait du peuple vaincu qu'une reine, deux rois, quelques vieillards, un messager : pourquoi ? Pour styliser. Comment Obey, avec ses femmes, ses soldats, ses paysans, sa vieille dame, son médecin, pourrait-il, même avec de grandes simplifications, porter l'événement au style ? Et quand il fait apparaître « France », ce n'est qu'une allégorie, un plâtre qui marche. La mythologie de *Loire* n'est que mythologie. Pas de théâtre qui commette plus gravement l'erreur de croire aux grands sujets tout prêts.

Henri Ghéon (Docteur Vaugeon, né à Bray-sur-Marne, 1875-1944), le poète qui s'est rassemblé tardivement dans *Les Chants de la Vie et de la Foi* (1937), l'individualiste converti au catholicisme par le lieutenant de vaisseau Dupouey en 1915 sur le front de l'Artois (un livre en rend compte, *L'Homme né de la Guerre*), créa en 1924 « Les Compagnons de Notre-Dame » qui lui donnèrent une troupe, une scène, un public. *Le Pain* (1911) avait mêlé jadis des symboles populaires aux féeries du Vieux-Colombier. *L'Eau-de-Vie*

(1921) a continué dans le même sens. Il y a dans le reste de l'œuvre, depuis les *Trois Miracles de Sainte Cécile* jusqu'aux *Aventures de Gilles*, un tohu-bohu de drame, de comédie et de farce guignolesque qui voudrait entretenir avec bonhomie « un va-et-vient entre le ciel et la terre » mais qui ne sort pas d'une perpétuelle « moralité ». *Le Pauvre sous l'Escalier*, *Le Comédien et la Grâce* ne font guère que diluer l'exquise vieille histoire de saint Alexis et doubler le *Saint-Genest* de Rotrou. Cependant une posthume *Judith*, qui date de 1937, a de la force dramatique et Gabriel Marcel la met au-dessus de celle de Giraudoux.

Jean Variot n'est pas seulement le romancier des *Hasards de la Guerre* (1913), qui laissent l'intense empreinte d'un beau type de sabreur. Alsacien passionné de folklore rhénan, il a tiré de l'armoire aux légendes *Le Chevalier sans Nom*, *L'Aventurier*, *La Rose de Rosheim*, *La Montagne folle*, etc., et, de 1920 à 1939, leur a ménagé l'éclairage de la scène. On pense à de grands vitraux et à une musique de tambours et de fifres sous de hautes voûtes. Puis soudain cela déborde de puissante jouissance. Un gros comique a toujours bourdonné au fond de Variot; on s'étonne qu'il ne lui ait pas trouvé une expression satisfaisante dans *L'Arbitre du Monde*, satire de l'Amérique wilsonienne.

Boussac de Saint-Marc a oscillé lourdement entre l'épais lyrisme romantique de *Sardanapale* et l'esthétisme d'annunziesque du *Loup de Gubbio*. Il est plus personnel dans *Moloch* (1928) qui opère ce cancer familial et social, l'égoïsme dévorant d'un grand artiste; l'action est réaliste, le caractère de l'épouse sacrifiée a de la densité. Dans son entreprise difficile, Boussac s'est éclairé d'une lampe allumée au foyer de Bouhélier.

Paul Demasy, Belge de grande audience, se déchaîne en véhémences grandiloquentes dans *La Tragédie d'Alexandre* (1920), *Jésus de Nazareth* (1924), *Dalila* (1926). Un autre Belge, Gustave Vanzype, incline ses tragédies de type ibsénien, d'*Étapes* (1907) à *Seul* (1935), vers un cornélianisme imprévu chez cet humanitaire.

VIII

LA COMÉDIE

1. Jules Romains.

Tout en développant en poèmes et romans la psychologie de l'Unanimisme, Jules Romains devint un des auteurs de Copeau avec *Cromedeyre*, puis de Jouvet avec *Le Trouhadec*, enfin de Dullin avec *Musse*. Dès 1911, il avait fait représenter une tragédie moderne en vers lourdement unanimiste, *L'Armée dans la Ville*; mais c'est en 1920 que *Cromedeyre* a inauguré dynamiquement l'art d'appeler les personnages comme témoins à la barre, témoins gonflés d'une puissance explosive faite d'humour et de colère. *Cromedeyre-le-Vieil*, c'est le village conscient, le bloc des vivants et des ancêtres, c'est la terre devenue humaine et en train de devenir divine. Cette pièce lyrique chante avec solennité les origines même des Farigoule en même temps qu'un épanouissement de l'Unanimisme.

Contraste : *Monsieur Le Trouhadec saisi par la Débauche* (1923), satire parodique de la Sorbonne et de l'Institut, Ubu en redingote. Presque aussitôt, pour exploiter le succès, *Knock ou le Triomphe de la Médecine* (1923) continuait au théâtre l'entreprise du *Bourg régénéré*. Ce qu'a fait le postier du bourg par un détour allégorique, le nouveau médecin de Saint-Maurice le refait directement. Il redresse un village qui meurt en se colletant avec son âme collective et en lui ingurgitant presque de force un unanimisme de maladie et de guérison. Le thème est poussé jusqu'à sa maturité caricaturale; la mécanique de rire montée à l'acte premier avec imprévu (l'acte est drôle) et qui va tourner avec une logique froide à l'acte III, abusive conférence, trouve sa marche parfaite à l'acte II, dans une admirable action moliéresque pour laquelle Romains a convoqué plusieurs Argan devant un disciple magistral de M. Purgon.

Trois années après *Knock*, Romains remonta la mécanique de Le Trouhadec en le mariant. Puis tout aussitôt ce fut *Jean Le Maufranc* (1925), œuvre touffue, réadaptée et clarifiée en *Musse ou l'École de l'Hypocrisie* (1930). Le bourgeois Musse, excédé des abus de l'État à l'égard des citoyens consommateurs, se révolte, oppose des arguments et rugit des insultes, jusqu'à ce qu'il découvre les privilèges que procure une habile tartuferie... *Donogoo* (1930) va jusqu'à la farce. Une farce-moralité, d'ailleurs aussi plaisante et optimiste que railleuse, puisqu'elle démontre la fécondité de l'illusion. La Donogoo-Tonka est une cité de l'or. Mettre à la base de cette richesse imprévue un professeur de psychothérapie farceur, un maître géographe du Collège de France incroyablement léger, un homme d'affaires véreux, une épave sociale sauvée par miracle du suicide, enfin un artifice de publicité, puisque Donogoo n'est tout d'abord que fiction, imagination, mensonge et mirage, voilà une joie pour Romains, du même ordre que celle des *Copains*. Et puisque Donogoo finit par exister, je préfère à la statue d'Ambert (ou d'Issoire ?) le monument élevé par Donogoo à l'Erreur scientifique.

Voilà pour la Comédie. Romains y a montré plus de dons que dans le théâtre sérieux : ni *Le Dictateur* (1926), drame d'un révolutionnaire que l'exercice du pouvoir dresse contre un ancien camarade de lutte, ni *Boën* (1930) qui traite la possession des biens de ce monde en rêveur du Moyen Age mystique, n'arrivent à prendre l'aspect charnel et le poids d'évidence dont ont besoin les pièces d'idées.

2. Édouard Bourdet.

Cet enfant de Saint-Germain-en-Laye (1887-1945), qui a traité en maître satirique les vices et travers de l'époque, possédait des dons appréciables : choix hardi des sujets, juste observation, bonheur des répliques. Il lui a pourtant fallu attendre jusqu'à trente-neuf ans pour s'imposer avec *La Prisonnière* (1926). Cette pièce, qui évoque le sort des femmes damnées avec un tact étonnant, a sa vérité rehaussée par la souffrance de l'héroïne. On admira ce théâtre brillant, qui est honnête dans le scabreux. Ensuite *Vient de Paraître* (1927), sur la même étude attentive des réalités, a greffé la drôlerie comique. L'auteur avait-il été intéressé par le témoignage de Gaston Arthuys sur la condition des écrivains (*Connaître* en 1919, et *Tu gagneras ton Pain* en 1923) ? En ce cas, il a su profiter de la piste. Un premier acte éblouissant expose comment se « fait » un prix littéraire et quelle en est l'insertion exacte dans la vie parisienne; il y met un entrain corsé d'une cruauté de bonne compagnie. Aux actes suivants, l'invention psychologique prend le dessus. L'ensemble compose une comédie de moraliste qui a voulu s'amuser de l'homme de lettres contemporain. *Le Sexe faible* assura le triomphe de l'acteur Victor Boucher à la Michodière en 1929. En situant sa pièce dans un monde cosmopolite de palace et en la faisant pivoter sur le rôle du maître d'hôtel, nouveau Figaro, Bourdet a écrit deux actes de vaudeville, puis un troisième qui tire de cette amusante satirette une bonne satire de la prostitution masculine. Poursuivant sa carrière dans la comédie de mœurs avant de la clore dans l'administration du Théâtre-Français (1936-1940), le moraliste amuseur a donné *La Fleur des Pois* pour parachever le reflet de Sodome et de Gomorrhe sur les mœurs du jour : Paris aura ainsi, faute d'attirer le feu du ciel, allumé ceux de la rampe. Avec *Les Temps difficiles* (1934) Édouard Bourdet commençait malheureusement à ne plus assurer son équilibre d'art entre les laideurs ou ridicules de la vie et les moyens du théâtre comique dont la pente l'entraînait.

3. Marcel Pagnol.

Le succès triomphal de *Topaze* en 1928 a pu assouvir les justes rancœurs des contribuables contre les conseils municipaux, il n'a pas fait une bonne pièce de cet assemblage de situations allégoriques et de caractères conçus pour leurs « mots ». Néanmoins les surprises de l'action, la verve des dialogues mettaient en lumière un comique, Marcel Pagnol (né en 1895 à Aubagne). Il a renouvelé dans sa trilogie marseillaise — *Marius*, *Fanny*, *César* (1928-1931) — la quotidienneté de la vie par le pittoresque de langage que fournissent des personnages ayant cette caractéristique d'être à la fois conventionnels et vrais. Par là d'ailleurs il se laissa voir glissant de son comique ronflant et tournoyant à un art de cinéma. Le glissement a atteint son terme : c'est le cinéma que Pagnol représente à l'Académie.

4. Autres auteurs.

Un oublié demande justice, Émile Mazaud. Son *Dardamelle* à l'Œuvre (1922) fut d'une drôlerie grandiose; le cocuage atteignait là à un sublime de la farce. Bien entendu, dans ses profondeurs, la douleur se devine. Ce chef-d'œuvre n'a qu'un défaut, c'est de pasticher le style de Molière. On peut donc, la mort dans l'âme, lui préférer *La Folle Journée* qui faisait se retrouver au Vieux-Colombier, en 1921, Mouton et Truchard, deux amis de jeunesse : Mouton, garçon de café devenu petit rentier, Truchard resté frotteur. Celui-ci invité par celui-là, leur pauvre plaisir, les maladresses et l'échec de cette journée rêvée avec enthousiasme : comique poignant ! *L'Un d'Eux* (1926) est un héros de la guerre, soldat réfugié chez des paysans; cet homme rude se montre tout simple, il semble ignorer sa grandeur.

Si quelqu'un parut jadis promis au théâtre, ce fut bien René Benjamin; et d'ailleurs ce drolatique et déluré satirique de *La Pie borgne* assura sa joie au public de l'Odéon. Mais *Les Plaisirs du Hasard* (1922) ont déçu celui du Vieux-Colombier; décevant en effet, est le caractère du héros, qu'on voit se détruire lui-même au fur et à mesure qu'il s'esquisse à travers des péripéties forcées, et l'échec s'inscrit jusque dans le dialogue. Benjamin dans la suite a vainement cherché sa revanche.

L'École des Cocottes d'Armont et Gerbidon (1918) pourrait être d'un autre couple, de Flers et Caillavet; les *Écoles* du répertoire la recevront sans honte parmi elles.

IX

UN HABIT D'ARLEQUIN

JEAN COCTEAU.

Le Cocteau de théâtre est un enfant qu'Anna de Noailles a eu du Ballet russe. *Parade*, son ballet de 1917, interprétait une certaine mélancolique poésie du cirque; il y a associé la plastique de Picasso; pour la musique, il a balancé entre Erik Satie et le jazz alors tout nouveau. Ce fut un beau scandale ! Après les Ballets russes, les Ballets suédois, qui devaient avoir leur clownerie en 1924 : *Les Mariés de la Tour Eiffel.* En attendant, un mimodrame préparé pour Darius Milhaud et Raoul Dufy devint ce *Bœuf sur le Toit* (enseigne d'un bar sud-américain signalée par Claudel et qu'allait reprendre dans la suite une boîte de nuit) que la troupe des Fratellini a représenté en 1920 à la Comédie des Champs-Élysées.

Horripilé de se voir à la fois houspillé et copié dans cette fusion drolatique du théâtre et du music-hall, Cocteau soudain se tourna le dos à lui-même pour le tourner aux autres, et ce fut la série des « antiques », l'antique très potache d'*Orphée* (1927), puis l'antique résumé, mis en comprimés comme pour lycées et collèges, d'*Œdipe* et d'*Antigone* (1928), enfin l'antique modernisé de *La Machine infernale* (1934). Avec un *Roméo et Juliette* de 1926, il s'était fait la main pour la « stérilisation » d'*Antigone*. Il a longtemps entretenu en lui une cocasserie trop voulue, habitude de collégien farceur; il l'appelle l'ange du bizarre, et lui a donné tout un domaine, *Le Potomak* : de là, l'ange rayonne à travers l'œuvre entière. Ange fidèle ! qui devient ange gardien dans *Orphée* et fait passer intégralement sous son influence cette prétendue « tragédie en un acte et un intervalle ». L'auteur ne s'est pas contenté de la durcir de poésie artificielle; il a renversé l'esprit même de la pièce grecque : on attendait le couple sacré, on voit un ménage infernal; Orphée traite Eurydice en ennemie donnée par la nature. Voilà le squelette d'idée dans lequel Cocteau n'a considéré qu'un prétexte à mise en scène et qu'il a habillé de modernité saugrenue. Pourquoi ce cheval médecin si arbitrairement présent ? Eurydice l'a dans le nez, comme on la comprend ! Est-ce Pégase, est-ce le diable, face à l'ange gardien devenu vitrier ? La mort semble d'abord bien agréable en robe de bal et manteau de fourrure. Horreur ! c'est une doctoresse et elle a ses aides en blouses de chirurgiens. On voit Orphée en pull-over. Depuis *Ubu-Roi*, les collégiens peuvent être des précurseurs.

Il y a dans la carrière dramatique de Cocteau une date heureuse pour nous : 1938, année de l'acte unique de *La Voix humaine*. On partait ici d'un souvenir assez récent, le téléphone grand-guignolesque de Charles Foley, mais on arrivait au très émouvant monologue de femme amoureuse blessée, courageuse, que ponctue le silence d'un personnage invisible et lointain, l'amant qui a rompu. A partir de ce succès remporté à la Comédie-Française, Cocteau semble s'être débattu entre son parti pris moderniste de cocasserie outrancière et un réalisme psychologique rehaussé des couleurs de la fatalité. Dans *La Machine infernale* (1934), l'acte du sphinx a sans doute de hautes visées, il fouille peut-être le cœur de la divinité à la recherche d'une liberté qui la délivrerait du destin; il ne s'en embarrasse pas moins dans une machinerie compliquée, ne s'en fige pas moins dans un univers de fer-blanc. Et pourtant le reste de la pièce a profité des exemples de Giraudoux et de Gide, la modernisation y est réussie : dialogues grotesques des soldats, chanson de l'ivrogne, coquetterie de la vieille amoureuse. Et surtout, la pièce trouve un ton et un mouvement de tragédie, lorsque marchant implacable à la révélation qui attend comme un piège le couple maudit, et quoique emplie de l'envers des choses, salie de la doublure des héros et des aventures, elle atteint la région de la grandeur. Voilà vraiment interprétées pour un public de culture absente ou singulièrement rancie les figures de l'angoisse humaine, la fuite fantomatique des années, la descente au malheur et à la mort par l'escalier royal et dans l'anéantissement de l'alcôve.

En faisant ensuite, après un essai de féerie (*Les Chevaliers de la Table ronde*), jouer au Théâtre des Ambassadeurs le drame des *Parents terribles* (1938), Cocteau bouclait sa boucle. La bourgeoisie qui l'avait engendré et entretenu lui ressortait par tous les pores. Or ce fut pour son triomphe, car l'humanité contrariée dans le reste de son œuvre, concentrée fort brièvement dans *La Voix humaine*, dispersée au contraire dans *La Machine infernale*, se rassemble ici et se concentre dans des actes bien agencés, autour d'une situation pathétique, avec des personnages dont la vérité est comme arrachée à leurs meurtrissures. L'intention incestueuse ne fut qu'une accusation absurde. Mais il est certain que la mère, rongée et défaite par la passion maternelle, traverse un tel trouble d'âme qu'on pense — Cocteau me pardonne ! — à Henry Bataille, un Bataille corsé avec du Freud.

Jean Cocteau est redescendu au-dessous de lui-même après 1940 avec un lot d'œuvres disparates. Les mêmes années l'ont métamorphosé en célèbre cinéaste et bientôt ont fait admirer, sous son camouflage de cinéaste, de dramaturge, de romancier, de poète et de perpétuel interviewé, une grande vedette parisienne.

X

LE THÉATRE DE GIRAUDOUX

Que Giraudoux ait fait monter sa verve sur les planches, on a commencé par s'en étonner. Bien à tort, car tout l'y appelait. Marcel Thiébaut, dans ses *Évasions littéraires*, a très finement expliqué l'événement. En effet, écrit-il, « Giraudoux stylisait déjà ses personnages : un personnage de théâtre est par principe stylisé. Giraudoux n'a aucun souci des formes extérieures de la vraisemblance, le théâtre non plus. Le temps paraît à Giraudoux une substance qu'on peut comprimer ou étendre à son gré; au théâtre, une heure vaut cinq minutes et inversement. Giraudoux a le goût du couplet, il n'y a plus guère qu'au théâtre qu'on puisse honnêtement l'assouvir. Giraudoux a la passion de l'inattendu, il demande toujours à une fin de phrase ou à un homme ce qu'on n'espérait pas d'eux. Le théâtre c'est l'autel même élevé à l'imprévu, au coup de théâtre. Giraudoux aime à jouer avec les mots : le théâtre est fait pour les mettre en valeur ». Enfin, il semble que Giraudoux ait eu conscience de trouver au théâtre une discipline : « il s'est vu contraint de resserrer son expression, de se maintenir ferme à un thème donné ».

Et de fait, Giraudoux est le plus original dramaturge du temps actuel. Il apporte un type théâtral comme Musset jadis, comme naguère Maeterlinck, comme hier Claudel : un type de transposition poétique et féerique. Il fait parler la vérité, mais sur un plan quasi magique qui bouleverse et transpose le réel. Il pense comme la petite Véra de *L'Impromptu de Paris* (1937) que « le théâtre c'est d'être réel dans l'irréel ». L'aventure impossible, l'espace imaginaire où volent les grands soucis de l'âme, où planent les grandes questions de la pensée : voilà la patrie de ce théâtre dont tout peuple a besoin pour ne pas déchoir, comme le dit si bien, dans *L'Impromptu*, Jouvet. Précisons : 1° Situations exceptionnelles, voire absurdes ou légendaires : le cas d'amnésie de *Siegfried* (1928), l'action spectrale d'*Intermezzo* (1933), la fiction d'*Ondine* (1939), les légendes antiques d'*Amphitryon 38* (1929), de *La Guerre de Troie n'aura pas lieu* (1935), de *Judith* (1931), et d'*Électre* (1937). 2° Personnages plus ou moins symboliques, délégués d'idées et de sentiments qui les débordent : Forestier, Isabelle, Alcmène, Ulysse et Hector, etc... 3° Style écrit, digne de la tragédie, qui vit d'images et se couronne de volutes lyriques. Qu'on se reporte à une pièce de sujet contemporain, l'acte unique de *Cantique des Cantiques* (1938), qui essaie de préciser l'état d'âme d'une femme venue dire adieu à son amant pour se marier, l'état d'esprit d'un homme assagi par l'âge et faisant spirituellement bonne contenance. Même là, dans un décor d'aujourd'hui, Giraudoux tient la gageure symbolique en plein marivaudage, fait couver la comédie amusante par le plus ancien *Roman de la Rose*.

La source de rénovation dramatique coule donc bien chez Giraudoux de ce que son œuvre romanesque contenait de plus original. Les deux œuvres parallèles se partagent aussi une grande aisance dans le comique. La scène du fonctionnaire gaffeur dans *Bella* était de pur vaudeville, et pareillement celle des généraux dans *Combat avec l'Ange*, celles encore du mari ahuri dans *Choix des Élues*. *Le Supplément au Voyage de Cook* (1935) aurait bien fait la matière d'un roman ; *Siegfried* sort en droite ligne de *Siegfried et le Limousin* : seulement le roman était à peu près illisible, tandis que la pièce a versé du baume dans les cœurs. Elle « ressemble à une délivrance », a écrit joliment Pierre Brisson. Giraudoux dramaturge surpasse infiniment Giraudoux romancier, quoique la technique du théâtre n'ait pu chasser tout à fait les scories de préciosité, les lourds papillons, les longueurs ornées.

Le théâtre de Giraudoux a de la grandeur. S'il prend des points de départ au niveau de n'importe quel spectateur ou dans l'acquis classique le plus usé, il s'élève en moins de deux heures jusqu'aux problèmes de la condition humaine, il embrasse l'amitié, l'amour, la cité, jusqu'aux dieux. Porté par un sujet comme celui de *La Guerre de Troie n'aura pas lieu*, il invente pour Ulysse et Hector, au bord du gouffre, un dialogue où les spectateurs de 1935 entendaient des voix de l'année, mais qui se replace de lui-même dans le langage éternel. Jusque dans ce drame si pathétique, on voit comme le goût de la drôlerie peut entraîner l'auteur d'*Elpénor*, par exemple dans les scènes où Hector, valeureux ancien combattant qui s'acharne à sauver la paix, encaisse gifles et autres affronts, et, par conséquence, accule Pâris à un rôle grotesquement humiliant. Mais par un de ces contrastes qui font la vie du théâtre, la scène suivante, c'est le dialogue proprement tragique de fatalité et de surprise où l'on dirait qu'Hector et Ulysse, l'homme de la paix et l'homme de la guerre, se sont emparés chacun d'un plateau de la balance : — Ce que je pèse, Ulysse ? Je pèse un homme jeune, une femme jeune, un enfant à naître... Et Ulysse : — Je pèse l'homme adulte, la femme de trente ans...

Dans *Amphitryon 38*, joué à la Comédie des Champs-Élysées le 8 novembre 1929, comptons les jeux d'esprit, les couplets qui montent comme marée, et même quelque chose venu du legs Meilhac et Halévy. Mais où la pièce a-t-elle son centre, sinon au cœur d'une femme délicieuse d'amour, de pudeur, de ruse et de curiosité dans la parfaite fidélité ? Le dialogue avec son mari, le dialogue avec Jupiter, le dialogue avec Léda sont des chefs-d'œuvre de sentiment, d'esprit et de style. Alcmène enseignant à un dieu qui connaissait seulement la domination et le désir ce que c'est que l'amitié humaine, aura enrichi le théâtre universel d'un trésor de l'âme.

Les personnages d'*Électre* ne sont pas de qualité moindre que ceux de Claudel, bien que tenant moins au sol. L'atmosphère est la même aussi, égayée cependant par de savoureux anachronismes. Électre est une sœur splendide : mais fille à coup sûr névrosée, née pour intéresser Freud. Oreste lui aussi, ce malade de l'exil. Oh ! Giraudoux n'a nullement songé à faire du Mauriac; il s'est contenté de fortement marquer la haine entre fille et mère. Ce qui l'a intéressé le plus, c'est de mettre en jeu les grandes lois de ce monde, ou plutôt les grands points essentiels d'interrogation, car il ne voudrait point conclure. La justice vaut-elle qu'on trouble une ville et bouleverse une humanité ? Est-ce qu'il n'y a pas d'autant plus de bonheur qu'il y a moindre part faite à la conscience, à l'idée de justice ? Est-ce bas, est-ce lâche d'aimer, de pardonner ? Est-ce l'amour, la charité, la douceur qu'il faut favoriser ? ou bien, au contraire, le plus abrupt devoir ?

C'est peut-être Judith qui fait voir le meilleur et le pire de Giraudoux. Pour arriver à laïciser la légende biblique, que de détours et de contorsions ! On trépigne d'impatience aux scènes énervantes avec Suzanne, à la scène interminable avec les officiers d'Holopherne. *Judith* est une tragédie sans tragique, une histoire biblique sans Dieu, et Holopherne est un littérateur plus qu'un chef d'armée. Mais la situation se déroule attachée à la perfection dans un caractère. L'orgueil de la juive, son dégoût pour la génération vaincue, la découverte de régions qui échappent aux prêtres : voilà Judith. Elle-même, et peut-être Giraudoux. Serait-ce la tragédie du non-conformisme ? La révolte de l'être intelligent qu'écrase un totalitarisme de race et de cité, la révélation frénétique de l'évasion et du plaisir, le sarcasme qu'un beau corps jette à la barbe des prophètes, dressent leur signification jusque contre la morale. Dans l'univers de Giraudoux, la morale n'a pas reçu de rôle à jouer. Elle se trouve remplacée naturellement par un don, par une noblesse native et par le sens esthétique. Mais dès lors prenons garde aux scènes finales de *Judith*, à cette sorte d'amende honorable que l'héroïne se voit obligée par les hommes, par les choses, de consentir à la loi d'une religion dont la foi l'a quittée. Évidemment Giraudoux est sceptique sur les chances du scepticisme. Il est à remarquer qu'il nous a quittés sur un ton de suprême tragédie : devant *Sodome et Gomorrhe* (1943), où l'homme et la femme se condamnent l'un l'autre (l'homme et la femme éternels) plus durement qu'en aucun théâtre, on se demande si la mort de ce couple foudroyé par le feu du ciel constitue un définitif blasphème ou proclame la justice de Dieu. La pièce en tout cas est pénible, bavarde, monotone malgré les apparitions ravissantes de l'ange, ratiocinante, épuisante à suivre. Aux antipodes, *La Folle de Chaillot* gonfle de facile grandiloquence une grosse allégorie.

La philosophie.

Le Giraudoux romancier et le Giraudoux dramaturge, séparés, quelquefois opposés par l'art, se rejoignent évidemment par la pensée.

Giraudoux accorde un rôle à l'inconnu. Il est évident que Judith ignore beaucoup d'elle-même; Forestier-Siegfried rapproche en lui deux êtres; Isabelle n'appartient pas tout entière à ce monde-ci; un inconnu torture Maléna, possède Edmée; un inconnu se tapit et guette dans les familles, dans les groupes, il remplit les romans et les pièces de ses avertissements et de ses menaces. Autrement dit, l'inconscient mène la danse. La Florence du *Cantique des Cantiques*, après s'être plainte de son sort longuement, avoue que ce besoin de plainte l'a prise tout à coup : « La femme la plus gaie, dit-elle, un beau jour clame son désespoir, la femme la plus heureuse sa détresse; c'est une fonction de son corps, pas de son âme. » Du corps, Giraudoux ne fait point fi. Il est hostile à la raison qui se croit pure raison autant qu'à la pusillanimité conformiste; et ce qu'il lui oppose, ce n'est pas un instinct ou une volonté, c'est une élégance naturelle d'âme et de corps unis. Sans doute lui a-t-il été sain de vivre jusqu'à sa jeunesse et de revenir souvent faire séjour dans de toutes petites villes qui lui ont imposé le contact avec la nature. Les effluves naturels arrivent toujours à lui, et il invite les hommes à suivre les conseils des animaux, des végétaux, de la terre. Les hommes, les peuples s'isoleraient-ils impunément du reste de l'univers ? Giraudoux s'éloigne autant que possible de l'humanisme intellectualiste des faux classiques.

Accueil à la vie, entente avec la nature, mais, en outre, don aux hommes : voilà ce que propose Giraudoux. L'Holopherne de *Judith*, l'Alcmène d'*Amphitryon* s'accordent avec le narrateur d'*Adorable Clio*, avec le contrôleur d'*Intermezzo*, avec Jérôme Bardini, avec l'Edmée de *Choix des Élues*, en ceci : qu'il y a une condition humaine et qu'une politesse pour ainsi dire élémentaire nous commande de fraterniser en elle, de ne pas la trahir, de nous organiser dans ses bornes. Alcmène, refusant l'immortalité, déclare se solidariser avec son astre, où tout subit la loi de mourir. Et Léda dit à Alcmène : « Vous, si volontairement éphémère... » On pense à Vigny et à ses plus grands vers : « Aimez ce que jamais... », ramenés ici à des proportions familières. Hélas, le vœu que fait Isabelle d'arracher aux spectres leur secret retombe sur elle, et c'est la sagesse modeste du contrôleur qui l'emporte; Holopherne est tué, les dieux murent cette œuvre. Mais

Giraudoux n'en éprouve que plus de tendresse pour les hommes rivés à leur condition.

Pessimisme ? Giraudoux est pessimiste pour bien des choses de France; il l'est pour la vie de l'Europe, qu'il voit déjà usée et où le bonheur individuel devient une peau de chagrin (*Le Combat avec l'Ange*). Il l'est pour l'être humain, que les passions font souffrir. Le bonheur, il le réduit à un état d'innocence naïve et à une légèreté de vie qui comporte la légèreté de l'esprit et de l'âme : qu'on en juge par Maléna avant qu'elle aimât Jacques; c'est ce qu'il appelle « un bonheur sans âge ». Et si Giraudoux, qui se range évidemment parmi les non-chrétiens de notre temps, reconnaît un Dieu, ce Dieu est le sort, un sort malicieux et un peu trop occupé de ses administrés... Cependant il n'a jamais souhaité n'être point né. Il a même publié le raisonnement que voici : « Ceux qui ne viennent pas au monde ne connaissent pas les malheurs de la vie, ceux qui viennent au monde en connaissent les joies; pour les uns et pour les autres l'opération revient donc sensiblement au même, et ce qu'il convient de dire c'est que la Providence sait tenir la balance parfaitement égale entre l'être et le néant... » (*Le Combat avec l'Ange*). Providence ?..

Les femmes, si nombreuses et si importantes dans son œuvre, ne lui paraissent souvent enchanteresses qu'à travers la naïveté des hommes ou bien à condition d'alimenter le rêve, non l'existence réelle : approché lucidement, le trésor se ternit. Souvent, pas toujours. Giraudoux a écrit, au terme de *Bella*, une phrase terrible sur l'amour et, par surcroît, a mis cette phrase sur des lèvres qui profanent. En revanche, il charge son style de brassées de roses pour parler des jeunes filles, car les jeunes filles rêvent la vie; *Intermezzo* en présente un type privilégié. D'autre part, il a peint avec affection son Edmée, son Alcmène, son Églantine, et avec admiration sa Bella : est-ce parce que de ces femmes-ci, les unes échappent à l'amour, les autres ne sont presque que des idées ? ou bien son jugement cacherait-il de l'humeur contre une certaine féminité d'aujourd'hui, alors qu'il en mettrait volontiers une autre à l'honneur ? Considérez Alcmène et la Geneviève de *Siegfried*; elles ont visiblement sa préférence : douceur, raison, aisance dans la soumission, élégance dans l'honnêteté, tel est leur loi, et c'est le lot de la Française classique, celui même de l'Henriette de Molière, de la Junie ou de l'Aricie de Racine, des plus charmantes créatures de Marivaux. Giraudoux pense visiblement que cette lignée se perpétue.

Mais peut-être aussi fait-il profiter les femmes de la même galanterie dont il aime faire hommage à la France quand il ferme les yeux sur ses lacunes ou ses misères pour les rouvrir sur ses grandeurs. Car tel est encore un de ses visages les plus habituels : il y a du souvenir d'école chez lui, je le dis sans critique, car il fait communiquer l'école et la vie. Son héritage psychologique des humanités compte une part de *De Viris illustribus*, et fournirait aisément un manuel de grandes attitudes civiques. Voilà le brillant élève, voici le soldat sans reproche : féerique, son œuvre, soit ! mais noble, mais chevaleresque. Tout se passe à peu près comme si son interprétation du réel se chargeait de maintenir, en leur donnant figure, des vertus d'âme, des courtoisies de cœur, de hauts rêves et même glorieux.

On a l'impression que Giraudoux s'est fait une élégance intérieure qui à elle seule réglerait maintes questions. Pourquoi ne pas y voir l'effet d'une influence des sports à leur état aristocratique ? Ce champion des quatre cents mètres, ce trois-quarts de rugby qui a présidé le jury littéraire de football, put tremper dans la discipline sportive certaine pudeur de son âme, y affiler son tranchant d'ironie. Son chic, ce fut une aisance à respirer, le battement d'un de ces cœurs dont on pourrait dire comme de certains corps qu'ils sont bien faits. Il a permis à Giraudoux de lancer dans presque toutes ses pièces, dans presque tous ses romans, une invitation à avoir confiance dans l'être humain et à tâcher de lui faire un sort.

XI

LE THÉATRE D'ANOUILH

Secrétaire de Jouvet, tout jeune encore était Jean Anouilh quand il sentit naître sa vocation à écouter le *Siegfried* de Giraudoux. Il débuta à vingt-deux ans avec *L'Hermine* (1932); il y touchait au « mal du siècle » en posant le problème d'un romantisme absolu de l'âme avec les données modernes les plus déplaisantes. Depuis lors, Anouilh a imposé au théâtre contemporain l'évidence exquise et douloureuse de la solitude de l'homme, le tourmentant mystère du dédoublement de la personnalité (il francise Pirandello), mais aussi le sentiment éperdu de l'étoile invisible à laquelle nous relie le long fil d'or chanté par Gérard de Nerval. Et néanmoins il ne manque jamais de rappeler durement les conditions vraies de l'existence. Enfin il corrige Pirandello par Musset, le Musset de la vérité poétique, le Musset des jeux de l'amour et des cocasseries psychologiques qui lui servent à se moquer du réalisme. Les décors de cette atmosphère — la gare, lieu d'arrivée et de départ, la chambre d'hôtel où quelques mots suffisent à évoquer les êtres qui y ont vécu une journée ou une nuit, les souvenirs mêlés à tout, surtout les souvenirs d'enfance, et tant d'autres sortilèges et mirages — c'est poésie et déchirante, souvent sinistre.

A Giraudoux, à Pirandello, à Musset, il faut bien joindre ici Cocteau. Quand Anouilh conçoit Eurydice et Orphée en pauvres diables qui passent d'un buffet de gare à une chambre d'hôtel, et quand il fait endosser l'habit noir et des robes 1900 aux personnages sortis de chez Sophocle, il imite incontestablement l'auteur d'*Orphée* et de *La Machine infernale*.

Cela devient un magasin d'accessoires. Il y a peut-être encore, actualisée par Cocteau, l'influence générale de cette désolennisation des grands sujets classiques dont le maître moderne fut Laforgue, dans l'application à égayer une pièce grave avec le contraste de personnages secondaires et grotesques; Anouilh semble croire vraiment que ses héros ont besoin de repoussoirs, il leur en accorde : logeuses, maîtres d'hôtel, chauffeurs, gardes, à qui il donne à jouer de vrais sketches presque autonomes à l'intérieur de ses pièces. Voilà des concessions au public. Elles ne compromettent pas l'essentiel.

Anouilh a lui-même classé son œuvre en « pièces roses » et « pièces noires ». Les premières (*Leocadia*, *Le Bal des Voleurs*, *Le Rendez-vous de Senlis*) brillent d'une fantaisie gaie comme la jeunesse et doucement irritante comme un carnaval de rêve. Les secondes (*L'Hermine*, *La Sauvage*, *Le Voyageur sans Bagages*, *Eurydice*, *Antigone*) se confient à ces imaginations pessimistes qui les poussent aux frontières de la vie. Ce sont les secondes qui ont le plus d'intérêt. La célébrité est venue à Anouilh de son *Voyageur sans Bagages*, en 1937 : bombe d'anarchisme moral et en même temps, si je puis dire, bombe glacée. L'auteur, impartial, distant, s'en lavant les mains, regarde ses créatures ne pas épargner la société, la classe bourgeoise, la famille. Le voyageur, l'amnésique de la guerre, ne reconnaît sa famille, après quatorze ans, que pour la fuir, et, avec elle, un passé qui lui répugne et qui lui fait peur. Il se débat contre cette pieuvre. Il saisit la première occasion de lui échapper et de se réfugier dans un recommencement absolu. *La Sauvage*, représentée en 1938, mais écrite avant *Le Voyageur*, traduisait la même fatale obsession. Elle y ajoutait un grain de Charlie Chaplin; car Anouilh a beaucoup fréquenté les studios, il utilise certains procédés cinématographiques favorables à la mise en scène du rêve.

Les personnages chers au cœur d'Anouilh ont choisi pour loi le refus de la vie et s'évadent : le Franz de *L'Hermine* comme la Sauvage; Orphée, qui n'aura son amour accompli que dans la mort, comme le Voyageur sans bagages, qui refuse la vie sous la forme de passé; Eurydice qui refuse jusqu'au bonheur, comme Antigone qui court à la mort pour retrouver la pureté. Ceux qui acceptent, ce sont, par exemple, les parents odieux du *Rendez-vous de Senlis* et du *Voyageur*.

Créon propose l'acceptation sous l'aspect le plus intelligent et le moins impossible; il n'arrive pas à persuader. Ce courage des âmes élues, ce sacrifice de tout à un individualisme qui rejoint l'idéal des purs, ce choix délectable ou mortel du rêve, assurent à la vision d'Anouilh un éclat sur les hauteurs. C'est une noble protestation. Mais elle est incurablement triste, elle ne laisse pas d'espoir. La philosophie de ses pièces (car les noires l'emportent sur les roses) fait d'Anouilh un original et un dur.

Or son théâtre est construit, il est vivant. Il s'isole merveilleusement, il dépayse, il ouvre une demeure enchantée. On y entre dès la première scène et l'on respire dans ses jardins, avant de se laisser enfermer dans la chambre la plus secrète, là où un sort va se régler. Et chaque personnage important de la pièce y passera : on tremble donc pour sa vérité humaine, on a tort. Le personnage restera ce qu'il doit être : non pas un ensemble de pensées et de sentiments destinés à servir de support au dialogue, mais une durée. Les personnages d'Anouilh sont solidement humains, ils persévèrent dans l'humanité et évoluent sous nos yeux; au cours des dialogues, qui devinerait la conclusion ? Dans les corps à corps, qui désignerait le vainqueur ? Ces dialogues sont pleins de détours émouvants, maintes surprises d'esprit y surgissent; ces corps à corps de volontés et d'intelligences, quelquefois ces enlacements de psychologie, cet avancement implacable quoique secret vers le but, composent des scènes inoubliables : Eurydice et Orphée s'interrogeant sur le degré d'originalité et de propriété de leur amour, dans une montée de tendresse souffrante au fond de laquelle s'entrevoit notre misère; Antigone et Créon se battant en un duel de la vie et de la mort, souple raison de l'expérience contre la dure et absolue raison de la conscience, de l'innocence, de la pureté. Anouilh conduit ses thèmes de pensée et de poésie jusqu'à une densité qui est celle de la tragédie dans cette scène-là, et qui serait plus souvent celle de la tragédie s'il arrivait toujours à autant de clarté.

Je me plaindrai néanmoins que ces entretiens et discussions, ceux ainsi réduits à deux partenaires qui sont deux êtres très réels, mais qui représentent tout de même l'expérience et le rêve, la vie et l'âme, touchent le plus souvent à l'extrême limite du possible. Les scènes ont l'air alors de piétiner, elles peinent à faire affleurer l'irréel, l'éternel, comme le tente si courageusement *Eurydice* et comme elle y échoue plus d'une fois, cette *Eurydice* qui est un fameux pas en avant, malgré la chute, sur la route difficile. Trop difficile ? Il est certain qu'*Eurydice* ne profitait pas d'un travail préalable des siècles, tout y était à faire. Au lieu qu'*Antigone* (1942) modernise une œuvre antique et s'inspire de cette œuvre comme Cocteau s'est inspiré d'*Œdipe-Roi* pour sa *Machine infernale*. Avec toutefois une différence capitale.

Alors que Cocteau a pris la pièce de Sophocle et l'a transposée dans nos mœurs, Anouilh l'a totalement repensée, en a changé l'idée, l'a orientée vers des significations nouvelles. Cocteau n'avait fait travail original que dans l'acte du Sphinx, et cet acte ne sort pas d'une agaçante obscurité. Anouilh, complètement original, puisque même ce qu'il emprunte — les faits — a changé d'univers, crée en pleine clarté sa psychologie, sa fatalité, sa grandeur. Oh, l'on sait qu'un peu de la transposition de *La Machine infernale* se retrouve ici; les gardes rappellent les soldats; les deux voyous de frères sont tombés sous les mêmes coups que le couple Œdipe-Jocaste; mais Cocteau n'offre rien de pareil à la force de cynisme avec laquelle le Créon d'Anouilh, habile politique, a fait son choix officiel entre les deux cadavres méconnaissables; et enfin Anouilh maintenant et rénovant la grandeur, mais en même temps faisant totalement sien le sujet traité, regagne les lignes générales de son théâtre, c'est-à-dire qu'Antigone et Hémon renouvellent le refus du plat bonheur, réaffirment leur volonté de rester purs, tels que l'enfance les tenait.

Jean Anouilh a déjà des disciples : Robert Boissy, l'auteur de *Jupiter*; Alfred Adam, l'auteur de *Sylvie et le Fantôme*. Les meilleurs s'afficheront moins. Anouilh poursuit la renaissance et la revanche commencées par Giraudoux. Mais l'événement de *Siegfried*, au printemps de 1928, avait coïncidé avec la fin de l'inflation d'après-guerre, avec le nettoyage par le vide qu'achevait le cinéma parlant. C'était un départ qui semblait nous intéresser tous. Au lieu que l'année du *Voyageur sans Bagages* apparaît combien plus sombre et, pour ainsi dire, tristement solitaire ! Il s'agit de savoir si le « noir » d'Anouilh annonce un enfoncement dans le désespoir, ou un dégagement possible en repartant du Non héroïque.

CHAPITRE VI

L'ESSAI

Certains écrivains n'ont jamais publié que des essais. D'autres sont également romanciers, critiques, philosophes ou historiens; mais l'intention ou la réussite de l'essai domine leur œuvre, et Demain sinon l'Éternité, les changeant en eux-mêmes, les classera essayistes.

Essayistes mélangés ou essayistes purs vont se rassembler ci-après.

Ils se grouperont naturellement selon leur nature : visionnaire, réaliste, moraliste, métaphysicienne, ou religieuse, car la pensée religieuse, surtout catholique, entretient avec la littérature de notre temps un large réseau de rapports.

I

MORALISTES

Écrivains, dit Littré, qui traitent des mœurs ; il conviendrait d'ajouter : et de la condition humaine.

Dans le sens restreint du mot, les moralistes s'expriment sous la forme de l'Essai, c'est leur forme privilégiée, Jean Rostand cependant ne s'est pas refusé quelquefois celle du roman.

Jean Rostand, fils d'Edmond, est un biologiste et un historien de la biologie, mais qui s'intéresse aux problèmes moraux. Sa spécialité même l'a conduit à écrire une véritable histoire de l'homme. Et s'étant intéressé à une branche nouvelle, la génétique, il est parti des travaux sur la mouche du vinaigre pour proposer des solutions pratiques aux problèmes de l'hérédité. Au reste, nous savons qu'un savant peut n'être pas ennemi de la rêverie. *L'Aventure humaine* le rappelle. Ce n'est pas une rêverie d'idylle. Jean Rostand a de la réalité une expérience aussi amère que désintéressée. Ayant sondé les cœurs, il a écrit *De la Vanité*, *Le Mariage*, *La Loi des Riches*, et ce sont des livres de satire pessimiste. *Le Journal d'un Caractère* (1931) contient ses plus décisives remarques de moraliste, *Ignace ou l'Écrivain* ses pensées moralisatrices. Il ne faut pas exagérer l'originalité de Jean Rostand, mais c'est un écrivain. Son livre central, *Pensées d'un Biologiste*, professe le nihilisme absolu, expose que tout ce que l'homme a acquis de spiritualité survint par hasard dans le monde, en opposition avec la nature, et se trouve probablement condamné à périr. Avec cela, malgré lui, il nous réconforte, par son courage à regarder en face le destin.

René Quinton, biologiste également, a édifié la théorie de *L'Eau de Mer, milieu organique*. Mais il avait réfléchi sur les méthodes de la pensée, la comparaison fameuse entre l'esprit germanique et l'esprit français est de lui, toute ramenée à ce privilège de la France : l'intelligence « différenciée » (réponse à l'enquête de Jacques Morland dans le *Mercure de France* en 1902). C'est la guerre qui l'a fait moraliste. *Maximes sur la Guerre* (1930) tentent l'apologie, non pas du massacre, mais du service que l'espèce impose à l'individu; elles célèbrent le sacrifice dans un esprit de sainteté : les hommes ne sont pas nés pour eux-mêmes. L'individu aurait beaucoup d'arguments à opposer à ce livre. Mais la protestation y est noble de l'homme supérieur contre la morne médiocrité de la vie. Quinton (1866-1925) fut une âme de feu.

Formé, lui, dans la pédagogie et l'enseignement, Albert Thierry (1881-1915) a rejoint l'héroïsme de Quinton par des chemins plus humains, à des hauteurs plus couramment accessibles. Il avait commencé par étudier avec une clairvoyance exceptionnelle l'âme des enfants, leur affection pour les maîtres, leur amour filial, leur attitude devant l'amitié, l'inconnu sexuel et la mort, dans *L'Homme en proie aux Enfants* (1909), complété par un ouvrage posthume (*Le Sourire blessé*, 1922). En pleine guerre, il rédigea à la veille de mourir dans la tranchée *Les Conditions de la Paix* (1916), révélation d'un stoïcisme qu'il eût voulu inculquer à la classe populaire et dont il attendait un renouveau moral, même littéraire, du pays. Cet éducateur pensait dans la lumière tantôt de Romain Rolland, tantôt de Péguy et de Sorel, que son âme, sinon son esprit, harmonisait. Son âme rend presque le même son que celles de Jacques Rivière et d'Alain-Fournier.

Le comte Joseph de Pesquidoux, moraliste, a pris son point de départ dans l'exploitation d'un domaine comme Jean Rostand dans sa compétence de savant. Pesquidoux (1867-1946), grand propriétaire en Gascogne, a passionnément aimé ses terres, d'un amour accru par la guerre et l'absence tragique. C'est le Xénophon chrétien. *Chez nous* (1921-1923), *Le Livre de Raison* (1925 et 1928) passent en revue travaux et soins rustiques, sans se priver de peindre des tableaux et de conter des histoires. La philosophie qui se dégage de ces livres pose le principe d'une souveraineté matérielle et morale de l'homme animé de foi catholique, et dont le contact quotidien avec les vertus physiques de la pierre, du bois et de la glèbe renforce la qualité. L'œuvre de l'académicien paysan date, on le voit. Mais son langage peut durer, il est accroché au sol.

Bernard Grasset s'est appuyé sur son métier d'éditeur pour s'ouvrir une carrière littéraire. Sa maison d'édition ayant été longtemps, comme il l'a dit, sa signature, il s'avisa un jour qu'il pourrait bien, après avoir « signé » tant de livres d'autrui chez lui, signer des livres de lui chez autrui. D'où la série d'essais courts et pleins qui ont pour seul défaut leur style abstrait à l'excès et qui jalonnent un long chemin de *La Chose littéraire* (1929) à *Aménagement de la Solitude* (1947). En cherche-t-on l'axe, on le trouvera dans le goût des définitions justes, par conséquent dans la dénonciation des équivoques de l'esprit et du cœur. Cette tâche a poussé sur le rivage du pessimisme classique l'auteur des commentaires sur *L'Immortalité* (1929), sur *Le Bonheur* (1931), qui découvre le désaccord entre les impératifs implacables de l'instinct et les vœux de l'homme individuel, entre les volontés de l'espèce et le génie ou l'amour. D'où un sourd désespoir, que revigore l'allégresse de l'intelligence. Quoique marqué par Schopenhauer, Bernard Grasset relève essentiellement des moralistes français.

Abel Bonnard, jadis poète (cf. tome I), puis voyageur qui rapporta d'*En Chine* un très beau livre, a vieilli moraliste brillant de l'amour, de l'amitié, de l'enfance, et enfin politique pitoyable.

Moraliste, le Dr Gilbert Robin l'a été lui aussi, et passionnément, dans l'étude de l'enfance criminelle; donc, plus du tout spécialiste, mais écrivain émouvant.

Le plus sûr des bibliographes, l'érudit littéraire Hector Talvart, est aussi le moraliste humaniste de *Conjectures* (1923) et de *Réflexions morales sur la Mode de l'Amour* (1926), puis de *La Femme cette Inconnue* (1938), qui fait écho par son titre à l'incroyable réputation d'un livre du docteur Alexis Carrel, *L'Homme cet Inconnu*, dont il est difficile d'arriver à savoir si c'est de l'anti- ou du super-scientisme.

II

VISIONNAIRES SATIRIQUES

1. Léon Daudet.

Léon Daudet (1868-1942), on l'a vu, n'est guère romancier. Est-il pamphlétaire ? Pas davantage. Le trait de pamphlet pénètre dans la chair, reste dans la plaie. Daudet n'a que des traits de plume. Ils sont d'ailleurs amusants : ce fut, plutôt qu'un violent, un impulsif verbal et, comme tous les caricaturistes, injuste. Il adorait l'injure et le calembour insultant, en bon méridional. Mais, dans tout cela, rien de meurtrier.

Serait-ce un penseur ? Non plus. Sa contribution à la philosophie subconsciente et freudienne dans *L'Hérédo* (1919), *Le Rêve éveillé* (1926), s'illustre de pages éclatantes de portraitiste intellectuel, mais n'a pas d'originalité d'idées. *Le Stupide XIX*e *siècle* (1922), qui s'en prend à toutes les formes de l'optimisme politique et du scientisme béat, est incomplet et partial comme un jeu de massacre.

Un critique ? A cette idée, il aurait ri. Il a traité la littérature comme de la vie à aimer ou à haïr et qu'il y a plaisir à caresser ou à battre. C'est d'ailleurs pourquoi il a donné de si bons coups d'épaule à la carrière d'un Proust, d'un Alain-Fournier et de plus jeunes. Sa culture consistait en puissantes visions d'artiste sensuel.

Daudet serait un excellent mémorialiste si son génie de peintre n'avait prédominé. Mais il a adopté de tels partis pris de mise en place et d'éclairage, il a été possédé d'un tel besoin de mouvement qu'il tourne le dos à toute tâche qui touche à l'histoire. Sa tâche, elle est au studio, on le voit à son affaire surtout dans la collection d'images et dans la prise de vues. Il est allé jusqu'à la drôlerie du dessin animé. C'est pourquoi voici ses chefs-d'œuvre : *Fantômes et Vivants* et la suite (1914-1921), *Le Courrier des Pays-Bas* (1929), *Vingt-neuf Mois d'Exil* (1930). Bien loin de trouver dans *Fantômes et Vivants* une invective déchaînée ou une résurrection du passé, on se divertit à voir passer sur l'écran un Hugo, un Gambetta, un Clemenceau et beaucoup de moindres seigneurs schématisés, déformés, cocasses. *Le Courrier* comprend quatre volumes dont chacun a pour titre le nom d'un tableau célèbre et qui traitent de tout avec une prodigieuse avidité de sentir et de comprendre. Tout exilé politique n'est pas homme à écrire des « Châtiments ». On dirait que l'auteur du *Courrier* et de *Vingt-neuf Mois d'Exil* a pris deux bonnes années de vacances, mélancoliques à leurs heures, mais satisfaites en fin de compte, gonflées de beautés naturelles et de multiples joies. Pourquoi l'éditeur ne fit-il pas imprimer sur la bande de publicité : « tragi-comédie de la vie, poésie des villes, rayonnement des femmes » ?

2. René Benjamin.

L'essentiel de René Benjamin (1885-1948, né à Paris) jaillit en verve satirique, en emportement à enregistrer les ridicules ou à les créer. Il n'en a pas toujours conscience, la vie déclenche en lui ces jets au contact de la réalité. Et voici qui est inouï. Benjamin, né avec une bosse de la vénération, a entrepris de véritables hagiographies : même alors, l'obscur et tyrannique vouloir du caricaturiste s'est fait jour. Bien entendu, des choses existent qui échappent aux esprits de cette sorte et auxquelles on regrette qu'ils s'attaquent. Quelquefois aussi tout de même la vie les plie à sa gravité.

Benjamin débuta par *La Farce de la Sorbonne* en 1911, il connaissait mal les têtes à massacrer. Beaucoup plus tard, *Aliborons et Démagogues* (1927) devait décimer l'armée des instituteurs, et là encore l'auteur a manqué son but, faute d'avoir établi les degrés, assuré les distinctions, pesé les responsabilités. On l'a vu beaucoup plus heureux dans vingt scènes de la comédie parisienne saisies à travers les justices de paix : elles sont désopilantes (1913). Puis les Anglais en guerre sur le front de France et dans leurs usines ont eu à subir ses yeux d'ironie violente, adoucis pour eux de sympathie; *Le Major Pipe et son Père* a montré à quel point la drôlerie de Benjamin peut être une justesse imprévue de l'observation.

Aussi tels livres de lui sont-ils exactement des entreprises de cinéaste original : *Le Soliloque de Maurice Barrès* (1923), *Antoine déchaîné*, *Sous l'Œil en fleur de Madame de Noailles* (1929), *Joffre* (1931). On sait que l'auteur a voulu peindre une Noailles qu'il admirait et aimait; or la voilà pirouettant, piaffant, moussant, débordant, brisant autour d'elle les conversations, réglant aux politiques leur sort, à la fois trompette, girouette et toupie. Benjamin n'est pas moins drôle aux dépens d'Antoine; Barrès seul lui a résisté tout à fait. Ces livres-là relèvent d'un art de mime et d'acteur, Benjamin les a joués magnifiquement, comme il jouait ses conférences : merveilles de mouvement, miracles de création. Mais il y a une rançon : comment une camera, si intelligente qu'on l'imagine, n'échouerait-elle pas devant un génie disparu (*La Prodigieuse Vie de Balzac*, 1925), devant un homme de pensée (*Maurras, ce Fils de la Mer*, 1933) ou devant une situation de catastrophe nationale (*Le Printemps tragique*, 1940) ? En revanche, la camera est sensible. Benjamin écrira donc *L'Enfant tué* (1946), tendre et noble « in memoriam » paternel, plainte d'un père déchiré et qui prouve qu'au secret de l'œuvre, de ses réussites, aussi de ses échecs, il y a un foyer de passion, un cœur que le contact de la réalité grise, mais dont on peut penser que l'homme de lettres fait une utilisation abusive.

3. Emmanuel Berl.

Une curieuse adaptation de cette sorte de cerveau cinématographique à l'évolution de l'histoire a été tentée par Emmanuel Berl (né en 1892 à Paris). N'ayant accroché un public ni par ses analyses de psychologue sentimental (*Méditation sur un Amour défunt*, 1926) ni par un roman (*La Route Nº 10*, 1927), Berl s'est jeté dans la prise de vues sociales; il a écrit *Mort de la Pensée bourgeoise* (1930). Puis estimant qu'avec pensée morte cœur mort va de pair, il a dénoncé une impuissance d'aimer (*Le Bourgeois et l'Amour*, 1931). Inutile de se demander si Berl avait raison ou tort, puisqu'il lança dans la suite un avertissement sarcastique aux suiveurs trop pressés de la mode révolutionnaire du moment : *Frère bourgeois, mourez-vous ?* « La bourgeoisie française, y écrit-il, vivra sans doute plus que vous et moi. » Et, avec mépris : « Ménagez-la donc. » Une pensée si ballottée est-elle autre chose qu'un désir de nous secouer ? Accordons-lui le mérite de brusques et curieux gestes commandés par une lucidité coupante, mais courte. Berl intéresse surtout par son art de verve. C'est précisément ce mérite qui n'a pas son emploi dans l'essai hardi et immense qu'il a entrepris depuis les années 40, *Histoire de l'Europe*, qui simplifie bien vainement, bien dangereusement aussi, l'obscure complexité des événements humains. On l'aime mieux dans un coup de boutoir comme le fort et noble *Innocence* (1947) que dans les ratiocinations du *Péril de la Culture* (1948).

4. Pierre Dominique.

Écrivain décidé et fort, écrivain à poigne. On s'étonne qu'il n'ait pas fait éclatante carrière de pamphlétaire. A-t-il trop écrit ? Le nombre de ses romans, nouvelles et essais décourage d'en nommer un seul. Y a-t-il eu excès de points de vue successifs ? Il est certain que Dominique aurait du mal à lier entre eux les moments de sa constante ardeur politique. Ses marionnettes de la France et de l'Europe contemporaines n'en font sans doute que plus brillante parade sur le devant du théâtre : mais y a-t-il spectacle à l'intérieur ?

III

EXPLICATEURS RÉALISTES DE NOTRE TEMPS

1. Alfred de Tarde.

Le Périgourdin Alfred de Tarde (1881-1925), fils du sociologue, appartenait à la tradition de grande curiosité intellectuelle. Attribuant un rôle souverain aux élites, il a mené des enquêtes successives sur elles et auprès d'elles. Avec une touchante fidélité au balancement renanien, il aima se donner pour cette tâche des compagnons opposés de nature à lui et entre eux : Henri Massis pour la Sorbonne et pour la jeunesse d'avant l'autre guerre (ils signèrent Agathon), Robert de Jouvenel après cette même guerre pour une carte raisonnée des partis et des doctrines. Seul auteur du *Maroc, École d'Énergie* (Tarde avait appartenu à l'État-Major de Lyautey), de *L'Europe court-elle à sa Ruine ?* (1922), petit livre dense et singulièrement prophétique, enfin d'un roman, *Allégra* (posthume), qui caresse les deux nostalgies d'une nature méditative, celle du loisir conçu comme retraite de la pensée, et celle d'une purification par le silence en attente du grand amour inconnu, Alfred de Tarde avait fondé peu avant de mourir une collection, *Problèmes d'aujourd'hui*, et projeté d'y réunir une petite société d'esprits capables de comprendre le monde moderne et de doter ainsi d'une assurance intellectuelle les hommes d'action qui avaient à refaire la France épuisée par les massacres et désorientée par un monde imprévu.

2. Lucien Romier.

L'historien de Catherine de Médicis, Lucien Romier, né à Moiré dans le Rhône (1885-1943), était entré en pleine maturité dans la grande presse et avait essayé d'instruire son public sur les réalités du monde contemporain dominé par l'industrie. Il rassembla dans *Explication de notre Temps* (1925) son acquis ethnique, géographique, économique, politique et social. Le livre concluait au danger des idées et des habitudes nées d'une structure matérielle qui écrase les valeurs morales; il ne désespérait pas de voir renaître (mais par quel miracle ?) des forces éducatives capables d'assainir la presse, de réformer l'école, et de remettre à sa place le sexe féminin. Lucien Romier fut une plume à l'acier résistant dont le journalisme avait aiguisé la pointe.

3. André Siegfried.

André Siegfried est le grand professeur des Sciences Po, des revues et des journaux. Il possède une méthode d'analyse fondée sur l'interpénétration profonde de l'histoire, de la géographie, de la structure économique et sociale de la France et des autres nations. Il a donc besoin d'énormes stocks d'information, qu'il accroît sans cesse par des voyages dans le monde entier. C'est par lui qu'on apprend les nouveaux aspects surgis çà et là à la surface de la planète. Se produit-il en France un équilibre de la paysannerie et de l'artisanerie avec les forces modernes de la production ? Un pays de grandes cultures comme le Canada se motorise-t-il au point de transformer les paysans en purs industriels installés à la ville ? L'Angleterre sort-elle de son splendide isolement ? Siegfried a su et fait savoir ces choses en leur temps. L'auteur de *L'Angleterre d'aujourd'hui* (1924), des *États-Unis d'aujourd'hui* (1927), de *La Crise britannique* (1931), est également celui du *Tableau politique de la France de l'Ouest sous la Troisième République* (1913), du *Tableau des Partis en France* (1930), où il détermine les facteurs dominants de la politique intérieure et extérieure, puis compare notre démocratie à celle des Anglo-Saxons, et de bien d'autres ouvrages gonflés de savoir. Cette œuvre repose dans son ensemble et dans ses détails sur la réalité expérimentale; ce cerveau a fonctionné comme un grand poste de radio qui serait doué d'intelligence. Et Siegfried a commencé d'écrire ses souvenirs. Ils seront d'un intérêt qui éclate dès le premier volume, *Mon Père et son Temps,* défense (par les faits) du capitalisme producteur, libéral et créateur de bien-être social, critique (encore par les faits) du même capitalisme qui a manqué de spiritualité. Un tel écrivain baigne et fortifie les esprits.

4. Francisco Garcia Calderon.

Le nom de Francisco Garcia Calderon vient ici tout naturellement. Siegfried ne l'a-t-il pas surnommé « le Tocqueville de l'Amérique latine » ? Ce Péruvien qui représenta le Pérou à Paris en même temps que son frère le romancier à Bruxelles, est un écrivain très français lui aussi. Il l'a prouvé la plume à la main dans *Le Pérou contemporain* (1907) et dans *Les Démocraties latines d'Amérique* (1920). C'est aussi un grand Européen, et il a renseigné à ce titre les journaux d'outre-océan sur nos idées, notre inquiétude, nos luttes. *Le Dilemme de la Grande Guerre* (1919) a servi de témoignage pour ce continent-ci comme *Le Panaméricanisme* pour l'autre continent. Dans un livre écrit en espagnol, Calderon a rédigé en français, un français de goût très fin, les pages sur l'influence française dans le monde. Il y évoque en lettré consommé Barrès, Maeterlinck, Bergson et tout l'essentiel de notre pensée. Personne n'a jamais mieux expliqué pourquoi les exilés, les rêveurs, les chercheurs trouvaient chez nous naguère encore leur seconde patrie.

5. Maxime Leroy.

Juriste et sociologue, l'auteur des *Transformations de la Puissance publique* (1909), de *La Coutume ouvrière* (1913), de *Pour gouverner* (1918), des *Nouvelles Techniques du Syndicalisme* (1924), de *La Société des Nations* (1932) — né en 1873 à Paris — a apporté dans l'observation des métamorphoses sociales, de leurs causes et de leurs effets, une méthode de relativisme scrupuleux et un sens des nuances qui révèlent l'artiste chez ce fils d'un éminent amateur de musique, introducteur de Wagner en France. Il semble bien que si son œuvre repose sur une pensée essentielle, c'est celle-ci, plus ou moins voilée : comment conserver ou recréer dans l'univers humain en évolution révolutionnaire un ordre d'aristocratie naturelle ?

Leroy, passionné d'urbanisme, se montre urbaniste jusque dans l'analyse des formes nouvelles du pouvoir, ce pouvoir à caractère professionnel dont il décrit la genèse et pour les transformations duquel, dans le présent et dans l'avenir, il propose une théorie si originale. S'il le voit fondé sur un groupement des producteurs dans la profession et dans la ville (d'où un système fédératif qui irait par cercles concentriques du village aux nations), c'est peut-être là un mythe, mais ce mythe ne crée-t-il pas une norme et ne favorise-t-il pas une progression ? La norme par définition protège ce qui est viable et bien né, la progression va dans le sens d'une organisation des forces vives de structure se créant peu à peu leurs organes même intellectuels. Voilà le terrain sur lequel Leroy, en analysant l'appareil politique et administratif des villes, des départements, du parlement, a dégagé le caractère de la hiérarchie dans le régime moderne et constitué l'autorité qu'il présente comme seule possible de nos jours.

En effet, une telle conception, c'est en un certain sens la forme la plus habile qui ait été trouvée à la démocratie; mais ne révèle-t-elle pas un esprit non démocratique et même aussi fondamentalement hostile à la démocratie que celui de Georges Sorel ? Et puis, Leroy permettra au lecteur prudent de douter que l'autorité, telle qu'il la décèle et caractérise, domine assez les sources qui dans son système la produisent. Il y a un petit devin qui accompagne chez lui l'analyste et qui donne le coup de pouce à la réalité pour qu'elle prenne les figures souhaitées. A la grâce de Dieu, pour la réalité en ébullition ! Mais à l'égard de la réalité consolidée, a-t-il assez surveillé la poussée de ses idées ? On se le demande surtout pour les études qu'une ardente curiosité de toutes les trouvailles humaines l'a entraîné à faire de Saint-Simon, Tocqueville, Stendhal, Taine (de 1924 à 1935), considérés comme initiateurs politiques et sociaux. A ce point de vue, il a même dépassé la mesure à l'occasion de Descartes, qui devient sous sa plume un incroyant clandestin, *Le Philosophe au Masque* (1929).

En somme, Maxime Leroy est à la fois un observateur et un imaginatif, encouragé d'ailleurs par un cœur généreux et qui a pour s'exprimer une langue de très intelligente souplesse. Néanmoins une évolution a marqué ses années d'extrême maturité, dans le sens des analyses exactes et d'un goût très vif pour l'histoire de la pensée et de ses jeux ou de ses luttes avec le corps social. Ce nouveau Leroy a composé un *Sainte-Beuve* (sa Politique, sa Pensée, sa Vie, 1940, 1941 et 1947) qui le place en bon rang parmi les historiens de la littérature; et l'*Histoire des Idées sociales en France*, commencée en 1946, sera son *Port-Royal*.

6. Francis Ambrière.

Francis Ambrière aurait droit de choisir sa place en plusieurs catégories de ce livre, et par exemple parmi les romanciers. N'a-t-il pas appelé *Le Mal d'être Homme* une fiction pleine d'invention, reforgé les rouages de récits mériméens dans *Le Solitaire de la Cervada* et dans d'autres nouvelles qui ravivent sur nos lèvres le même goût d'imprévu ? Mais les critiques et les historiens littéraires l'estiment des leurs pour un *Joachim du Bellay* très précieux et pour une abondante production de jugements sur la littérature contemporaine, notamment dramatique. Il est aussi voyageur, il voyage chaque jour, du moins en imagination, puisqu'il dirige la collection des *Guides Bleus*. Et Paris le tient tout de même. Par sa direction des conférences des *Annales* ? Sans doute. Mais surtout parce qu'il est attaché à cette grande cité moderne au point d'en avoir fixé de saisissantes images dans *La Vie secrète des Grands Magasins*. Où donc classer la curiosité intelligente et la verve de ce Protée ? Il a donné un intérêt de roman à la vie la plus réelle dans son grand livre, *Les Grandes Vacances* (Prix Goncourt 1946). Ce tableau des camps allemands de représailles pour les prisonniers français présente leur misère et leur grandeur, leur drame et leur comédie. Il est lui-même comédie et drame, pitoyable et exaltant. En outre, les représailles subies par un captif forte tête n'ont pas altéré ses observations au point que ne s'en puisse dégager un utile « France-Allemagne », et l'on dirait la différence de deux peuples devenue être vivant et personne qui parle, avec le minimum de partialité patriotique.

7. François-Poncet.

On ne se doutait pas en 1913, quand on lisait le perspicace et vif témoignage d'André François-Poncet sur *La Jeunesse allemande* qu'aux acteurs mêmes de l'histoire germano-française l'auteur un jour se trouverait mêlé. Entre ce petit livre et le gros documentaire *De Versailles à Potsdam* qui est de 1948, et qui raconte souvent des souvenirs personnels, son activité a été plus politique et diplomatique que littéraire. Le recueil des *Discours* compte peu. Cependant ce grand lettré appartient bien à la lignée des ambassadeurs qui méritent le titre d'écrivain. Un écrivain psychologue et qui explique par la psychologie l'essentiel des rapports entre les peuples. Un écrivain spirituel dont l'intelligence, grave en son fond, aiguise ses traits en malicieuses pointes.

8. Louis Dumont-Wilden.

N'hésitons pas à le placer ici. Né Belge (en 1875), il est Français, comme le sont les frères Calderon, nés Péruviens. Il a écrit dans nos grands journaux d'avant-guerre, toujours préoccupé du sort de la société civilisée. Historien biographe de fins et grands esprits comme Benjamin Constant et le prince de Ligne, il a mis beaucoup de lucide fermeté et de noblesse à définir *L'Évolution de l'Esprit européen* dans les hommes et les œuvres, et plus tard beaucoup d'expérience méditée à mesurer *Le Crépuscule des Maîtres*: Hugo, Taine, Renan, Nietzsche, Maurras, Gide, — autant de valeurs qu'il revise avec pénétration et prudence.

IV

CONNAISSANCE DES MONDES

1. Voyages d'enquête.

On a vu comme la découverte du globe avait retenti dans le roman de voyage et d'exploration. Or il est, ce roman, si peu imaginé, et il contient une telle part d'observation directe qu'à peine quelquefois se distingue-t-il de l'essai. D'ailleurs certaines œuvres embrassent essais et romans mêlés : telles celles de Gide, Duhamel, Morand, Farrère, Dorgelès, avons-nous dit à propos de ces romanciers. Redisons-le ici pour des auteurs d'essais. En voici quelques-uns qui ont su trouver encore du nouveau dans le monde : Mme Sylvain Lévi a été *Dans l'Inde* (1925), Maurice Pernot en *Asie Musulmane* (1927), Gaston Bergery a respiré *Air d'Afrique* (1937), Alain Gerbault s'est lancé *Seul à travers l'Atlantique* (1924) et *A la poursuite du Soleil* (1929), Marc Bernard a volé *En Hydravion au-dessus du Continent noir* (1927); Henri Membré, romancier moraliste de *Non-Lieu* et observateur critique de *Petit-Bourgeois*, a examiné froidement la Russie soviétique.

Pour les États-Unis, tant de Français ont fait connaissance avec ce pays pendant la dernière guerre que tout livre antérieur a vieilli. Un si vaste pays cependant ! N'y pouvait-on pas toujours trouver un rivage auquel accrocher quelque nouveau pont jeté d'Europe et fait pour durer ? Madeleine Cazamian en donna l'exemple le plus agréable en présentant dans *L'Autre Amérique* (1931) une patrie de l'art et de la culture qui connaît la vie de famille et qui reconnaît l'individu. Il existe beaucoup de patries dans l'Amérique du Nord;

seulement sa propre littérature de plus en plus dispensera la nôtre de nous en informer.

Sur l'Angleterre contemporaine, nous avons des livres de Louis Cazamian et de Jacques Bardoux. Sur l'Allemagne, depuis *Vieille Allemagne* (1907) de Ferdinand Bac, depuis *En Allemagne* (1911) de Jules Huret, rien n'a paru qui ne soit étude politique tristement éphémère. Sur la Russie, depuis les témoignages sérieux mais dépassés de Jules Legras, on ne se rappelle d'importants que ceux d'Anet, de Duhamel, de Membré. La race des voyageurs d'Europe a-t-elle donc disparu ? La curiosité charmante et point inutile du René Bazin d'Italie et d'Espagne, du Jean Lorrain des *Heures de Corse*, de l'André Maurel italien, de l'Hugues Le Roux scandinave est-elle morte ? Elle a duré sur le plan psychologique chez André Germain (né en 1883), qui a beaucoup causé avec les voisines de la France et qui a la mémoire meublée de figures, de problèmes, d'anecdotes; on lit ses *Pèlerinages européens* (1925) avec une nostalgie accablante. Elle a duré sur le plan d'art chez Edmond Joly, ce Ruskin catholique, qui a publié sur Venise, sur Rome, sur Séville, des livres d'où se dégage le même charme que de ses souvenirs de l'*Enfance désarmée* (1937). Et heureusement des voyageurs ont longtemps séjourné dans un pays de choix. Par exemple, Henry Asselin, qui fit ses preuves d'écrivain fin et narquois dans le roman, a peint des *Paysages d'Asie* — Sibérie, Chine, Ceylan (1911), — puis s'est fixé sur les bords de la mer du Nord à des fins de propagande française et, ayant écrit une *Hollande dans le Monde* (1921), a pu légitimement donner pour sous-titre à ce livre décisif : « L'âme et la vie d'un peuple ». — En Gabriel Audisio se retrouve quelque chose de cette ardeur à déchiffrer des énigmes qui brûla Charles Demange, neveu de Barrès, dans l'introspection impuissante, quintessenciée, stérilisée, des notes du *Voyage en Grèce*, comme dans les recherches du *Livre de Désir*. Mais Audisio déborde de vitalité. Comment distinguer le poète, le conteur, l'essayiste ? De *Trois Hommes et un Minaret* (1926) à *Héliotrope* (1928), d'*Augures* (1932) à *Sel de la Mer* (1937), Audisio a balancé sa barque sur l'immense lac bleu qu'il voit plus grec et carthaginois que romain. C'est un descendant d'Ulysse. Son style met de la lumière dans le mystère et de l'éclair dans le secret. — D'entre les productions trop inégales d'Henry de Monfreid, notre ıémoire émerveillée fait émerger *Les Secrets de la Mer* *ouge* (1931).

Passons à l'Empire français. Sa littérature se distingue de ancien exotisme dans les essais comme nous avons vu u'elle s'en distinguait dans les romans, par une volonté 'utile connaissance orientée vers l'action colonisatrice. Elle été servie par notre politique d'Outre-Mer et elle l'a servie : ertains de nos meilleurs écrivains y ont participé, Charles Géniaux, Louis Bertrand, Duhamel lui-même. Elle s'honore e grands aînés, explorateurs, chefs de missions militaires t de missions scientifiques, moines missionnaires. *Reconaissance au Maroc, Observations sur les Voyages des Missionaires dans le Sahara*, du Père Charles de Foucauld (1858-1916), atent des premières années du siècle, mais ces chapitres ıitiaux d'une somme de connaissances africaines rassemblée u lendemain de l'action, dans la solitude et le recueillement, eut servir de bonne préparation à la lecture d'ouvrages plus écents : *L'Ame nègre* où le médecin de marine Jean Hess a oté avec une lucidité juste et beaucoup de vie la crédulité naligne du continent noir, la profondeur de ses mythes souent monstrueux, ses souffrances, ses résignations, la persisance de ses castes, la poésie de ses aèdes; *Tombouctou la Mysérieuse*, où Félix Du Bois enveloppe dans un agréable récit es documents exacts et détaillés; *Les Paysans noirs* (1931), évélation du peuple de la Haute-Volta par un de ses adminıistrateurs, devenu directeur de l'École Coloniale, R. Delaignette : quelles surprenantes vertus d'agriculteurs une olitique habile avait suscitées, développées là-bas !

Géographe lyrique de cette terre de France qu'il a appelée *Le plus beau Royaume sous le Ciel*, Onésime Reclus (1837-1916) ublia pendant l'autre guerre *Un Grand Destin commence*, ivre de foi dans l'avenir de l'Empire français. Il l'avait fait récéder de *Lâchons l'Asie, prenons l'Afrique*. « Prendre »... Jn mot parut tout simple et familier, banal, et le voilà qui u bout de trente ans éclate, cruel, ou tombe pitoyable !

Eh bien, revenons tout près de chez nous et chez nousnêmes avec Gabriel Faure, qui a sa manière bien à lui, ayant u faire des beautés naturelles un prolongement de la culture ntellectuelle. En Italie comme en France dans la vallée du Rhône, il voit et fait voir une élite de paysages, d'où se lèvent son appel les plus beaux souvenirs d'art, de pensée, d'his-

toire. Faure est un mainteneur charmant. Ses livres, d'*Heur*
d'Italie (1910) à *Mes Alyscamps* (1942), sont d'un amoureu
et ce qu'il aime c'est la beauté civilisée. Il en néglige vivan
et vivantes que jeune il avait peints dans des fictions tr
voluptueuses (*L'Amour sous les Lauriers-Roses*, *Les Aman*
enchaînés)... Puisque bien des écrivains de grand talent on
comme Gabriel Faure, préféré résolument la stricte et direc
exactitude aux arrangements romanesques, est-il donc impo
sible que la postérité les protège, et même aux dépens d
autres, si ceux-ci ne tiennent pas tout à fait le premier plan
et qu'en ce cas, dans une œuvre composée de romans et d
documentaires, elle sauve de préférence les documentaires
Qui le sait ?

2. LA FAUNE UNIVERSELLE.

Il n'y aurait point de chapitre ni même de paragraphe
ouvrir pour ce qui n'a servi d'objet qu'entre beaucou
d'autres à Maeterlinck, à Colette, à Jammes, à Pergaud,
ce n'était justice de penser non seulement « aux bêt s qu'o
appelle sauvages » d'André Demaison, mais aussi aux bêt
non sauvages, point domestiques non plus, le grillon,
chauve-souris, dont Charles Derennes a fait les héros d
deux livres attachants. Il convient aussi de garder le nom d
Georges Ponsot, fils du Jura, qui a raconté avec ...hum
nité raffinée *Le Roman des Poissons*, *Le Roman des Oiseau*
Jacques Delamain n'est pas romancier, il y a cependant to
un romanesque et toute une poésie dans *Les Jours et les Nui*
des Oiseaux (1932), dans *Les Oiseaux s'installent et s'en vo*
(1943), documentés comme du Fabre, mais faiseurs de miracl
comme du Michelet. Est-ce que de tels livres ne compose
pas une cour au *Roman du Lièvre*, leur jammiste souvera
d'éternel Moyen Age ?

V

DESCENDANCES DE DOCTRINES ET DE MANIÈRES

. ÉPIGONES BERGSONIENS.

On ne dort jamais sur ses lauriers en philosophie. Sans ıême que Bergson décline, des penseurs remettront en uestion sa notion de la mobilité; toute une nouvelle philoophie du temps pourra renaître des réflexions d'un Rivaud ur la durée, d'un Strong sur l'être et le devenir. Déjà en leine chaleur de sa pensée, il a eu un contradicteur assez apageur : Julien Benda. C'est donc bien le moins que uelques esprits originaux l'aient servi à la fois par des comıentaires utiles et par des conceptions personnelles, aient ris leur essor en respectant sa direction. Qu'apportera 'absolument personnel Lydie Adolphe ? Sa *Philosophie eligieuse de Bergson* (1946) est curieuse, qui insiste sur les ympathies du maître pour les recherches psychiques et qui a jusqu'à le rapprocher de la pensée hindoue; elle donne es références précises.

René Gillouin, rude jouteur d'idées, s'est construit à École Normale un appareil dialectique un peu lourd. 'intuition ardente des Dauphinois fait heureusement contreoids. Il est né à Aouste (Drôme) en 1881. Il s'est fait de la aison une faculté qui rassemble tout l'être et qui pour forfier les regards lancés à l'idéal leur fournit des lunettes réastes, même ironiques, voire narquoises. Après l'*Henri ergson*, qui est de la vingt-septième année, les *Essais de ritique littéraire et philosophique* (1913) multiplient les points e vue. Même quand il feint d'exposer la doctrine d'un Ernest

Seillière (*Une Nouvelle Philosophie moderne et française*, 1921) Gillouin parle à peu près pour son propre compte. S'il pose avec méthode des *Questions politiques et religieuses* sur son temps, en 1925, il fait un tri sévère de nos élans, mais destiné à les favoriser. *Le Destin de l'Occident* (1929) est plus sombre bien qu'il ne confirme nullement Massis. Il s'en prend, en effet, au mysticisme scientifique et industriel de l'Europe, et par delà, à un principe catholique dévié par J.-J. Rousseau. Dans tous les débats auxquels ce philosophe a pris part, que ce fût à propos du réveil des races inférieures ou de la position catholique de Mauriac, du protestantisme de Gide ou de l'interprétation sociale de la Révolution par Augustin Cochin, de la valeur des vues religieuses de Barrès ou de Maurras, une haute conscience n'a cessé d'intervenir avec les ressources de la plus solide culture métaphysicienne. René Gillouin a publié un écrit intime de son frère, le docteur Charles Gillouin, *Journal d'un Chrétien philosophe* (1932); ce frère mort en Afrique après une existence d'endurance héroïque a eu sur notre auteur une influence dont sa force morale a reçu des armes nouvelles. Il poursuit en Suisse, depuis la fin de la guerre, son œuvre de philosophie politique, et l'*Aristarchie ou Recherche d'un Gouvernement* est un livre capital.

Lui non plus, Jacques Chevalier ne fut pas un homme des nuées; originaire de Cérilly (Allier), il composait à trente et un ans la biographie descriptive de *La Forêt de Tronçais* (1913). C'est dans les faits qu'il a établi ses lignes de départ pour fonder une « métaphysique scientifique » qui a des parties solides : *L'Habitude* (1929). Il avait auparavant interprété le bergsonisme avec une intention chrétienne (*Bergson*, 1920). Une naïveté pourtant, dans la carrière de Chevalier, et non dépourvue de vanité : *La Vie morale et l'Au-delà* (1938) prétendit intéresser le grand public au rétablissement d'une philosophie des causes premières.

Universitaire également, Jules Second, bergsonien de méthode et de doctrine, commentateur d'*Ollé-Laprune* (1898), débrouilleur des *Idées de Cournot sur l'Apologétique* (1906), restera l'auteur d'une thèse fort belle sur *La Prière*.

On soupçonne Gilbert Maire d'avoir emprunté bien des parts de sa pensée à des paysages, soit aux noblesses sauvages du Vaucluse, soit aux chaudes clartés des lagunes du Grau du Roi. Sa pensée n'est livresque qu'au strict nécessaire, bien qu'un monde de livres l'ait nourrie. Il a cependant pris son point d'appui, d'une part sur Bergson (*Henri Bergson, son Œuvre*, 1916), d'autre part sur James, à qui il a consacré une étude décisive, *William James et le Pragmatisme religieux* (1933) : il y montre une vie dans une œuvre, une œuvre dans une vie; c'est le grand intérêt et, pour ainsi dire, le grand exemple de ce beau livre. Dans *Bergson mon Maître* (1926), le philosophe sert de prétexte aux mémoires d'une impatiente jeunesse, surtout à la monographie d'une singularité. Ou plutôt il part de Bergson en le considérant comme ayant rompu avec la série des systèmes et entrepris l'exploitation d'une richesse intime de grande personnalité. Et lui, négligeant pour son compte les apports reçus de la science et n'utilisant que ceux fournis par des témoignages de la conscience (il reconnaît que l'originalité bergsonienne naquit au point de rencontre des uns et des autres), il s'est embarqué dans une subjectivité totale, ayant hissé la voile de l'intime même exceptionnel. Il court donc se heurter à tout ce que la société moderne a érigé de massif et de tout fait. Chemin faisant, il a examiné quelques aspects de la littérature contemporaine (*Aux Marches de la Civilisation occidentale*, 1929), conduit en lui-même une politique d'accords, de ruptures et de trêves entre Bergson et Maurras, cultivé enfin un anti-démocratisme que tout commande dans sa personne, auquel la dialectique de Maurras a fourni des renforts, mais qui a trouvé des références jusque dans *Les Deux Sources de la Morale et de la Religion*, jusque dans *La Pensée et le Mouvant* : d'où les pages implacables de la *Démocratie belliqueuse*. Cependant il n'a jamais perdu le goût des romans passionnés qu'avait aimés sa jeunesse; il les relit comme il relit Plotin et, conduisant de pair lectures et méditations, avec l'adjuvant de confidences provoquées à la ronde, il rumine une philosophie des « instants privilégiés », et il espère les jeter comme un pont pour passer des extrêmes et furtifs bonheurs humains à quelque chance d'au-delà.

Né polonais, Édouard Krakowski a choisi la France pour y faire ses études, puis y a établi sa demeure. Disciple de Bergson, il a appliqué la pensée du maître à approfondir le romantisme de son pays (*Trois Destins tragiques, Slowacki, Krasinski, Norwid*), à scruter le néo-platonisme et l'*Esthétique de Plotin* (1929), à utiliser la psychologie assez énigmatique de Challemel-Lacour pour comprendre la *Naissance de la Troisième République* (1932), puis à définir *La France et sa Mission* (1936). Il a enfin retracé dans une somme d'information et de doctrine les rapports de la Russie et de la Pologne à travers les âges. De l'un à l'autre de ces grands objets il est allé, fortifiant de nombreux liens entre la philosophie et l'esthétique, la littérature et la société, et travaillant à dégager une prédominance des valeurs intuitives.

2. Épigones maurrassiens.

Maurras fut le véritable inspirateur du « Parti de l'intelligence » fondé au lendemain de la « Grande Guerre », en 1919, par Henri Massis et qui groupa pendant quelques années les intellectuels les plus ennemis des idées romantiques et démocratiques. C'est dommage que son instrument d'expression, *La Revue Universelle*, dirigée par Bainville et Massis, mais secrètement soumise au joug maurrassien, en ait durci et rétréci le programme; elle n'a donc pas comblé le vide creusé par l'échec de la *Minerva* de René-Marc Ferry, laquelle avait su faire courir dans la France du tout jeune siècle les frémissements d'une sorte d'annonciation littéraire. La *Nouvelle Revue Française* n'en garde pas moins la trace des secousses que lui imprima le « Parti nouveau » : inquiétude de Jacques Rivière, demi-approbation de Schlumberger et de Ghéon. La pensée de Maurras, qu'on vit alors étale et qui le resta assez longtemps, a vraiment contrôlé une bonne partie de l'intellectualité d'après l'autre guerre et rendu les disciples directs et personnels à peu près inutiles. Même parmi ceux qui ont persévéré, la personnalité s'est fait jour.

D'ascendance semi-italienne, Eugène Marsan, né à Bari (1882-1936), aurait voulu pouvoir fonder en France un tout neuf Hôtel de Rambouillet. Du moins s'est-il fait une réputation de moderne chevalier de Méré avec une série de livres très divers : *Passantes* (1922) et *Chambres du Plaisir* (1926), qui recueillirent dans leur élégance originale le Stendhal et le Musset passés au crible de Marcel Boulenger et de Gabriele d'Annunzio, esquisses galantes où la plus haute décence du langage joue avec Éros comme avec le feu; *Savoir-vivre en France et savoir s'habiller* (1926), manuel de l' « honnête homme » au XXe siècle; *Instances* (1930), études et notes de critique dominées par une doctrine qui est du Maurras en dentelle. Il y a toutefois des nuances apprises chez les Symbolistes, il y a un certain raffinement libertin des manières qui sont les biens de Marsan. Pour les annexer sans heurt à la tradition la plus susceptible, cet impeccable maître des cérémonies a déployé une souplesse inouïe. Enfin *Chronique de la Paix* (1933) conserve un précieux témoignage sur la vie quotidienne de France pendant les quelque dix années où elle changea tous les matins. De ces petites merveilles, *Les Chambres du Plaisir* est la seule qui se rapproche du roman par le biais d'une sorte de monologue intérieur dont la coupe nette et racée a été fort imitée.

Dogmatique plein du feu de sa Provence, mais défenseur d'un ordre naturel de la vie mentale, Gonzague Truc le définit ainsi : « la sensibilité qui informe, le jugement qui décide, la volonté qui exécute » et se range par là au môle de Maurras, son voisin de naissance. Mais il n'en veut pas moins rester métaphysicien, que dis-je ! théologien et, qui plus est, parfait thomiste. Il a écrit fort pertinemment sur la grâce, il a recommandé un *Retour à la Scolastique*, il a publié un livre d'apologétique : *Les Raisons perpétuelles de croire* (1929), — par où d'ailleurs il se réaffirme maurrassien, puisqu'il lui faut, à ce catholique exigeant, faire aveu d'incroyance. *Tibériade* (1921) est le roman d'un esprit supérieur de femme assoiffée de Dieu, vide de foi... Ne s'étonnera-t-on pas de cette irréductible insensibilité à tant de preuves de Dieu qu'il a données d'après saint Thomas ? C'est assurément la diabolique Modernité qui se venge; il l'avait accablée, lui reprochant dans *Notre Temps* (1925) de réduire les hommes à eux-mêmes, à leurs besoins, à leurs plaisirs, à leur présent. Même orientation dans ses jugements sur Claudel, sur Colette, sur Anatole France, sur les justiciables de ses critiques hebdomadaires en divers journaux. On comprend qu'il soit allé chercher consolation dans le passé, auprès de Racine, de Bossuet, de la Maintenon, qu'il a caressés en des livres assez pleins, et auprès des grandes figures de la Renaissance italienne que ses vulgarisations font revivre. Le tort de Truc est de voir gens et choses, idées même, un peu gros et trop par rapport à ses humeurs : de quoi ses *Tableaux du XXe siècle* restent bosselés et défoncés. Cependant il y a à prendre dans son *Savoir Penser*.

Le poète et moraliste Alphonse Séché, né en 1876, fils d
l'historien littéraire Léon Séché, a exagérément appuyé su
la tendance nietzschéenne et fasciste. N'empêche que *Le
Guerres d'Enfer*, prédiction prophétique de nos catastrophe
(1915), *La Morale de la Machine*, ou perte de l'âme en régim
capitaliste (1929), *Le Dictateur*, ou le maître nécessaire au
Républiques dans le péril (1924), auraient mérité de figure
en leur temps, dans les bibliothèques, à côté de *L'Art a
reconnaître les Styles*.

Voilà deux aînés. Je leur adjoins deux cadets.

Les dons de Robert Brasillach furent tout d'abord d'u
chroniqueur fin, curieux, ingénieux et frais; ils triomphen
dans les Mémoires qu'il a laissés de sa jeunesse d'étudian
et d'écrivain débutant, cabri gambadant à travers Paris, su
lequel régnait Ludmilla Pitoëff (*Notre Avant-Guerre*, 1941). Il
se sont durcis vers la fin, dans une presse contrôlée par le
Allemands : alors se sentit chez Brasillach une force surpre
nante et mal employée d'écrivain de combat. Il ne fallai
pourtant pas condamner à mort ce garçon d'avenir. Quel
sont ceux que son visage ne revient pas obséder ? Il étai
en progrès dans le roman, de *Voleur d'Étincelles* à *Comme l
Temps passe* (1937), quoique n'arrivant pas encore à se déga
ger de la chronique ou du tohu-bohu d'intentions. S'il avai
la poésie trop facile et si ses poèmes de prison n'en fon
qu'un faux Chénier, qu'il a été brillant en critique ! Certes
Présence de Virgile (1931), *Portraits* (1935), *Corneille* (1938
veulent trop tirer l'œil et abusent de l'anachronisme expli
catif avec d'ailleurs un étonnant brio, mais ses recueils d
chroniques littéraires, *Les Quatre Jeudis*, montent au nivea
de ses recueils de souvenirs. Une culture extraordinairemen
nuancée les porte, une curiosité les anime qui a l'ivresse d
départ en vacances. Il ne leur manque qu'une parfaite matu
rité. Et tout cela est à redire des études sur *Les Animateur
de Théâtre* (1936).

Plus de substance pensante, un esprit plus haut, mais san
aimable sensualité et sans charme, se manifesta de bonn
heure chez un condisciple de Brasillach à Normale et à l'Actio
Française, Thierry Maulnier, qui s'appelle de son vrai non
Talagrand et qui est fils d'universitaire. Il est abstrait et doc
trinal, mais avec force. *La Crise est dans l'Homme*, son premie
livre (1932), présentait une juste défense de la culture huma

niste contre les politiques démagogues et contre les amateurs raffinés qu'il dénonçait comme également serviteurs de l'individu éphémère, également destructeurs d'une durée humaine. Son *Nietzsche*, sondage de ce puits de contradictions, d'où il tirait habilement une pensée d'aristocratie courageuse et classique; son *Racine*, qui s'opposait avec des raisons à l'inutile paradoxe de Giraudoux, et les essais littéraires suivants, notamment l'*Introduction à la Poésie française* (1939), révèlent tout ensemble, dans une tenue impeccable et froide, la volonté d'être exact, l'art du biais personnel, avec la conscience, souvent justifiée, d'avoir trouvé le joint décisif, enfin l'habileté à dresser de véritables pièges de logique. Les feuilletons littéraires que Maulnier donna longtemps à l'*Action Française*, ceux qu'il publie en divers journaux et périodiques depuis la Libération, sont d'un intelligent savoir et d'un jugement décidé à se montrer équitable. L'activité critique ne lui suffisant pas, il a abordé le théâtre par le biais des légendes antiques appareillées à la pensée moderne, mais avec un assez rude besoin de grandeur. Et dès 1936, il entra dans la politique, au moins sur le plan de la réflexion philosophique, avec *Mythes socialistes*; l'année suivante, il cherchait *Au delà du Nationalisme* une formule d'anti-marxisme qui fût capable de satisfaire victimes et adversaires du capitalisme. Il prétend l'avoir trouvée dans *Violence et Conscience* (1945), titre original qui indique dès l'abord l'intention du livre : prévenir l'irruption désordonnée et sanglante des forces sociales restées hors de notre lucidité, donc hors de notre volonté, et précisément y faire pénétrer la lucidité la plus complète possible. Sa propre lucidité n'arrive d'ailleurs à proposer comme solution qu'un proudhonisme presque suranné (la propriété individuelle généralisée dans une économie collective) et par des moyens qui en soulignent le caractère chimériquement théorique. Maulnier reste, en somme, embarrassé comme une grande partie de sa génération entre son anti-capitalisme et son anti-marxisme. Il noie l'embarras dans une description des données économiques et sociales qui ne descend pas dans les profondeurs mais qui fait brillamment illusion par la plénitude très puissamment articulée du langage.

3. Un nietzschéen et whitmanien rollandiste.

Une de ces natures nobles capables de vues hardies et de trouvailles éblouissantes, mais que leur confusion de cervelle annihile, s'est nommée Élie Faure; ses livres roulent des paillettes d'or dans une des rivières les plus limoneuses de la littérature. Quel pot-pourri d'idées ! elles se liquéfient en lui. Dans *La Danse sur le Feu et sur l'Eau* et dans *La Conquête*, Nietzsche célèbre son culte des forts et exige le drame pour l'homme et pour la civilisation s'ils veulent se conquérir un moi. *La Sainte Face*, livre de guerre (1919), accepte l'humanité belliciste : Faure voyait dans la guerre un terrible risque de progrès et il présente son *Napoléon* comme un accoucheur de mondes, ce qui n'est pas d'une originalité excessive et reste chez lui très fumeux. Il semblait deviner un accord entre cette monstruosité fatale et la force de vie physique qui bout dans la nature; on dirait parfois qu'il pressentait et attendait une bombe atomique créatrice et féconde. Mais Michelet et Romain Rolland veillent, ils corrigent Nietzsche par ses soins. Comme le premier, il déifie le peuple; comme le second, il conçoit des héros qui peuvent être grands capitaines, mais qu'il préfère grands artistes et grands écrivains (Michel-Ange, Cervantès, Beethoven, Molière, Carlyle, etc.); il rêve lui aussi d'une religion faite du résidu de toutes, une fois le christianisme écroulé, « une religion inconnue, religion sans prêtre, sans culte, sans dogme, sans morale », « foi agissante et virile, divinisation des forces antagonistes qui poussent l'homme en avant »; il espère avec une conscience de biologiste universel un malaxage des races et une élite humaine composée de métis (*Les Trois Gouttes de Sang*), il unifie une Europe que sa *Découverte de l'Archipel* décrivait en 1932 avec le plus imperturbable arbitraire sentimental. Sa vraie patrie est à l'échelle de l'univers, ses héros sont de toute couleur, il ne veut plus distinguer entre Orient et Occident. Et toute cette fusion de synthèses contraires, l'élan vital l'emporte vers on ne sait quelle ascension qui aurait enthousiasmé Whitman beaucoup plus que Bergson. Bref, le cosmopolitisme, un cosmopolitisme se développant dans le temps comme dans l'espace, paraît avoir été le but essentiel d'Élie Faure, mais sans qu'il ait jamais renoncé à ses *Constructeurs*, à ses forts, à ses héros. Alors on se demande à quelle source il pensait alimenter leur énergie. On se demande aussi à quel moment il admettait que la paix se séparât de la guerre et que la fusion sortît de la lutte. On se demande encore comment il a pu accepter des données gobiniennes tout à fait invérifiées pour en tirer des vaticinations anti-gobiniennes. On plonge donc avec Faure en plein capharnaüm de chimères. Ce n'est plus une pensée, c'est un lyrisme, ce n'est pas une philosophie, c'est un dynamisme. Cette ivresse de dynamisme lyrique fait tournoyer toute raison, toute logique, toute expérience, jusqu'à les étourdir et les tuer. Le style tournoie avec elles.

Élie Faure est l'auteur d'une *Histoire de l'Art* (1921-1927), conçue selon les principes généraux de sa pensée, vision enflammée de prophète, sorte de poème grandiloquent et chaotique.

4. Jean Guéhenno, grand dignitaire d'université.

Voilà bien une figure d'aujourd'hui : le fils du petit peuple, choyé par l'Alma Mater, et qui fait la théorie de sa destinée.

Jean Guéhenno, né d'une famille ouvrière de Fougères en 1890, a mis sa passion, la belle passion d'une âme neuve, à se dégager, mœurs et pensée, de son origine. Mais aussi à éprouver de cette évasion un déchirement qui lui fait demander pardon sans répit à ses frères et sœurs. — Non, je ne vous renie pas ! crie-t-il en chaque livre qu'il écrit. Et, en attendant, il leur donne des gages, il entend prouver sa fidélité au prolétariat en adhérant à des mouvements de révolution, mais sans quitter le plan des valeurs morales que sa formation l'a habitué à défendre. Dans ces conditions, une obsession a pesé sur la genèse de son œuvre, des contradictions l'écartèlent.

Vouloir accorder la primauté du bonheur réclamé par le nombre avec les exigences morales d'une civilisation très évoluée conduit Guéhenno à de curieuses déformations du réel. N'a-t-il pas inventé dans *Jeunesse de la France* (1936) une France révolutionnaire depuis Descartes, depuis même Montaigne (ce qui est le comble), et dont l'espérance se résume, dit-il, dans la Déclaration des Droits de l'homme ? Et elle se réalisera complètement, dit-il encore, grâce à l'enseignement de cent mille instituteurs et à l'éducation politique et technique des ouvriers groupés dans leurs syndicats. Dans l'attente de ces accomplissements, la carte sociale de notre pays se réduit à deux provinces, celle des possédants qui sont systématiquement égoïstes, et celle des pauvres qui étincellent de dévouement. Guéhenno descend d'un certain Michelet, celui qu'il célèbre dans son *Évangile éternel* (1927), le Michelet pour qui l'histoire universelle se précipitait vers 1789, le Michelet qui fait de Manon Lescaut une tendre fille pleine de générosité et de vertu, corrompue par un jeune seigneur.

L'obsession de Guéhenno ne lui voile pas seulement la réalité historique, mais aussi la réalité des hommes vivants et la sienne propre; car d'une part il a écrit dans *Conversion à l'humain* (1931) qu'« une âme vaut une autre âme » et d'autre part tout se passe comme s'il ne se demandait jamais à quel régime et à quelles mœurs il était redevable d'avoir pu jadis préparer Normale.

Guéhenno a esquissé un bilan de son existence dans le *Journal d'un Homme de Quarante ans* (1934) pour conclure qu'il en est arrivé à ne plus voir dans la vie et dans le monde que les bipèdes humains en tant que tels et donc à vouloir les sauver, c'est-à-dire à refuser de les sacrifier, fût-ce aux patries du corps et de l'esprit. Déclaration fort sympathique, dans la mesure où elle protestait contre le Moloch guerrier ou le Léviathan totalitaire : elle est bien de l'homme qui a dirigé la revue *Europe* en lui insufflant le pacifisme de Romain Rolland relevé de quelques complaisances pour le trotzkysme. Mais déclaration qui remet le civilisé nez à nez avec les périls dont elle prétendait le garantir, puisqu'elle menace de condamner les hommes de son pays à un renoncement, à une passivité, à une inertie. Au reste, Guéhenno devait se démentir en 1940 et écrire dans son *Journal des années noires* : « Je ne croirai jamais que les hommes soient faits pour la guerre, mais je sais qu'ils ne sont pas non plus faits pour la servitude. »

Le problème fondamental qu'un tel esprit avait l'obligation logique de se poser est évidemment celui de la culture; Guéhenno se l'est posé dès 1928, dans *Caliban parle*, il y est revenu dans tous ses ouvrages : la culture lui impose sa nécessité. Ah, qu'elle le met dans l'embarras ! La culture bourgeoise fondée sur les « humanités » ne saurait le satisfaire, il leur reproche de ne pas « faire des hommes », et on ui donne raison s'il entend par là que les humanités isolent l'excès un petit nombre de privilégiés ou tout simplement 'il se plaint qu'elles ne puissent plus être sérieusement enseignées. Mais la conception confuse d'une culture révolutionnaire le fait trembler, car il sait que la culture doit être humaine, non de classe ni de secte. Comment maintenir un ensemencement désintéressé de l'esprit sans décevoir Caliban ? Comment ne pas couper ce désintéressement des masses orientées vers la révolution, sans pourtant le livrer à leur absolu plus ou moins sommaire ? Guéhenno n'a pas résolu la difficulté.

N'ignorant pas, malgré sa dévotion au nombre, ayant même reconnu par écrit qu'un peuple ne vit réellement que par ses minorités et que plus la société est démocratique, plus elle a besoin d'inspirateurs et d' « aristoï », son imprudence est de ne penser qu'à une aristocratie du cœur, alors qu'il ne peut s'agir que d'une aristocratie de l'esprit et du caractère. Que la culture ne soit pas un acquis de connaissances, d'accord. En effet, ou bien cet acquis se compromet avec tout l'inhumain politique et social de la société — guerre comprise (c'est la thèse de Guéhenno), ou bien, disons avec Montaigne : tête pleine ne vaut pas tête bien faite. Mais elle ne peut être davantage une conscience affolée par le cœur, une religion de la souffrance, ce que notre auteur appelle l'inquiétude du vrai et du juste, une certaine douloureuse finesse, certes honorable pour l'âme. L'humanisation de l'esprit a besoin de ne pas se priver de celle du cœur, mais ne doit pas non plus se confondre avec elle. Ne faudrait-il pas chercher la solution du côté de la faculté intuitive ? Guéhenno est pour cela trop rationaliste, malgré la vie profonde qu'il porte en lui.

Se verra-t-il un jour invité par sa propre réflexion soit à lâcher sa recherche d'une culture, soit à poser son problème de la révolution à nouveau avec des données revérifiées ? A tout prendre, ce n'est point un fanatique aveugle, il sait qu'il ne vit pas dans un univers d'idylle et qu'une certitude de tout repos n'est que chimère. Ce Caliban entre les mains de qui il abdique par avance et dont il a entrepris de faire l'éducation, il n'est pas sans redouter de le voir devenir un maître comme les autres et prêt à se coucher tout habillé dans le lit de la société bourgeoise... Ah, pouvoir garder Ariel et le lui adjoindre ! Mais il n'y a là que vain soupir.

Jean Guéhenno, s'il n'apporte aucune nouveauté de pensée et s'il se perd dans des contradictions, a la valeur d'un témoin qui passionne le débat par une expérience vécue jusque dans sa chair; il s'en fait une haire et une discipline. Cet homme de foi se sera macéré l'âme dans la démocratie.

5. Le personnalisme.

Notre temps se sera cru plus d'une fois inventeur de choses sur lesquelles il ne fait en réalité que coller un mot inédit. Un Pascal, un Virgile, un Platon, non seulement prirent position vis-à-vis de l'État politique et social, mais engagèrent leur personne dans le mouvement de leur époque. Cependant, « littérature engagée », expression neuve, passe aujourd'hui pour neuve attitude. Le monde des écrivains se connaît des engagés de toute sorte.

Une des formes les plus intéressantes de la « littérature engagée », le personnalisme, s'est esquissée dans un groupement, *L'Ordre nouveau*, qui est de 1932, et dans la revue du groupement, qui est de 1933; là fut conçue et lancée l'idée originale et, si l'on voulait, féconde, d'abolir la condition prolétarienne par l'organisation du travail civil. La revue *Esprit* a depuis lors servi d'organe au mouvement, lequel veut libérer des fétichismes modernes (race, État, classe, capitalisme) la personne concrète, totale, intelligence et corps unis. Car le personnalisme est aussi anti-rationaliste qu'anti-totalitaire; il refuse de recommencer le 1789 français et le 1917 russe, rationalismes qui en sont venus à vouloir concilier toutes les contradictions dans les synthèses dictatoriales de Napoléon et de Staline. Il est hostile à Marx comme il l'est à Gobineau, à Hegel comme à Descartes. Il est proudhonien et communautaire; il ajoute Kierkegaard à Proudhon dans la mesure où il est chrétien. Il est assez péguyste. Il redoute par-dessus tout la démission de l'homme, il cherche par-dessus tout à maintenir, ou plutôt à rétablir la primauté du spiri tuel humain. Il s'apparente, en somme, à l'existentialisme chrétien de Gabriel Marcel, et on pourrait le rattacher aux curieuses positions de Nicolas Berdiaeff.

Le personnalisme a ses livres comme il a sa revue, les livres de plusieurs essayistes dont l'un, Arnaud Dandieu (1898-1933), est mort prématurément après avoir publié *Le Cancer américain* et en laissant à publier *La Révolution nécessaire*. Dandieu avait manifesté son premier souci de la cité moderne en accord avec Robert Aron et tous deux signèrent un bilan impressionnant, *Décadence de la Nation française* (1936). On garde aussi de Dandieu, comme témoignage de son esprit étendu, l'étude si personnelle qu'il avait intitulée *Marcel Proust, sa Révélation psychologique*.

Robert Aron resté seul a continué l'observation de la marche historique. On remarqua en 1937 sa *Victoire à Waterloo*, fantaisie de métaphysicien de l'histoire à propos du destin napoléonien; elle concluait sur la double découverte de la nation et de la personne, elle s'essayait à calculer la mesure humaine à travers les temps connus, elle visait à un sens de l'homme. La guerre obligea Aron à poursuivre sa recherche par rapport aux Français en tant que fils d'une nation, dans *Fraternité des Français*, puis en tant que membres d'une société, dans *Retour à l'Éternel*, où l'étude des libertés et des traditions à concilier, des réactions de la raison et de la foi l'une sur l'autre dans l'évolution du sentiment religieux et dans la pensée actuelle, atteint un vif éclat.

En mémoire de Dandieu et aux côtés de Aron se rangent Emmanuel Mounier, Denis de Rougemont, Brice Parain. Brice Parain, de qui le livre le plus marquant demeure jusqu'à présent *Retour à la France* (1936), fait du langage sa monture, il la cravache ou la flatte. Il l'a poursuivie de sa colère au temps des déceptions de l'autre après-guerre. Puis, voulant vivre, il s'est replié, paysan, sur quelques vérités simples et fondamentales comme le travail, la terre, la maternité, et a tenu le langage pour ennemi de ces solidités. Voici ce qui fluctue, voilà ce qui tient comme roc. Eh ! roc, vraiment ? Ou bien écoulement, fuite au néant ? Mais en ce dernier cas, c'est le langage qui devient fixe et solide... Finalement le paysan se rapproche du citadin, je veux dire que Parain s'attache à une sagesse résignée, semble prêt à admettre Dieu. Emmanuel Mounier, esprit ramassé et, pour ainsi dire, ruminant, dessert sa cause par des exposés mornes, tandis que Denis de Rougemont a toutes les chances de l'écrivain de race qui bondit dans le champ des idées et emporte la métaphore comme un pur sang son jockey. Aussi anti-rationaliste que les autres, il fonde, lui, le personnalisme sur l'amour évangélique du prochain, mais l'amour en acte, non en sentiment : « acte, présence et engagement, ces trois mots définissent la personne ». Il appelle cellule sociale la personne concrète, particulière, responsable, non la famille. On voit qu'il propose en chrétien protestant d'appliquer les remèdes personnalistes au mal où se débat l'Occident et qu'il appelle *La Part du Diable* (paru à New-York pendant la guerre), car il détache ses propos essentiels sur un fond apocalyptique. Protestant du groupe personnaliste, il est un peu le Bernanos du protestantisme. La cohérence de son esprit fait question, mais ni son ingéniosité ni sa foi. Il a voulu *Penser avec les Mains*, c'est-à-dire en travailleur, en pauvre, loin des gens à salon et à bureau. Il a beaucoup vécu dans les milieux populaires de la province et de la campagne : d'où le *Journal d'un Intellectuel en chômage*. Il faut dire que son témoignage est accablant pour cette humanité à peu près sans religion, sans chants, sans poésie, sans âme.

A la veille de la guerre, Roger Caillois, né en 1913, publiait *Le Mythe et l'Homme*, examen critique de notre anarchie. Il souhaitait une société propre à unir les hommes au lieu de les opposer les uns aux autres, un ordre nouveau dans lequel pût se retrouver quelque chose du sacré, pussent revivre certaines valeurs essentielles. *Le Rocher de Sisyphe* devait confirmer cet appel. Même glissant à l'esthétique, Caillois restera préoccupé de valeurs morales, de valeurs d'espoir, voire d'héroïsme. La tradition de Corneille ne mourra jamais chez nous.

VI

LITTÉRATURE ET RELIGION

1. — *LA PENSÉE CATHOLIQUE ET LES LETTRES*

L'exemple de Baudelaire et de Villiers de L'Isle-Adam, le sens de la complexité et du mystère appris chez les romanciers russes, une grande part de notre Symbolisme ont créé l'atmosphère dans laquelle se sont produits des retours retentissants à la foi catholique.

La grâce les a déterminés, nous dit-on. Mais aussi quelques autres causes. Furent-ils toujours de parfait aloi ? La superstition mystique de Bretagne, l'illuminisme plus ou moins cabbaliste, la lassitude d'une existence plate y jouèrent un rôle.

Un Jammes a trouvé Dieu par attendrissement de son égoïsme devant la nature; il achève Bernardin de Saint-Pierre. Pour un Verlaine ou un Huysmans, le renouveau chrétien et catholique est une source de poésie et d'inspiration jaillie du fond du dégoût d'eux-mêmes, sur l'appel d'un passé de légende et d'art. À certains il a tenu lieu de révolte contre le monde moderne au nom d'un autre monde et d'une promesse d'éternité; il a permis de creuser, à Péguy et plus tard à Maritain, une mine d'arguments, à Bloy et plus tard à Bernanos, un puits de tendresses et d'invectives.

Ce renouveau a aussi assuré des positions intellectuelles, politiques et sociales à des esprits que la commodité de certitude séduisait et que les recommandations de Bonald et de Maistre avaient trouvés sensibles. Tel est le cas de Brunetière, de Bourget, de Bazin. C'est le 1er janvier 1895 que Ferdinand Brunetière, à la veille de se convertir, écrivit dans *La*

Revue des Deux Mondes un article tristement célèbre qui proclamait la faillite de la science « après une visite au Vatican ». La voix entraînante du comte de Mun et la plume mélancolique du vicomte de Vogüé ont servi plus finement la même cause.

Enfin l'immense séduction de la catholicité a fourni une réponse au besoin d'absolu et de vie totale qui tourmentait l'être d'un Rimbaud, d'un Claudel. Sur cette réponse-là, l'œuvre entière de Claudel repose.

II. — *MORALISTES ET CRITIQUES*

1. Henri Bremond.

Ce qui demeure le plus intéressant chez Henri Bremond, c'est un jugement aiguisé doublement par une sensibilité et par une ironie, et mis au service des problèmes que pose le phénomène religieux et qu'il s'est efforcé de résoudre par la psychologie.

Né à Aix-en-Provence le 31 juillet 1865, il va nous faire remonter pour un moment avant 1914. Élève du collège ecclésiastique de cette ville — le même où ont passé Maurras, Gasquet, Magallon — Henri Bremond entra dans l'ordre des Jésuites en 1882 et alla faire son noviciat en Angleterre où il employa dix années, non pas seulement aux études théologiques, mais à la lecture des poètes anglais et à la fréquentation indigène. L'esprit d'Outre-Manche l'a marqué : qu'on songe à sa critique qui part toujours des individus, à ses enveloppements des sujets qu'il tâte, essaie, éprouve, avant de pointer au cœur. Rentré en France, il enseigna dans les collèges de Jésuites de Saint-Étienne, de Moulins, de Lyon; puis il fit partie de l'équipe des *Études*, courant tout de suite à l'œuvre des jeunes poètes contemporains, enfin entra au *Correspondant*. Passé en 1904 dans le clergé séculier, il partit pour la Grèce et prêcha le carême à la cathédrale d'Athènes. *Le Charme d'Athènes* (1905) laisse deviner l'importance de son influence sur l'auteur du *Voyage de Sparte* rencontré dans les échafaudages du Parthénon. Une amitié s'était nouée là-bas, elle aboutit à l'élection académique du 19 avril 1923; Bremond est mort dix ans plus tard, dans le mois d'août, à Arthez-d'Asson.

Il a utilisé tout d'abord son expérience anglaise, et *L'Inquiétude religieuse* (1901) s'attaquait au mystère intime des âmes qui sont « à l'aube ou au lendemain de leur conversion » : un Sidney Smith, un Ward, surtout les cardinaux Wiseman et Manning, enfin Newman, cœur passionné et pensée inquiète, drame vivant, à qui il a consacré quatre ans plus tard une étude particulière, en multipliant les puissances de sondage à la Sainte-Beuve par des sortes de confessions successives où l'être entier finit par se dénuder. Une nouvelle série de *L'Inquiétude religieuse* (1909) sur Pascal, George Eliot, Huysmans, et une biographie de *Sainte Chantal* (1912) furent de même attitude. Il est bien vrai que la passion psychologique et le goût de s'éprouver l'esprit dans l'infinie variété des individualités font courir des risques aux têtes les mieux armées : le danger ne pouvait épargner un prêtre qui venait de quitter l'ordre des Jésuites. *L'Apologie pour Fénelon* (1910) témoigne de sombre hostilité contre Bossuet et, pour les grâces de Fénelon, d'une complaisance assez perverse. Peut-être fallait-il à l'écrivain qui nourrissait l'ambition de devenir notre Sainte-Beuve chrétien, ce régime d'assouplissement, ces exercices de désarticulation.

Jusque-là, Bremond n'avait atteint qu'un maigre public. Il a réalisé à la fois sa grande réussite et l'ambition de son esprit dans l'entre-deux-guerres avec une *Histoire du Sentiment religieux* (1916-1932) qui a conquis à notre littérature des domaines encore à peine explorés, enrichi notre tradition d'âmes d'élite, formé une collection originale d'analyses, de portraits, de trésors psychologiques et moraux. La contre-réforme qui réveilla la foi à la fin du XVIe siècle, au lieu de commencer par l'austérité, avait produit au contraire l' « Humanisme dévot », illustré par saint François de Sales, lequel eut tel précurseur, tel continuateur, que Bremond a découverts, ou peu s'en faut. Explorant la forme la plus haute du sentiment religieux, qui est élan et amour mystique, il a renouvelé notre connaissance du père Coton, le confesseur d'Henri IV, du père Joseph, l'éminence grise de Richelieu, et recensé un monde inouï de congréganistes et d'abbesses, de réformateurs et de réformatrices. On comprend qu'après de tels pionniers, les Bérulle, les Vincent de Paul, les Olier n'aient plus eu qu'à organiser le terrain conquis. De ceux-ci, Bremond trace des portraits surprenants; il les débarrasse de nos fausses idées, il grandit singulièrement la sainteté d'un Vincent de Paul. Ensuite, il a bouleversé notre conception de Bourdaloue ; il a célébré justement l'art de mourir au XVIIe siècle.

Il faut le dire, cette magnifique somme fait s'épanouir qualités et défauts de l'auteur. Quand il en vient au ralentissement du courant mystique, bientôt tari, et qu'il en rend le jansénisme responsable, on s'inquiète de sa serpentine habileté. Ne peint-il pas en Saint-Cyran un brouillon, voire un déséquilibré; en Arnauld, un furieux, devenu machine à syllogismes, machine affolée; en Nicole, un intellectualiste sectaire ? Quant aux autres de ces messieurs, c'est bien simple : ces vertueux dignes des temps primitifs, ces pieux hommes au cœur en fête, ce ne sont point des jansénistes, mais de purs mystiques. Pascal lui-même aurait ignoré les sombres scrupules de la secte et vécu dans une illumination perpétuelle de certitude... Peut-être aussi Bremond a-t-il trop facilement fleuri ses étagères : ses anecdotes sont délicieuses, il a prodigué les rapprochements avec notre temps, il compare un tel à Francis Jammes, tels autres à Richepin et à Verlaine. Ne sent-on pas là quelque chose comme une indiscrétion ? ou une coquetterie mal placée dans un ouvrage qui a voulu être « une métaphysique de la prière chrétienne » ?

Hostile au rationalisme et à toute déesse Raison, ce vieil ami de la littérature individualiste, ce complice de Fénelon, prit logiquement position dans la querelle des classiques et des romantiques. Il devait écrire *Pour le Romantisme* (1924), ayant conscience de défendre en même temps la poésie véritable et la religion même, et puis n'avouait-il pas ainsi son propre roman intérieur ? Mais il s'est avancé encore davantage dans cette direction. Pendant ses quinze dernières années, il a occupé abondamment la société littéraire par ses manifestations d'Académie et de presse hebdomadaire sur la « poésie pure », c'est-à-dire dépouillée de tout ce qui peut se satisfaire de la prose, et sur la fraternité de la prière et de la poésie (*Prière et Poésie*, 1926). Il est clair que la poésie pure entre dans la substance de tous les grands ou bons poètes. Il n'y a pas de qualité véritable sans elle. Au fond, elle constitue le langage même des vers, son tissu, sa matière, sa densité, sa distinction charnelle d'avec la prose, son goût dans le palais des gourmets. Mais qu'on n'exagère pas ! qu'on n'exclue pas tout élément venu de la sensibilité ou de l'intelligence, qu'on ne réduise pas Racine à

La fille de Minos et de Pasiphaé.

Quant à la parenté de la poésie et de la prière, est-ce vraiment celle de sœur ? Le poète, dit Bremond, a le pouvoir d'atteindre au cœur des choses et à Dieu par le moyen d'une intuition quasi extatique quoique naturelle; il devient une exaltation mystique de la nature dans l'homme, et c'est alors que le poème monte au ciel comme une prière... Conception d'un confusionisme inouï. On pensait avant Bremond, espérons qu'on garde la permission de penser après lui, que le mystique reconnaît l'idéal surnaturel qui lui apparait dans l'extase, tandis que le poète en reste toujours à le chercher.

Bremond a réfléchi, rêvé et écrit sans un souci exagéré d'orthodoxie. Son « Newman » et les études similaires ont exercé leur influence dans le sens de la foi la plus subtile et la plus accommodante : elles ont favorisé la doctrine du développement des dogmes, qui doit tant par ailleurs à Laberthonnière, à Blondel et à Le Roy. Quand ce prêtre s'était vu frapper temporairement d'interdit, il payait la faute d'avoir porté l'extrême-onction *in extremis* à George Tyrrell, le philosophe pragmatiste, le plus grand représentant du Modernisme en Angleterre, qui mourait dans ses opinions. Il garda jusqu'au bout le contact avec Loisy chassé de l'Église, nul n'en ignore depuis les lettres que Loisy a publiées en 1936 dans *George Tyrrell et Henri Bremond.* Enfin c'est la vraie tradition du mysticisme chrétien qu'il prétendait célébrer en se félicitant d'une renaissance fénelonienne et en insistant sur sa coïncidence avec l' « apparition du blondellisme, qui est un mysticisme manqué et honteux », ainsi que du bergsonisme et, écrivait-il à Loisy, « de vos propres travaux ».

2. Mgr Calvet.

L'œuvre de l'ancien pro-recteur de l'Institut Catholique a sa source; il est aisé de la voir jaillissante, dans le *Journal d'un Curé de Campagne pendant la Guerre*, publié sous le pseudonyme de Jean Quercy qu'explique une naissance à Castelnau-Montratier (Lot) le 17 janvier 1874. Robustesse et finesse quercynoises s'unissent aussi dans les *Contes de la Vieille France*. L'auteur a mis encore beaucoup de lui-même et de sa race dans les portraits littéraire de *Vigny* et religieux de *Saint Vincent de Paul*. Que Mgr Calvet s'intéresse de près au temps présent, ses hautes fonctions l'exigèrent, et n'a-t-il pas d'ailleurs examiné les conditions, droits et devoirs d'une *Critique catholique*, et décrit *Le Renouveau catholique dans la Littérature contemporaine* ? Mais sa place exacte dans nos bibliothèques est le rayon des analyses classiques; il l'occupe avec des livres précis, riches, fouillés : *Les Idées morales de Madame de Sévigné*, *Les Types universels dans la Littérature française* (1923), *L'Enfant dans la Littérature française* (1927). Le grand ouvrage sur *La Littérature religieuse au XVIIe siècle, de François de Sales à Fénelon* (1938), ensemble de portraits qu'encadre un exposé philosophique et théologique, drame vaste de la pensée, révèle un esprit puissamment armé de doctrine. Comme on voudrait voir publiée l'allocution prononcée dans la chaire de Saint-Étienne-du-Mont pour le trois centième anniversaire de la naissance de Racine ! Il était impossible de donner à cet hommage un tour qui émût davantage les auditeurs de 1939, ni de faire, cependant avec un très haut sentiment chrétien, plus large part aux curiosités de l'artiste pour les aventures du cœur. *Le Temps* imprima à ce propos le mot « sublime ».

3. Isabelle Rivière et Jeanne Ancelet-Hustache.

Elle intéressait Bremond, la femme de Jacques Rivière, la sœur d'Alain-Fournier. Tout en se dévouant à mieux connaître ses morts, et avant de raconter ses premiers temps de bonheur à peine romancés dans *Le Bouquet de Roses rouges* (1936), elle a écrit un livre tout personnel de chrétienne que Bremond n'a malheureusement pas eu le temps de lire : *Le Chemin de Croix du Pécheur* (1934), qui est bouleversant, parce qu'il prend les péchés et les repentirs à même notre existence, dans notre confort moderne, parmi la course des taxis. Isabelle Rivière a réellement revécu la passion; pour elle aussi, le Christ a versé telle goutte de sang...

Une mystique, Mechtilde de Magdebourg, puis des ordres religieux, *Dominicaines au Moyen Age* (1928), *Clarisses* (1929), *Sœurs des Prisons* (1934), enfin *Élisabeth de Hongrie* (1947), ont trouvé leur biographe et historienne dans une romancière de l'amour maternel (*Le Livre de Jacqueline*, 1930), Jeanne Ancelet-Hustache, fille de Toul, où elle naquit en 1891, sûre dans ses connaissances autant qu'éclatante et généreuse dans son style.

III. — *LA LIGNÉE FRANCISCAINE ET LE RETOUR A L'ÉVANGILE*

Un grand italianisant, successeur de Fauriel dans sa chaire de Sorbonne, Antoine-Frédéric Ozanam, avait fondé en 1850 une entreprise moderne d'études franciscaines qui reçut l'encouragement et l'aide de Renan, puis l'apport considérable de Sabatier. Un esprit de douceur dans la foi et de suave entêtement dans la charité, une âme de Virgile chrétien auront été favorisés au point de durer jusqu'en nos jours d'avidité, de violence et de pharisaïsme. Un poète comme Louis Le Cardonnel a mené sous la protection de l'Église une vie qu'aurait bénie le Poverello. Entre autres ecclésiastiques parmi lesquels est à citer le Père Martial Lekeux, qui a écrit l'histoire d'une vocation franciscaine dans *L'Ami* (1925), cet ami qu'est Jésus, en voici un qui, après avoir évangélisé certaine contrée de la littérature naturaliste, a continué son assistance à plusieurs groupes intellectuels des dernières années d'avant-guerre.

1. Chanoine Mugnier.

On sait que le chanoine Mugnier, qui devait mourir en 1944, avait converti Huysmans, confessé d'illustres pécheurs et pécheresses. Apôtre dans la société mondaine du Faubourg, aumônier de bien des cercles littéraires (ce qui a fait de lui un éternel invité, au point qu'il disait : « Quand je mourrai, je suis sûr qu'on m'enterrera dans une nappe »), il se passionna à vouloir prouver que l'Église peut vivre en bonne intelligence avec toutes les Muses : il a accompli le pèlerinage de Bayreuth, visité les musées d'Europe, cultivé le souvenir de Chateaubriand, aimé la poésie de Baudelaire. Il laisse, outre une préface aux *Pages catholiques* de Huysmans, *Valentine de Lamartine*, *Madame de Krudener*, *Le Sentiment religieux de Richard Wagner*. Il a fait se rejoindre l'art et la prière, il a pratiqué une religion du cœur. Un pascalien, mais tendre. « Je ne confesse pas, a-t-il dit un jour, j'absous. » C'est l'abbé Mugnier qui, jeune encore, vicaire à Sainte-Clotilde, encourut la disgrâce pour avoir cédé à son besoin de charité en faveur du Père Hyacinthe Loyson, récemment défroqué. L'archevêque de Paris, l'ayant reçu alors en audience, lui conseillait un voyage italien, un séjour à Rome. — « Non, Éminence, répondit le prêtre, j'ai vu trop de laideurs, je préfère la Grèce, j'y contemplerai la beauté. »

C'est évidemment grâce à de si tendres frères d'âme et à la grande Église qu'ils représentent loin de Rome, que tant de poètes et de romanciers, même de penseurs, sont allés à la foi chrétienne. Le magnifique ciel de la catholicité et l'ampleur architecturale de la basilique Saint-Pierre ont pu conquérir par éblouissement intellectuel un Bourget, même un Claudel. Mais des âmes comme celles de Verlaine et de Huysmans, de Coppée, de Jammes, de Fagus ont obéi au petit doigt des saints d'Assise.

2. Omer Englebert.

Originaire des Ardennes, où il naquit en 1893, ce prêtre libre, longtemps aumônier des Dames de Sion, se dévoua tout jeune aux lettres.

Ce qu'il laisse voir dès l'abord, c'est une verdeur de grasse bonhomie. Familier et empoignant dans ses sermons, quelle haute saveur il doit mûrir dans son journal intime ! *La Sagesse du Curé Pecquet* (1927), *Le Curé Pecquet continue* (1934) et *Le Curé Pecquet vit encore* (1948), évoquent je voudrais dire un abbé Coignard moderne, en raison de ses discours plantureux, mais je ne le puis, à cause de sa foi simple et profonde. Très vrai dans son genre, ce curé Pecquet, un des rares prêtres vrais de notre littérature moderne. Sur son originalité, aucun doute. Un père jésuite l'a reconnu : « Il donne à l'orthodoxie le ragoût du paradoxe et défend le gouvernement divin avec toute la verve généralement réservée à l'opposition » (P. de Parvillez, *Études*). En outre, les propos de ce personnage sacré répandent une sagesse qui est merveilleusement, copieusement et suavement profane. Curieuse et unique fusion d'Évangile en La Fontaine.

Omer Englebert n'exprime par l'oncle Pecquet qu'une

part de sa nature. Une autre part est celle du chrétien si compréhensif des secrets les plus étranges du cœur, plein d'adresse psychologique dans sa miséricorde. A ce titre, il a inséré une monographie d'Ève Lavallière convertie (1936) entre deux numéros de ses annales d'hagiographie, dont la plus belle concerne la vie héroïque et sublime du *Père Damien*, l'apôtre des lépreux (1940). Précisons davantage : Englebert est spécifiquement franciscain, le franciscain typique de ce temps-ci. Il a raconté une *Vie de saint François* (1947) avec tant de large perfection déployée sur un fond de soins scrupuleux et d'informations rigoureuses que cet ouvrage restera définitif durant cinquante ou cent ans, et qu'Englebert est dès maintenant le successeur en titre de Paul Sabatier. Il a traduit les *Fioretti*, mais ne sont-ce pas d'autres fioretti, tels épisodes de son *Damien*, de son *Saint Martin*, de son *Pascal Baylon* ? Et les forces de la nature et de la vie, qu'il aime entendre passer dans le souffle des grands musiciens classiques, entrent jusque dans son style comme des sœurs du Poverello qui sont aussi les siennes.

Ce qui achève son personnage et lui conquiert sa place décidément à part, c'est un esprit robuste et réaliste, exigeant en valeur substantielle, et par conséquent ennemi des chimères, des confusions, des niaiseries, en psychologie, en morale, en politique. Avec autant d'amour que l'abbé Mugnier, il a plus de raison que l'abbé Bremond. Cultivé par des voyages dans le monde entier, armé par d'immenses lectures, il a entrepris de mettre sur pied une *Bibliothèque spirituelle du Chrétien lettré* et la collection des *Grands Spirituels* : magnifique don à la France savante.

IV. — *LES POLITIQUES*

Voici maintenant ceux que l'on appellerait assez justement les politiques du catholicisme, ses observateurs dans le siècle. Le plus engagé est Henri Massis.

1. Henri Massis.

Essayiste dès l'abord, ce Parisien né en 1886 avait publié à vingt ans *Comment Zola composait ses romans*, à vingt et un *Le Puits de Pyrrhus*, conte philosophique dédié à Anatole

France, à vingt-trois *La Pensée de Maurice Barrès*, premier livre où il prend position. Il est arrivé à la réputation en collaborateur d'Alfred de Tarde et sous leur pseudonyme commun d'Agathon avec *L'Esprit de la Nouvelle Sorbonne* en 1911, critique des méthodes de travail et des programmes d'enseignement au nom de cette conception de l'homme : ni un professionnel ni un esthète, mais un être prêt pour les grands débats de l'âme et de la pensée. *Les Jeunes Gens d'aujourd'hui*, écrit dans les mêmes conditions en 1913, préparait un bagage nationaliste d'étiquettes barrésienne et péguyste pour les générations qui allaient faire la guerre.

De la foi catholique retrouvée depuis 1913, Massis a animé ses *Jugements*, sur Renan, France et Barrès, en 1923; sur Gide, Rolland, Duhamel et Benda, en 1924 : livres de morale et même de métaphysique, jetés à travers les disputes du temps présent au nom de principes qui sont des raisons de vivre. *La Défense de l'Occident* est de 1925; *Les Idées restent* la confirmeront en 1941. Ces deux ouvrages se sont proposé de défendre la tradition de la France et de la Latinité contre les représentants du germanisme, du slavisme, de l'asiatisme, qui vont de Luther à Michelet, de Keyserling à Romain Rolland, en passant par Dostoïevski et Gandhi. Malheureusement, Massis connaît mal ses adversaires; par exemple, que Kant ait inspiré l'impérialisme allemand, il est le seul à le croire; que la Réforme ait jeté l'âme dans la solitude, c'est possible, mais pourquoi les sociétés protestantes, au lieu de se dissoudre, arrivent-elles à bien se porter ? Et malheureusement encore, l'Occident c'est pour lui une tradition classique, une romanité formée par le Moyen Age, une organisation de la société par l'Église, qu'il légitime trop aisément par leur propre existence et qui auraient besoin, reconnaît-il, d'une vie re-insufflée par le dedans. Enfin les plus grands textes deviennent entre ses mains des stocks de citations qu'il classe pour ou contre, et les idées portent chez lui un corset de guillemets.

Comme on le préfère, cet entêté discuteur d'idées, ce maniaque de la certitude, devant les réalités de la vie et devant les êtres ! L'auteur d'*Évocations* (1931) et de *L'Honneur de servir* (1937) reste partisan et ses livres simplifient à outrance un tableau du monde moderne; mais ils donnent à la signature de *Jugements* et de *Défense* sa valeur morale. Massis a cru écrire l'histoire d'une génération; en réalité, il a poussé un long cri personnel d'ardeur et de foi; il croit parler à l'esprit, il brûle le cœur.

2. Gaétan Bernoville.

Le fondateur et directeur des *Lettres*, où parurent tant d'études de premier ordre sur toutes les actualités de l'esprit, a écrit fort opportunément en 1921 *Minerve ou Belphégor?* Il refusait les deux idoles, il concluait à la supériorité des réalités chrétiennes pour l'orientation littéraire. Bernoville est un artiste sensible qui a célébré sa patrie, *Le Pays des Basques* (1929), car il est né en 1889 à Saint-Jean-de-Luz. Il a entrepris avec *Sainte Thérèse*, *Lourdes*, *Paray-le-Monial*, *Les Jésuites* (1935), *La Salette* (1936), en historien singulièrement psychologue, une synthèse de la spiritualité contemporaine, d'un point de vue de laïc chrétien et croyant, « dans une langue dégagée des clichés des livres pieux », dit Louis Chaigne. Son maître-livre, *La Croix de Sang*, dresse en personnage de grand roman le curé-soldat de son pays.

3. René Johannet.

Curieux et très amateur, mais informé, René Johannet, né à Châteauroux le 17 mars 1884, toucherait volontiers à tout, il touche à beaucoup de choses, et c'est pourquoi il fit de sa chronique intellectuelle dans *Les Lettres*, entre les deux guerres, un boulevard plein de mouvement et de lumières. Avec cela, serein malgré tant d'activité, raisonnable malgré tant de dispersion amusée. Finalement, le savoir, le bon sens et l'esprit de raillerie ont rempli le même office qu'une doctrine. *Itinéraires d'Intellectuels* (Sorel et Péguy) soulignait en 1920 pour la première fois, avec prudence mais chaleur, l'importance de leur rencontre devant la réalité politique. Deux ans plus tôt, *Le Principe des Nationalités* avait averti de leur erreur optimiste et illusionniste les augures du prochain traité de paix. Mais quatre années plus tard, *L'Éloge du Bourgeois français* (1924), décrivit un lieu de station vraiment étroit pour l'itinéraire propre de Johannet. Un parti pris de batailleur gai et narquois allait-il l'emporter sur le penseur réfléchi ? Depuis lors, René Johannet a couché sur ses positions.

4. Paul Archambault.

Le directeur des « Cahiers de la nouvelle journée » — né à Orléans en 1883 — s'applique dans sa critique à scruter les œuvres même les plus littéraires jusqu'à pouvoir en dégager certaines attitudes de spiritualité générale et, par suite, s'en servir pour examiner et, au besoin, résoudre des problèmes fondamentaux liés au destin de l'époque. *Jeunes Maîtres* (1927), ce sont les états d'âme représentés par Montherlant, Mauriac, Maritain, Massis et Rivière. L'auteur conclut que le catholicisme est amour (en dépit de Montherlant), saine discipline et équilibre moral (en dépit de Mauriac) et (en dépit des trois autres) cœur et intuition autant qu'intelligence. Avant d'ajouter à celles-là de nouvelles études d'écrivains (*Témoins du Spirituel*, 1933), Archimbault a pris dans Blondel, à qui il consacra tout un livre, en 1928, certaines garanties contre saint Thomas.

5. Autres auteurs.

Joseph Ageorges, né à Crozon (Indre), mari de la délicate romancière, Marguerite d'Escola, est un excellent reporter des mouvements d'idées et des tendances marquantes dans les œuvres et les activités de l'époque (*Sur les Chemins de Rome*, *La Marche montante d'une Génération*). Des livres aussi différents que *La Métapsychique et la Préconnaissance de l'Avenir*, *L'Histoire d'une Famille française au XIX*e *siècle* et plusieurs volumes de *Contes* montrent l'étendue de ses curiosités et l'habileté de son métier. — Jacques Madaule, venu de Castelnaudary, et qui semblait destiné à une carrière politique, s'est consacré de trente-cinq à trente-neuf ans à commenter l'œuvre de Claudel (*Le Génie de Claudel*, 1933; *Le Drame de Claudel*, 1937); ce fut une expression indirecte de sa pensée, précisée de façon plus personnelle par une *Considération de la Mort* (1935), qui remonte de l'accident mortel à l'espérance du Christ ressuscité, et par *Le Christianisme de Dostoïevski* (1939), qui élargit l'auréole du grand Russe. — Le P. Henri de Lubac, l'auteur du *Drame de l'Humanisme athée*, a entrepris contre la haute et savante incroyance une lutte savante elle aussi qui tient compte de toute la modernité. — Gustave Thibon, fils de l'Ardèche, travailleur agricole, s'est forgé en autodidacte une culture et a publié en 1940 (il avait trente-sept ans) les réflexions du *Retour au Réel*. Dans ce livre et les suivants, qui prennent le plus souvent la forme d'aphorismes, il soutient de son réalisme terrien le thomisme du jour vérifié dans le texte, ainsi qu'une philosophie politique et sociale apprise chez Péguy et Maurras. Il est original par son style, qui sent le labour. — René Schwob (1895-1946), ancien officier de marine, juif converti au catholicisme à trente et un ans comme il revenait d'un long voyage en Extrême-Orient, possédé par la douleur physique et morale, a raconté dans *Moi-Juif*, *Ni Juif ni Grec*, *Solitude de Jésus-Christ* (1928-1936) son ascension vers la sainteté. Il est mort sous la bure.

Terminons par une œuvre qui nous ramène à la pure littérature. Le grand traducteur de littérature polonaise, l'auteur de *L'Humaniste à la Guerre* (1920), Paul Cazin, né à Montpellier en 1883, a précisé une vue douloureuse de la vie dans son auto-biographie d'enfance, *Décadi* (1921), puis dans les tableaux et les poèmes en prose de *La Tapisserie des Jours* (1934). De cette œuvre, on espéra plusieurs fois voir se lever la figure d'un France chrétien. On ne sait quelle fatuité intellectuelle de manieur de mots s'y est toujours opposée.

6. Sociologues.

L'école catholique qui va de Le Play à de Mun, fondée sur les principes de la religion, de la propriété, du travail et de la famille, a trouvé un fort soutien dans Edmond Demolins (1852-1907), fondateur en 1886 de la revue *La Science sociale*, auteur du livre fameux *A quoi tient la Supériorité des Anglo-Saxons* (1897) et de *L'Éducation nouvelle à l'École des Roches* (1898). Anti-étatiste, anti-solidariste, il a écrit : « Il en est du salut social comme du salut éternel, c'est une affaire essentiellement personnelle. » Et Paul de Rouziers, Martin Saint-Léon, Paul Bureau, adhèrent à ce « personnalisme » de droite qui livre évidemment l'individu aux coalitions d'argent et à tous les accidents sociaux, mais surexcite l'initiative.

TROISIÈME PARTIE

UN DEMI-SIÈCLE DE PHILOSOPHIE DE CRITIQUE ET D'HISTOIRE

Notre ouvrage va maintenant, dans une dernière partie, simplifier, unifier son champ chronologique

Quand il s'est agi d'exposer tous les développements de la poésie, du roman, de l'essai et du théâtre pendant plus d'un demi-siècle, il fallut bien non seulement distribuer cette matière énorme dans nos deux volumes, mais la diviser en plusieurs parts, correspondant à des groupes d'années. Céder à la tentation de rassembler en un bloc toute la poésie, en un autre tout le roman, en un troisième le théâtre, etc., ç'aurait été ignorer le temps et sacrifier à une facilité de plan la vaste diversité, la mouvante durée.

Mais il existe une littérature de caractère moins protéique : c'est celle qui se soumet aux disciplines philosophiques, historiques, critiques, dont il nous reste à parler. Cette littérature-là, spécialisée, s'offre assez nette et continue; on peut l'embrasser tout entière d'ensemble, sans risquer de gonfler des chapitres avec démesure et d'y multiplier confusément des labyrinthes. C'est ce que je vais faire. Aucune rupture de chronologie pour ce dernier panorama. Chaque discipline dans son chapitre, depuis la naissance du Symbolisme jusqu'à la catastrophe de la dernière guerre, de 1885 à 1939, va passer d'une seule coulée.

En principe, ne figurent ci-après que les spécialistes de la critique, de l'histoire, de l'éloquence, du journalisme et de la philosophie. Quant aux maîtres de la critique ou de la philosophie dont l'œuvre a un caractère tout à fait général, par exemple un Gourmont, un Maurras, un Bergson, un Gide, un Benda, j'ai parlé d'eux antérieurement, il était inutile de revenir à ces écrivains une fois de plus; mais évidemment ils auraient eu le droit de trôner dans les prochains chapitres. C'est également le cas d'écrivains moindres mais associés comme eux à une pensée qui dépasse la pure critique des livres.

Tout de même on va rencontrer ici comme archers caractérisés de la critique ou de la philosophie des écrivains qui eux aussi possèdent plusieurs cordes à leur arc : tout simplement parce qu'ils tiennent en critique ou en philosophie leur rôle dominant.

Ainsi l'ultime partie de notre ouvrage contient une matière qu'en maintes pages les autres parties pourraient légitimement demander à partager avec elle. Personne ne déplore plus que moi ce qu'a d'inévitablement arbitraire tout classement d'une multitude.

CHAPITRE PREMIER

LA PHILOSOPHIE

L'observateur de notre temps notera certainement comme un de ses phénomènes importants la pénétration de la philosophie dans les activités autrefois purement littéraires. C'était fatal, du moment que des esthéticiens et des poètes reprenaient aux romantiques allemands l'idée que l'art nous offre un moyen de connaissance; ils en ont usé et abusé, de Mallarmé aux Surréalistes Tenons compte aussi de la multiplication du commentaire critique; à force d'assiéger les œuvres, comment n'en viendrait-il pas à faire appel à toutes les disciplines ? Inévitablement, il les mêle.

C'est pourquoi deviennent rares les domaines de notre poésie dans lesquels ne montent pas les sèves métaphysiques; elles montaient dans les poèmes de La Tour du Pin, qui sont d'avant la guerre, elles montent plus visiblement dans ceux de Jean-Claude Renard, qui sont d'après Les essais, presque forcément philosophiques de sujet et de méthode, constituent une part importante de la production; le roman et le théâtre jettent leurs coups de sonde ou lancent leurs fusées dans des régions de l'homme et du monde où se pose la question des causes et des fins suprêmes. Cela va même jusqu'à une idéologie nocive.

On a constaté tout cela au cours des pages précédentes; aussi maintenant, en abordant la philosophie proprement dite, aura-t-on l'impression d'être monté à des sources.

Et d'un mouvement inverse, la philosophie jadis pure attend beaucoup de la littérature générale. Ses plus hauts penseurs abandonnent les échafaudages dogmatiques et conceptuels, deviennent intensément psychologues, entrent dans le concret de l'homme et de la vie.

Ainsi, bien des barrières inutiles tombent. Il en résulte à la fois plus de force ici, plus de confusion là, mais partout une activité accrue de la circulation spirituelle.

I

NOTIONS POUR UNE PHILOSOPHIE DE LA LIBERTÉ

La grande lumière bergsonienne s'était allumée dans une ignorance générale de la société mondaine et littéraire à l'égard de la philosophie. Les gens du monde qui suivirent les cours du maître au Collège de France, les littérateurs qui tirèrent de son œuvre une esthétique ou une règle de vie, ignoraient ou semblaient ignorer que des chemins avaient été préparés à la marche de Bergson, c'est-à-dire que d'autres philosophes que lui, moins grands mais originaux, l'avaient précédé en éclaireurs ou accompagné en soutiens. Il serait anormal de les oublier et c'est une esquisse à tracer ici, tandis que je crois pouvoir laisser un Renouvier isolé dans son néo-kantisme.

Depuis Ravaisson, la philosophie française réagissait dans un sens à la fois spiritualiste et positiviste, en se référant à Maine de Biran, qui avait rompu avec toute philosophie conceptuelle pour user d'une réflexion vivante et capable de toucher à la réalité substantielle de l'âme : au point qu'il rendait ses droits à la réalité religieuse et mystique. Ravaisson, son descendant spirituel mais influencé par Schelling, ne le contredisait point en dégageant la liberté initiatrice de l'esprit; dans l'âme, il saisissait une spontanéité, sans laquelle il n'y aurait pas de volonté vers le bien; dans la nature, une harmonie orientée qui se ressent de Leibniz : points de départ pour une sorte de positivisme spiritualiste, auquel le spiritualiste Alfred Fouillée (1830-1912), avec sa *Psychologie des Idées Forces* (1893) et sa *Morale* des mêmes idées (1908), ne sera pas resté étranger, mais que devaient soutenir et illustrer Lachelier surtout, puis Bergson, — et auquel se rattachent également des vitalistes convaincus, avec une tendance à faire vivre par l'esprit une expérience concrète et comme une palpitation des choses. Un Ravaisson, un Lachelier ont créé une culture peut-être plus qu'une philosophie, mais une culture féconde, qui ressuscitait l'existence véritable, celle de l'âme, et restaurait la liberté spirituelle.

Il est à remarquer que les philosophes de ce temps ont presque tous repris de la grande tradition la coutume d'associer la discipline scientifique à la philosophique; il n'y a plus, peut-être ne peut-il plus y avoir de philosophie sans la permission de la science; et même, plusieurs philosophes sont des savants d'origine. Mais cela n'a nullement gêné la reconquête de la liberté ni le retour à la métaphysique, pour deux raisons : d'une part, la science a modifié sa position; d'autre part, une philosophie appliquée à la science (de Boutroux à Poincaré) lui a imposé des limites. La philosophie retrouve donc ses aises; elle en profitera et relèvera la tête, c'est-à-dire qu'elle sortira de sa réserve agnostique et reprendra ses investigations sur la destinée. Comme il a dû souffrir, le pauvre cher Félix Le Dantec, cet illuminé du matérialisme, qui dans *L'Athéisme* (1906), dans *Contre la Métaphysique* (1912), aura sans doute pris sa revanche totale, en une fois, sur toutes les croyances de sa Bretagne natale ! Voilà que les notions d'être, d'absolu, de personne et de vérité transcendantale nous redeviennent familières. On tremble de tant de hardiesse; on a même un peu peur que les idées claires et distinctes ne risquent de se voir parfois bafouées dans leur exigence éternelle.

J. Lachelier (1832-1918).

Jules Lachelier a assoupli la doctrine kantienne en réintégrant le principe des causes finales à côté du principe des causes efficientes pour assurer la validité de l'induction. Par là sa thèse, *Fondement de l'Induction* (1871), desserra l'étau du mécanisme, du déterminisme, et rouvrit le monde à la liberté, celle de l'homme et celle de Dieu. Le spiritualisme reconquiert ainsi ses droits. Lachelier, personnellement, était chrétien et catholique. Noble et fin, je dirai pur, il a fait passer ses qualités dans le style de son œuvre concise et dense.

Il fut tout d'abord kantien, intellectualiste, avec tout le déterminisme que cela comporte. Ayant eu la théorie de la connaissance pour berceau philosophique, s'étant fait de la conscience intellectuelle une réalité centrale, il est parti de là pour l'aventure métaphysique. Au large de l'idéalisme, avide de réalisme, il a souhaité atteindre l'existence et il l'a vue comme une pensée et un ensemble de pensées tendant à une conscience d'elles-mêmes de plus en plus complète. Il ne put dès lors écarter l'idée de finalité et sa philosophie aboutit à un réel qui est essentiellement harmonie et beauté. *Psychologie et Métaphysique* arrive à découvrir la liberté au principe des actes dont ne s'emparent qu'ensuite le système causal et la gangue déterministe. Il faut lire de Lachelier, qui a peu publié, les fragments et notes qu'a édités Séailles dans *La Philosophie de Lachelier*, pour savoir à quelle hauteur il élevait l'intériorité de l'homme et comment il trouvait la réalité unique en Dieu.

II

UNE NOUVELLE PHILOSOPHIE DES SCIENCES

La philosophie, au contact des sciences, a gagné de ne plus se laisser entraîner par l'esprit de système; les philosophes renoncent maintenant à construire des synthèses universelles, ils préfèrent traiter des problèmes. Tous se contraignent à la prudence, et les savants n'y sont pas les derniers : on les a vus collaborer à la campagne que Boutroux mena contre les prétentions du rationalisme scientifique.

Renouvier et Cournot avaient déjà refusé de tenir les lois scientifiques pour des vérités absolues ni même absolument rigoureuses dans leurs formules. Mais c'est Boutroux qui est allé jusqu'à l'idée de contingence. Or, s'il y a une contingence des lois de la nature, la certitude mécanique ne menacera plus jamais l'intelligence; la vie morale respire.

Normalien et agrégé de philosophie, Émile Boutroux (1845-1921), le petit bourgeois pauvre, mais qui devait avoir les deux Poincaré pour beaux-frères, a enseigné dans plusieurs lycées, puis à l'École Normale Supérieure, enfin à la Sorbonne; il est entré à l'Académie le 31 octobre 1912. Tout jeune, il avait obtenu du ministre Duruy une mission en Allemagne et y avait suivi les cours de Zeller sur l'histoire de la philosophie grecque. Il y apprit à analyser les doctrines : on lit avec admiration son *Jacob Boehme*, son *Kant*, son *Socrate* et son *Aristote*, son *Pascal*, son *William James*.

Boutroux s'est toujours préoccupé de mettre à l'honneur la volonté et le sentiment dans les méthodes philosophiques. Pourquoi la liberté, même sauvée dans le monde moral, devrait-elle abandonner le monde sensible à la nécessité ? semble-t-il s'être demandé. Et un grand livre, *De la Contingence des Lois de la Nature* (1874), répond à cette question, en montrant qu'il existe des ordres de faits irréductibles les uns aux autres. Constatons des étages de faits : étage des faits chimico-physiques, étage des faits biologiques, étage des faits psychologiques et moraux. La continuité d'un Taine, c'était trop simple ! La Science n'est qu'un buste en plâtre, tandis qu'une science mathématique, une science physique, etc... vivent, et c'est pourquoi elles refusent de se laisser ramener à une impossible unité. En outre, chacune d'elles découvrait à Boutroux une originalité avec plus ou moins de qualité par rapport à la quantité. Ainsi le fond des choses, sous une rigidité apparente, peut garder une puissance inaliénable de vie et de création.

Un autre livre, *De l'idée de la loi naturelle dans la science et la philosophie contemporaine* (1895) affirma la différence entre les lois naturelles et l'existence libre de la conscience, par conséquent la valeur réelle des idées morales d'individualité, de dignité, d'idéal.

Est-il possible de s'élever, par l'examen de la conscience et de l'obligation morale, jusqu'à cette liberté infinie, jusqu'à cette qualité pure qui mériteraient le nom de Dieu, objet de l'aspiration universelle ? Boutroux finit par admettre la réalité d'un domaine échappant complètement aux sciences, le domaine philosophique et religieux. Mais il faut convenir qu'en passant de son authentique contingence à la finalité et entrant alors dans la métaphysique pure, il ne pouvait plus que soulever des difficultés. Il les soulève en bon athlète, mais dans des exercices prévus, et *Science et Religion dans la Philosophie contemporaine* (1908) laisse une déception.

Boutroux, philosophe composite, restera l'homme qui a barré la route au scientisme et soutenu Bergson dans la défense de la liberté intérieure. Historien de la philosophie, il s'est toujours efforcé de déterminer dans les œuvres la part de l'invention originale propre au génie et indépendante des milieux.

Après Boutroux, Gaston Milhaud n'a reconnu à la science qu'une connaissance approximative de la nature; son livre sur *Les Conditions et les Limites de la Certitude logique* (1894) est d'un écrivain subtil et élégant. Arthur Hannequin (1856-1905) dans son *Essai critique sur l'Hypothèse des Atomes* (1896) a opposé les qualités de la réalité à sa quantité mesurable.

Voilà donc un mouvement anti-cartésien. Il s'est épanoui avec Henri Poincaré, qui achève d'assouplir le déterminisme scientifique. Lui aussi refuse de faire coïncider les sciences exactes avec la raison entière; les formes de la raison qui conviennent à l'expérimental ne conviennent pas à tout : elles ne doivent donc pas asservir la pensée, qui restera au-dessus du déterminisme dans le domaine moral et métaphysique.

Henri Poincaré, né à Nancy, mort à Paris (1856-1912), mathématicien génial, mais attentif à toutes les sciences, a atteint par la philosophie des sciences la région de culture générale et écrit des livres qui appartiennent à l'histoire littéraire. Il est d'ailleurs écrivain remarquable, allant de la simple et rapide concision à l'image poétique. Sur un fond d'aisance tantôt familière, tantôt hautement ironique, il fait éclater des maximes qui rejoignent celles des grands classiques de la philosophie. *La Science et l'Hypothèse* (1902), *La Valeur de la Science* (1905), *Science et Méthode* (1909), poursuivent l'étude la plus importante depuis Descartes de la connaissance scientifique.

Il s'en dégage une sorte de scepticisme, l'idée qu'il est impossible d'arriver par les sciences, chacune ayant son autonomie, à un système, à un ensemble complet de connaissances; qu'entre le monde construit par les sciences et le monde véritable il y a un espace contenant plus d'effort intellectuel, de convention même, que de vérité. Les pragmatistes se réfèrent volontiers à la pensée d'Henri Poincaré, à tort d'ailleurs, car il maintenait la pureté désintéressée de la raison mathématique. Et quant à la physique, il ne mit jamais en doute sa valeur de science du réel.

Dans ses *Dernières Pensées* (1913), Poincaré a condamné dédaigneusement la tentative des morales scientifiques, disant que la science reste toujours à l'indicatif et ne peut pas fonder l'impératif des vérités morales. Il faut pour cet impératif le moteur d'un sentiment, l'amour de Dieu ou des hommes ou de la patrie. Au reste, la science a le pouvoir d'apporter à la morale un soutien, par son désintéressement. Qui sait même si elle ne peut arriver à réconcilier les sentiments moraux opposés sous le nom d'idéaux, elle qui va et nous fait aller vers l'unité ?

C'est à la métaphysique qu'on revient avec un autre maître de la philosophie des sciences, Meyerson.

D'origine polonaise, Émile Meyerson (1859-1940), après des études en Allemagne, vint en France se consacrer à la chimie; il passa de la chimie à l'histoire des sciences, puis à leur philosophie. Elles l'ont fait se retrouver un jour devant les problèmes éternels; ses différents livres datent de ce jour-là, car *De l'Explication dans les Sciences* (1921), *La Déduction relativiste* (1925), *Du Cheminement de la Pensée* (1931) n'ont fait que développer les thèses du livre essentiel de 1908 : *Identité et Réalité*. La raison prétend tenir une seule et même chose dans l'identité hydrogène + oxygène = eau, alors qu'un sentiment profond avertit d'une diversité. Autrement dit, le réel ne peut se concevoir comme entièrement rationnel, il est changement, alors que la science, chercheuse d'identités, nie le changement. Comment réduire l'opposition entre la nature et l'intelligence, entre un système de représentations fondé sur la causalité logique et un réseau de liens empiriques ? Émouvant, tragique dialogue, peut-être sans fin, du moi et de la nature ! Toujours est-il que Meyerson dénonce comme chimérique la conception positiviste d'une science rigoureusement agrippée à ses lois.

III

L'APRIORISME IDÉALISTE

Il est une forme de l'intellectualisme rationaliste qui paraîtrait d'un autre temps si elle n'avait rencontré pour l'aménager un dialecticien solide, hardi et brillant, le professeur Brunschvicg.

Léon Brunschvicg, né à Paris (1869-1944), entraîné par la rumination de Spinoza, a rejeté toute subjectivité et fondé son idéalisme sur l'analyse mathématique, c'est-à-dire l'instrument le plus dégagé des données de l'imagination et de l'expérience intérieure, la combinaison la plus subtile de relations purement intellectuelles. *L'Introduction à la Vie de l'Esprit* (1900) définit et pèse les plus hauts principes de l'esprit qui agit et invente. *L'Idéalisme contemporain* (1905), confrontant l'esprit avec le monde, soumet le monde, proie d'explication, à l'esprit explicateur, haut suzerain stable et indépendant. *Les Étapes de la Philosophie mathématique* (1915), *L'Expérience humaine et la Causalité* (1922) concluent à métamorphoser par nécessité implacable la philosophie de la science en philosophie de la pensée. *Le Progrès de la Conscience dans la Philosophie occidentale* (1927) et *De la Connaissance de Soi* (1931) tendent à considérer la spiritualité comme un mécanisme qui se suffirait au besoin et la réalité comme une sorte d'éternité mathématique. Toute l'œuvre célèbre l'effort et le progrès séculaires de l'animal raisonnable et vise à accroître les ressources de l'intellect, dans l'espoir qu'un jour l'homme arrive à se sentir le centre d'où partiront les rayons de vérité, ceux-ci devenant les fils dont la réalité se tisserait. Quant à la vérité, que sera-ce ? La pensée accordée avec elle-même. Belle et étrange solitaire ! Brunschvicg lui confère une majesté d'astre et l'obscure clarté de son style fait penser au ciel des idées. Des trois éléments en équilibre — sujet, objet et leurs relations — que paraît bien révéler notre activité de conscience, avec quelle témérité décidément l'idéalisme en sacrifie un ! M. Burnier propose cette critique dans un article de la *Revue de Métaphysique et de Morale* (juillet 1939). Faut-il ajouter qu'elle vaut également contre le réalisme ?

Derrière Brunschvicg, dans le paysage rationaliste, on aperçoit encore une tête métaphysique tôt disparue, Octave Hamelin (1856-1907). Pour Hamelin, l'univers lui-même était rationnel, par son système de « relations »; mais il le couronnait d'un Esprit divin qui lui a dicté, ainsi qu'à Renouvier, des conjectures théologiques inspirées du christianisme. Toutefois l'auteur de *L'Essai sur les Éléments principaux de la Représentation* (1907) a-t-il finalement accordé à l'intelligence autre chose qu'un pouvoir d'interprétation à l'égard de la réalité ? Si oui, il aurait alors battu quelques mesures de prélude à *L'Évolution créatrice*, et l'intellectualiste Hamelin conduirait à Bergson par la ligne collatérale.

IV

LES PLUS RÉCENTES DOCTRINES GÉNÉRALES

Les philosophes élevés par la génération de Lachelier ont renforcé spiritualisme et rationalisme par les moyens d'une introspection ardente. Les plus jeunes y ont ajouté une ingéniosité conceptuelle et quelque littérature.

Les *Souvenirs concernant Lagneau* (1925), par Alain, dominent la philosophie qui affirme rationnellement le vrai. Jules Lagneau (1851-1894), que je nomme tardivement parce qu'on le connaît par ses œuvres posthumes, *Écrits réunis par les soins de ses Disciples* (1924), *L'Existence de Dieu* (1923), s'est efforcé de combiner dans une subtile synthèse intellectualiste l'immanence de Dieu avec l'idéalisme kantien. (Sur Alain, cf. tome I.)

C'est à des fins morales, à des fins sociales aussi, que semble avoir obéi dès l'origine la doctrine d'André Lalande (né en 1867), lequel a forgé avec plusieurs collaborateurs un instrument utile d'unification, *Le Vocabulaire technique et pratique de la Philosophie* (1926). Parti de l'idée que le monde, contrairement aux doctrines issues de Spencer, marche de l'hétérogénéité à l'homogénéité et que le progrès tend à l'universalité en science, en morale, même en art et encore dans l'ordre politique et social (*L'Idée de Dissolution opposée à celle de l'Évolution dans la Méthode des Sciences physiques et morales*, 1899, devenu en 1930 *Les Illusions évolutionnistes*), Lalande aboutit à dégager l'unité de mesure dans les valeurs rationnelles, la légitimité de l'activité volontaire, l'importance de l'individu, et finalement à plaider pour l'élargissement de la compréhension mutuelle et pour la solidarité des hommes dans l'espace et le temps.

Louis Lavelle est ce souple et pénétrant psychologue à l'aisance souveraine, riche de formules et d'images, gonflé de méditations, dont son style de grand et pur écrivain reste nourri, serein, fluide, presque onctueux. Une morale pourtant s'exalte chez lui : que l'homme ait la volonté de vivre, prenne intérêt à autrui, agisse. C'est pourquoi il a dénoncé *L'Erreur de Narcisse* (1939). Sa philosophie porte pour enseigne générale : *La Dialectique de l'Éternel Présent* ; il en a exposé la doctrine fondamentale dans les premiers volumes de la série (*De l'Être, De l'Acte*); si l'on en veut suivre l'exposé sans l'embarras des discussions techniques et des questions particulières, le petit volume de *La Présence totale* (1934) s'impose. Lavelle fait remonter tout du monde intérieur et du monde extérieur à l'Être un, absolu et présent éternellement; cet être est liberté, acte, création; nous participons de lui, par une création qui est une communication de son essence. Il est Acte pur et il appelle les êtres à se faire (et par là nous effleurons l'existentialisme). Est-ce panthéisme ? Lavelle répondrait que son Être n'est pas substance et que notre liberté personnelle se maintient au sein de sa liberté totale par tout ce qui fait écart entre nous et lui, c'est-à-dire la gamme du multiple à l'un, les tendances de l'être fini à se réaliser selon une fin, les puissances du vouloir, de la pensée et de l'amour. Reste à savoir si l'Être est occupé à créer des êtres ou bien s'il reste indépendant et ignorant du monde qu'il engendre. On entrevoit une autre difficulté, les rapports de l'acte pur et de la pensée : le philosophe, en les établissant, paraît un peu jouer sur le mot *créer*. Quoi qu'il en soit, le Moi se tire du non-Moi par l'intelligence et la volonté. « Nous créons notre personne spirituelle comme Dieu a créé le monde, écrit Lavelle; mais il faut que nous fassions partie du monde comme une chose engagée dans la matière avant de pouvoir nous unir à Dieu par un libre choix. » *La Conscience de Soi* (1933) fait assister à cette création de notre être et suivre ses relations avec l'Être total comme dans une manière de roman métaphysique plein de voix intimes en même temps que d'appels du dehors; le livre s'épanouit en contemplation platonicienne, car il ne s'agit pas de se contenter d'exister, il faut se conquérir une essence. Il ne s'agit pas de posséder le monde matériel, mais plutôt de reconnaître la volonté universelle et d'aboutir à une sympathie fraternelle avec l'univers. Lavelle n'a-t-il pas célébré *La Spiritualité franciscaine* ? Le dernier mot de cette philosophie est peut-être le souhait d'un état de grâce. Elle a offert à ses fidèles, en 1940, dans *Le Mal et la Souffrance*, une double consolation : solitude et communion. Son auteur n'a pas exercé l'influence espérée, bien qu'il ait occupé brillamment après Bergson et Le Roy, la chaire de philosophie du Collège de France.

En conciliant la tradition d'Hamelin (de qui s'inspire son *Introduction à la Philosophie*, 1925) et la tradition de Rauh avec celle de Bergson, et du Bergson le plus récent, René Le Senne a défini dans *Le Devoir* (1930), dans *Le Mensonge et le Caractère* (1930), dans *Obstacle et Valeur* (1936), une conscience toujours impatiente et contrariée jusqu'à l'écartèlement.

Un scepticisme transcendantal caractérise l'attitude de Gabriel Marcel à l'égard de la philosophie considérée dans son orgueil idéaliste, dans ses efforts d'affirmation, dans son abstraction. Marcel se pose des problèmes concrets, il analyse des phénomènes psychiques en serrant d'aussi près que possible l'expérience vécue, mais il s'efforce d'aller au delà des données immédiates, jusqu'aux idées générales de la pensée. Sa philosophie prétend à éclairer la condition humaine, et l'on sait son théâtre en liaison avec sa philosophie. Il a commencé en 1913 et fait paraître en 1927 son *Journal métaphysique*. La théorie de l'être qui s'en dégage a servi de chemin lumineux et entraînant pour l'adhésion à la foi catholique, définitive depuis 1929. Un réalisme, c'est-à-dire le primat de l'être sur la connaissance et le « poids ontologique » restitué à l'expérience, a pu seul le satisfaire. L'auteur de *Être et Avoir* (1937) fait une distinction fondamentale : l'avoir c'est tout ce qui peut être aliéné; l'être, c'est l'inaliénable, l'intransmissible. Le type de connaissance le plus répandu se réfère à l'avoir, c'est-à-dire au faisceau des problèmes relevant de techniques. Or l'être trône dans un mystère au delà de ces problèmes, le mystère dans lequel vivent la personnalité véritable, l'union des âmes, l'amour, la sainteté. Marcel s'estime engagé dans ce qui est, il y participe. Il est, comme Kierkegaard et Jaspers, le philosophe de la personne incarnée. C'est-à-dire qu'il ne veut considérer l'homme que lié à un corps, situé dans le monde, appartenant à une famille, à une nation, à des groupements, à une ambiance.

Mais il se voit exister; or, exister, pour la personne humaine, c'est se créer en se dépassant; elle pourrait prendre pour devise, non pas « sum », mais « sursum », comme il est dit dans *Homo Viator*.

Ce n'est pas que l'homme « fasse » son être; Marcel, bien antérieur à Sartre, est un tout autre existentialiste. L'homme « reçoit » son être et en est responsable. La richesse spirituelle consiste à avoir beaucoup reçu et à savoir en tirer parti. C'est la grâce. Aux limites de sa philosophie commence la région du sacré, un sacré qui est d'ailleurs encore du réel, du naturel, parce qu'il s'impose à l'esprit. Marcel croit profondément que l'âme humaine respire par l'espérance. On dirait qu'il se souvient, dans ses plus hauts moments, de certaines pages quasi sublimes de Jules Lequier dont Renouvier publiait en 1923 la *Recherche d'une Première Vérité*, sur la liberté de l'homme. Son univers s'achève dans une transfiguration spirituelle.

Gabriel Marcel représente le catholicisme dans la philosophie largement existentialiste où Kierkegaard a représenté le protestantisme.

René Guénon, savant auteur d'une *Introduction à l'Étude des Doctrines hindoues* (1921), et qui estime avoir trouvé dans les Livres sacrés de l'Orient la seule inspiration possible d'une intellectualité désintéressée et pure (*Orient et Occident*, 1924), a construit dans *États multiples de l'Être* une métaphysique de l'ascension à Dieu par une série d'épurations qui équivaut à une longue expérience mystique. Le lecteur a droit de se demander si le Dieu de Guénon est autre chose qu'un état subjectif de sérénité, il accepte en tout cas de voir traités en dangereuses idoles Science et Progrès; il se laisse enseigner une philosophie du détachement. Mais il se rappelle avec scepticisme et mélancolie ces premières années de l'entre-deux-guerres où l'on écoutait l'Allemagne défaite vaticiner sur le déclin de l'Occident, où la traduction du livre anglais de Fernand Ossendowski, *Bêtes, Hommes et Dieux* (1924), faisait fureur et où l'Europe parut s'abandonner aux appels prestigieux des pays ancestraux d'Asie, si fidèles à eux-mêmes, si mystérieux et d'où peut toujours surgir à nouveau Gengis-Khan.

Dominique Parodi, le fils du dramaturge, l'auteur du *Problème moral et la Pensée contemporaine* (1909 et 1921), défend un idéalisme à la fois rationaliste et naturaliste qui se distingue nettement du positivisme, en ce qu'il fait pré-exister la raison à toute expérience. Un vitalisme, qu'il n'avoue pas, conduit ses recherches.

Gaston Bachelard, maître en philosophie des sciences, est aussi philosophe métaphysicien. On l'a étiqueté idéaliste surrationaliste... L'auteur de l'*Essai sur la Connaissance approchée* (1927) et de *La Dialectique de la Durée* (1936) renforce en effet le rôle de l'esprit conscient et de la volonté dans la continuité psychique, mais les anime par l'expérience du cœur pascalien; en outre, passionné pour les problèmes de la création poétique, il a dégagé l'importance d'une « imagination matérielle », c'est-à-dire surprise, pénétrée, envahie par les quatre éléments à travers la rêverie onirique et la vision ingénue que les poètes gardent de l'enfance. Naturellement, il laisse à l'imagination formelle, à l'imagination cultivée, régie par l'âme, par l'esprit, le soin de créer les poèmes. Bachelard est disciple de Brunschvicg, mais aussi de Freud, et ses livres de philosophie des sciences contribuent à une psychanalyse de la connaissance objective, tandis que *La Psychanalyse du Feu* ou *L'Eau et les Rêves*, ainsi que les études sur Lautréamont sont d'étourdissantes jongleries où révèle son ivresse de la vie un homme qui éprouve des malaises s'il n'a pas relu George Sand aux premiers mois de chaque année. *L'Intuition de l'Instant*, auquel la *Siloé* de son ami Roupnel servit de point de départ, est peut-être le livre de Bachelard à lire plus particulièrement.

Avant 1940 déjà on faisait cas de Jankélevitch, de Nogué, de Minkovski, de Ruyer. Jean-Paul Sartre entrait seulement dans la carrière ; je pourrais simplement le nommer et finir, mais comment prendre congé de la philosophie d'aujourd'hui sans s'arrêter à saluer ce philosophe qui commande actuellement de sa position philosophique une partie du roman, du théâtre et même de la critique ? S'il a emprunté aux Allemands Husserl et Heidegger les notions d'une ontologie phénoménologique qui s'appelle « existentielle », il a fait bondir autour des intuitions fondamentales qui lui étaient fournies une furieuse et brillante danse de concepts. Bien entendu, la mode existentialiste n'a pas grand-chose de commun avec la substance d'un livre comme *L'Être et le Néant* (1943) qui est d'une lecture difficile, par moments décourageante. E d'autre part, la philosophie existentialiste, même actuelle, déborde Sartre; elle a séduit les esprits les plus divers. Sartre représente l'existentialisme athée.

Il ne répond à aucune des plus grandes questions de la philosophie; son œuvre est un humanisme, en ce sens qu'elle se limite à l'homme, et qu'elle n'est à peu près qu'une psychologie.

Tous les existants sont absurdes (sans raison d'exister); l'être humain, par la conscience, éprouve de l'angoisse en face de sa propre absurdité; l'existentialisme, rejetant la recherche scientifique comme moyen de connaissance (ce qui contribue beaucoup à en faire un idéalisme hypocrite), considère l'homme dans la solitude absolue et désespérante des phénomènes, et tous les phénomènes composent un monde étrange, inepte et hostile. Il n'y a chez Sartre aucune protestation du concret; elle ne pourrait venir que d'un Moi personnel irréductible et profond; or il définit la personne par la liberté, une liberté absolue que sa dialectique pénètre de non-être, de « néantisation », de néant. Mais voilà du moins une issue : il faut utiliser cette liberté, faire sa propre existence, s'engager dans le temps et dans l'action. Vivre ! (comme Valéry). Agir ! (comme Malraux). L'homme vrai n'échappe pas à sa responsabilité, c'est sa grandeur. Mais sur quoi s'appuie cette morale de sursaut ? Convenons qu'il y a là une solution de continuité et qu'une telle morale ne vaut que pour les forts, car la liberté sartrienne est sans but, n'accepte aucun dogme (par exemple, elle rejette l'engagement marxiste, puisque le passé social est perpétuellement « en sursis »), se lance dans la révolution illimitée. Elle peut prendre anarchiquement les directions les plus imprévues, elle est terrible et dangereuse, elle est triste et ramène par un détour à la désolation initiale; elle risque de faire des monstres. Quant aux autres, à la grande majorité des hommes, comment ne resteraient-ils pas condamnés au désespoir ou à la torpeur ?

La liberté de quelques-uns agira à travers l'inertie d'un troupeau.

... Détournons-nous maintenant de cette lignée métaphysicienne et faisons, en quatre sous-chapitres, un retour vers quelques souvenirs et survivances : après cette liquidation, il sera curieux de revenir, en compagnie de grands savants, à l'âme et à la destinée.

V

PSYCHOLOGUES EXPÉRIMENTAUX

Longtemps on a fait de la psychologie une science expérimentale, quitte à la doubler quelquefois par l'introspection. Le psychologue Théodule Ribot (1839-1916), disciple des associationnistes anglais, aura été un bon commentateur des travaux de laboratoire et d'hôpital. Il a chargé la nature elle-même de révéler quelques-uns de ses secrets par les manquements au fonctionnement normal de l'organisme. Il a pour cela étudié les maladies de la mémoire, celles de la volonté et de la personnalité, et consigné ses observations en plusieurs volumes, de 1881 à 1885. Puis il en est venu à la vie des sentiments et à celle de l'imagination, et a mis en lumière la toute-puissance de la vie affective de l'homme; son dernier livre examine *La Vie inconsciente et les Mouvements* (1914). Ribot a conduit ses exposés avec une clarté facile qui paraît une gageure et qui est une maîtrise. Aussi fut-il excellent historien de la philosophie. Fondateur de *La Revue Philosophique*, il l'a dirigée avec la plus sympathique largeur d'esprit. Personnellement négateur de la métaphysique, il n'hésita jamais à laisser s'exprimer librement les tendances adverses.

Pierre Janet, après son livre général de psychologie pathologique, *L'Automatisme psychologique* (1889), loin de se cantonner dans l'étude des névroses, s'est avancé jusqu'à l'étude des extases; il a été le penseur de la Salpêtrière. Moins savant peut-être, mais plus moraliste, Frédéric Paulhan a défini la part de liberté créatrice dans *L'Activité mentale et les Lois de l'Esprit* (1913). Père de Jean Paulhan, c'est lui qui a dû ouvrir le chemin à son fils, s'il faut reporter à une date ancienne, comme c'est probable, la préparation de *La Double Fonction du Langage*, qui n'a vu le jour qu'en 1929 : fonction significative et fonction suggestive, celle-ci examinée dans ses différents types, jusqu'à la poésie pure.

Henri Piéron attache son nom à une œuvre si manifestement scientifique qu'il n'y a point à parler ici de lui, sinon pour dire qu'il aura dirigé *L'Année Psychologique* avec la même conscience et le même libéralisme impartial qui firent l'honneur de Ribot à la *Revue Philosophique*.

Georges Dumas, comme Janet, comme Paulhan, comme Piéron, a gardé la vie mentale pour objet essentiel de sa recherche, dont il n'exclut pas toute introspection dans *Psychologie et Physiologie* (1906). Dumas a dirigé la composition d'un grand *Traité de Psychologie* (1923-1924) qui précise la position actuelle de tous les problèmes.

VI

THÉORICIENS DE MORALE

L'éclectisme de Cousin et de Jouffroy s'est prolongé çà et là; chez Paul Janet par exemple (1823-1899), qui chercha à amalgamer l'idée du bien avec le concept kantien du devoir, et par ailleurs excellent historien de la philosophie. Quant aux philosophes qui ont voulu établir une morale indépendante de toute métaphysique ou de toute croyance, ils se sont imposé une tâche difficile. Le positivisme appliqué aux problèmes moraux fait souvent des grimaces comiques.

Jean-Marie Guyau (1855-1888) publiait en 1884 son *Esquisse d'une Morale sans Obligation ni Sanction*, et la morale y devenait une simple expérience. Toute l'Université à peu près, de Victor Brochard à Paul Lapie, marcha dans ce renoncement suprême à la métaphysique même de Kant, remplacée par le mythe de la solidarité sociale et la dévotion pour la vie jaillie du fond obscur de l'être. Guyau devait trouver dans l'art un serviteur de ce dynamisme naturel. Et de même que sa morale aboutit à l'altruisme, son esthétique rejoint la sociologie : *L'Art au point de vue sociologique* est de 1889. Il marcha dans la même direction au-devant du sentiment religieux, qui était pour lui moral, esthétique, obscurément adorateur de la vie. *L'Irréligion de l'Avenir* (1887) expose un curieux et difficile collectivisme de l'idéal. On y lisait des phrases de ce genre : « ...l'individu, qui n'est peut-être que l'évanouissement d'une sorte d'illusion vivante », qui ont fait de Guyau plus d'une fois un vrai têtard de M. Bergeret. Mais il brûlait d'une flamme qui impressionna Frédéric Nietzsche.

L'autre grand homme de la même lignée est Frédéric Rauh (1861-1909), esprit élevé d'ailleurs, âme tourmentée.

Il n'a vu que mirages dans les impératifs de la conscience morale. En réalité, pensait-il, un problème nouveau se pose pour chaque individu et pour chaque situation individuelle et sociale. Donc, pas de vérité générale abstraite et préalable, mais des vérités relatives et adaptées sur-le-champ : seul moyen de défendre l'homme contre la morale absolue, laquelle risque toujours de se laisser absorber par la religion ou de la réveiller de ses sommeils. Rauh rassemblait donc, depuis *L'Essai sur le Fondement métaphysique de la Morale* (1890) jusqu'à *L'Expérience morale* (1903), une morale empirique prise à tous les faits, fondée sur l'action, aboutissant à un prêche sur le don à la vie et sur la joie de militer pour les hommes.

On éprouve une surprise de joie à passer de ces docteurs humanitaires du néant et de ces saints laïques (il y aurait à nommer encore les Paul Desjardins, les Baptiste Jacob, les Gustave Belot) à un modeste mortel, mais savoureux promeneur de la philosophie, comme Jules de Gaultier (1858-1940). Son petit livre, *De Kant à Nietzsche* (1900), est délicieux à lire, comme un roman psychologique un peu pamphlétaire. On en retient volontiers sa critique du dualisme : agnosticisme de la dialectique transcendantale et impératif catégorique de nature théologique. Félix Sartiaux devait fortifier ce point de vue dans sa *Morale kantienne et Morale humaine* (1917), qui dénonce chez Kant un piétisme, produit de son éducation. Jules de Gaultier, venu à exposer *Les Raisons de l'Idéalisme* (1906), le fit avec le même agrément. *Le Bovarysme* (1902), son ouvrage le plus connu, est une monographie originale sur la puissance d'illusion qui transforme et déforme, en se glissant entre les modes de la connaissance et la sensibilité morale. Ce mal des civilisés consiste à se concevoir autre qu'on n'est et tel qu'on se veut : ce qui a mal tourné pour l'Emma de Flaubert et d'autres ratés de la vie, mais ce qui d'autre part engendre de fécondes vocations apparemment fausses et sert donc à activer l'évolution humaine. C'est aussi le sort de l'idéalisme, dès qu'il prend pour réel le monde construit par une intelligence, au point d'asseoir sur ce mirage une morale et une théologie. Toutefois *La Sensibilité métaphysique* (1925) reconnaît la nécessité de situer le fait religieux et la possibilité d'y consentir dans une autre forme de l'existence à laquelle la philosophie de la connaissance ne contredit nullement.

VII

SOCIOLOGUES

Moralistes eux aussi. Mais leur morale n'est plus qu'un amalgame d'utilitarisme, d'altruisme et d'impératif catégorique dissous dans le solidarisme.

La sociologie peut-elle devenir une science ? Émile Durkheim (1858-1917) l'a cru, son rationalisme prenait la société pour « a priori »; il a fait de la société sa raison à la fois transcendante et immanente. Obligation morale, nécessité de se surmonter pour arriver au bien, prescriptions et sanctions : sur quelle base asseoir ce monde spirituel ? Sur la société : non pas la société telle qu'elle est pour vous ou pour moi; mais la société telle qu'elle est positivement et que seule la sociologie est capable de découvrir. L'œuvre de ce fils de rabbin (*De la Division du Travail social*, 1893; *Règles de la Méthode sociologique*, 1894; *Les Formes élémentaires de la Vie religieuse*, 1912; et toute sa contribution à *L'Année Sociologique* fondée par lui en 1896), c'est l'élimination complète de la psychologie, et c'est le refus d'existence à l'individu, car la société a, d'après lui, une existence indépendante des éléments qui la constituent. Elle divise le travail et assigne des tâches; elle impose à ses membres des modes de foi et de conduite que le sociologue appelle institutions : la sociologie sera le science des institutions, de leur genèse et de leur fonctionnement. Cette bizarre entité définie avec un sérieux scolastique, Durkheim l'a étudiée dans les sociétés primitives et en a déclaré le caractère religieux : c'est le totémisme (*Le Système totémique en Australie*, 1912). Tout découle du totémisme, morale, droit, religion. Le totémisme est devenu le singe d'où l'évolution sociale descend. Qu'est-ce que la divinité pour Durkheim ? « La société transfigurée et pensée symboliquement. »

Ce dogmatique matérialiste n'a pas manqué de disciples. L'un d'eux, Célestin Bouglé (1870-1939), l'auteur des *Idées égalitaires* (1900) et de *La Démocratie devant la Science* (1904), de qui l'histoire retiendra l'*Essai sur le Régime des Castes* (1908) et la philosophie *L'Évolution des Valeurs* (1922), a été assagi par sa fidélité de cœur à Proudhon et il ne resta pas insensible à la contagion de Tarde.

L'attrait monstrueux de Durkheim a certainement dévoyé un philosophe-né promis par ses dons à une création plus heureuse, Lucien Lévy-Bruhl (1857-1939), dont *La Philosophie d'Auguste Comte* (1900) restera un modèle d'analyse précise qui résout la complexité de l'objet en tous ses éléments. Successeur de Boutroux dans la chaire d'histoire de la philosophie à la Sorbonne, ses élèves se sont longtemps souvenus de ses cours sur les philosophes anglais, surtout sur le relativisme intégral de Hume, qu'il devait introduire en morale avec — premier malheur — l'esprit pur du scientisme. Puis second malheur : la rencontre de Durkheim et la greffe de l'influence sociologique. *La Morale et la Science des Mœurs* sortit de ces contacts et fusions en 1903. C'était une abdication. Elle s'est confirmée dans les livres suivants, *Les Fonctions mentales dans les Sociétés inférieures* (1910), *La Mentalité primitive* (1922), *Le Surnaturel et la Nature dans la Mentalité primitive* (1931). Même pour qui admet que la représentation des puissances invisibles chez le primitif se forme de son « affectibilité » apeurée, il est choquant de voir étendre ces vues jusqu'au principe de toute religion chez les civilisés. La plus claire utilité de tels ouvrages s'est manifestée chez nos coloniaux, dont les méthodes ont pu profiter d'un si réel effort de compréhension à l'égard des sauvages et de leurs pratiques rituelles. M. Olivier Leroy a réfuté Lévy-Bruhl dans sa *Raison primitive* (1927).

Paul Fauconnet, né en 1874, auteur d'un livre honnête, *La Responsabilité* (1920), est de ceux qui ont ramené l'école sociologique à des desseins modestes et tempérés.

En face de cette école, la sociologie française a connu des esprits originaux et prudents comme Alfred Espinas, chez qui la conscience collective séparée des personnes individuelles est une notion bien observée, comme aussi Gustave Le Bon, observateur lucide des conditions et métamorphoses sociales, comme encore Georges Guy-Grand, qui a dirigé les entretiens de l'*Union pour la Vérité*, rue Visconti, dans l'esprit de Paul Desjardins, fondateur de ce groupe d'abord nommé *Union pour l'Action morale*. Guy-Grand a bien cru tenir la vérité en politique et la démocratie lui est apparue comme une certitude définitive; il en a couché sa conception dans des livres loyaux : *Le Procès de la Démocratie* (1911), *L'Avenir de la Démocratie* (1928), où se glisse, par le biais moralisant, quelque chimère. *Le Conflit des Idées dans la France d'aujourd'hui* (1921) est d'un analyste optimiste un peu tenu en laisse par sa fidélité à Proudhon.

Enfin venons-en à Gabriel Tarde. Ce subtil et pénétrant Périgourdin (1843-1904), d'abord conteur et poète, a fondé sa doctrine sur les lois de l'invention et de l'imitation. Lui aussi, comme Espinas, distingue l'unité supérieure de la société, mais également l'importance de l'individu, l'individu humain étant le « point vivant » du monde social : ses innovations, découvertes, perfectionnements, de quelque ordre soient-ils, s'irradient à travers le corps social qui les généralise dans le langage, dans le droit, dans la religion. Par la rencontre des imitations et leur totalisation, l'invention jaillit de toutes parts, innombrable. Ainsi le monde se balance perpétuellement, entre heurts et accords, entre répétition universelle et universelle variation. Tarde aboutit à une sorte d'infinitésimal, origine et peut-être fin de tout. Il prend donc position à l'antipode de la philosophie durkheimienne à tendance socio-totalitaire. Au reste, il rejoint souvent le bon sens, mais l'aiguise et l'arme, dans *Les Lois de l'Imitation* (1890), *La Logique sociale* (1895), *L'Opinion et la Foule* (1901), *L'Invention considérée comme Moteur de l'Évolution sociale* (1902) et dix autres ouvrages élégants, déliés, lumineux.

VIII

DE LA PHILOSOPHIE A LA POLITIQUE

Jean Jaurès, Normalien brillant, fut un métaphysicien assoiffé de domination morale; il passa facilement de sa thèse universitaire sur *La Réalité du Monde sensible* (1881) à son grand livre d'histoire politique, *Les Origines du Socialisme allemand*, puis à la direction d'une *Histoire socialiste* (1889-1900) dans laquelle l'*Histoire de la Révolution* est de lui personnellement. Jaurès a constitué une somme politique en s'efforçant de faire entrer ensemble dans une synthèse de caractère oratoire et vague le matérialisme marxiste avec l'aspiration à un idéal moral. Il se promettait de sauver ainsi la liberté individuelle et par conséquent le développement infini de l'art. Non moins vaguement, l'orateur et le journaliste des *Discours parlementaires* et des *Études socialistes* (1904), le leader de *L'Humanité*, fondée en 1904, a tenté de substituer une « humanité fraternelle et libre » à des « lambeaux d'humanité », et, la main sur le cœur, a appelé tous les hommes à collaborer, au lieu de se battre. Cette sorte de pasteur laïque avait ébloui une génération et des esprits aussi divers que Romain Rolland et Lucien Herr, Gustave Téry et Daniel Halévy, Jules Romains et Henri Franck. Il joua un rôle immense, dont Jules Romains précisément. dans le premier volume des *Hommes de Bonne Volonté*, donne une exacte idée. Aujourd'hui, qui ne sent le creux intellectuel de cette tête ? Littérairement, ce n'est qu'improvisation et grandiloquence. La pensée n'analyse pas, le style flotte sur un courant d'abstractions usées et d'images boursouflées. *L'Armée nouvelle*, pleine d'idées fécondes, lui avait été inspirée et presque dictée. Il y devenait un haut-parleur, comme le libéral Leroy-Beaulieu dans sa campagne pour l'alliance avec la Russie.

Qui chercherait ici un vivant contraste ne saurait mieux trouver que Jules Soury (1842-1915), autodidacte jusqu'à dix-sept ans, chartiste puis philosophe et professeur à l'École pratique des Hautes Études, matérialiste et athée, mais respectueux de la religion catholique, antisémite, ascète, douce personne et polémiste violent. Auteur de *Jésus et les Évangiles* (1886), essai de psychologie pathologique qui fit scandale, du *Bréviaire de l'Histoire du Matérialisme* (1881), de *La Philosophie naturelle* (1882), cet original a su peindre de raffinés *Portraits de Femmes*, en les groupant autour de la marquise de Caylus, et sa *Campagne nationaliste* (1902) débute par une autobiographie où il se révèle écrivain de premier ordre, parent littéraire de Descartes et de Barrès, ce Barrès à qui ses cours et ses conversations fournirent, semble-t-il, les thèmes essentiels du nationalisme et du racisme.

J'en viens à de plus proches contemporains. Élie Halévy, dont l'*Histoire du Peuple anglais au XIXe siècle* (1913-1937) raconte la marche en avant d'une civilisation moderne (laboratoires, bibliothèques, corps savants, cours populaires), a consacré un grand livre, *L'Ère des Tyrannies* (1938) à ce problème-ci : est-il possible d'organiser le monde moderne sans passer sous le joug de l'étatisme ? — Henry de Jouvenel, optimiste, saisissait toutes les occasions de refaire du neuf, tantôt par-dessus les vieilleries menacées, ou même sur quelques espaces libres, en terrain syndicaliste à l'intérieur et fédératif, c'est-à-dire européen, à l'extérieur; il a proposé une philosophie de son action dans un juste et large *Mirabeau*. — Anatole de Monzie a esquissé dans son *Entrée au Forum* (1920), sous prétexte de conter ses premiers temps de vie parisienne, une histoire intellectuelle et politique de sa génération : dur réquisitoire contre les aînés. Mais une étonnante jeunesse d'intelligence brille dans le goût de chercher le vrai hors des partis et des coteries, dans le besoin de combattre, dans l'impatience de renouveau social. L'auteur de *Rome sans Canossa* (1918) et de *Du Kremlin au Luxembourg* (1924), de *Ci-devant* (1940) et de *La Saison des Juges* (1943) n'était évidemment pas fait pour une action durable. Son anarchisme de hobereau (de *Destins Hors Série* — 1920 — la substance a peu d'intérêt, mais le titre peint l'auteur) eût dû cantonner dans un journalisme d'opposition ce non-conformiste mi-libéral, mi-radical et pacifiste. Peut-être se fût-il alors taillé une carrière sans à-coups et sans chute. Cependant l'entrain, l'esprit, le troussé de ses livres arrivent-ils à compenser l'incapacité de voir grand et de construire ? Il y a de l'accent dans ses *Contes de Saint-Céré* (1928). *Les Veuves abusives* (1936), c'est-à-dire les Thérèse Levasseur, les Impératrices Marie-Louise, les Mialaret-Michelet, les Cosima Wagner, lui ont servi à exprimer son arrière-goût hautain des drôleries humaines. — Je finirai sur un solide fils du Cantal, Robert Garric, né en 1896, qui dirigea *La Revue des Jeunes* de 1924 à 1939, fonda les « équipes sociales » ou jeunesse inter-classes, dont il a été l'âme, publia une monographie de cet Albert de Mun qu'il continue de toutes ses forces. *Belleville* (1928) atteste sa connaissance intime et sympathique du peuple des villes; *Le Message de Lyautey* (1935), son dévouement énergique au pays.

Personnalité puissante : faisons tourner sur elle notre chapitre, afin de rentrer dans le pathétique présent de la pensée, de la science, de l'interrogation sur l'avenir humain.

IX

DE LA SCIENCE A LA MÉTAPHYSIQUE

La littérature, qui ne saurait renoncer à admettre pour siens les philosophes quand ils dominent les techniques spéciales et surmontent le jargon, revendique aussi naturellement les hommes de science, inventeurs ou informateurs, lorsqu'ils savent exposer les problèmes et les solutions dans une langue claire et qu'ils considèrent leur matière sous son aspect philosophique.

Certes, la science actuelle, dans tous ses domaines, excepté l'histoire naturelle et la paléontologie, avec lesquelles un Pierre Termier (1859-1930) et un Teilhard de Chardin pouvaient nous émouvoir hier encore, arrive à une telle hauteur de difficultés que chaque jour davantage les initiés l'accaparent et qu'elle se ferme au public. Le temps n'est plus des Claude Bernard, des Pasteur, des Marcellin Berthelot. Cependant des biologistes comme Edmond Perrier et Félix Le Dantec ont trouvé au bout de leurs recherches une conviction soit transformiste soit matérialiste qui, par sa généralité, leur a donné accès à tous les cerveaux cultivés; des physiciens comme Pierre Duhem et comme Louis de Broglie aboutissent à des vues d'histoire philosophique, qui ont fait écrire à Duhem de beaux livres accessibles sur l'évolution de *La Notion physique de Platon à Galilée* (1908) et des *Doctrines cosmogoniques de Platon à Copernic* (1913), ainsi qu'à des échappées métaphysiques qui prolongent les grands livres émouvants de Louis de Broglie, *Matière et Lumière*, *Continu et Discontinu en Physique moderne*, *Physique et Microphysique*. Et les Georges Urbain, les A.-P. de Lapparent, les René Leriche, les Pasteur-Vallery-Radot, les Émile Borel, les Joliot-Curie ont plus d'une fois réussi à faire connaître en large audience l'orientation, tout au moins, et l'importance de leurs travaux. *Éloges et Discours académiques* (1931) d'Émile Picard rendent accessibles les découvertes essentielles de la science moderne.

Qui n'admirerait alors la hardiesse imaginative des hypothèses, l'ampleur intellectuelle des conceptions, la patience, la prudence, l'élégance stricte de la méthode, de l'expérience et de la vérification ?

Souvent on ne communique avec les grandes œuvres et leurs énigmes, il faut le reconnaître, que par l'habileté et le dévouement d'informateurs, assez instruits de science pour tout en comprendre, mais nullement absorbés par une recherche personnelle, et assez compréhensifs de notre ignorance bénévole pour savoir de quelle manière la traiter. Camille Flammarion, qui remplissait jadis cette fonction, conquit à l'astronomie des milliers d'esprits; de ses successeurs, Charles Nordmann a paru le plus brillant. Louis Houllevigue pour la physique, Jean Rostand pour la biologie, sont en somme de bons écrivains d'idées. Le dernier venu, André George, se montre le plus largement informé, toutes les activités de l'esprit se rencontrent dans son savoir; il a écrit de *La Musique contemporaine en Europe* aussi bien que de *L'Oratoire*; il nous instruit avec grâce de *Pierre Termier*, de *Henri Poincaré*, de *Pasteur* et de *Louis de Broglie*; il est l'auteur fort et exquis du *Véritable Humanisme*. Si l'on cherche notre contemporain le plus cultivé, ne serait-ce pas lui ?

Au surplus, comme Pasteur, comme Marcellin Berthelot, les savants les plus secrets possèdent non seulement une âme généreuse, mais cette culture vraiment générale qui ouvre l'homme à autrui, à tout ce qui est autre que lui-même, à la justice et à l'amour ainsi qu'aux disciplines en apparence les plus opposées. Et c'est pourquoi Henri Poincaré a pesé la valeur de la science dans des ouvrages mémorables; Jules Tannery, autre mathématicien, a laissé, comme Claude Bernard, de hautes pensées; Charles Richet fut poète, romancier, sociologue. On préfère ne pas les voir descendre dans l'arène politique; Paul Langevin, Jean Perrin qui le firent et qui y devinrent idoles, ne se sont cependant pas laissé détourner de l'avenir de la volonté humaine, de l'individualité humaine face à l'outillage massif de la planète;

ils ont exprimé dans des pages nobles et belles, malheureusement dispersées, un espoir qu'ils avaient cru pouvoir confier au rationalisme intégral. Tous les savants, comme tels, seront forcément dépassés, momifiés, recouverts par le progrès même des connaissances auxquelles ils auront contribué ; ils ne dureront vivants et jeunes que par leur pensée d'hommes et leur expression d'écrivains. Cette vieille idée de Buffon n'a pas cessé d'être vraie.

Comme les plus hauts et les plus rayonnants des savants d'aujourd'hui ont fait du chemin depuis le sec et étroit athéisme d'un Le Dantec ! Le rationalisme déterministe de Langevin lui-même ne va plus longtemps les satisfaire; les écrits de Louis de Broglie doivent leur plus grande beauté, pareille à celle qui brillait dans les derniers de Bergson, à l'inquiétude métaphysique. Elle est poignante. Broglie la sent grandir à chaque avancement de sa science, parce que la physique nucléaire met aux mains des hommes une puissance matérielle qui exigerait trop évidemment et de façon urgente un contrepoids de spiritualité, une garantie d'âme, et aussi parce qu'elle arrive au bord d'incertitudes bouleversantes sur la réalité du monde, sur les inconnues d'une liberté profonde, invisible, mystérieuse, découverte dans l'infiniment petit. Louis de Broglie s'est fait le héraut de l'alarme. Derrière lui, on entrevoit des jeunes, ses disciples ou ceux de Curie et de Langevin, acquis à la même conviction d'une orientation nouvelle de la vérité scientifique, au même devoir de tragique avertissement.

X

LES PHILOSOPHES CATHOLIQUES

L'Église contemporaine n'aura pas eu son Bossuet, son Massillon ni même son Lacordaire. Elle est pauvre en orateurs. Il faut reconnaître qu'en théologie, en critique ou en histoire, ses plus brillants ecclésiastiques ont été soit rigoureusement condamnés, soit animés d'une inspiration qui l'oblige à la plus prudente réserve. Le Modernisme ne l'a secouée qu'un moment, mais assez dur. Parmi ses prêtres, même en dehors du Modernisme, ni tel historien de valeur, ni l'historien littéraire le plus pénétrant n'ont paru de tout repos à l'orthodoxie.

Le lustre le plus brillant lui est venu des laïcs ralliés à elle par la réaction spiritualiste menée contre le positivisme sur le plan littéraire comme sur le plan philosophique.

1. La renaissance thomiste.

L'Église romaine, vers la fin du siècle dernier, entra dans une période d'organisation totalitaire. Il s'agissait d'établir une unité de doctrine non seulement dans les dogmes, mais même dans les idées philosophiques : ce fut au profit de la philosophie de saint Thomas, à laquelle l'autorité ecclésiastique accorda dès lors une situation de faveur. La fondation d'un tel empire de pensée n'a pas été étrangère à la crise qui devait bientôt troubler l'Église sous le nom de Modernisme.

Le thomisme du Moyen Age avait effectué sa renaissance en Espagne et en Italie dès la première moitié du XIXe siècle; conservé à l'état pur chez les Dominicains et à l'état mitigé chez les Jésuites, il comptait pourtant trop d'adversaires à Rome même, quand Léon XIII prit la tiare. Le nouveau pape voulut faire sienne cette philosophie, en effacer les désaccords et en fixer la charte. A partir de l'Encyclique *Aeterni Patris* (1879), l'Église a imposé à son enseignement supérieur l'ensemble le plus complet offert par les Scolastiques. Elle l'a préféré au Scotisme qui représentait un mouvement plus évolué et qui d'ailleurs continue à faire école dans les milieux les plus divers. C'est que Duns Scot, Anglo-Saxon, fut un chercheur jamais satisfait et que sa doctrine ne garantit pas, comme celle de saint Thomas, la stabilité dans la certitude.

L'Église devait-elle garder le thomisme tel quel ou l'accorder avec les connaissances modernes ? La seconde direction s'imposait. Le cardinal Mercier (1851-1926), l'éminent fondateur de l'Institut philosophique de Louvain, l'auteur savant des *Origines de la Psychologie contemporaine*, avait suivi quelques cours de Charcot à la Salpêtrière et travaillé avec Léopold Delisle, spécialiste du Moyen Age. Son programme pédagogique accordait grande place aux sciences physiques, biologiques, juridiques; philosophe, il voulait — ce fut l'objet de sa thèse sur le fondement de la certitude — échapper à l'idéalisme allemand, par conséquent au mépris de toute certitude, sans s'enliser dans l'éclectisme suranné de Cousin, et dès 1878 il avait introduit dans sa chaire au Petit Séminaire de Malines cette nouveauté : la somme du Docteur angélique. Bref, il s'est rencontré avec le Pape plutôt qu'il ne l'a suivi. Des Dominicains à Fribourg; en Italie, le Collège romain; en France, Mgr d'Hulst dans ses *Mélanges philosophiques*, le Père Peillaube et sa *Revue de Philosophie*, les Instituts catholiques et plusieurs périodiques importants ont modelé leur attitude sur la sienne. Tels furent les foyers d'un nouveau thomisme qui a voulu tenir compte des conquêtes faites depuis six siècles dans les profondeurs de la nature physique et aussi dans les secrets de la conscience humaine; en somme, Lacordaire avait trouvé une bonne formule : saint Thomas est un phare et non pas une borne.

Dans cette maison élargie du Thomisme, il y avait place pour plus d'un étage. Un thomisme encore étroit, celui de Domet de Vorges, de Mgr Farges, se continue chez le Père Garrigou-Lagrange. Un thomisme éclectique et ouvert, sur certaines questions, à d'autres thèses, s'est vu recommander par le P. de Tonquédec, par le P. Descoqs dans les *Archives de Philosophie*. Enfin un thomisme modernisé au contact d'autres philosophies, tempéré par elles dans son conceptualisme, poussé dans le sens du réalisme, a pour défenseurs un P. de Régnon, un P. Sertillanges, un P. Rousselot, bientôt un P. Maréchal. Le P. Rousselot, esprit singulièrement ouvert et malheureusement anéanti sur un champ de bataille de 1916, s'était efforcé d'assouplir *L'Intellectualisme de saint Thomas* (1908). Le P. Sertillanges, qui définissait à quarante-sept ans le maître de l'École (*Saint Thomas*, 1910), a ensuite montré à soixante-quatre ans (*Les Grandes Thèses de la Philosophie thomiste*) une certaine complaisance au bergsonisme : ne regarde-t-il pas la nature comme un devenir incapable d'entrer dans le monde des essences ? L'auteur de *Jésus* et des *Sources de la Croyance en Dieu* est aussi celui de *L'Art et la Morale*, de *Socialisme et Christianisme*, où les problèmes sont abordés avec liberté d'esprit lorsque le thomisme n'a pas à intervenir, toujours avec une dialectique minutieuse et une science fort élégante et ornée; il ne laisse pas oublier que son premier livre avait été *Un Pèlerinage artistique à Florence* (1896).

Cette recherche par les uns et les autres de l'utilisation actuelle du Docteur angélique éveille-t-elle des espérances ou des doutes quant à la capacité du thomisme à prendre contact avec la vie et à pénétrer la réalité ? Ce système a beau séduire tout esprit de bonne foi par son réalisme modéré et la puissance de son argumentation, il a beau ouvrir à l'esprit un de ses palais les plus vastes et les mieux distribués, il n'en reste pas moins un système, et un système du Moyen Age. Cascade de définitions, chapelet de concepts, le thomisme ne déploie de vivante valeur que comme hiérarchie et réglementation de l'univers des idées, comme gouvernement des intelligences.

Toutefois il a fait des recrues inattendues. Le physicien Pierre Duhem (1861-1916), qui fut aussi un bel historien des sciences, sans réhabiliter la physique d'Aristote, a eu le courage d'aller dans sa direction (*Théorie physique*, 1906). Ayant découvert la nécessité d'une métaphysique au cœur même de la science, c'est au thomisme qu'il adhéra. Le docteur laïque du thomisme contemporain est Jacques Maritain.

2. JACQUES MARITAIN.

Ce petit-fils du républicain Jules Favre (par sa mère), cet incroyant né dans la libre-pensée protestante (à Paris, le 11 novembre 1882), s'est converti à vingt-six ans sous l'action de Bloy. Il a dit sa reconnaissance à Bergson pour l'avoir délivré des idoles matérialistes; mais ayant flairé dans la critique des concepts opposée aux énoncés conceptuels de la foi théologale ce qu'il appelle « le péché panthéistique », il fit retour à la substance et préféra l'intuition traditionnelle, qui est une aperception intellectuelle, à l'intuition bergsonienne où il ne voulait plus voir qu'une « confusion barbare de toutes les facultés ». Dès lors, il estimait impossible de rejoindre le réel autrement que par des facultés distinctes et d'arriver par une connaissance expérimentale à l'essence des choses qu'il croit saisissable. Bien entendu, l'auteur de *La Philosophie bergsonienne* (1913 et 1930) et d'une *Introduction générale à la Philosophie* (1922) repousse plus violemment encore le scientisme que les philosophies du devenir...

Il a fini par s'enfermer dans un thomisme aussi intégral que celui du Père Garrigou-Lagrange et distinct du néo-thomisme progressiste et réaliste des Sertillanges et des Rousselot. Dans son *Docteur angélique* (1930), il ne prétend pas inclure du passé dans le présent, ni adapter un système moyenâgeux à la pensée moderne, mais, comme il dit, « maintenir dans le présent l'actualité de l'éternel ». Il se félicite de s'être rivé à la doctrine la plus dogmatique et la plus tranchante, la moins capable de conciliation et la plus dure, seule unificatrice possible. De cette haute plate-forme d'intellectualité métaphysique, Maritain croit pouvoir s'intéresser sans péril à tout ce qui se fait dans les sciences particulières, pour en tirer non des solutions toutes faites, mais les principes formels d'une interprétation. Il s'est consacré activement à l'interprétation du freudisme, à celle des expériences mystiques de l'Inde. L'attitude est un peu différente vis-à-vis des philosophies, toutes philosophies de l'erreur, ne l'oublions pas ! Maritain propose froidement de les déplacer de leur terrain pour les utiliser sur un autre de son choix. Par exemple, le monadisme de Leibniz servira à une théorie des anges, l'intuition de Bergson rendra des services dans le domaine des arts; et ce déménagement général des systèmes dégage une drôlerie imprévue. Tel est l'envers d'*Anti-Moderne* (1927) qui montre un si bel endroit et qui s'accorde par de belles pages à *Primauté du Spirituel* (1927), autel élevé hardiment au règne du surnaturel sur la raison. D'autres fois une passion fanatique égare Maritain; quand il dénonce Luther, Descartes et Rousseau, ces *Trois Réformateurs* (1925), comme les mauvais maîtres de la modernité, il mutile dans les traits les plus incontestablement connus leur figure intellectuelle : prétendre faire de Luther le père du subjectivisme et le précurseur de l'immanentisme, c'est, lui a dit Gillouin dans une de ses *Esquisses littéraires et morales*, « une absurdité qui ne mérite pas qu'on s'y arrête », car aucun docteur catholique n'a proposé avec plus de conviction que Luther « la parfaite objectivité de la révélation et de la foi ».

Toutes les positions de Maritain trahissent chez lui un utopiste nostalgique, un obsédé d'alibi éternel. Il s'est réfugié dans la méditation mystique en chrétien qui n'a plus d'espoir pour cette terre. Combinant son ardente foi avec la conviction que le monde se perd et se défait, il a annoncé, pour un au-delà de son espoir provisoire en une théocratie, l'époque apocalyptique qui doit faire lever sur les ruines du monde une floraison de sainteté; la catastrophe du monde moderne rassemblerait, pense Maritain, les suprêmes réserves du mal, et, poussant au terme la totalité du péché, y pousserait par conséquent celle de la rédemption. Il a ainsi déclenché une épidémie d'esprit catastrophique dans pas mal de jeunes esprits, qui ont été tentés de donner à cette terreur de nouvel An mille un visage d'État totalitaire. Mais, en attendant, Jacques Maritain s'est laissé attacher à notre monde terrestre; il a expliqué aux États-Unis, pendant la guerre, dans *Christianisme et Démocratie*, que la démocratie prolonge le christianisme dans le domaine du temporel, et la voilà presque sacrée; il a été de 1945 à 1948 l'ambassadeur de France au Vatican, et il montre de l'hésitation dans sa désignation de l'Anté-Christ. L'hésitation se retrouve dans la métaphysique de l'art et de la poésie vers laquelle il a orienté son thomisme sous l'influence inattendue de Jean Cocteau, prince du changeant et du provisoire. On fera bien de contrôler les uns par les autres trois volumes, *Art et Scolastique* (1927), *Réponse à Cocteau* (1926), et *Frontière de la Poésie* (1926). L'esthéticien confiant en Apollinaire ou en Reverdy, qui laisse voir un goût peut-être pervers pour un art aventureux du ballet et de la corde raide, est le même qui se prononce pour l'effort valéryen, contre les entreprises de l'inconscient, contre la « pseudo-prophétie » et l' « usage des langues inconnues ».

3. Le Modernisme.

Modernisme, ce mot étiquette un ensemble de positions intellectuelles prises pour repousser l'interprétation orthodoxe des textes de l'Écriture et des dogmes de l'Église, pour appuyer le Christianisme devenu religion de pure spiritualité sur l'Évangile compris symboliquement et sans appareil de doctrine. Philosophiquement, les modernistes adoptent le principe d'immanence; pour eux, l'homme trouve Dieu dans sa conscience. Historiquement, la plupart humanisent Jésus. Les modernistes se rapprochent très près d'Auguste Sabatier (1839-1901), qui fut doyen de la Faculté de Théologie protestante de Paris, auteur de ce livre qui nie l'Église, *Les Religions d'autorité et la Religion de l'Esprit* (1902) et de cet autre qui propose l'idée d'un dogme mobile en perpétuel devenir, *De la Vie intime des Dogmes et de leur Puissance d'évolution* (1890)... Le Pape Pie X a condamné les doctrines modernistes dans l'encyclique *Pascendi dominici gregis* (8 septembre 1907).

Les principaux modernistes français ont été Marcel Hébert (1851-1917), franciscanisant, pur croyant qui quitta la soutane de plein gré en 1903 — il voulait s'en tenir théologiquement à un symbolisme; Alfred Loisy (1857-1940), savant très probe, excommunié en 1908; Joseph Turmel, né en 1859, sans foi, militant masqué, excommunié à son tour; Albert Houtin (1867-1926), historien contesté, mais qui sortit de l'Église, en 1912, bénévolement.

Turmel, avec un acharnement inlassable, s'est livré à l'examen des dogmes dans leur évolution historique; il a prétendu les montrer soumis à la loi de la variation; l'idée de variation est très superficielle, Newman tenait un point d'appui beaucoup plus solide avec l'idée de « développement ». Au reste, Turmel a été pris en flagrant délit de citations fausses dans l'interprétation des textes.

Loisy a fait la critique historique et exégétique des Écritures, il a passé au crible les exégètes libéraux d'Allemagne.

De nobles ouvrages comme *La Religion* (1917) et *La Morale humaine* (1923) ont travaillé à dégager d'apports séculaires un fond religieux dont leur auteur avait la vision quasi mystique. Il avait souhaité, comme les autres modernistes, un catholicisme dénouant sa ceinture dogmatique et s'alignant à la liberté moderne de la science et de la pensée. Leur tort à tous fut-il de se placer sur le terrain de la prétendue exactitude historique ? L'Église a-t-elle le droit d'interpréter au cours des siècles le pur évangile ? Je ne saurais en disputer. Mais revenant à ce pur écrivain que fut Loisy, je relirai ses *Mémoires*.

L'Église s'est défendue contre les attaques modernistes par les soins d'apologètes historiens très remarquables comme le R. P. Lagrange (avec le *Commentaire des Juges*, 1903; *Le Messianisme chez les Juifs*, 1909; *Le sens du Christianisme d'après l'Exégèse allemande*, 1918; *Études bibliques*, 1929) et Mgr Battifol (1861-1927), ancien aumônier de Sainte-Barbe, où il eut pour ouailles les Péguy, les Tharaud, et qu'on trouve évoqué dans le roman de Malègue (avec *Jésus et l'Histoire*, 1904; *Études d'Histoire et de Théologie positive*, 1905; *L'Église naissante et le Catholicisme*, 1909). Ils répondent par surcroît aux négations d'historiens laïcs, un Guignebert, un P.-L. Couchoud (celui-ci dirige une importante collection, *Christianisme*). Depuis le livre de Jean Guitton, *Portrait de Monsieur Pouget* (paru pendant la guerre), les milieux catholiques vénèrent le souvenir de ce Lazariste (1847-1933), autodidacte, homme de science, encyclopédique dans son savoir, qui a médité les grands problèmes posés depuis Renan. Il est permis de le trouver trop ingénieux exégète, quand il défend les cosmographies de la Bible, l'historicité des Évangiles, la construction historique de Bossuet. Très écouté parmi les apologètes philosophes est assurément le R. P. de Tonquédec, dans l'*Introduction à l'Étude du Merveilleux et du Miracle* (1916). Son *Immanence* (1913) nous mêlerait à un autre groupe.

Un philosophe, et précisément un philosophe de l'immanence, se distingue et se sépare du groupe moderniste : le R. P. Laberthonnière, grand esprit, mis à l'index, mais demeuré dans l'Église et mort ravagé de tristesse. Né à Chazelet (Indre), oratorien, longtemps professeur au collège de Juilly, Laberthonnière (1860-1932), auteur de livres écrits avec une chaude clarté (*Le Problème religieux*, 1897; *L'Apologétique et la Méthode de Pascal*, 1901; *Le Réalisme chrétien et l'Idéalisme grec*, 1904; *Dogme et Théologie*, 1908; *Le Catholicisme*, 1913), homme d'une foi ardente, dont il anima sa revue, *Annales de Philosophie chrétienne*, fondée en 1905, refusait d'accepter cette foi comme garantie par l'intelligence et imposée par l'autorité. Il la tenait pour une communication intime avec le Dieu-personne qui dispense grâce, charité, bonté, amour : c'est avec toute notre vie que nous parvenons à la vérité religieuse, c'est en vivant Dieu que nous arrivons à croire en le connaissant et à le connaître en croyant. Il est certain qu'une telle doctrine prend assez peu garde de sauvegarder la transcendance du surnaturel, et c'est ce que l'autorité ecclésiastique lui a reproché. Mais il est beau de conserver, comme y a réussi Laberthonnière, la rigueur philosophique à une splendide flamme d'amour.

4. Trois indépendants.

Maurice Blondel.

Un courant de philosophie catholique descend d'Ollé-Laprune et, par lui, du Père Gratry, chez qui l'âme aspirait par la foi durant cette vie à la vision de sa source lumineuse dont elle devait jouir dans l'autre. Ollé-Laprune (1839-1898), l'auteur de *La Certitude morale* (1880) et du *Prix de la Vie* (1894), philosophait et voulait qu'on philosophât avec adhésion du cœur autant que de la raison; se donnant pour objet la réalité concrète de la pensée et de l'action humaine, il aboutissait aux valeurs morales, à la valeur de la métaphysique, à la liberté de l'âme immortelle et à Dieu.

Son disciple, qui lui a consacré un livre (*L. Ollé-Laprune*, 1923), le grand méditatif d'Aix-en-Provence, Maurice Blondel, né à Dijon (1861-1949), a occupé presque en ermite sa chaire universitaire de philosophie. Il aura mis l'essentiel de son existence dans un ample traité de philosophie chrétienne qui comprend *L'Action* (1893), *La Pensée* (1934), *L'Être et les Êtres* (1935).

Un Blondel ne conçoit plus la philosophie comme une raison qui contemple, mais comme un élan qui se jette en avant et participe à la création. Il rapproche la conscience intellectuelle des forces de volonté, il fait de l'intelligence un être agissant : en sorte que la réalité des choses, nous la sortons de nous, où nous l'avons sentie et malaxée, et qu'il ne sera plus question d'une sagesse à conquérir, mais d'une vie ardente, d'un profond désir sans fin, d'un don au réel immense. Une telle spontanéité ne peut se développer sans révéler une transcendance; c'est vrai pour notre pensée, pour notre être, pour notre action. Notre relatif exige un absolu : ainsi Dieu sera une vérité qui s'éclaire au plus intime d'un chacun. De ce principe fondamental on s'élève par une série de contemplations métaphysiques à une conception presque provocante du surnaturel. Les idées blondéliennes de notre responsabilité, de la purification nécessaire de notre vie, au besoin par l'épreuve et la douleur, de notre soumission aux hiérarchies harmonieuses de l'univers, de l'amour qui conquiert la vision parfaite de l'absolu, enfin de notre suspension à Dieu, arrivent à revêtir une parure d'étincelante littérature sans sortir des rigueurs d'une doctrine purement métaphysique et d'ailleurs difficile.

Blondel a étudié *Le Problème de la Mystique* en 1925. Une analyse exhaustive, une dialectique forte la montrent parfaitement intégrée dans la nature, qu'elle couronne d'un perfectionnement sublime, en accord avec certaines exigences qu'elle est seule à pouvoir satisfaire. A la pensée chrétienne Blondel apporte donc un réveil d'amour préféré à l'obéissance. On lui doit un des livres où les catastrophes de notre âge trouvent leur explication peut-être la plus haute : *Lutte pour la Civilisation et Philosophie de la Paix*.

Il semble finalement qu'il se propose pour but essentiel d'unir dans une alliance philosophie, science et religion. Soit ! Mais sera-ce la religion catholique chargée de ses dogmes ? Une *Lettre* du philosophe (en 1896, il est vrai) le révélait bien libéral : peu s'en fallait qu'il acceptât dans une Église élargie tous les hommes de foi, et l'on se demande si sa philosophie, après tout, comporte d'autre conclusion. L'histoire toutefois aura à tenir compte des éloges que le Souverain Pontife lui a adressés par écrit (1), puis de la philosophie du christianisme qu'allaient exposer à partir de 1947 les volumes d'une nouvelle trilogie, *La Philosophie et l'Esprit chrétien*.

(1) Cf. *La Vie intellectuelle*, Revue des Dominicains, mars 1945.

Édouard Le Roy.

Édouard Le Roy, né à Paris en 1870, qui a succédé à Bergson dans la chaire du Collège de France et qui a écrit de l'œuvre bergsonienne, dans *Une Philosophie nouvelle* (1912) : « La Révolution qu'elle opère est égale en importance à la révolution kantienne ou même la révolution socratique », a débouché sur la philosophie, venant de la physique et des mathématiques. Il décelait dans les mathématiques des faits d'expérience ; il décelait dans les sciences expérimentales une constante théorique, mais avouait n'avoir atteint, par les unes comme par les autres, que la réalité extérieure de la matière. Or, anti-intellectualiste non seulement comme Bergson mais aussi comme Pascal, opposant Duns Scot à saint Thomas, fidèle par surcroît aux enseignements d'Henri Poincaré, ce disciple original qui est essentiellement un philosophe de l'invention dans *Dogme et Critique* (1907), qui le sera encore dans *L'Exigence idéaliste et le Fait de l'Évolution* (1927), dans *Les Origines humaines et l'Évolution de l'Intelligence* (1928), et qui s'efforce de remonter de la science jusqu'à la religion à travers le réel et dans le courant de l'évolution, espère bien appréhender la réalité intérieure de la matière, faite d'activité créatrice. Toute la philosophie de Le Roy est animée du sentiment profond de la palpitation du réel et de sa richesse. Quant à l'existence du réel moral et de la « marche au parfait qu'est l'évolution créatrice », il la montre autonome et irréductible. Au terme de cette philosophie, on découvre Dieu, un Dieu expérimenté et vécu; et *Le Problème de Dieu* (1929) a un accent de méditation pascalienne. Le Roy se flatte, en somme, de supprimer toute opposition entre la religion, la philosophie et la science, qui se partagent l'être : apparences, réalité profonde, participation à l'élan de vie vers le divin. Il va jusqu'à faire servir son fonds bergsonien à consolider la religion traditionnelle et même « cette organisation régulière » que l'Église a apportée à « l'expérience religieuse collective et durable ».

On ne s'étonnera pas que Le Roy ait affronté une difficulté capitale et ne l'ait point réduite en poudre : comment, dans une métaphysique du changement et du devenir créateur, sauvegarder un Dieu-personne, que dis-je ! un Dieu triple-personne (Le Roy y tient, faute de quoi il se sentirait athée) ?

Georges Dumesnil.

Un philosophe catholique a vécu retiré dans la lointaine Faculté de Grenoble et laisse un souvenir à sauver; il avait fondé l'*Amitié de France*, journal de pensée et d'art. Dans le journal et dans la chaire, Georges Dumesnil (1855-1916) expliqua et loua les poètes nouveaux, un Claudel, un Jammes, un Mauriac. Philosophe, il a combattu le kantisme après l'avoir traversé; il a défendu l'acquis de Maine de Biran et de Ravaisson. Un livre important, *Le Spiritualisme* (1902-1911), ne doit pas éclipser *Les Conceptions philosophiques perdurables* (1910) ni *La Sophistique contemporaine* (1912) de cet homme qui fut, a dit Francis Jammes, « un chevalier français, ami de saint Ignace et de Don Quichotte ».

XI

HISTORIENS DE LA PHILOSOPHIE

Plusieurs maîtres de la philosophie contemporaine se sont faits les historiens d'un système ou d'un mouvement.

Les Sceptiques grecs (1887) de Victor Brochard, *Le Système de Descartes* (1893) d'Hamelin et son *Système d'Aristote* (publié en 1920), les *Pascal* de Rauh (1892) et de Boutroux (1900), *L'Allemagne depuis Leibniz* de Lévy-Bruhl (1900), le *Schopenhauer* (1885) de Ribot, sont de grands livres. Abel Rey (1873-1940), qui a fait des sciences positives l'objet de sa médiocre réflexion, fut un bon historien du progrès scientifique depuis l'Orient pré-hellénique jusqu'au Moyen Age.

Quelques ouvrages de stricts historiens de la philosophie font date : les essais de Victor Delbos sur Spinoza (1893 et 1913) et sur Kant (1903), la *Philosophie contemporaine* de D. Parodi (1919), le *Saint Ambroise et la Morale chrétienne au IVe siècle* (1895), de Raymond Thamin.

Jean Baruzi a écrit un beau livre de nostalgie intellectuelle, *Leibniz et l'organisation religieuse de la terre*, il dépasse l'historique dans *Problèmes d'Histoire des Religions* (1936) et rejoint en profondeur l'expérience religieuse. La psychologie de l'individuel s'entrelace intimement chez lui avec la philosophie de la religion; sa noble entreprise est chargée de responsabilité. Lui et Henri Delacroix (1873-1939) considèrent les grands mystiques comme des intelligences amples, celles-ci étant soutenues par une puissance exceptionnelle de spiritualité aussi distincte de la pathologie nerveuse que le génie l'est des états névropathiques dont il se trouve parfois compliqué. — Henri Gouhier (né à Auxerre en 1898) explore les frontières communes que la philosophie et la littérature ont avec la foi. Sa curiosité savante est passée de *La Pensée religieuse de Descartes* (1924) et de *La Philosophie de Malebranche et son expérience religieuse* (1926) à *Notre Ami Maurice Barrès* (1928) et à la *Vie d'Auguste Comte* (1930). Puis il a solidement approfondi les significations actuelles de la pensée de Maine de Biran. Il élargit de plus en plus son horizon. Sa science, sa vigueur d'étude, son don de sympathie et d'amour l'entraînent à se forger une pensée personnelle dépassant la spécialité philosophique et dont certains linéaments apparaissent dans *L'Essence du Théâtre* (1943).

Depuis 1886, François Picavet a enseigné l'histoire des philosophies du Moyen Age à l'École des Hautes Études, puis en Sorbonne : d'où son *Esquisse d'une Histoire générale et comparée des Philosophies médiévales* (1903). Pierre Duhem, dans une partie de son *Système du Monde* (1913-1917) a construit des exposés magnifiques. De même Étienne Gilson dans toute son œuvre. Cet historien des idées, né à Paris en 1884, professeur au Collège de France, restaurateur du Moyen Age intellectuel en une œuvre de lecture facile et d'horizon élargi par les voyages et par la connaissance de plusieurs littératures, a été amené à cette entreprise en cherchant la part de la pensée médiévale dans la formation du système cartésien. *La Philosophie au Moyen Age* (1912 et 1922), *La Philosophie de Saint Bonaventure* (1924), *Le Thomisme* (1933), *La Théologie mystique de Saint Bernard* (1934) enseignent que notre civilisation est essentiellement chrétienne. Toute l'œuvre n'en révèle pas moins un moderne. Quand Gilson a médité sur les conditions d'une « ordre catholique », ce fut dans un esprit très XXe siècle; et ses messages sur l'éphémère au nom de l'éternel, dans la presse, ont du mordant.

Une *Histoire de la Philosophie*, qui est d'Émile Bréhier (1932), a son évidente utilité.

XII

CONCLUSION

A considérer les philosophes contemporains les plus consistants, on les voit réagir contre le rationalisme encyclopédiste, contre le scepticisme foncier, contre l'idée que l'univers n'est qu'objet offert à l'ensemble des techniques; ils reviennent, au contraire, à l'idée de l'être et s'avançent vers le mystère. Essentiellement métaphysiciens, loin de reléguer l'être dans l'inconnaissable, ils sont résolument réalistes. Leur ontologie n'est nullement une abstraction, mais une expérience. Cela les conduit à annuler beaucoup de vieilles notions. Aussi introduisent-ils dans la philosophie une nouveauté fraîche et réconfortante. Est-ce que pour Bergson, Lavelle, Marcel et quelques autres, la vie n'est pas liberté et amour ? Liberté, même chez Sartre, tout situé qu'il soit à l'antipode antimétaphysicienne et athée. On comprend aisément qu'une telle orientation favorise ce qui a été constaté au début de ce chapitre : l'empire de la pensée sur toute la littérature.

CHAPITRE II

LA CRITIQUE

Puisque leur œuvre de création, si importante soit-elle, n'a jamais empêché des écrivains tels que France, Lemaître, Henriot ou Cassou de donner à la critique strictement dite une part considérable de leur activité et de leur talent, une part autonome et différenciée, c'est une nécessité qu'ils réapparaissent dans le présent chapitre, bien que nous ayons eu déjà affaire à eux en tant que romanciers ou dramaturges. Ils ont à prendre place dans un tableau de la critique littéraire, complété par ceux de la critique dramatique et de la critique d'art.

I

AU DELA DE 1914

I. — *L'ANCIENNE GÉNÉRATION*

C'est celle de Brunetière, de Faguet, de Lemaître, de Bourget, qui est aussi celle de France. Elle est oubliée aujourd'hui, injustement.

Brunetière (1849-1906) occupa une des chaires les plus enviables de l'Université et dirigea notre plus grande Revue. Ce fut un « magister » et un pontife. Ses articles et ses livres en gardent un ton souvent choquant, parfois ridicule, toujours honnête. Son nom restera attaché d'une part à la théorie de l'évolution des genres littéraires (*L'Évolution de la Critique*, 1890; *Les Époques du Théâtre français*, 1892; *Évolution de la Poésie lyrique au XIX*^e^ *siècle*, 1894) par laquelle il espérait donner à l'histoire littéraire une rigueur d'histoire naturelle, mais qui ne répond nullement à la réalité, d'autre part aux campagnes qu'il mena contre *Le Roman naturaliste* (1883 et 1892) au nom d'exigences morales, avec un tel parti pris d'absolu et une telle méconnaissance des individualités qu'il a nui à sa propre cause. Il obéissait à une pensée violente, courte et brutalement composite : un amalgame presque naïf de morale spiritualiste avec un positivisme marqué de Darwin et de Spencer. Cela lui a tout de même permis de remettre en honneur le XVIIe siècle, pour lequel il a institué un véritable culte. Il a fini par en poursuivre le regret à travers le temps présent, et il est entré dans le combat pour l'autorité et la tradition. On lui reconnaîtra malheureusement plus de conviction que d'intelligence dans ses *Discours de Combat* sur le parvis de l'Église. En revanche, le caractère fut puissant chez lui; combiné avec ses tranquilles certitudes et l'impétuosité de sa dialectique, il composait un magnifique tempérament d'orateur. Et ne gardons-nous pas son meilleur discours sous le nom de *Manuel d'Histoire de la Littérature française* (1898) ?

Toulon, patrie de Brunetière, et un village de la vallée de la Loire, Vennecy, patrie de Jules Lemaître (1853-1914), ne serviraient que chez un fanatique de Taine à expliquer les différences des deux hommes. Ils y sont bien pour quelque chose. La molle finesse de Lemaître, pourtant professeur lui aussi, mais d'enseignement secondaire et assez vite libéré, s'oppose à la dure géométrie de Brunetière, non seulement dans les manières et le style, mais dans leur conception essentielle : Brunetière dogmatique, Lemaître impressionniste, celui-ci plus critique, celui-là plus historien littéraire. *Impressions de Théâtre* (1888-1898), quel titre eût été plus juste ? La clairvoyance prudente, les allusions et rappels rusés, un bon sens à peine trop bourgeois en font une nourriture et un régal. *Les Contemporains* (1886-1899) : impressions sur des livres. L'apparent détachement de Lemaître dissimule sous le tissu léger de sa grâce un corps solide, entraîné et fermement appuyé sur quelques réalités intellectuelles et morales de la vieille France. Il y a du confort, de la sécurité, de la raison égoïste et méfiante, de l'opposition au neuf, et le goût de tout cela, dans le « goût » de Lemaître. Sa culture était étroite, il ignorait les littératures étrangères. Il a gêné plutôt que servi notre littérature neuve; tel article sur Verlaine est très relativement compréhensif, encore lui fut-il arraché par Jules Tellier. De Racine et de Fénelon, de Rousseau, de Chateaubriand, il a parlé avec partialité, donc avec intérêt passionné, dans des livres (préalablement débités chapitre par chapitre, de 1907 à 1912, sur l'estrade d'une Société des Conférences organisée par René Doumic) qui n'ont apporté absolument rien de nouveau, mais qui montrent comme toute l'œuvre une résistance point inutile à l'ampoulé, au faux sublime, au trouble : ils faisaient le point. Jules Lemaître se laissa pousser par Mme de Loynes, sa vieille Égérie, dans la bagarre politique et il présida à l'échec de la « Patrie Française » (*Opinions à répandre*, 1900; *Théories et Impressions*, 1903). Il adhéra ensuite à l' « Action Française » (*Lettres à mon Ami*, 1909; *Discours royalistes*, 1908-1911). Jusque dans cette fin de carrière où sa pensée devenait définitivement passive, il garda de la subtilité faussement ingénue, du tact, de l'ironie. Au reste, n'avait-il pas été dramaturge (1), n'avait-il pas été conteur (de *Sérénus*, en 1886, aux *En marge des Vieux Livres* en 1905 et 1907) et poète (*Les Médaillons*, 1880; *Les Petites Orientales*, 1883) ? Ce n'était pas un pur critique. Un article de lui devenait une œuvre par elle-même, encore agréable à lire lorsque l'auteur qui lui avait servi de prétexte n'intéressait déjà plus.

On sait aujourd'hui qu'Émile Faguet (1847-1916) a fait des vers toute sa vie; ceux qu'on a lus consternent. Cet homme n'a jamais senti la poésie, son *Histoire de la Poésie française* n'offre qu'un intérêt de documentation, au reste assez faible, car Faguet n'avait rien de l'érudit. Qu'avait-il du critique littéraire ? Ni le sens artiste, ni la sensibilité, ni la passion de la découverte. Mais ses goûts allaient aux idées et peu d'intelligences furent douées d'autant d'agilité que la sienne. C'est à des idées, somme toute, qu'il ramène ses *Études* sur les quatre grands siècles (1885-1891) et il laisse un assez solide exposé d'idées, *Politiques et Moralistes du XIXe siècle* (1891, 1898, 1900). Comte, Tocqueville, etc... s'y ramassent en peu de pages. Ce sont de belles psychologies, qui reconstruisent de grands esprits, qui les mesurent. Plusieurs volumes d'essais multiplient sur Rousseau des vues perspicaces et des ingéniosités de moraliste amical et familier, comme le style, qui est d'un causeur excitant. Les meilleurs livres de Faguet éveillent et activent la réflexion, tracent des avenues dans l'intellectualité du passé français, maintiennent les regards levés sur l'avenir par leurs hauts et droits jugements. C'est décidément à la politique théorique qu'il s'est le plus frotté; et de son point de vue libéral, il a jugé *L'Anticléricalisme* (1906), *Le Socialisme* (1907), *Le Pacifisme* (1908), *Le Féminisme* (1910), *Le Culte de l'Incompétence* (1910). De Faguet, il ne reste que des livres, nulle méthode. Ce fut une personne, une tête.

Anatole France (2) n'avait voulu qu'un guide pour ses notices sur les classiques de chez Lemerre comme pour les chroniques du *Temps* qui composent *La Vie littéraire* (1886-1896) : le sentiment du beau, d'un beau païen, qu'il avait

(1) Cf. tome I, page 276.
(2) Cf. tome I, pp. 151-156, 305-313, 433-436.

besoin de vérifier dans les livres et dans les musées, même si la vie le lui donnait. Il eut l'humanisme plastique; cet humanisme lui avait appris des formes parfaites et il ne goûtait la pensée, le sentiment, l'émotion, l'esprit qu'enveloppés de cette perfection. Quelques grandes lois de la vie qui relient l'homme au destin présentent encore à l'esprit une manière de beauté; France les adjoint à son panthéon. Lui aussi, comme Lemaître, plus encore que Lemaître, a fait œuvre d'art en critique. A chaque instant son analyse des ouvrages s'échappe dans la rêverie. Quand il s'agit de dresser sur un socle les œuvres du passé, celles d'un Flaubert, d'un Mérimée, d'un Baudelaire, il les taille donc en pleine glaise : ce sont synthèses belles à regarder, dieux et déesses. Avec les contemporains, le contact voluptueux du beau suscite une merveille comme le « Tellier »; ou bien, tout au contraire, l'écœurement agit, pour Zola, par exemple, et pour Ohnet. Bien des auteurs ne l'ont guère intéressé : dans ce cas, il raconte le poème, résume le roman, égrène quelques remarques. Ses études sur le Symbolisme ne sont nullement de mauvaise foi, mais elles respirent la paresse. Jamais ou presque, il n'est entré dans l'examen critique d'une psychologie, ou technique d'un tissu verbal. Bien entendu, aucune doctrine, et France a plaidé contre Brunetière la cause de la critique impressionniste. Seulement il ne s'est pas réservé le petit coin de rébellion farceuse à la Lemaître : pas de page chez lui, si moderne soit-elle, et si individualiste, qui ne donne l'impression de couler dans un flot séculaire.

A l'antipode d'Anatole France, Paul Bourget (1) a continué Taine en l'assouplissant. Il ne fait pas le tour des œuvres pour chercher les points où enfoncer son aiguille jusqu'au cœur (méthode de Sainte-Beuve), il ausculte. Une rare puissance de pénétration par analyse, une force de l'esprit, non une sympathie intuitive, l'y ont aidé. Mais Bourget n'est satisfait que lorsqu'il a mis en action ses deux autres moyens : d'une part, une merveilleuse connaissance des genres littéraires, de leurs différences, de leurs rapports et de toute une activité technique des littératures; d'autre part, un sens de l'identification intime et profonde d'un livre avec une âme à comprendre, à peser, car l'écrivain, puisqu'il agit sur les

(1) Cf. Bourget romancier, tome I, pp. 162-164.

hommes, a la responsabilité de ce qu'il écrit. La critique de Paul Bourget, arrivant ainsi à son objet par trois plans, devient une possession, exactement une maîtrise. C'est dire qu'elle dépasse en importance, en intérêt et en pouvoir toutes les autres du même temps.

Du moins cela se peut-il dire exactement des *Essais de Psychologie contemporaine* (1883-1886), qui ont peint des portraits de Stendhal, de Flaubert, de Renan, de Baudelaire, etc... de façon à recomposer le tableau intellectuel et moral d'une génération dont ils furent les maîtres, positiviste, dilettante, inquiète et pessimiste. Voilà le grand livre critique de Bourget. *Études et Portraits* (1889-1906) portent des constructions égales çà et là en belle solidité, mais viciées et menacées dans leur ensemble par l'évolution même de l'auteur. En effet, le point de vue moral introduit dans la critique par Bourget devait le conduire à chercher un principe, une règle philosophique ou une croyance. La croyance l'a pris, une croyance de nature politique et morale autant que religieuse. Elle gouverne absolument les *Pages de Critique et de Doctrine* (1912-1922). Dès lors, la vigoureuse personnalité se ruinait; Bourget devenait un pur et simple disciple de Bonald et de Maistre se défendant contre le démon littéraire. Les retouches apportées, dans des éditions postérieures, par le Bourget croyant au Bourget libre, douloureux, qui cherchait une voie de lumière et de confiance à travers l'obscur désenchantement, ne sont pas à l'avantage d'une critique sur laquelle l'apologétique empiète jusqu'à l'étouffer. Ou plutôt on voit une thérapeutique trop sûre d'elle et arrêtée dans son progrès remplacer d'admirables leçons cliniques.

Des gains positifs n'en demeurent pas moins à l'acquis de Paul Bourget. Il se tient au premier rang des esprits qui guérirent le jeune siècle de trois maladies : le pessimisme, le dilettantisme, le scientisme.

II. — *LES SUCCESSEURS*

De Brunetière qu'il remplaça au gouvernement de la *Revue des Deux Mondes*, René Doumic (1860-1937) n'a hérité que l'intransigeance morale. On ne lui voit pas le beau sérieux de son prédécesseur et sa fameuse *Histoire de la Littérature française* semble le résultat d'un pari. Toutefois, lorsqu'il trouve dans une question le point de morale à saisir, il fonce avec talent. Il s'est fait l'historiographe et le censeur de la littérature contemporaine, toujours avec le refus préparé pour les nouveautés, avec surtout un entêtement étroit d'hostilité à l'égard de toute la poésie des modernes. De nombreux et minces piquants donnent quelque agrément à son style net et sec. Il a tenu un sceptre, mais choisi aussi menu qu'élégant, de façon à passer sous les tentures des salons. — Tout au contraire, le romancier Henry Bordeaux a voulu « se divertir », si nous l'en croyons, au temps où il faisait la critique des livres et des pièces de théâtre, c'est-à-dire dans les débuts du siècle. Il donna alors à la *Revue Hebdomadaire* des causeries claires qui négligent volontairement de condamner les défauts et les fautes. L'esthétique l'intéresse peu ; la morale, la psychologie le passionnent. Je ne sais pas de livre plus attachant que *Le Pays sans Ombre* (1935), ces souvenirs d'enfance et d'adolescence auxquels l'auteur donne la seconde vie de la pensée. A le lire, comme on comprend que les romans de Bordeaux sont de la critique et que dans la critique proprement dite il est tout à fait chez lui ! Chaque étude d'*Ames modernes*, de *Quelques Portraits d'Hommes*, de *Vies intimes*, de *La Vie au Théâtre*, livres s'échelonnant de 1900 à 1914, approfondit assez un auteur pour développer à partir de lui un panorama spirituel. Bordeaux parle-t-il de Lemaître, par exemple, il s'engage dans les problèmes que soulève le dilettantisme. Du style de Renan ? Il cherche à mesurer le pouvoir de la musique. Critique intelligent et compréhensif, malgré les positions intellectuelles sur lesquelles il a pris son départ et qui sont à peu près celles du dernier Bourget : il les a assouplies ; il ne s'y est pas laissé enliser.

S'il existe une critique d'information, Adolphe Brisson (1860-1925) était né pour la servir. Il a laissé sous forme de roman, *Florise Bonheur* (1902), un recueil de reportages : on va voir le père de l'héroïne à Sainte-Anne, on inaugure un restaurant corporatif avec Jaurès et France, on court le marché aux puces. Le sens de l'information littéraire entraîna Brisson à créer dans les *Annales* l'interview critique qui, sans s'interdire d'analyser ni même de juger la pensée ou l'art de l'interviewé, présente aussi le cadre, le visage, les manières. Brisson a ainsi collectionné des talents, des psychologies, des doctrines, dans ses séries de *Portraits intimes* (1895-1900), dans ses *Pointes sèches* (1898), dans *L'Envers de la Gloire* (1905). Aussi passa-t-il aisément de ces embarcations sur le pont de la critique littéraire, pour s'installer bientôt dans la dramatique. Son feuilleton du *Temps*, tenu pendant vingt années, a fourni neuf volumes de *Théâtre* (1906-1918); connaissance magnifique du passé, reconstitution étonnante des premières d'autrefois. On regrette que, pour estimer la valeur du présent, il ait tant aimé, en littérature, le confort. Bonhomme Chrysale, n'est-ce pas ? C'est justement la signature qu'il avait choisie pour ses réflexions hebdomadaires des *Annales*. — André Beaunier (1869-1925) enviait cet heureux caractère, obligé, lui, de mettre un masque sur son amertume innée pour les chroniques de la *Revue des Deux Mondes*. Il les rédigeait sur un mode ironique, et l'on doit lire avec précaution ses trois volumes, *Les Idées et les Hommes* (1913-1916) où l'esprit devient un rictus. *La Poésie nouvelle*, présentation de la poésie symboliste aux bourgeois de 1902, n'a plus aujourd'hui aucune valeur. Pourquoi Beaunier sombrait-il dans un noir pessimisme ? Il essaya de s'en consoler en compagnie des figures et âmes du passé : *Trois Amies de Chateaubriand* (1910), *La Jeunesse de Joubert* (1918), *La Vie amoureuse de Julie de Lespinasse* (1923); le portraitiste procédait par touches rapides et menues, n'ayant rien cependant d'un impressionniste, car son intelligence assurait le rassemblement.

Face aux conservateurs, un radical se distinguait. J. Ernest-Charles (né en 1875), après avoir été le critique de la *Revue Bleue*, était devenu l'observateur littéraire des organes de la gauche modérée, et il est resté jusqu'en 1939 celui de la *Grande Revue*. On se plaint qu'il ait manqué de doctrine : pourquoi un corsaire s'embarrasserait-il de ce bagage ? Il le faut libre d'envoyer un boulet à n'importe quel bâtiment suspect, ou tout au moins de l'arraisonner en quelques eaux que ce soit. Ernest-Charles a reproché d'étroites limites à Courteline; il a appelé Henri de Régnier « un opportuniste de la poésie »; sur Lemaître, sur Faguet, sur Huysmans, il oblige à un examen. Aujourd'hui nous regrettons qu'il ait fait la même course contre Bourget que contre Marcel Prévost; mais naguère il a agi utilement en donnant un avertissement à Prévost, tandis qu'il fonçait sur un snobisme fort compromettant pour Bourget. *La Littérature française d'aujourd'hui* (1902) et les *Samedis littéraires* (1903-1907) firent de l'opposition aux académies déliquescentes et aux camaraderies constituées, menèrent la vie dure aux paysans parvenus et mirent fin à des carrières d'aristocrates fatigués. Non sans injustices bien entendu, et non sans irrespects pour de nobles œuvres. Tant pis ! Avec cela, ce solitaire est piquant à lire, épigrammatique avec naturel, il n'a que le tort d'aller jusqu'au ricanement. On comprend donc qu'avant 1914 il ait fait du bruit dans Paris. Et puis, ne dirigeait-il pas *Le Censeur* ? Mais il allait compter encore entre les deux guerres.

Il en a été de même pour Jean de Pierrefeu (1880-1941), à cheval sur la crête de 1914, et qui assurait la critique littéraire à *L'Opinion* quand la guerre l'arracha aux livres, lui infligea une blessure, puis l'attela à la rédaction du communiqué bi-quotidien des armées. Enfermé au quartier général comme Saint-Simon à Versailles, il a composé *G. Q. G. secteur 1* (1920), riche galerie de portraits, collection de secrets dévoilés, prisme des couleurs intellectuelles de la guerre. Les livres qui ont suivi, *Plutarque a menti* (1923), *L'Anti-Plutarque* (1925), construisaient un contre-conformisme d'histoire. N'était-ce pas de la critique encore ? Pierrefeu revint naturellement à celle des livres, entre les deux guerres, dans *Les Débats*. Un volume, *Les Beaux Livres de notre Temps* (1938), a rassemblé ses meilleurs feuilletons. On constate qu'il y a fait fête, un des premiers, à Giraudoux, Larbaud, Montherlant, Morand, Arnoux, Lacretelle. Ardent, pétulant, piaffant, le parisianisme le guettait, mais ce méridional avait la chance de posséder un fond d'esprit positif. C'est grand dommage que les perspectives de la culture lui aient manqué...

Georges Le Cardonnel fut toujours très attentif à la production de son temps, dans un très large esprit, à *Paris-Journal*, au *Mercure de France*, puis, après la guerre, au *Journal*. — Le Lorrain Michel Drouin, professeur au lycée Henri IV, beau-frère d'André Gide, a publié sous le nom de Michel Arnauld, dans les premières années de la *Nouvelle Revue Française* qui le compte parmi ses fondateurs, et dans *L'Ermitage*, des articles de synthèse littéraire fortement pensés. Les fragments dispersés d'un livre projeté sur la sagesse de Gœthe ne sont malheureusement jamais sortis des collections de revues. L'antibergsonisme d'Arnauld, pourtant modéré, explique peut-être le silence de la *Nouvelle Revue Française* à l'égard de Bergson.

III. — *SOUS LE SCEPTRE DE SOUDAY*

Issu de la bourgeoisie aisée du Havre, Paul Souday (1869-1929) avait pris dans cette origine l'habitude du libéralisme. Il reçut deux enseignements supérieurs côte à côte : celui de la Sorbonne (sans préoccupation de concours ni d'examens) et celui du Café Voltaire où trônait Moréas. Un troisième s'y superposa dès 1892, celui du reportage, à l'école du *Temps*, sous Hébrard, « au temps d'Hadrien », comme avait dit joliment Nozière en tête d'un livre de chroniques qui interdit d'oublier le passage de cet homme de théâtre dans la critique des livres tournée en causerie. Ainsi se sont formées chez Souday une passion des lettres sans durcissement livresque, une ardeur de polémiste, une indépendance farouche, soutenues par un tempérament vigoureux. Mais pas d'autre méthode que celle d'un très bon informateur de grand journal lettré.

Souday débuta à la *Revue encyclopédique Larousse* comme critique du théâtre. Des articles à *L'Éclair* et au *Gaulois* achevèrent de le préparer au feuilleton des « Livres » que le *Temps* lui offrit en 1912. Ayant pris son sceptre en main le 2 janvier de cette année-là, il le garda jusqu'au 27 juin 1929, à dix jours de sa mort. Sur le tard, il s'était mis à composer des livres, en plus de ceux qu'ont formés ses articles réunis (*Les Livres*, trois volumes, 1912, 1914, 1930); ils s'intitulent *Proust*, *Valéry*, *Gide* (1927), *La Société des Grands Esprits* (1929), *Dialogues critiques* (1929).

Précis et clair, mais sans grâce, averti mais sans érudition, inclinant la raison au sens commun, quelquefois trop commun, ayant trouvé l'originalité sans la chercher, à force de santé presque brutale, rigoureux quand il croyait devoir l'être, voire bougon, il s'imposa. On le discutait, on le raillait, on l'insultait : il se fit toujours écouter et certainement il agit sur l'opinion littéraire.

La nouveauté ne l'effrayait ni ne le scandalisait. Souvent il l'a comprise. Seul il parla dans le silence général, quand parut *Du Côté de chez Swann*, consacrant à l'œuvre tout un feuilleton. Il a fait la preuve de sa vigilance sur les noms de

Péguy et de Claudel, de Valéry, de Gide, de Martin du Gard et de bien d'autres. Par contre, il a méconnu Mauriac, ne voulant voir en lui qu'un mélange de niaiserie et de provocation. Il a maltraité ou volontairement ignoré toute une littérature d'intuition, d'instinct, de finesse rêveuse. Il n'a pas fait de largesses aux jeunes poètes. Et c'est ici que les instincts et les partis pris de Souday montrent leur inconvénient. Rationaliste positiviste, il fut coulant pour certaines gageures de mysticité, celles des Franciscains par exemple, parce qu'elles dépassent le monde et n'y sont pas gênantes, tandis que d'autres offensives extra-rationnelles mais engagées dans le siècle menacent les bases de la raison voltairienne. Contemporain de Béranger, il l'eût goûté. Il a entretenu le culte d'Hugo, il est arrivé à le statufier en saint laïque.

Son intellectualisme le maintenait trop à la surface des choses. Celles-ci ont une certaine qualité de moelle à la fois invisible et essentielle que Souday ne pouvait guère atteindre. Et puis le jeu des idées l'attirait davantage que celui de la sensibilité et de l'imagination. D'ailleurs cette position ne lui a pas donné que des torts. Elle l'a fait travailler à créer un climat de défense contre les ravages d'une absurde adoration de la vie, contre les prétextes abusifs de l'inconscient, contre tout un bergsonisme perverti.

II

ENTRE LES DEUX GUERRES

I. — *LES DEUX ANTIPODES*

Demandons pardon de ce titre à leurs ombres, c'est par la tête qu'ils s'opposèrent. Encore ne s'opposèrent-ils pas, mais nous les opposons. Car l'un pratiquait la critique en surface, l'autre en profondeur. Thibaudet fut le géographe des lettres, Du Bos le foreur de leur sous-sol.

On connaîtra dans sa personne Albert Thibaudet (1874-1936) en lisant *Panurge à la Guerre*, publié seulement en 1941, et c'était la guerre de 1914. Pour ce soldat débrouillard, chapardeur, cabochard, Thibaudet, qui fut son caporal, ne cache pas d'avoir eu un faible, parce qu'il reconnaissait en lui un peu de sa propre carrure réaliste.

Albert Thibaudet apparaît comme un anti-Souday. Il est entré dans le mouvement historique au lieu de le considérer de quelques hauteurs fixes. Venu du Symbolisme, il en légitime la singularité, peut-être le ramène-t-il doucement vers son contraire, achevant ainsi l'œuvre de Gide et de la *Nouvelle Revue Française*. Toujours il a reçu de pied ferme avec toutes ses forces de savoir les inventions de l'époque, non pas de dehors et de haut, mais mêlé à elles, familier avec elles, leur camarade et leur complice. Ce qui le maintint critique à leur égard, ce fut un quant à soi d'homme qui aime se rendre compte et redoute d'être dupe. Au surplus, comme Sainte-Beuve dans le Romantisme, il réintroduisit dans le temps présent les trésors les plus classiques, s'étant acquitté du pèlerinage d'Athènes (*Les Heures de l'Acropole*, 1914) et ayant fait *La Campagne avec Thucydide* (1922).

Il avait l'esprit extraordinairement étendu : un vrai cartographe des littératures, la française tout entière, et les autres d'Europe dans leurs œuvres capitales. Ne dirait-on pas qu'il avait organisé son existence en géographe de la lecture, partageant sa semaine entre Tournus, son lieu de naissance et sa bibliothèque, Paris pour ses attaches de presse et d'édition, Genève enfin où il occupait la chaire de littérature française ? De l'un à l'autre, il travaillait beaucoup en chemin de fer. Un symbole, ce chemin : l'œuvre a multiplié les moyens de communication. La Bourgogne, a-t-il écrit, est comme la vallée de la Loire, « pays du liant et des routes nouvelles ». Les dons, les habitudes et jusqu'aux manies de Thibaudet convergeaient vers une critique qui aime situer et classer, qui situe et classe éperdument. Ce fut un prodigieux aiguilleur, avec son génie de l'analyse, de l'association d'idées ou d'images, avec sa quadruple formation d'historien, de géographe, de philosophe, de lettré.

Quels rapports de tels graphiques gardent-ils avec la substance réelle des œuvres ? Dans son premier livre important, exégèse de *La Poésie de Mallarmé* (1913), le réseau des multiples entrecroisements se développa jusqu'au for intérieur du poète, lequel arrivait au terme du volume en miettes de l'infiniment petit et semblait avoir perdu toute existence. Dans ses recueils d'articles, *Réflexions* (1938-1941), bien des auteurs deviennent proies; ils servent à composer une vaste figure de géométrie et souvent, à un point d'intersection des lignes, s'évanouissent. *L'Histoire de la Littérature française* (1936) accomplit à ce point de vue une série de prouesses d'autant plus inquiétantes qu'un principe inédit de classement, d'ailleurs fort ingénieux, s'y superpose aux autres : classement par générations.

Mais qui réduirait la géographie aux voies ferrées et aux canaux ? Elle est aussi description du sol et du climat, dénombrement des cultures et des populations, rappel de l'histoire. Thibaudet n'ignorait rien de la vie du pays ni de sa structure. Politique, psychologie, vie physique de la nation faisaient partie des conditions fondamentales dont il estimait avoir à tenir compte. S'il fignolait des « situations » remarquables et renouvelait à merveille les points de repère, il réussit également des miracles de découverte et d'emmagasinement. Professeur après tout, il explique. Expliquer : déplier, déployer. *Physiologie de la Critique* (1922), sorte de théorie cadastrale, définit tout de même l'œuvre critique chez Montaigne, Diderot, Hugo, Sainte-Beuve; *Réflexions* fixent le dernier état de beaucoup de questions : la rythmique française, la chanson de Roland, l'intelligence d'Hugo, les familles d'esprits dans le roman, etc... etc... Le *Flaubert* (1923), le *Valéry* (1924), le *Stendhal* (1931) sont de grands magasins d'idées. Les amples études groupées sous l'enseigne générale de *Trente Ans de Vie française* (1920-1926) examinent sous toutes faces les constructions de Barrès, de Maurras, de Bergson. Et seul le *Bergsonisme* constitue une intégrale apologie. *L'Histoire de la Littérature française* brasse tant de richesses, dont Thibaudet s'est gorgé, qu'une joie y explose; on l'appellerait volontiers « Petites épopées », « légende des siècles littéraires », sans vouloir nier sa valeur d'histoire, sauf pour le dernier chapitre, qui demeure à l'état de canevas. Livre aussi subtilement ordonné que possible, par surcroît : ce qui n'était pas coutume chez Thibaudet; ses livres se présentent sans honte touffus, encombrés, emmêlés.

A tous ses titres, joignons ceux de propriétaire terrien et de gaillard connaisseur des crus de la vigne universelle, surtout française. Le robuste Bourguignon jouissait des bons livres ou des livres qu'il aimait. C'était là son chai. Il s'est fort justement attribué, dans *Les Princes lorrains* — Poincaré, Lyautey, Barrès (1924) —, « l'épicurisme actif d'un vigneron entre ses ceps, d'un dégustateur à tasse d'argent entre les tonneaux ». Telle est bien l'attitude qu'on lui voit dans ses recueils d'articles; mieux que *Réflexions* ils s'intituleraient *Domaine des Lettres*.

Cet immortel a un talon vulnérable, et c'est le caractère, si je puis dire. Il l'avait mou. Se sentir « porté » lui plaisait et il faisait le nécessaire pour l'être. Faute d'un caractère plus dressé, et qui fût devenu « ce vouloir qui juge, décide, exclut » (dont il reconnaît avoir manqué, car il n'avait aucune vanité), Albert Thibaudet ne réalise pas le miracle du critique complet. Mais il représente la meilleure prise de conscience de son temps.

De mère anglaise, né à Paris (1882-1939), Charles Du Bos a étudié à Oxford, puis mené une vie de loisirs et de voyages en Europe. Il ne s'est fait écrivain professionnel qu'après la grande guerre, sous la contrainte d'un retournement de fortune. Mais il tenait son journal depuis 1908. On le publiera, on a commencé la publication. Là, sa méthode est expliquée, ses goûts avoués, ses aspirations dégagées; une âme noble, délicate, inquiète et très subtilement sentimentale se mesure elle-même, jusqu'à l'infinitésimal; le monde extérieur se confond avec Valéry, Gide, et quelques autres confrères, mais à notre grand profit, car les entretiens nombreux du solitaire avec eux furent notés scrupuleusement. Du Bos rêvait d'un grand ouvrage : *La Spiritualité dans l'Ordre littéraire*; nous en avons sans doute l'amorce dans *Qu'est-ce que la Littérature ?* (1938). Il laisse des *Réflexions sur Mérimée* (1920), *Le Dialogue avec André Gide* (1929), un essai psychologique posthume (*Grandeur et Misère de Benjamin Constant*) et sept volumes d'*Approximations* (1922-1937) : études sur Shakespeare, Shelley, Gœthe, Stendhal, Amiel, Noailles, Proust, Claudel, Duhamel, etc...

La critique de Charles Du Bos a le caractère d'une création incessante, c'est-à-dire qu'on voit l'auteur perpétuellement sur la brèche, parce qu'il n'arrêtait point de s'interroger, parce qu'il s'engageait. Il ne concevait pas la littérature autrement que liée à la vie en profondeur. Quelle vie ? La vallée de larmes, le monde tourmenté et douloureux qui met les intelligences à l'épreuve et en fait des âmes, selon une splendide expression de Keats. Obsédé par les émotions musicales, Du Bos suivait dans la vie réelle comme dans la vie imaginée les degrés d'une intensité humaine et le niveau spirituel atteint. Il finit par découvrir la vie supérieure dans la foi; il a été croyant à partir de 1927. La foi catholique — d'un catholicisme tout intérieur et gros de mysticisme — garde dans sa critique un rôle discret et prudent. Mais comment n'affleurerait-elle pas ? Elle l'oriente insensiblement jusqu'à le faire verser dans de voyantes partialités, en faveur des « âmes » de la littérature : un Joubert, un Emerson, et jusqu'à même l'entraîner sur une vertigineuse échelle d'idées où les esprits privés d'angélisme ne sauraient grimper après lui.

Un tel critique recherche surtout les sources de la qualité, le fond ultime des âmes productives, comme si le salut de la sienne dépendait des gains de la recherche. Ses livres n'entrent pourtant pas dans la littérature d'intuition; ils sont livres d'analyse, sans rien perdre pour cela de leur force de préhension. Car cette analyse-là procède par détours, comparaisons et allusions, par rassemblements de détails, par longues chaînes d'argumentations; elle draine tout sur son passage, elle scrute et elle se scrute, elle exprime et épuise : à son terme, l'objet est épousé. Critique et objet de la critique ne se séparent plus, se contemplent l'un l'autre. D'immenses lectures nécessairement assistaient Du Bos : un monde de références et de réminiscences où puiser sans arrêt. Il avait achevé de se former dans les entretiens de Pontigny; aussi sa critique passe-t-elle par une réflexion savante, au pied des bibliothèques, solitaire, mais conduite de façon à susciter des controverses et à les soutenir. C'est une mémoire, mais non plus de géographe et d'historien comme celle de Thibaudet. Plutôt une mémoire de confesseur et de philosophe de l'introspection. Et Charles Du Bos fût par surcroît disciple de Bourget, plein d'admiration pour lui autant que pour Proust; il cherche lui aussi dans les œuvres qu'il pénètre ou dans les vies qu'il ressuscite des problèmes généraux à résoudre, des points à débattre de psychologie, de processus mental, d'esthétique ou de morale. Au point qu'un dictionnaire philosophique se trouve disséminé dans ses ouvrages. Qu'est-ce que l'intelligence, qu'est-ce que les différents esprits de conversation, quelles caractéristiques séparent l'homme classique de l'homme moderne ? Voilà des pages du *Benjamin Constant* et soudées au livre.

On objecte qu'il est fatigant à lire, cet écrivain lent et emmêlé, quoique capable de saisissantes formules, qu'il perd le lecteur dans un labyrinthe, qu'il part dans des randonnées à travers l'univers de l'imprimé pour revenir mettre entre guillemets ce qu'il aurait pu très bien fournir de son cru et sans s'embarrasser d'emprunts à la bibliothèque universelle, bref, qu'une sorte de cuistrerie de la référence le charge lourdement. C'est exact. Mais le résultat final est là : admirable de compréhension, d'explication, de possession. Du Bos a été essentiellement un homme qui savait lire, j'entends qui repérait et prenait la phrase, le membre de phrase, le mot qu'il fallait et qui en exprimait tout ce qu'ils contiennent, tout ce qu'ils révèlent, ou tout ce dont ils manquent. Son œuvre critique aura consisté souvent à tisser un commentaire pénétrant et exhaustif de citations bien choisies. Et ce linge merveilleusement souple, comme celui mouillé d'un sculpteur pour sa statue en train, plaque sur l'objet.

II. — *AUX TRIBUNES DE PRESSE*

Il n'est pas impossible de distinguer entre les critiques de revues et les critiques de journaux. Ceux-ci ont l'obligation d'aller plus vite et il leur faut d'ordinaire tenir plus serrés leurs rassemblements d'impressions et d'idées; ceux-là prennent plus de recul, et peuvent répandre plus à l'aise leurs propos. Souday a été critique de journal; Thibaudet et Du Bos l'ont été de revues.

Deux autres groupes à distinguer : les critiques de formation libre et ceux de formation universitaire. Les premiers ont acquis par leurs propres moyens une haute culture littéraire très personnelle, tel un Charles Du Bos. Les seconds ont, en principe, le savoir méthodique et la gravité enseignés aux techniciens de l'enseignement; ils ne dérangent cet ordre que par inspiration spéciale de terroir, comme le Bourguignon Thibaudet, ou par désinvolture et défi pervers de transfuges : ainsi Thérive.

Plus fréquemment que les autres, les critiques de formation libre sont en même temps romanciers, poètes, artistes. Ce n'est d'aucun plus vrai que de Jaloux, monté aux tribunes du *Temps* et des *Nouvelles Littéraires*. Edmond Jaloux procède de Sainte-Beuve par son besoin de connaître les auteurs pour s'assurer de connaître les œuvres et de les saisir dans leurs principes. Il se passe donc difficilement d'une large information de biographe. Il avoue avoir employé bien des heures à lire des correspondances « et non pas toujours les plus célèbres, mais celles où quelqu'un se raconte avec le plus d'abandon » : par exemple, Laforgue, Van Lerberghe, Rivière, Alain-Fournier. A défaut de ces archives vivantes, il consulte les mille bruits de la société européenne. Les littératures étrangères lui sont familières, il en parle sans cesse, il en guette les manifestations, mais surtout esthétiques, et plus près de Wyzewa que d'Émile Montégut. Il s'attache fort à faire comprendre le plus neuf, le plus rare et le plus difficile par toutes les comparaisons et oppositions possibles, par les communications entre littérature, art, science, et entre les littératures. Les sept volumes de *L'Esprit des Livres* (1931-1946) contiennent l'essentiel de sa production critique; c'est une inlassable promenade; on y accompagne Jaloux en se laissant envelopper de la nonchalance attentive de ses propos.

Il n'a à peu près rien négligé d'important ou de curieux; car il estime que la pénétration des énigmes humaines a des droits et que les nouveautés sont au moins significatives. On peut lui reprocher de se laisser entraîner dans ce sens par un snobisme de l'information protéiforme ou par une certaine superstition de la beauté inconnue. Mais l'entraînement est le plus souvent bridé et compensé par une connaissance personnelle et profonde des grandes œuvres de tous les temps, ainsi que par un goût très français. On ne lui connaît point de parti pris; il sait aussi bien louer Boylesve que Rimbaud, Loti que Supervielle, définir l'intérêt de Bourget romancier ou le génie artiste de Barrès, que dénoncer certains cyniques de civilisation corrompue ou renvoyer à son fanatisme politique le professeur Louis Reynaud qui avait eu l'ambition de capter les sources anglo-germaniques de notre Romantisme. Il tournait de plus en plus l'étude critique à la chronique de modes intellectuelles dans les derniers temps de la paix et avant d'aller vivre en Suisse, où il a collaboré aux principaux organes de presse et où son cosmopolitisme littéraire a pu prendre toutes ses aises.

Peu tenté par l'étranger, sinon par l'Italie et l'Amérique latine, Émile Henriot est un Français de très fine France. Le « Courrier littéraire » qu'il tint au *Temps* pendant vingt-cinq ans l'a fait entrer dans l'intimité de notre tradition. Ses *Livres et Portraits* (1923-1927), ses *Romanesques et Romantiques*, ses *Épistoliers et Mémorialistes*, ses *Livres du Second Rayon* (1935), ses *Portraits de Femmes*, ses *Poètes français* (1944-1946), son *Dix-septième Siècle*, son *Dix-huitième*, son *Dix-neuvième* sont sortis de là. Depuis Sainte-Beuve, il ne s'était pas constitué de « bibliothèque » aussi fournie. Elle assemble un trésor de psychologie et de goût; elle a formé un critique qui, se tournant vers les œuvres contemporaines, a pu les regarder de haut pour les situer, de près pour les vérifier. Et puis, comme l'Henriot jeune fut poète et que l'Henriot mûri est romancier, on pense bien qu'il ne manque ni de sympathie, ni de flair, ni d'amour du neuf. Il n'a jamais séparé les livres de la vie. Ainsi a-t-il pu devenir un régulateur. L'importance de sa tribune lui permet par surcroît d'avoir utilement du courage et d'aller, quand il le croit de son devoir, à contre-courant. Toutes les nouveautés viables obtiennent sa compréhension et son aide; mais il dit non aux risques inutiles, aux partis pris, aux sectarismes, aux laideurs ambitieuses. Tout cela, c'est beaucoup; on peut naturellement trouver que ce n'est pas assez... Attend-on des étreintes puissantes ? Voudrait-on qu'Henriot donne des coups, qu'il inflige des entailles profondes ? Non, ce n'est pas son genre. Il fait plutôt le tour d'un auteur ou d'une œuvre. Certes il court un peu vite, et c'est dommage qu'il ne dispose pas de plus de place.

Avec André Billy, c'est l'aisance de la presse et sa rapidité un peu sommaire qui s'installent dans la critique. Il commença de lire les livres pour l'*Écho littéraire du Boulevard*, recueil de critique et de bibliographie fondé par l'éditeur Rey, puis il tint le « Courrier littéraire » de *Paris-Midi*, enfin il a remplacé à *L'Œuvre*, entre les deux guerres, Laurent Tailhade. La critique de Billy est franche jusqu'à la rudesse, mais éclectique et libérale, avec une digue de résistance rationaliste à certaines beautés qu'apportent les lames de fond : en quoi il rendrait des points à Souday, dont il suit d'ailleurs l'exemple d'articles à base d'information. Décidément le journal, qui fut jadis une chaire, a remplacé la chaire, c'est-à-dire Taine ou Faguet, par le bureau de nouvelles. Mais Billy est également romancier. Ce garçon de bonne carrure, qui ne se force jamais pour briller, brille quelquefois, et ses recueils — *La Muse aux Besicles* (1922), *La Littérature contemporaine* (1925), — qui représentent un tri utile, se lisent avec agrément. Il a d'ailleurs transporté ses instruments critiques du journal dans le livre, pour peindre le portrait en pied de *Diderot*, puis celui de *Balzac*; mais il reste, je crois, plus dans sa ligne lorsqu'il raconte ses *Intimités littéraires* (où l'esquisse d'Apollinaire est un chef-d'œuvre) ou qu'il écrit ses mémoires, dont il a déjà découpé deux tranches, *La Terrasse du Luxembourg* et *Le Pont des Saints-Pères*.

Il acceptera ici pour compagnons Jean Vignaud, critique de l'ancien *Petit Parisien* jusqu'à la guerre de 39, qui se maintint régulièrement soigneux dans ses analyses, prudent dans ses jugements; Pierre Lœwel, qui a montré presque toujours de la raison et de l'esprit, rarement du parti pris, quelquefois du nerf, souvent de la générosité attentive, à *L'Éclair*, à *L'Ordre*, à *L'Aurore*; Léon Treich, centrale d'information, calendrier public, annuaire, que l'abondance de son imprimé n'empêche point de dicter des comptes rendus de théâtre et des chroniques littéraires; Roger Giron et ses larges tranches d'information triée, naguère dans *Toute l'Édition*, hier dans *L'Intransigeant* et dans *L'Époque*.

Jacques Boulenger (1880-1944) s'est livré aux activités les plus diverses avant de finir compromis dans un Gobinisme exacerbé. On connaît le romancier. L'érudit (archiviste paléographe) a publié une édition de Rabelais, adapté en langage moderne les *Romans de la Table ronde* (1923), composé une synthèse historique du *Grand Siècle* (1911); le journaliste littéraire s'est diverti à des recherches de biographie et de sources pour la connaissance de Gérard de Nerval, de Marceline Desbordes-Valmore, et à des évocations charmantes de passés à peine morts : *Les Dandys*, *Les Tuileries sous le Second Empire*, *Toulet au Bar et à la Poste*. Quant au critique littéraire, d'intelligence active mais de jugement trop discutailleur dans *L'Opinion* et à *L'Écho de Paris*, il a rassemblé son bien dans les trois volumes de *Mais l'Art est difficile* (1921-1922). Il situe impérativement les écrivains, jusqu'au risque d'amenuiser leur originalité; il les examine avec une dure justice, au point de favoriser ceux qu'il n'aime pas et de nuire à ceux qu'il aime; il engage d'ailleurs à leur propos, sur les formes et les tendances, d'excitantes discussions. — Il y a plus de souplesse, moins de sérieux d'ailleurs, et des dessous moins étoffés, chez son cadet Maurice Martin du Gard; mais je les rapproche parce que celui-ci fait de chacun de ses articles le dernier salon où l'on cause; la capitale en miniature et le boulevard du dandy ne vont-ils pas ensemble ? Martin du Gard, le poète de *Signes des Temps* (1923), le voyageur d'Orient méditerranéen, d'Afrique et même d'Europe (que de récits de voyage !) a illustré d'esquisses nombreuses les *Nouvelles Littéraires* dont il fut directeur. Critique des livres et du théâtre (*Harmonies critiques*, *Vérités du Moment*, *Soirées de Paris*, *Carte rouge*), il n'a pas seulement promené dans la littérature ses *Impertinences* (1924), il a très efficacement servi les jeunes écrivains de toute tendance. Passé dans la jungle politique en 1940, il a écrit avec une intelligence vigilante, quelquefois pointue, la *Chronique de Vichy*. — Georges Poupet, rassembleur de la pléiade qui assura l'examen quotidien des livres au *Jour*, a fait la liaison entre la littérature et le monde; lui-même rédigeait des articulets sur le ton qu'il les eût parlés, de préférence consacrés à des auteurs inconnus, rares ou tout derniers venus.

Tous les critiques précédents s'honorent, je pense, de leur réputation de libéraux. Le temps des doctrinaires est-il passé ? Il y en a toujours eu, Maurras en fut un fameux, et l'on n'en compte ni plus ni moins aujourd'hui que naguère. Le doctrinaire influent de l'heure a encore l'âge d'un long avenir, il est né en 1896 à Paris, c'est André Rousseaux, dogmatique au *Figaro* comme il le fut à la *Revue Universelle*. Son dogme garde même force, mais il s'est renversé; tout d'abord de l'école de Maurras et de Massis, il est passé à celle de la démocratie chrétienne. La seconde obédience n'a pas effacé tout à fait la première, Rousseaux aime les rassemblements d'idées. Par exemple, avait-il vu un motif courir à travers Colette, Gide, Chardonne et Giraudoux, le motif de la fidélité à l'adolescence aimée rétrospectivement comme un paradis ? Il peignait leurs portraits dans cette verte couleur et c'était la galerie du *Paradis perdu* (1936). Mais politisé à l'excès, devenu aussi anti-maurrassien que Claudel en personne, il a fait de plus en plus tourner l'étude littéraire à l'investigation de doctrine et il tâte le pouls à l'époque moins en médecin qu'en inquisiteur. Utile fonction, elle empêche d'oublier que des problèmes se posent et qu'il est loyal de prendre position, quand on peut. Voilà donc enfin un critique passionné. *Ames et Visages du XXe siècle* (1932) fait lever des orages et des arcs-en-ciel, livre des combats et signe des traités de paix. Rien de meilleur pour entretenir le dynamisme des lettres. Il faut des juges. On regrette seulement pour l'autorité de la critique que chez Rousseaux les partis pris spirituels et moraux entraînent parfois le sacrifice de la littérature, soit par sévérité, soit par complaisance. Une telle critique évidemment est un risque, Rousseaux l'assume sans peur : qui l'assumerait sans reproche ? Il faut le louer de s'instruire sans cesse et d'en saisir les occasions, comme on le constate tout au long du *Monde classique*. Mais je n'ai pas dit encore sur quelle doctrine Rousseaux appuie ses jugements tout en assurant le recensement de la littérature contemporaine grâce à une production critique qui va d'articles hebdomadaires au *Figaro* et ailleurs jusqu'à un livre considérable comme *Le Prophète Péguy* dont la théologie et le lyrisme atteignent ensemble les mêmes sommets. C'est assez simple. Rousseaux tient à occuper toutes les positions les plus nettement opposées à celles de son premier entraîneur, Charles Maurras. Devant les auteurs, bien entendu; par exemple, un claudélisme intégral et aveugle répond à l'anti-claudélisme maurrassien. Mais aussi pour les grands points de vue essentiels. On sait que Maurras est renaissant et que ses goûts vont sans cesse à la quête de tout l'héritage de la Renaissance, ce qui l'a posé en adversaire du Symbolisme. Eh bien donc, Rousseaux n'hésite pas; il adopte en les poussant au maximum de leur paradoxe les thèses d'une certaine critique néo-chrétienne, et voici donc son affirmation : avec le Symbolisme une spiritualité si grandiose est montée sur le trône littéraire qu'elle ouvre l'épisode le plus important pour l'Occident depuis la Renaissance : d'où la profondeur luciférienne et inégalable de Rimbaud et de Lautréamont, d'où les vastes secrets mystiques de Jarry et d'André Breton, d'où l'indignité des rationalistes les plus prudents. La passion de l'absolu unie à la passion politique a mis André Rousseaux en véritable état de possession.

Puisque nous en sommes aux partis pris doctrinaux, pourquoi ne pas lier dos à dos ce chrétien révolutionnaire et un révolutionnaire anti-chrétien ? Jean Cassou lui aussi établit son examen des livres sur un absolu. A lire *Les Nuits de Musset* (1930), on se rappelle ses chroniques étincelantes des *Nouvelles Littéraires* et leur sympathie ardente pour la révolte romantique contre le réel. Elles s'enfonçaient, et *Pour la Poésie* (1935) les suit, dans les profondeurs d'un satanisme plus ou moins baudelairien, puis remontaient aux voies lactées d'où les génies gœthiens ou whitmaniens rêvent de réintégrer les énergies du monde au sein de l'unité. Cette conception symbolique, métaphysique et libertaire de la littérature pousse devant elle beaucoup de nuées brillantes à travers lesquelles Cassou cherche à nous faire distinguer les étoiles de ce qu'il appelle la poésie, vers ou prose; la poésie pour lui, c'est le refus d'accepter le monde, c'est l'acte défendu, le suprême risque : on voit combien la vieille Espagne et l'Allemagne romantique l'ont marqué.

La rigueur obligée de notre classement s'atténuera s'il comporte une transition entre les deux groupes de formation opposée. Or la voici, en deux personnes. Un critique s'est trouvé qui, après avoir écouté et vénéré ses maîtres de Sorbonne, a choisi un beau jour la solitude de lecture, s'est taillé un programme enivrant d'école buissonnière supérieure :

Robert Kemp; et un autre, tout en ayant poussé son travaïl universitaire jusqu'au terme des études et même jusqu'à un début d'enseignement, a laissé submerger la carrière commencée sous l'abondance et la diversité de sa création dramatique et philosophique : Gabriel Marcel. — Robert Kemp s'inspire d'un humanisme essentiellement classique, à préférence hellène, en quoi il s'oppose à Jaloux, ce méditerranéen orienté vers les littératures anglo-saxonnes. Lui qui est du nord de la Loire, on dirait qu'il a poussé avec la vigne et l'olivier : mais devenu diablement parisien, du Paris de Weiss et de Lemaître. Il a presque trop de sveltesse et d'élégance; on le souhaiterait par moments plus lourdement planté, on a envie de le contraindre à quelque vulgarité. Le plus « antiquement » instruit des critiques, familier des Sophocle, des Platon et des Tacite, il en est aussi un des plus modernes, même par le langage, qu'il a d'une exquise succulence. A entrer dans un article de lui, on se sent déjà le palais ému, et l'on aura d'ailleurs la gourmandise comblée. Kemp écrit d'un style où la propriété des termes est devenue une excitante propriété d'images : non pas du joli, mais du vif, du mordant, du corrosif. Ce ruissellement est-il de joyaux durables ? Qui le sait ? C'est jouer évidemment avec le risque. En tout cas, le voilà de plain-pied avec nos écrivains les plus inventeurs de verbe, et c'est merveille, on dirait sa langue maternelle. Il s'en sert pour chercher le beau, l'exact, le sain, il est à suivre avec confiance, on l'a suivi à la *Liberté* et à la *Revue Universelle* : on le suit aux *Nouvelles Littéraires* où sa critique des livres s'épanouit tout à l'aise, sait dire de dures vérités avec une suprême gentillesse et soutenir avec cordialité ce qui lui paraît bon. On le suit au *Monde* (après le *Temps*) où il aiguise ses traits contre le théâtre bas, le théâtre d'illettrés, le théâtre de trop lettrés, le théâtre idéologique. Un livre : *Lectures dramatiques*. N'est-ce que le théâtre grec ? C'est tout l'homme classique. Le goût de Kemp reste une antenne de la vieille expérience séculaire; il l'a dressée en sentinelle. Cette sentinelle est bon enfant, pensent quelques-uns, elle aime le divertissement et la plaisanterie; certaines complicités peuvent lui paraître spirituelles; ne se laissera-t-elle jamais surprendre ? Voilà une crainte barbare, nous sommes bien gardés. — Gabriel Marcel si répandu aujourd'hui fut attaché à *L'Europe Nouvelle* pour les livres et il garde un lien avec les *Nouvelles Littéraires* pour le théâtre. Remarquable par le sérieux et les scrupules de son accueil aux œuvres, on le voit généralement plus sévère pour la valeur morale des intentions (ce qui l'a engagé dans des campagnes d'intérêt public contre certains abus du roman), que pour la valeur d'art. C'est d'une profonde vie spirituelle que montent ses éloges et ses blâmes; c'est la distance à une haute vie spirituelle qu'il mesure dans les livres. Il est le Schérer des dernières générations, un Schérer devenu catholique, et que la musique passionne. Nullement idéologue, bien que le philosophe reparaisse sans cesse dans ses examens et appréciations : sa philosophie, dans l'exercice de la critique, est une mise en place. Mais c'est aussi une curiosité. Gabriel Marcel est le plus curieux des critiques, et cette curiosité le fait merveilleusement vivant. Je trouve seulement qu'il embrasse trop de choses et fait trop vite : son style en souffre, ne s'obscurcira-t-il pas ?

Les critiques universitaires les plus notoires de cette période auront été Crémieux et Lalou.

Benjamin Crémieux (né à Narbonne en 1888), ancien secrétaire général de l'Institut Français à Florence, secrétaire général du « Pen Club » qu'il animait avec bonhomie, avait reçu trois blessures à la guerre de 14-18; il est mort en 1944, déporté en Allemagne. Tout en traduisant et imposant en France le théâtre de Pirandello, il a fait la critique aux *Nouvelles Littéraires*, aux *Annales* et autres périodiques. Il se multipliait en leçons de technique, il laisse des modèles d'objectivité explicative. C'est ce qu'il fait encore dans les deux livres de son héritage : *Inquiétude et Reconstruction* (1931), panorama des problèmes littéraires nés après 1920, et *XXe siècle*, recueil d'études sur Proust, Giraudoux, Morand, Mac-Orlan, Pierre Hamp (1924). Il s'acquitte là de dénombrements complets et minutieux, isole en pleine clarté chaque élément dominant, en détermine la position exacte par rapport à l'ensemble, comme de celui-ci à l'époque. Sa méthode est une intéressante adaptation d'un Taine assoupli à la littérature toute fraîche. — René Lalou (né en 1889 à Boulogne-sur-Mer) réalise parfaitement le type de l'universitaire moderne, qui se jette sur la littérature de son temps avec une frénésie d'éternel adolescent, et qui, en outre, se donne généralement moyen de regard sur deux ou trois littératures étrangères. Un esprit rassembleur compense chez lui l'excès de guillemets qui rappellent la fiche et une trépidation de curiosité ou de hâte qui brouille un peu sa clarté. Il doit sa grande réputation à une *Histoire de la Littérature française contemporaine* publiée en 1922 et remaniée en 1939 : la seule qui existât pendant de longues années. Lalou a tenu des rubriques à la *Quinzaine Critique*, aux *Nouvelles Littéraires*, à *Gavroche*, ailleurs : toute une poussière, hélas, d'où plusieurs livres le tirent heureusement. *Défense de l'Homme* (1926) proposa un rétablissement cartésien de notre hiérarchie intérieure; et cet essai examinait en effet les problèmes de la critique, du roman psychologique, de la poésie, dans un esprit d'humanisme à direction intellectualiste; mais à cette ossature il donnait une chair baudelairienne. *Vers une Alchimie lyrique* (1927) a dessiné l'itinéraire poétique qui fit faire volte-face au Romantisme pour aboutir au Symbolisme et à la poésie pure : Sainte-Beuve poète, Aloysius Bertrand, Nerval, Baudelaire y ont leur portrait ressemblant. Il faut lire *Le Clavecin non tempéré* (1932), courtes chroniques de flâneur, de lettré, d'artiste et d'amoureux, pour avoir fait le tour de l'éminence d'où Lalou, fort par surcroît de son intimité avec la littérature anglaise, regarde notre temps dans ses chroniques périodiques.

L'universitaire émancipé, dont la liberté a l'air d'un envers de sa contrainte première et qui fait de sa désinvolture une revanche, c'est André Thérive. Le sorbonnard, l'ancien professeur et le journaliste, comme le croyant et le libertin réussissent en lui un curieux mélange. Il a composé les carreaux de sa lanterne avec 1° des besoins de puriste (n'a-t-il pas derrière lui plusieurs volumes de *Querelles de Langage* et les lamentations du *Français Langue morte*, 1923 ?); 2° un goût de la cérébralité d'exception et de la bizarrerie savante qui lui vient de certains décadents d'Athènes et de Rome antiques; 3° une attente joyeuse des schismes de la société ou des torpillages du globe terrestre (n'est-il pas schopenhauerien ?); 4° une tendance métaphysique qui a évolué mais que Schopenhauer a toujours empêchée de choisir entre Voltaire et Pascal. Il est féru de Huysmans, d'André Mary et de la muse romane, d'Arnoux et de ce Louis Dimier qui écrivait comme au XVIIe siècle. Les Abel Hermant, les Jules Romains, les Benda, les Simenon l'ont ravi, tandis qu'il a étudié assez sévèrement Montherlant, Carco et bien d'autres. Il n'a pu souffrir Bernanos ni le Châteaubriant des derniers livres, car il est ennemi de l'explosion prophétique et de l'orgueilleuse rêverie, non moins que de l'audace sentimentale à la Romain Rolland. Malheureusement, devant la grandeur, il a peur d'être dupe; il se tient à carreau avec Péguy, Proust et Claudel. Son hésitation devant Giraudoux est méfiance de la fantaisie poétique, alors qu'il est sans défense contre la fantaisie des doctes. Enfin il manque terriblement de passion. Si être intelligent c'est établir rapidement des rapports entre les réalités les plus éloignées les unes des autres, Thérive est trop intelligent, il étourdit. Sa meilleure période s'écoula à *L'Opinion*, d'où sont sorties *Opinions littéraires* (1925) et partie de *Galerie de ce Temps* (1931). Successeur de Souday au *Temps*, il s'était mis à lire, juger, écrire en homme trop pressé, surchargé de besogne. Il faut reconnaître que son plus récent livre, *Moralistes de ce Temps*, manifeste à nouveau dans maints chapitres toutes ses qualités et redonnera de la force à des principes trop oubliés.

III. — *DANS LES REVUES*

La *Revue Bleue*, la *Revue des Deux Mondes* ont servi d'assises à la critique de vedettes qui ont leurs portraits ci-dessus. A la *Revue des Deux Mondes* ont appartenu encore André Chaumeix, successeur d'André Beaunier, et, pour l'examen spécial des poètes, Yves-Gérard Le Dantec, que tout vouait à cette tâche. André Chaumeix, parallèlement à une carrière de haut journalisme dans les *Débats*, où pendant plus de trente ans il avertit son pays, non en Cassandre, mais en intellectuel exact et impassible, a donné à *La Revue Hebdomadaire* avant 1914 des études poussées, objectives, nobles, sur les philosophies contemporaines, et dans la *Revue des Deux Mondes*, entre les deux guerres, des jugements littéraires saisissants; au lendemain de 1918, il a rédigé dans la grande *Histoire littéraire* de Hazard et Bédier les chapitres les plus actuels. Il est donc un témoin complet. Sa direction rénovait incontestablement la *Revue des Deux Mondes* quand la dernière guerre brisa la vie des périodiques.

Fernand Vandérem avait son poste d'observation à *La Revue de France ; Le Miroir des Lettres*, en huit séries (1920-

1929), conserve ses comptes rendus. C'est un répertoire important et le dossier d'une indépendance. Aux Souday, aux Jaloux, aux Marcel, même aux Kemp, Vandérem opposait son point de vue exclusivement parisien et rive droite : la critique de Tortoni, disait Thibaudet. La voilà bien définie. Elle a du bon, quand elle assure contre la cuistrerie. Mais elle est dangereuse : à preuve Vandérem dans sa campagne fameuse contre les manuels universitaires de littérature. S'ils ignorent la littérature vivante, ne faut-il pas les en féliciter et remercier ? Car d'une part, ils ont l'obligation de définir les écrivains indiscutés, propres à former les jeunes cerveaux, et d'autre part, veut-on que les futurs lettrés n'aient plus de fruits défendus où mordre en liberté sinon même en cachette ?

Avec Marcel Arland, on a moins affaire à un analyste et à un juge qu'à un causeur en familiarité avec l'auteur, l'œuvre, l'idée. Il s'intéresse d'ailleurs à ce qui le touche plutôt qu'à ce qu'il admire. Arland fonda sa réputation de critique sur un article de la *Nouvelle Revue Française* (février 1926) inspiré par le « Nouveau mal du siècle », c'est-à-dire Dada et la réaction nécessaire contre cette réaction. Le moraliste a presque toujours chez lui le dernier mot; il proposait donc là aux nouvelles générations d'accepter la vie et de se laisser émouvoir par elle en cherchant une orientation morale. C'est à quoi lui-même s'est décidé devant les œuvres d'imagination, dans les chroniques dont *Essais critiques* (1931) et *Le Promeneur* (1944) réunissent les meilleures. Un goût dominant pour les secrets à surprendre y dirige des coups de sonde aigus; le sérieux de l'âme et le sens des hiérarchies de l'esprit y conduisent des examens pénétrants. Mais on respire dans l'ensemble un air un peu janséniste.

A la *Revue de Paris* où Bidou le précéda, Marcel Thiébaut est un critique qui descend directement de Sainte-Beuve par sa méthode. Qui l'a dit ? Toujours est-il que c'est vrai. Ses actuelles chroniques dramatiques se réduisent trop au format de journal pour le représenter. Mais ses études de revue — les plus anciennes conservées dans *Évasions littéraires* (1935) et concernant Giraudoux, Larbaud, Durtain, Taine, Victor Jacquemont, Restif de la Bretonne — sont de vrais « Lundis »; rien de plus ample, et rien de plus pénétrant néanmoins; élégance du cœur et maîtrise de l'esprit. Il ne leur manque peut-être que quelques perspectives lointaines. C'est parce qu'il se tient tout près de nous, s'enveloppant d'actualité : mais heureusement son esprit au fur et à mesure sait faire de l'actualité comme par miracle une seconde culture. Thiébaut s'est amusé en 1936 à pousser une de ses études jusqu'au livre : sur le chef socialiste qui présidait à l'échec du Front populaire (*En lisant Léon Blum*); il s'y sert de procédés malintentionnés mais magiques, qu'on dirait, malgré le rapetissement du sujet, avoir servi à Sainte-Beuve pour Chateaubriand. Je rappelle enfin la biographie critique d'Edmond About (1936), livre de documentation inédite qui met en valeur l'About journaliste et lie étroitement la destinée du polygraphe versatile à celle de Napoléon III, témoignage d'importance qui se classe à la charge du Second Empire.

François Le Grix conduisait sa *Revue Hebdomadaire* en observateur extrêmement renseigné. Il a lui-même écrit dans cette revue, et dans quelques autres depuis lors, des articles d'actualité littéraire qui obéissent à l'inspiration de leur maître, ce maître s'appelant Paris, du moins le Paris d'avant l'autre guerre : c'est-à-dire un rendez-vous d'opinions, de préférences, de phobies, polies par le goût d'élites qui n'étaient pas encore tout à fait dispersées. Conséquence fâcheuse : trop de prudence en face de monuments nouveaux et hardis — l'œuvre de Péguy, par exemple — ou de hautes collines incomplètement défrichées, tel *Le Soulier de Satin*. Conséquence heureuse : la conservation d'un capital; et comme tout capital a besoin d'être alimenté pour se maintenir, Le Grix y apporte une subtilité d'intelligence qui s'infiltre dans l'objet. Il sait prendre cent détours pour revaloriser la raison, il prévoit tous les échos, il est toujours attentif aux actions et réactions qui lient la littérature à la société. Tout cela est extrême raffinement. — René-Louis Doyon, le romancier de *L'Enfant prodiguée*, le biographe et surtout le bibliographe prestigieux de personnages importants ou curieux dont le moindre n'est pas Jésus-Christ, enfin le « mandarin » de sa propre revue *La Connaissance* — « Les livrets du Mandarin » bravent souvent leurs contemporains — est à ces divers titres, en dépit d'un vocabulaire parfois impertinent par son affectation d'archaïsme, disciple et continuateur de Rémy de Gourmont.

IV. — *DANS LES LIVRES*

Des livres ont jalonné la carrière des critiques de quotidiens et de périodiques, à une ou deux exceptions près ; d'autres critiques même journalistes (ou conférenciers) ont attaché leur réputation d'écrivains, volontairement ou non, à des livres seuls.

J'imagine que Gabriel Boissy a fait sourire et a ému tour à tour les humanistes. Ce Corrézien (1879-1949) qui porta ses dieux lares au bord de la Méditerranée, a résumé la substance d'une multitude d'articles, dont *Prophéties pour la France* (1940) rassemble les plus significatifs — car ce fut un journaliste longtemps ardent sur la brèche — dans *De Sophocle à Mistral* (1921), dans *Le Secret de Mistral* (1932) qui proposent une esthétique française moderne. Or, elle consiste à marier chez nous l'âme celtique et l'esprit méditerranéen, tous deux éternels, paraît-il, tous deux sources d'enthousiasme, celle-là dans la passion, celui-ci dans la lucidité. On peut voir là une ambition de poète régionaliste : est-ce une raison pour s'y opposer ? Boissy baigne dans sa patrie d'adoption comme les oliviers dans la lumière. Mais il pleut et il vente dans la vallée du Rhône, ce qui ne paraît pas favorable à une résurrection de la tragédie antique : faut-il pour cela rejeter l'abondance de raisons apportées par le successeur de Paul Mariéton au service de *La Dramaturgie d'Orange* (1907) ? Boissy a achevé de nous toucher en se créant un système prosodique basé sur les temps forts et les temps faibles, moins pour fixer ses rêveries personnelles — *Stances du Mortel Sourire* — que pour traduire l'*Œdipe* de Sophocle en collant le plus possible au texte. Curieux homme qui n'est même pas Provençal et qui n'a cessé de brûler sous nos climats, en notre temps, d'une dévotion de Grec ancien : tout en vivant d'ailleurs dans le présent, mais avec une passion d'amour pour la France monarchique et classique. Cette passion lui sert de lien pour rattacher le moderne à l'antique.

Un classicisme très dix-huitième siècle a curieusement choisi pour renaître la tête d'un pudique, Pierre Lièvre (1882-1939), qui vécut parmi nous avec un cerveau formé au delà de Rousseau. Il composa lentement, scrupuleusement, trois séries d'*Esquisses critiques* (1921-1929), analyses de laboratoire qui mettent au point un certain nombre de questions intellectuelles et morales de ce temps-ci, avec tantôt une justesse allègre, tantôt quelque étroitesse de goût ou des compressions de sensibilité. Au moins sait-il dire pourquoi il aime ou n'aime pas. Il s'était signalé auparavant par l'acidité de dialogues galants : *Ah, comme vous me plaisez* (1913), *Quelle horreur !* (1923), dans le goût de ce Crébillon dont il a établi une édition. D'autres dialogues portent au contraire sur le devoir, la mort, la discipline, la liberté; ils réunissent deux aviateurs de guerre, et c'est *Une Amitié* (1920). Dans un livre posthume, *La Vie et le Roman*, le roman proprement dit et la critique, le roman de la critique et la critique du roman s'entremêlent et fournissent des prétextes à ratiocination infinie.

Camille Mauclair (1872-1944) a longtemps représenté en héritier fidèle et reconnaissant le Symbolisme mallarméen sur lequel son *Éleusis* et son *Soleil des Morts* fournissent des fragments de mémoires. Nîmois monté tout jeune à Paris, il s'était composé dans cette atmosphère une esthétique générale qui, de son centre, la religion du beau, a rayonné sur les trois mondes de la littérature, de la musique et des arts plastiques. D'où plusieurs livres estimables : *L'Art en Silence* (1900), *La Beauté des Formes* (1909), *La Religion de la Musique* (1919), etc... Le plus révélateur d'une personnalité est *La Magie de l'Amour* (1919); le plus utile aux lettres, *Les Princes de l'Esprit* qui se nomment Poe, Villiers, Mallarmé, Flaubert. Malheureusement Mauclair n'est pas resté un pur. Il a même glissé brusquement, entre les deux guerres, dans une critique d'art injurieuse à l'égard de son siècle et, plus tard, a assouvi avec haine des rancunes de clan.

La tradition symboliste, qui avait toujours doublé avec retard le romantisme allemand, en est venue de nos jours à s'enrouler à lui étroitement avec une conscience accrue. Nous voyons leur survivance fidèle s'entrelacer dans la critique des Albert Béguin, des Marcel Raymond et des Rolland de Renéville. Religion, mysticisme : on a discuté naguère des rapports de la poésie avec eux; aujourd'hui s'y ajoutent ses rapports avec l'occultisme, avec les livres d'initiation, avec la Cabbale. Rolland de Renéville, poète lui-même, est en critique l'exégète de ces nouvelles Écritures qui s'attribuent, on le sait, une valeur métaphysique. On peut ne pas le suivre, mais évidemment il décrit à merveille, notamment dans

L'Expérience poétique (1938), tout un système d'art. — Albert Béguin fréquente ces parages en chrétien et en germaniste. Foi, érudition, goût s'accordent chez lui : parfaite garantie pour l'étude d'une spiritualité supra-réaliste dont il a suivi la veine depuis Novalis, Hoffmann et Jean-Paul jusqu'à nos jours. *L'Ame romantique et le Rêve* (1937) foisonne d'analyses neuves sur cent ans de littérature éclairés à la lumière tour à tour pâle et éclatante des au-delà de la raison que des privilégiés ont entrevus dans le rêve, la rêverie, l'extase. *Poésie et Mystique*, à propos de Nerval, et *Note sur la Prière* à propos de Péguy sont des méditations qui servent d'appendices à ce grand livre. Il faut bien signaler pourtant que l'attachement de Béguin — point exclusif d'ailleurs, mais entier — aux lignées qui passent par les noms de Jarry et de Saint-Pol Roux, de Saint-John Perse, de Pierre-Jean Jouve et de Milosz témoigne d'une volonté sectaire de sacrifier les chances d'accomplissements harmonieux et complets à une recherche sans fin conduite par la spiritualité ou l'esprit irrationnel les plus aventureux. N'empêche qu'il faut lire *L'Eve de Péguy* (1948), remarquable explication de l'œuvre.

Une direction persiste tout à fait hostile à celles-là, soit par le maurrassisme avec Brasillach, Gonzague Truc, Thierry-Maulnier, dont j'ai parlé en d'autres pages, soit par le catholicisme orthodoxe et traditionnel.

Dans la descendance maurrassienne, René Groos (né en 1898 à Paris) demanderait peut-être à avoir place parmi les historiens et les érudits pour sa *Vraie Figure de Rivarol*, sa *Bibliothèque de l'Honnête Homme* et un nombre respectable d'éditions critiques des classiques; mais n'a-t-il pas rédigé quantité de notices pour la « Boîte aux lettres » de *L'Intransigeant*, publié *Esquisses* et composé les chapitres réussis d'un livre manqué, *Tableau du XXe siècle, Les Lettres* (1934) ? Son honnête sérieux attache, son sens affiné du passé français s'entend très bien avec sa curiosité pour l'invention moderne; de tout ce qu'il écrit, une tranquille sagesse se dégage. — De Jean-Pierre Maxence, il y a trois livres, *Positions I et II*, *Histoire de dix ans* (1927-1937) qui n'hésitent pas devant les filiations osées, mais déploient des panoramas. Une agilité d'esprit y commet de vrais excès pour alerter et tenir en haleine. Les résultats parfois surprennent quelque peu. Maxence ayant mis un entêtement louable à trouver pour la vie moderne un sens que l'âme puisse accepter, s'est vu entraîné dans les régions de la foi, « à la recherche d'un catholicisme », dit-il. Et pour cette formule bizarre, Massis, parrain de l'auteur (né en 1906), a dû se faire du mauvais sang. — Catholique, Louis Chaigne l'est en toute netteté, mais libéralement et généreusement. Il est poète aussi. Le poète pensif de *Figures* (1928) et de *La Couronne d'Ariane* (1931) éclaire d'amour le critique qui ne l'a jamais gêné; et ce critique, tout d'intimité et de discrétion, excelle à sympathiser, à rapprocher, à unir. Ce qui ne l'a pas empêché de frapper fermement de justes formules dans ses *Vies et Œuvres d'Écrivains* où ont leur chapitre tous les auteurs qui comptent aujourd'hui.

Une tradition ancienne, composite mais à beaux ramages, passe par la Comédie-Française. Elle ne manque pas de s'introduire chez tout critique dramatique depuis plus de cent ans; elle se glisse chez maint critique même des livres par une infinité de suggestions, d'échos, de contacts : c'est assez dire sa diversité. Quel plaisir de la surprendre chez elle, à l'une des sources qui l'entretiennent ! c'est-à-dire dans l'œuvre d'une comédienne qui joua toujours si spirituellement le classique chez Molière, Béatrice Dussane, laquelle étant également conférencière, « agit » sa critique. Dans ses *Reines du Théâtre*, décrivant les « créatrices » des chefs-d'œuvre depuis la Champmeslé jusqu'à Sarah et Bartet, elle fait revivre ces chefs-d'œuvre sous plusieurs éclairages différents. Elle s'est surpassée dans *Le Paradoxe du Comédien* (1934), dont la préface apporte des raisons contre la thèse de Diderot, et dans *Mes Quatre Comédies Françaises*, de Claretie à Bourdet (1939), série de portraits parlants. *Les Vers que je dis* (1943) achèvent de dresser une chaire d'enseignement supérieur.

Autre mainteneur de tradition, Gabriel Brunet a fait un détour fructueux par le Rémy de Gourmont des dissociations d'idées. Il n'en demeure pas moins très fortement original. Brunet débuta avec *Évocations littéraires* (1931). Il y choisit quelques classiques, Paul-Louis Courier, Sainte-Beuve, Renan, Bossuet, Mme de Sévigné, et cherche les rapports de leurs œuvres avec l'intellectualité d'aujourd'hui. Nous ayant ainsi re-familiarisés avec eux, il entre à l'intérieur des œuvres en multipliant les biais de pénétration pour atteindre leurs manières de « construire l'homme », surtout pour rencontrer des cas psychologiques privilégiés à transformer en problèmes généraux. Par exemple, Sainte-Beuve s'étant appliqué à saisir les différences et contradictions entre le Moi littéraire des Romantiques et leur Moi réel, Brunet, par maints sentiers d'approche, s'oblige à se demander si le cruel contrôleur n'a pas confondu la personnalité vulgaire avec la personnalité créatrice, car celle-ci est de construction intérieure, faite d'éliminations et d'annexions, éliminations de bassesses, de mesquineries et de perversités, annexions de rêves et de désirs : en ce cas, la méthode psychologique indirecte de Sainte-Beuve aurait créé le malentendu permanent qui l'a séparé des écrivains de sa génération, et elle ne saurait plus constituer un essentiel. Le travail de Brunet, on le voit, est stratégie et tactique, auscultation et observation, chirurgie, quoi encore ? Il l'a poursuivi avec *Ombres vivantes* (1936). Certes, sa méthode exige du recul : comment l'appliquer dans les jugements qu'avant la guerre de 1940 il prononçait de quinzaine en quinzaine ou de mois en mois dans des périodiques ? Même là d'ailleurs, il fournissait toutes sortes de garanties à ses examens de livres.

Au temps où se faisait une formation de Sorbonne à base philosophique, le meilleur élève que Brunschvicg ait donné aux lettres fut Ramon Fernandez. Le fourvoiement de Fernandez dans la politique n'a gâté, en somme, que son roman des *Violents*, inférieur au *Pari*. Dans les années de sa plus dangereuse vie publique, il sauva l'intégrité de sa critique. Certes Brunschvicg l'avait entraîné à brasser des synthèses prématurées. Imaginez là-dessus des cyclones de langage qui lui arrivaient du Mexique dont son père fut le ministre à Paris (il était né de mère française en 1894). Mais des qualités rares de classement, de compréhension, de découverte des rapports, d'embrassement des ensembles compensèrent ces malheurs. Et quels incessants progrès ! Si *Messages* (1926) traitaient non sans hermétisme de Stendhal, de Balzac, de Proust, de Conrad, de Meredith, et si *De la Personnalité* (1927) analysait en langage abscons « la fonction unificatrice », Fernandez a été ensuite se clarifiant, se dépouillant, et il est arrivé à cet *André Gide* (1931), à ce *Marcel Proust* (1943), à ce *Balzac* (1944) et à ce *Barrès* inachevé, livres investigateurs, assistés d'une mémoire qui confond par ses richesses, précipités en avant par une imagination intellectuelle qui fait bouillonner ses sujets. A peine a-t-on à se plaindre d'argumentations au bout desquelles un paradoxe surgit, qui est d'ordinaire une généralité philosophique disproportionnée avec l'homme ou la chose considérés au départ (restes du défaut initial) mais qui parfois aussi fait miroiter une vérité neuve. Le livre qui représentera le mieux Fernandez est évidemment celui dont la matière offrait le plus de champ aux courses, voltiges, sauts, jeux de ballons et autres exploits sportifs de son esprit : *Itinéraire français* (1943). Il s'agit là de notre littérature classique, de notre littérature contemporaine et des entre-deux, de notre pensée politique depuis Montesquieu jusqu'à Montherlant, de notre pensée scientifique depuis Descartes jusqu'à Claude Bernard, et de notre pensée tout court de Corneille à Péguy. Ce testament de Ramon Fernandez, où une pensée se donne à plein mais assez en forme pour porter en elle-même son frein, et où je n'aperçois que de rares passages regrettables, s'achève sur un éloge original de l'esprit français.

Un pas de la philosophie vers la science et le choix d'une base physiognomonique : on a l'itinéraire de Pierre Abraham, qui présente dans *Figures* (1930) le premier essai d'une critique expérimentale. Il n'a pas été concluant. Des études sur Balzac et sur Proust ont fait la preuve d'une souple précision dans les mesures, mais, en dépit du titre, sacrifient trop la vivante sympathie pour les visages individuels à la mise en valeur d'une évolution prétendue fatale des formes littéraires et artistiques. C'est la nouveauté de *Physique au Théâtre* qui restera peut-être la plus sûre.

Un autre pas vers la médecine, et l'on a la critique psychanalytique dont le docteur René Laforgue a fourni le modèle dans *L'Échec de Baudelaire* (1931).

On revient aux classements, filiations et compartimentements avec Denis Saurat, mais conçus dans un esprit d'émiettement qui pousse aux jeux saugrenus. L'auteur de *Tendances* (1928), qui n'aime ni Stendhal, ni Baudelaire, ni Lamartine, s'appuie sur une connaissance cavalière des littératures européennes, spécialement l'anglaise, pour surveiller le développement des modernes destinés à succéder aux romantiques et dont il a étudié dans Proust l'expression la plus poussée. Il mesure dans *Modernes* (1935) la distance de leur psychologie, toute en sensations, à l'homme complet des chefs-d'œuvre antérieurs. Ce serait acceptable si cette réduction des contemporains à l'esthétique de la sensation n'était pas follement forcée et si des pages et des chapitres ne consistaient pas en démarrages brusques qui ne se développent jamais et que suivent aussitôt garage, puis coups sur le butoir. De plus, Saurat cabriole sur les voies en vieil étudiant paradoxal. Heureusement pour lui, deux sujets déterminés l'ont obligé à un minimum de patience et de modestie : *Littérature et Occultisme* (1929), *La Religion de Victor Hugo* (1930); le premier livre passe en revue les adorateurs de la nature, Whitman, Wagner, Blake, Hugo; le second rassemble ce que notre temps a appris des relations du poète avec les esprits.

Je finirai cette revue des livres de critique sur une œuvre sans tradition et dont on dirait que l'auteur ne laisse jamais sa pensée remonter le cours du temps, mais qui jouit pourtant d'une rare solidité. Elle la doit à la base biographique et aux règles de la méthode. Voilà certainement un professeur manqué. Romancier et conteur d'occasion dans *La Femme de Paille* (1922) et *Déchéances aimables* (1933) écrits avant la trentaine, Léon Pierre-Quint naquit pour instruire ses contemporains; il a la bosse de l'explication claire et complète. Ce sont deux biographies exactes, deux explications très poussées, que son *Proust* (1926) et son *Gide* (1933). De tels ouvrages méritent l'admiration, on les a beaucoup pillés. Moins nécessaire fut *Lautréamont et Dieu* (1930), qui fait partie intégrante des saintes Écritures surréalistes.

III

LES CRITIQUES DRAMATIQUES

Un Kemp, un Marcel, un Boissy, auront lu les livres et été au théâtre avec un égal intérêt, semble-t-il. Un Henry Bidou (1873-1943), qui se chargea des livres à la *Revue de Paris* jusqu'à la guerre de 1939, n'a paru se passionner que pour son feuilleton dramatique du *Journal des Débats*. Assurément il nous donnait l'impression que nous lisions les livres par-dessus son épaule. Mais ce fut tour de force de nous faire assister aux pièces comme il y réussissait. On voyait le décor et les costumes, on suivait le jeu des acteurs, on entrait dans l'action, on possédait l'œuvre. Bidou joua sa critique sur le clavier du relatif, il a été l'impressionniste le plus dilettante. Plus exactement, il prenait un ouvrage comme prétexte à sa propre virtuosité d'artiste. Virtuose de la suggestion, de l'éclairage et d'une sorte de musique d'accompagnement, moins critique que metteur en scène rétrospectif, Bidou écrivit les chroniques les plus délicieuses qu'on ait lues depuis celles de Lemaître, qu'il avait certainement beaucoup pratiqué. N'est-il pas d'ailleurs le romancier de *Marie de Sainte-Heureuse* (1912) et de *C'est tout et ce n'est rien* (1930) ? Ces histoires lucides et douloureuses mesurent quelques flèches de l'amour avec une clairvoyance presque provocante. Personne plus que l'Ardennais Bidou n'aura été doué pour entreprendre quoi que ce fût. On l'a vu historien et géographe; on l'a vu voyageur revenu de Scandinavie avec une cargaison de savoir (*Le Nid des Cygnes*, 1929), ou des rives d'un grand fleuve d'Amérique comme un astronome de la voie lactée, ou encore de *Paris* (1937), son plus long voyage, son voyage intégral. En fin de compte, il a tout frôlé de son aile, sans jamais s'être durablement posé quelque part.

Si l'on remontait le cours des années, le souvenir rencontrerait Georges Polti et les Trente-six situations dramatiques; plus haut, Gustave Larroumet (1852-1903), resté petit garçon renfrogné derrière Jules Lemaître et Faguet; et l'on se trouverait nez à nez avec Sarcey. Le bonhomme Sarcey (1827-1899) et ses *Quarante Ans de Théâtre*. Sarcey, cuisinier bourru de la technique théâtrale au service de la plus épaisse bourgeoisie, fut une vedette parisienne, souvent moquée, indispensable aux caricaturistes. Il laisse une double réputation : 1° de conférencier (il ficelait sa conférence comme un rôt); 2° de gardien du théâtre bien construit et de « la scène à faire ». Et personne n'a jamais tenu la porte de la cuisine mieux fermée aux recettes nouvelles.

Redescendons vite le même cours, voici quelques spécialistes : Edmond Sée, l'auteur dramatique, dans ses articles de presse réunis en volumes (*Le Théâtre des autres*, *Le Théâtre français contemporain*, *Le Mouvement dramatique*), a toujours parlé très prudemment de ses confrères de la scène, mais en honnête homme et en juge qui sait rédiger ses jugements. Il étudie en deux ouvrages particuliers *G. de Porto-Riche* et *Henri Becque*. Henri Béraud, au sortir des représentations, faisait des *Retours à pied* (1925), secoué des réactions un peu grosses mais chaleureusement sincères de sa large santé d'alors. Claude Berton, qui fut une étonnante mémoire vivante à consulter comme des annales, se répandit dans les *Nouvelles Littéraires*, puis dans les *Marges*, en commentaires bavards. Lucien Dubech (1882-1940), auteur de maints billets signés Orion dans *L'Action Française* et d'articles sur *Les Chefs de file de la Jeune Génération* (1925) qui ne furent pas toujours prophétiques, a marqué sa place dans la critique dramatique — *Le Théâtre de 1908 à 1913* (1925) et *La Crise du Théâtre* (1928) — par de durs éreintements. Colette se fourvoya dans la critique dramatique pour les lecteurs du *Journal* : en volume, *La Jumelle noire* (1935-1938). Pourquoi être allée se compromettre dans un parisianisme presque vulgaire qu'au fond d'elle-même elle méprise ? Assurément, Colette reste Colette. Critique d'impressions, elle a certains brusques flairs d' « animal de théâtre ».

Les écrivains le plus solidement installés dans leur fauteuil de critique dramatique pendant l'entre-deux-guerres sont Kemp, Brisson, Léautaud. J'ai déjà parlé de Robert Kemp, ainsi que de Léautaud. Quant à Pierre Brisson, il embrasse totalement son sujet, comme l'avait remarqué Benjamin Crémieux, c'est-à-dire qu'il se demande : — Qu'est-ce que l'auteur a voulu faire ? L'a-t-il fait ? Sinon, où est la faille ? Brisson combat avec les moyens dont il dispose — sévérité caustique, luisante cruauté — pour la cause d'un théâtre sommet de littérature et d'humanité. On pense si cette conception, qui néglige les à-côtés de la scène et s'interroge sur l'essentiel — cette conception classique, en somme — lui vaut d'être souvent déçu. Pierre Brisson explique ses déceptions avec infiniment de verve et une philosophie assez chagrine. Ce n'est pas l'expérience qui lui manque, il a douze ans de premières derrière lui : *Au Hasard des Soirées* (1935), *Du Meilleur au Pire* (1938), *Le Théâtre des Années folles* (1940). Outre ces recueils, deux livres, *Molière* et *Les Deux Visages de Racine* (quoiqu'il n'arrive pas à expliquer le mystère d'une vie soudain renversée) répondent d'une expérience plus ancienne qui fait le noyau de sa force.

IV

LES CRITIQUES D'ART

Gustave Geffroy, Mauclair, Wyzewa. Salmon, Raymond Escholier et bien d'autres se sont faits accessoirement critiques d'art plastique ou d'art musical. Gabriel Mourey, qui s'essaya en plusieurs genres et fut poète, ne sauve son nom que pour avoir surveillé les échanges de poésie et d'art entre Paris et Londres au temps de Burne-Jones, de Rosetti et de William Morris. Il publia une édition française du *Studio*; son *Passé le Détroit* (1895) sent la Tamise et les ateliers de peintres. Il y a des critiques qui sont peintres avant tout, Maurice Denis, André Lhote, peintres théoriciens et dogmatiques : *Théories* (dans l'esprit de *L'Occident* de Mithouard) et *Parlons Peinture* sont, comme *Les Arts plastiques* de Jacques-Émile Blanche, d'excitante lecture On sait que François Fosca est romancier. Critique, en voilà un qui mène ses chroniques tambour battant, c'est toujours pour lui jour d'inauguration. Mais qu'il a le regard prompt et le jugement leste ! Ses livres, malgré leur érudition, n'ôtent rien de leur séduction à Goya ou à Raphaël, à Degas, à ce Bonnard qu'il fut le premier à étudier d'ensemble (1919). A vivre avec ces maîtres, il s'est entraîné à percer à jour les facilités en vogue de ce qu'il appelle l'académisme d'avant-garde et à faire comprendre que la peinture moderne doit « redevenir travail difficile ».

Avant lui, la Suisse nous avait envoyé Baud-Bovy avec qui j'arrive aux purs critiques. Elle a gardé pour elle Paul Budry, qui fut un tempérament vigoureux. La France doit à la Belgique Paul Fiérens, souple agent de liaison entre les deux pays, joli esprit d'une délicatesse presque féminine.

Robert de La Sizeranne et Louis Vauxcelles furent de remarquables écrivains au service de l'éclectisme averti, celui-là plus tourné vers le passé, celui-ci davantage dans le présent. Le *Ruskin* de R. de La Sizeranne a cependant joué son rôle vers 1900 dans les victoires suprêmes remportées sur le Naturalisme. Roger-Marx se dévoua avec intelligence à la génération de Carrière; son fils, Claude Roger-Marx a une culture sûre, une ampleur constamment vérifiée.

Dans d'innombrables chroniques d'actualité artistique, Pierre du Colombier a déployé des connaissances abondantes et profondes, à la fois artistiques, littéraires et même scientifiques. Sa critique vit en correspondance avec tout le domaine de l'esprit; critique et historien, sa culture est d'une puissante intensité. Tant de mérites s'épanouissent avec éclat dans de grandes études sur Dürer (1927), Decamps (1928) et Poussin (1931), dans le *Tableau des Arts au XXe siècle* (1933), dans l'*Histoire de l'Art* (1942). Avec cela, l'écrivain est sensible, varié, habile.

Adolphe Basler a étudié *La Sculpture moderne* et la *Peinture indépendante en France* aussi bien que *L'Art précolombien*; dans *La Peinture Religion nouvelle* (1926), dans *Le Cafard après la Fête* (1929), il juge l'esthétisme d'aujourd'hui avec une ardeur satirique bien armée. — Nous avons en Georges Charensol un actif et intelligent informateur, qui ne s'intéresse pas moins à la littérature qu'à tous les arts, puisque nous lui devons *Comment ils écrivent;* en Bernard Dorival un observateur extrêmement personnel et vigilant. Waldemar George est passé des hardiesses les plus avancées à la prudence des traditionalistes avec une pointe de provocation néo-classique.

L'architecte et urbaniste Le Corbusier est un nom important (*Urbanisme*, 1925). André Levinson, savant dans les métamorphoses de la danse, fut un subtil artiste et l'écrivain adroit des *Visages de la Danse* (1933).

En musique, les bons écrivains de la critique se font rares, depuis le temps des Rolland, des Wyzewa, des Bellaigue. On gardera longtemps la nostalgie d'un feuilleton qui eut dans *Le Temps* la signature de Pierre Lalo. — Cependant Émile Vuillermoz mit à l'abri, dans *Musiques d'aujourd'hui* (1923), des années de critique brillante; René Dumesnil.

Jean Chantavoine, Henry Prunières, Henry de Curzon, Roland Marcel, J.-G. Prodhomme, André Cœuroy ont rempli avec diversité une double fonction de critiques et d'historiens.

La critique des films, qui devait après la dernière guerre séduire dès sa jeunesse le fils de Mauriac, en même temps que sur ses vieux jours François Le Grix, s'est vu auparavant élevée par deux virtuoses au rang de la grande chronique : un journaliste de vif talent qui a mal fini, Rebatet, et qui sous le nom de François Vinneuil faisait un sort choisi aux nouveautés de l'écran; un écrivain respecté, Alexandre Arnoux, magique dans son style comme l'est le huitième art dans ses glissements d'images.

V

CRITIQUES ÉTRANGERS DE LANGUE FRANÇAISE

La Suisse, qui nous a dépêché il y a quarante ans Victor Giraud, portraitiste appliqué de nos grands écrivains modernes, et hier Albert Béguin, posséda chez elle en Paul Seippel (1858-1926) un remarquable débrouilleur d'idées. Maurice Muret est un sûr agent de liaison; avec la variété des points de vue et un jugement solide, il renseigne depuis des années les Suisses sur la France et les Français sur la Suisse. Édouard Martinet, peintre de *Portraits d'Écrivains romands contemporains*, a son regard tourné aussi vers les écrivains français. Emmanuel Buenzod et Cl.-A. Cingria, le franc-tireur, sont des têtes originales, leur réputation s'étend largement en France. A Fribourg Paris doit Eugène de Boccard, le rassembleur de ce bureau d'information qu'est l'*Anthologie des Poètes de la Suisse romande* (1946). Le jeune conteur et dramaturge René Vittoz a publié un *Essai* ingénieux *Sur la Poésie pure* (1930). Paul Chaponnière est le type de ces chroniqueurs littéraires de Genève, si remarquables observateurs en même temps qu'entraînés à la rapide et sûre synthèse.

La Belgique, qui vit en France sous quelques noms chers, s'honore d'une pléiade de critiques restés dans leur patrie, Firmin Van der Bosch, qui fut tête de combat et même de choc, quand il fallait se battre pour Verlaine et pour Villiers de L'Isle-Adam; Georges Rency, calme au contraire, bon historien, mais qui aime faire retraite en lui-même, auteur des *Physionomies littéraires* (1907) et des *Propos de Littérature* (1919); Maurice Gauchez, autre historien qui est à retenir ici pour ses *Romantiques d'aujourd'hui* et son *Livre des Masques belges*; Robert Poulet, qui a parlé, lui, des Français surtout, avec un dynamisme violemment personnel dans *Partis pris*, ces coups de poing réfléchis.

Charles Bernard, Maurice Kunel, Victor Morémaus, Hubert Colleye assurent le sort du goût. Marcel Lobet, Jean Delfosse, Paul Prist, J. Dehusses, Pierre Pirard, Pierre Elstir, sont en pleine activité dans leurs rubriques de journaux, ainsi que Jean Valschærts.

Hansen, Tresch, Alphonse Arend ont répondu au goût prononcé des Luxembourgeois pour l'essai; beaucoup de nos auteurs leur sont redevables. Ch. Becker, auteur d'études sur Maupassant et la comtesse de Noailles, tient depuis 1928, est seul à tenir, un feuilleton régulier de critique en chroniqueur informé, consciencieux, brillant.

Les Canadiens de langue française estiment un aîné, l'abbé Claude Roy, et des contemporains plus près de nous : Marcel Dugas, qui vécut en France jusqu'à la guerre et y a publié de très personnels *Aperçus* (1929); Robert Rumilly, informé et perspicace dans ses *Chefs de File* (1935). Les périodiques se sont multipliés au Canada. On y remarque sans peine René Garneau et ses feuilletons d'analyse; Guy Sylvestre, l'auteur si intelligent de *Sondages*; Louis-Marcel Raymond, qui a montré une modernité éclectique dans *Henri Ghéon* et *Vie et Œuvre d'Yvan Goll*; Roger Duhamel, J.-P. Houle, J. Le Moyne, Robert Charbonneau, Berthelot Brunet, tous actifs à faire prendre aux Canadiens connaissance de leurs moyens.

VI

AUXILIAIRES DE LA CRITIQUE

I. — *UN PSYCHOLOGUE DU LANGAGE : JEAN PAULHAN*

De grands noms se lèvent dans l'esprit à ce mot de langage. Un livre, *Le Langage* (1921), a rendu Joseph Vendryès illustre dans l'Europe savante; Antoine Meillet et Ferdinand Brunot, Ch. Bally et A. Dauzat, ont étudié avec éclat eux aussi les rapports du langage à la pensée; — mais tous cinq appartiennent à la science et m'échappent.

Un littérateur au contraire se laissera retenir, et c'est Jean Paulhan, né à Nîmes en 1884, fils du philosophe, successeur de Jacques Rivière à la tête de la *Nouvelle Revue Française* jusqu'à la guerre de 39. Cet esprit curieux, d'une souplesse de gazelle et d'une résistance de lézard, franc et retors, secrètement très armé, vécut jeune à Madagascar et commença ses investigations stylistiques dans le folklore malgache. Il a rapporté de là-bas des *Hain-Tenys*, poèmes malgaches, menus comme des inscriptions de l'Anthologie, mais sans liaisons logiques dans les phrases et qui font penser à du Picasso écrit. Traduire ces rébus, ce fut pour Paulhan une école fructueuse. Il dut entrevoir alors son œuvre future, et c'est par regard en arrière, regard de gratitude, qu'il publiait en 1938 ces curiosités. Ses sondages de la parole humaine avaient commencé avant l'autre guerre dans *Le Spectateur*; après, ils ont continué sans relâche.

Le langage est une traduction, comment ne trahirait-il pas ? Et sa trahison s'approfondit en passant des uns aux autres, sans cesse déformé par les singularités de chacun. Tout ce que la tradition humaine a tenté dans la voie du discours logique ou dans celle de l'image, reste forcément approximatif, ou mieux, dresse de véritables écrans devant la pensée ou devant le sentiment, écrans vivants et même prolifiques. Paulhan voit la vie intérieure sous l'aspect d'un combat perpétuel contre l'appareil pensant, contre l'insuffisance et les dangers de ses moyens d'expression, et la vie littéraire consistant dans son fond à mener le même combat pour l'affranchissement de la pensée, du sentiment, de l'émotion asservie aux mots, au pouvoir extraordinaire des mots, des groupes et ententes de mots.

Il a consacré à ce problème des livres compliqués et mystérieux. Son style précautionneux serre d'extrêmement près les inductions les plus subtiles, son analyse se fait serpentine pour ramper parmi les radicelles de l'inconscient : car Paulhan est un peu le Freud du langage; les courts récits psychologiques qu'il a construits pour nous faire assister à cette vie difficile, *Jacob Cow le Pirate*, *La Guérison sévère*, *Aytré qui perd l'Habitude*, *Le Pont traversé*, sont des contes freudiens ou pré-freudiens, qui fixent et interprètent des visions oniriques, qui éclairent des souterrains de l'âme. Dans les plus récents essais, *Les Fleurs de Tarbes* (1941) et *Entretien sur des Faits divers* (1945), la fiction a disparu et l'analyse fonctionne nue; ils offrent cependant toujours le même air de littérature à surprises auquel Paulhan se plaît et qui lui fait mettre son prestige au service de la jeune production la plus aventurée. A ce point de vue, que son attitude est curieuse !

On comprend très bien que pour le front d'expression à tenir, la fine pointe exacte de la pensée ou du sentiment ne dispose pas de troupe plus dangereuse à manier que la rhétorique, le lieu commun, le tout-fait introduit par les habitudes sociales dans le langage parlé et même écrit. Plus il y a d'accepté, de non inventé, et plus il risque d'y avoir infidélité, approximation floue. L'obsession de cette infidélité et de cette approximation semble peser sur l'esprit de Paulhan comme elle a pesé sur la littérature depuis le Romantisme, surtout depuis le Symbolisme. D'où l'accord et l'alliance de Paulhan avec les jeunes écoles littéraires dans une hostilité au conformisme d'expression, qui remonte naturellement jusqu'aux autres conformismes. Ne s'agit-il pas de défendre par un effort constant l'outil aigu de l'attention, de l'observation, de l'introspection ? Cela conduit à l'extrême dissociation de la matière imprimée, à l'audace du vocabulaire, à l'hermétisme, et Paulhan a toujours favorisé la diffusion de ce genre d'étrangeté par la maison d'édition dont il est le conseiller. Cela conduit également aux autres audaces, celles des forcenés qui vont à l'extrême cynisme du réalisme dans l'ornière de quelques Américains modernes ou celles dont le marquis de Sade a jadis affiché l'enseigne : aussi Paulhan montre-t-il de l'indulgence aux émules français d'Henri Miller et n'hésite-t-il pas à préfacer une réédition des *Infortunes de la Vertu*, par dégoût des niaiseries du sentimentalisme et de toutes les duperies du cœur si propices à celles de l'esprit. Lui-même a écrit le surprenant *Petit Guide d'un Voyage en Suisse* (1947) après lequel on n'osera plus confesser le moindre sentiment de la nature.

Mais qui ne verrait que c'est tout de même courir à un épuisement ? Paulhan l'a vu, au fond de sa propre hantise; penché sur cet étroit abîme, il a eu le vertige de découvrir l'envers de l'exigence classique que manifestent étrangement ses ouvrages : classicisme de cabinet, dans le prolongement de La Bruyère, classicisme qui se dévore. Peut-être l'idée de réaction le tient-elle maintenant, et je ne désespère pas de le voir bientôt célébrer le roman le plus ingénu, s'il le trouve. En attendant, il a déjà écrit *Les Fleurs de Tarbes* (1941) qui font pressentir un 9 Thermidor de la Révolution dans le langage littéraire. La « Terreur » dressée dans les lettres par les Danton du Cubisme et les Robespierre du Surréalisme au nom de l'anti-rhétorique, cette « Terreur » à laquelle Paulhan participait jusqu'ici, voilà qu'il la dénonce au nom de la liberté, parce qu'en effet elle a fini par détruire toute liberté d'esprit, parce que la préoccupation d'une forme jamais assez exacte, enfermant l'écrivain dans une angoisse de la solitude, handicape et paralyse sa création : le temps n'est-il pas venu enfin de recommencer d'écrire à l'aise ?

On se doute que je durcis quelque peu la position de Paulhan. Elle n'est pas aussi nette Sous chaque pétale de ses *Fleurs*, une vérité différente guette le lecteur et tend peut-être un piège aux naïfs : laquelle restera décidément la sienne ? J'ai dit réaction et je m'en dédis. Paulhan n'est pas homme à s'enfermer ni même à se fixer. Mais ses métamorphoses ont toujours contenu du juste et du profitable. Chacune d'elles, dans une œuvre à ce point sinueuse, corrige les précédentes, sans consentir à les annuler. Je vois cette œuvre se balancer au vent de l'invention littéraire comme une forêt de précisions multiples dont la « cime indéterminée » (que Paulhan pardonne à Chateaubriand !) se détache sur un ciel teinté de mystification.

Par surprise, un de ses derniers livres est néanmoins des plus nets, qui s'intitule *A demain la Poésie*. Il s'agit de la poésie telle que l'entendent tant de pseudo-originaux, cette poésie qui, à force d'exclure et de refuser, à force de rejeter l'éloquence, le récit, la passion, la science du vers, s'évanouit, disparaît, n'est plus rien : on la cherche. Ces nouveaux textes de Paulhan se réfèrent eux-mêmes à une conception de la pensée. Ils dénoncent les plus hypocrites imposteurs de notre temps, qui se sont juré d'en finir avec les moyens habituels de l'esprit, pour mobiliser à leur place le rêve, l'écriture automatique, la folie, et par le long détour de l'irrationnel atteindre au delà de la portée de la raison. En fin de compte, qu'atteignent-ils ? Le certain, c'est que le catalogue des gains n'est pas dressé. Le sera-t-il jamais ?

II. — *GRANDES INTERVIEWS ET LEUR VICTIME*

Dès le début du siècle, Adolphe Brisson et Paul Acker s'étaient ménagé avec les célébrités contemporaines des entretiens qu'ils orientaient de manière à faire voir des destinées en raccourci (vie, art, idées) et dans leur cadre (maison, habitudes, physionomie). Au cœur de l'entre-deux-guerres, cela devint une mode qui emplit les journaux. On se souvient encore notamment qu'André Rousseaux reproduisait chaque semaine dans *Candide* des conversations littéraires sous le titre de « Un quart d'heure avec ». Il imitait de loin Frédéric Lefèvre, qui triompha dans le genre, avant d'en payer durement le succès (1889-1949).

Qui n'a plus d'une fois consulté, même après les avoir lus en leur temps, les six volumes d'interviews parus dans les *Nouvelles Littéraires* ? Ces *Une Heure avec* (1924-1933) fournirent des facilités aux écrivains pour s'expliquer eux-mêmes au public et d'égales facilités au public pour se renseigner sur les écrivains. La raillerie s'y attaquait. On les caricaturait en commères de revues. Tristan Derème inventait le verbe « uneuravéquer ». Elles ont pourtant rassemblé une information très sérieuse qui n'avait que le tort de ne pas faire à la critique sa part. Poussant néanmoins les entretiens beaucoup plus avant que ses prédécesseurs, Lefèvre faisait le tour et biographique et bibliographique des auteurs, et il entrait dans leur pensée. S'il s'est limité à la littérature, ce fut en l'entendant au sens le plus large : poètes, romanciers, philosophes, linguistes, esthéticiens ont posé devant lui tour à tour : en sorte que leur ensemble déroule comme devant un bon micro une part de l'intellectualité du siècle... Et voilà pourquoi l'opinion a emprisonné l'inventeur des *Une Heure avec...* dans sa réussite. N'est-ce pas sa firme ? Elle est achalandée. Qu'il n'aille pas produire sous une autre : on l'ignorera, on feindra de l'ignorer...

Qu'importe à un homme qui a tout son être sonore de bruits rustiques ! Non pas qu'il fût le paysan à la ville, mais plutôt un ægipan qui s'ébrouait dans l'envahissement de l'imprimé comme son frère antique dans le jaillissement des forces de la nature. Son œuvre véritable d'écrivain, et non plus de journaliste, aura sans cesse repris vigueur dans les tragédies du *Sol* (1931) — sol de la Haute-Tarentaise que le paysan déserte —, dans la puissance d'exister et d'aimer librement qui flambe comme un soleil autour du *Vagabond* (1936), et aussi dans cette vieille race des magiciens et guérisseurs de Mayenne que rajeunit *Samson Fils de Samson* (1931).

Mais il ne s'est pas contenté d'appeler la terre à faciliter l'entente de la vie et à défendre l'innocente vertu des êtres contre les contraintes sociales; il l'avait auparavant mêlée à l'esthétique, il avait signé une charte qui allie l'art à la nature dans *Les Matinées du Hêtre rouge* (1929). Aucun art n'existe pour lui qui ne soit une montée de la nature dans les plus hauts feuillages du langage écrit. Et cette conception entretient une sorte de secret en pleine lumière qui avait fait l'atmosphère de *La Jeune Poésie française* (1917), puis, de façon plus inattendue, celle de *L'Itinéraire de Maurice Blondel* (1928), et qui fait plus intensément celle des derniers livres.

Lefèvre ayant replié ses ressources romanesques, critiques et philosophiques sur la province pendant les années de la dernière guerre, en a profité pour dresser ce curieux inventaire qu'est *L'Adhésion*, où s'avoue un positivisme d'indéracinable Occidental. *Images bibliques* le complète. On l'aura donc vu cuire son pain spirituel en deux fours cardinaux, l'Occident et l'Orient, par les mêmes moyens dans les deux livres : méditation sur le patrimoine humain aux lisières des champs et des bois, incantation solennelle de roi qui semble accomplir dans le premier livre un rite du vieux paganisme et, dans l'autre, une cérémonie de patriarche.

III. — *COURRIÉRISTES LITTÉRAIRES*

Une rubrique a porté ce nom dans plusieurs journaux pendant les années dix et vingt du siècle. Elle consistait à donner quotidiennement des nouvelles des livres, des revues, des auteurs, sous forme de stricte information journalistique. Fernand Divoire ouvrit et dirigea la première dans *L'Intransigeant* presque au début du siècle; il avait des collaborateurs; André Salmon et André Billy suivirent l'exemple dans *Gil-Blas* et dans *Paris-Midi*, rédigeant seuls leur demi-colonne. Tous ont aidé très sérieusement la littérature d'avant-garde à se pousser. Aussi les « Courriers littéraires » se sont-ils multipliés et se multiplient-ils encore, mais en perdant le caractère et l'accent que ces écrivains avaient su leur donner. La chronique qu'Émile Henriot, sous le même titre, rédigea chaque semaine au *Temps* pendant vingt-trois ans jusqu'à la dernière guerre, était, on l'a vu, d'une tout autre nature.

IV. — *LES ENQUÊTES ET LEUR PRINCE*

L'enquête menée par Jules Huret dans *L'Écho de Paris* en 1890 et parue l'année suivante sous le titre de *L'Évolution littéraire* a rendu ce journaliste célèbre et constitue un document irremplaçable sur l'époque symboliste qu'elle a contribué à éclairer.

Huret a eu des imitateurs, mais aucun n'a renouvelé la tentative avec la même ampleur. *La Littérature contemporaine* de Georges Le Cardonnel et Charles Vellay (1905) et *Les Tendances présentes de la Littérature française* (1913) de Jean Muller et Gaston Picard furent des morceaux de miroirs.

Pierre Varillon et Henri Rambaud organisèrent en 1922 dans *La Revue Hebdomadaire* une *Enquête sur les Maîtres de la Jeunesse littéraire* qui offrait l'intérêt tout particulier de rattacher la sensibilité et l'intelligence de leur génération à celles de la génération précédente. Je crois tout de même que quelque coup de pouce des deux auteurs ne fut pas inutile pour obtenir ce fond constant de réponses : Bourget, Barrès, Maurras.

Cependant les limites de l'enquête littéraire s'étaient singulièrement rétrécies et l'entreprise de Varillon et Rambaud ne les réélargit point. Gaston Picard semblait d'ailleurs avoir fait prévoir cette seconde période du genre dès 1911, en posant aux lecteurs de *L'Intransigeant* en même temps qu'à ceux de *L'Heure qui sonne* ce problème : « L'œuvre de Maeterlinck devant l'opinion ». Dans l'entre-deux-guerres, les sujets d'enquêtes n'allaient plus guère osciller qu'entre telle réputation d'auteur et telle question générale d'actualité : « Avons-nous besoin d'un nouveau Malherbe ? », « Anatole France mérite-t-il son décri d'aujourd'hui ? », « Votre plus mauvais souvenir littéraire, s. v. p. ? », « La grande pitié des écrivains de France ».

Voilà les questions que Gaston Picard jetait comme des tracts sur Paris. Souvent les grands quotidiens répondaient, et la littérature jouissait ainsi sur le moment d'une publicité gratuite. Aujourd'hui, quiconque se replonge dans ces feuillets d'hier y trouve une poussière de renseignements et çà et là un bon morceau de documentation.

Souday salua Gaston Picard « prince des enquêteurs ». Prince nullement machiavélique, cependant roublard. Son sens de la formule n'est pas niable. Il y ajoute un sourire pincé. N'a-t-il pas intitulé un livre de pensées *Pour lire entre les Lignes* ? Romancier, il a conté *La confession d'un Chat*; un curieux petit venin d'érotisme y aggrave les coups de griffe.

Derrière ce prince, Paul Gsell, Pierre Lagarde, Christian Dorcy, Charles Ecila sont-ils ducs et pairs ? Ma foi, encore un sujet d'enquête...

V. — *LES PASTICHEURS*

Qu'est-ce qui m'interdirait de rappeler quelle forme amusante ils ont donnée à la critique, forme intelligente aussi quand ils réussissent ? Nous n'en manquons pas. Les plus remarquables furent peut-être — combien différents l'un de l'autre ! — Lemaître et Proust. Les plus familiers au public restent Paul Reboux et Charles Muller, qui ont établi sans le vouloir avec *A la Manière de...* une hiérarchie : en proportion même de leur réussite, un Racine bondissant au sommet pour avoir échappé à leur prise, un Déroulède s'abattant à terre sous le ridicule d'un pastiche qui est le chef-d'œuvre du livre. J'ai signalé en leur temps symboliste *Les Déliquescences d'Adoré Floupette*; je signale à présent *Le Copiste indiscret* du poète fantaisiste Jean Pellerin; *Correspondances apocryphes* de Louis Martin-Chauffier et les merveilles de Georges-Armand Masson. Encadrons ces jeux rieurs et cruels entre Ernest La Jeunesse et Yves Gandon. — *Les Nuits, les Ennuis et les Ames de nos plus notoires Contemporains* parurent en 1896. France, Loti, Bourget, Zola, Coppée, Huysmans et dix autres se virent grimacer dans ce miroir insolent. La Jeunesse, impitoyable, ne manquait pas de faire rire aux dépens de fausses beautés. Seulement son ouvrage n'était que hasard et qu'humeur. Car s'il se moque par exemple de la poésie de Heredia, lui est-il arrivé de laisser deviner quelque goût pour un art plus naturel et de plus de substance ? S'il veut obliger Loti à avouer : « Le néant, c'est moi », fait-il entendre qu'il existe des esthétiques plus hautes que l'impressionnisme ? Voilà la tristesse du livre, il détruit pour détruire, tandis que Reboux et Muller, qui raillent pour s'amuser eux-mêmes, suggèrent toujours un critère valable et réconfortant. — Yves Gandon, écrivain d'ailleurs attachant lorsqu'il évoque des figures de femmes aux différents âges de la France (*Amanda*, *Zulmé*, etc.), a conduit sa triple série de pastiches — *Mascarades littéraires* (1930), *Imageries critiques*, *Usage de Faux* — avec un flair si vigilant qu'instruit par ces exercices, il a pu, dans un quatrième volume, faire vivre *Le Démon du Style* (1938). Analysant quelques illustres contemporains dans leur façon d'écrire, il les serre de si près qu'il arrive, en ayant l'air de ne parler que de style, à immobiliser, endormir, autopsier, puis ressusciter et faire marcher devant nous l'esprit même d'une Colette, d'un Giraudoux, d'un Fargue, d'un Montherlant...

V. — *LA CRITIQUE PARLÉE*

La publicité orale, est, dit-on, la meilleure. Elle se fait dans les cafés, les librairies, les salons, les Académies. Le mouvement ne s'en peut guère saisir : d'où précisément sa force. Mais ne prend-elle pas tout de même çà et là quelques aspects moins glissants et furtifs ? Les Académies distribuent des prix, certains salons trouvent leurs mémorialistes, il y a des cafés et des librairies qui entrent dans la chronique.

Inutile de vouloir refaire les chapitres consacrés à l'Académie française et à l'Académie Goncourt ainsi qu'aux salons littéraires dans la collection d'études qu'a dirigée en 1923 Eugène Montfort, *Vingt-cinq ans de Littérature française*. Mais en s'y reportant, on ajoutera dans les marges que Jeanne-Marie Pouquet a fouillé le *Salon de Madame Arman de Caillavet* presque indiscrètement (1926) et que Fernand Vandérem dans ses Mémoires n'a rien laissé perdre de toutes les drôleries du salon de Mme d'Aubernon.

Quant aux prix, jurys et même académies, ils se sont abusivement multipliés. Comment n'arriverait-on pas ainsi à énerver les talents, à fausser l'appréciation des valeurs ? La tendance de la littérature à devenir une industrie, déjà signalée par Sainte-Beuve, maintes fois dénoncée depuis que la puissance des journaux et les mœurs générales ont précipité le mouvement, doit aux présentes conditions la perte de tout frein. On ne décourage plus les beaux-arts, on encourage fortement les laids.

Aussi y a-t-il quelque douceur mélancolique à reporter sa pensée aux années déjà lointaines où la littérature vivante vivait modestement et savait attendre. Ma foi, c'était le temps où elle n'avait pas encore abandonné les cafés à un ou deux groupes d'excentriques-vedettes. Le café fut le vrai logis de Verlaine, un café à plusieurs enseignes : Le François Ier, La Source, Le Procope, le Soleil d'Or. Moréas après lui mena les muses au Vachette, avec Maurras, Jérôme Tharaud, Gillouin et tant de jeunes poètes ! tandis qu'Ernest La Jeunesse, sur la rive droite, vieillissait au Napolitain et que le Weber voyait fulgurer Forain, Léon Daudet, Proust, Debussy. Les nuits de Toulet se passaient au Bar de la Paix; ses amis venaient l'écouter « dans la petite salle surannée de la rue Auber », comme a dit Vaudoyer. De 1900 à la guerre, régulièrement chaque semaine, la Closerie des Lilas réunit les admirateurs de Paul Fort, Flore le groupe de Maurras, ensuite le groupe d'Apollinaire qui y fonda *Les Soirées de Paris*; au Cluny, au Panthéon, quelques survivants du Vachette se mêlaient à des jeunes. La petite brasserie de la rue Christine est entrée avec Apollinaire dans la poésie française. Après la guerre de 14, plusieurs établissements de Montparnasse ont rassemblé des écrivains confondus avec les peintres, comme dans l'âge romantique; puis le Mahieu a acueilli Thérive et les derniers entêtés... Voilà ce que François Fosca rappelle dans ses *Cafés littéraires.* On devra seulement ajouter à la liste Le Grand Café où alla Courteline; Le Jullien, voisin du Napolitain, et qui a vu Ponchon, Bergerat, Hugues Delorme; Le Téléphone de la rue Lepic, dont se souviennent Paul Fort, Mac-Orlan, Picasso; Le Steinbach où Moréas retrouvait Maindron; La Régence où s'arrêtait Souday rentrant du *Temps* à son domicile. On sait que cette cité mouvante des cafés, qui a créé une certaine ambiance littéraire de fantaisie, d'indépendance, de chimère et de nostalgie, essaie de renaître aujourd'hui autour de Flore et des Deux-Magots, dans le quartier qui rayonne de la place Saint-Germain-des-Prés, vrai *Village*, village unique dont Léo Larguier peint l'aspect et raconte l'histoire.

Le café-librairie fait son apparition et nous avons des librairies-thé : mode anglaise. Les auteurs, invités à dédicacer leurs ouvrages, y rencontrent des visages de leur public. Dans certaines librairies sèches, les rendez-vous de littérature ne valent pas moins : telle la petite boutique que gère Philippe Chabaneix et qui s'appelle Le Balcon. Elle groupe surtout des poètes. Tout près de là, sur la place même, l'église voit se déployer à main droite les vitrines de la librairie peinte en bleu à l'enseigne du Divan. On traverse le magasin de biais et une minuscule pièce encombrée vous reçoit. Le maître de céans, Henri Martineau, a bâti là son *Stendhal* complet et rédigé des milliers de comptes rendus pour sa revue qui parut si longtemps à Coulonges-sur-Autize, où il exerçait la médecine. Elle voit les visages de Gérard d'Houville, de Vaudoyer, de Chabaneix; elle a vu ceux de Valéry, de Jaloux, de Derème, de Marsan. C'est un foyer de traditionalisme intelligent. La revue *Le Divan* renseigne avec une originale honnêteté, depuis quarante années, sur le mouvement des lettres et du théâtre. — A quelque deux cents mètres, sur la pente de l'Odéon, une femme au visage plein et doux, aux yeux profonds, en tenue presque conventuelle, a tenu dans sa librairie un vrai bureau d'esprit toujours ouvert aux inventions d'art. Valéry, Gide, Romains, Apollinaire y sont venus se frotter mutuellement les antennes. Adrienne Monnier ouvrit cette boîte de livres en 1916. Deux guerres ont passé sur ses rayons bien rangés sans chasser les ombres de ceux qui furent ses visiteurs familiers, Claudel, Larbaud, Fargue, bien d'autres, ni celles des revues qui y prirent leur essor, *Le Navire d'Argent*, *Mesures*. Personnellement, Adrienne Monnier a fondé *La Gazette des Amis des Livres* (avril 1938-janvier 1940) et elle l'a rédigée, parlant de son métier avec la simplicité lisse du bon artisan, examinant en femme très personnelle des problèmes de pensée, contant des souvenirs dans une langue créée. Elle a vu clair : d'Apollinaire à Cocteau, qui n'est pesé, jugé, raillé ? Mais presque toujours aimé. Cette originale pratiqua tout ensemble justice, charité, plaisir. Elle aura vécu, lu, causé, écrit avec une sagesse toujours liée à la vie intérieure comme par un fil de la Vierge.

CHAPITRE III

LE JOURNALISME ET L'ÉLOQUENCE

I. — *JOURNALISTES*

Un talent se dépense dans les quotidiens qui pour résister à l'oubli ne dispose que de deux moyens : le recueil d'articles choisis et par miracle non périssables, quelque bon livre hors de presse...

Dieu sait si jadis Rochefort et Maret auront condensé de l'intuition, du savoir, de l'esprit en brefs messages : autant en emporte le vent ! Ils furent chers aux lecteurs d'une génération, les générations suivantes les délaissent, les ignorent. Dans quelles mémoires vivront les articles foudroyants d'Urbain Gohier, ou certains petits La Bruyère que Jean Lefranc intitulait « En marge » ? En contraste se prolongent, sous la couverture protectrice d'un ou plusieurs volumes, un Veuillot, un Prevost-Paradol. Séverine (1855-1929), bel écrivain au style poignant dans *Pages rouges*, *La Ceinture de Paris*, *Vers la Lumière* (1893-1899), ces espoirs et ces déceptions d'une libertaire, reste digne de son maître Vallès; Albert de Mun fait lire encore *Derniers Articles* (1914), les plus majestueux; Édouard Helsey, grand informateur, meneur d'enquêtes à travers le monde, est peintre d'histoire dans *Les Aventures de l'Armée d'Orient*, dans *Orages sur Sion*. On glisse à la chronique littéraire de grand style avec Henry Bauër (1851-1925), dont *De la Vie et du Rêve* (1896), *Idée et Réalité* (1897) frémissent toujours des combats livrés pour le Théâtre Libre, pour le Symbolisme, pour Wagner et Ibsen, pour Becque et Curel. On s'y installe avec Henry Roujon (1853-1914), le lettré érudit et philosophe d'*En Marge du Temps* (1908), de *La Galerie des Bustes* (1909). Mais un livre, des livres détachés de toute éphémère actualité sont tout de même plus sûrs que ces recueils pour l'assurance sur la survie. Encore les assureurs risquent-ils de faire faillite quand le journaliste, même grand, n'est qu'un idéologue banal, tel Clemenceau dans *Le Grand Pan* (1896) ou *Au Soir de la Pensée* (1927), ce Georges Clemenceau (1841-1929) qui emplit pendant des années *La Justice*, *L'Aurore*, *L'Homme enchaîné* de polémiques au service d'un anti-cléricalisme et même d'un anti-christianisme auxquels son progressisme social et son besoin de justice terrestre pensaient donner satisfaction. Caractère de roc, patriote indomptable, un des vainqueurs de l'Allemagne en 1918, il obtint son apothéose. Mais il pensait vite et gros, il écrivait d'un style à la fois tendu et lourd, avec des bonds d'improvisateur.

Bien entendu, je ne reparlerai pas d'écrivains qui n'ont été journalistes que pour une part de leur vie et de leur œuvre, comme Barrès, Blum, Jaurès ou Maurras.

Édouard Drumont (1844-1917) demeure dans trop de mémoires le batailleur de *La Libre Parole*, l'antisémite furieux qui ayant fait éclater en 1886 la foudre de son pamphlet, *La France juive devant l'Opinion*, lui a donné une longue queue d'orage : *La Fin d'un Monde* (1888), *Le Testament d'un Antisémite* (1891), *Les Juifs et l'Affaire Dreyfus* (1899). C'est oublier que l'auteur de cette diatribe, *De l'Or, de la Boue, du Sang* (1896), dépasse l'antisémitisme et, puissant visionnaire, apporte des pages de douleur, d'indignation et de dégoût aux observateurs critiques du capitalisme et de la bourgeoisie. Au reste, même derrière l'apparence du journaliste, il y eut de la pensée libre, de la culture et de l'art. Après tout, l'œuvre entière de Drumont s'encadre entre deux livres de petite histoire où beaucoup de ses articles auraient pu figurer, *Mon Vieux Paris* (1879), *Vieux Portraits et vieux Cadres* (1903), qui sont d'un écrivain bien savoureux. — Octave Mirbeau a beaucoup plus d'importance comme journaliste que comme romancier. Qu'on relise *Grimaces et quelques autres Chroniques*, on y entend encore grincer la cruelle plume. — Gustave Téry (1871-1928) a fait passer de ses articles dans son *Jaurès* (1917) la trompeuse bonhomie d'un journaliste tout en finesses tenaces, pressant son adversaire phrase à phrase, le mordant par coups sournois et cruels : Courier et Voltaire corrigés l'un par l'autre. — Louis Forest n'a pas seulement pétri après Harduin, avec l'avilissement obligé, le petit pain quotidien de ses lecteurs; un livre de lui existe qu'il faudrait faire lire d'autorité à tout jeune Français atteignant sa majorité : *On peut prévoir l'Avenir ou la Descartomancie* (1918); il y enseigne avec beaucoup d'esprit à ne pas s'endormir dans le souvenir du passé, et à ne pas escompter l'avenir d'après nos sentimentalismes. — Robert de Jouvenel, frère d'Henry, se sera révélé dans *L'Œuvre* entre 1920 et 1924 le plus efficace des journalistes français. Il avait préalablement publié *La République des Camarades* (1914) et *Le Journalisme en Vingt Leçons* (1920), que leur incomparable ironie fera figurer dans la collection universelle des chefs-d'œuvre de la satire. — L'abondance chroniqueuse de Gérard Bauër, observateur de nos mœurs et conférencier européen, appelle toutes les comparaisons dans l'ordre de l'élégance. Et certes Bauër peut compter sur son journalisme mondain, causeur, artiste, très écrit, sur l'humour sensible et la satire caressante des *Billets* de Guermantes. Mais, par chance supplémentaire, le *Recensement de l'Amour à Paris* (1922), *Les Six Étages* (1925) mettent bien joliment La Bruyère au ton de la vie parisienne.

Terminons par un point d'interrogation et de doute. Qui l'emportera du journaliste ou de l'historien dans Pierre Gaxotte ? Peu d'années avant la dernière guerre, du même pas qu'il s'élevait à l'histoire justicière, Gaxotte s'avançait dans le journalisme politique et il y déploya un étonnant brio d'écrivain. Son invention dans le style s'accordait avec une solide originalité de pensée. Mais il semble que son portefeuille intellectuel renonce à des valeurs si saisonnières. Ayant brisé volontairement une étincelante carrière journalistique, puis ne l'ayant reprise dans la paix qu'en à-côté, on ne le voit plus guère, dans son activité sérieuse, qu'historien.

II. — *ORATEURS*

Des hommes politiques se sont acquis une réputation à la fois comme orateurs et comme journalistes, ils ont fait du journalisme écrit et parlé, de l'éloquence parlée et écrite : ainsi Clemenceau, Jaurès, Blum, Paul Reynaud; — certains relèvent plus strictement de l'éloquence, Waldeck-Rousseau, Viviani, Millerand : les uns et les autres moins éphémères que beaucoup de journalistes en tant qu'acteurs de l'histoire, plus éphémères en tant qu'écrivains. Car des spécialistes seuls éprouvent le besoin de se référer à telles harangues de Waldeck sur les associations. Au contraire, un discours parlementaire comme celui de Léon Bérard sur les humanités dans l'enseignement en 1923 a une valeur durable; seulement, ce pourrait être un chapitre de livre, est-ce encore de l'éloquence ? Éloquence assurément, les sortilèges de Briand; mais une fois imprimés, ils s'évanouissaient. Quelle alliance de matière intellectuelle ou émotionnelle avec l'action du verbe sur l'esprit, sur le cœur, sur les entrailles, explique donc les Démosthènes ? Il y faut certainement, outre le génie, des circonstances simples, grandes et typiques. Aujourd'hui que la vie politique spécialise sa trame ou l'exige grossière, et que le génie oratoire ou bien déserte les démocraties ou bien ne se propose que d'émouvoir le ventre des foules, que peut-il rester de bon à la tribune pour la mémoire littéraire des hommes ?

Rien au contraire ne refuse à l'éloquence de la chaire un nouveau Lacordaire. Matière éternelle ! Aussi n'eut-on jamais besoin d'être protestant pour admirer la pensée élevée et l'expression forte dans les prêches du pasteur Wagner et de Wilfred Monod, ni d'être israélite pour se laisser transporter par un Zadog-Kahn (1839-1905) à des sources bibliques inépuisables. Chez les catholiques, Mgr d'Hulst, le père Monsabré, le père Didon, le R. P. Gillet, ne sont point des noms durables, quoique la parole de Mgr d'Hulst eût une valeur philosophique. Le Père Janvier a été une force. Les vieillards se souviennent d'avoir été émus au pied des chaires de Mgr Touchet, de Mgr Duparc. L'orateur sacré qui compte le plus un peu avant cette période fut un révolté; avant de se défroquer, de se marier et de tenter une renaissance de l'Église gallicane, le père Hyacinthe Loyson (1827-1912), ancien prieur des Carmes déchaussés de Paris, enthousiasma ses auditeurs parisiens. Il a dans la suite transporté jusqu'au délire les foules américaines. Depuis, l'abbé Frémont (dont les énormes Mémoires n'ont que deux volumes publiés, et c'est assez) a parlé dans les plus grandes églises de France en magnifique « bête oratoire ». Également le père Sanson, à qui Laberthonnière composait ses canevas pour les carêmes de Notre-Dame, et que le père Riquet ne fera pas oublier.

L'exemple de Lysias suffirait à prouver que l'éloquence

d'avocat, même d'affaires, est de taille à gagner sa cause sur les siècles. Mais elle réclame pour cela plus de psychologie et un art plus subtil que ne lui en apportait Henri-Robert, moins de gros effets que ne lui en impose Moro-Giafferi. Henri-Robert a été prudent de graver son nom en tête des *Grands Procès de l'Histoire* (1922-1935). L'écrivain n'est pas négligeable. On lui doit aussi *Le Palais et la Ville* (1930), où il a dessiné les vivants portraits de confrères notoires, Barboux, Falateuf, Waldeck-Rousseau, Fernand Labori, Charles Demange. Nous connaissons Henry Torrès, Fernand Payen, Maurice Garçon; puissent nos descendants se rappeler que ces deux derniers ont livré leurs réflexions sur leur art, celui-là dans l'*Essai sur l'Éloquence judiciaire* (1941), celui-ci dans *Le Barreau* (1934) ! Maurice Garçon a écrit également une histoire de *La Justice contemporaine de 1870 à 1930*. Il nous aide à constater que si notre époque politique n'entend plus de Jules Favre ou de Gambetta, notre époque judiciaire semble ne plus savoir qu'il a existé un Lachaud.

CHAPITRE IV

L'HISTOIRE

Tout le monde distingue les historiens des érudits et des savants comme ayant une portée plus générale et s'adressant plus ou moins au grand public. C'est évidemment plus commode que parfaitement juste : un Vidal de La Blache, un Marc Bloch et même un Brunhes sont-ils des spécialistes ? Un Ferdinand Lot ou un Imbart de La Tour n'en sont-ils pas ? Après tout, certains écrivains sont et érudits et historiens, érudits pour leurs recherches et monographies de détail, historiens pour leurs grands ouvrages.

I. — *ÉRUDITS ET SAVANTS DE L'HISTOIRE*

Des érudits, des savants, les uns ont établi leur œuvre sur une base géographique et ont fait de la géographie historique, tel Auguste Longnon, auteur d'une *Géographie de la Gaule au VIe siècle* (1878), et dont les travaux sur *Les Noms de Lieu de la France* (1920), si utiles pour la carte des invasions, et sur *La Formation de l'Unité française* (1890) témoignent de la plus intègre conscience historique peut-être depuis Fustel de Coulanges; les autres ont bâti sur une base philologique. comme récemment Georges Dumézil qui, par ses brèves et denses études des langues et des mythes depuis les bords du Gange jusqu'à ceux de l'Océan, reconstitue peu à peu l'unité indo-européenne religieuse et sociale, dont la mythologie fut une allégorie sacrée, différenciée seulement dans la forme selon les contrées. — D'autres encore travaillent à la « géographie humaine », science qu'a fondée l'Allemand Ratzel; elle exige une culture aux multiples disciplines, puisqu'il s'agit de phénomènes humains extrêmement complexes, elle ne se passe ni de psychologie ni d'intuition. Aussi a-t-elle fait merveille entre les mains des Français, et d'ailleurs est-ce qu'on n'en trouve pas les prémices dans l'œuvre géographique de Pierre Foncin (années 1880-1900) déjà si pénétrée d'humanité politique, économique, historique ? Et Paul Vidal de La Blache, l'auteur du tableau géographique qui ouvrait en 1903 l'*Histoire de France* de Lavisse, le professeur par qui furent formés à l'École Normale les Marcel Dubois, les Demangeon, les Martonne, n'avait-il pas laissé à sa mort en 1918 des manuscrits d'après lesquels E. de Martonne a publié en 1921 les *Principes de Géographie humaine* ? C'est Jean Brunhes qui a donné de la science nouvelle une somme, en trois volumes : *Géographie humaine* (1910), *La Géographie de l'Histoire* (1914), et *La Géographie humaine de la France* dans *L'Histoire de la Nation française* d'Hanotaux (1920 et 1926). Lucien Febvre, tout en cédant aux sirènes totémistes dont il n'ignore pourtant pas les embûches, repousse le déterminisme de Ratzel en raison de tout ce qu'il entre de traditions et de réactions proprement humaines dans l'amalgame. — Plus récemment Marc Bloch a synthétisé les recherches anglaises, allemandes et françaises de l'histoire des terroirs et, clarifiant les conditions de la paysannerie dans le haut Moyen Age et au delà, se débrouillant dans la confusion des noms de lieux, a dégagé les marques séculairement recouvertes de l'ancien réseau agraire et des anciennes cultures, toute une substructure de notre pays. *Les Caractères originaux de l'Histoire rurale française* (1931), chef-d'œuvre de Marc Bloch, le conduisit à élargir ses recherches de la classe agraire aux autres classes, jusqu'à écrire *La Société féodale* (1939) sur une trame serrée de comparaisons européennes et avec le dessein de faire revivre l'ambiance des sociétés médiévales. La guerre a arrêté, l'exécution par les Allemands a brisé une carrière et une œuvre qui s'annonçaient d'importance capitale. L. Febvre, l'auteur de *La Terre et l'Évolution humaine* (1922) et de *Civilisations, le Mot et la Chose* (1930), sans oublier entre deux le puissant *Martin Luther*, continuera-t-il l'entreprise de son ami, avec qui il eut doctrine à peu près commune ? Mais Febvre est épais et confus écrivain, tandis que Marc Bloch menait un style acéré et plein tour à tour, constamment clair.

Ces noms appellent en écho celui d'un romancier qui fera figure désormais d'authentique historien, Gaston Roupnel (1871-1946), l'auteur de *Nono* (1910) et du *Vieux Garain* (1914), ces paysans de sa chère Bourgogne. Roupnel en était venu à se prendre de passion pour le terroir et ce fut d'abord chez lui peinture de mœurs et folklore (*La Bourgogne, ses Types et Coutumes*), puis science la plus sévère : l'*Histoire de la Campagne française* (1933) restitue les « sans-âge » de la terre gauloise, c'est-à-dire toute la pré-histoire de la culture du sol et sa continuité entrée dans l'histoire, c'est-à-dire encore la terre façonnée par le travail : un grand livre. En découvrant ainsi l'étendue de la tâche des hommes, l'auteur se préparait à considérer leur long malheur dans un autre grand livre, *Histoire et Destin* (1942). Est-ce en réconfort qu'il a repris pendant la guerre ses méditations de *Siloé* (1927) ? La fontaine de vie et de clarté fit des miracles aux portes de Jérusalem; Roupnel, avec la prose lyrique de *La Nouvelle Siloé* (1946), tente aussi un miracle : faire passer Lucrèce dans l'arsenal scientifique d'aujourd'hui. Mais il interprète les données de la physique et de l'embryologie les plus récentes en visionnaire : d'où une rêverie difficile et vaine. Sans doute a-t-il voulu opposer à l'interminable malheur humain et à son propre pessimisme l'espérance d'un effort qui double celui des campagnes et qu'il apprécie en incroyant très pénétré d'esprit mythique.

D'autres historiens érudits servent une histoire à fondements bibliographiques et méthodologiques. Les maîtres en sont ceux qui, sans avoir à l'inventer, l'ont le plus nettement définie dans un esprit influencé par l'Allemagne : Gabriel Monod, Charles-Victor Langlois et Charles Seignobos.

II. — HISTORIENS D'HISTOIRE GÉNÉRALE

De ceux-ci, dessinateurs des grandes architectures, on attend l'exactitude des perspectives et la clarté. Ernest Lavisse répond-il à l'attente ? Oui, sans largesses. Son entreprise capitale est la direction d'une *Histoire de France* (1905-1921) et d'une *Histoire de la France contemporaine depuis la Révolution* (1920-1922), celle aussi, partagée avec Rambaud, de l'*Histoire générale du IVe siècle à nos jours* (1891-1900). Peut-être son œuvre la plus originale, avec laquelle il sort de cette catégorie des gros manuels, est-elle l'histoire psychologique du *Grand Frédéric* (1891-1893). Il avait déjà étudié pendant de longues années Prusse et Allemagne impériale (de 1875 à 1887). Lavisse n'est pas inattaquable. A force de réagir contre l'histoire œuvre d'art, il a suivi de trop près la suite des faits, s'est trop refusé aux amples vues; et, d'autre part, imposant à ses collaborateurs une conception rigoureusement impersonnelle, il s'en est lui-même dispensé par fanatisme politique, plus d'une fois révoltant de partialité, notamment dans le « Louis XIV » de l'*Histoire de France*. — Gabriel Hanotaux, ministre de la République aux Affaires extérieures, a rédigé personnellement dans son *Histoire de la Nation française* (1920-1929) une partie de l'histoire politique, les autres étant de Madelin et d'Imbart de La Tour. Il avait auparavant publié l'*Histoire de la France contemporaine* (1903-1918). C'est un peu trop l'histoire-discours.

Le Belge Godefroid Kurth (1847-1916) est remonté jusqu'aux *Origines de la Civilisation moderne*. Un autre Belge, Henri Pirenne (1862-1935), a dressé d'un beau bloc l'*Histoire de la Belgique* (1900-1932) et Jacques, son fils, a repris l'entreprise de Bossuet, de Voltaire, mais il distribue la matière des *Grands Courants de l'Histoire universelle* autour d'idées essentielles qui en renouvellent la figure : par exemple, pour l'histoire de l'antiquité, l'opposition entre les sociétés urbaines et bourgeoises des pourtours de mers et les empires ruraux et seigneuriaux des continents. De telles vues dominent le temps. Le Suisse Gonzague de Reynold reconstitue avec les ressources de son savoir organisateur rien de moins que *La Formation de l'Europe,* après avoir étudié *La Démocratie et la Suisse* (1929). Reynold, professeur de littérature française à l'Université de Berne, où il naquit en 1880, a toujours cédé à la tentation de l'histoire. Parti d'une *Histoire littéraire de la Suisse au XVIIIe siècle* (1901-12), il a écrit un *Charles Baudelaire* (1920) de la même encre que Lauvrière son *Edgar Poe,* il a recueilli les *Contes et Légendes de la Suisse héroïque* (1920), et voilà ce large esprit revenu à une monumentale synthèse des temps et des espaces européens. Rapprochons de lui un Genevois essayiste plutôt qu'historien (il est aussi romancier), Henri de Ziegler, qui se montre bon observateur de l'Europe.

Il existe en histoire des embaumeurs d'empires, et c'est

naturel. Bossuet s'illustra dans cet embaumement. Tout ce que Carthage avait jusqu'ici dicté aux historiens et aux érudits, Stéphane Gsell l'a rassemblé et souvent corrigé dans son *Histoire ancienne de l'Afrique du Nord* (1920-1929) : il grandit Annibal, juge sévèrement l'effort sémite contre les Hellènes en Occident, tire un brillant parti littéraire des drames où passent les figures de Jugurtha, de César, de Juba... L'Inde se raconte chez Sylvain Lévi; la Chine, chez Henri Maspero, Henri Cordier et Granet; le Japon, chez La Mazelière.

Les découvreurs sont évidemment plus rares. Mon enfance ne se doutait pas qu'à la fin du troisième millénaire un empire s'était constitué pour durer deux mille ans au cœur de l'Asie occidentale. La science historique ramène au jour ce vaste effort humain qui avait rivalisé avec celui de l'Égypte, organisé des échanges avec les pays méditerranéens, exercé une action sur l'architecture et la sculpture de la Grèce : G. Contenau, dans l'*Histoire de l'Orient ancien* (1935), Louis Delaporte dans *Les Hittites* (1936), continuent là avec bonheur l'ère entr'ouverte par le génie de Champollion en Égypte et ouverte largement cinquante ans plus tard par son disciple Gaston Maspero avec ses *Études égyptiennes* (1879-1891) et ses études de *Mythologie et d'Archéologie égyptiennes* (1893-1911).

Louis Halphen et Philippe Sagnac ont groupé les meilleurs spécialistes pour l'encyclopédie qu'ils appellent *Peuples et Civilisations.* On doit à Louis Halphen, outre maints travaux de premier ordre, la précieuse *Initiation aux Études d'Histoire du Moyen Age* (1940). Henri Berr conduit avec fermeté sa sévère collection de l'*Évolution de l'Humanité.* Cette collection s'est proposé un but neuf : rompre la narration des événements humains et grouper des aspects d'humanité qui forment autant d'univers. Ces aspects, ces univers, se font, se défont, laissent place à d'autres. Ce sont des synthèses successives. Elles projettent leur lumière autour d'elles et vraiment renouvellent l'histoire. Cette conception d'Henri Berr se retrouve en beaucoup de livres de la collection, non en tous évidemment.

III. — *HISTORIENS PHILOSOPHES*

J'en viens aux constructeurs qui réalisent un équilibre difficile mais important de l'histoire et de la pensée générale.

Albert Sorel est en le type de grand style, avec son ouvrage devenu classique, *L'Europe et la Révolution française* (1885-1904), qui expose la politique absolument traditionnelle à l'extérieur de la France révolutionnaire. Il y a déployé une psychologie diplomatique d'une rare pénétration et un grand sens classique de la composition. Hanotaux l'a loué d'avoir fait leur part à l'énergie et à la valeur humaines dans les événements. L'œuvre est belle. Néanmoins Sorel soutient une thèse, il reste donc linéaire et sacrifie beaucoup de la complexité des choses. — Pierre de La Gorce, Breton de Vannes, magistrat démissionnaire lors des décrets Ferry sur les congrégations, est entré dans sa carrière d' « immortel » avec l'*Histoire de la Seconde République Française* (1887), nettement royaliste de sympathie. Les sept volumes de l'*Histoire du Second Empire* ont paru de 1894 à 1905 et les cinq de l'*Histoire religieuse de la Révolution française* de 1909 à 1921. Ils épargnent au public le poids d'une documentation qui a été abondante et solide, ne montrent que récits, tableaux, portraits; ils font comprendre les hommes, les idées, et multiplient les heureuses formules d'explication psychologique et morale; ils ont seulement le tort de sacrifier à l'excès les causes économiques et l'on a intérêt à les contrôler par un livre d'après 1940, *L'Église et la Révolution française*, d'André Latreille. Un livre comme *La Restauration* dénombre avec impartialité les difficultés, les mérites, les aveuglements. — La fameuse *Histoire de France* (1924) de Jacques Bainville est d'un politique au moins autant que d'un historien; le lecteur sérieux mettra au-dessus de cet ouvrage brillant le *Napoléon* (1931) et surtout l'*Histoire de trois Générations* (1915-1918), bilan des relations de la France avec l'Allemagne, compte de trois invasions, philosophie vivante des répercussions de la politique intérieure sur la politique extérieure d'une nation. Il ne semble pas que Bainville ait trouvé autre chose dans l'histoire que des prétextes de moraliste, assez remarquable d'ailleurs pour devenir prophète. Pierre Gaxotte, qui est son disciple, historien d'une *Révolution française* (1930) dont l'intérêt littéraire dépasse l'historique, auteur d'un *Frédéric II* solide et pourtant séduisant, nous a obligés à « reconsidérer » le règne de Louis XV, il a fait reconnaître à ce roi des mérites royaux, malgré les objections de ses confrères : n'est-ce que magnétisme de l'art ?

IV. — DOCTRINAIRES

Tous ces historiens ont une philosophie de leur sujet, par conséquent un point de vue dominateur et même des nuances de parti pris. Certains autres ont été jusqu'au parti pris systématique. Alphonse Aulard n'est pas arrivé à affranchir de l'ardeur jacobine qui le possédait ses *Études et Leçons sur la Révolution française* (1893-1921) non plus que son *Histoire politique* de la même période (1901). Le *Taine historien de la Révolution* va jusqu'à la polémique. Augustin Cochin, tué en 1916 et dont deux ouvrages posthumes devaient décrire la part des « Sociétés de pensée » (intellectuelles, agricoles, maçonniques, etc.) dans la destruction de l'ancien régime, défendit fortement contre Aulard la mémoire de Taine dans *La Crise de l'Histoire révolutionnaire* (1909). C'est Albert Mathiez qui passe pour avoir renouvelé complètement cette histoire en s'attaquant à la légende de Danton, en étudiant de près les Hébertistes, en instituant le culte de Robespierre avec une évidente complaisance, et surtout en donnant toute son importance, difficilement contestable, à la question économique; il explique l'évolution révolutionnaire par la vie chère et par la force de propagande qu'en tiraient les partisans du socialisme d'État, voire du communisme, et le 9 Thermidor se serait fait contre une menace prolétarienne de dépossession. — La remarquable *Histoire financière de la France depuis 1715* de M. Marion ne contredit guère Mathiez dans la partie de ses explications qui relève d'un certain matérialisme historique, au moins en ce qui regarde la liquidation de la monarchie ; mais l'ouvrage se termine à l'entrée de Bonaparte en Italie — cette bonne affaire ! — en faisant réfléchir au contraire sur l'importance d'un grand homme. Dans ce livre comme dans *Les Institutions de la France aux XVII*e *et XVIII*e *siècles* (1923) Marion insiste sur l'anarchie de l'administration royale, l'inexistence du budget, l'irrésolution du pouvoir. Réhabilitant les fermiers-généraux, condamnant la Cour et les ministres favoris, il accuse par-dessus tout le désordre des finances, loue les réformes de la Constituante, déplore l'incapacité de la Législative dans leur application, raille hautainement le gouffre ouvert par la démagogie de la Convention. Cette histoire économique du pays fait admirer une sobre maîtrise de l'exposé et, dans son pessimisme, une allégresse du style.

V. — *HISTORIENS DES RELIGIONS*

L'histoire des religions se mêle souvent à l'histoire politique et le cas de Pierre Imbart de La Tour le prouve assez. Il a consacré des trésors de patience érudite aux *Origines religieuses de la France* — les paroisses rurales du IVe au XIe siècle (1900), et il restera l'auteur des *Origines de la Réforme* (1905-1914), bien que A. Renaudet, auteur de *Pré-réforme et Humanisme à Paris* (1916), l'ait accusé de hâte dans l'information. Dans l'histoire religieuse proprement dite, les noms qui s'imposent ne sont pas en nombre considérable. Lequel pour le protestantisme ? Edmond de Pressensé, Albert Réville se perdent dans le passé. De même James Darmesteter pour Israël. Mais Charles Guignebert a répandu de la lumière sur le judaïsme et le christianisme. L'Islam a la chance d'arabisants de grande science et d'art subtil, Louis Massignon, H. Massé, Huart, Émile Dermenghem. C'est le catholicisme que nous voyons le plus riche.

Dom H. Leclercq, auteur du *Dictionnaire d'Archéologie chrétienne*, en qui le bénédictin Jean Mabillon a un laborieux descendant; Augustin Fliche, directeur d'une monumentale collection, *L'Histoire de l'Église*, à laquelle ont collaboré de savants écrivains tels que Amann, Aigrain, Jordan; le R. P. Huby, célèbre exégète, ont assuré les fondations. Montons dans l'immeuble. Le Breton Louis-Marie-Olivier Duchesne a traité l'histoire selon des méthodes de science empruntées à ses adversaires. Son grand ouvrage, *L'Histoire ancienne de l'Église* (1905-1910), ne cèle ni n'asservit les faits, il pourchasse la légende. Une intelligence sceptique, qui fit à Mgr Duchesne une situation maintes fois difficile sous la menace des foudres épiscopales et pontificales, a su mettre « en doute le superflu des dévotions traditionnelles », mais « hors de doute l'essentiel de l'histoire religieuse ». Tel est le jugement d'Étienne Lamy dans son discours de réception à l'Académie. Lamy ajoutait : « Il a troublé les habitudes chères à la foi de la minorité la plus pieuse, mais imposé l'évidence du passé catholique à la bonne foi de tous. » Mgr Duchesne a écrit son œuvre avec autant d'art un peu sec que de fermeté de pensée, non sans esprit ni illustration d'anecdotes, réservant bien entendu aux salons et à l'Institut ses drôleries les moins respectueuses de l'orthodoxie. L'œuvre est à compléter avec une monographie, *L'Église de France sous la Troisième République* (1930), malheureusement interrompue par la mort de l'auteur, le R. P. Lecanuet, et qu'il faudra maintenant compléter à son tour. — Alfred Baudrillart, cardinal et Recteur de l'Institut Catholique de Paris, ayant fait ses preuves sur le plan de l'histoire laïque avec son *Philippe V et la Cour de France* (1899), a composé des livres qui sont d'apostolat : *L'Église catholique*, *La Renaissance*, *Le Protestantisme* (1904), *La Vie de Mgr d'Hulst* (1914). — Dans un esprit de catholicisme social et de libéralisme fraternel, Georges Goyau, après une *Vue générale de l'Histoire de la Papauté* (1894) où Zola se documenta pour *Rome*, a composé en vingt ans et publié en seize (1897-1913) *L'Allemagne religieuse*, où théologie, philosophie, diplomatie, psychologie, histoire et littérature ont été appelées à mettre en lumière les contradictions internes qui font travailler le protestantisme pour la libre pensée. *Une Ville-Église* (1919) trace la courbe genevoise de l'intolérance au libéralisme. « L'histoire religieuse » (1922), incorporée à l'*Histoire* d'Hanotaux, néglige les rapports avec la politique et la vie nationale, elle s'intitulerait exactement « Histoire du divin dans les âmes françaises ».

VI. — *NARRATEURS ET PEINTRES*

Voici maintenant les historiens les plus connus, parce qu'ils ont embrassé une époque ou un monde et qu'ils procurent les plus vifs agréments de lecture.

Gustave Glotz, directeur d'une *Histoire générale* et qui avait commencé personnellement par compléter et reviser Fustel de Coulanges dans *La Cité grecque* (1928), a révélé la Crète du roi Minos dans *La Civilisation égéenne* (1923), qui donne au lecteur un éblouissement presque romanesque. Jérôme Carcopino, qui figure plus loin au chapitre de l'histoire littéraire, est aussi l'historien de la République romaine. *Autour des Gracques* (1928), *Sylla* (1931), *L'Impérialisme romain* (1933) sont de grands livres, de véritables résurrections, des dates marquantes en histoire, des unions de la science, de la divination et de l'esprit le plus spirituel. Les deux autres maîtres de l'histoire romaine sont Léon Homo et A. Piganiol. — Camille Jullian disait plaisamment à ses étudiants : « ce sont les lapins qui ont fait la Révolution ». En effet, les cahiers de « doléances » se plaignaient des lapins de chasses gardées qui ravageaient champs et jardins dans les forêts d'Ile-de-France. Et Jullian, lorsqu'il a étudié les origines de notre pays, a fait entrer en ligne de compte la nature de la terre, les habitudes qu'elle forma, les cultures, les routes, les besoins; il figurerait à juste titre parmi les savants de la géographie humaine. Méridional ardent, Jullian se passionnait pour l'ébullition de la vie, multipliait les rapprochements; il éclaire trop volontiers le passé par le présent dans son *Histoire de Bordeaux* (1895), met trop de lui-même dans *Vercingétorix* (1901); et dans l'*Histoire de la Gaule* (1907-1925), bien que ne dissimulant rien de l'anarchie gauloise, il livre les dernières batailles de sa patrie contre César, la montrant déjà très civilisée, affirmant que les Romains n'apportaient que des avantages matériels auxquels un peuple doit préférer l'indépendance nationale et la liberté créatrice. Cette chimère rétrospective laisse une part de sa valeur historique et toute sa valeur littéraire à la belle synthèse. — *La Fin du Monde antique et le Début du Moyen Age* (1927), où Ferdinand Lot décrit l'Empire romain ayant perdu toute vitalité dans l'étouffement de la centralisation, est fort comme une citadelle. — Gustave Schlumberger a vécu dans l'histoire de Byzance. Son ouvrage le plus important, *L'Épopée byzantine à la fin du Xe siècle* (1896-1906), par l'animation des scènes retracées, les impériales figures évoquées, la couleur générale du récit, a séduit un immense public sans décevoir les initiés. Charles Diehl et Louis Bréhier ont marché sur ses traces, le premier avec des préoccupations d'historien de l'art, le second en historien de la pensée. — René Grousset a lié ses livres, *Histoire de l'Extrême-Orient* (1929), *Les Civilisations de l'Orient* (1930), *Histoire des Croisades* (1934-1936), *L'Empire des Steppes* (1939), à tous les aspects de la vie des peuples, politique, économie, religion. S'il y a quelque excès dans son abus de l'analogie, lui en voudra-t-on de soigner le romanesque des narrations, de disserter au moins autant qu'il expose ? *L'Épopée des Croisades* (1939), où la quatrième se trouve si durement condamnée, fait bien voir son caractère, il n'hésite pas à donner des leçons de haute politique, les historiens philosophes ne le renieraient pas. Grousset paraît pénétré de plus en plus de l'esprit de ces *Philosophies indiennes* (1931) dont il a interprété les belles expressions. Il n'en demeure pas moins strict historien. Dans *L'Empire du Levant* (1946), il étudie toutes les relations grecques, latines, vénitiennes et autres de l'Occident avec l'Orient, depuis le Bas-Empire jusqu'au XVIe siècle. — En disciple de Buchon, dont il édita la chronique de Morée et raconta le voyage dans les îles, Jean Longnon a retrouvé *Les Français d'outre-mer au Moyen Âge* (1929), c'est-à-dire les établissements qui imprimèrent la marque de mœurs et même d'institutions françaises à la Sicile, à Chypre, à la Syrie, à Constantinople, à la Grèce, imprégnèrent ces contrées d'art français, de civilisation française, et firent de la Méditerranée notre « mare nostrum » en nous enrichissant d'ailleurs matériellement et spirituellement. Ce livre aurait enchanté Barrès comme l'avaient fait les travaux sur Buchon.

Émile Gebhart (1839-1908) a peint avec une suavité austère l'Italie du Moyen Age et de la Renaissance, ses princes et ses saints, ses moines, ses artistes, ses conteurs. En descendant le cours de l'histoire, on rencontre *Le Royaume de Catherine de Médicis* (1922) de Lucien Romier; le majestueux *Au Couchant de la Monarchie* (1910) de Pierre de Ségur; les onze volumes des *Guerres de la Révolution*, où Arthur Chuquet expose les résultats d'une grande science en bel écrivain, récits dont Taine disait à propos de la première invasion prussienne (*Valmy*, La retraite de Brunswick) : « c'est une Iliade ». — Louis Madelin a éclipsé Albert Vandal et son *Avènement de Bonaparte* (1902-1907). *Le Consulat et l'Empire* (1933) et le bilan de notre politique intérieure de 1516 à 1804 dans l'*Histoire de la Nation française* d'Hanotaux révèlent chez Madelin un peintre de vastes tableaux exécutés avec flamme. Il est vraiment le peintre d'histoire. Il est aussi, avec son *Fouché* (1901), l'illustrateur d'un genre qui s'est taillé un domaine plus large encore en histoire proprement dite qu'en histoire littéraire, la biographie. Nos biographies historiques sont innombrables, beaucoup intéressantes, quelques-unes remarquables de densité, de vie, de portée ou de charme. Dans toute son œuvre d'histoire Louis Madelin a fait vivre ses personnages pleinement dans leur temps, les grands surtout. Autant ils ont d'intelligence et de volonté, autant on sent leur activité agir et l'on dirait qu'ils portent en eux les caractères multiples de l'époque. Cela fait écho dans son récit bien marchant et se reflète sur les reliefs de son style. Mais ce robuste travailleur qu'est Madelin n'a jamais rien fait de plus important, semble-t-il, que son plus récent ouvrage, *La Nation sous l'Empereur* (onzième tome de sa monumentale histoire consulaire et impériale), où, ayant évidemment senti les insuffisances du genre tel qu'il a été pratiqué par lui, autour de lui, et qui paraît ne se soucier que des États, se met en marche pour rejoindre la véritable durée historique. Il le fait habilement, loyalement, fouillant tous les domaines, scrutant classes et milieux, s'enfonçant dans les mœurs et les pensées de la nation. — Henry Houssaye, fils du chroniqueur romantique, a bien ordonné et écrit avec éclat les récits de 1814, de 1815, ainsi que de grandes leçons de discipline et de devoir comme l'*Histoire de la Chute du Premier Empire* (1888-1905). Avec lui l'histoire tourne presque à l'enseignement moraliste et éducateur. — Octave Aubry, conteur attachant, avait longtemps cherché sa voie et le roman de l'histoire l'avait tenté, puis vers la fin il se risqua dans des survols assez contestables sur *Le Second Empire* (1938) et *La Révolution française* (1942), qui néanmoins déroulent et veulent expliquer. Mais il était si curieux de vies individuelles et si passionné pour le pathétique psychologique qu'il a donné sa vraie mesure dans *Sainte-Hélène*; ce récit historique épuise les sources de documentation, mais utilise tout le romanesque que l'histoire contenait et qu'elle accompagne ou soutient; chaque page contribue à faire comprendre quel monde l'empereur, épuré et magnifié sous la discipline de l'infortune, mettait dans ce soupir : « Ah, nous avons besoin d'un peu de bonheur. » — Pour la Restauration et la Monarchie de Juillet, Jean Lucas-Dubreton se tient sur la lisière de l'histoire des mœurs; il avait montré beaucoup de pittoresque dans ses études sur Machiavel, sur Samuel Pépys. — Paul Thureau-Dangin a documenté sur pièces d'archives ministérielles et sur papiers des familles Broglie, Saint-Aulaire, Molé, une *Histoire de la Monarchie de Juillet* (1884-1892), froide, mais tout en clairs tableaux, remarquable par la psychologie de ses portraits d'hommes d'État. — La Troisième République est redevable à Maurice Reclus, qui débuta en 1912 par une biographie impartiale mais émue de *Jules Favre*. Ensuite *Monsieur Thiers* (1929), *L'Avènement* (1930), *Le Seize Mai* (1931) ont fait ressortir des portraits vivants sur un fond brossé d'après les journaux du temps. L'auteur y donne pour preuve qu'aucune passion n'a pesé sur lui une ironie presque excessive. — Est-ce ici, ou bien dans l' « Essai », dans les « Choses vues », que Paule-Henry Bordeaux est à recevoir ? Ici. L'historienne est de bonne trempe. Elle a retracé avec une maîtrise gracieuse mais énergique la vie extraordinaire de *Lady Stanhope en Orient* (1924), cette Anglaise excentrique, la Circé du désert, qui devait finir en « Sorcière de Djoun », au centre d'un tourbillon d'intrigues et de combats. *Une Princesse babylonienne chez les Druses* (1928), *Fantômes d'Écosse* (1932) n'ont pas déçu des promesses si fermes de plaisir et d'enseignement. — L'histoire de la grande guerre n'est point faite. *L'Histoire illustrée de la Guerre de 1914* par Hanotaux, celle de Victor Giraud, celle de Madelin sont des pierres d'attente.

Et faisons place aux historiens canadiens. Ils restent essentiellement narratifs, malgré un certain tour philosophique que Thomas Chapais a donné à son *Cours d'Histoire du Canada* et le caractère d'enseignement social pris par les ouvrages de l'abbé Lionel Groulx. Mgr Olivier Maurault, Marie-Claire Develuy, Jean Bruchési, Guy Frégault sont à nommer après eux.

VII. — *DIVERS*

Les travailleurs attachés à des aspects particuliers de l'histoire avec un sens des larges exposés et un talent d'écrivains s'offrent nombreux à l'esprit. J'en citerai quelques-uns comme témoins, il en existe cinquante d'égal prix. Pierre Champion a peint ses rois, Louis XI, Charles IX, Henri III, comme ses écrivains, Villon ou Ronsard, encadrés dans leur temps. Gustave Fagniez a fouillé fructueusement dans toute l'économie sociale du passé national. De même Camille Bloch dans celle du XVIIIe siècle de 1760 à 1790. — Dans un livre puisé aux sources communales des villes et des campagnes, *La Province pendant la Révolution* (1929), L. Le Cardenal fait l'histoire des clubs jacobins, montre leur action omnipotente et tyrannique dans les départements, et étendant ses tentacules jusqu'au pouvoir central au point d'irriter le Comité de Salut Public. — Les historiens de nos crises ne manquent pas; le plus remarquable en est Adrien Dansette qui a fixé avec courage, contre les provocations de tant de légendes, les réalités du *Panama*, celles du *Boulangisme*, avant d'en venir à plus difficile encore : la *Libération de Paris*.

Nous possédons de complètes histoires de provinces, comme l'*Histoire de la Bourgogne* (1909) d'Arthur Kleinclausz; de complètes histoires de villes : la plus belle est l'*Histoire de Nancy* (1902-1909) de Christian Pfister. D'Émile Clouard, si l'*Histoire du Protestantisme en Bretagne* n'intéresse que les érudits, *Les Gens d'Autrefois*, *Riom aux XVe et XVIe siècles* reconstituent avec une science de fouilleur des vieux textes et un talent d'artiste sachant manier le crayon comme la plume, la vie municipale, familiale, quotidienne de nos aïeux auvergnats.

Il y a une *Histoire de la Marine française* écrite avec noblesse par Charles de La Roncière (1902-1935). — Le monde du travail a engendré une littérature, dont il faut détacher, outre maints travaux de Georges Renard et de Maxime Leroy, l'épique *Histoire du Mouvement ouvrier* (le premier tome en 1936) traitée avec une sympathie pénétrante et une forte solidité documentaire par Édouard Dolléans, l'historien de Robert Owen et du Chartisme, qu'a quelque peu systématisé Jean Montreuil dans son *Histoire du Mouvement ouvrier en France des Origines à nos Jours* (1947).

Reste la « petite histoire » qu'il est naturel d'entendre assez largement pour y englober bien des questions secondaires, bien des événements particuliers, petite histoire des hommes, petite histoire des mœurs, et de la vie collective. Elle recherche le passé vivant sous les grandes affaires de guerre, de diplomatie et de gouvernement qui l'ont recouvert. Les épisodes de révolutions, les personnages romanesques d'importance moyenne, les coins secrets du crime, de la politique, de l'amour : voilà ses objets... Personne ne s'y est mieux débrouillé que Gosselin Lenôtre, personne aussi bien. Les sources d'archives l'entourent, archives de départements, de communes, de notaires, de particuliers. Mais il les a fait couler pour pêcher contes anecdotiques, traits de biographies, détails savoureux. *Vieilles Maisons, vieux Papiers* (1900-1929), n'est-ce pas un sous-titre significatif ? Il fait seulement vieillot. Or, l'œuvre est jeune qui a pour titre *Paris révolutionnaire* et qui comporte six séries parallèlement auxquelles ont paru en 1907 et 1908 *Mémoires et Souvenirs sur la Révolution et l'Empire.* Assurément les historiens bardés de lourde documentation et d'austère méthode froncent les sourcils. Ils n'ont peut-être pas tort, la valeur historique de Lenôtre reste contestable. Le sens du drame et le goût du pittoresque l'emportent chez lui. On sait qu'il a adoré Dumas père et admiré Sardou. — Frantz Funck-Brentano s'est attaché aux *Légendes et Archives de la Bastille*, puis aux *Lettres de Cachet*, pour rétablir une vérité historique renversée par la propagande politique; *L'Affaire du Collier* (1901), *Mandrin* (1908) sont des romans vrais; *Le Drame des Poisons* (1900), un drame en effet. — Napoléon a eu la chance ou la malchance d'un valet de chambre posthume, Frédéric Masson, confident bavard mais habile et qui n'a tout de même pas trop diminué son maître dans le grenier à petits documents de ses quinze volumes. — Qu'ils se pressent, nombreux, les conteurs de la « petite histoire » ! Quelques individualités quoique marquantes sortent à peine du groupe, il faut les nommer : Henri Malo, corsaire d'imagination, évocateur des corsaires; le duc de La Force, peintre de figures du régime louis-quatorzien; Jules Mazé, annaliste de la Cour de Louis XV; Henri d'Alméras, anecdotier des XVIIIe et XIXe siècles; Frédéric Loliée, amateur des femmes du Second Empire, et Robert Dreyfus, biographe et commentateur du comte de Gobineau, puis évocateur de la douce existence de naguère dans son *De Monsieur Thiers à Marcel Proust*; enfin les urbanistes, guides à travers le Paris qui est mort ou qui meurt : Marcel Poëte, Georges Cain, Héron de Villefosse, Georges Pillement, Aubault de La Haulte-Chambre.

On voit que le domaine de l'histoire communique largement avec la littérature; la science et l'art, quoi qu'on dise, n'ont pas encore divorcé. Bien au contraire, l'esprit nouveau qui anime d'ardents jeunes historiens, Éric Dardel, H. Lévy-Bruhl, Henri Marrou, Philippe Ariès (l'auteur de *L'Histoire des populations françaises et de leurs attitudes devant la vie depuis le XVIIIe siècle*), et qui se manifesta avec éclat en 1938 dans le beau livre de Raymond Aron, *Introduction à la Philosophie de l'Histoire*, souffle en sens inverse de l'orientation si âprement dénoncée par Péguy. Sans rien rejeter des nécessités de documentation et de critique, ces nouveaux venus, qui ont produit leurs chefs-d'œuvre de loyaux artisans dans des travaux d'érudition, veulent dépasser la conception positiviste qui faisait de l'histoire une science expérimentale, sœur de la physique et de la chimie et dont se moqua souvent Albert Sorel. Ils ne croient plus à l'objectivité des formules et des lois (comment la vérification serait-elle possible ?), mais à une compréhension de l'objet concret revécu par le dedans, à une subjectivité active et vigilante, qui reprend avec les instruments et les ardeurs d'aujourd'hui, la « résurrection » de Michelet. Cet assouplissement bergsonien de l'esprit historique promet des œuvres dont la littérature s'enrichira.

On voit que ces nouveaux venus poussent leur barque dans une direction parallèle à celle de Marc Bloch, à qui je reviendrai pour finir. On ne saurait assez dire qu'il est un maître de l'histoire contemporaine, avec son ami Lucien Febvre, tous deux rénovateurs. Les historiens les plus en vue d'aujourd'hui sont surtout des narrateurs ou des politiques. Bloch, Febvre, auxquels se doivent adjoindre Jacques Pirenne, Lot et, en partie, Carcopino, découvrent un idéal nouveau et emploient une nouvelle méthode pour se saisir du passé.

Pour eux, l'histoire a un objet concret, la réalité vivante des hommes; or les hommes se trouvent intégrés dans des groupes sociaux et font partie d'une durée mouvante, d'un changement permanent. Une époque, une société, se doivent donc examiner essentiellement comme des différences dans lesquelles l'historien se dépayse complètement; c'est une faute d'essayer de les comprendre de notre point de vue, avec notre bon sens et notre sentiment du vraisemblable.

L'historien doit, pour ainsi dire, se réincarner en elles. Mais ce n'est pas qu'il faille oublier le présent et ne vivre que dans le passé. Au contraire, il faut aimer et pénétrer le présent et y entretenir le sens le plus vif possible de la vie, sans lequel le passé nous resterait fermé.

Bref, il existe une évolution créatrice. Que l'historien y entre et étudie du dedans avec une sympathie complète les moments qui l'intéressent. Qu'il plonge dans le passé à l'aide de documents fondamentaux, armé d'un faisceau de disciplines associées, linguistique, géographie, archéologie, numismatique, etc., pour arriver à égaler la complexité des hommes dans leur temps et dans leur société; qu'il établisse des comparaisons dans l'espace entre les sociétés contemporaines et s'entraîne aux analyses complètes des milieux, des réactions, des effets.

Un tel système, au moins chez Marc Bloch et Febvre, se rattache si fort à l'école sociologique qu'il ne peut s'intéresser beaucoup à l'individu ; il n'accepte guère que les actions des hommes de premier plan mordent sérieusement sur le mouvement qui les emporte, sur le groupe social qui les tient. Mais enfin il a prouvé son efficacité et il se révélera certainement fécond, jusqu'à ce qu'un autre le remplace à son tour.

CHAPITRE V

L'HISTOIRE DE LA LITTÉRATURE ET DE L'ART

Un esthéticien du vers, historien d'une *Littérature française contemporaine étudiée dans les textes* (1906-1946), que recommande l'abondance exceptionnelle de sa bibliographie, Marcel Braunschvig, a écrit : « Surtout sous l'impulsion de Gustave Lanson, l'histoire de la littérature s'est constituée en une science rigoureuse, qui a tendu à supplanter la critique et qui effectivement l'a remplacée, au moins dans l'Université, où l'on comptait jadis tant de critiques éminents, où l'on ne compte plus guère aujourd'hui que de savants historiens de la littérature. » Ce jugement fait la part trop mince aux universitaires innombrables encore occupés de critique, la part trop large à Lanson. Car ni les frères Croiset ni Gaston Paris, ni Bédier, ni Abel Lefranc ne dépendent de lui, non plus que quelques non-universitaires à qui pourtant l'histoire littéraire est redevable.

Ai-je besoin de rappeler nos allusions dispersées à des historiens critiques qui auraient bien pu figurer ci-après, Th. de Wyzewa, André Hallays, André Chevrillon, le baron Seillière, par exemple, mais dont l'histoire n'aura pas été l'activité essentielle et qui ne reparaîtront pas dans ce chapitre ? Il faut convenir aussi qu'on ne distingue pas toujours aisément entre l'histoire et la critique, quelques-uns de ceux que je vais nommer appartiennent aux deux disciplines.

1. Antiquité.

L'antiquité d'Asie et d'Orient a son histoire intellectuelle esquissée dans l'histoire générale, par un Grousset (surtout pour la Chine) et un Dumézil (surtout pour l'Inde), sans oublier Romain Rolland. Je citerai cependant E. Dhorme pour *La Littérature babylonienne et assyrienne* (1937); G. Contenau pour ses *Éléments de Bibliographie hittite* (1923). L'antiquité classique a ses spécialistes. Des hellénistes comme P. Decharme, Paul Mazon, Louis Bodin, Léon Robin, le Suisse G. Méautis, sont l'honneur d'une science. La large base pour la Grèce reste l'*Histoire de la Littérature grecque* (1887-1893) d'Alfred et Maurice Croiset, quelque besoin qu'elle ait d'une révision; dans sa révision tentée pour Homère, Victor Bérard s'est montré aventureux, car le rattachement de l'*Odyssée* aux mœurs et institutions nautiques de la Grèce ancienne est une thèse aujourd'hui branlante. Hier, elle ressuscitait le vieux poème (*Les Phéniciens et l'Odyssée*, 1902; *La Résurrection d'Homère*, 1930). — Mario Meunier, né en 1880 au pays de l'Astrée, est un homme qui croit aux dieux et aux héros, il a écrit leur *Légende dorée* (1924), c'est un initié. Si des historiens universitaires ont une science plus précise et mieux vérifiée que la sienne, il l'emporte sur eux en ferveur : c'est ce qui donne l'accent à ses traductions de Pythagore et de Nonnos, même à celle de Platon. Il a amassé un nouvel « Épitomé » dans son livre le plus personnel, *Pour s'asseoir au Foyer de la Maison des Dieux* (1921); il a présenté Sappho dans une monographie pieuse; toute son œuvre déborde d'enthousiasme, et il l'a façonnée avec un art qui, chose curieuse, rappelle la dévotion touchante des enlumineurs du Moyen Age plus encore que la sûreté parfaite des classiques anciens. — A Maurice Solovine, une double culture philosophique et scientifique a permis de nous proposer, en traduction et en commentaires, la sagesse d'Héraclite et de Démocrite, sans pour cela ignorer les modernes Huyghens et Einstein. — Thierry Sandre, qui fut secrétaire de Pierre Louÿs, a continué ses jeux savants de volupté alexandrine.

L'antiquité latine, qui appartint à Constant Martha et à Gaston Boissier, passe aujourd'hui sous l'autorité de Jérôme Carcopino (né en 1881), rénovateur savant et artiste du grand Mantouan. *Virgile et les Origines d'Ostie* (1919) réduit les légendes à néant, *L'Énéide* sort au jour toutes les actualités impériales qui restaient cachées, *Le Mystère de la IVe Églogue* (1930) est un merveilleux éclaircissement. Enfin Carcopino, en creusant la question des lettres de Cicéron, a tout à la fois portraituré durement le personnage et dénoncé une entreprise politique de ses bourreaux, ce qui éclaire de haut toute une époque. Un grand talent littéraire brille dans ces ouvrages. — P. de Labriolle, A. Oltramare, F. Cumont sont à citer après lui. Maurice Rat va et vient du moderne à l'antique, Pacubius n'a pas plus de secret pour lui que Derème ou Chabaneix, et il a soutenu des discussions difficiles avec l'abbé Bremond au *Divan* et à *La Muse francaise.*

2. MOYEN AGE.

Le nom qui domine actuellement l'étude du Moyen Age est celui de Étienne Gilson, le philosophe. Mais il est juste de remonter, pour la littérature, à Gaston Paris, qui lui a consacré sa vie. *La Poésie du Moyen Age* est de 1885, *L'Esquisse d'une Histoire de la Littérature française au Moyen Age* est de 1906. Ce savant eut une imagination de poète, un sentiment intense de la beauté. Il a fondé une école d'études médiévales et ses disciples, qui parfois le contredisent, se nomment Bédier, Jeanroy, Langlois, Faral. Joseph Bédier toucha le grand public en 1900 avec son *Tristan et Iseult*, arrangement synthétique et très littéraire des vieux textes originaux. On lui doit des *Études critiques* (1903) et de non moins critiques éditions. Mais son œuvre capitale est le cycle en quatre volumes des *Légendes épiques* (1908-1913) qui a ruiné la thèse de Gaston Paris et, du coup, la thèse générale allemande sur les épopées. Bédier voit dans nos chansons de geste, non des chroniques remaniées, mais des poèmes que les jongleurs auraient brodés sur des récits fournis par les moines au sujet des puissants guerriers, des hommes pieux, fondateurs ou protecteurs de leurs abbayes, afin d'attirer ou de retenir les pèlerins, les voyageurs autour de tombeaux vénérables... Thèse d'apparence inébranlable ? Non, hypothèse déjà ébranlée. Bédier n'a-t-il pas trop laissé la bride sur le cou à son imagination ? La *Chanson de Roland* voit sa genèse sans cesse revisée, tout dernièrement encore par P. Boissonnade et magistralement par Émile Mireaux; Albert Pauphilet ne s'y est pas dévoué avec moins de science qu'à la légende du Graal. Ch.-V. Langlois a tiré d'une étude méthodique mais amusée des anciens romans d'aventure et d'amour un tableau ravissant de la vie aux XIIe et XIIIe siècles. Le dernier venu des médiévistes, Gustave Cohen, s'est emparé de toute la matière : Chrétien de Troyes par un gros livre, le théâtre par sa troupe d'étudiants « théophiliens » et l'époque entière par *La Grande Clarté du Moyen Age*. Mario Roques est le grand romaniste du Collège de France et de la *Romania*. Mais ce curieux aime descendre de ses « classiques français du Moyen Age » à La Fontaine, à Balzac, à d'autres, et, par le biais des chansons populaires, jusqu'à Apollinaire. Comme sa savante philologie devient alors précise et fine critique !

3. TEMPS MODERNES.

De l'œuvre d'Abel Lefranc rayonnent les études sur la Renaissance. Pierre Villey, Jean Plattard, Jacques Boulenger ont été ses élèves. Dévoué à deux publications humanistes, *La Revue du XVIe siècle* et *La Revue des Études rabelaisiennes*, Lefranc a débuté en librairie par une *Jeunesse de Calvin* (1888), puis a dirigé la grande édition critique de Rabelais, qui renouvelle l'œuvre dans ses fondements historiques, géographiques, locaux. Ses *Navigations de Pantagruel* ont une saveur d'*Odyssée*. Il a écrit un ouvrage plaisant sur la vie quotidienne de ces temps-là et un ouvrage d'érudition sur leur littérature (*De Marot à la Pléiade*). S'il n'a pas résolu définitivement le problème de Shakespeare (car Mme Longworth-Chambrun lui oppose des arguments forts), il présente du moins une thèse cohérente, au profit de William Stanley, comte de Derby; enfin il a découvert des inédits essentiels pour reconsidérer les inconnues esthétiques et intellectuelles d'André Chénier, de Maurice de Guérin, de Renan à son premier séjour en Italie. — Henri Longnon, successeur de Paul Laumonnier dans le culte de Ronsard, est le plus écrivain des historiens (*Essai sur Ronsard*, 1904; *Pierre de Ronsard, essai de biographie*, 1912). Joignons-y la thèse solide et brillante de Marcel Raymond sur *L'Influence de Ronsard*. — Pierre d'Espezel, à qui le penchant railleur ne retire rien de sa piété érudite, et qui a pris par tant de biais l'étude des arts français, a servi également Rabelais, l'ayant mis en français moderne avec le moindre dommage. — Le *Montaigne* de Paul Bonnefon (1897) et celui de Fortunat Strowski (1906) restent un sûr capital. — Pierre de Nolhac deviendra un historien du XVIIIe siècle finissant; mais de vingt-cinq à trente-six ans, avant de se laisser dévier par sa conservation du musée de Versailles, il apparaît l'homme du seizième. Il l'est en poésie, il l'est en érudition. Il a composé un *Tableau de la Poésie française au XVIe siècle* (1924). Passionné de Ronsard, dont il a scruté le *Dernier Amour* (1882), il fonda son humanisme sur l'étude des manuscrits et des bibliothèques savantes de la Renaissance en Europe; deux livres solides et séduisants en sont sortis : *Érasme en Italie* (1888), *Pétrarque et l'Humanisme* (1894). La tâche s'imposait à Nolhac sur ce plan; il l'a trahie pour la Cour de Marie-Antoinette. La série de livres que ceux-là promettaient, ni les figures même rectifiées pour ressemblance de la Du Barry et de la Pompadour ne l'ont remplacée, ni les monographies pourtant ravissantes de Nattier, de Boucher, de Fragonard.

Dix-septième et dix-huitième siècles. Strowski s'y retrouve avec *Pascal et son Temps* (1907-1909), Cohen avec ses études sur l'intelligence française réfugiée en Hollande (1920); F. Brunot avec la *Doctrine de Malherbe* (1891). Les deux grands siècles appartiennent presque entièrement aux universitaires laïques et ecclésiastiques. Je n'entrerai pas dans le détail des études consacrées à chacun des écrivains importants, dont quelques-uns se trouvent renouvelés de décade en décade. Reynier, Michaut, Rebelliau, L. Crouslé, Eugène Lintilhac, Mgr Grente, Louis Battifol, P. Dimoff, Le Breton et bien d'autres ont été à la peine et à l'honneur, dans ce vaste domaine. Je crois devoir signaler à part les travaux les plus neufs. Émile Magne nous introduit dans le monde de l'Hôtel de Rambouillet et de Mme de La Fayette; Albert-Marie Schmidt, auteur d'une thèse aussi utile que brillante, *La Poésie scientifique en France au XVIe siècle,* et qui rédige les feuilletons littéraires de *Réforme* avec un sourire savant, satisfait notre curiosité sur *Saint-Évremond ou l'Humanisme impur* (1933); Auguste Gazier anime d'une grave passion l'*Histoire générale du Mouvement janséniste depuis ses Origines jusqu'à nos jours* (1921); Léopold-Lacour, grand cœur de tant d'ouvrages, fut l'explorateur de *Richelieu dramaturge et ses collaborateurs* (1926). — René Bray, qui devait publier après 1940 un ouvrage original sur l'univers précieux de notre littérature, a corrigé sur bien des points et surtout revigoré la présence du XVIIe siècle parmi nous dans une série de livres dont le plus complet est *La Formation de la Doctrine classique en France* (1931). — La réputation de Gustave Lanson (1857-1934) reste bâtie sur un roc, le *Manuel bibliographique*. Quant à son *Histoire de la Littérature française*, elle situe les auteurs et dégage leur signification, mais en utilisant trop indiscrètement Sainte-Beuve. Le *Corneille*, le *Bossuet*, sévères, voire ennuyeux, sentent l'opportunisme politique. On y trouve encore à réfléchir. Il ne faut pas exagérer la tyrannie des fiches chez Lanson; ce sont ses disciples les coupables. Lui, s'il a défini la méthode d'une histoire conçue comme science, il n'a mis ce mythe en pratique, à vrai dire, que dans ses éditions critiques de Voltaire et de Lamartine; et là cela convient. Un grand désordre caractérise les ouvrages de Daniel Mornet, mais il a fait une mise au point incontestablement neuve du XVIIe siècle; il avait auparavant rassemblé en brouillon, mais averti et éveillé, notre XVIIIe siècle, de *La Pensée française au XVIIIe siècle* (1926) aux *Origines intellectuelles de la Révolution* (1933) qu'il nie à peu près, et avec beaucoup de preuves. Ce siècle est entré dans le grand prestige d'histoire littéraire avec Paul Hazard. Flamand de Noordpeene (1878-1944), Hazard a puissamment dragué tout le fleuve qui coula de 1680 à 1744 et en a refait en grande partie la carte dans *La Crise de la Conscience européenne* (1946), qui va de Montesquieu à Lessing, et que devait compléter un tableau du « siècle de Rousseau » ou de « l'homme de sentiment », si l'auteur n'était mort prématurément. (Cherchons consolation dans *Les Maîtres de la Sensibilité française au XVIIIe siècle* de Pierre Trahard et *Le Préromantisme français* d'André Monglond.) André George s'est toutefois étonné à juste titre que dans cet ouvrage qui raconte le procès fait par le siècle au christianisme, l'avènement de la Nature, la construction de la cité des hommes, suivie de sa désagrégation et des démentis à l'optimisme, Hazard n'ait pas utilisé avec la netteté qui convenait l'importance de Newton et de Buffon, c'est-à-dire de la Science, qui a eu alors son avènement comme la Nature et non moins capital.

Une période qui appartient historiquement au XVIIIe siècle et littérairement au XIXe, le préromantisme, s'est éclairée en quelques années grâce à André Monglond, à Daniel Mornet et à E. Estève. *Le Préromantisme français* (1930) du premier brille par des analyses de fin psychologue et d'écrivain délié bien que chargé d'érudition; *Le Romantisme en France au XVIIIe siècle* (1912) du second, mal bâti, regorge de matériaux; les *Études de Littérature pré-romantique* (1923) du troisième sont sérieuses.

4. XIXe SIÈCLE.

L'époque romantique elle-même a ouvert la carrière la plus exploitée désormais. On succombe sous le poids des études, des enquêtes, des découvertes. Léon Séché commença en 1904 et acheva en 1914 un rayon bien rempli de monographies soigneuses. Combien le seul Chateaubriand a-t-il vu s'abattre de travailleurs sur sa mémoire, depuis Édouard Herriot, ami posthume de Mme Récamier et qui a gonflé de papiers inédits son livre de 1904, *Madame Récamier et ses Amis*, en passant par Marie-Louise Pailleron qui installe sa connaissance des milieux pénétrés par Buloz grâce à sa *Revue des Deux Mondes*, au centre d'une œuvre consacrée à *Madame de Staël*, à *George Sand*, à la *Vicomtesse de Chateaubriand*, jusqu'à Jean Pommier, si intelligemment armé pour fouiller vie et œuvre de Renan, de Baudelaire, jusqu'à Beau de Loménie et sa *Carrière politique de Chateaubriand* (1929), jusqu'à Maurice Levaillant et au D^r Le Savoureux qui défendit la sincérité du voyageur contre Bédier et autres détracteurs avec une élégance de galant homme et un raffinement de gourmet, et qui, depuis lors, installé dans l'ancienne Vallée aux Loups, y rassemble les « Amis de Chateaubriand » et y dirige leurs *Cahiers*.

Les Suisses Philippe Godet et Pierre Kolher ont réanimé l'entourage de Mme de Charrière, celui de Mme de Staël, laquelle est étudiée dans sa « découverte de l'Allemagne » par J. de Pange (1929). Philippe Monnier (1864-1911), un peu dépaysé dans *Le Quattrocento et Venise au XVIIe siècle*, est chez lui dans la *Genève de Töpffer*. Chaque romantique de marque a ses dévots. Il y a les amis actifs de Benjamin Constant : Gustave Rudler pour la jeunesse, Jean Mistler et Charles Du Bos pour la vie entière; les balzaciens, dont le chef de chœur est Marcel Bouteron; les mériméens, P. Trahard et Maurice Parturier. Les stendhaliens, troupe de « happy few », comptent Adolphe Paupe, bibliographe infaillible; Paul Arbelet, qui s'amusa tant à écrire, le stylo d'une main, la badine de l'autre, *La Jeunesse de Stendhal*, *Stendhal épicier*, etc...; Henri Martineau, le grand éditeur de l'œuvre en cent volumes et le biographe de l'homme, le déchiffreur, le commentateur, le gardien, et qui publie régulièrement des « stendhaliana » dans son *Divan*; Bardèche enfin, le définisseur si doué et si adroit de la technique du roman chez Stendhal, chez Balzac. Paul Berret est indispensable pour la connaissance de Hugo, Jasinski pour celle de Gautier; auprès du beau livre de Jean des Cognets, *La Vie intérieure de Lamartine* (1912), le marquis de Luppé est venu ranger après 1940 *Les Travaux et les Jours d'Alphonse de Lamartine*. Louis Barthou a taillé dans des mines d'inédits *Lamartine Orateur* et *Les Amours d'un Poète* (Hugo); Maurice Levaillant a installé Lamartine et Hugo dans la familiarité de la jeunesse studieuse; Michel Salomon a tout su de Nodier, Aristide Marie tout de Nerval. Pierre de Lacretelle, qui est l'historien psychologue de *Secrets et Malheurs de la Reine Hortense* (1936), marque sa place dans l'histoire littéraire avec *La Vie politique de Victor Hugo* (1928) et *Madame de Staël et les Hommes* (1939), deux livres très individualisés et qui pourtant s'ouvrent sur les horizons d'une société. C'est à l'esprit général de l'époque que Pierre Moreau a consacré son très objectif *Romantisme* (1933) qu'avait préparé son *Classicisme des Romantiques* (1932), Louis Maigron ses documentaires de grand style, *Le Romantisme et les Mœurs* (1907), *Le Romantisme et la Mode* (1909). Auguste Viatte est descendu dans *Les Sources occultes du Romantisme* (1928) et l'on y descendra beaucoup après lui. Jean Bonnerot poursuit à travers mille difficultés l'édition de *La Correspondance générale de Sainte-Beuve* selon un système extraordinaire de notes et de références qui développe en vaste reconstitution d'époque cette œuvre colossale, ce monument dont l'auteur est l'égal d'un saint.

Le réalisme et le naturalisme possèdent leurs historiens attitrés et le premier de tous, l'histoire littéraire incarnée, René Dumesnil. Beaucoup plus homme cultivé que spécialiste, la médecine, la musique (de l'une et de l'autre il a écrit l'histoire) rejoignent en lui l'art littéraire. C'est pourquoi il éprouve le désir constant de mises au point, revient sans cesse à ses sujets et les enrichit de synthèse en synthèse. Voilà quarante-cinq ans qu'il s'occupe de Flaubert; il y a fait son nid, nous avons eu des nichées d'éditions, de bibliographies, de biographies et de commentaires. Il a également habité Maupassant et Huysmans. Ces maîtres ne se peuvent plus lire sans lui, et chacun de leurs lecteurs a en lui un ami. Finalement Dumesnil a composé un panorama complet en deux ouvrages capitaux, *Le Réalisme* (1935), *L'Époque réaliste et naturaliste* (1946). — Léon Deffoux (1881-1944), pétillant et fouineur à la fois, s'est attaché spécialement à Huysmans, aux Goncourt (il a taillé des croupières à leur Académie). au groupe de Médan. Il fut un excellent commissaire-priseur, depuis *L'Immortalité selon Monsieur de Goncourt* jusqu'à *La Publication de l'Assommoir* (1931) et *Huysmans sous ses divers aspects*. Son *Naturalisme* est de 1920. — Édouard Maynial a étudié avec un sens délicat des nuances individuelles *L'Époque réaliste* (1931) et, avec un souple pouvoir de possession, *Flaubert* (1944).

Une synthèse a été tentée, partiale quant aux origines du mouvement : *Le Symbolisme* (1927), par John Charpentier, qui avait étudié déjà l'influence anglaise prédominante selon lui depuis plus de cinquante ans (*De Joseph Delorme à Paul Claudel*). Des travaux sur le Symbolisme et ses suites se détache celui de Marcel Raymond, *De Baudelaire au Surréalisme* (1933), plus critique qu'historique, et qui, en tant que critique, appelle des réserves, de même que beaucoup de livres conçus dans le même esprit : l'apport d'histoire en est faible; les jugements, clairvoyants et aigus dans le détail, n'arrivent pas dans l'ensemble à secouer le joug d'un Symbolisme intégral et devenu religion. L'esprit d'absolu n'a pas manqué non plus à Stanislas Fumet pour *Notre Baudelaire* (que pèse pareil monologue en face des travaux de E. et J. Crépet ?), pour *Ernest Hello* (1926) et *La Mission de Léon Bloy* (1935); toutefois l'élément biographique sauve en partie Fumet, qui garde à l'œuvre étudiée ses contours. Membre de la famille d'esprits qu'intéressent les rapports de l'art avec la foi chrétienne, Fumet a éclairé avec intelligence le problème qu'ils posent (*Le Procès de l'Art*, 1925). Et sa *Ligne de Vie* (1948) révèle enfin un christianisme ardemment réaliste. Nous revenons donc avec lui, par un biais, à l'objectivité qui, Dieu merci, se retrouvera complète plus d'une fois.

5. BIOGRAPHES ET CURIEUX.

Les bonnes biographies n'allumeraient-elles pas les phares de la navigation historique en littérature ? Il ne faut pas les confondre avec les études littéraires, bien que parfois les deux genres se mêlent dans un même livre : le *Flaubert* de Thibaudet et le *France* de Michaud sont des études littéraires, tandis que *La Vie douloureuse de Baudelaire* écrite par Porché est une biographie. Le genre biographique existe probablement depuis toujours. A nous en tenir à notre temps, peut-être le premier type complet de la série actuelle a-t-il été réalisé par Adolphe Boschot avec sa trilogie : *Jeunesse d'un Romantique* (1906), *Le Crépuscule d'un Romantique* (1913) et *La Vie de Berlioz* (1920), livres de faits et de psychologie, documentés filialement et écrits avec bonheur. Quelques autres réussites se laisseraient aisément joindre à celle-là, notamment *Moussia ou la Vie et la Mort de Marie Bashkirtseff* (1926) d'Albéric Cahuet. Mais un genre envahisseur, le roman, guettait ; il a livré à la biographie, entre les deux guerres, un assaut qui pouvait la renverser. André Maurois, pour lancer une mode triomphale de *Vies*, avait fait soutenir l'opération par l'énorme crédit du roman, transposant en récit romanesque, en langage romanesque, la vie d'un poète : qui ne se rappelle le prestigieux succès d'*Ariel ou la Vie de Shelley* (1923) ? Obsédante tentation pour les imitateurs ! Ce fut un tumulte de quelques années. Une multitude de livres trompeurs parurent qui sous prétexte de biographie se jetaient dans un romanesque à panache. Ils gisent à présent dans l'oubli, la biographie a résisté finalement et même regagné de la vigueur. Maurois fut d'ailleurs le premier à réagir et ses *Aspects de la Biographie* (1928) font coïncider son but avec celui de Boschot : percer à jour le mystère personnel, déceler et embrasser la complexité du héros, éclairer son relief humain et en dégager de quoi nous exhorter, nous consoler, nous enchanter. Il est allé s'objectivant toujours plus nettement. Si *Disraeli* (1927) est encore barrésien, il n'y a plus que stricte histoire dans *Lyautey* (1931), dans *Voltaire* (1935), dans *Chateaubriand* (1937). Et tout pareillement dans *Benjamin Constant* d'Alfred Fabre-Luce (1939) ou *La Vie de Mallarmé* (1942), l'ouvrage capital du chirurgien et grand lettré Henri Mondor.

Chaque auteur ou presque ayant aujourd'hui son biographe

ou son scoliaste, ou les deux, c'est un véritable catalogue qu'il faudrait dresser. Je ne m'en donnerai pas le ridicule, pour risquer d'ailleurs d'oublier des noms d'importance. Un autre catalogue alignerait les ouvrages d'esprits curieux, aimables, que tout intéresse dans une époque ou dans plusieurs. Il ne peut être question que d'en nommer quelques-uns à titre d'exemple. A. Van Bever (1871-1927) représente à lui seul une bibliothèque, il a accumulé les renseignements dans la fameuse anthologie des *Poètes d'aujourd'hui*, composée avec Léautaud (1900 et 1929). Jules Bertaut, auteur d'études sur *La Littérature féminine d'aujourd'hui* (1909) ou *La Jeune Fille dans la Littérature française*, œuvres de finesse et de tact, a glissé de cette histoire littéraire à l'histoire des mœurs, avec *La Province française avant la Guerre* (1918), *Le Boulevard*, *Le Faubourg Saint-Germain sous la Restauration*, et il a fini par entrer dans l'histoire proprement dite avec des ouvrages qui font le point, *Le Roi bourgeois*, *La Révolution de 1848*, *Napoléon III secret*, excellents ensembles de tableaux et de croquis, de portraits et de mots. — Louis Gillet (1876-1943), de son esprit avide autant que de sa mémoire gonflée, a passionné des essais multiples de littérature, d'art et de voyage, *Lectures étrangères* (1925), *Shakespeare* (1931), *La Cathédrale de Chartres* (1929), *Dans les Montagnes sacrées* (1928), etc... — en successeur de Wyzewa, mais plus sûr que lui et plus agile que Bellessort : il était vieux Parisien extraordinairement disert et même bavard; on lui devinait de la salive plein la bouche.

6. Étrangers de langue française.

En histoire littéraire, les étrangers de langue française trouvent utilité et plaisir aux vues panoramiques. Philippe Godet est l'auteur d'une *Histoire littéraire de la Suisse française* (1890); Pierre Kohler, d'une *Littérature d'aujourd'hui dans la Suisse romande* (1924); Eugène Gilbert, des *Lettres françaises de la Belgique d'aujourd'hui* (1906), ainsi que du *Roman en France au XIX*e *siècle*; Maurice Gauchez, d'une *Histoire des Lettres françaises de Belgique* (1922) et Georges Rency, d'un livre similaire en 1926. Charles de Spoelberch de Lovenjoul (1836-1907) a spécialisé son érudition dans notre littérature romantique; mais Maurice Wilmotte (1861-1942), versé dans la littérature romane, a étendu ses études, dans quel esprit de croisade ! jusqu'à *La Tradition littéraire en France* (1909) et à *La Culture française en Belgique* (1912). On doit de remarquables travaux à Georges Doutrepont, à Albert Counson, à dix autres. Gustave Charlier, l'auteur du *Sentiment de la Nature chez les Romantiques français* (1912), de *Stendhal et ses Amis belges* (1931) et des *Aspects de Lamartine* (1937), habile à résoudre les questions d'histoire et de psychologie soulevées par *Tartufe* et par *Athalie*, a satisfait sa passion littéraire *De Ronsard à Victor Hugo* (1931), avant d'écrire un petit manuel de littérature belge qui est une merveille de richesse succincte (1938). Au Canada, Marcel Dugas, E. Seers, F. M. Jones ont accompli un travail d'exacte information.

7. Spécialistes de littératures étrangères.

Nous possédons, bien entendu, des anglicistes, des germanistes, des italianisants, des hispanisants, etc... Les sommes de Cazamian, de Legouis et de René Lalou, de Charles Andler (sur Nietzsche), de Henri Lichtenberger (sur Gœthe, Heine, Nietzsche) sont universellement utilisées, tout ainsi que celles de Félix Bertaux, de Robert d'Harcourt et de Edmond Vermeil sur l'Allemagne, de Henri Hauvette et de Jean Chuzeville sur l'Italie, de Francis de Miomandre, de Mathilde Pomès et de Jean Cassou sur l'Espagne, comme encore les travaux multiples de G.-Jean Aubry, traducteur de Conrad, les études de Floris Delattre, disciple d'Angellier, sur les Anglais modernes, et les histoires générales des différentes littératures... A.-R. Lebel s'est largement occupé de nos colonies, avec les frères Leblond, J.-J. Ithier (pour l'île Maurice), J. Valmy-Baysse et L. Morpeau (pour Haïti).

Dans un compartiment privilégié de ce vaste atelier de l'histoire littéraire, quelques universitaires travaillent à organiser la littérature comparée. Il ne s'agit pas de comparaisons créatrices entre deux littératures comme celles qui ont fait un beau livre vivant du *Roman russe* de Melchior de Vogüé, lui-même d'ailleurs romancier de *Jean d'Agrève* (1897), du *Maître de la Mer* (1903), des *Morts qui parlent* (1899). Il s'agit de reconstitutions souvent pénibles, de concordances et de filiations établies soit par de simples moyens de lecture (travail superficiel et assez vain) soit à l'aide d'enquêtes profondes et de voyages (travail difficile et rare). Il ne faut pourtant pas juger les chances de ce genre d'histoire d'après la médiocrité d'un Paul Van Tieghem; entre certaines mains et dans certains cas déterminés, il a donné des résultats. *Nietzsche en France* (1929) de Geneviève Bianquis est un livre de pensée. *Gœthe en France* (1904) de Fernand Baldensperger est une compilation utile; son *Mouvement des Idées dans l'Émigration française* (1925), dont on peut greffer la lecture sur l'*Histoire de l'Émigration* de Ernest Daudet, explore une source négligée du Romantisme, mettant au compte de cette grande aventure de politique européenne la découverte des hommes substituée à l'Homme par la relativité des coutumes, le sens du drame national à la Schiller, un sentiment nouveau comme le mal du pays, le retour à la foi par delà le philosophisme encyclopédiste. Paul Hazard avait fondé avec Baldensperger la *Revue de Littérature comparée*. Jean-Marie Carré, qui jadis entreprit chimériquement de réformer l'enseignement selon les programmes de ses « Compagnons de l'Université nouvelle », est l'auteur d'un ouvrage que son existence lui donna le droit d'intituler *Promenades sur trois Continents* (1935). En effet, il a vu l'Asie de Port-Saïd à Ceylan, il ne connaît pas seulement les éléphants de Leconte de Lisle et du jardin des Plantes, il a vu boire ceux de Katougastala; il a voyagé du Caire à la seconde cataracte comme de Bombay à Pointe-de-Galles. Parlez-moi de professeurs qui se sont ainsi aéré la cervelle ! Carré, érudit gœthéen, auteur d'une *Égypte dans la Littérature française*, familier de son compatriote Rimbaud (on lit tout de même avec un sourire ses livres trop simples sur le « poète maudit » et on leur en préférera d'autres), était désigné pour remplacer Paul Hazard dans la direction de *La Revue de Littérature comparée*. — *France et Allemagne* (1913) d'Auguste Dupouy présente un bilan fort bien fait.

8. Quelques sourciers.

J'ai voulu mettre à part et garder pour la fin le malin génie de quelques chercheurs et dénicheurs. Non pas qu'aucun historien ne détienne quelque parcelle de ce génie spécial; mais quelques-uns en sont abondamment et tout spécialement pourvus. Abel Lefranc pourrait figurer parmi eux. — Paul Crouzet s'est ingénié toute sa vie à découvrir les raretés de l'iconographie intellectuelle. Sa science, son flair, son goût en ont découvert beaucoup. Et il en illustre merveilleusement des textes d'histoire littéraire; ses *Grands Écrivains de France illustrés* jouissent de ce renouvellement par l'image. — Maurice Allem, qu'il publie l'édition de Balzac la plus complètement annotée, qu'il tienne pareille gageure pour Musset avant de rassembler une synthèse de l'homme et du poète (1940), qu'il écrive un rapport définitif sur la genèse de *Volupté* (1935), est toujours l'intellectuel actif qui pendant les premières années de l'entre-deux-guerres se dévoua à la *Minerve Française*, revue d'information littéraire, fondée par l'éditeur poète A.-P. Garnier, le même aussi qui sous le nom de Léon du Griffe donne, en fait de chroniques, quels coups de langue ! Le rapprochement imprévu mais juste, le motif longtemps cherché, l'homme désigné par les dieux et négligé par les hommes, voilà ce qu'Allem trouve avec sûreté, aisance, régularité. — Le narrateur admiratif d'*Aventuriers et Originaux* (1933), hommes aux destinées aussi invraisemblables qu'authentiques, le peintre émoustillé des *Lionnes du Second Empire* (1935), l'explorateur heureux des sources d'Alphonse Daudet, l'astucieux éditeur d'Hugues Rebell, l'érudit qui signe Auriant, a multiplié les trouvailles anecdotiques sur les lettres et les mœurs hors série. — Gérard-Gailly a écrit des romans, des nouvelles, avec une lucidité qui fait sauter de sa pointe les défauts dans le tissu humain; mais c'est en histoire littéraire que son intuition et son savoir renouvellent tout ce qu'il touche. On se rappelle qu'au sujet de Boylesve peintre de l'amour et de Boylesve écrivain, il n'a pas ménagé les surprises. C'est lui qui a identifié définitivement l'inspiratrice du grand amour de Flaubert, et l'œuvre entière, même *Salammbô*, s'en trouve éclairée au point d'émouvoir maintenant comme une œuvre nouvelle. Son portrait de *Bussy-Rabutin* a révélé un caractère magnifiquement original. Si l'état de l'édition française lui en donnait le moyen, il publierait les Lettres de la marquise de Sévigné dans leur réalité exacte que nous sommes très loin de posséder. Ce qui achève et couronne ces solidités érudites, c'est qu'elles se présentent avec l'art le plus racé. — On rêve d'une bibliothèque dans quelque pavillon au centre d'un parc, pour que la lecture puisse se prolonger en promenades et entretiens : un Pontigny tout littéraire. Elle aurait été assemblée par Abel Lefranc, Paul Crouzet, Maurice

Allem, Auriant, Gérard-Gailly, et chacun d'eux la conserverait à tour de rôle. Il faudrait alors leur adjoindre F. Chaffiol-Debillemont, le bibliophile qui fit les honneurs de combien de livres précieux aux lecteurs des *Marges* de Montfort et qui a dit tant de doctes choses dans ses *Jeux d'Ombres* (1936) en lettré qui se délecte.

9. Historiens d'art.

Pour l'art, on sait qu'il existe une histoire générale en dix-huit volumes; elle a paru de 1905 à 1929, œuvre de spécialistes émérites sous la direction magistrale d'André Michel; c'est la seule œuvre du genre. Les grandes époques ont chacune leurs historiens. Il s'agit souvent de purs érudits : Charles Perrot, Camille Enlart, Eugène Müntz, Paul Vitry. Saluons-les. Le plus grand archéologue actuel se nomme Charles Picard. Avec les trois Louis, la qualité littéraire se met de la partie : Hourticq, Réau, Hautecœur sont de bons humanistes, ils pensent leur histoire. L'histoire littéraire, dans la si brève allusion que nous faisons ici à l'histoire de l'art, ne leur adjoindra que trois autres écrivains. Disciple sage de Michelet, Émile Mâle a ressuscité *L'Art religieux du XIII*e *siècle en France* (1898), et *L'Art religieux de la Fin du Moyen Age en France* (1908). La surprise magnifique de l'œuvre d'Émile Mâle doit se situer dans la réaction contre le naturalisme et dans un épanouissement de haute spiritualité qui fait s'accorder le grand symbolisme avec nos légendes et notre nature. Tableaux, statues, monuments expriment une spiritualité, une culture, des mœurs, il faut savoir les lire et les comprendre : Mâle les a lus et compris avec une âme d'artiste et un esprit d'impeccable historien. (De ces deux moyens, Maurice Denis ne possédait que le premier pour écrire son *Histoire de l'Art religieux* en 1939, et il remplaçait le second par une idéologie.) Paul Jamot, qui résume ses nombreux travaux dans une *Introduction à l'Histoire de la Peinture* (1929-1947), a parlé des peintres de tous les temps avec une égale précision de jugement, épanouie en grande rêverie noble, souvent mélancolique. Henri Focillon, mort en exil de guerre, synthèse esthétique vivante dans *La Vie des Formes* (1934), comme on pourrait dire que Proust est une synthèse romanesque, semble mettre à l'œuvre d'Émile

Mâle le cadre de son *Art d'Occident* (1938), moins savamment spécialisé, moins nécessaire par conséquent, mais riche de dessous philosophiques. Émile Bertaux a fait ses preuves avec de beaux ouvrages sur Rome, sur l'Italie méridionale, sur Donatello. Sa hauteur de synthèse s'égale à celle de Focillon, sur qui peut-être il l'emporte par une sorte de limpidité critique. Jean Alazard, qui le reconnaît pour son maître, poursuit la construction d'une Histoire générale de l'art italien, la première en date chez nous, tout en étendant jusqu'à l'art moderne français, spécialement celui d'Ingres, ses connaissances, ses recherches, ses intuitions.

L'art de la musique se reflète dans des Histoires générales de Camille Bellaigue, J. Combarieu, René Dumesnil, Paul Landormy, E. Vuillermoz. Mais que d'historiens attachés à l'artiste de leur choix ! Louis Laloy à Rameau, Suarès à Debussy, Roland-Manuel à Ravel, Georges de Saint-Foix, continuateur de Wyzewa, à Mozart... Exemples pris entre vingt. C'est quelquefois un musicien qui s'est acquitté de ce dévouement à un aîné, tel Vincent d'Indy pour César Franck.

Le huitième art a maintenant ses historiens comme il a eu dès les premiers jours ses critiques, et ces historiens peuvent déjà nommer leurs classiques : L. Moussinac, *Naissance du Cinéma*; G. M. Coissac, *Histoire du Cinématographe de ses Origines jusqu'à nos Jours* (1925); Alexandre Arnoux, *Cinéma* (1929); G. Charensol, *Panorama du Cinéma* (1930) et *Quarante Ans de Cinéma* (1935); Maurice Bardèche et Robert Brasillach, *Histoire du Cinéma* (1935). Hollywood reçut peu d'années avant la dernière guerre deux observateurs français, Blaise Cendrars et Joseph Kessel, qui en ont rapporté leur honnête témoignage.

CHAPITRE VI

MÉMOIRES, SOUVENIRS
ET JOURNAUX INTIMES

L'évocation du passé par l'homme qui l'a vécu, ce passé endormi qu'il réveille soudain, possède un pouvoir d'enchantement; elle donne peut-être aussi le plaisir assez pervers de l'indiscrétion, de la complicité rétrospective.

L'évocation prend des formes diverses. Les Mémoires et Souvenirs présentent un intérêt de composition et une garantie de recul; non pas le journal intime, mais il offre en revanche le piquant de l'au jour le jour, du détail saisi; et il flatte lui aussi une perversité, celle de la confession imprévue Tout compte fait, le Journal rejoindra ici les Mémoires. Tenons-le pour des Mémoires anticipés. Ni plus ni moins véridiques après tout, et de même valeur à peu près que les correspondances. Ni plus ni moins nécessaires à l'histoire de la littérature et de l'esprit public, pourvu, bien entendu, qu'on utilise tous ces témoignages avec précaution.

Alphonse Daudet et ses *Souvenirs d'un Homme de Lettres*, Henri Becque et ses *Souvenirs d'un Auteur dramatique*, Sarcey et les siens « d'âge mûr », remontent à des années antérieures à la période qui nous occupe; les souvenirs de Léon Daudet, de Francis Jammes, de Fernand Vandérem ont été signalés à leur place. Quelques autres poètes et romanciers, Robert de Montesquiou (*Les Pas effacés*, 1923), Gustave Guiches (*Au Banquet de la Vie*, 1932), Mme de Noailles (*Le Livre de ma Vie*, 1932), et les princes du théâtre — Antoine (1922), Lugné-Poe (1933), Jacques Copeau (1931) — ayant ajouté leurs Mémoires à une œuvre de création littéraire ou d'animation dramatique, se trouveront portés surtout par elle à l'avenir.

Mais pour quelques-uns restés au bord de la grande activité créatrice, les Mémoires constituent l'œuvre ou l'essentiel de l'œuvre. Deux auteurs à ce point de vue s'imposent, que les années et la diversité de l'objet séparent et opposent, mais qui n'en serviront que mieux d'exemples pour cette curieuse lanterne dans laquelle les témoins d'un monde s'enferment pour un jour à le faire revivre. Les voici :

Robert de Bonnières a laissé trois volumes de *Mémoires d'aujourd'hui* trop peu lus, « remarquables par la force de l'esprit », a dit Daniel Halévy. Bonnières et sa femme, snobs intelligents et généreux, s'appliquaient à appeler l'attention, elle dans son salon de l'avenue de Villars, lui dans ses articles du *Figaro*, sur les artistes et les écrivains qu'ils avaient découverts : Henri de Régnier, Pierre Louÿs, Barrès, Gide leur doivent beaucoup. Sur un autre versant de la littérature et de la vie parisienne, Brousson est à fréquenter. La verve de Jean-Jacques Brousson jaillit d'un savoir abondant : d'où tant de chroniques distribuées aux journaux, aussi robustes qu'éblouissantes, mais d'autres qui s'abattent en déluges de mots, d'autres encore qui se perdent dans un labyrinthe d'érudition. Il arrive qu'une fantaisie galante, voire polissonne, s'en mêle. Ce fut beaucoup de talent gaspillé chaque semaine, et Brousson avait certainement mieux à faire; *Les Dames de Sauve*, ce court cahier, donne l'idée exquise des souvenirs d'enfance qu'il fait depuis longtemps espérer sous le titre de *La Bête à Bon Dieu*; il a dispersé des contes de « la langue d'ail » qui sont d'un homme capable de faire sa cuisine et d'en régaler ses amis. Enfin, qui dit Brousson dit l'*Anatole France en Pantoufles* (1924) et l'*Itinéraire de Paris à Buenos-Ayres* (1927). Il se peut que ces livres soient nés d'une indélicatesse, mais ils auront longue vie. Ils représentent un vieillard cynique, mais le font parler en grand esprit. Le secrétaire possédait-il donc une prodigieuse mémoire ? A-t-il servi d'écho fidèle au maître, jusqu'au point de ne pouvoir ensuite penser qu'en perroquet ? Ou bien, au contraire, est-ce lui qui plus d'une fois a produit pour le maître, dans l'ombre ? Le problème se pose.

Sur les confins de la littérature et de l'histoire non plus littéraire mais générale, abandonnons à cette histoire les Poincaré, les Joffre, les Foch, de même que le Clemenceau et le Briand de leurs confidents Jean Martet ou Georges

Suarez. Faisons de même pour les bons écrivains militaires dont se serviront les futurs historiens de l'armée : un général Weygand, un général de Gaulle. Mais retenons ici, en revanche, tel militant, obscur dans l'histoire qu'il aura contribué à faire, et qui n'est plus qu'écrivain. C'est bien le cas de Maxime Vuillaume dans *Mes Cahiers rouges* (1908-1913), dont René Lalou a raison de recommander le témoignage pour l'histoire de l'idéal révolutionnaire. Je nomme à mon tour Henry de Bruchard, descendant des seigneurs limousins, fils d'officier, et qui mit ses vertus chevaleresques au service de la cause dreyfusienne; cela lui a permis ensuite de raconter ses déceptions dans *Petits Mémoires du Temps de la Ligue* (1912), au talent tumultueux. — Il y a des jugements tranquilles au contraire, accompagnés d'anecdotes indiscrètes dans les souvenirs du romancier Marcel Barrière, sur l'ancien prétendant Philippe d'Orléans, sur Mme Lebaudy et les milieux de la « Patrie française », sur *Guillaume II et son Temps* (1937). — Hier encore, Louis Dimier, auteur d'un classique *Primatice* et d'études sur Descartes, Bossuet, Buffon, qui révèlent un original, adversaire du *Nationalisme littéraire* (1935) et dénonciateur de *L'Évolution contre l'Esprit* (1939) dans des livres d'ailleurs en porte-à-faux sur un mélange d'érudition et de loufoquerie, laissait des Souvenirs pleins d'ironique amertume sur les milieux politiques qu'il avait traversés. — Ferdinand Bac, écrivain et peintre, historien de l'époque napoléonienne, et d'ailleurs Napoléonide, a écrit des « intimités » très remarquables, tellement « archives vivantes » que Louis Barthou résumait ses impressions de lecture par ces mots : « pêche miraculeuse ». *La Cour des Tuileries*, la comédie, les femmes, les poètes et les artistes du temps revivent là comme par évocation. — Élisabeth de Gramont dans ses *Souvenirs* qui vont d'*Au Temps des Équipages* à *Clair de Lune et Taxi-Auto* (celui-ci en 1932) ironise sur la haute société parisienne avec verve et verdeur. — Lucien Corpechot vaut beaucoup mieux que le livre écrit pour célébrer les jardins de Le Nôtre et qu'il a malencontreusement intitulé *Les Jardins de l'Intelligence*. Il appartenait à ce journalisme qui communique de plain-pied avec les salons comme avec les bibliothèques; il l'a servi toute sa vie (1871-1944) par des chroniques dans lesquelles il disait sa fidélité à une délicatesse supérieure de l'esprit, sa volonté de résister aux sauvageries de la nature et aux duperies du sentiment sans contrôle. Ses *Souvenirs d'un Journaliste* (1936-1938) peignent un Marchand et d'autres héros des campagnes africaines, plusieurs écrivains (Mme de Noailles, Barrès, Proust, Henri de Régnier, Rostand, Paul Adam) et les créateurs des ballets russes. Autour d'eux, derrière eux, cent personnages entretiennent le mouvement dans cet ouvrage qui souligne malgré lui, à chaque page, la ruine d'une société dont il aura fixé de grands traits.

Pour le Journal intime, le livre célèbre de Jules Renard, celui d'André Gide plaident évidemment. Le livre de Pierre Louÿs donne à peu près les mêmes plaisirs et les mêmes déceptions que le reste de son œuvre, mais le monde littéraire s'y reflète par places (1887-1892). — J.-E. Blanche a usé des Mémoires et du Journal. *Les Cahiers d'un Artiste* (1914-1917) comme *Mes Modèles* (1928) ne se contentent pas de faire connaître les salons ; de grands courants vinrent battre l'atelier du peintre, et *Aymeris* (1922), roman d'apparence, est en réalité un tableau quasi historique de la fin d'une société, il a les couleurs tantôt de *Paludes* et tantôt d'*A la Recherche du Temps perdu.*

La catégorie du Journal intime aura Alfred Fabre-Luce pour représenter moins la politique que la critique de l'esprit public. Dans le cadre du roman et sous le pseudonyme de Jacques Sindral, ce cérébral dont le pessimisme va jusqu'à détester la vie, n'avait point réussi. Il a été plus heureux dans ses carnets d'observateur européen et mondial : *Locarno sans Rêve*, *Russie* (1927), *A quoi rêve le Monde* (1931). Cependant il n'abandonnait point son *Journal intime* d'égotiste et quand la tragédie nationale de la défaite eut transformé ce *Journal* en *Journal de la France*, soudain s'est révélé sous l'aiguillon de la colère rentrée, à la lumière d'une intelligence perçante de près, hésitante de loin, un annaliste d'impressionnant lignage.

POSTFACE

Il fallait bien nous fixer un terme. Mais le terme choisi, 1940, qu'il apparaît déjà lointain ! Il nous enlève beaucoup d'auteurs qui n'avaient encore rien publié à cette date et qui jouissent maintenant d'une réputation.

Si lointain, en même temps si proche ! Car le jugement sur les morts lui seul accepte un point final : trop d'écrivains restent capables jusqu'au bout, ou de corser l'idée qu'on s'était faite d'eux, ou de la bouleverser. Blaise Cendrars qui appartient au temps d'Apollinaire et fut peut-être son entraîneur, publiant en 1948 *Bourlinguer*, s'y montre plus universellement renseigné que jamais et plus forcené buveur de vie. Pierre Reverdy, hier prestidigitateur d'images, publie aujourd'hui ses souvenirs, *Le Livre de mon Bord*, et s'y révèle moraliste aigu. Henri Michaux, ayant vu mourir au printemps de l'an passé sa jeune femme atrocement brûlée, publiait à l'automne un poème où ne se retrouve plus l'humoriste de lanterne magique, mais à sa place un lyrique simple, vrai, poignant.

Bien d'autres exemples de pareils rebondissements et renversements assiègent l'esprit. Raison de plus sans doute pour qu'en refermant ce second tome bourré de noms et de titres, le lecteur demande : — Pourquoi avoir brossé le tableau d'un passé encore mêlé à notre présent et qui par conséquent se prêtait mal aux contours nets, aux perspectives, aux tris, aux classements ? Je répondrai que le tome premier s'ouvrait sur un souhait et que ce souhait résume l'ambition de tout l'ouvrage : introduire à la littérature d'aujourd'hui et servir sa diffusion. Or n'est-ce pas travailler à le réaliser que d'aider nos contemporains non seulement à repenser et à revivre l'essentiel de ce qui fut écrit de 1885 à 1914, mais ensuite à se reconnaître à peu près dans l'abondance touffue et désordonnée de 1918 à 1939 ? Le public ne déteste pas, dans une contrée qui le désoriente quelque peu, l'aide de poteaux indicateurs; il accepte même un guide. Eh bien, voilà des poteaux plantés, des fourrés éclaircis, des itinéraires étudiés.

Pas assez de déblaiement, dira-t-on encore ? Trop d'écrivains au rendez-vous ?... Comme si l'histoire ne devait pas se défendre contre sa propre obligation d'oubli ! Comme si le temps du juste et définitif dénombrement était venu ! En l'attendant, rendons service. Même si le siècle devait, avant trente ans, livrer à la poussière sa bibliothèque, on la fréquente, n'est-ce pas ? On se félicitera, j'espère, que quelqu'un y ait introduit de l'ordre et de la commodité, plutôt qu'une hâte à exclure, aussi imprudente qu'arbitraire, et même que, profitant de l'occasion, il ait cherché à reclasser quelques valeurs méconnues avec indifférence ou rejetées avec désinvolture.

La voilà donc, cette littérature contemporaine. L'histoire achevée confirme ce qu'elle promettait en commençant. La littérature française de notre temps n'est pas que brillante abondance; elle a produit des chefs-d'œuvre, grands et petits; elle est l'honneur, elle est un soutien de la nation, elle est une part du capital universel. Elle est entrée dans toutes les possibilités, elle contient toutes les oppositions. Qu'a-t-elle cherché ? De quoi s'est-elle satisfaite ? Que prétend-elle dans son ensemble ? Où va-t-elle ?

On sait d'où elle vient, par où elle est passée. Elle a vécu la révolution symboliste. Nous avons donc décrit le Symbolisme, nous l'avons suivi, le long de deux volumes, dans ses conséquences et dans ses risques. Nous en avons montré en quelque sorte l'endroit, c'est-à-dire les œuvres magistrales d'une première génération, celle de Verlaine et de Mallarmé, puis d'une seconde, celle de Valéry, de Gide et de Proust, qu'un monde inconnu et comme retrouvé semble avoir dépêché en représentants à notre acquis civilisé. Nous en avons montré aussi l'envers : c'est la renaissance indéfinie des risques révolutionnaires qui se sont appelés Jarry et Dada, Cubisme et Surréalisme.

La révolution dans le langage a eu ses chefs habiles et ses victoires, elle a eu aussi ses têtes brûlées. Des entrepreneurs de subversion, pour fixer leurs nouveautés, ont cru nécessaire d'inventer un système d'expression complètement inédit. Or ils avaient ainsi à lutter sur deux fronts, le front social et le front de pensée ou de sentiment; ils étaient donc battus d'avance : peut-être une impuissance inquiète, présomptueuse et révoltée les destinait-elle au sacrifice. Toujours est-il qu'ils tâtonnent dans les puzzles de leur vers-prose, que ne soulève plus aucun chant, et qu'ils étouffent dans leur prose que clôt trop souvent l'inintelligibilité. Mais, à vrai dire, le Symbolisme tout entier n'a-t-il pas voulu coïncider avec l'étrangeté analogique et métaphorique ? et celle-ci n'a-t-elle pas débordé sur le reste des lettres ? Si la prose proprement symboliste en est morte dans sa prime jeunesse, de moindres accidents sont ensuite survenus dans les alentours. Quelle assurance possède Claudel de n'avoir pas de comptes à rendre à nos neveux pour la machinerie compliquée et lourde de son style ? Quel roman de Giraudoux et même quelle pièce de son théâtre échappe aux maux de la préciosité ? Il n'est pas jusqu'à Colette que sa peur d'écrire comme tout le monde n'expose aux futures représailles du naturel.

Voilà les risques de la forme et de l'expression; d'autres s'étendent à toute l'invention. On peut dire que depuis un demi-siècle, et surtout entre les deux dernières guerres, les grands réalisateurs, absorbés et garantis par leur puissance de réalisation, ont eu à supporter constamment auprès d'eux une littérature de pure recherche, une poésie et une prose de laboratoire. Le plus clair résultat, c'est que la notion de beauté a chaviré, dans l'esprit des chercheurs les plus aventureux; ils ne se sont plus souciés d'esthétique ni d'accomplissement, mais de témoignages, d'essais, de moments. La vie actuelle les y aura malheureusement exhortés. L'idée que tout est possible et que le réel est tout ce qu'on veut se rattache-t-elle aux aspects nouveaux de la relativité ? De là, en tout cas, elle coule dans les esprits par distillation, tandis qu'elle fait invasion par larges brèches quand la favorisent cinéma, radio, aviation. Par surcroît, un chantage s'est exercé sur le public snob ou passif (avez-vous peur du neuf, êtes-vous hors d'état de le comprendre ?) pour essayer d'imposer le pire. Et l'on utilisa le prestige des maîtres. Est-ce cela que pourraient avoir voulu Nerval, Baudelaire, Villiers, Mallarmé ? Est-ce à cela que peuvent consentir les Gide, les Proust, les Valéry ? Évidemment non. Ils sont maintenant nos classiques. Entre les thèses que se verra présenter la Sorbonne dans les années qui viennent, espérons, imaginons celle qui osera le partage entre l'Apollinaire chimérique ou mystificateur des vaines inventions et l'Apollinaire des belles chansons déchirantes.

La plus profonde conquête des pionniers symbolistes s'appelle l'Inconscient. Ils ont découvert cet aspect nouveau de l'antique fatalité, ce domaine qui communique peut-être avec le divin; et les meilleurs, de Laforgue à Proust, y ont régné. Dans presque toute la littérature contemporaine les trésors déterrés par eux ont porté l'enrichissement. Mais de ce côté aussi les risques guettent. Nous voilà aux frontières de l'humain, en arrêt devant les mystères qui font espérer un accès à la sur-nature. Que va-t-il se passer ? Tentative sera-t-elle faite de franchir les frontières ? L'ardeur des grands mystiques que d'autres pays et d'autres époques connurent, attendait-elle cette heure pour devenir française ? Sera-ce la marche vers l'interprétation souveraine de tout ?... J'écarte quelques sorciers qui, s'emparant du tremblement devant l'inconnu, l'enténèbrent de nuit, de sadisme, de satanisme; je ne pense qu'aux merveilleuses promesses de Nerval et de sa suite, aux aspirations du grand Symbolisme. Qu'on l'avoue, il n'a réalisé que par tangente le suprême dessein formé en théorie et jamais accompli en œuvre notamment chez Arthur Rimbaud.

Les extases de l'Inde l'ont un moment tenté; mais les Français y sont impropres. Alors, c'était fatal : incapable d'ouvrir par lui-même à la connaissance un au-delà et demeuré métaphorique, voulant malgré tout inscrire à son compte une re-création, une révélation de la vraie vie, le Symbolisme de la seconde génération a versé son ambition dans un moule qui préexistait et dans lequel se pouvaient réaliser d'intéressants mélanges. Ayant donc rencontré Claudel, il a requis sa poésie cosmique, son théâtre vaste comme la terre, de ressusciter la catholicité de Dante et de Saint Thomas. Claudel aura composé des ouvrages admirables; et c'est assurément très heureux qu'il ait renoncé à la voie de l'irrationnel intégral. Loué soit-il d'avoir préféré quelque chose au silence de Rimbaud, à l'individualisme désespéré de Lautréamont, à toutes les négations que devaient reprendre avec monotonie, entre les deux guerres, fanatiques et opportunistes d'un prétendu « esprit moderne »; loué soit-il enfin d'être remonté de l'obscur inconscient à la franche lumière mystique ! Mais nous constatons l'abandon d'une entreprise, la répétition sous une forme nouvelle de l'échec du premier Symbolisme. Valéry, lui, en alliance avec toutes sortes de traditions dans son art, mais seul à poursuivre droit devant lui par l'esprit la route d'ailleurs singulièrement cérébrale qui va dans la direction de la pure unité, s'est vu arrêté net et pris dans le nihilisme où Proust et Gide devaient le rejoindre.

Bref, le Symbolisme n'a pas refait par miracle au vingtième siècle l'unité idéale de la vie, cette unité que ses dévots prêtent à notre Moyen Age, puis au romantisme allemand, et toujours empêchée, prétendent-ils, par l'intelligence classique. Ses réussites françaises, essentiellement littéraires, existent dans la proportion de leurs compromis avec d'anciennes coutumes de la pensée et de l'art. On peut parier que la littérature symboliste survivra grâce à ceux que j'appelais plus haut nos classiques, et près desquels se range Jammes, — ainsi que Claudel, si son langage ne s'y oppose point — : parce que leurs œuvres sont synthétiques. On se rappelle, d'autre part, Péguy marchant dans une direction parfois parallèle à celle de Claudel, Péguy célébrant les mystères, s'enivrant l'imagination d'incarnation chrétienne. Celui-là, qui laisse une des deux ou trois plus grandes œuvres du siècle, jamais le Symbolisme ne l'a touché. Et de ce fait, échappe au Symbolisme toute une re-christianisation de la littérature actuelle.

Au surplus, le mouvement symboliste des deux générations ressemble au fleuve qui traverse un lac et s'y mêle; le lac, c'est la masse de littérature traditionnelle, et d'autres cours d'eau le traversent également. Y a-t-il d'ailleurs tradition pure et simple, dès qu'il y a valeur ? Est-ce qu'on ne voit pas la tradition vivre, s'amplifier, se transformer ? La tradition française de nos jours a absorbé notamment une bonne part de romantisme européen. Un Barrès, un Romain Rolland, un Cassou, un Arnoux, pourtant si différents entre eux, en sont témoins; elle s'est prêtée à l'assimilation du Symbolisme, les témoins ne manquent pas, ce livre-ci en a évoqué le défilé; elle s'est répandue dans l'espace, portée par la science et l'industrie : la tradition, par Larbaud, Morand et bien d'autres, a été jusqu'à opérer sa jonction avec le modernisme, elle a rapporté des épices comme les grands navires.

Savoureuse générosité de la littérature traditionnelle ! Elle ne suffit pourtant pas. Pour que la vie littéraire s'échauffe et poursuive le mouvement en avant, il faut qu'à la virulence iconoclaste d'autres virulences s'opposent. L'émulation des virulences nous a-t-elle fait défaut ? Oh, que non ! Comptons-les : virulence chrétienne, d'un christianisme de paradis perdu et de passion, qui fait éclater ses éclairs en Bloy, en Mauriac, en Bernanos; virulence sociale, de Rosny aux prolétariens, intensifiée de philosophie explosive chez Sartre; virulence de raison païenne et d'ordre romain représentée par Maurras et les maurrassiens; virulence de terroir qui réunit André Mary à Paul Fort; virulence rustique qui s'en est donné à cœur joie dans les bucoliques de Jammes et dans les « grandes géorgiques »; virulence héroïque née avec Péguy, courant à travers Malraux, Saint-Exupéry; virulence du jeu et du plaisir, avec ses roses pourpres chez Henri de Régnier, d'autres fleurs chez Toulet, chez Marsan; virulence du rêve et de la rêverie, qui a ses responsables en Alain-Fournier, en Clermont, en maintes romancières. Oublierais-je la virulence de l'esprit, France et sa descendance ? Que de pointes aiguisées... Mais que dire d'un si vaste et étincelant tumulte littéraire ? J'ai essayé de comprendre ses intentions, de mettre en valeur ses réussites qui sont d'un intérêt passionnant et glorieux. Qui l'amènera, ce beau tumulte, à des confrontations mutuelles dans un esprit de vérité humaine et d'analyse exacte ?

Car voici qu'entre les virulences, et sans qu'on puisse la confondre avec les habitudes traditionnelles parce qu'elle exige un talent plus rare, il y a une constante éternellement jeune qui brille, une vertu supérieure de notre lignage, le don psychologique des analyses exactes. Don de moralistes. Les Français le sont jusque dans la poésie quand ils se nomment Racine ou Baudelaire. Ils le sont dans le roman et au théâtre, avec cette attitude antiromantique qui fait toucher le roman à l'essai et dont un Chardonne réalise la merveille. Est-il besoin de citer Jules Renard, Boylesve, Jouhandeau ?

Inutile de rappeler les émules de Gide et de Colette. Et le génie des analyses exactes accepterait, je crois, de considérer comme parent un certain réalisme essentiel — décanté par la volonté chez Roger Martin du Gard, par le goût sensible chez Duhamel, par l'intelligence chez Romains, par la solitude méditative chez Jacques de Lacretelle.

Si la littérature française est morale avec éclat de Bergson à Péguy et à Claudel, une autre sorte de valeur morale, involontaire et indirecte, sort de ce génie-là et de son expérience, par conséquent d'une partie importante de notre production. Certes, du nihilisme de Valéry, de Proust et de Gide se répand une influence dissolvante dont Gide seul se gare personnellement grâce à la joie positive de son paganisme nietzschéen, mais à laquelle il laisse beaucoup d'admirateurs exposés par sa leçon de jouissance et d'orgueil. Encore de tels écrivains incarnent-ils une haute vertu par leur individualité même. Dans ces têtes privilégiées un travail se fait, conduit par une culture parfaitement acceptée. Cela est si vrai qu'à l'action des forces de désintégration et d'éclatement libérées dans la psychologie par le forage moderne, elles ont entraîné l'art à dresser une force contraire de discipline et de maîtrise. L'art de Valéry et de Proust, l'art de Gide, comme celui de Verlaine et de Mallarmé, a travaillé à préserver ou à rebâtir une cité que leur pensée ou leur inspiration était née pour détruire. L'art devient ainsi une sorte d'ascèse, un effort pour le salut. Gide a fait pénétrer jusque dans l'esthétique l'éloge religieux de la contrainte. Admirons là, dans un de ses derniers effets, l'attitude de Baudelaire, la critique intégrée dans la création.

C'est précisément parce que la période d'entre-deux-guerres n'a plus compté assez de fortes personnalités qu'elle a pu décevoir, comme déçoit déjà la nouvelle après-guerre lorsqu'on la compare à l'ancienne. En effet, Colette, Claudel, Valéry, Proust, Halévy, Bremond, Benda, etc... appartiennent par leur esprit et leur art aux années d'avant Quatorze, et Gide lui-même, qui devait passer ensuite par des métamorphoses. Les arts plastiques présentent une situation analogue...

Toutefois qu'on prenne garde, n'y aurait-il pas balancement, croix et pile de la médaille ? Mauriac et Giraudoux, Duhamel et Romains, ont commencé sur les confins des deux périodes, et dans laquelle se formèrent-ils ? Mais quoi ! Ils ont construit, écrit, publié dans la seconde. L'effort de philosophie aussi prend place parmi les efforts que Quatorze avait interrompus, du moins si on le fait partir de Bergson, d'Henri Poincaré et de Blondel; mais les philosophes du jour appartiennent à l'entre-deux-guerres, moindres vedettes que naguère Bergson, il est vrai, mais quelques-uns de pensée féconde. Au tour du balancement inverse. On sait le drame de la poésie; de beaux poètes chantent, mais aucun n'entraîne le siècle, parce qu'aucun n'est assez fort; la poésie des vers entre en sommeil; et il devient probable que la poésie la plus valable se prépare chez quelque prosateur, philosophe, métaphysicien. Louis Lavelle, dans la mesure peut-être de sa sympathie franciscaine, faillit plus d'une fois passer le seuil de la prose. Et pourquoi le grand poète de demain ne serait-il pas un savant, vrai voleur de feu, par exemple Louis de Broglie ?

On voudrait que « Grandes chroniques » et « Grandes géorgiques » ne fassent pas penser à un legs de l'époque, au testament du Roman. Est-il vrai qu'une subtile dévaluation se glisse dans le genre romanesque ? Se peut-il qu'une conjonction d'écriture hâtive, de sollicitation marchande, de goût public pour la distraction facile et de bouche ouverte aux messages venus de la lune politique, cause finalement des dégâts irréparables ? C'est prétendre voir bien loin. Aujourd'hui le roman ne se porte pas mal, nous nous y promenons comme dans un palais des mille et une nuits. Et pour demain, est-ce que le succès d'œuvres aussi diverses que celles de Paul Vialar, de Jacques Perret, de Hervé Bazin ne peut pas donner confiance ?

Quant aux critiques et essayistes, beaucoup ont montré ce que la France possède encore de savoir, de culture et de raison. Ils auront été peu nombreux à déserter leur poste par complaisance ou perversion. Ils avaient perdu de leur pouvoir, ils en reprennent, et il n'est que temps. On comprend que la critique, et plus encore l'histoire littéraire, veuillent survoler de haut la mêlée des doctrines et des œuvres. La critique n'a cependant pas à rester neutre en face de petites féodalités qui, si elles se fortifiaient, démoraliseraient la république des lettres en y mettant fin à la liberté.

Pour l'influence étrangère, en voit-on actuellement une qui compte, hors de la politique ? Plus de grande pensée, plus de nouvel art, dans le monde.

Le théâtre a connu le bonheur. Claudel l'a tenu plus de trente années comme entre ses deux genoux. Des animateurs de la scène ont communié avec des dramaturges dans une poésie. Et peut-être une loi des choses donne-t-elle un regain à l'art du haut spectacle et de la distraction violente dans les saisons de catastrophe... Or remarquons bien que le théâtre est le lieu par excellence où l'on propose des solutions aux problèmes du jour, soit par la poésie, soit par la dialectique. On dirait que tout s'oriente dans ce sens-là. Notre littérature veut-elle devenir une littérature à problèmes ? Il y a un petit Hegel aujourd'hui dans tant de livres ! De la poésie au roman et à la philosophie, les disciplines et les genres glissent les uns dans les autres et montent vers la métaphysique, au risque de la voir au bout du compte se dissoudre en eux sous forme de vaine idéologie.

Est-ce libération de l'espèce ? Est-ce remâchement du prisonnier dans sa prison ? Nous sommes tous prisonniers, non seulement de la condition humaine, mais des organisations collectives et de l'État. Il y a écrasement chaque jour plus fort de l'humain. L'homme rentre tout entier dans l'histoire. Et nous n'avons guère d'esprit public, parce qu'un esprit public a besoin de fortes assises dans la société. Si les corps de l'État existent toujours, si les différents mondes qui se partagent le pays entretiennent des rapports entre eux, si nous gardons une chance de cohésion dans la sensibilité propre à notre patrie, il est tout de même une chose évidente : c'est que les écrivains ne savent plus pour qui ils écrivent. Le spectacle ne serait-il pas tragique d'une société qui laisserait se creuser des gouffres de solitude découragée ou farouche ?

Ne perdons cependant pas confiance. Les écrivains de l'entre-deux-guerres ont montré, on le voit, pas mal de courage. Il faut espérer que les survivants, quelques-uns jeunes encore, n'ont pas épuisé leur provision.

INDEX DES NOMS CITÉS

DANS LE TOME SECOND

Addenda :

TABLE DES MATIÈRES

DEUXIÈME PARTIE

LA LITTÉRATURE DE L'ENTRE-DEUX-GUERRES

TROISIÈME PARTIE

UN DEMI-SIÈCLE DE PHILOSOPHIE DE CRITIQUE ET D'HISTOIRE

ACHEVÉ D'IMPRIMER SUR LES
PRESSES DE L'IMPRIMERIE
DARANTIERE A DIJON, LE
TRENTE JUIN M.CM.CIII

N° d'édition 1819
Dépôt légal 1947 et 3e trimestre 1953

194